山西省房地产业协会　编

山西省房地产年鉴

SHAN XI PROVINCE REAL ESTATE ALMANCE

2012

中国国际新闻出版社

二〇一二年十一月

山西房地产年鉴2012

编者：山西省房地产业协会

责任编辑：关生唐

出版：中国国际新闻出版社
（北京市朝阳区裕民路12号元辰鑫大厦E1座）
网址：http://www.gjxwcb.cn
电话：010-51455165
发行：中国国际新闻出版社发行部
印刷：郑州飞凰印务有限公司
开本：210×285　1/16
印次：2013年3月月第一版 2013年3月月第一次印刷
版次：2013年3月
书号：ISBN978-988-99847-7-9
定价：289.00元

前　言

2011 年是“十二五”开局之年，是山西省房地产业持续快速健康发展的一年。一年来，我省着力推进保障性住房建设，坚定不移地贯彻国家房地产市场调控政策，实现了房地产开发投资和商品住房施工面积平稳增长，商品住房销售面积基本稳定，商品住房销售价格稳中有降。保障性住房建设和完成投资实现历史最好水平，走在了全国前列。全省房地产业呈现出平稳健康发展态势，在扩大内需、促进消费、拉动投资、改善居民居住条件方面发挥了重要的作用。

为了客观如实地实录我省房地产业发展情况，更好地为政府决策服务、为行业发展服务、为会员单位服务，并为社会各界全面提供我省房地产市场信息，山西省房地产业协会在编纂《山西省房地产年鉴 2011》的基础上，总结经验，编纂了《山西省房地产年鉴 2012》。

《山西省房地产年鉴 2012》共分领导讲话、工作报告、分析研究报告、产业发展报告、市场运行监测报告、政策法规、统计资料和附录 8 大部分，并收录了山西省房地产业协会第三次会员代表大会的文件和会员名录，比较全面地反映了我省 2011 年房地产业发展和房地产市场运行情况，为行业及相关机构人士提供一个了解和把握山西省房地产市场发展脉搏的重要参考工具。

《山西省房地产年鉴 2012》在编纂过程中得到省住房和城乡建设厅、省统计局、省国土资源厅的指导和支持。省住房和城乡建设厅、省统计局的有关处室，省土地学会、中房信息集团太原机构和各市住房保障和城乡建设局（委）、房产管理局、房地产业协会（房地产开发协会）等为年鉴提供了大量的文稿资料，我们谨表示衷心感谢。

《年鉴》内容涉及面广，专业性强，一些数据由于来源不同也不尽一致，诸多问题还在探索之中。更由于我们经验不足，水平有限，《年鉴》难免存在一定的局限和不足，恳请读者在使用之中给予谅解和批评指正，以便在今后的编纂工作中加以改进。

二〇一二年十一月

ANNUAL 2012年

祁跃华　孟玉金　陈瑞廷　张　恺　张明雄　杨金明　韩建宏　马金生
乔建峰　张志刚　卫慧明　万福生　张银锁　孙国太　董建国　马龙江
刘　瑜　俞应华　徐　博　马红山　秦英广　王志萍　牛焕德　吕高峰
张　陆　仝喜才　张　琦　杜寅年　张辉世　李道俞　许毛青　陈美善
张松林　张建国　王永生　杨雷平　马　林　赵岗飞　贾保峰　张天年
张文德　原怀堂　李志峰　程反清　赵玉喜　马剑宏　刘忠义　关小强
李晋生　赵爱忠　靳光明　张　军　郑艳宁　郭斯逸　张培龙　柳汝立
刘智强　卫长义　张　波　孙群胜　周丽萍　徐琪昌　赵牛江　苗　鑫
李连杰　朱　乐　宋志刚　师进军　刘秀龙　李　杰　任永平　吴建功
高驰凯　张阴盛　邢建明　马小平

鸣谢单位

大同市房产管理局
长治市住房保障和城乡建设管理局
朔州市住房保障和城乡建设管理局
运城市住房保障和城乡建设管理局
太原市房地产业协会
大同市房地产业和物业管理协会
长治市房地产业协会
朔州市房地产业协会
运城市房地产业协会
临汾市房地产业协会
阳泉市住房保障和城乡建设管理局
晋城市住房保障和城乡建设管理局
晋中市住房保障和城乡建设管理局
吕梁市住房保障和城乡建设管理局
太原市房地产开发协会
阳泉市房地产业协会
晋城市房地产业协会
晋中市房地产业协会
忻州市房地产业协会

山西奥龙德房地产开发有限公司
山西丽华房地产开发有限公司
山西鑫隆房地产开发有限公司
长治市晋苑房地产开发有限公司
山西晋建房地产开发有限公司
山西广鑫房地产开发有限公司
长治市容海房地产开发有限公司

省委常委、副省长高建民视察保障性住房建设工地

省委常委、副省长高建民视察保障性住房项目

时任厅党组书记、厅长王国正与厅领导班子成员
参加主题教育活动

时任厅党组书记、厅长王国正和厅巡视员张立光考察村镇建设

时任厅党组成员、副厅长任在刚考察保障性住房建设项目

厅党组书记、厅长李俊明考察房地产市场

厅党组成员、副厅长闫晨曦考察城镇保障性住房建设项目

厅党组成员、副厅长闫晨曦，厅党组成员、副厅长郭燕平，厅党组成员、省工务局局长赵友亭，厅副巡视员路长青考察重点工程

厅党组成员、纪检组长郝耀平带领市机关干部参观廉政教育展览

厅党组成员、副厅长郭燕平考察保障性住房建设项目

厅党组成员、总工程师郝培亮考察农村危房改造工程

厅党组成员、总规划师李锦生考察百镇建设工程

厅巡视员赵建宏考察重点工程

厅副巡视员刘继承考察重点工程建设项目

厅副巡视员郝增元考察住宅建筑节能技术

厅副巡视员刘玉坤考察建筑节能产品生产线

香檀一号
打造中国高品质住宅典范

香檀一号于滨河东路，以8栋备受尊崇的Art Deco建筑，在整个园区呈包容围合的态势，考量建筑、文化、自然与人的终极关联，阅尽龙城大街的繁荣景象，坐阵城市的中轴核心，以罕见的壮美景观、奢适空间和人性化的服务，提炼人居的高贵与雍容，打造25万m^2专属晋英领袖的尊荣府邸。

滨河东路，龙城大街，城市中轴核心

香檀一号延龙城大街由西向东集结生态商务区、核心商业区、综合服务区和空港物流园区，剑指滨河东路，盘踞太原财智人物的巅峰版图，企及太原主城区、汾东新区、机场以及晋中市，定位城市的中轴核心。

城市体育休闲公园、滨河公园、龙城公园、晋阳湖公园，环抱一座庭院

香檀一号被集体育运动、休闲娱乐、人文生态为一体的城市体育休闲公园，占据汾河畔罕见绿地资源的开放式公园，囊括400亩山水意趣的龙城公园，润泽华北地区最大的人工湖—晋阳湖公园簇拥。同时，零距离垂直300亩果岭，收敛绿野，依水而卧，体验阳光、草地、湖泊与高尔夫的乐趣。

Art Deco建筑艺术典范，原石考工，精研细作

香檀一号将高级定制的操作手法复制于Art Deco建筑材料中，不惜高造价，通过带有强烈金属质感的雕件堆积居住者的财富；深入地下千米石井地矿，采集罕世的锈石，整块石材精准切割、雕刻，用于外墙干挂，赋予建筑经世致用的价值。

世界三大园林精粹，异国红枫助阵，打造五重立体园林阵容

香檀一号跨越太平洋，于美国东海岸精挑细选红枫树种，将数百棵红枫树引入中国，铺设归家之路。同时，园区地形再造，集粹岭南园林、苏州园林、欧洲皇家园林的世界工笔，合并东西园境。并以水为魂，形成五级叠水的中央下沉水幕广场，蜿蜒跌宕，如梦如幻，构筑水晶马赛克拼花，艺术石雕嬉水，层林尽染的露天私密泳池，卧水而行，依水而居。与园区中的亭廊、儿童游乐场地、休闲广场、迷你高尔夫场地等，邀人室外，为四季动容。

120-400m^2精装奢适大宅，晋英领袖的尊荣府邸

公私分区、动静分离、干湿分离的格局空间，充分保障整体私密性。8.7米超大面宽、短进深、3.15米层高，每一户的客厅均为宽尺落地玻璃窗，卧室270°超宽瞰景，均有两个及以上的转角大飘窗，生活阳台与厨房并联，以此考究生活品质。另外，于建筑顶层，以包容万象的气度，设置空中别墅，四层复式格局，并在百米高空，尊享私家泳池，完美兑现晋英领袖的生活品质。

殿堂级下沉式水上会所，层峰聚会，谈笑皆鸿儒

香檀一号的下沉式水上会所作为高级CLUB的生活与浓缩，集合CLUB与高档会所的娱乐、休闲、交际功能，恒温泳池、咖啡厅、SPA、中西餐厅、健身室、瑜伽室，沉浸于至简的亲水之乐，量身定制名流的社交场，起居世界的良辰美景。

第一太平戴维斯，国宾礼遇，您的全球顶级管家

香檀一号华裕中天物业联合第一太平戴维斯物业，将国际化的服务方式与山西本土的生活习惯相结合，致力于构筑以五星级管家式服务为核心，全方位满足客户不同需求的超前服务体系，以"至诚至尊，无微不至"为遵旨，专门定制六级智能安防系统，确保每一位居者的生活安全无忧、居住舒适。

山西省城乡规划设计研究院

院长　翟顺河

山西省城乡规划设计研究院于1980年7月29日经中共山西省委同意后开始筹建，1981年1月1日正式成立，隶属于山西省住房和城乡建设厅,为全额事业单位，是具有国家城市规划编制甲级、建筑工程设计甲级、市政公用行业给水排水和道路工程设计甲级、工程咨询甲级资格的综合性设计单位。2005年通过了GB/T19001—2000国际质量体系认证。2011年经省编办批准，加挂山西省城镇化与城乡规划监测中心牌子。现有各类工作人员296人，其中全额事业编制人员123人，自收自支事业编制人员68 人，合同制聘用人员等105人。大学本科及以上学历人员占职工总数的96%以上，其中博士生2人，硕士生46人，在职读研人员20人。各类专业技术人员245人，占全院职工总数的83%，其中高级职称51人(教授级高级职称9人)，中级职称77人，国家注册城市规划师38人，其他各类国家注册师26人。

山西省城乡规划设计研究院的主要职责和任务是：开展城乡规划编制、研究和实施评估工作；开展建筑工程设计、市政工程设计、风景园林规划设计以及相关专业的技术咨询和研究开发工作；承担全省城镇化发展和重点城乡规划实施的动态监测及年度发展报告的编制工作；承担全省城乡规划、风景园林规划编制成果的技术审查和备案工作；协助编制全省城镇化发展战略和制定城乡规划技术标准；管理全省城乡规划信息系统；协助政府完成相关公益性和培训类任务。

援川工作组深入灾区实地考察

2010年，省委组织部部长汤涛和省住房城乡建设厅厅长王国正一行来我院调研指导工作

2010年，省委常委、副省长高建民一行莅临我院指导工作

近年来，山西省城乡规划设计研究院先后荣获住房城乡建设部、省委、省政府及省直工委、省住房城乡建设厅授予的抗震救灾先进单位、先进基层党组织、党风廉政建设先进集体、省直模范单位等称号和省劳动竞赛委员会颁发的五一劳动奖状；连续五年被评为省直文明和谐单位；被山西勘察设计协会评为山西省十佳设计院；荣获中国城市规划学会授予的中国城市规划年会优秀组织奖和中国城市规划协会授予的全国优秀城乡规划设计奖评选活动最佳组织奖。与此同时，全院先后有60余人获得中国青年科技奖、山西青年“五四”奖章、山西青年科技奖、山西省科技奉献奖、省直劳动模范、山西省五一劳动奖章、山西省十大科技贡献杰出人物等各类省级以上荣誉称号和奖项。

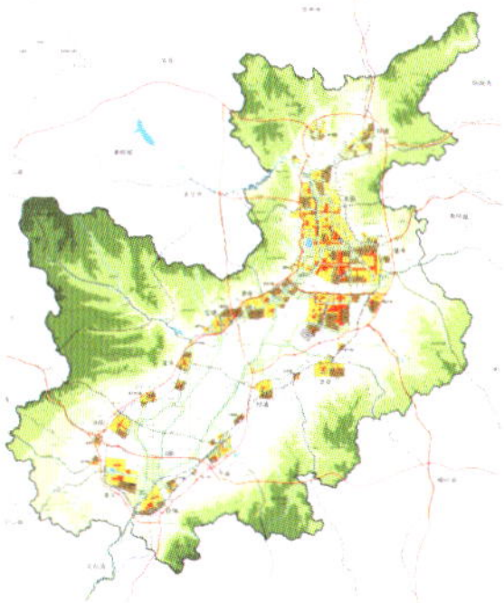

太原都市圈密集区规划

建院30年来，山西省城乡规划设计研究院始终坚持“建设国内一流强院”的发展目标，紧抓“人才、技术、质量”三大主题，力行“创新理念、精心设计、真诚服务、规范运行”的质量方针，不断开拓进取，求真务实、打造核心竞争力，走专业化、特色化强院之路，积极担当服务政府、服务社会的职责，为政府出谋划策，提供技术支持。圆满完成了山西省域内主要的城乡规划编制和设计研究任务，工作足迹遍及海南、山东、内蒙古、河北、陕西等省区，完成各类规划、工程设计项目近3000项，获国家级、省级优秀规划设计奖300余项，为山西乃至全国的城市规划、建设和经济社会发展作出了突出的贡献。其中，《中央下放煤矿棚户区改造》、《五台山风景名胜区总体规划》、《平遥历史文化名城保护规划》、《太原市汾河治理美化工程》、《忻州市总体规划》及部分详规、《陕西榆林小区及河道详规》等项目得到了国家、省部级领导和知名专家的一致好评。

“雄关漫道真如铁，而今迈步从头越。”30年的辉煌已成为历史，放眼未来，山西省城乡规划设计研究院将本着“依法、民生、低碳”的理念，以更加饱满的热情，以积极推进城镇化战略为己任，以打造品牌工程为动力，以走专业化、特色化的强院之路为目标，面对新机遇，迎接新挑战，在今后的发展道路上谱写新的篇章，作出更大贡献！

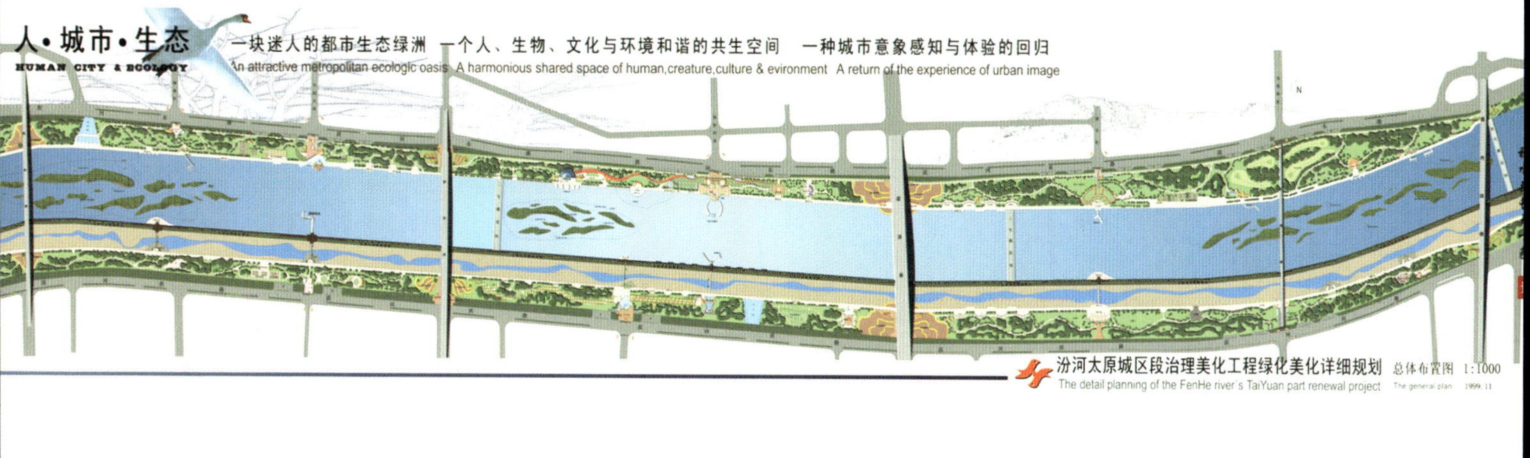

汾河太原城区段治理美化工程绿化美化详细规划　总体布置图　1:1000
The detail planning of the FenHe river's TaiYuan part renewal project　The general plan　1999.11

Love the Scandinavian minimalist architectural style

山西古鑫房地产集团有限公司

古鑫集团
GU XIN JI TUAN

董事长:孟玉金

山西古鑫房地产集团公司，是集房地产规划设计、开发建设及物业管理为一体的现代化企业集团，法定代表人孟玉金担任董事长。公司办公楼位于太原市晋源区金胜镇古寨社区居民区内，具有房地产开发资质。公司注册资金3000万元，现有在职员工138人，其中具有中级以上职称37人，年开发能力达10万平方米。公司按照现代企业制度的管理模式，遵循有限责任公司制度的运作方式，下设营销部、工程部、造价部、财务部、安检部、后勤部、审计部、经理办，各部门通力合作，相互协调，初步形成了一个积极上进、勇于开拓的企业团队。

Nordic impression Dominating the cultural West, sitting on a prosperous and peaceful

开发建设的“水域金岸住宅小区”、“金岸绿色生态广场”项目位于晋源区金胜镇古寨社区。分别为联排低层和高层住宅，占地面积586亩，建筑面积75万多平方米，其中连排低层200余栋，建筑面积15万平方米；高层27栋，建筑面积60万平方米；五层高会所一座1.3万平方米，现都已初具规模，小区地块视野开阔，位于汾河与风峪河交汇处，原生态水系资源丰富；紧临滨河西路、蒙山大街、南环高速，交通便利；同时与山西省体育中心、晋阳湖、长风商务区，遥相呼应，形成又一道亮丽的风景线。随着太原市南进西移的步伐及晋阳湖的建设，地段优势日趋显著；集团公司坚持“以人为本”的设计思想，营造居住消费新时尚，创造居住生活新感受，将以新颖的设计、独特的造型、优美的环境，完美展示现代都市生活的新空间，为住户创造一个优美、安全、舒适、方便、文明和具有较高文化品位的生活环境。

董事长孟玉金，连续五年带领古鑫集团不懈奋斗，自主开发房地产，为城中村改造作出了显著贡献，鉴于此，他先后荣获“社会主义新农村建设十佳带头人”、“CCTV2009年度十大‘三农人物’”、“山西省特级劳动模范”、“中国‘行业十大劳动楷模’”、“建党89周年突出贡献人物”、“中国爱国英才‘全国先进爱国企业家’”、“共和国60华诞爱国功勋人物”、“中华之魂•十大诚信企业家”等荣誉称号，并多次受到党和国家领导人的亲切接见。

集团公司始终坚持以市场为导向、开发为重点，经营为龙头，质量为根本的开发理念和经营方针，切实转变观念，解放思想，紧紧围绕市场狠抓经营，强化管理，树立责任感、认识危机感；不断留意和观察房地产市场行情，积极寻求探索与市场机制相适应的经营策略和经营方针，走品牌化之路。

集团公司本着“您的享受我们的追求”的服务理念，坚持“创造精品，奉献社会”的经营理念，遵循“追求卓越，筑造精品”的宗旨，高瞻远瞩，紧扣市场脉搏，规划公司蓝图，在公司董事长的带领下，在公司全体员工和共同努力下，必将实现企业基业长青。

山西大唐双喜置业有限公司

昌盛双喜城，位于寸土寸金的太原工字型CBD腹地、素有富人区之称的亲贤北街，以打造太原的世界级地标豪宅为规划立意，站在全球视野之上，礼聘世界大师团队，融和世界高尚人居智慧，酿造礼并中西的“空中大院”，以国宝级的稀有之姿，献给创造财富神话的族群，以及全球范围内的置产人士，以此为家族传世之邸。

昌盛双喜城项目总体占地面积10万平米，约150亩，总建筑面积48万平米，由14栋27层到33层的住宅、6000平米顶级会所、国际双语幼儿园、近100000平米的独立商业和裙楼商业组成，规模宏大，是亲贤街上的规模性地标建筑。

昌盛双喜城的整体规划是取风水合抱之意，以地块中心主要轴线为规划切入点，中心轴水景贯穿整个项目，有建筑、庭院、广场、会所、水景组合而成，建筑穿插于园林之中，让建筑和环境自然融合，整体规划形成金三角结构，结合外围的商业设计，居住其中即可感受“出则繁华、入则宁静”，所谓“大隐隐于市”在这里完美体现。

项目的单体设计以ART DECO的艺术建筑风格为手法，融合了几何美学，建筑外墙凹凸变化、顶层退台、窗等线条的层次变化，使建筑高立挺拔；简洁流畅的线条装饰凸显宁静和典雅，丰富的浅浮雕装饰，稳重而华贵。外立面的材质采用石材幕墙和铝材幕墙相结合，形色协调，花岗岩的裙墙和顶部的线条装饰构成三段式的个性风格，大气、简洁、明快。并且所有楼座采用一层和地下双大堂设计。并且都是由奥运国礼设计大师Norman Yu(余青山)倾力打造。

园林设计更是邀请国际顶级设计公司香港贝尔高林景观设计公司旗下作品更是世界级物业，如：香港四季酒店、北京香格里拉酒店、水莲山荘等。在山西，“钓鱼台”晋祠宾馆也是出自贝尔高林之手。

双喜城园林规划更是贝尔高林历时三年的精心设计打造，40000平米的水景园林充分凸显项目的尊贵和升值。贝尔高林在整个项目的园林规划中以几何手法对园林进行整体设计，园林景观结合观赏、休闲、立体的表现，同时也结合了项目的规划、建筑风格，打造出一个现代感的组团景观节点。

昌盛双喜城灯光设计意大利iGuzzini照明公司设计，该设计公司也是巴黎卢浮宫的灯光效果缔造者。本项目的灯光效果和建筑完美融合，从项目的商业街到项目的入口拱门，单体楼顶的皇冠都进行了灯光效果的处理，到了夜晚，双喜城将会成为太原城市的一颗明珠，亲贤街的皇冠，太原的地标。

除了这些这里还将拥有太原市最高端的12000平米的由京城四大俱乐部之首，长安俱乐部管理服务的七星级私人社交会所，会所不仅涵盖全球顶尖技术的恒温阳光泳池及80米长的亚洲第一泳道，更提供有私人红酒窖、雪茄尊享阁、专业器械健身房、桑拿房、瑜伽冥想间、香薰SPA间等多种高端服务空间。

昌盛双喜城为业主方便享受生活，还联合哈佛认证，国际一流台湾幼教品牌--吉的堡幼儿园服务项目幼儿园，让孩子在保证安全的同时，不用出家门就可享受专业、顶级的幼儿教育。

昌盛双喜城一期于2011年7月完美交房。在市场的检验下，昌盛双喜城在龙城树立了精装房品质典范。迄今为止，省市两级工商、质检、消协部门均未接到昌盛业主有关交房质量的投诉。

而凭借一期销售的口碑，昌盛双喜城以2011年销售400套、9亿元的骄人成绩在省城高端项目中独占鳌头。

2012年3月24日，中国太原煤炭交易中心的千人大礼堂座无虚席，来自昌盛双喜城的千名收房业主齐聚一堂，共度良宵，让业界同行侧目。汇聚千位收房业主，举办千人家宴的精装房项目，在省城尚且唯有昌盛双喜城。

昌盛双喜城副总经理马晋瑞表示，现在业主的居住需求提高、维权意识增强，但大多数开发商的质量控制体系还停留在温饱阶段，房子不出现重大的质量安全问题，就是达标了，忽略了业主居住体验式需求的诉求。高端房产的一个重要体现是价格高，但必须以高品质的房屋为前提。在这个层面上，开发商需要有更高的产品标准定义及更强的行业责任意识。昌盛双喜城的后期产品依然会坚持品质，前景光明。负责任的开发商终会在优胜劣汰的竞争中分享更大的市场，并为整个行业的健康发展注入鲜活的血液。

山西华嘉盛房地产开发集团有限公司

法　　人：彭辉

山西华嘉盛房地产开发集团有限公司设立于1998年，是华嘉盛集团的全资子公司，为综合类贰级房地产开发企业。经营范围为房地产开发及房屋维修、房地产信息咨询、室内装潢、批发零售建材、销售装潢材料等。公司注册资金5000万元人民币，法人代表彭辉，公司地址太原市桃园南路64号。

彭辉，男，经济学博士，中国青联委员，山西省青联常委，山西省工商联副会长，太原市迎泽区人大代表。曾获2007年、2009年“中国·山西地产盛典年度风云人物”，2011年“山西青年五四奖章”。公司秉承彭总裁的“以诚信打造房产，用赤心回报社会”的经营理念，打造华北地区业界高端企业，为千家万户创造理想的栖息地，并努力成为消费者信赖的著名房地产品牌。

1998年集团公司以房地产开发建设为主，成功完成了对太原锅炉安装公司的企业兼并改制，为集团公司奠定了坚实的基础，公司成立以来独立完成的开发面积近60万平方米。目前即将完工的项目有30多万平方米的上马街棚户区旧城改造项目，该项目是市委、市政府为改善太原市居住环境审核批准的第一批棚户区改造项目之一，也是全面部署改善民生重大工程的一部分。待开工有桃园南路西里街旧城改造等项目共计45万平米。

公司目前有：工民建、土木、电气、水暖、企业管理、施工管理、预算、造价、设计、财会统计、市场营销、财务管理、社会学、法律类高、中级专业资质人员六十余人，全部为大专以上学历。公司十分注重自身队伍的建设和员工综合素质的提高，同时还聘请十多名省内著名专家、学者为公司常年顾问，对公司整体业务水平的提高和员工自身素质的提高起到了重要作用，取得了较好的社会效益和经济效益。

集团公司成立以来，一直贯穿“以人才支撑发展，以品牌获取优势，以服务赢取客户，以管理实现效益，以效益体现责任”的经营理念，牢固树立“以人为本，走品牌化发展之路。”取得了骄人业绩，受到了政府、市场、业主的好评。

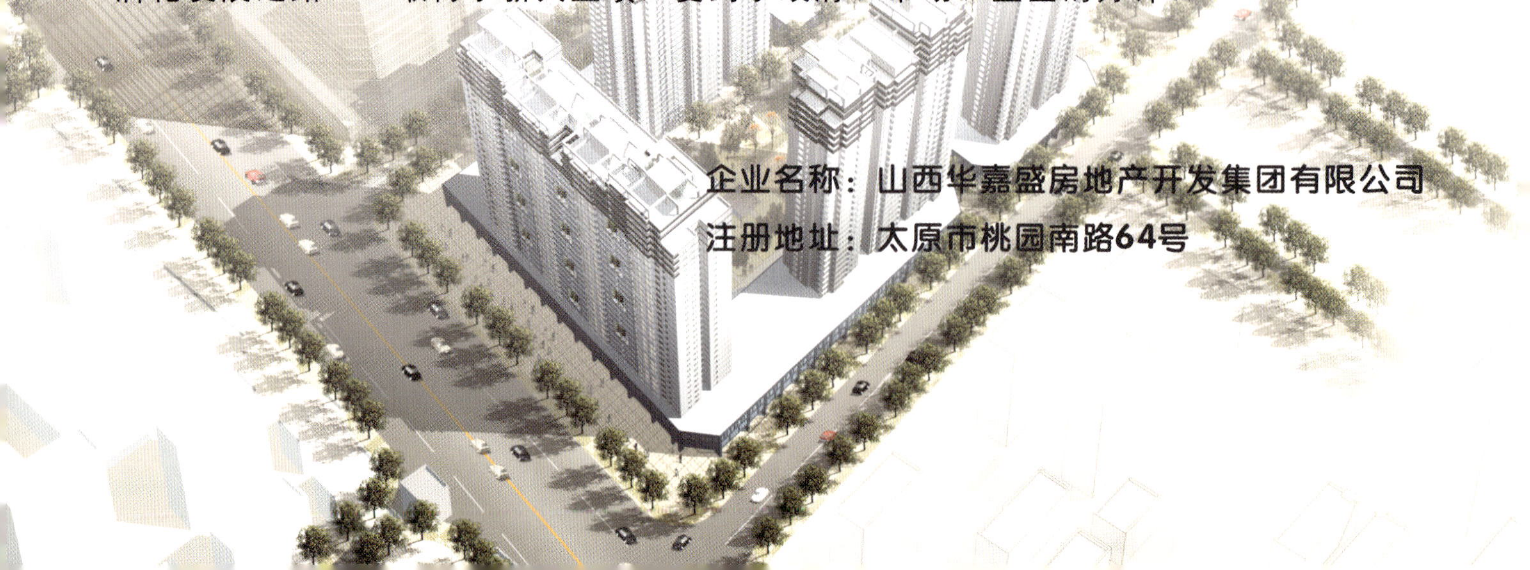

企业名称：山西华嘉盛房地产开发集团有限公司

注册地址：太原市桃园南路64号

庭院效果图

概 况

山西玉华建设集团有限公司是一家集建设施工、房地产开发、激光机械再制造、药品制造、医疗器械、进出口贸易等为一体的综合性集团有限公司。现有员工3500余人，各类有职称的工程技术人员500余人。集团现有固定资产5.8亿元。

公司自1980年成立以来，本着“真诚做事，本色做人”的理念，坚持“团结、奋进、踏实、创新”的精神，秉承“诚信为本，用户至上，质量第一，争创一流”的宗旨，发展企业，服务社会。1995年以来，集团所承建的工程项目八次荣获“汾水杯”、省优19项、市优59项，先后荣获中国建筑业协会质量管理“金屋奖”、“银屋奖”等荣誉，连续多年被评为“质量管理先进单位”、“重合同守信用单位”、“山西省优秀建筑企业”“全国重质量、守信用AAA级品牌企业”、“全国工程建设首选品牌单位”、“全国质量稳定、信誉保证示范企业”、“中国市场质量保护单位”等称号。2001年公司顺利通过ISO9001质量体系认证。

在房地产快速发展的过程中，公司先后开发建设了“惠民小区”、“华熙苑”、“一品嘉园”，和在建的“泰都广场”等品质一流、节能环保、功能完善、环境优美的高品质住宅小区。近年来企业全面推进转型、跨越、创新、发展，投资建设了符合国家产业政策，具有高科技激光再制造和“克烧净”系列中药产品等节能型、高科技的朝阳产业。

山西玉华再制造科技有限公司是半导体激光设备的专业化研发制造公司，位于长治市高新区，占地约46亩，总投资2.55亿。

壶关县“邦仕得”药品开发有限公司占地150亩，总投资3亿元。主要研发生产烧伤特效药喷雾剂“克烧净”等系列产品，疗效显著，不留疤痕。

一个集经济效益、社会效益、环境效益并重、崭新的山西玉华建设集团有限公司已初具规模，傲然屹立于企业之林。

社会的厚爱、企业的使命给予玉华丰硕的成果，玉华人也必将以更加饱满的热情和昂扬的斗志回报社会，奉献社会。

山西玉华集团科技办公楼

华熙苑商住小区建筑面积106665m²，被长治市住建局评为十大名盘、长治市政府评为园林化小区。

正在建设的泰都广场项目商住一体建筑面积126600m²。

山西玉华科技再制造项目占地46亩、总投资2.55亿元。

壶关邦仕得药业开发有限公司，占地150亩，总投资3亿元。

黎城一品嘉园商住小区建筑面积42650m²。

长治市开北华房地产开发有限公司

长治市北华房地产开发有限公司，成立于2002年5月22日，为民营房地产开发企业。设有：经营部、销售部、综合部三个内设机构。

公司以市场为主导，中低收入居民群体为主要服务对象，坚持质量第一、服务至上、经济效益、环境效益、社会效益同时兼顾的经营理念，始终如一的为消费者创造以人为本、环境舒适、功能齐全、价格合理的放心住所。

公司成立几年来，先后对建设经济实用住房进行了多处可行性研究。位于市英雄中路上的小高层商住综合楼的英姿将展现在市人面前。

地址：长治市英雄台中南商场四层

电话：2182999

深特地产 实力见证

大同市深特集团房地产开发有限责任公司成立于一九九八年七月，是一家规范化的具备现代企业管理制度的股份制企业。公司注册资金8000万元，拥有国家批准的二级开发资质，公司先后开发了桐城中央、富临宝城、桐城怡景、东小城等项目，工程质量合格率达100%。作为我市的名牌房地产企业，在经营的一系列房地产项目当中，以高品质、细节完美、服务到位赢得了良好口碑。 公司不仅规划高瞻远瞩、质量层层把关、施工精益求精，对于每个细节都严格要求，力求将每个项目都打造成高品质、高质量的大同首屈一指的样板工程，为业主创造一个安全、舒适、优美的花园式社区环境。特别是2006年开工建设的大同市名盘桐城中央小区，为大同市引进许多先进理念，如主人优先、无障碍设计、绿色小区、区内健身系统等，充分考虑了主人、老人、孩童的生活，获得建设部颁发的“中国经典人居楼盘”、“中国城市标志性楼盘”奖。

公司本着“创造幸福生活”为理念，不断创新，诚信经营，做品牌项目，成就品牌企业，每一个项目无论从选址、规划、设计、施工、销售，都经过深思熟虑和精雕细琢，得到了广大用户和社会的认可。公司连年被授予大同市房地产企业“重合同、守信用”的先进企业，资信等级连年获评AAA级，2007年2月被评为大同市城区明星企业。

东小城 鸟瞰图

东小城让城市更美丽 让生活更精彩

“东小城”是大同深特集团全力打造的华北地区规模最大的城市中央街区MALL，也是国内唯一一个由古城墙围合起来的大型现代商业中心，荣获了“中国新锐设计综合体”和“中国最具投资价值商业综合体”两项大奖。

该项目正处在大同城市中轴线上，南起兴云南街，北至兴云北街，东临大同市最大的城市中心广场，西与宏伟庄重的大同古城墙遥相呼应。是连接大同古城和御东新区的一个重要空间节点，也是未来大同市的“中心商业区域”和“核心商务区域”。

东小城原为商业中心之地，商脉繁华，人流如潮，以批发为主，辐射周边晋、冀、蒙三省区近200公里2000万人口地区，年营业额达50多亿。“东小城”建成后，将组合成超级复合业态商业集群，囊括主力百货、大型超市、电器数码、家具家居、品牌专卖、美食餐饮、星级影院、康体健身、休闲娱乐、美容护理、主题公园，快捷酒店……集购物、娱乐、餐饮、休闲、商务、文化、旅游、观光、金融、家居、体验于一体，是城市地标性商业建筑，将形成档次最高、业态最全、功能最现代、品牌最时尚的现代商业中心和商务中心。

该项目占地面积近356亩，总建筑面积80万平米，总投资近50个亿。项目于2011年6月1日通过挂牌购地，10月一期35万平米开工建设，2012年6月主体封顶,全部工程预计于2013年8月底完工，2013年底商城对外营业。

“东小城”项目已成为山西省和大同市重点工程项目。

桐城·怡景 Tongcheng Mellow Scene
电话：5866888/5866777
地址：西环路与大庆路交汇处

Tong Cheng Center 桐城中央 城市中央综合体
电话：7627888/7627999
地址：迎宾西路与工农路交汇处

The First Business Building 富临·宝城
电话：5021166/5021188
地址：魏都大道78号

東小城 East City Mall
电话：5021166/5021188
地址：魏都大道78号 东小城

桐城·金域 Golden Fields 城西商业综合体
电话：2111111
地址：大同市前进街1号

深特集团 深特集团 创造幸福生活 贵宾热线：5021188\66
http://www.dstjt.com

桐城中央项目简介

桐城中央是深特集团的扛鼎之作。作为城市建筑的一个经典，桐城中央位于迎宾街市政府对面，尊享政务区、金融区的完善配套。桐城中央特聘建设部中联环设计公司精心设计，以前瞻而理性的目光，将“人文与历史相结合”的概念融入居住本身，在建筑设计中始终将一种历史的文脉气质融于其中，以周边高中间低、错落有致，高低起伏的建筑布局，藏纳“聚宝盆”的人气与财气。桐城中央以自身良好的居住环境与产品品质，吸引大同各行业的精英人士齐聚一堂，共享绿色健康和高品质的居住环境。

桐城中央引入北京知名物业管理公司理念，充分考虑到业主生活的安全性、便利性、舒适性等，在规范化、程序化、标准化服务基础上，不断创新服务内容，获得建设部颁发的“中国经典人居楼盘”、“中国城市标志性楼盘”奖。

桐城怡景西苑 鸟瞰图

桐城金域 鸟瞰图

桐城怡景西苑项目简介

桐城怡景西苑南临大庆路，北临睿和新城，东与桐城怡景一期隔路相望，是桐城怡景项目的升级产品。项目总用地面积6.9万平米，地上总建筑面积约15万平米，其中住宅面积约12万平米，商业面积约3万平米。整个项目由东、南、北三面临街商业环抱，小区内由12幢11～18层的住宅及一所幼儿园组成，容积率仅为2.5。

桐城怡景西苑秉承一期的设计理念，以打造公园式社区、创造宜居幸福生活为宗旨，为保证产品的高性价比，本项目住宅全部设计为小高层板楼。户型设计从80—140平米，满足不同人群的需求。 桐城怡景西苑拥有成熟社区完善配套，华林新时尚百货、华林超市、阳光海悦大酒店等近在咫尺，社区内庭院景观园林体现社区人文内涵和品质生活。

少公摊、多得房、社区环境优美、周边生活配套完善成为本项目最聚人气的特点。桐城怡景西苑，值得您托付一生的高性价比品质社区！

桐城金域项目简介

桐城金域是深特地产继桐城中央、桐城怡景之后又一力作。项目占地总面积6.43万平米，总建筑面积24万多平米，是以购物、商务、娱乐、餐饮、居住、文化、休闲等高档时尚生活和高端服务业功能布局于一体的大型城市综合体项目。

桐城金域南临前进街，东靠政府规划商业步行街，北接回迁安置小区。商业氛围浓重，在规划设计中，将商业、文化、景观等协调统一，达到动中取静，动静结合的效果。桐城金域住宅面积8.6万平米，由8幢15～18层小高层板楼组成，有80--140平米多种户型可供选择；商业面积约10万平米，主要功能有大型餐饮、KTV、超市、快捷酒店、独幢商务会馆、写字楼、商业内街店铺等。桐城金域商业区与规划步行商业街完美组合，将该区域打造成城西新商圈。

桐城怡景西苑 住宅

桐城金域 商业街

山西国电置业有限公司

SHANXIGUODIAN

GONGSIJIANJIE 公司简介

山西国电置业有限公司成立于2009年7月，注册资本人民币叁亿元，是省国资委直属特大型企业山西国际电力集团有限公司的全资子公司，是从事土地资源整合、房地产开发、物业经营管理的专业化公司。

公司设有董事会和监事会，下设总经理工作部、投资部、工程部、财务部四个部门。公司具有雄厚的资金实力和专业化的项目开发管理能力，是山西省房地产界的一支新军。

根据公司发展规划，国电置业将按照立足、发展、树立品牌的路径和步骤实现平稳较快发展。即利用三年时间，通过与优秀房地产商合作迅速在行业内站稳；再利用三年时间，抓住未来房地产发展的有利时机，在同行的帮助带动下，积累经验，积聚力量，积聚资源，争取快速发展；最后再利用三年时间，通过打造一系列优秀项目，铸造国电置业品牌。

公司目前在建开发项目有3个，开发建设面积80万平方米，总投资规模47余亿元。其中阳泉国电·满庭春项目位于阳泉市桃南中路106号（原辰光电厂厂区），北临阳泉主要景观带—桃河景观带，南依著名风景区狮脑山山脉。项目用地面积134亩，规划总建筑面积约40万平方米，通过城市化的项目形象、高附加值的产品层次，打造阳泉市桃河之畔的高品质居住社区。山西国际金融中心项目位于太原市高新区南中环街以南，利用独特的区域优势和丰富的配套资源，按照开发策划思路，项目定位为金融机构、新能源企业等大型国企提供5A级办公场所；意在太原南部新城地区打造一个具有金融总部基地概念的城市综合体，提升高新技术开发区的整体服务水平。作为创新、独特、理性、国际的总部基地及沿袭世界经典园林文化的城市综合体，山西国际金融中心将吸引新能源研发企业、高端金融服务等企业总部基地进驻该中心，是银行、证券、保险、信托等金融行业的理想办公场所，也是大型企业集团展示实力的舞台，成为太原市南部新城的地标性建筑。

在加快项目建设的同时，公司紧紧抓住太原都市圈建设的发展契机，在省内积极获取优质地块，适时扩充项目储备，促使公司逐步步入项目储备、开发、销售的良性循环。并寻求国内优秀地产企业展开战略合作，不断吸取先进的开发理念和成熟的管理经验。

公司不断加强企业制度建设。针对房地产的业务特点，公司相继出台了《财务管理制度》、《成本核算实施细则》、《部门工作职责》、《绩效考核管理办法》、《工程管理制度及实施细则》、《招投标管理制度》等一系列管理办法和实施细则，切实加强企业内部管理，使各项业务按规范程序有序展开。按照集团公司部署，公司加快推进平衡积分卡工作，将其作为支撑和保障公司战略目标实现的主要控制措施。

公司十分注重人才的开发和培养。根据业务发展需要，适时引进房地产专业人才，优化当前人力资源配置，充分发挥员工专业特长，提高其能动性和创造性。同时，不断强化对全体员工的教育和业务培训，切实提高员工的思想意识和业务技能水平，打造一支懂专业、讲纪律、具活力的房地产专业团队。

秉承山西国际电力集团“奉献绿色能源、服务山西发展”的公司使命，国电置业公司将以打造绿色宜居产品为己任，努力探索房地产发展的新思路，积极投身城镇化建设进程，为山西省的转型跨越贡献力量。

山西华夏房地产开发有限公司董事长：**苑俊生**

华夏地产 / 简介

扬民族风·筑华夏魂

Company Profile

山西华夏房地产开发有限公司成立于一九九二年，是集房地产开发、建筑、咨询、装饰装璜为一体的二级资质的本土房地产企业。

公司自成立以来在太原市小有建树，已建完工项目有省公安厅宿舍、省排水处公司宿舍、朝阳街鸿金宝大厦、金茂数码港等，目前在建的是位于北河湾的金林佳园项目。

公司的理念是：“团结、诚信、求实、奉献”。公司为实现太原市建设新型工业基地、特色文化名城、现代宜居城市的目标努力，踏踏实实为太原市的发展做实事。

华夏 Gold Forest Garden 金林佳园 / 项目介绍

公园式宜居样本社区

Project introduced

宜居热线：**327 2222 / 6666**

由华夏房地产开发有限公司开发的位于杏花岭区北河湾东街项目---金林佳园。项目占地110亩，建筑面积20万平米。

华夏地产一直秉承“华夏地产、品质筑家”的开发理念。在金林佳园的设计中，采用低密度、高绿化、多景观、阳光充沛的原则。意在打造一个公园式的宜居社区。整体布局合理，户型多样。采用明厨、明卫、明餐厅的格局，大大提高了居住的舒适度。能满足不同业主的需求，更主要的是适应低收入家庭的需求。这也是我们华夏地产的愿景---“建老百姓买的起的宜居住房”。

绿化上保留了原区域50年原生态大树，采取景观和绿化相结合的手法，在高绿化的同时，穿插较好的景观，体现公园的感觉。

在一期基本完美呈现时，得到了广大业主的认可，更得到了杏花岭区政府的认可。对于改善北城区的居住环境树立了一个样板。更对华夏地产金林佳园二期的开发起到了积极的推动作用。

鸟瞰图

太原市嘉登房地产有限公司

JIADENGFANGDICHANYOUXIANGONGSI

太原市嘉登房地产有限公司成立于一九九六年九月，是省建设厅批准的具有叁级资质房地产开发企业，主要经营城乡房地产开发、建材装璜材料的批零等业务，公司注册资金为贰仟万元。公司设有四部一室，工程技术部、营销部、财务部、前期部、办公室。

公司自成立以来，始终以《中华人民共和国城市房地产管理法》、《城市房地产开发经营管理条例》和《商品房销售管理办法》等国家和地方的政策性法律法规为开发经营守则。。本着诚信第一、质量第一、服务至上的经营理念。先后开发建设了“嘉兴小区”、“嘉苑小区一期”。所建项目均取得了《国有土地使用证》及《建设用地规划许可证》；《建设工程规划许可证》及《建筑工程施工许可证》，项目达到销售条件后立即领取《商品房预售许可证》。房屋在购房合同约定时间内，交付业主。并办理了所有的房产手续，得到业主的高度好评。公司又于2008年取得了位于长治路以西，王村南街以南地段的土地使用权，该土地面积13162平方米。并于2009年5月取得了《项目投资核准证》；同年取得了《国有土地使用证》及《建设用地规划许可证》；于2010年取得了《建设工程规划许可证》及《建筑工程施工许可证》，规划建筑面积为75652.03平方米。分别为1#、2#高层住宅楼及5#商住楼。目前1#、2#住宅楼已封顶，5#商住楼正在建设中。该项目于2011年11月取得了《商品房预售许可证》。公司恪守职业道德，坚持“诚实、守信”所有在售商品房都在售楼场所明码标价，严守承诺，严格履行合同约定。

我公司本着以人为本的设计原则，在保证平面方正实用的前提下，尽可能使每个空间都完整实用。嘉苑小区不论从其建筑风格、地理位置，还是所配置的先进的、现代化的设备设施，均体现了时代个性特征，尽显高雅风范。

新晋世家鸟瞰夜景图

恢弘世家·傲视城北

新晋世家是田森集团10年厚积薄发，
精雕细琢62万平米恢弘巨著，
挖掘500年晋商文化建筑精髓，
融入现代建筑艺术，创意居住空间的空中四合院
更是首次颠覆纯高层建筑界限，
令晋商生活得以完美全新演绎。

ART-DECO新古典主义风格、
精雕产品细节让新晋世家成为新晋商生活的典范。
新晋世家以组团式均衡考虑户型、景观、朝向等因素，
将景观渗透到社区每个角落。
道路组织规划沿承国际化理念，
路网层次分明。主干道尺度豪阔，
与绿化带形成优雅绿荫通道，
入户口均设置于次干道与支干道，
从而保证私家庭院的尊崇感与私密性，
新晋世家将成为晋中乃至山西的城市人居地标。

城中腹地·天赋骄址

新晋世家扼守城北核心定阳路，
和顺路与文苑街交汇的黄金腹地，
毗邻晋商城市公园，主城繁华触手可及，
5路公交车通达城市中心，
距武宿国际机场仅15分钟车程，
从容坐享中心生活配套。
以城市完善社区文化打造新晋世家高贵生活品质，
在这里，享受细致入微的生活，
感受全新的晋商生活人文城北集教育、
商务、购物、宜居为一体，
成为城市精英置业之首选。

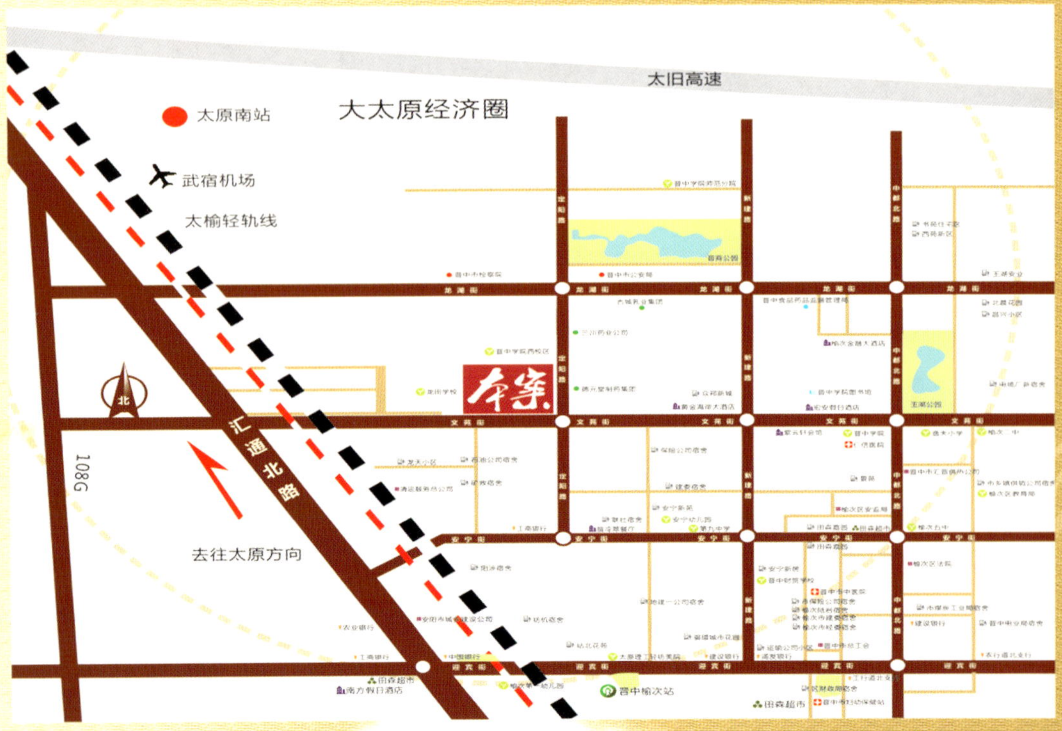

新晋世家区位图

晋商国际酒店意境图

东方建筑智慧·西方建筑细节

一座为时代打造的建筑，
以国际化视野，遵循晋商的生活本质，
融合住宅、公寓、会所、酒店和商业的丰富业态，
美观耐看的外立面，
创意考究的色彩，
赋予沉稳高贵的气质神韵，
天际线层次铺展，
组团园林与绿植立体围合，
产生一种古韵新音的旋律，
一派沐浴在具有东方时代感的庭院、门廊、
亭台楼阁以及优雅和谐的院落生活。
演绎经典，历久弥新，
彰显建筑的地标风范。

潮流服饰卖场　餐饮美食天地　大型百货商超　星级豪华影院　主题娱乐地带

项目黄昏意境图

项目小区内意境图

晋商顶级会所意境图

融汇精华·铸就品质

建筑技法上，东方建筑智慧与西方建筑细节融合，从外部轮廓到建筑立面，即有庄重气度，又有沉稳明朗时代气质。城市的地标越来越多，属于生活的建筑越来越少。

1梯2户纯板式，框架剪力墙结构，方正通透、视野开阔，简洁时尚，大幅面观景窗，180度观景，映衬通透无间的生活，双面观景，通透自然。

新晋世家

壬辰年之夏 劉志傑題

境界东方·晋商传世宅邸

ARISTOCRATIC FAMILY

小区入口意境图

自建双语幼儿园意境图

小区景观意境图

JIE SHENG

山西杰胜集团

张文德，中共党员，山西杰盛集团董事长兼总经理、长治河南商会常务副会长、长治市人大代表。

集团简介：

山西杰盛集团组建于2011年8月，位于山西省“魅力城市”长治市解放西街（温馨家园B区），是以山西杰盛房地产开发集团有限公司为母公司，由长治市杰盛建筑工程有限公司、长治市东昌物业管理有限公司、长治市瑞源物资有限公司为子公司组成。

企业简介：

山西杰盛房地产开发集团有限公司成立于2001年10月22日，法定代表人张文德，注册资金5410万元，房地产开发二级资质，公司现有各类持证管理人员150余人，累计开发50余万平方米各类住宅、商铺、旅游区等。

近年开发建设的项目有“温馨家园”A、B、C区、屯留商用写字楼、黎城“德盛苑”商住小区、武乡“和平”经济适用房小区、沁源“沁园春•景”小区、平顺“德盛苑”住宅小区，正在建设中的有德盛苑旅游度假村、壶关“宜盛苑”商住小区、长钢“杰盛大厦”、郊区“东城世家”。

企业成立以来在总经理张文德的带领下，企业发展已初具规模，在始终秉承“诚信求发展，信誉铸辉煌”的经营理念的同时，也不忘抓职工素质、队伍建设，组织领导在经营中不断总结、约束、规范企业的言行，响应国家关于房地产、建筑行业改革的相关政策、建设低碳、绿化、环保、和谐的企业。提升企业文化，彰显企业特色，为新“晋商”的崛起贡献自己的力量。

长治市杰盛建筑工程有限公司成立于2000年2月，注册资金2100万元，企业法定代表人张玉德，为房屋建筑工程施工总承包二级，建筑装饰装修工程专业承包三级，起重设备安装工程专业承包三级。公司现有各类管理人员200余人，其中，高工2人，工程师32人，助工56人，技术员70人，会计师3人，经济师2人，统计师1人，初级职称120余人。有大中型施工设备200余台（套），年施工产值上亿元。

近年施工的工程项目有平顺县中学校、平顺县农业职业中学校、潞安东盛煤业办公楼宿舍等、平顺县人民医院综合楼、朔州鼎鑫源硅锰合金工厂及杰盛房地产公司开发的工程项目。

施工管理原则：服从设计、尊重监理、服务业主、从严管理、奉献精品；

质量方针：“强化管理，塑造精品，真诚服务，追求卓越”。

质量目标：工程交付合格率100%，优良率85%以上。

公司最大的优势在于有一支年纪轻、素质高、富有挑战精神的管理队伍，我们将在“质量与信誉同在，安全与效益同在”的方针指导下，与社会同步前进；把“诚信为本”作为企业的生命，创造出更加辉煌的明天。

长治市东昌物业管理有限公司成立于2009年12月8日，注册资金50万元，企业法定代表人白国锋，资质等级三级。

“依法管理、服务第一”是东昌物业服务的宗旨，“高效快捷、尽职尽责、精益求精、务实进取”是东昌物业至善至美的企业理念。东昌物业将以规范的服务，推动物业行业的发展为己任，以坚实的脚步创“杰盛”品牌！

长治市瑞源物资有限公司成立于2003年，注册资金200万元，公司成立以来至今，经过近几年的苦心经营，已在同行业中争得一席之地，步入了良性循环的轨道。

从2006年起经销代理金世纪电缆集团有限公司的电缆产品，并长期与天脊山煤化工集团有限公司、山西潞安祥瑞有限公司、山西潞安煤业有限公司、山西金地矿业有公司、河南利源焦化厂、山西潞安化工有限公司等公司签定长期购销合同，在市场上赢得很好的口碑，年销售额2000万元左右，具有一定的经济实力。

始终坚持以“诚信为本，合法经营”的宗旨使自己的事业迈进一个新台阶。

企业荣誉：

山西杰盛集团在张文德董事长的领导下分别荣获《AA+级信用度企业》、《山西省守合同重信用企业》、《长治市守合同重信用企业》、《山西省第二届百家信用示范企业》、《捐资助教先进单位》、《支持县城建设先进单位》、《消防宣传先进单位》、荣获《统计先进单位》、《展示企业品牌，促进全民健身》、《首届长治市房地产十大名企》、《施工管理先进单位》、《一线操作人员技能岗位培训先进单位》、《2011年全国工程建设优秀施工企业》、《安全知识进校园、我为孩子捐本书——爱心单位》等荣誉称号，并积极参加救灾捐款等公益事业。

企业理念：

企业文化是发展的精髓。杰盛集团公司重视企业文化建设，始终坚持“服从设计、尊重监理、服务业主、从严管理、奉献精品”的管理原则；“强化管理，塑造精品，真诚服务，追求卓越”的质量方针。随着企业国际化和外来文化的冲击。把“强补”改为“自补”，把管理活动做到工地作业层面上，与职工关心的核算承包、按劳取酬、劳动保护和老有所养等切身利益联系起来。针对队伍流动性大、劳动强度高、工作环境差等问题，提出具有自身行业特色的“内隐文化”和“外显文化”。“内隐文化”即管理机制，包括经营战略、规章制度、党建思想政治工作、职工道德规范和行为准则等，是杰盛集团公司建筑产品、企业精神和行为的原动力；“外显文化”体现在设计、施工、交付的建筑产品，包括生产施工设备、技术设计工艺、企业获得的各种荣誉等，是文化浓缩的精髓，是提高社会知名度的基本载体。

诚信是企业品牌的核心。在品牌经营活动中，科学把握品牌文化的发展趋势，把员工个人文化追求与企业文化战略目标有机统一起来，对内增强企业整体的统一性和凝聚力，对外提升品牌文化的扩张力。尤其要把“诚信”作为经营理念核心内容来构筑，在职工中深化“诚信为荣、失信为耻”教育，全面加强企业诚信建设，切实加强履行合同的承诺，取信业主，树立起杰盛品牌，赢得市场。集团公司注重技术进步与质量安全管理，在多年的实践中形成了较为健全的质量管理体系和管理制度。

质量是企业品牌的本质。企业质量管理活动造就质量文化，质量文化又完善质量管理。在产品质量管理上，把握行业技术前沿，积极培育高品位的质量文化，造就高品质的品牌形象。在充分完善技术装备的基础上，抓好商品质量理念的培育，将企业质量价值观和质量意识、质量道德规范融入员工的价值观，培养全体员工质量荣誉感和社会责任心，把保质量、创品牌变为企业员工的自觉行动。同时，不断加强员工技能培训。不断更新知识，掌握有关高新技术，增加富有创新开发能力的企业骨干人才群体的数量，引导建筑领域潮流，创造出适合时代的产品。坚持走“产、学、研”相结合的道路，借助社会科研力量，着力解决企业科技创新的问题，从而创造高品质的建筑产品。

创新是企业发展的源泉。企业是自主创新的主体，始终把增强企业自主创新能力作为发展的核心，加快建设创新型企业。近年来，该企业坚持不懈地实施创新的发展战略，全面提升自主创新能力。

企业品牌建设规划：

面对复杂的国内外经济环境，我们坚持中国共产党的领导，坚持以邓小平理论和“三个代表”重要思想为指导，深入贯彻落实科学发展观。做为企业应贯彻党的精神，把握国内外经济形势新变化的特点。

如何把握国内外经济形势新变化的特点，张文德董事长根据自身和市场的发展，谋划了未来的发展规划，确保“杰盛”及“德盛苑”成为长治乃至山西响当当的品牌，加强企业管理、践行“实用是杰盛的宗旨，诚信是企业的命脉”的发展理念，争做长治房地产界的楷模，在最短的时间内晋升国家级“守合同重信用”企业。

2011年，公司由长治市杰盛房地产开发有限公司更名为山西杰盛房地产开发集团有限公司，这在公司的发展进程中具有里程碑的意义。“雄关漫道真如铁，而今迈步从头越”，杰盛人将把握新机遇，迎接新挑战。

山西九昌房地产开发有限公司

中化二建集团有限公司商务写字楼项目

九昌房地产开发有限公司主楼

“丽泽花苑”住宅小区

公司简介

山西九昌房地产开发有限公司成立于1999年10月，是隶属于国务院国资委的上市公司---中国化学工程股份有限公司旗下中化二建集团有限公司的全资子公司，注册资金壹仟万元人民币。公司集房地产开发、物业管理、信息咨询等业务于一体。

近年来，中化二建集团生产经营规模迅速扩大，产值、利润逐年递增，2011年全年完成产值53亿元，在“十二五”规划中，计划完成产值100亿元。公司获得了“全国优秀施工企业”、“全国守合同重信用企业”、“山西省百强企业”、“山西省功勋企业”、“省城十大诚信企业”等多项荣誉称号，在山西省百强企业中排名第29位。“中化二建”品牌不断焕发出夺目光彩。

作为其旗下的子公司，九昌公司延伸了母公司的各项优势，建设资金、专业技术等方面都具备了发展的先天性优越条件，十年来，始终坚持以市场为导向、管理为龙头、质量为根本的经营管理理念，不断锐意进取、开拓创新，在为社会创造财富的同时，也为自身积累了丰富的房地产开发经验，培育了一支高素质的业务团队，而且借助市场发展契机正快速向专业化、多元化、品牌化推进，必将成为山西房地产企业中的佼佼者。

近几年来，九昌房地产进入快速发展阶段，先后开发了中化二建集团有限公司五巷住宅小区约11万m^2、高层住宅楼约2.6万m^2，“丽泽花苑”住宅小区约21.7万m^2。其中的“丽泽花苑”住宅小区位于太原市南中环桥西，北临长风文化商务区，东临汾河公园，是我公司实施品牌化战略的重要转折项目。

经济的快速发展加快了城市扩张的步伐，随着“大太原”经济圈计划的不断付诸实施，太原新的城市中心即将形成，长风西街作为南城热点区域，西山综合整治启动区的核心地段，其便利的交通和不断发展的商业前景，承载着拓展城市布局、创造发展空间、营造投资热点、带动周边街区商业发展的重任，目前该区域现有的住宅及商业配套设施的品质将无法满足不断涌入该区域的中高端客户在此区域工作和生活的需求。中化二建集团积极参与该区域的建设，已于太原市国有投资控股有限公司合资成立了山西世纪长风房地产开发有限公司，将对西山综合整治启动区内的开发建设承担起驻地央企的社会责任。

我公司目前正在实施的“世纪长风”项目和“金色长风”项目，位于规划中的太原市南部新城中轴线及贯通城市东、西山高速公路的景观大道——长风西街两侧，拥有不可替代的绝对区位优势。其中“世纪长风”项目作为太原市西山综合整治启动区的龙头项目，是集SHOPPING MALL、星级酒店、娱乐、商务办公、商业零售、山西民俗饮食文化休闲广场、家居生活体验馆、图腾广场、宜居社区等为一体的大型商业生活区。该项目的实施将大力提升长风西街的区域品质、加快该区域民生的改善、拉开该区域城市形象更新的序幕。对未来城市的发展作出重要贡献。项目规划建筑面积约300万m^2。

“化建佳园”项目是我公司参与太原市新庄村城中村改造的项目，小区内规划5幢楼，为小高层和高层住宅，建筑面积15万m^2。

“金色长风”项目是我公司参与太原市城中村改造的重点项目，该项目规划建筑面积约140万m^2。

走过十年发展的九昌公司，将始终秉承“和谐共赢、塑造精品”的经营理念，始终把项目的社会效益放在首位，力争不断开发出更加优质的地产项目，在步入了良性快速的发展轨道的同时，将为太原市房地产业的健康发展做出积极的贡献。

地址： 山西太原义井街23号　**邮编：** 030021
电话： 0351-6087344 5289699　**传真：** 0351-6092196
网址： www.ccescc.com　**邮箱：** ccescc@ccescc.com

山西潞安房地产开发有限公司

潞城市潞安.颐龙湾临街效果图

山西潞安房地产开发有限公司成立于2001年，主要从事房地产项目开发、策划、咨询、中介、销售、物业管理等工作，注册资本3000万元，房地产开发二级资质。公司下设投资中心、资本中心、技术中心、综合办公室、企划部、工程部、党群部7个主要业务部室。通过多年的市场开发，公司已形成了一支高素质的管理团队。公司也成为山西省最具实力的房地产开发企业之一。

公司自成立以来，始终坚持“厚德、博学、创新、卓越”的企业理念，坚持“经济效益、社会效益、环境效益”并重的原则，从2002年5月至2005年12月，仅仅3年时间，便将十万平方米的文教社区一“潞安•颐丰苑”所有房屋全部竣工交房，并且取得了“一期工程开盘后三个月内销售一空，二期工程两个月销售一空”的在长治市场上绝无仅有的先例！并首创长治市房地产企业零投诉的纪录。“潞安•颐丰苑”先后获得“中国建设精品楼盘”、“山西省建筑业新技术应用示范工程”、长治市“模范住宅”等多项荣誉，为长治市旧城改造、魅力城市创建、园林城市建设作出了应有贡献。公司也先后荣获“中国知名房地产企业”、“中国企业最佳开拓力团队”等称号。

潞城市潞安.颐龙湾鸟瞰图

样板间实景照片

潞安颐龙湾小区实景

2008年始，公司在长治西一环路开发62万平米的潞安•颐龙湾项目，包含高层、小高层、多层等建筑类型。公司本着建良心房、做永久人的原则，高起点、高标准建设精品工程，在长治市率先采用以预制高强混凝土管桩技术、现浇混凝土空心无梁楼盖技术为代表的新型施工技术，以大模板施工为代表的新型施工工艺，以新型无机活性外墙保温墙体材料为代表的新材料，以双层机械车库为代表的新设备，以太阳能利用的热水系统、路灯照明、供电、屋顶亮化以及园林绿化保养中的雨水收集系统等为代表的新能源利用技术，在住宅建设中再次引领了本地区行业发展的技术水平！目前，潞安房地产在长治市已是家喻户晓，潞安•颐龙湾高端产品的形象更是深入人心。项目开工以来，作为长治市规模大、景观好、手续齐全、质量无忧的样板工程，受到省、市多位领导，政府部门及银行单位的多次参观、调研，并在2011年7月作为长治市房地产行业的代表参加了2011山西城镇生态建设成果暨绿色建筑科技产品博览会。

2011年年初，公司成功拍下潞城市生态文化新城的94亩土地。“十二五”期间，公司将积极通过收购、兼并、控股等形式，整合优势资源，走强强联合发展道路，使“潞安房地产”成为二三线城市具有低碳经济、文化内涵、社会责任等产业特色的新型房地产著名品牌！

长治市潞安中义房地产开发有限公司

长治市潞安中义房地产开发有限公司成立于 2002 年 2 月，注册资金 3419 万元，山西省建设厅批准的贰级房地产开发资质的经济实体企业。经营范围：房地产开发经营、门窗构件、预制构件、装潢装饰、冷扎钮制做。

公司内部房地产开发管理机构设置六部一室，开发经营策划部、财务部、工程部、技术质检部、预算部、销售部和综合办公室。现有职员 100 余人，其中具有一级建造师、二级建造师、结构师、造价师、工程师、会计师、经济师、统计师等各类专业技术管理人员 58 人，企业人员结构合理，各项管理制度健全。

公司成立以来，始终坚持以人为本，“以质量求生存，以管理要效益，以信用求发展”的经营理念，先后开发了沁芳小区第一期工程，总建筑面积 170000 平方米，所开发的商品房结构、造型美观、质量好，价格适中。环境绿化，假山水系，石头文化，用精工细刻，使沁芳小区幽雅神气，销售率达百分之百。沁芳小区第二期工程总建筑面积 95000 平方米，钢筋混凝土剪力墙结构，楼层十五层，层高 3 米，规划布局为 2 组合，7 幢楼总户数1000余户。沁芳小区处于长治市城西北路北段，北靠长钢复兴小区、天主教堂；南靠长治市中心血站；西靠飞路公司；东靠长治市十五中学。地理条件优越，交通便利，是集住宅、商业、办公为一体的黄金地段。该小区建成投入使用后能缓解我市商品住房的紧张局面，为繁荣长治的经济发展，建设我市“山水园林城市”增色添彩。

随着房地产业的快速发展及国家相关房地产政策的出台和推进，以文化建设提高企业群体素质，促进企业和社会和谐发展，逐渐成为房地产业的共识，即企业文化，它是人们在不断的追求和探索中形成的。首先，楼盘的开发应倡导以人为本的建设理念，不断创新，广泛弘扬，传播中国建筑文化，打造经典楼盘文化的内涵和价值倾向，充分展示新时期卓越房地产企业的新文化，新成果、新经验、新模式。其次要注重品牌，如今是品牌领导消费的时代，大部分消费者购买商品首选考虑的因素是品牌。房地产业也是一样，只有品牌住宅，才能满足人们居住功能以外的种种需求。因此，开发企业更应树立品牌意识，打造属于自己的品牌，保护好来之不易的品牌。企业文化意义在于：有利于提高员工的职业素质，改善企业形象；有利于提升企业的凝聚力，增强企业竞争的核心力；有利于提高企业的管理水平，确保企业建设顺利发展。

公司本着“在发展企业的同时，为建设长治经济发展多做贡献”的宗旨，以更自在的人性化理念，更高水平的规划设计，更多的阳光、假山、绿水和新鲜的空气，倾力打造沁芳社区美好家园。

小区广场

高层住宅楼

沁

长治市沁芳苑小区幼儿园

沁芳苑小区绿化

盛世

沁芳苑小区多层住宅楼

沁芳苑中心广场

山西乾得龙房地产开发有限公司

山西乾得龙房地产开发有限公司成立于二00四年四月，注册资本2000万元，公司现有职工100余人，有高级工程技术人员8人，中级职称的6人。公司在董事长李连杰同志：现年57岁，大专文化，1970年至1983年在运城市水工局工作；1984年至1990年在原城建委工作；1991年至1994年在市节水办工作；1995年至2003年在运城市水利工程装璜公司任董事长；2004年至今在山西乾得龙房地产开发有限公司任董事长。运城十二届政协委员。

公司成立以来，李连杰同志首先组成了强有力的公司领导核心，并带领公司一班人，奋发进取，努力拼搏，坚持把握市场导向，秉承“创新、务实、团结、共赢”的企业文化理念，以“健康、持续、又好又快发展”为企业经营宗旨，以“投资者，经营者”探讨成功为企业核心价值观，始终坚持与格守在困难重重处寻希望，在荆棘丛生处开坦途，保持昂扬的斗志。根据公司发展战略规划目标，先后建设开发了空港鑫海花苑小区，建筑面积4栋6层1.2万平方米，兴建了大型集商住为一体的房地产开发项目：运城市空港国际建材家居城（现名：运城市空港新区汽配城销售有限公司），建筑面积为二十余万平方米，其中住宅六栋六层8万平方米，一层库房3栋1.2万平方米，两层大卖场10万平方米，小卖场3万平方米，“怡鑫苑”小区四排六栋，建筑面积3.4万平方米。

几年来，公司精英团队，在李连杰同志带领下，始终秉承“诚实守信，打造精品”为本，赢得了广泛的社会信誉，企业连续获得了诚信“AAA级”单位，2009年被评为警民共建单位，2010年被评为拥军模范单位，2009年被陶村镇赠予“情倾三农、心系发展、携手合作、共建和谐”合作伙伴。

运城市到2020年将建设成为晋陕豫黄河金三角地区现代化的中心城市，山西向东向西开放的大通道和桥头堡，我公司将抓住机遇，以科学发展观为指导，以“团结、务实、创新”为宗旨，发扬改革创新的精神，使企业在经济大潮中保持稳健的发展。

团结诞生希望，凝聚产生力量。公司全体人员将努力克服困难，同心同德，不断开创企业发展的新局面，以顾客满意为企业最高战略，迈着坚定有力的步伐，为建设美丽，和谐的运城谱写企业发展的新篇章而不断地努力奋斗。

山西省建筑设计研究院

THE INSTITUTE OF SHANXI ARCHITECTURAL DESIGN AND RESEARCH

张学锋　院长　法人代表
成绩优异的高级工程师
国家一级注册建筑师

山西省建筑设计研究院创建于 1953 年，是山西的第一家国家综合甲级设计研究院，并获得国际 ISO9001:2000、ISO14001:2004 和 GB/T28001-2001 三个体系认证。全院现有职工 641 人，有专业技术人员 532 人，其中教授级高工 13 人，享有政府特殊津贴专家 10 人，高级建筑师、高级工程师 124 人，建筑师、工程师 225 人，有各类国家注册人员 162 人，山西省青年设计专家 6 人，具有一批较高学术造诣、省内外知名的专业技术带头人。设综合设计所（10 个）、建筑方案创作所、工程勘察所、惠州办事处、工程咨询中心、新型结构研究中心和岩土工程研究所等设计及科研机构。

服务项目有城市规划、工程咨询、工程设计、工程勘察等。半个多世纪的精心设计、锐意创新，为山西的城乡建设做出了突出的贡献。在医疗建筑、体育建筑、商业建筑、文化教育建筑、大型公共建筑、居住建筑和邮电、电力、餐饮、宾馆、工厂等工业与民用建筑工程设计及建筑节能设计中积累了丰富的经验。多年来累计完成工程设计 8000 多项，建筑面积达 7000 余万平方米。项目遍布三晋大地，南疆北国，远及亚、非、欧诸洲。获国家、部、省级奖励 150 余项，推广、应用、研究新技术、新工艺 280 余项，并注重理论研究与学术交流，享有良好的社会声誉及业界的广泛好评。获得全国建筑设计行业诚信单位荣誉称号。

精致建筑、精彩生活。我们将更加关注用户需求，为用户提供更好的服务，为社会作出更多的贡献。

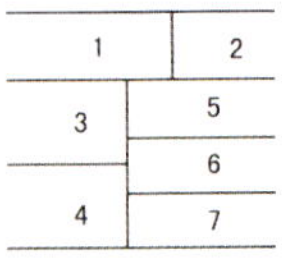

1. 山西大剧院
2. 山西建筑职业技术学院新校区
3. 丽华明景苑住宅小区规划
4. 沁水县星级酒店
5. 晋中市博物馆、图书馆
6. 太原长风高尔夫会所
7. 太原钢铁（集团）有限公司博物馆

地址：中国 山西省太原市府东街 5 号
电话：0086-351-3285380
邮箱：web@sxjzsj.sina.net
邮编：030013

忻州开来房地产开发有限公司

From Xinzhou Real Estate Development CO.,LTD.

忻州开来房地产开发公司董事长兼总经理张建国

山西省房协组织的开莱国际社区广厦奖评审会现场

住建部、省市领导在开莱国际社区高层建筑群考察

开莱国际社区鸟瞰图

开莱国际社区景观绿化小品一

开来房地产又一精品小区桃园新村住宅小区

忻州开来房地产开发有限公司是一家专注于房地产开发运营的企业，本着"奉献社会、服务大众、又好又快打造精品楼盘"的宗旨，公司从创立初始就致力于"开莱国际社区"项目的开发和建设，该项目是忻州北部新区首席大型园林景观居住区，是忻州首家集高档住宅区、园林景观区、教育文化区、配套商业区于一体的高档次城市居住社区。2007年11月9日，该项目被评为国家康居示范工程。2012年度该项目被评为"2011-2012年度广厦奖获奖项目"。

经过近五年时间"开莱国际社区"项目的开发和建设，项目的规划设计方案已初见规模，得到国家建设部、省建设厅、市政府的重视和推广。

2011年公司公司又以"传承经典，提升品质"为目标，倾力打造浪漫人间桃源—"桃园新村"项目。目前"桃园新村"项目已全面开工，它的建成必将成为再树人居生活新标杆的典范。

在公司为忻州市城市建设、经济发展以及社会公益事业做出重大贡献的同时，公司时刻把解决社会及市民困难，支持社会公众事业、救济贫困民工家庭，支持和关心教育事业，帮助贫困大学生上学，作为公司工作重要组成部分。各种社会的赞誉也接踵而来，公司取得了众多的奖项。

2007年11月9-10日"山西忻州开莱国际社区项目"由住建部住宅产业促进中心和省住建厅组织专家进行评审，列为"国家康居示范工程"项目。

2008年11月，被中国房地产及住宅研究会房地产综合开发委员会授予"中国房地产及住宅研究会房地产综合开发委员会会员单位"

2009年9月获山西省希望工程办"希望工程贡献奖"；

2010年8月获共青团忻州市委忻州希望工程办"希望工程贡献奖"；

2010年9月取得了忻州市跤王争霸赛的奖杯。

2011年8月，被忻州市职工蓝球赛组委会授予第三个全国"全民分健身日"活动暨忻州市"国力杯"职工篮球赛三等奖。

2011年9月，被忻州房地产业协会授予"忻州市房地产业协会常务理事单位"。

2011年10月，被山西省房地产业协会授予"山西省房地产业协会会员单位"。

2011年10月，被忻州市住房保障和城乡建设管理局授予忻州开来房地产公司赠送环卫作业车"共创温馨家园 齐享文明城果"。

2012年3月，被中共忻府区委忻府区人民政府授予"2011年度纳税1000万元以上"企业奖；

2012年10月被评为"2011-2012年度广厦奖获奖项目"。

晋城天惟房地产开发有限公司

晋城市天惟房地产开发有限公司位于晋城经济开发区，是山西合聚集团投资设立的房地产开发公司，是一家具有四级资质的房地产开发企业，主要从事房地产综合开发、建材经销等业务。自成立以来，一直秉承“责任诚信、百年永久”的经营理念，认真国家的法律和房地产调控的有关规定。

公司自成立以来，累计开发商品房面积60余万平方米，成功建成了栖凤小区、怡风小区、泰安小区、山西合聚科技大厦、晋城合聚心脑血管病医院、东城幼儿园、泰富新居等花园式住宅小区，以优良的工程质量和诚信服务在社会上赢得良好的口碑。

公司连续多年被金融部门评为“AAA级信用度企业”，先后获得开发区颁发的“利税大户”、“先进集体”、“创建和谐企业先进单位”、“市工商局守合同、重信用企业”等多项荣誉，为当地经济和社会发展做出了应有的贡献。

面对未来城市房地产开发的新的特点，公司将把握住机遇，强化管理，积极开拓市场，实施品牌战略，努力把公司培育成为集团公司重要的利润增长点，为实现经济效益和社会效益双丰收而努力！

合聚集团科技大厦

天惟地王公司

晋城心脑血管病医院

怡凤小区

泰富新居

东城幼儿园

山西省投资集团

金玉房地产开发有限公司

公司简介

山西省投资集团金玉房地产开发有限公司成立于 2006年2月10日，于2011年4月28日由山西投资集团房地产开发有限公司全资收购，隶属于山西投资集团房地产开发有限公司。注册资本2000万元。公司的最高权力机构为董事会，实行董事会领导下的总经理负责制，公司的经营活动由董事会决策，监事会监督，总经理组织实施。

公司设一室四部一小组，分别为综合办公室、财务部、工程部、销售部、开发部及招标小组。目前公司共有职员60余名，其中具有职称的10人，注册会计师1人，会计师3名，经济师2人、统计师1人。

公司按照现代企业制度的管理模式，始终坚持以市场为导向、开发为重点，经营为龙头，质量为根本的开发理念和经营方针，切实转变观念，解放思想，紧紧围绕市场狠抓经营，强化管理，树立责任感、认识危机感；不断留意和观察房地产市场行情，积极寻求探索与市场机制相适应的经营策略和经营方针，走品牌化之路。

我公司目前开发的是太原大王村城中村改造“美林湾”项目。该项目系太原市首批批复的城中村改造项目，定位为中高端楼盘。总建筑面积约30余万平方米，总投入近13亿元。

在“美林湾”项目建设上，我们始终坚持党的路线、方针、政策，积极响应政府的各项号召，在集团公司及上级公司的正确领导下，科学发展、不懈追求。坚持“人本”设计思想，营造居住消费新时尚，创造居住生活新感受。以新颖的设计、独特的造型、优美的环境，完美展示现代都市生活的新空间，为住户创造一个优美、安全、舒适、方便、文明和具有较高文化品位的生活环境。把太原市万柏林区大王、后王社区“城中村”改造“美林湾”项目做好，为太原人民创造一个质优、价廉、绿色、清洁、环保、文明的生态宜居小区。

同时，为了适应市场经济发展的需要，在上级公司的正确领导下，积极探索房地产发展的新思路，拓宽经营领域，以提供优质住宅为己任。坚持“以制度建设为基础、以文化理念为先导、以改革创新为动力、以真诚服务为中心、以实干精神为保障”；确立“博学、尊重、慎思、诚信”的公司核心价值理念；树立以实际行动打造以“满足人居改善型需求、满足社会多层次需求”的服务宗旨；以“追求卓越、打造品牌”为公司发展的精神所在，紧紧围绕集团公司的发展战略，为把山西省投资集团金玉房地产开发有限公司建设成为社会公认、群众信赖的山西第一品牌的房地产公司而努力奋斗。

山西省投资集团
房地产开发有限公司

公司简介:

领导成员合影

山西省投资集团房地产开发有限公司成立于2008年10月9日，其前身为山西龙泰房地产开发有限公司，属山西省投资集团有限公司的全资子公司，公司注册资金2.5亿元，具有房地产开发四级资质。公司主要经营房地产开发、销售；工程技术咨询；建材的销售；会议会展服务；建材销售等业务。

我公司现有员工237人，取得高级职称的员工4人，中级职称32人，大专以上学历168人，平均年龄34岁。

公司本部设两部一室，分别为党群部、财务部和综合办公室，下设三家控股公司（大同安家房地产开发有限公司、山西省投资集团高新建设开发有限公司和山西省投资集团高科建设发展有限公司），四家全资子公司（山西省投资集团金玉房地产开发有限公司、山西省投资集团物贸有限公司、山西省投资集团物业管理有限公司和山西省投资集团园林绿化工程有限公司）和一家海南分公司。

公司目前经营的主要项目有：

1.太原大王村、后王村城中村改造“美林湾”项目。该项目由山西省投资集团金玉房地产开发有限公司开发建设，系太原市首批批复的城中村改造项目，定位中高端楼盘。位于太原市万柏林区大王路32号，总占地面积一期工程约102亩，规划建设10栋楼、两个地下车库，总建筑面积约21万平方米；二期工程占地约43亩，规划建设5栋楼，总建筑面积约10万平方米。两期工程总建筑面积约30余万平方米，总投入近13亿元。

2.大同市南郊区马军营乡“智家堡村城中村”改造项目。该项目由大同市安家房地产开发有限公司开发建设，是大同市人民政府批准，报大同市发展和改革委员会核准立项的城中村改造项目，是大同市政府旧城改造建设新大同文明古城的重点项目之一。项目位于大同市御河西路中段，项目总规划建筑面积为79万平方米。

3.山西国际物联网产[illegible]园[illegible]项目。该项目由山西省投资集团高新建设开发有限公司控股企业开发建设，项目被列[illegible]2012省市重点[illegible]，是山西省委、省政府、太原市委、市政府为加快推进山西省、太原市物联网新一代信息技术产业集群[illegible]发展，依托省内主要企业在物联网行业领域的技术研发、人才储备、应用经验方面的优势资源，培育山西省新的经济增长点，推进经济转型升级的重要举措。

[illegible]成立[illegible]来，[illegible]学发展观为统领，不断加强员工队伍建设，深化企业内部改革，建立权责明确的现代企业制度；[illegible]市场为导向，[illegible]观调控，坚持政府引导、市场运作、企业[illegible]、多元投入的原则；以市场化、产业化、社会化和有[illegible]化为方向，[illegible]新和技术创新为动力，努力扩大服务业规模，增加总量，优化结构，先后成立了与房地产行业相配[illegible]物贸、物业[illegible]化公司，使经济效益[illegible]，企业实力和规模不断壮大，从而形成多元化、规模化的发展[illegible]，促进房地产主业[illegible]发展。

WANDA MANSION
万|达|公|馆
中国·太原
观邸 2
城市中央 龙潭湖畔奢装湖景大宅
290㎡—360㎡新品四居大宅荣耀上市
CITY CENTRAL LAKE VIEW LUXURY PALACE
LONGTAN LAKESIDE
北大街
万达公馆
万达广场
汾河
新建路
解放路
龙潭湖
省政协
旱西门街
省政府
府西街
N
实景合成图
THE WORLD'S
王者品牌
THE WORLD'S
王者豪宅
THE WORLD'S
王者精装
THE WORLD'S
王者湖景
THE WORLD'S
王者园林
THE WORLD'S
王者尊崇
本广告为要约邀请，不构成本公司对广告相应内容的承诺，买卖双方权利义务以《商品房买卖合同》为准。最终解释权归太原万达广场有限公司所有

山西省第五建筑工程公司

总经理乔建峰

山西省第五建筑工程公司是国家一级大型建筑施工总承包企业，具有五十多年的光辉历程，先后承建或参建了上百项国家重点工程和省市标志性建筑。完成了一大批国防工程、工业项目、公共项目和民用建筑的施工，业绩逐步由我省的十一个地市，扩展到了北京、上海、天津、吉林、辽宁等20个省市，为国家的国防工业和山西省的基础工业、城市和经济建设作出了巨大贡献。承建的山西涤纶厂工程获山西省第一个国家优质工程奖。特别是承担施工的中国政府援喀麦隆雅温得体育馆工程在海外赢得良好赞誉，2007年1月31日胡锦涛总书记视察该工程时给予了充分肯定和高度赞扬，为山西建筑业争了光，为中国人民争了光，该工程同时获得了山西省第一个境外“鲁班奖”。曾实现了山西建筑业多项零的突破，刷新了多项纪录。在三晋大地，长城内外铸造了一个个精品，树起了一座座丰碑。

为了实现企业转型发展，公司将加快经营结构调整，进一步完善建筑总承包能力，提升专业承包能力，发展壮大子公司，拉长产业链，向两头延伸，提升现有经营规模，实现集团化经营。同时把房地产业作为公司的第二大支柱产业发展，2009年成立了山西同利达房地产开发有限公司，以适应市场为导向，本着绿色健康，创造精品，造福百姓，贡献社会的宗旨和理念，近年来先后开发了太原豪特大厦、利达苑小区，忻州市新建东路住宅小区等项目。

公司将以市场为导向，立足大平台，把握大机遇，围绕结构转型，空间跨越，节能环保、绿色文明，不断完善人才、技术和文化支撑体系，大力推进标准化、集约化和信息化建设，向智力和技术密集型集团化公司迈进，实现企业转型跨越发展。

公司将真诚与国内外广大新老朋友精诚合作，互利互惠，实现“共赢”，努力促进建筑主业、房地产业等几大板块协调发展，创造企业美好明天，续写山西建筑业改革发展崭新篇章。

太原达利苑小区

忻州新建东路住宅小区

太原豪特大厦

地址：太原市建设北路346号 邮编：030013 电话：0351-3073238/2606300 传真：0351-307313

新佳荣地产携豪宅力作中央公园，为城市定制非凡未来！
新佳荣地产 * 荣誉出品
Family Glory
北川河畔 传世官邸
新佳荣·中央公园，雄踞城市中央，延续三晋辉煌，
于山水俱佳之地书写家族传奇，创制世界级生活领地。
在这片享誉千年的土地上，开创了吕梁绝无仅有的传世官邸，
犒赏一座城市的成功人士。以独一无二的荣耀地位，领秀于世。
CENTRAL PARK
中央公园
CENTRAL PARK 北川河畔 传世官邸
-影响力- 吕梁巅峰 城邦豪宅地标
-稀缺力- 城市中央 仅少数人可享
-掌控力- 交通枢纽 掌控城市主动脉
-传世力- 凤山下北川河畔 传世官邸
-繁华力- 比邻星级酒店 聚引高端繁华
-建筑力- 精雕细琢 打造传世品质
-产品力- 大师设计 至尊传世户型
-品牌力- 实力开发商 引领名流生活
VIP:0358+667 9999
项目地址：离石区·北川河东路·中央公园
发展商：新佳荣地产 XINJIARONG ESTATE
代理商：高策机构 | 整合推广：甲乙丙丁广告

山西华雄房地产开发有限公司

SHANXIHUAXIONGFANGDICHANKAIFAYOUXIANGONGSI

华雄总经理　张明雄

山西华雄房地产开发有限公司，成立于2007年11月14日。公司位于太原市晋源区晋祠镇北大寺村。公司注册资本5000万元，四级资质，是山西省房地产业协会会员单位。

公司业务涉及房地产开发、物业管理、钢材、建材、装饰材料等，承建的北大寺村花园式住宅小区，总面积20万平方米，主体已经完工，配套工程园林式迎宾公园也在进行当中。建成了绿色生态旅游观赏园区，总占地400亩，正是“百亩荷塘、万朵荷花、争奇斗艳”。

绿色农业食品有驰名中外的晋祠大米，采摘式果园也对外开放，随着晋祠旅游事业的发展，公司还成立了太原市华雄旅游有限公司，并承担着晋祠地区的旅游接待。全国少见的集义庙、崇福寺已相继对外开放，近万米商铺已经建成，涵盖了酒店、宾馆、超市、土特产店、娱乐中心等，建设了大型停车场，配备了音乐喷泉、电子屏等，为广大游客提供了更好的旅游环境。

住宅小区

迎宾公园效果图

鼎轩地产

DINGXUANESTATE

晋中市鼎轩房地产开发公司成立于2005年7月，拥有各类专业人员30余人，其中：国家一级注册建筑师1名，高级工程师3名，工程师5名，注册会计师1名，经济师3名，会计师1名，统计师1名。目前，公司总计投资5亿，正在对华钜装饰城进行改造，建设晋中首家城市综合体项目---华玺·财智商都，项目一期工程由3万平米围合式铂金商业，4.3万平米高层住宅建筑和2万平米的地下建筑组合.二期工程计划投资5亿元，面积约有15万平方米。

三万平米航母级综合体
全新生活家居运营模式

晋中市鼎轩房地产开发有限公司
ADD：山西晋中市榆次区迎宾西街65号
TEL：0354-2669888
FAX：0354-2669777
华玺家居生活广场
TOTO

荟鑫地产

HuiXin Real Estate Brokerage Firm

因 为 专 业 · 所 以 卓 越

★ 山西荟鑫房地产经纪有限公司总经理

★ 山西晋商文化交流协会常务理事

★ 中国注册房地产策划师

★ 中国房地产协会会员

★ 山西房地产业协会会员

★ 高级房地产营销专家

荟萃群英　极尽理想

智慧耕耘　鑫房共创

总经理：

山西荟鑫房地产经纪机构简介

SHANXIHUIXINFANGDICHANJINGJIJIGOUJIANJIE

山西荟鑫房地产经纪有限公司是一家集旅游地产、工业地产、住宅地产、商业地产开发协作及房地产企划、代理、销售、营销推广、投资顾问于一体的专业化综合性服务机构。

荟鑫房地产经纪机构以房地产全程代理销售为主营业务，同时兼顾房地产项目的发展顾问、市场调研、产品定位、销售管理、销售执行、推广策略、广告创意设计、媒介服务、公关活动等单独或分类结合业务的开展。

多年来，公司积极提升专业操作水平与项目服务能力，专业影响力不断扩展，树立了良好的品牌形象。目前，公司已建立起一支完整的房地产代理销售服务团队，服务覆盖地区：山西、北京、河北、天津等区域，顾问及代理参与项目的营销面积达500万平米以上，具有代表性的项目有：（山西）云水瑶、东台金谷、龙苑四号、东福嘉苑、新天地、富康苑、汾水湾、金世纪家园、学府雅筑、枣园小区、西域年华、恒源逸景、名仕苑、上风尚水、玲珑湾、浑源汽配城、山西新能源研发中心、凤凰山别墅等项目，（北京）福城新天地、（天津）望津新城、（河北）怡馨家园。

公司拥有正式员工100余人，前期顾问策划团队35人，专业设计团队15人，储备及在岗专业销售尖刀管理人员20余人，其中大专以上学历者达到90%以上,很多骨干均从业多年,业绩突出，有丰富的操盘经验。专业的、高素质的企划和销售队伍，为公司注入了活力及增加了市场竞争力，是一只训练有素、专打硬仗的销售精英团队。

荟鑫以诚信、速度、创新为理念，秉承专业市场操作路线，以“真诚、高效”为经营理念，集聚专业深度与符合广度的行业经验，用缜密而完备的市场情况掌握，提供全面而深入的咨询顾问服务，进行最有效的行销推广，为业界搭建最先进的商务合作平台，矢志成为地产行业的领跑者。

地址：太原市南内环桥东179号城市花园三单元七层

电话：0351-7996178 / 7996179

传真：0351-7996178

E-mail：XCJFCDL@163.com

山西金明房地产开发有限公司

山西金明房地产开发有限公司于2008年8月成立，公司地址位于平定县东大街商务楼，注册资金1000万元，由杨金明先生任公司董事长，下设山西成业商砼有限公司、古州物流有限公司和锦佳物业管理有限公司。现有员工80余人。其中工程师、会计师、经济师、政工师等各类专业技术人员50人。

公司成立以来，先后以土地挂牌出让等形式，购买了原冶西中学联校、县社罐头厂、平定县塑料厂、前社村口、粮食局办公区，平定县药材公司以及东大街健康大厦对面用地和西关村等建设用地。现已在阳煤集团矿区建成“富鑫”小区商品住宅29000㎡，平定冶西“方山花苑”住宅小区25000㎡，前社村口的“前社新区” 32000㎡，西关村的“西城花苑”和“嘉苑二期”住宅小区60000㎡，以及众美小区一期住宅楼28000㎡，住宅入住率均达98%。在建的工程项目有19000㎡的古州物流综合大楼，前社新区25000㎡的10#商住楼以及30万/㎡的商品砼砼搅拌站。拟建的项目“金世华庭”120000㎡的商业住宅步行街，“众美二期” “众美三期”60000㎡的住宅小区以及林业局“华都大厦”35000㎡高层商住楼，现前期各项手续正在办理完善当中。

经过我公司几年来的诚信运作，公司已逐步步入健康发展轨道。以“建精品工程、树金明形象”为宗旨，以建设“和谐、低碳、知性、美好、品质性的新家园”为目标，以“诚实正直、信守承诺”为承诺，以“团结、拼搏、求实、创新”为精神，集合社会各界力量，把公司塑造成省内外影响力大，具亲和力的地产企业。为古州百姓提供更多符合需求的，老百姓买得起的建筑精品，为提升城市品位，县城经济的发展做出应有的贡献。

中正地产

用心建筑幸福生活

山西中正房地产开发有限公司创建于2005年5月，注册资金1000万元，是一家追求卓越、专注品质和细节的专业地产公司。公司市部位于山西省太原市，业务领域涉及地产开发、商业运营和物业服务三大板块。

中正地产以“中正仁和”作为企业文化的核心主旨，以“用心建筑幸福生活”为企业使命，坚持“诚信、双赢”的经营理念和“学习、创新、务实、奉献”的企业精神，内强管理，外塑形象。经过6年的潜心发展，中正公司已经形成了集投资规划、开发建设和物业服务为一体的，具备房地产全程运作能力的高效地产企业。

伴随着山西本土房地产的起步、振荡、发展，中正地产在市场风雨中茁壮成长。在快速的成长过程中，中正地产不断完善企业管理体系，建立健全现代企业制度的管理模式，注重人才的培养和储备，充实管理团队。并用中庸正直、仁爱和谐的企业理念经营公司、开发项目，秉着对老百姓负责、对社会负责的态度，一步一个脚印，以艺术品的标准为老百姓们打造一个又一个气势恢弘、乐在其中的居所。

同时，根据企业发展和项目开发建设需要，不断与国内顶尖知名产品研发团队合作，先后在太原成功开发了“中正花园一期”、“中正银苑”、“中正悦湾”，以及正在开发的“中正花园二期”、中正投资与刚玉广大合作开发的

中正地产
Zhong Zheng Estate
用 心 建 筑 幸 福 生 活

“中正乐居”等商业住宅小区，产品质量不断提高，物业管理服务不断完善，短短数年，中正地产已经迅速成为山西本土开发企业的领头羊之一。并在宏观调控的2011年，创造了一个又一个的销售神话，实现逆势飞扬、高速增长。在荣誉面前，中正地产依然不急不躁，稳稳地走好规划中的每一步路，以政府政策为中心指导，以市场为调整依据，行中庸之道，以堂堂正正之姿前行。

而且中正作为山西本土企业，多年来在快速发展的同时，坚持以企业公民的角色自觉承担社会责任，在花园项目开发过程中垫资3000余万元，积极帮助政府安置原太原市无线电专用设备厂下岗职工500余人。在悦湾项目建设过程中安置职工1035人，也充分体现了一个有社会责任的企业应有的气度。另外公司积极在公益事业上奉献爱心，截至2011年，公司累计捐款近30余万元，其中2006年至今，公司长期资助10名贫困大学生，为他们能顺利完成学业提供学习费用，资助金额达15.57万元。2008年“5.12汶川大地震”、2010年4月“青海玉树地震”发生后，公司上下积极响应号召捐款捐物并通过红十字会、省青联、区发改局、房地局等途径积极向灾区捐款，总捐款额达18万余元。同时积极响应政府号召，参加慈善一日捐活动，受到红十字总会等相关单位的广泛赞誉。

山西陆延房地产开发有限公司

总经理：肖志荣

山西陆延房地产开发有限公司，成立于2003年9月，是专业从事房地产规划设计、市场开发、项目建设、营销策划及酒店和物业管理的公司。注册资金共1.265亿元，拥有房地产开发一级资质，是以普通住宅、旅游休闲房地产、养老房地产等为主打产品，价值链覆盖房地产开发、运营全过程的专业房地产公司。公司管理人员目前共240余人，全部具有大专以上学历，其中具有各类专业技术职称的人员175人。

近几年，公司在经营业绩、经济效益、管理团队、开发资质等方面均取得了骄人的成绩，其中已竣工项目有吕梁西苑小区和秀水苑、太原通海会馆三星级酒店、太原师范街回迁楼项目、灵丘名府城市花园、太原桃园北路省委高层住宅、闫家沟华清苑西区、海南省琼海陆泉·晋如意。面对竞争激烈的房地产市场，经过艰苦拼搏和创新发展，2010年，公司与海南定安县政府签订了对黄竹镇区6000亩建设用地进行生态旅游开发的协议；2011年，公司先后在海南定安县黄竹镇、河北张家口宣化县、临汾曲沃县等地进行了土地储备共400亩，目前这三个项目前期工作正顺利推进并将陆续开工建设。截止目前为止总计可开发面积约110万㎡，累计开发房屋竣工面积约80万㎡。在完善质量保证运行的前提下，连年建筑工程质量合格率达到100%，项目竣工综合验收合格率达到100%。

公司在发展壮大的同时也在不断的推广新的环保节能技术。以大同灵丘名府花园例，早在2005年该项目就在当地率先采用了水源热泵技术，成为我省使用该绿色环保节能技术为数不多的几个小区之一。由于严格执行《两书》规定的承诺制度和回访制度，使业主满意率达到90%以上 。2007年被评为 “大同市优秀示范小区” ， 2008年被评为“山西省优秀示范管理小区”。

根据房地产开发以及经营发展的需要，2008年按照GB/T19001标准，GB/T24001标准和GB/T28001标准，建立了质量、环境与职业健康安全“三位合一体”的现代化管理体系。为了创新管理、谋求更长远的发展，山西陆延房地产开发有限公司以“建筑人类美好家园”为使命，以“成为房地产行业领先的企业集团”为愿景，在全体员工中树立“安全、领先、尊重、责任”的核心价值观，以“以人为本、创新理念、用户至上、塑造精品、诚信务实、遵章守法、节能环保、持续改进”为经营宗旨，努力为社会和用户提供一流的产品和服务。

灵丘名府城市花园项目

海南琼海晋如意项目

海南黄竹如意竹苑鸟瞰图

海南琼海晋如意项目鸟瞰图

总经理：郭玉增

吕梁市住宅合作社

吕梁市住宅合作社于一九九二年八月经市人政府批准成立，隶属市房地产管理局，是组织发展城区住宅建设的一个合作形式的开发企业。以服务为目的，自主经营、自负盈亏、自我发展。主要任务是面向吕梁市区各单位干部职工，通过合作形式，多方筹集资金，积极组织经济适用住房、成本商品房建设，指导和推动全市保障性安居用房、廉租房建设工作。

经过二十年的不懈努力，合作社现已发展成一家较强实力，较好信誉、较高知名度和一定物业管理水平的城市房地产开发建设单位，现拥有职工62名，其中工程建设管理高级职称1名、中级职称26名、初级职称35名，固定资产已达一千二百万元以上。先后开发建设了永东安居小区、龙凤安居小区、交通路住宅楼，世纪广场商贸楼、安置楼、新华小区、鎏金花苑一、二期工程、丽景花苑、龙腾花苑、祥和小区、石油小区等，总开发建筑面积达一百余万平方米。

吕梁市住宅合作社由小到大，发展成为今天吕梁市区房地产开发企业的龙头企业，多次受到国家、省、市领导及有关部门的表彰。2000年6月29日在人民大会堂参加发起全国百家房地产销售“放心房”活动，2001年9月被建设部授予销售“放心房”承诺活动先进单位。2011年在“三项整治”活动中，社领导带领职工全力以赴，战斗在第一线，为改善城区市容市貌做出了巨大贡献，得到了政府和市民的肯定。

今后，吕梁住宅合作社继续坚持“诚信第一、质量第一、服务第一”的经营理念，遵循“追求卓越，筑造精品”的宗旨，继续为社会做出贡献。并竭诚希望与社会各界携手并进，共谋发展，同创美好未来。

晋城市亿泰房地产开发有限公司

晋城市亿泰房地产开发有限公司成立于二〇〇三年四月，注册资金1800万元，是由晋城市泽州县南村镇杨洼村投资，具有三级开发资质的房地产开发公司。公司董事长兼总经理是由在晋城德高望重的晋城市房地产业协会常务理事、杨洼村村委会主任靳光明同志担任。公司现有各类高、中级专业技术人员三十余名，占注册员工的58%，固定资产8000余万元。

公司开发的主导项目“四季花城”，是晋城首席花园小区，整个小区环境优美，景观新奇，四季有花，冬夏长青。总占地面积230.8亩，其中建设用地217.1 亩，人

晋城市杨洼新区鸟瞰图

行道用地13.7亩。总建筑面积287860平方米，其中住宅175266平方米，商业10566平方米，公建102128平方米，建筑密度22.44%，容积率为1.53，绿地率37.8%，日照间距1：1.4，住户1200户，停车位1200个。

“四季花城”小区交通便利，人文环境优越，是一个集居家、休闲、教育、文化娱乐于一体的现代化园林式示范小区，是晋城市唯一一个能够完成从幼儿园到高中全程教育的文化社区。本区内实行保安24小时巡逻制，红外线电子安全防范监控系统为住户提供可靠的安全保障。项目建设之初就受到晋城市民及社会各界的广泛关注，公司成立以来累计开发建筑面积15万余平方米，设计新颖，造型美观，使用舒适，深受广大回迁住户及社会各界的赞誉。

随着“四季花城”的逐步建设完善，它的名字在晋城市越叫越响，亿泰人开拓进取，追求卓越的精神也深深扎在这片热土上。

市纪委书记石正民在我县南村镇调研新农村建设

山西省第三建筑工程公司

山西三建
SHANXI SANJIAN

关于我们

企业文化建设

企业精神——1、艰苦创业　顽强拼搏　诚实守信　勇争第一
　　　　　　2、务实　创新　团结　奉献
　　　　　　3、讲求实效　强化管理　精益求精　铸造品质

企业愿景——1、成为具有品牌竞争实力的施工企业排头兵
　　　　　　2、做敢于承担社会责任的建筑企业
　　　　　　3、以人才为根本　以技术为基础
　　　　　　　铸造王牌品质　同创一流企业

企业目标——1、发展企业　富裕职工　和谐文明
　　　　　　2、实现企业与员工共同发展
　　　　　　3、诚信互利　厚德载物　团结拼搏　高效创收

企业宗旨——1、搞活企业　富裕职工　奉献社会
　　　　　　2、实现经济效益社会效益双丰收

经营战略——立足山西　拓展全国　走向世界

经营理念——报效祖国　服务社会　壮大企业　富裕职工

企业核心价值观——1、以人为本　诚信经营
　　　　　　　　　2、优质建设　以质为根

诚信经营　以人为本

企业文化理念

1、企业愿景：

创建价值卓越的不动产的知名企业。

A、努力创建国内知名省内领先的一流施工企业。

B、一流的施工技术、一流的科学管理、一流的建筑品。（三一愿景）

2、经营理念：

用精品工程拓展市场，用优质服务赢得客户，用科学管理提高效益。（三用理念）

3、企业宗旨：

建德、建友、建业（三建宗旨）

4、企业精神：

山西双明房地产开发有限公司

山水一期

山水庭院一期

“山水庭院一期”是山西双明房地产开发有限公司旗下开发的又一精品工程。项目坐落于太原市杏花岭区东山片区经园路387号，属“五龙湾·阳光海岸”二期工程。项目用地面积71175.48公顷，净用地面积57546.8277户，建筑面积289366.7平方米，容积率3.56□绿化率36.8%。

本项目以安全美观、以人为本为设计出发点，整体采用框架剪力墙现浇结构，充分引进目前国内最先进的建筑材料，并将景观与建筑充分糅合，合理将11幢板式高层组成两大组团，营造了亲睦的邻里意识。设计采用先进的人车分流模式，为居住者带来的了真正人性化关怀。楼盘充分注重环保节能理念在实际中的应用，采用三网合一铺设方式，被评为智能电力示范小区。

“山水庭院一期”以一梯两户及一梯三户为主要结构，户型设计方面，均以面积宽大的起居厅为中心，设置次卧、客卧、观景厨卫等功能空间，力争达到科学的家具动线及超高使用率。一体两户实现了真正意义的南北对流，一户三面采光；一梯三户则分户明确，交通面积紧凑。为业主提供了多样化的选择。

“山水庭院一期”景观以“生态性”为设计前提，将植物的运用、水的运用巧妙组合，构成台地庭园及绿篱庭园，适当点缀景观小品，在满足生活需要的同时，为人们打造出了一片诗意栖居的人性化生活环境。项目还配置了服务会所、商铺、地下车库、配电房、煤气（天然气）调压站等相关设施。

截止目前为止，山水庭院一期已先后与太原市邮政局、山西省建筑设计研究院、山西省建筑科学研究院、太原市统计局、晋商银行、太原市迎泽区教委等单位达成团购协议。

山西双明房地产开发有限公司成立于1999年5月17日，是股份制有限责任公司，注册总资本叁亿多元，资产规模10亿元，年销售平均8亿元，为国家二级开发资质，主要从事房地产开发和物业管理业务，是集房地产开发、物业管理、小额融资贷款、装饰设计、景观园艺于一体的最具影响力的本土规模地产企业。

科学的管理体系　卓越的人才梯队

公司自成立之初，就不断研究掌握房地产开发建设的规律，在多年的开发建设中，建立起标准化、科学化、系统化的质量管理体系，形成过程质量控制和创优机制。目前下设行政管理中心、财务管理中心、工程管理中心、成本控制中心及市场营销中心五大部门，管理体系严密，分工合理，可以同时应对两项目以上同时开发的考验。同时，公司荟集了本市房地产界各类专业技术人员200余人，其中资深高级人才近100人，中级职称80余人,形成了一支敢打硬仗、能打赢仗的双明队伍。公司一直以来奉行“创新是基础、人才是核心、全力打造时代精品、携手共创事业蓝图”的经营理念、“为民造福”的宗旨及“追求完美”的创业精神，取得了一系列令人瞩目的成果。

优质的精品工程　全方位的发展模式

公司全面实施精品战略，大规模整合优势资源，借鉴国内外先进开发经验，打造真正意义上的精品产品。公司成立至今已开发建设“桃园新居”、“五龙山庄”、“逸景公寓”、“山水庭院”等多个商业住宅精品工程，建设规模达50余万平方米，目前正在开发建设“山水庭院2期”“滨河·果岭”两个高品质住宅项目。经过多年的发展，公司累积省城客户3000多户，并多次成功组织团购，与山西省建设厅、工商银行山西省分行等单位进行全面合作，取得了良好的客户口碑和社会效益。同时，公司在拓展自身生产链的过程中又创立了诚诚装饰有限公司、新晋凯物业管理公司、明诚担保有限公司、秀川景观园艺公司、同顺房产经纪公司，并与山西知名企业强强联手合作助力转型发展,从上至下的全方位经营战略，扩大了公司在地产开发领域的竞争优势，并将逐步成长为太原市乃至全省的地产龙头企业。

金融花园

金融花园是山西双明房地产开发有限公司为工商银行山西省分行定向开发项目，由27栋联排别墅、3栋独栋别墅和一个塔楼（逸景公寓）组成，目前此项目已全部竣工并交付使用。金融花园别墅区通过结合五龙湾特有的独特自然风光和内部的绿化及园林景观，使居住环境更贴近自然，实现安居此地的人们返朴归真的憧憬，回归自然的人生追求。

金　融　花　园

金融花园位于经园路与红沟北街的交叉处，建筑面积34080.65万平方米，容积率1.6□绿化率36%，规划住户210户。目前，已全部销售完毕并以入住。“金融花园”由于其优良的产品，较为完善的配套设施以及精心设计的景观绿化使其迅速的得到业主的广泛赞许。“金融花园”项目作为五龙湾·阳光海岸的组成部分，它的成功开发为五龙湾·阳光海岸的后续开发建设提供了可靠保障，并为后期销售工作提供了较为成功的范本。　同时，“金融花园”的成功开发收到了良好的社会影响及品牌效益，从而使得山西双明房地产开发公司在太原本土市场中树立了“品质第一，客户为先”的经营服务理念，为公司的进一步发展壮大奠定了坚实的基础。

滨河·果岭项目

“滨河·果岭”是山西双明房地产开发有限公司旗下开发的转型力作。该项目是双明发展道路上的转折点，旨在向更高层次、更奢华的方向推出的中高端商业住宅项目。它坐落于太原市滨河东路北段，南侧隔太钢翠馨苑与邻森林公园为邻，西侧为太原湿地公园和滨河公园，北面距即将打通的太原北外环约800米，东面为规划道路，与太钢晾水池隔路相望。整个地块为不规则梯形，规划用地面积为7.73公顷。由11栋32层高层住宅组成，住宅建筑面积达22万平米。

太　原 - 滨　河

本项目统一规划综合开发，配套建设，充分挖掘地块潜力，发挥地块优势，创造一个环境优美、规划合理、配套齐全的综合性高档社区，树立滨河东路新地标建筑。注重环境意识，充分利用现有地貌，创造花园式的生态型小区。通过带有鲜明、优雅的Art—Deco风格的建筑造型，使小区呈现一种大气经典的风貌，蕴涵出名士对生活、事业、财富的精神象征。注重城市肌理和城市景观，进行总体的景观规划和设计，为总体规划锦上添花。

山西信通联科工贸有限公司

简介 Brief introduction

山西信通联科工贸有限公司位于双塔西街15号，是由山西通信物业管理有限公司更名而来。2006年通过ISO9000-2000认证。拥有国家建设部批准的二级物业管理资质。2010年当选山西省房地产业协会常务理事单位。

公司隶属于联通山西省分公司，注册资金500万元。下设7个物业分公司、5个经营分公司，拥有员工一千余人，其中具有中、高级职称的人员49人，取得物业管理经理资质证书的人员115人。经营项目涉及物业管理及咨询；餐饮；住宿；浴室；理发；房屋租赁；空调维修、保养；会议服务；广告业务；庆典服务；通信设施维护、维修；酒店管理及咨询；办公自动化设备、通信器材、通信终端设备的安装、维修、销售；通信业务信息咨询；计算机软硬件的开发、销售及维修；计算机综合布线及系统集成；礼仪服务；鲜花、工艺美术品、日用品的销售。

公司成立以来，坚持“巩固物业、发展多经”的经营思想，强化内部管理，提升服务质量，打造企业品牌。物业管理业务和多经业务齐头并进，业务发展势头良好。

目前，公司现已接管12座写字楼、12栋生产楼、21个住宅小区、37个营业厅的物业管理，总面积达75万平方米。2006年被中国房地产市场管理委员会授予全国物业管理诚信企业《政府放心、业主满意》称号；2007年被中国物业行业协会评为物业行业山西地区《十强影响力诚信品牌企业》；2009年荣获《山西省物业管理行业龙头单位》称号；2010年获得《引领中国物业管理综合实力100强》称号；2011年获得全国物业管理行业协会《最佳优秀服务品牌奖》、《最佳创新管理品牌奖》；并先后获得国家建设部“全国城市物业管理优秀大厦”、山西建设系统“文明行业工作先进集体”、太原市“优秀物业管理企业”、“优秀物业管理项目”等多项殊荣。

承蒙社会各界的厚爱和支持，山西信通联科工贸有限公司将一如继往地秉承“创新发展、效益领先、沟通人心、服务为本”的经营理念和务实周到工作作风，竭诚为社会各界提供优质的服务，努力将本公司创建成省内一流的现代化企业。

山西摩天房地产集团有限公司

山西摩天房地产集团有限公司于2002年成立，企业资质为三级，注册资金3000万元。公司以房地产开发为主业，下设建筑安装、园林绿化、工程机械、物业管理、金融投资、塑钢厂、幼儿园等七个分公司，拥有员工350人，其中工程师9名，助理工程师17名，建造师4名，会计师1名，助理会计师1名，其他专业技术人员5名，各种大中型工程机械25台套，有能力承接各类大中型建筑工程。

公司组建十年来，以“创新完美、回报社会”为宗旨，以创建“正规化、现代化、科学化”企业为目标，以建设和谐人居为己任，经过艰苦创业，拼搏奋斗，取得了不俗业绩，先后建成和基本建成住宅小区4个，完成城市道路3公里，城市河道改造1.2公里，城市园林景观2万多平方米。在此期间积极参加各项公益活动，先后赞助、捐助各类公益事业620多万元。

目前公司正在规划新的发展蓝图，计划以转变机制、创新管理为动力，以创建一流地产企业，建造一流居住产品为目标，把发展作为第一要务，未来五年，力争完成2—3个大项目，使公司产值翻一番，员工待遇翻一番，再上一个新台阶，再造一个新摩天。

MOT I AN

回迁小区

背面透视图

前进路

山西兰花集团房地产开发有限公司

山西兰花（集团）房地产开发有限公司，系山西兰花煤炭实业集团有限公司下属子公司，公司成立于2003年10月21日，贰级资质，注册资金5000万元。

公司下设公共关系部、计划财务部、技术工程部、项目发展部、市场开拓部等12个部门。公司共有员工81人，各类有职称的专业技术人员占总数的68%。

公司主要以房地产开发经营、地基处理、建筑与装修工程的总承包、建筑物的装饰与装修、工用民用建筑设计、房地产信息及工程技术咨询服务为主。

公司开发项目有佳润尚城小区、晓庄兰花职工住宅楼小区和滨河家园项目。

佳润尚城鸟瞰图

佳润尚城住宅小区位于晋城市经济技术开发区红星东街1811号，是由我公司与晋城富景房地产开发有限公司及晋城市万隆房地产有限公司联合开发的中高档住宅小区。占地188.123亩，总建筑面积约29万㎡。一期工程于2005年4月开工建设，2006年10月开盘销售。2007年4月底全部销售完毕，并交付使用。二期工程于2007年7月开工建设，2007年5月开盘销售，2009年底全部销售完毕，并交付使用。三期工程目前正在进行施工建设。

晓庄鸟瞰图

我公司在2010年5月19日开工建设晓庄兰花职工住宅楼小区并与2011年9月交付使用，解决了兰花集团职工的住房问题。

滨河全景鸟瞰图

滨河家园住宅小区位于阳城县滨河东路与转盘立交桥交汇处，是一个集商贸、餐饮、住宅于一体的大型综合经济开发项目。良好的区域前景、优越的地理位置、科学的规划设计、完善的社区配套和精致的户型设计，使其成为阳城县首个五星级居住社区。项目总占地约136.8亩，总建筑面积约30万㎡。B区一期于2008年3月开工建设，2008年10月25日开盘销售，2010年7月交付使用；A区一期2008年9月开工建设，2010年3月27日开盘销售，2010年7月交付使用；B区二期2008年12月开工建设，2011年4月2日开盘销售，2012年8月交付使用。目前，A区二期工程正在办理前期手续。

公司待开发项目有：晋城市限价商品房北岩区项目，该项目位于市北环路南、规划冯苗路西、北岩路北，占地约100亩，建筑面积约18万㎡。目前正在办理前期手续。

公司于2009年4月被省工商局评为“山西省首届百家信用示范企业”；2010年12月被省工商局授予“守合同重信用企业”称号；2009年3月被晋城市经济开发区政府授予“利税大户”企业；2009年3月被阳城县建设局授予“优秀房地产开发企业”荣誉称号。

山西盛华房地产开发有限公司

和谐安康新社区（盛华.旺角花园实景）

山西盛华房地产开发有限公司成立于2006年，是集房地产开发与销售、信息咨询等多种业务为一体的有限责任公司。公司位于晋城市泰欣街266号，注册资本三千万元。

以人为本，纳四方贤才。公司现有员工60余人，其中，具有各类中高级专业技术职称的35人。是一支拥有英国皇家特许建造师、国家注册一级建造师、注册监理工程师、注册造价工程师、房地产经纪人等各专业齐全、业务熟练、技术精湛的管理团队，组织机构及各项管理制度健全。

作为“诚信地产”和“品质地产”的践行者，公司以服务民众、奉献社会为基本立足点，发挥自身的团队与人才优势，携手国内顶级设计公司，以“规划与时俱进、紧扣城市化建设”的拓展模式，精心打造旗下每一座楼盘，使旗下名盘都成为当地高性价比的典范，在房地产领域取得了优异的成绩。开发建设的“盛华·香港城”项目，是2008年晋城市政府招商引资项目，其高品质的建设和管理，受到了社会各界的极大关注，当地政府及社会团体多次到项目观摩、调研，反响强烈。

凭借雄厚的技术经济实力及稳健的经营作风，先后获得晋城市“地产行业模范会员单位”及晋城市城区“十佳纳税企业”、“发展民营企业先进集体”、“安全管理先进单位”等荣誉称号，赢得了良好的社会声誉，受到了社会各界的广泛好评和高度认可。

“未来是过去的延长线”，成绩将是今后发展的蓬勃动力，我们将继续秉承“海纳百川，诚信为本，开拓创新，追求卓越”的经营理念，开拓创新，稳步发展，不断为提升和促进区域房地产发展发挥重要的作用。

盛华.新界花园实景

盛华.旺角花园实景

盛华.君逸花园效果图

开发项目简介

盛华·香港城

项目概述

“盛华·香港城”项目，为晋城市东关社区城中村改造工程，楼盘总案名“盛华·香港城”。改造区总占地585.37亩，规划总建筑面积83.8449万平米，总投资20亿人民币，计划修建40幢左右的高层建筑。其中，住宅建筑面积745037㎡，以高层电梯公寓为主，总户数约为6800户，总入住人口将达到23800人；其他商业会所、小学、幼儿园等公共建筑面积93412㎡。

参考国内外先进规划理念，结合城市发展趋势，并充分考量该区域的地理位置，新社区定位为功能复合、联通城市、动静隔离、尺度舒适、充分保护传统风貌的现代“BLOCK街区”。集居住、商业、行政、休闲、文教于一体，以便捷、休闲、开放、亲和为特征，同时打通城市主干道与街区道路，减少交通能耗，让居住、商务、娱乐与城市机理互动融合，传承地域文脉和商脉，力求营造一个自然的社区、人文的社区、舒适的社区、可持续发展的社区。

项目分三期实施。2008年启动至今，受到社会各界的广泛关注和好评。一期工程的“盛华·新界花园”、“盛华·旺角花园”已顺利完成交付使用，竣工面积20万平米。正在修建的“盛华·君逸花园”及“盛华·君临花园”，建筑面积13万平米。其它地块的改造也在筹划、合理推进中。

改造完成后，整个社区面貌将焕然一新，一幢幢的高层电梯公寓拔地而起，成为创新性与舒适性兼具的现代化宜居街区。对于合理整合城市要素、全面推动社会进步具有十分重要的意义。

盛华.香港城项目总平面图

盛华.香港城项目鸟瞰图

山西天泰地产开发有限公司

中房集团山西天泰地产开发有限公司成立于1993年，1997年加入中房集团，2000年完成企业改制，由中国房地产开发集团、山西天泰投资（集团）有限公司等共同出资组建，注册资金6000万元人民币，拥有房地产开发一级资质，公司员工100余人，其中大中专毕业生占95%以上，具有初中级以上技术职称的占80%以上。公司下辖北京天泰、太原天泰、永济天泰。企业开发区域涉及北京、太原、运城、永济、河津、临猗等地，累计征地1300余亩，开发面积230万平方米，提供住宅16000余套，完成商业地产20余万平米，总资产逾10亿元，形成年开工15万平米以上，在建15万平米以上、竣工15万平米以上的能力的良性滚动的跨区域发展的专业化房地产开发公司，是运城市首家率先通过ISO9000质量管理体系、ISO14000环境管理体系双认证的企业，是中房集团的明星企业、运城市房地产的领军企业、山西天泰投资集团的核心企业。

公司自成立以来先后开发了运城凤凰小区、禹都花园、银湖小区、圣惠小区、天泰文化苑、天泰家园、天泰金水湾、西苑小区，临猗郇都花园、永济银杏小区、河津新耿小区等住宅项目，以及天泰商城、天泰宾馆、运城学院学生公寓、永济舜都市场、太原工行公寓、太原雅典金座商务中心、太原喜宝时光儿童城、太原菜园广场，太原红星家园、太原龙湾家园、北京中科院玉泉综合楼等地产项目。

2011年公司积极响应国家号召，踊跃报名参加经济适用房和棚户区改造的招投标工作，先后成功中标太原市政府限价商品房和太原西山旧区改造项目，开发建设面积逾60万平米，作为太原市政府的重点工程西山旧区改造项目已全面开工。

中房集团山西天泰房地产开发有限公司积极响应政府集约发展、节能降耗号召，注重节能环保，率先在运城建设了一批高层框架住宅，且开发建设规模最大。近年来坚持低碳排放，推行住宅节能科技创新、生态节能住宅，在高层建设各小区逐步推广采用箱式变电站、框架剪力墙结构、变频供水、太阳能锅炉集中供热水、断桥铝塑钢门窗、雨污分流、节水喷灌、新型墙体材料及外墙保温、智能化管理等，作为房地产界的节能减排领导者，中房集团山西天泰房产开发公司为社会带来社会效益和环境效益的同时，其节能住宅也得到了市场消费者的认可。

“振兴民族经济，缔造百年天泰”，公司在发展壮大创造效益的同时，不忘企业的社会责任，每年解决数千名农民工的就业问题，是运城市盐湖区的缴税大户，为运城的经济建设和社会稳定作出了突出贡献。同时，公司还积极参与社会公益事业，先后向市环卫处、园林局捐款；在康杰中学设立“建设奖”奖学金及向康中特困生捐款；积极参加建设系统多次党组织的一对一帮困活动。一方有难八方支援，在5.12四川汶川大地震和青海玉树特大地震发生后，公司第一时间组织了员工和党员进行了捐款。公司注重精神文明建设，在工程施工现场，经常组织慰问农民工专场文艺演出，每逢重大节日，公司还会不定期在小区内组织文艺表演及书画活动，不仅凝聚了人心，更赢得了社会和业主的广泛赞誉。

在天泰房公司的发展中，始终坚持以人为本，精心打造“天泰房产，中房精品”品牌，先后荣获中国房地产行业品牌企业、中国建设行业企业信用AAA级资信单位、中国房地产领先企业、中国地产十年城市建设杰出贡献百强企业、山西省功勋企业、山西省重合同守信用企业、全省“双评双爱”企业、省市建设系统先进企业、中房集团双文明企业、运城市安全文明小区等多种荣誉。董事长卫长义、总经理陈丙印也多次荣获山西省五一劳动奖章、山西省建设系统先进工作者、中房集团优秀企业家、运城市劳动模范、运城市十佳共产党员等荣誉称号。

乘风破浪会有时，直挂云帆济沧海。时代带[illegible]机遇伴随挑战，在市场经济的大潮中，中房集团山西[illegible]有限公司继续坚持“振兴民族经济，缔造百年天泰”的[illegible]，发扬团结[illegible]拼搏、诚信、奉献的企业精神，与时俱进、开拓创新，打造自身品牌，服务社会民生、[illegible]就中房天泰的百年伟业。

山西艾伦律师事务所

山西艾伦律师事务所于2008年经山西省司法厅批准设立，发起人是山西省著名律师、房地产法律专家王志萍，并有周德喜、崔澜、尉建芳等多名资深律师加入。目前，艾伦所已经发展成为三十多人、独立拥有1500平米现代化写字楼的规模所，主攻房地产、项目建设、投融资、涉外等业务，全面开展诉讼、非诉讼法律服务，倡导为行业高端客户提供专业法律服务。艾伦所于2008—2011年度被评为“山西省先进律师事务所”。

房地产业是国民经济的重要支柱，关系国计民生大事。经济的问题一定是法律的问题，法律需求贯传房地产业全程。尤其是近年来的“房地产热”，各种法律问题、纠纷凸现，大量规范房地产业的法律法规出台，需要具备专业知识又能熟练运用规则、法律程序的专业人士通过事先设计、引导操作来防范风险、解决纠纷、实现利益。房地产业的发展和需求催生了专业的房地产律师。艾伦所的房地产法律服务专业律师团队应运而生。

房地产律师与一般律师相比，其操作实务既专业又复杂，既涉及标的巨大的诉讼业务，又涵盖大量的项目开发和建设的非诉讼业务。不仅掌握法律知识，更要有深厚的建筑、金融、项目管理、地产营销、企业管理等与建筑业相关的非法律知识。进一步细分房地产流程，有更加严格、细致的专业划分，相应地，就需要有更专业的法律服务。除了一般的诉讼技能，房地产律师还要满足项目策划、尽职调查、招标投标、项目融资、施工建设等技能要求。房地产律师要有更强的谈判能力、协调组织、公关管理、品牌推广等能力。房地产律师更注重追求客户利益、商业利益最大化。

我所房地产律师一直专注于房地产建设领域业务发展，是多家房地产公司常年法律顾问，全程参与建设项目的法律服务，并担任市政建设相关政府职能部门法律顾问，知识全面，技能娴熟，有丰富的房地产法律服务经验和操作能力，有良好的社会形象和影响力，是不可多得的房地产专业法律服务人选。

艾伦，真诚期待与您的深度合作！

建筑房地产法律服务范围

一、个人房屋买卖服务范围

（一）房产融资贷款法律服务

（二）二手房交易法律服务

（三）商品房法律服务

（四）房地产纠纷代理

（五）提供房地产项目的申请、开发、建设、销售

物业管理等方面的法律咨询服务

二、建筑房地产开发商服务范围

（一）房地产开发前期可行性论证

（二）房地产开发前期的若干法律事务

（三）房地产开发建设过程中法律事务

（四）工程结算期间的专业法律服务

（五）房地产预售及销售法律事务

山西宏图永盛集团

董事长：王永生

王永生，山西宏图永盛集团董事长、长治市政协委员、长治河南商会会长、长治市建筑业协会副会长、长治市商业总会副会长、河南省豫商联合会理事、长治市海外联谊会理事。

山西宏图永盛集团是一家集房地产开发、建设施工、物业管理、特种设备安装、生态农业开发、装饰装潢、铝塑门窗制作安装于一体的综合型企业集团，在长治市建筑施工、房地产开发、物业服务领域赢得了较高的声誉，受到了消费者和社会各界的好评。

近年曾开发的项目有新营小区、东苑别墅、城西公寓、府西花苑、永盛苑、天脊佳园、潞康花园、嘉园、永盛名邸永盛康苑、永盛·紫金苑、永盛·锦鑫苑等住宅小区。目前，永盛财苑、长治县的黎都嘉园、潞城市中心的商业广场、潞城市生态文化新区水岸春城、漳泽湖科技生态农业园项目正在建设当中。潞城市生态文化新区水岸春城、桃园村城中村改造、华东城中村改造项目正在规划设计中。公司被评为长治市“十佳房地产企业”、“山西省首届百家信用示范企业”、长治市

紫金大厦

康园学校高层住宅楼

“守合同 重信用”企业、山西省“守合同 重信用”企业、长治市房地产十大名企。所开发楼盘中的永盛苑小区被授予“优质楼盘称心房”，“长治市房地产十大名盘”“山西省级太行杯土木工程大奖”，“中国绿色健康明星楼盘”等多项荣誉称号。

近年施工的部分工程有离石体校综合楼、省民政厅福彩大厦（高层）、柳林园丁小区（高层）、漳村矿生产调度楼、长治市康园高层住宅楼，永盛苑小区群建工程，长治一中公寓楼（高层）长治市人民医院门诊楼（在建）等。公司连续多年被授予全国优秀施工企业、全国用户满意企业、中国建筑业质量优秀企业、省农行AAA级信用企业、并有多项工程荣获太行杯、省优工程、省安全文明工地荣誉证书。

物业管理服务范围涉及写字楼、住宅、商业、多高层商住楼，物业公司曾被授予山西省爱国卫生先进单位，中国金牌物业服务企业，所辖服务小区曾荣获平安示范小区，物业管理示范住宅小区荣誉称号。

在日常工作中，他兢兢业业、争先赶超，充分履行了政协委员的职责，按时参加政协会议和小组组织的各项活动；结合本职工作，通过调查研究，撰写了《关于加强市区停车场规划的建议》、《关于对社会保障制度的建议》、《关于调整长太高速公路长治入口规划的建议》《关于进一步规范物业管理工作的建议》、《关于对长治市允许单位自建房政策的建议》、《关于对建筑领域实行工资保证金的建议》《关于鼓励和支持建设特色现代农业园区的提案》等十几个提案和建议。

2010年为配合我市文明城市的创建，先后赞助了由市委宣传部、团市委、市广电总台组织的“天蓝、地绿、人和气”演讲大赛，由城区区委、区政府，城区电视台组织的“宏图永盛集团杯”金秋趣味大冲关活动，参与单位涉及行政机关、企事业单位、大中专院校、街道、社区、医院等不同行业，参赛人员达数千人，受到了组织单位的夸奖和社会各界的好评。通过这些活动，宣传了宏图企业文化，扩大了公司的知名度，塑造了企业的良好形象，取得了良好的社会效益。

在现实生活中，他平易近人，更是一个值得尊敬的人，企业规模大了，时刻不忘各方的支持和帮助，积极支持社会各项社会公益事业，总是在别人困难的时候伸出援手，2010年4月14日青海省省玉树县发生7.1级大地震，得

永盛名邸

漳村矿生产调度楼

知这个不幸的消息后，他带领山西宏图永盛集团领导干部和全体员工积极踊跃捐款50.68万元，当场将捐款转交到长治市红十字会工作人员手中，并向灾区人民致以深深的祝福。2010年10月为平顺县申纪兰扶贫基金会捐款20万元，使更多的优秀贫困大学生上得起学，真正得到了支持和帮助。为四川汶川地震灾区捐款，为城区桃园村患病男孩马冬冬捐款，为社区爱心捐助，向每年的“慈善一日捐活动”捐款，为长治贫困地区脱贫致富慷慨捐赠，向贫困地区学校捐赠学习用品等等，这样的爱心传递在他的人生中延续不断。

2012年是落实“十二五”规划承上启下的关键之年，是山西宏图永盛集团实现企业管理创新和转型跨越发展的一年，集团将按照“十二五”规划以及省、市转型跨越发展战略的总体要求，以专业的开发、专业的施工、专业的管理，高效而多元化的服务，立足上党，全力以赴，为长治的城市建设，为山西的发展继续谱写新的篇章。

长治市

[中港]

房地产开发有限公司

山西省长治市中港房地产开发有限公司是从事房地产开发与经营、配套基础设施建设的综合性企业，拥有从房地产开发策划、规划设计、工程管理、配套设施建设到专业销售、物业管理等一整套完备的管理服务体系，是我市经济实力、技术力量雄厚的房地产开发企业之一。

自2002年1月17日成立公司以来，坚持以人为本、诚实守信、开拓创新的服务理念，努力打造健康安全、舒适安逸的绿色生态家园，相继开发了“中港·花苑”、“中港·广场”、“中港·书苑”等项目，先后被建设部、省、市有关部门评为“全国绿色健康住宅典范”、“全国人居品牌企业”、“魅力长治、十行百佳、十佳房地产（建材）企业”、“民族团结进步模范集体”、“纳税先进企业”等荣誉称号，受到了广大客户的由衷赞誉。

去年公司根据我市城乡规划、产业发展、公共服务、生态建设等一体化、均衡化的发展要求，着力提高城市建设水平，加快城市改造，积极营造整洁、优美、清新宜人的居住环境，又开发了南天晚集“中港·浅水湾”小区，该项目为长治市城区重点工程，工程规划总用地面积为26666.8㎡，本项目由南北朝向1#，2#，4#住宅楼与东西朝向的3#商住楼四栋高层组成，建设总投资4亿元。1#，2#，4#楼地上三十层132720㎡全部为住宅，地下二层，面积为8328㎡为设备用房和储藏室，其中 3#楼一层为商业网点4000㎡；4#楼地上二十六层为住宅，建筑面积为15020.16㎡，地下二层为设备用房和储藏室1025.6㎡。

该项目在建筑设计上提出了经典建筑、实用户型、人性社区、水景花园等建筑理念，多种户型多种选择，以更好地满足各个阶层社会群体的不同择居要求。建筑面积15000㎡大型地下停车场是此项目的一大亮点，一流的设施、现代化的管理，彻底解决了有车族的后顾之忧。

中港·浅水湾工程建成后将成为集休闲、娱乐、健身、购物为一体现代化高档住宅小区，是我市住宅工程的又一亮点。

“建造绿色家园，打造一流品牌”、“发扬拼搏创新精神，牢固树立精品意识”始终是企业发展的目标。我们愿与业内外各界朋友精诚合作，携手共进，开创新的辉煌，愿我们的明天更加美好。

合力地产
HELI REAL ESTATE
合力筑家
15年合力，厚载大成，
HELI
REAL ESTATE

建筑不仅是一个苍白的空间形态，而是空间应该如何为人存在。作为领筑西部15年的知名地产企业，一直以来，合力地产不断致力于非凡创建，以“合力筑j家，精工至善”的理念建造人居精品，让每个项目都成为构筑城市未来的亮丽风景。展望未来，合力地产将一如既往集中优势资源筑家中国，为城市创造更加美好未来，期待与您同行！

地址：太原市解放路98号珠琳国际8层　TEL:0351-5653335

目录

领导讲话

工作报告

分析研究报告

产业发展报告

市场运行监测报告

政策法规

统计资料

山西省房地产业协会第三次会员代表大会

附录

领导讲话

LINGDAOJIANGHUA

中共中央总书记、国家主席胡锦涛关于房地产业的讲话

保障性住房建设是民生工程也是民心工程

保障性住房建设是一项重大民生工程，也是一项重大民心工程，党的十七届五中全会和“十二五”规划纲要就此提出了明确要求。各级党委和政府务必高度重视、狠抓落实，继续增加资金投入，优先保证用地供应，重点发展公共租赁住房，同时要完善配租政策，帮助更多中低收入群众解决住房困难。

党和政府非常重视解决中低收入群众住房问题，正在加大保障性住房建设力度，以努力实现广大群众住有所居的目标。相信大家在政府帮助下，经过自身努力，一定能使生活水平不断得到提高。

4 月 29 日在天津考察保障性住房小区秋怡家园时的讲话

坚持调控决心不动摇、方向不改变

要坚持不懈搞好房地产市场调控和保障性住房建设，坚持调控决心不动摇、方向不改变、力度不放松，坚决遏制住房价格过快上涨，确保落实保障性住房建设计划，确保建设质量，确保分配公平。

7 月 22 日在中共中央政治局会议上的讲话

保障性住房建设是一项重大民生工程

保障性住房建设是一项重大民生工程。对这件民生大事，各级党委和政府都要切实负起责任，千方百计确保土地供应、确保资金到位、确保工程质量、确保分配公平，努力使广大人民群众满意。

8 月 11 日在广东省考察金沙洲保障性住房小区时的讲话

促进经济社会发展与土地资源利用相协调

要落实节约优先战略，进一步完善符合我国国情的最严格的土地管理制度，坚持各类建设少占地、不占或少占耕地，以较少的土地资源消耗支撑更大规模的经济增长；坚持经济效益、社会效益、生态效益协调统一，不断提高土地利用效率；坚持统一规划、合理布局，促进区域、城乡、产业用地结构优化；坚持当前与长远相结合，提高土地对经济社会发展的保障能力，努力建设资源节约型、环境友好型社会。

土地是人类生存发展的重要物质基础。我国是一个人多地少、耕地资源稀缺的发展中大国。改革开放以来，我国土地管理事业快速发展，初步建立起符合国情、适应社会主义市场经济体制要求的土地管理制度基本框架，为经济社会发展提供了有力支撑。同时，我国土地管理仍面临着不少新情况新问题。我们的发展，既要考虑满足当代人的需要，更要为子孙后代留下生存发展空间。建立和完善最严格的土地管理制度，坚持节约集约用地，是贯彻落实科学发展观的题中之义，是确保国家粮食安全的战略举措，是造福子孙后代、实现中华民族伟大复兴和永续发展的长远大计。我们一定要以对国家和人民高度负责、对子孙后代高度负责的精神，紧紧围绕以科学发展为主题、以加快转变经济发展方式为主线，加强土地资源节约和管理工作，十分珍惜和合理利用每一寸土地，促进经济社会发展与土地资源利用相协调。

当前和今后一个时期，要重点抓好以下 4 方面工作。第一，切实坚持和完善最严格的耕地保护制度，把划定永久基本农田作为确保国家粮食安全的基础，强化耕地保护责任制度，健全耕地保护补偿机制，从严控制各类建设占用耕地，完善耕地占补平衡制度，加快农村土地整理复垦，大规模建设旱涝保收高标准农田。第二，切实实行最严格的节约用地制度，强化土地利用总体规划的整体管控作用，合理确定新增建设用地规模、结构、时序，降低经济增长对土地资源的过度消耗，走集约式城镇化道路，确保保障性安居工程用地供应，严格执行土地用途管制制度，完善土地使用标准。第三，切实维护群众土地合法权益，严格界定公益性和经营性用地，完善征地补偿机制，规范征地拆迁管理，加大土地督察和执法力度，维护被征地农民合法权益。第四，切实推进土地管理制度改革，健全严格规范的农村土地管理制度，加快征地制度改革，深化国有土地有偿使用制度改革，加强土地行政管理能力建设。

各级党委和政府要把土地管理工作纳入重要议事日

程，建立健全党委领导、政府负责、部门协同、公众参与、上下联动的工作格局，建立健全耕地保护责任考核体系，严格土地管理责任追究制。国土资源管理部门要积极主动服务，不断提高土地管理工作水平，各有关部门要密切配合，加强统筹协调，形成工作合力。要严格遵守土地管理法律法规和法定程序，依法管地用地。要深入进行土地资源国情和土地法律法规宣传教育，普及保护耕地和节约用地基本知识，使全社会都深刻认识我国国情和保护耕地的重大意义，使保护耕地、节约用地观念深入人心，广泛形成保护耕地、节约用地的良好社会氛围。

8月23日在主持中共中央政治局集体学习时的讲话

中共中央政治局常委、国务院总理温家宝关于房地产业的讲话

要使房价能够保持在一个合理的水平

从去年到今年，我们先后出台了三次调控措施。应该说这三次调控措施总体上越来越有力，针对性越来越强。房价过快上涨的势头有所遏制住，我们要使房价能够保持在一个合理的水平。

第一，必须增加有效供给。大家知道，去年我们投资兴建了保障性住房590万套，竣工370万套。今年，我们将要计划建设保障性住房和棚户区改造住房1000万套。

当然，我知道许多网民提出了资金如何落实、土地如何落实，保障性住房建设以后管理、监督和退出机制如何建立？这些都是我们应该现在就加以研究并且做好准备的。

前不久，国务院主持各地与中央签订了保障性住房的责任书。关键不在一张纸，而在于决心。有了决心就会有资金，就会有土地，就会有办法。

没有决心，眼前到处都是困难。我想中央已经下了这个决心，我们计划在今后五年，新建保障性住房3600万套。保障性住房应当以公租房和廉租房为主，再加上棚户区改造，不要走偏方向。

保障性住房达到3600万套以后，在住房的覆盖率可以达到20%，这将有力地缓解住房的压力，特别是解决中低收入和新参加工作的大学生住房的要求。

第二，还是要下决心毫不动摇地抑制投资和投机性住房需求。我们采取经济和法律手段，以及必要的行政手段，主要是用差别化贷款利率、税率以及土地供应政策。我相信，我们经过一段时间的努力，我们会在抑制投机、投资用房上见到效果。

第三，要管好市场。政府管好市场主要是用法律和经济的手段防止捂盘惜售，圈地不用。

在这里我也想说一点对房地产商的话，我没有调查你们每一个房地产商的利润，但是我认为房地产商作为社会的一个成员，你们应该对社会尽到应有的责任。你们的身上也应该流着道德的血液。

我知道处理房价问题要分清政府应该管的事和市场应该管的事情。对于政府应该管的事情，我们毫不含糊；对于市场应该管的事情，我们也要密切加以关注，充分利用市场对资源配置的合理作用。同时，抑制那些不合理的房价。

这件事情真难啊。有人说我“灰心”了，其实我没有“灰心”。我相信，只要我们把群众放在心上，我们一定会实现调控目标。

这里我还想讲一点国情。这是事物的另一个方面，也是有人很少提到的一个方面。那就是我们国家是一个人口众多、土地稀缺的国家，住有所居并不意味着每人都有自己的住房。

据调查，1998年，当时人均住房只有17平方米，去年人均住房达到33平方米，不能不说人们的住房多数得到了改善。

第二，中国家庭拥有自己的住房率是比较高的，家庭自有住房率高达80%。据北京统计，拥有住房最低的平均年龄仅有27岁，这在世界上连发达国家都是比较少的。

房屋是一个刚性的需求，这一代人解决了下一代人还需要。不断地有参加工作的人，不断有大学毕业生，不断有结婚的人。

因此，我讲这些就是希望我们群众理解，中国要有适合自己国情的住房政策。我提倡小户型，但功能要齐全。而且从现在建设就应该注意节能环保，不要贻误这个时机，这不仅对住房，而且对中国建筑业的发展都会起重要作用。

2月27日在中国政府网、新华网与广大网友在线交流

进一步落实和完善房地产市场调控政策

坚定不移地搞好房地产市场调控。各级政府要增加投入，保障土地供应，落实保障性住房建设任务。抓紧建立保障性住房使用、运营、退出等管理制度。进一步落实和完善房地产市场调控政策，增加市场有效供给，特别要增加中小套型、中低价位普通商品房供给；加强对市场需求的分类调控，落实好差别化信贷、税收政策，支持居民合理住房消费，抑制投机投资性购房；加强房地产市场监测和市场行为监管，严厉查处各类违法违规行为。

1月18日在国务院第五次全体会议上的讲话

要加强对地方落实房价调控政策的检查力度

中央人民广播电台记者：总理，您好。刚才那位外国同行也提到中国的房价，您也阐述了我们调控房价的三方面政策措施。其实从去年开始，国务院就出台了不少关于调控房地产的政策措施，被称为历史上“最严厉的房地产调控”。今年您在政府工作报告当中也重申，要坚定不移地搞好房地产调控。现在社会上有担心，就是这些政策措施能不能落实到位？会不会半途而废？请问总理，您怎么看待这个问题？

温家宝：关于房价的调控，我觉得当前最重要的是各项政策措施的落实。对于中央来讲，就是要加强对地方落实房价调控政策的检查力度，真正实行问责制。同时，密切跟踪和分析房地产市场发展的形势，进一步研究有针对性的宏观调控措施。对地方来讲，就是要认真落实房地产调控的责任。比如，首先要公布政府调控房地产的政策和房价控制目标。在这里，我想特别提出，我们三管齐下，其实还有一项非常重要的措施，那就是加快保障性住房建设，也就是说从供求上解决房地产市场存在的问题。对于保障性住房建设，人民群众中有许多担心，他们总的是赞成的，但也有许多忧虑。我们提出，今年再开工建设保障性住房１０００万套，明年再建１０００万套，在今后5年建设３６００万套。保障性住房除了棚户区改造以外，主要是公租房和廉租房，这个方向必须明确。这里就有一个资金落实的问题，中央今年将向地方补助１０３０亿元，地方财政也相应加大投入，但还必须更广泛地利用社会资金。对于保障性住房，土地供应必须单列，做到应保尽保。有一件事情非常重要，现在就应该提到日程上来，那就是保障性住房的设计、建设必须有高标准、高要求，也就是说要确保质量、安全和环保。特别是在环保上，从设计到建设整个过程，都要实行节能。这是中国房地产建设的一大机会，如果丢掉了，十分可惜。我在这里想强调一点，就是对于保障性住房建设以后，管理和退出机制现在就要着手制定规则。

3月14日在十一届全国人大四次会议记者会上的讲话

巩固和扩大房地产市场调控成效

当前，社会各方面十分关注房地产价格走势。这是涉及人民群众切身利益，关系经济健康发展、社会和谐稳定的重要问题。中央加强房地产调控的目标是明确的，决心是坚定的。应该看到，随着房地产调控政策的深入推进，市场供求矛盾有所缓解，不合理需求得到一定抑制，市场出现了一些降温迹象。这说明，中央关于房地产调控的政策是正确的。也要看到，当前市场仍处于相持阶段，普通商品住房价格与调控目标和群众期待相比仍有较大差距，特别是有的城市房价过高、上涨过快的局面没有根本改变，有的地方落实中央调控政策的措施也不够有力，总的调控效果还有待巩固和加强。

房地产市场调控，除了抑制不合理需求外，还要努力增加市场供应。一方面，要切实抓好保障性住房建设。今年全国要开工建设1000万套保障性住房，中央财政为此拿出1030亿元，但光靠中央财政是不够的。各级政府都要切实负起责任，多渠道筹措资金，切实加大投入，并优先保证用地供应。要抓紧建立保障性住房建设、配置、运营、退出等管理制度，避免寻租和暗箱操作，促进这一制度长期健康运行。另一方面，要努力增加普通商品住房的供应，加快普通商品住房的土地投放，督促开发商严格按照国家规定，保证住房建设进度，如期推出全部房源并明码标价上市销售，对违反规定的要严肃查处。房地产市场调控目标，是保持市场供求总量基本平衡、结构和价格基本合理，并始终严格控制投机投资性购房需求。要切实做到长期目标和短期目标合理衔接，保障性住房和商品住房统筹兼顾，避免顾此失彼。

房地产调控要真正见到成效，关键要抓落实。目前市场正在观望，如果政策不能真正得到贯彻，流于形式，就很难合理引导市场预期，很难引导开发商合理定价，老百姓也很难建立起信心，我们的调控就会功亏一篑，最终，政府就会失信于民。各级政府都要不折不扣地贯彻落实中央确定的各项政策，强化责任，确保调控措施落到实处、取得实效。要将保障性住房建设任务分解落实情况，以及项目开工建设、竣工计划等安排公之于众，以便群众监督。有关部门要切实加强督察。要坚持调控方向不动摇、调控力度不放松。

4月13日在国务院常务会议上的讲话

保障性住房建设要讲规模，讲质量，讲配套

我今天之所以到保障性住房工地来，就是因为中央十分重视保障性住房建设。中央提出要保持房地产价格基本稳定、促进房地产业健康发展的决心是坚定不移的；要把一些地区过高的房价降下来、使房价回归到合理水平的决心是坚定不移的；要特别关注困难群体和中低收入家庭，使他们住得起房子、租得起房子的决心也是坚定不移的。

北京市委、市政府高度重视保障性住房建设，把这个问题当成关系民生的大事来抓，想尽各种办法加大投

入，保证用地，大力推进保障性住房建设。这种做法值得肯定。

保障性住房建设要讲规模，讲质量，讲配套。所谓规模，就是说保障性住房要在住宅建设中占一定比例，全国的目标是２０％，北京提出要超过２０％甚至达到３０％。所谓配套，就是户型要多种多样，户型虽小但功能齐全；注意设施配套，有学校、幼儿园、医院或诊所，靠近地铁或公交线路，使大家感到方便。所谓质量，就是从设计、施工、监理到验收都要坚持“质量第一”的理念。所有建筑都要重视质量，保障性住房更要重视，要确保每根钢筋的使用、每块混凝土的浇注、每个门窗的安装都要达到安全要求，这是百年大计。保障性住房建设还要建立一套包括资金筹措、生产建设、管理运营、退出在内的完善机制。政府主要是做好指导、规划和资本金补充保障工作，建设和运营管理要靠企业。

5月1日在北京保障性住房建设工地上的讲话

抓好保障性住房和普通商品房建设

坚定不移地把房地产市场调控政策落到实处。继续抑制不合理的住房需求，重点抓好保障性住房和普通商品房建设，落实好1000万套保障性住房开工建设计划，加强金融支持，推动制度建设。

7月4日至11日在经济形势座谈会上的讲话

调控决心不能动摇、政策方向不能改变、力度不能放松

坚定不移地把房地产市场调控政策落到实处，确保见到实效。今年以来，我们多措并举，综合施策，加强和改善房地产市场调控。从上半年的情况看，多数城市房价涨幅回落，部分城市房价出现下降，投资投机性需求得到遏制，居民购房心态趋于理性，市场预期正在发生转变，一些房价过高的城市出现了降温迹象，调控效果初步显现。同时也要看到，房价上涨的短期和长期潜在压力仍然较大，大部分城市房价依然处于高位，买卖双方仍处于观望和博弈阶段，市场陷入僵持和胶着状态，调控效果全面显现还需要一段时间。

目前，房地产市场调控正处在关键时期，调控决心不能动摇、政策方向不能改变、力度不能放松。各级政府要不折不扣将中央房地产调控政策落到实处。一要坚定不移地抑制不合理需求，继续严格实施差别化住房信贷、税收政策和住房限购措施，同时要有针对性地抑制二、三线城市房价过快上涨，促进房价合理回归。二要适当增加房地产用地供应，促进当前和今后一个时期住房有效供给，重点抓好保障性住房和普通商品房建设。三要强化责任和督促检查，对调控政策落实不到位、房价上涨过快和保障性住房建设滞后的城市，要加强督查，限期改正。四要利用目前房地产市场相持的这段时间，抓紧研究和制定促进房地产市场稳定健康发展的治本之策。

落实好1000万套保障性住房开工建设计划，是确保房地产市场调控效果的重要举措，也是一项必须完成的硬任务，不能有丝毫懈怠。今年中央大幅增加了对地方的补助资金，在原定安排1030亿元的基础上，又追加了280亿元，目前已经基本下达。中央将根据财政收入增长情况，进一步加大补助的力度，重点增加对中西部地区的补助。要优先保证保障性住房建设用地，落实好行政审批、税费减免方面的优惠政策，加强对保障房建设的金融支持。要高度重视、切实提高保障性住房工程质量，让老百姓住上放心房。要重点加强制度建设和长远规划，建立和完善保障性住房分配、运营、退出等一整套管理制度，特别是推进保障性住房使用的公平、公开、公正，使保障性安居工程真正成为民心工程。各地都要将保障性住房的建设计划，以及开工、竣工、分配等情况，及时通过政府网站和公共媒体向社会公开，接受社会监督。

摘自《关于当前的宏观经济形势和经济工作》

要抓好房地产市场调控和保障性住房建设

当前保障性安居工程建设中有三个问题值得重视：第一，要保证资金；第二，提高规划和设计水平；第三，必须尽快建立和完善法规，规范投入、建设、分配、监管、退出等制度，让保障性住房建设真正成为改善中低收入家庭基本居住条件的民生工程、阳光工程。

目前，房地产市场调控和保障性住房建设处于关键时期，各级政府要切实采取措施，进一步巩固调控成果。

一方面要抓好保障性住房建设，另一方面也要增加普通商品房的用地供给，促进普通商品房市场健康发展。

10月21日至22日在广西南宁市考察时的讲话

要使房价回归到合理的水平

房地产调控已经进行两年了，保障性安居房建设正在抓紧进行，这势必会缓解房价的压力，缓解住房供求的紧张关系。这里我特别要强调，房地产市场调控绝不可以有丝毫动摇。我们的目标是既要使房价回归到合理的水平，同时又促进房地产业持续健康发展。”

11月6日在俄罗斯圣彼得堡看望我国驻俄罗斯人员时的讲话

中共中央政治局常委、国务院副总理李克强关于房地产业的讲话

加快推进保障性安居工程

要认真贯彻落实党中央、国务院的决策部署，大规模实施保障性安居工程，加大投入，完善机制，公平分配，保质保量完成今年开工建设1000万套的任务，努力改善群众住房条件。

住房乃民生之要。近年来棚户区改造和廉租房、公租房等保障性住房建设力度逐步加大，上千万困难群众住房明显得到改善。今年保障性安居工程建设1000万套是硬任务，对于稳预期控房价、惠民生促和谐、扩内需转方式具有重大意义，也是调整收入分配结构的重要举措。各地要抓紧安排开工，尽早建成投入使用。

加快推进保障性安居工程，要把保障基本需求与引导合理消费结合起来，从我国人多地少的基本国情出发，多提供小户型、齐功能、质量可靠的住房。要大力发展公共租赁住房，大幅度提升公租房在保障房中的比例，满足居民住房租赁需求，形成梯度消费的合理模式。

加大政策支持力度是保障性安居工程建设的前提条件。要大幅增加并及早下达中央和地方财政资金，减免相关税费，合理确定公租房租金水平，引导银行贷款和社会投资，多渠道筹集建设资金，保证资金不留缺口。对公租房等保障性安居工程建设用地按规定实行划拨方式，并增加普通商品住房建设供地。

确保分配公平是大规模实施保障性安居工程的“生命线”。要坚持增加投入与创新机制并重，从准入标准、审核程序、动态管理、退出执行等方面制定一整套制度，实行保障房源、分配过程、分配结果三公开，强化监督管理，确保分配公平公正，使低收入和中等偏下收入住房困难群众真正受益。要严格执行工程建设各项规定，确保房屋质量和建设资金安全，经得起历史和人民的检验。在运营上要注重发挥市场机制的作用，降低管理成本，提高管理效率，实现保障性安居工程可持续运转。

解决群众的住房问题，既要加快保障性安居工程建设，又要促进房地产市场平稳健康发展。各地要进一步加强领导，明确目标责任，及时制定实施细则，有效抑制投资投机性需求，增加普通商品住房供给，坚决落实进一步加强房地产市场调控的政策措施。

2月24日全国保障性安居工程工作会议的讲话

确保任务落实质量可靠分配公平 办好重大民生和发展工程

各地要认真贯彻落实党中央、国务院的决策部署，注重创新机制，确保任务落实，确保建设质量，确保分配公平，三方面齐头推进，实现今年保障房建设目标，兑现对人民群众的郑重承诺。

保障性安居工程既是重大民生工程又是重大发展工程，不仅有利于保障和改善民生，增加住房有效供给，抑制房价过快上涨；也有利于优化投资结构，扩大消费需求，带动相关产业发展。这是对我们加快转变经济发展方式的重要检验，也是加强和改善宏观调控、保持经济平稳较快发展的重要举措。

今年开工建设1000万套保障性住房，包括加快棚户区改造，大力建设公租房，是一项硬任务，老百姓翘首以盼，全社会高度关注。必须增强紧迫感和责任感，进一步加大工作力度，下真功夫扎扎实实推进，各有关方面要形成合力，推动计划项目如期开工、在建项目按时竣工。

保证完成建设任务，关键在于提高认识、创新机制、落实条件、强化责任。李克强说，中央将进一步采取措施加大对地方的资金支持力度，各地也要集中财力用于保障房建设，抓紧建立健全保障性安居工程融资机制，吸引各方面资金投入，同时加强资金监管，确保资金安全。保障房用地要优先供应、应保尽保，项目审批要急事急办，为推动保障房建设创造条件。

住房质量直接关系群众生命财产安全，在这个问题上不能有丝毫马虎和放松。各地都要尽快制定落实保障房质量监管办法，在设计、建材、施工等各个环节上严格把关，对存在的问题、隐患发现一起，整改一起。要对保障房建设实行质量终身责任制，一旦质量出了问题，不论责任人走到哪里，都要追究其责任。

公平分配是保障性安居工程的“生命线”。各地都要出台保障房分配管理的具体办法，完善准入退出机制，审核和分配房屋要实行网上公开，接受人大代表、政协

委员、新闻媒体和人民群众全过程监督，建立投诉举报制度，坚决排除人为干扰，严肃查处以权谋私，做到过程和结果公开公平公正，使住房困难的中低收入家庭受益。各地区各有关部门要进一步贯彻落实国务院关于房地产调控的政策措施，促进房地产市场健康发展。

6月11日在部分省份保障性安居工程工作会议的讲话。

打好棚户区改造攻坚战 让政策阳光温暖更多住房困难群众

解决工业化进程中的棚户区问题，是世界性难题。这两年，国家不断加大棚户区改造力度，全国已有300多万户居民迁入新居。但棚改任务仍十分艰巨，目前还有1100万户亟需改造。即使是北京这样的现代化大城市，也还存在历史遗留的工矿棚户区问题。今年要开工建设的1000万套保障房中，有400万套是棚户区改造住房。目前正是北方建筑施工的黄金季节，各地必须进一步集中力量，创造条件，继续打好棚改攻坚战。

住房困难群众就生活在我们周围，不妥善解决群众的居住困难，我们寝食难安。工矿企业老职工曾经为国家做出过贡献，要下决心加快解决工矿棚户区问题。中央今年安排300多亿元资金用于棚改，带动各方投入，就是为了让棚户区群众步入改善居住条件的快车道，让政策阳光温暖更多住房困难群众。

推进棚户区改造等保障房建设，不仅能提升群众生活质量，扩大消费，改善城市面貌，而且是宏观调控的重要举措，有利于房地产健康发展，有利于保持经济平稳较快发展和调整产业结构。各地区、各有关部门负责人都要深入一线，督促督察，把这件一举多得、利国利民的事抓好抓实。

6月16日到北京市门头沟考察工矿棚户区改造情况的讲话。

把保障房建设这项重大民生和发展工程办实办好

大规模实施保障性安居工程，是推动科学发展、加快转变经济发展方式的重大实践，也是当前经济社会发展和宏观调控的重要工作。要充分调动各方面力量，把保障房建设这项重大民生和发展工程办实办好。

城镇部分中低收入居民住房困难，是我国发展中不平衡、不协调、不可持续矛盾的突出表现之一，也是世界上许多国家都曾遇到的普遍性难题。要借鉴国际经验做法，从我国实际出发，遵循社会主义市场经济规律，逐步形成以市场供给为主、政府保障和市场机制相结合的住房供给体系。保障房是专门面向中低收入住房困难家庭的“托底房”，是社会保障“安全网”的重要组成部分。必须大规模实施保障性安居工程，尤其是加快棚户区改造，大力建设公共租赁住房，着力改善困难群众居住条件。

做好住房保障工作，要注重建立健全融资建设、质量监管、准入退出、运营维护等一整套机制。今年要做到“三个确保”。一是确保开工建设千万套保障房落到实处。这是改善民生和推动发展的“硬任务”，也是艰巨的任务。中央财政将进一步加大支持力度，各地也要增加这方面政府支出，并吸引社会资金投入，保证土地供应，不折不扣、实实在在地加以推进。二是确保建设质量。这是保障房建设的“硬杠杠”。要实行全过程监管，落实终身责任追究，坚决杜绝工程质量隐患，做到百年安居。近期要开展一次保障房质量安全大检查。三是确保分配公平。这是住房保障的“生命线”。要完善制度设计，坚持阳光操作，接受全社会监督，做到公平公正，促进持续运行。绝不允许搞“权力房”。这“三个确保”要全面推进，务求实效。

在做好住房保障工作的同时，要继续增加中低价位中小套型普通商品房供给，有效抑制投机投资性购房，巩固房地产市场调控成果，保持经济长期平稳较快发展，维护广大人民群众根本利益。

7月20日同住房保障与房地产市场调控专题研讨班学员座谈上的讲话。

把确保质量和公平分配作为保障性安居工程的生命线

要把确保质量和公平分配作为保障性安居工程的生命线，建设质量优良、分配阳光的工程，使之经得起历史和人民的检验。

各地区、各有关部门认真贯彻党中央、国务院决策部署，想办法，出实招，积极破解资金、土地等方面的难题，为完成全年目标奠定了基础，在保证保障房公平分配方面也进行了积极探索，取得了有益经验，成绩来之不易。

推进保障性安居工程，要确保任务完成、质量可靠、分配公平，这些要求在年初就已作了部署。在当前大规模开工建设的情况下，尤其要重视确保住房建设质量和分配公平。保障房是群众生活起居的场所，也是政府主导改善民生的标志性工程，增加保障性住房数量是重要的，但保证质量是根本要求，如果住房质量出了问题，轻则财产受损，重则危及生命。加强质量管理关键要切实做到“四严”、“一追究”。“四严”就是要严把规划选址关、严把建筑材料关、严把设计施工监理关、严把竣工验收关，对存在质量问题或隐患的，决不能交付使用；“一追究”就是依法追究责任，这是保证房屋质量的一把“利剑”，不仅要举起来，而且要用起来。对监管中发现的问题要一抓到底，轻的实行经济处罚，重者要清退出市场，直至追究刑事责任。对部门和地方也要严格考核问责。大家齐心协力，把保障性住房建成百年安居工程。

要把政府保障和市场供应结合起来，在主要依靠市场满足居民多层次住房需求的同时，政府要履行保基本的职责，努力改善中低收入住房困难家庭的居住条件。不仅要投入大量公共资源建设好保障性安居工程，而且要通过健全制度把保障房分配好，这关系到政府的公信力，也是群众的热切盼望。如果把不好公平公正这杆“秤”，保障房就难以发挥应有作用，群众就不会真正满意。要做到公平公正，关键是完善准入退出机制，严格按照保障标准和条件，审核保障房入住资格。坚持以小户型为主，适应中低收入住房困难家庭的基本居住需要。要探索完善轮候制度，使符合条件的家庭能在合理轮候期内获得保障房，使他们有明确的预期。合理确定保障房“退出”的条件和办法，增强政策执行力，使入住者不符合保障条件后能及时退出，使有限的保障房实现良性循环，惠及更多群众。他指出，公开透明是保障房管理的最基本要求，保障房作为公共资源，要实行全过程公开、全社会公示、全方位监督，始终在公众的目光下分配，使不公行为无处藏身。同时，要建立纠错机制，对分配后发现的问题也要及时纠正，坚决查处各种骗购骗租、违规转租转售，以权谋私以及向不符合条件家庭违规供应保障房等行为。

当前世界经济形势发生很多新变化，风险因素增多，国内房地产市场调控正处在关键时期，保障性安居工程建设作为重大民生和重大发展工程，又是宏观调控的重大举措，可以发挥多重积极效应。各方面要在全力抓好今年保障性安居工程建设的同时，因地制宜，及早明确明年的建设任务，做好土地储备、资金预安排等前期工作，为明年顺利推进公租房等保障性住房建设和加大棚户区改造力度、做好已开工建设保障房竣工和交付使用等工作早做准备，推动可持续发展。

10月11日在加强保障性安居工程质量和分配管理工作座谈会上的讲话。

确保工程质量 实现公平分配

质量就是生命，公开才能公平。今年全国1000万套保障房开工建设目标实现后，要扎实抓好在建项目建设，一丝不苟确保工程质量，阳光操作实现公平分配，真正把好事办好、实事办实，将惠民生、促发展的政策落到千城万镇、千家万户。

保障房的建材要执行和商品房同样的标准，质量是企业的生命线，也是住户的生命线。建保障房是良心工程，建材是住房质量的第一关，绝不允许劣质建材出厂。

保障房绝不是低质房，绝不允许出现质量问题。对施工企业来说，保障房质量好就是“光荣榜”，质量差就是“耻辱柱”。要抓住建材质量、房屋设计、建筑施工、工程监理、竣工验收等重点环节，全过程加强管理。对保障房项目，要经常查、反复查，确保工程质量，让群众百年安居。

在廊坊市保障房中心，李克强遇到几位正在办理保障房入住手续的群众，他走上前去了解他们的住房面积、租金、合同办理等情况。得知群众最关心的是公平分配时，李克强说，这也是党和政府、是我们关心的问题。一个好的解决办法就是公开透明、阳光操作，让群众、让社会、让舆论都来监督，公开才能公平公正。

李克强详细察看了保障房申请、审核、分配、退出流程，观看了摇号分配的模拟演示，对保障房中心派审核人员专门核查申报人实际资产情况等做法给予肯定。他对在场的工作人员说，

住房是民生之要，立身之本，是群众最基本的需求。刚才我看到办理入住手续的群众，他们说，住进新房感觉自己就像换了个新人。希望你们做更加深入细致的工作，进一步把困难群众的住房问题解决好。

要加快全国城镇个人住房信息系统建设，这既可以为保障房的公平分配打下基础，也可为整个房地产市场健康发展创造条件。中央有关部门和地方要相互配合做好这项工作。

保障性安居工程不仅是重大民生工程，而且是重大发展工程。要进一步搞好项目储备，落实资金、土地等项目配套措施，持续推进保障房建设。

11月25日河北省廊坊市考察的讲话

扎扎实实推进保障房建设 不断完善住房政策和供应体系

要继续扎实推进保障性安居工程建设，把好质量安全关、公平分配关，更好地发挥保障房建设惠民生、稳房价、扩内需、促发展的多重作用。

今年是我国保障性安居工程开工量最大的一年，1000万套保障性住房的目标，为“十二五”保障房建设开了一个好头，成绩来之不易。要继续扎扎实实地推进，再加一把力，继续搞好在建项目施工并如期完工，让更多低收入住房困难群众尽早入住。

保障性住房建设是重大民生工程。目前不少低收入

居民家庭住房困难问题比较突出，很多群众仍住在棚户区中，还有一些中等偏下收入家庭无力通过市场租赁或购买住房，一些新就业人员和进城务工人员也亟待解决居住问题。建设公租房、廉租房等保障性住房，加快推进棚户区改造，可以改善住房困难群众住房条件，是他们的热切期盼，这几年已经取得了很好的效果，需要继续加以推进，让更多困难群众受益。同时，保障房建设也是重大发展工程，是宏观调控的重大举措。中国内需最大的潜力在城镇化，而房价过高则会抑制城镇化进程。建设保障房，有利于遏制房价过快上涨，助推城镇化，这会释放出巨大的消费和投资潜力，推动相关产业发展。特别是在当前世界经济又趋低迷、我国发展外部环境复杂严峻的情况下，扎实推进保障房建设，对于扩大内需、保持经济平稳较快发展具有独特的重要作用。

推进保障性安居工程，年初我们就强调要做到“三个确保”。现在，随着确保开工建设目标的实现和陆续建成，要更加重视确保住房建设质量，确保分配公平。这也是人民群众最关心的。各地要总结经验，在建材采购、施工、监理、验收等各环节健全质量管理制度，并切实落实到在建项目中，做到质量检查常抓不懈、质量责任终身追究。凡出现质量问题的，都要对相关单位和责任人严格问责，并记录在案，问题严重企业的要清退出市场。科学制定分配程序，完善审核制度，全面准确掌握申请户实际资产等家庭情况，严格准入资格审核。建立健全纠错、退出机制。实行保障房分配全方位、全过程、全社会监督，做到过程和结果都公开公平公正。严肃查处骗租骗购、利用职权为自己或他人获取保障房牟取私利等各种违规违纪行为。加快推进全国城镇个人住房信息系统建设，逐步与土地、财税、金融等系统实现信息互通，为公平分配保障房提供更好的支撑。

明年不仅首先要努力完成今年的结转项目，使其如期竣工交付使用，各地还要根据自身实际，新开工相当数量的保障房，建设任务十分艰巨。各地要统筹谋划，做好项目安排、资金筹措和土地落实等工作。要增加政府投入，加大金融支持，拓宽融资渠道，通过创新经营模式吸引社会资金进入保障房特别是公租房建设领域。做好住房建设数据统计。因地制宜，建立有效的运营管理机制，使已建成的保障房和配套设施正常、可持续运行。

要抓紧研究把保障房用地计划单列，同时研究通过债券等形式筹集资本金的机制，推进建设保障房必要的市政配套设施。

当前房地产市场调控已取得一定成效，但仍处于关键时期，要坚持实施遏制房价过快上涨的政策措施，进一步巩固调控成果。继续完善住房供应体系，在积极推进公租房等保障性住房建设、加大棚户区改造力度的同时，增加中低价位、中小户型普通商品住房供给。充分发挥市场的力量，满足群众多层次、多样化的住房需求，促进房地产市场健康发展和人民群众住有所居。

11月27日在河北省廊坊市保障房建设现场座谈会上的讲话。

扎实做好明年住房保障工作

要贯彻落实中央经济工作会议精神，扎实做好明年住房保障工作，在确保质量的前提下，统筹推进新开工和结转续建项目建设，完善配套设施，力争更多竣工，确保分配公平，促进民生改善和经济发展。

今年是住房保障工作很不平凡的一年。各地区、各有关部门齐心协力，措施硬、力度大，积极破解资金、土地等难题，严把质量安全和分配公平关，完成了开工建设保障房和棚改房１０００万套的任务，其中已建成的住房使上千万困难居民住房解困，并在创新保障房建设和管理模式等方面探索创造了经验，为“十二五”保障性安居工程建设开了个好头。

保障性安居工程是重大民生工程和发展工程。保障群众基本住房需求是各级政府的重要职责，通过建设保障房，帮助困难群众以低成本改善住房条件，实现住有所居，是群众的热切期盼。而且这也是收入再分配的一种有效形式，有利于缩小收入差距，促进社会和谐稳定。同时，保障房建设是宏观调控的重大举措，有利于扩大内需，支撑城镇化发展，促进经济平稳较快发展和物价总水平基本稳定，特别是在当前严峻的国际经济形势下，要成功应对复杂局面，明年必须按照以扩大内需为战略基点的要求，扎实有效地推进住房保障工作，发挥好其对投资和消费的较强拉动作用，为经济增长提供重要动力。

为扎实有序推进保障房建设，明年安排的新开工数量比今年少，但加上结转续建，在建规模仍很大，任务艰巨。中央补助资金将比今年明显增加，各地也要加大政府投入，还要通过贷款支持、发行企业债券等方式吸引社会资金，多元筹措资金。对保障房新增建设用地指标实行单列，确保用地需要，开展探索利用集体建设用地建设公租房的试点。进一步加大棚户区改造力度。多渠道筹集保障房源，在商品房项目中配建一定比例的保障房，使不同收入群体和谐共居。政府也可通过购买合适的普通商品房现房来增加保障房有效供应。全年要基本建成５００万套以上保障房，竣工量要高于今年，使更多困难群众早日入住。他强调，建设保障房不仅要让群众有房住，还要同步建设和完善必要的水、电、路、气等市政配套与相关服务设施，为居民提供方便。

住房是群众安身立命之所，要狠抓质量安全不松懈，建百年安居不动摇。关键是要做到项目资金到位、有效监管到位、责任落实到位。要合理确定项目预算，避免出现人为压低成本而影响质量的现象。对规划设计、招标投标、建筑用材、施工建设、竣工验收全过程监管，加快推进保障性住房工程质量、建材和部件供应质量终身责任制。对出现质量问题的一查到底，公开曝光，严格追究，使出现严重质量问题的企业在市场没有存身之地。

公开公平公正分配是住房保障工作的重中之重，明年大规模保障房建成后，这个问题会更加突出和紧迫。如果不把分配问题解决好，该保障的“落了空”，不该保障的“搭便车”，就会影响保障性安居工程的顺利推进。公平分配保障房，要做到“严格准入、程序公正、过程透明、技术支撑、及时纠错”。严格准入，就是明确界定和坚决把住住房保障的对象是低收入和中等偏下收入住房困难群众；程序公正，就是在审核、公示、公证等环节严格把关，使每一位困难群众都能平等参与申请和分配；过程透明，就是要坚持阳光操作，接受群众、社会和媒体监督；技术支撑，就是要抓紧建设个人住房信息系统，尽早实现联网，真实全面掌握申请者、入住者信息，提高分配的效率和准确性；及时纠错，就是要建立和完善退出机制，一旦发现不符合条件者获得保障房，做到坚决及时清退。明年要就此开展专项督查。

在做好保障房建设的同时，还要适应城镇居民合理的自住需求，增加普通商品住房供地，引导房地产企业推进普通商品住房建设。他指出，要坚持房地产调控政策不动摇，促进房地产市场健康发展。各方面要积极探索，完善符合我国国情和市场经济规律的住房政策体系。

12月22日在全国住房保障工作会上的讲话

大规模实施保障性安居工程 逐步完善住房政策和供应体系

李克强

保障性安居工程是一项重大的民生工程，也是完善住房政策和供应体系的必然要求。大规模实施保障性安居工程，是党中央、国务院作出的重大决策，是当前和今后几年政府工作的一项重要任务。实施好这一重大民生工程，关系经济社会发展全局，惠及广大人民群众。要进一步提高认识，明确方向，理清思路，完善政策，把保障性安居工程建设各项任务落到实处。

一、大规模实施保障性安居工程意义重大

2008 年底，为应对国际金融危机冲击，党中央、国务院确定了进一步扩大内需、促进经济平稳较快增长的十项措施，其中第一项就是加快保障性安居工程建设。两年多来，在各地区、各有关部门和有关方面共同努力下，全国保障性安居工程建设取得重大进展和明显成效。一是住房保障体系逐步完善。加快了廉租住房建设，全面推动了城市和国有工矿等棚户区改造，突出了公共租赁住房发展，初步形成了保障性安居工程体系。二是建设力度持续加大。2008 年四季度至 2010 年末，开工建设保障性住房和棚户区改造住房 1300 万套，竣工 800 万套；其中 2010 年开工 590 万套，竣工 370 万套，是历年来建设进度最快的一年。三是政府投入大幅增加。全国保障性安居工程完成总投资累计超过 1.3 万亿元，其中中央财政和预算内投资 1300 多亿元，地方政府也大量投入。国家还明确了税费优惠、土地供应等措施，使保障性安居工程支持政策逐步完善。四是经验逐步积累，认识不断提高。各方面积极探索、开拓前进，形成了有效做法，达成了基本共识，为大规模实施保障性安居工程建设打下了基础。五是广大群众得到了实惠。上千万户住房困难家庭搬进了新居，感受到党和政府的温暖，保障性安居工程成为重大民心工程。同时应当清醒地看到，我国保障性住房建设起步时间不长，住房保障的覆盖面不大，今后一个时期解决困难群众基本住房的任务十分繁重。必须高度重视，坚持不懈地做好这项工作。

保障性安居工程是“十二五”时期保障和改善民生的标志性工程，也是当前和今后几年经济工作的硬任务。“十二五”规划纲要确定，未来五年建设保障性住房、棚户区改造住房 3600 万套，其中 2011 年开工建设 1000 万套。大规模实施保障性安居工程，是推动科学发展、加快转变经济发展方式的具体实践，具有重大的现实意义和深远的历史影响。

大规模实施保障性安居工程，是管理通胀预期、保持经济平稳较快发展的重大举措。当前我国经济发展总体形势是好的，呈现稳健有力的增长势头，但发展面临的环境依然十分复杂，其中一个突出矛盾是价格上涨压力加大。国际上粮食、矿产品等大宗商品价格高位震荡，原油价格突破 100 美元 / 桶，新兴经济体面临较大的输入型通胀压力；国内劳动力等要素成本上升，流动性规模较大。一季度居民消费价格、工业品出厂价格涨幅较高。针对这些情况，在处理好保持经济平稳较快发展、调整经济结构、管理通胀预期关系的过程中，要把稳定物价总水平作为宏观调控的首要任务。近年来，部分城市房价上涨较快，有的城市房屋租赁价格也明显上升，给群众改善住房条件带来很大压力，成为社会广泛关注的焦点问题之一。需要指出的是，住房价格如果持续过快上涨，容易形成房地产“泡沫”，带来潜在的或现实的金融风险，扰乱乃至破坏经济正常循环。在这个问题上，国际上有不少深刻教训，日本经济长期低迷，美国发生“次贷”危机，都与房地产“泡沫”有关，应当引以为戒。当前和今后一段时期，在我国大规模建设保障性安居工程，既可以增加住房有效供应，分流商品住房市场需求，还可以稳定群众住房消费预期，对市场起到“镇静剂”的作用，有利于管理好通胀预期，把经济平稳较快发展的好势头保持下去。

大规模实施保障性安居工程，是保障和改善民生、促进社会和谐稳定的必然要求。不断提高人民群众生活水平和质量，是改革发展的根本目的，也是我们一切工作的出发点和落脚点。现阶段，在人们衣食住行等基本生活需求中，温饱问题已基本解决，但住的问题还比较

突出。住房是人的生存之所，发展之基。古人讲，“宅者人之本”、“人因宅而立”。现在说，安居才能乐业。住的问题解决了，群众生活就更有奔头，就业创业也就更有信心。改革开放以来，我国住房发展取得了巨大成就，群众住房条件总体上得到显著改善。近几年，通过推进棚户区改造、公租住房、廉租住房等保障性住房建设，又解决了一大批低收入家庭的住房困难问题。但也要看到，目前住房困难家庭数量仍然比较大。特别是在城市、工矿等棚户区里，还有不少工业化初期形成的简易住宅，大多是危房，缺乏供水、排污、取暖等生活设施，冬天漏风，夏天漏雨，巷道狭窄，环境脏乱，不能满足群众基本生活需求。同时，由于一些城市房价收入比较高，不少新就业职工、新毕业大学生以及外来务工人员住房条件很差，又出现了新的住房困难群体。居者有其屋，是千百年来的社会理想。通过政府保障和政策支持，解决困难群众的基本住房问题，是国际上的通行做法。在发达国家，住房保障覆盖面通常在25%—40%甚至更高。作为社会主义国家，我们更应加快实施保障性安居工程，让困难群众早一点实现安居。推进保障性安居工程建设，必然要增加政府投入，这实质上是通过加强公共服务，对收入进行再分配，对中低收入住房困难家庭实行“托底”。这种做法顺民意、解民忧，有利于纾缓群众困难，调节收入分配关系，使人民共享发展成果；有利于体现公平正义，化解社会矛盾，促进社会和谐稳定。

大规模实施保障性安居工程，是转变经济发展方式、调整经济结构的有效途径。扩大内需是我国经济发展的基本立足点和长期战略方针，也是转变经济发展方式、提高增长质量效益的内在要求。保障性安居工程建设一头连着发展，一头连着民生，既能增加投资，又能带动消费，对扩内需、调结构、转方式具有重要作用。政府增加保障性安居工程建设支出，可以发挥乘数效应，发挥房地产业链条长的作用，带动大量社会资金投入住房建设，促进相关产业发展。群众有了新居，要进行装修，购买家具、电器和其他生活用品，还会直接扩大消费需求。解除居住的后顾之忧后，居民的消费信心和能力也会增强，从而增加其他商品的即期消费。还要看到，推进保障性住房建设，不仅对全局发展有利，而且对地方发展有利。更重要的是，这有利于当地群众安居乐业，有利于推进社会和谐。此外，一个城市如果人居环境差，还会影响市容市貌，影响投资与发展环境，影响城市长远发展。近年来，我国不少城市通过实施保障性安居工程特别是推进棚户区改造，既解决了贫困人口集中成片居住的问题，促进了社会结构优化，又改善了城市环境和形象，吸引各类生产要素集聚，有利于实现产业再造和经济转型，起到“建设改造一片、带动提升一方”的作用。

二、完善保障性安居工程体系是健全住房制度的重要内容

对住房属性和功能的认识，直接关系到住房制度的完善。应当认识到，住房既具有商品属性和经济功能，更具有民生属性和社会功能。现阶段在我国发展住房，必须平衡好住房的经济功能和社会功能，更加突出民生属性，把满足群众的基本居住需求放在首要位置。要通过完善保障性安居工程体系，促进住房市场平稳健康发展，形成符合社会主义市场经济要求的住房体系和住房制度。

（一）把政府保障和市场供应结合起来，健全住房供应体系。实现广大人民群众住有所居，是构建和完善住房制度的根本目的。改革开放30多年特别是近10多年来，经过不断改革探索，我国以住房为主的房地产市场快速发展，居民住房条件不断改善，目前城镇人均住房面积已达30平方米以上。实践证明，城镇住房市场化改革极大地调动了各方面投资建设住房的积极性，极大地改善了群众的住房条件，主要依靠市场满足群众多层次的住房需求这一方向是正确的，是符合发展社会主义市场经济要求的。今后，应当继续发挥市场配置资源的基础性作用，使多数居民能够通过购买住房或市场租房满足住房需求。同时应当看到，商品住房市场不可能解决所有群众的基本居住问题。住房是价值量很大的消费品，低收入家庭甚至一些中等偏下收入家庭经济能力弱，不具备在市场上购房或租房的条件，需要政府履行公共服务职能，保障这些家庭的基本住房条件。对此，务必在思想上有清醒认识，在实际工作中认真对待。总之，应当坚持“两条腿”走路，形成政府保障和市场机制结合的住房供应体系。

首先，在政府保障方面，要大幅度增加供给，扩大保障性住房覆盖面。近些年来，我国在大力发展商品住房的同时，越来越重视困难家庭的住房保障问题，住房保障覆盖的人群逐步扩展，保障方式日益丰富。但总的来看，住房保障体系还不完善，保障性住房所占比重还较低，目前尚不到城镇住房的7%，相当多的住房困难群众还没有得到保障。“十二五”规划提出，今后五年这一比重将提高到20%左右。这既考虑了需要，又考虑了可能。从国际经验看，一些发达国家都经历过大规模建设公共住房的阶段，以缓解住房结构性短缺状况。如英国在二战后的5—6年间，主要城市的政府建房数量接近同期建房总量的80%。从国内情况看，我国正处于城镇化快速发展的时期，城镇人口每年增加1000多万，流动

人口较多，住房总量不足、结构不合理的问题十分突出，亟须增加保障性住房供应规模。同时，国民经济保持平稳较快发展，财力物力明显增强，有条件也有能力加快保障性住房建设步伐。应当指出，大规模实施保障性安居工程，甚至在短期内保障性住房供应量超过商品住房供应量，是加快解决群众住房困难的现实要求，也是履行政府保基本职责的必要举措。这既不是回到福利分房的老路，也不会改变以商品住房为主的发展方向。

同时，在商品房市场领域，既要尊重市场规律，又要搞好政府调控，增加住房供给。市场是有局限性的，房地产市场更具其特殊性。住房是不可移动的，局部地区供需矛盾无法通过区域外增加供给来调节，这使得房地产市场具有很强的地域特征，局限性比一般商品市场更为明显。近几年，部分地区投机投资性住房需求膨胀、房价上涨过快，就印证了这一点。解决这个问题，必须加强市场调控和监管，着力遏制投机投资性需求，使商品房市场成为满足群众合理住房需求为主的市场。同时，积极增加中低价位、中小户型普通商品住房供给，促进住有所居。

总之，对多数居民的多层次住房消费需求，还是靠市场供应，但政府也要依法对市场进行合理调控；政府还要履行保基本的职责，采取多种方式对部分住房困难群众予以保障。

（二）以发展公共租赁住房为重点，实施好保障性安居工程。近年来，我国保障性安居工程步伐明显加快。当前和今后一段时期，需要在实践中继续积极探索，创新发展理念、模式和路径，逐步完善住房政策，健全住房保障体系。

推进保障性安居工程建设，要加快公共租赁住房发展步伐，使其逐步成为保障性住房的主体。近几年来，通过棚户区改造等措施，我国城市低收入住房困难家庭的解困面不断加大，困难群众住房条件得到明显改善或看到了希望。现在比较突出的问题是，部分中低收入居民既不住在棚户区也不符合申请廉租住房条件，又没有能力通过市场购房改善居住条件，处在“夹心层”的位置。帮助这部分群众解决基本住房问题，是一个亟待破解的课题。在一些发达国家，公租住房是解决中低收入居民住房的重要渠道。如在德国、英国、澳大利亚等国，公租住房占保障性住房的比重很高，占城市全部住房的比重也在20%以上；有的国家还通过立法规定公租住房占城市住房总数的比重，这些做法值得借鉴。公租住房具有租金水平较低、租赁关系稳定、配套设施完善等优点，能够适应“夹心层”群体的住房需求。从我国国情和当前需要出发，实施保障性安居工程，需要加快发展公租住房。同时，由于小户型住房房源严重不足，当前发展公租住房应以“补砖头”为主、“补人头”为辅，尽快多渠道增加房源，努力缓解供需矛盾，随着形势变化再逐步调整完善保障性住房的供应结构。发展公共租赁住房，可以通过新建、改造、购买等多种方式筹集房源。同时，继续增加廉租住房供应，向低收入家庭提供低租金住房。具备条件的地方，可以考虑将廉租住房与公租住房并轨，实行同一保障房源，对不同的保障对象实行不同的租金标准。

推进棚户区改造，是保障性安居工程的重要任务。目前，在城镇和国有工矿区、林区、垦区，还有不少集中连片的棚户区，居住着上千万家庭、几千万群众。他们对棚户区改造翘首以盼，对改善住房条件寄予厚望。应进一步加快改造步伐，解决好这些群众的住房困难问题。对其他多种类型的保障性住房，则应在规范管理的基础上，因地制宜地发展。此外，还应按照统筹城乡发展的要求，实施好游牧民定居工程，逐步扩大农村危房改造试点，让更多的群众享受住房改善的实惠。

三、推进保障性安居工程建设的基本思路

通过几年来的实践，我国住房保障工作在一些基本问题和实施路径上形成了比较明确的思路，为大规模地开展保障性安居工程建设打下了好的基础。完成今年和“十二五”时期的建设任务，要坚持和完善这些思路，促进保障性安居工程建设步入良性循环轨道。

一是保障基本需求。我国土地等资源相对不足、生态环境脆弱，现阶段需要住房保障的对象又比较多，因此必须从国情国力出发，重点保障群众的基本住房需求。保基本应当是提供小户型、齐功能、质量可靠的住房。一些地方把公共租赁住房户型面积确定在40平方米左右，体现了保基本的原则。日本等一些国家，经济发展水平高，但住宅户型并不大。在发展保障性住房乃至商品住宅时，都应合理确定户型面积，注重发展省地节能环保型建筑，同时充分考虑群众的实际生活需要，保证必备的居住功能。应在小空间里面做大文章，努力提高设计水平，合理配置住房内部空间，创造安全、适用、健康的居住环境。低收入家庭住房困难的形成，最主要的原因是收入低、就业不充分。对这些家庭提供保障性住房，还应考虑群众就业、就医、上学等多种需要，尽可能在交通便捷的区域选址建设，并逐步完善学校、医院等配套的公共设施。

二是引导合理消费。大规模实施保障性安居工程，既要大力增加住房供给，也要合理引导住房消费。实现

住有所居，并非所有住房都由居民拥有产权，而是租房与购房并举，能租则租、能购才购。现阶段之所以大力发展公租住房，其重要目的是，在帮助中低收入家庭实现安居的同时，引导形成先租后买、梯度消费的住房模式。部分群体如新就业职工、新毕业大学生，收入水平可能并不低，但工作时间短、积蓄较少，面临的是阶段性住房困难，发展公租住房可以较好地解决他们的现实困难。

三是加大政策支持。民生工程是政府主导的工程，也是民心工程。办好民生民心工程，需要从政策上给予有力支持。首先，要加大财政投入力度。今年中央财政进一步增加了对地方建设保障性安居工程的补助资金，由去年的700多亿元增加到1000亿元以上。省级财政也要加大对市县的补助力度，市县财政要按照建设任务相应增加配套资金。其次，要多渠道筹集建设资金。大规模建设保障性安居工程，仅靠财政投入是不够的，需要创新思路、完善政策，进一步拓展融资渠道。为此，应发挥保障性安居工程专用融资平台作用，吸引金融机构贷款，调动企业投入建设的积极性等，满足大规模建设保障性安居工程的资金需求。在这方面，只要政府支持到位、政策设计得好，就能吸引金融资金和社会资金。发展公租住房，应合理确定租金水平，建立健全租金动态调整机制，既使租住群众能承受，又使融资主体有回报，实现可持续。再次，应加大土地政策支持力度。对公租住房、棚改房建设，要按规定实行土地划拨方式供应。这既能降低建设成本和租金水平，又能增强融资的吸引力，还有利于逐步改变一些地方收入过于依赖土地出让的状况。土地供应要坚持民生优先，把宝贵的资源用在刀刃上，切实满足保障性安居工程建设需要。同时，也要增加普通商品住房建设供地，为扩大住房有效供给提供支持。

四是确保分配公平。这是大规模实施保障性安居工程的"生命线"，也是民心工程的关键。推进保障性安居工程建设，主要目的在于惠民生、促公平，使真正需要帮助的中低收入住房困难群众受益。如果该保障的"落了空"，不该保障的"搭便车"，就会事与愿违，甚至造成新的不公和社会矛盾。把保障性安居工程住房这一公共资源分配好管理好，必须从准入标准、审核程序、动态管理、退出执行等方面制定完备的政策制度。要强化住房分配监督管理，实行保障房源、分配过程、分配结果"三公开"，接受社会监督。还要做好人口、住户、房屋、收入、就业等方面的基础工作，掌握基本情况，推进信息共享。只有这样，才能保证分配公平公正，做到以机制规范行为，以制度堵塞漏洞，使准入退出的结果让社会信服、让百姓满意。对违反规则的，要严肃处理，追究责任。

五是实现持续运转。保障性安居工程是政府的职责，但在具体实施过程中，也要处理好政府与市场的关系，注重发挥市场机制的作用，使保障性安居工程既能如期完成建设任务，又能持续运转。在项目实施中，要调动各方面参与投资建设的积极性，增加资源供给，提高资源配置效率。在住房建设中，要通过招投标等方式，选择技术力量强、社会信誉好的企业进行开发，严格执行项目建设程序和建设标准，把保障性住房建设成经得起历史和人民检验的优质工程。随着保障性安居工程的持续推进，保障性住房的存量会越来越大，如何管理好、运营好这些住房，是一个需要重视的问题。在这方面，不能再走过去公房管理的老路。要积极探索委托管理、购买服务等多种方式，降低管理成本，提高管理和服务水平，使住房和公用设施保持良好的运行状态。

六是加强机制建设。行之有效的运行机制，是住房保障工作科学化、规范化的必备基础。建机制，就是着眼于建立健全住房保障体系，从推进保障性安居工程的整个过程、各个环节加强机制建设。建机制，不仅需要事前做好顶层设计，形成一整套科学的制度和标准，还需要及时总结实践经验，不断改进和完善，逐步把行之有效的做法上升为规章和规范。保障性安居工程总体上还是一个新生事物，地域性很强。在具体实施中，要坚持一切从实际出发，因地制宜、分类指导。在中央统一政策下，充分发挥各地的主动性和创造性，积极探索创新，完善操作措施，创造新鲜经验，努力走出一条符合我国国情的保障性安居工程建设管理新路子。

大规模实施保障性安居工程，目标任务已经明确，关键是狠抓落实。今年2月，受国务院委托，保障性安居工程协调小组与各省级人民政府签订了今年保障性安居工程工作目标责任书。按照中央要求，各地实施保障性安居工程，实行省级政府负总责、市县政府抓落实的工作责任制度。各地区应当切实加强组织领导，迅速行动起来，进一步健全管理机构，制定工作计划，公开建设目标，分解工程任务，落实责任制度，把各项工作抓紧抓实、抓出成效。实施保障性安居工程是一项复杂的系统工程，涉及面广，政策性强。国务院各有关部门要继续加强协调配合，指导地方落实好已有的政策措施，并根据实际情况进一步完善相关政策。监督考核是保质保量完成建设任务的重要抓手。国务院有关部门、地方各级人民政府要加强对保障性安居工程的督查考核，对资金和土地不到位、政策不落实、建设进度滞后的地方，实行约谈问责。保障性安居工程建设资金是"济困钱"，任何人、任何单位都不能碰资金安全这条"高压线"。

要切实加强对资金使用的督查管理，确保每一笔钱都真正用在纾解群众住房困难上，对顶风作案者、违法违纪者要依法依纪严肃处理。

解决群众住房问题，既要加快保障性安居工程建设，又要促进房地产市场平稳健康发展，两者不可或缺。搞好房地产市场调控，是当前的一项重要任务，也是一项长期任务。去年以来，为遏制部分城市房价过快上涨，国务院出台了一系列加强房地产市场调控的政策措施，取得了初步成效，但成果尚需巩固。各地区、各有关部门要坚决贯彻落实中央的精神，认真做好政策落实工作，着力遏制投机投资性购房，增加市场有效供给，规范市场运行秩序，加强市场预期引导，不断巩固和扩大调控成果。

“十二五”时期大规模建设保障性安居工程，今年开工建设千万套保障性住房和棚户区改造住房，意义深远、责任重大，这是对党和政府执政能力、行政能力的重大检验。我们要统一思想、坚定信心，以只争朝夕的精神、扎实有效的工作，打好这场标志性重大民生工程的硬仗，完成大规模实施保障性工程的硬任务，造福广大人民群众，为促进经济长期平稳较快发展与社会和谐稳定作出新的特有贡献。

（原载《求是》杂志2011年第8期）

在全国住房保障工作座谈会上的讲话

李克强

（2011年12月22日）

同志们：

加快建设保障性安居工程，是党中央、国务院的重大决策。保障性安居工程既是重大民生工程，也是重大发展工程，还是宏观调控的重要举措。在刚刚结束的中央经济工作会议上，胡锦涛总书记、温家宝总理对此都提出了新的要求。我们要全面贯彻落实中央经济工作会议精神，认真总结经验，进一步做好明年的工作。

刚才，伟新同志代表保障性安居工程协调小组就明年的主要任务作了说明，并受国务院委托与各地签订了明年保障房建设的目标责任书。责任书是考核的依据做得好的给予肯定，完不成任务的应当问责。值得欣喜的是，总结今年的工作，各地做的都很好，31个省（区、市）及兵团都实现了年初责任书确定的目标，我们要向大家“问好”。希望明年的工作好上加好，在下一次签订责任书时能够再给大家致贺。会上，4个省（市）政府负责同志发了言，发展改革委、财政部、国土资源部和几个地方的书面发言材料我也看了。听了发言、看了材料很受鼓舞、很受启发。

今年是“十二五”开局之年，也是住房保障工作极不平凡的一年。年初中央确定全年开工建设1000万套保障房和棚改房，目前全国开工建设规模超过1000万套，基本建成400万套，全面完成了预定任务。通过努力，兑现了向人民群众作出的庄严承诺，也为实现“十二五”保障房建设目标开了个好头。

事非经过不知难，大家都身在其中，对工作中的酸甜苦辣都有切身感受。今年保障房开工建设规模之大前所未有，在我国历史上还是第一次。各地区、各有关部门在党中央、国务院的正确领导下，齐心协力，攻坚克难，才赢得了现在这样的好局面。地方党委、政府主要领导亲力亲为，国务院有关部门及时完善和落实政策，在座的同志们在组织、指挥和实施工程中付出了智慧和汗水，广大干部职工工作出了艰辛努力。在此，我代表党中央、国务院向大家表示衷心感谢！并请大家转达我对全国所有参加保障房建设的同志们的诚挚问候！ 下面，我讲几点意见：

一、深刻认识明年住房保障工作的重要意义

大规模实施保障性安居工程，是一项具有标志性意义的工程。国际上分析中国经济发展时，往往把房地产和保障房建设问题当成一个焦点问题，作为判断中国经济运行的风向标。中央经济工作会议明确提出，要突出把握好稳中求进的工作总基调。“稳”就是要稳政策、稳增长、稳物价、稳大局，“进”就是要转方式调结构、在改善民生和深化改革等方面取得新成效。这些都和保障性安居工程建设密切相连。

第一，做好住房保障工作，是扩大国内需求、稳定经济增长、稳定物价总水平的内在要求。

当前国内外经济形势异常复杂，世界经济复苏的进程艰难曲折，增长可能长期低迷，国内经济存在不少矛盾，经济增长下行压力和物价上涨压力并存。保持经济平稳较快发展，保持物价总水平基本稳定，是明年经济工作的两大目标 。在复杂的形势下实现“两个保持”，对我们是一大考验。明年稳增长必须更加重视扩内需，把发展的立足点真正放在内需扩大上。建设保障性安居工程是扩内需的重要内容。今年全国保障性安居工程投资超过1万亿元，约占城镇住宅投资的25%，增幅在30%以上，成为保持合理投资规模的重要支撑。住房产业关联度高、带动能力强，群众住进新房后还会扩大装修建材、家具家电等消费。因此，扩内需要求我们必须继续做好保障房建设工作。人民群众对房价和物价都极为敏感，从近年的实践看，大规模建设保障房对控制房价也确实起到了重要的促进作用。总结实践经验，必须深入推进保障性安居工程，以稳定的经济增长、稳定房价物价、稳定群众信心。

第二，做好住房保障工作，是立党为公、保障和改善民生、促进社会和谐稳定的内在要求。我们党是执政党，执政的基础在民心。

去年，全国上千万居民通过保障房改善了居住条件，他们对党和政府深怀感激之情。在目前的发展阶段，改善住房条件可以说是群众最大的期盼之一，而困难家庭没有能力进入商品房市市场，靠自身的力量无法解决基本住房问题。刚才地方的同志在发言中就谈到了这一点。如果困难家庭的基本住房问题长期得不到解决，就可能成为影响社会和谐稳定的隐患。我们强调稳定大局，就必须切实履行好政府应尽的职责，满足这部分群众的基

本住房需求。还要看到，建设保障性安居工程实际上是二次分配，有利于调节收入差距，促进社会公平与和谐。

第三，做好住房保障工作，是调整经济结构、持续释放城镇化潜力、促进经济长期平稳较快发展的内在要求。无论是实现当前的“两个保持”，还是实现经济长期平衡较快发展，根本途径是转方式、调结构。

刚才北京市谈到，把住房保障工作作为促进结构调整、加快转变经济发展方式的重要内容。道理很简单，如果房价过快上涨，资金就难以流向驱动能力强的创新产业，也不利于提升全社会的消费水平。不仅如此，住房保障工作与城镇化健康发展息息相关。城镇化与工业化相伴随，是现代化应有之义。中国要实现现代化，要保持经济长期平衡较快发展，最大的内需潜力还是城镇化。国际上认为，中国的城镇化与美国的高科技、是21世纪促进世界经济增长的两大动力。许多发达国家城镇化率在80%以上、有的甚至超过90%，我国城镇化率今年刚刚超过50%，还有很大的提升空间。城镇化率每年提高1个百分点左右，就有1000多万人口从农村转移到城市，由此不仅带来巨大的消费和投资需求，还能明显提高全社会的劳动生产率。目前，城镇居民和农村居民人均消费支出之比约为3.6：1，城乡劳动生产率之比值约为4：1。当然，推进城镇化必须有序、稳步，以不牺牲农业、确保粮食安全、确保守住耕地“红线”为前提。国家发展改革委正在抓紧研究我国中长期城镇化发展规划。在城镇化过程中，如果房价过高，进城门槛就会抬升，人口向城镇聚集就会受阴，城镇化持续发展就有可能受到影响。这在世界上不是没有先例的，一些发展中国家落入“中等收入陷阱”就是例证。还要看到，任何一个城市都需要有不同工种、不同收入水平的劳动人口，否则这个城市就无法正常运转，目前一些地方连家政服务员都缺。从这点出发，也要求我们继续做好住房保障工作，为中等偏下收入的新就业职工、大学毕业生、甚至外来务工人员提供公租房，使他们能够在城市安心生活工作。

统筹考虑今后几年的住房保障工作，充分听取地方的意见，明年 全国新开工700万套以上保障性安居工程住房，基本建成500万套以上，努力提高竣工率。虽然明年新开工量少于今年，但由于结转了在建的1000多万套保障房，保障性安居工程实际建设量将达到1800万套。明年不仅在建规模大，还要既抓开工又抓速度、抓竣工率、抓其他各项重点工作，任务更重、难度更大，各方面也会更加关注。大家要进一步加深对明年工作重要性、艰巨性的认识，以不懈努力加以推进。

二、扎实做好明年住房保障重点工作

今年住房保障工作取得了显著成绩，也创造了许多新鲜经验。明年各地要再接再厉、尽力而为，同时根据实际因地制宜、扎实推进。现在正值岁末年终，希望各地按照责任书的要求，抓紧安排工作计划，做好前期准备，保证明年的工作主动、有序地开展。需要强调的是，各地安排建设任务一定要坚持从实际出发。大城市保障房比例高一些，是发达国家（地区）的普遍现象。香港作为一个有700万人口的特大城市，世界公认是一个高度自由的经济体，保障房占全部住房的比例达48%。我们在具体工作中，对保障房需求量大的地方特别是大城市，要多安排一些；对需求量小的一些县城和小城市，少安排一些。做好明年住房保障工作，要突出抓好以下几个环节：

一是筹措好资金。从今年的情况看，资金筹措是保障房建设的最大制约。为帮助地方解决资金困难，中央下了很大决心，财政、发改部门都加大了投入，两次追加补助资金，总金额从原来安排约1000亿元增加到1526亿元，而且是提前下拨或预拨。明年还要这样做。发展改革委、财政部、国土资源部、住房城乡建设部的发言材料中都有许多具体支持措施，要把这些措施予以公开，给社会以信息，也向各地作出承诺。

明年中央对地方的补助资金额度会超过今年，在全国人代会议批准预算前会预拨一些。现在各地都在做明年的财政骤升，要进一步优化财政支出结构，增加保障房建设投入，中央财政代地方发行的债券、省级财政按核定规模发行的地方债，要更多地向保障房建设倾斜。明年将继续允许符合条件的地方投融资平台公司发行企业债券，扩大发行规模，用于保障房和配套基础设施建设。同时，支持银行业金融机构扩大保障房建设贷款额度，并给予利率优惠。目前全国住房公积金缴存总额已接近4万亿元，余额超过2万亿元。这笔资金来源稳、规模大，有必要在确保资金安全和满足职工提取、贷款的前提下，研究更好利用公积金支持保障房建设的办法。现在，企业等社会力量有着参与保障房建设的积极性，因为这对企业来讲，虽然利润率不高，但有稳定的资金来源。各地要积极探索，采取多种方式吸引社会资金参与保障房建设。在资金筹措中，地方可能还会遇到这样那样的困难，有关部门要加强调查研究，实事求是地帮助解决。

二是改进土地供应。应地方的要求，国务院已确定，明年各地保障房新增建设用地指标实行单列，由中央直接一次下达，不占地方其他建设用地指标。各地要按照责任书忙把建设任务分解到市县，合理测算各类保障房用地并汇总上报。廉租房、公租房、棚改安置房用地，要实行划拨。当然，保障房建设用地也要尽可能多地利用存量土地。为更好满足保障房用地需要，明年将在一些地方开展试点，经省级人民政府批准，探索利用集体建设用地建设公租房。各地要做好征地拆迁，提高土地审批效率，加快用地供应节奏，确保项目及时开工。

三是完善配套设施。建设保障性安居工程，不仅要让群众有房住，还要考虑群众的实际需要。保障房要尽可能选址在交通便利、配套设施齐全的地段，方便群众生产生活。现在，有些城市部分保障房建在城区边缘地带，要加大投入，尽快把路、水、电、气等基础设施完善起来，把学校、医院、超市等服务设施完善起来，北方地区还应解决供暖问题。

四是狠抓工程质量。质量安全是保障性安居工程必须保证的硬杠杠，对此中央高度重视，今年提出了确保任何完成、确保工程质量、确保分配公平的“三确保”。我国建设施工水平总体上还不是很高，商品住房也往往避免不了质量漏洞。保障性安居工程是政府主导建设的工程，社会对质量关注度极大，必须保证质量可靠，尤其不能出重大工程质量问题。各地一定要按照工程建设的标准，严把规划设计、招标投标、建筑用材、施工监理、竣工验收等关口，全面推行质量终身责任制，做好全过程监管。对发现的质量问题，要依法追究相关责任，轻的经济处罚，重的清出市场，直到追究刑事责任。今年我们组织开展了全国性的工程质量大检查，明年要总结经验，继续加强检查。

五是创新运营机制。随着保障性安居工程的持续推进，存量保障房规模会越来越大，公租房、廉租房运营、维护的任务也会越来越重。这方面，如何保证运营、降低成本、提高效率，是必须认真对待的一个问题。运营和维护需要一定的费用，现在就要考虑，如合理确定租金水平，把资本金率打高一点有利于将来减少还贷压力，配建一些商业设施也有利于增加将来的运营资金来源。公租房、廉租房的运营和维护不能走过去公房管理的老路，要充分发挥市场机制的作用，积极探索委托管理、政府购买服务等商业化管理方式。包括在商品房小区配建一些保障房，也有利于商业化运营管理。还要从长计议，研究住房保障诉方式。目前，保障房实物量还不多，保障比例也比较低，保障方式以“补砖头”为主，到一定时期后就应当以“补人头”为主。

六是加大棚户区改造力度。棚户区在我国是一个历史遗留的欠帐问题，许多棚户区是建国初期因为“先生产后生活”、“先治坡后置窝”而形成的。经过近几年的努力，我们已经累计改造了920万户集中成片棚户区住房。现在看，棚户区比原来预想的要多。最近铁路系统反映，还有10多万户家庭住在棚户区。有学者认为，目前我国不仅城乡之间存在二元结构，城市里也存在二元结构，大量棚户区就是一种表现。对各类棚户区的底数，还一步摸清。从这两年棚改的实践看，以待的难度在逐步加大，因为具有商业价值、容易改造的棚户区已基本改造完毕，剩下的大多是“硬骨头”。就因为是“硬骨头”，政府更应发挥主导作用推进改造。把这些棚户区改造好，不仅利民惠民，而且有利于促进区域经济增长，优化城市投资环境，拓展城市新的发展空间。更为重要的是，能够避免一些国家出现的贫民窟现象，走出一条有中国特色的城镇化道路。要完善棚改规划，继续推进国有工矿、林区、垦区、煤矿和城市棚户区改造，并把铁路等系统的棚户区改造纳入其中。同时，还要继续实施农村危房改造、游牧民定居工程。

三、把公平分配作为保障性安居工程持续健康发展的生命线

明年会有相当一部分保障房基本建成、竣工和交付使用，分配工作的任务会更重，分配的公平也会更加成为社会关注的焦点。对此，大家一定要有思想准备。不把公平分配这个问题解决好，就可能把好事办坏、正事办歪，阻碍保障性安居工程的持续推进。正因为如此，确保分配公平公正是保障性安居工程的生命线。把住分配公平这个关口，要抓住关键环节。

一是明确对象。分配对象应当是中低收入住房困难家庭，各地要结合当地的经济发展水平、居民收入水平等情况合理确定。

二是程序公正。建立科学的分配机制和纠错机制，在申请、审核、轮候、公示、分配等各个环节严格把关。

三是机会均等。让每一户符合条件的家庭都能平等参与申请和分配，采取摇号等方式确定分配结果。

四是公开透明。自觉接受群众监督，接受媒体监督，接受人大代表、政协委员的监督，使分配结果让社会信服。五是技术支撑。运用现代信息技术手段，提高分配的效率和准确性。一些城市已经建立了住房保障或个人住房信息系统，要加快建设全国联网的个人住房信息系统。同时，建立住房保障诚信档案，完善失信惩戒制度。明年，各级地方政府及住房城乡建设部门要把这件事作为一件大事来抓。住房城乡建设部要抓紧完善保障房分配管理的有关规定。各地也要总结已有经验，完善相关办法，同时充实必要的管理人员。明年开年，国办将组织有关部门力量，到各地进行保障房分配工作专项督查。

四、增加普通商品住房供应

我们建设保障性安居工程，供应的对象毕竟只是城镇住房困难家庭，在此基础上，还必须考虑多数群众改善住房条件的需要。现阶段，我国城镇住房总体上还是供应不足，随着城镇化的继续发展，人口聚集还会带来新的住房需求。如果住房供应跟不上，房价出现反弹的可能性就会加大。无论从改善群众居住条件来讲，还是从扩大内需、推动经济发展、保持房地产市场健康稳定来讲，当前都有必要加快普通商品住房建设，增加市场供给。

商品住房供应的主体是企业，增加供应需要引导好市场预期，为开发企业创造必要的条件。明年在保障房

用地实行计划单列的同时，要增加普通商品住房建设用地。对规范运行的开发企业，要完善信贷和融资环境，提高规划、开工、销售等审批效率。在抑制不合理需求的同时，对居民合理的住房需求要给予鼓励和支持，继续落实好优惠的财税、信贷政策，特别是落实好居民自住首套普通商品住房的贷款首付比例、利率优惠政策。

五、完善住房政策体系

现阶段，我国正处在工业化、城镇化加速发展时期，经济社会结构也在加速调整，同时住房保障和供应中还存在不少矛盾和问题。进一步做好住房工作，必须既立足当前，又着眼长远，加快完善住房制度和政策体系。这里有许多工作要做，我点几个题目：

一是完善住房供应体系。住房就其本质来讲是为了居住，而居住涉及群众的基本民生，需要区分基本需求和非基本需求，保基本的责任由政府来承担，非基本的部分则由市场来发展。实现住有所居，必须坚持和完善市场供给与政府保障相结合、以市场为主的住房供应体系。这里有一个保障比例问题需要深入研究。我们提出"十二五"末保障比例达到20%左右，这是对全国来讲的，具体到大、中、小城市这一比例多少为好，还需要在实践中探索。"十二五"以后乃至今后更长时期，全国保障房比例、不同城市保障房比例多高合适，也值得研究。

二是完善相关经济政策。住房发展涉及面广、政策性强，做好住房工作，必须适应形势的发展变化，不断完善相关经济政策。比如，在土地政策上，现在一些城市财政收入中土地出让收入较多，这不利于稳地价、稳房价，也是对未来几十年土地收入的一种透支，是难以持续的。我们要实现中华民族的伟大复兴，必须保持中国经济长期平稳较快发展，这就要求我们探索可持续的城市发展模式、土地管理模式、地方财力增长模式。怎样拓展地方的税收渠道、逐步降低土地收入比重，也是一个值得认真研究的大课题。再如，房地产保有环节和交易环节税收问题。不少发达国家的经验表明，用好这一杠杆，对于遏制投机投资性需求、保持房地产市场健康发展、拓展地方税收渠道都具有重要作用。我们应当继续积极探索，明年再选择几个城市开展个人住房征收房产税试点。

三是抓紧编制住房发展规划。住房发展规划是指导住房建设和发展的基本依据。从我国的现实情况看，有必要编制一个住房中长期发展规划。规划编制工作既要符合住房发展的一般规律，又要立足我国人口多、资源相对短缺、环境容量有限的国情。在规划内容上，要把发展保障房作为重点，要与城镇化发尽相衔接；在建设模式上，要以中小户型为主，积极发展节能省地环保型住宅；在消费模式上，要引导合理适度消费，坚持租购结合、梯度消费，鼓励先租后购、先小后大。在规划编制中，既要加强顶层设计，又要尊重基层和群众的首创。

明年，国家和地方层面都要启动并加快推进住房发展规划编制工作。各级财政要给予必要的资金支持。同时，还要积极研究完善住房有关法律法规。

四是继续做好房地产调控工作。住房既有商品属性又有社会属性，调控房地产市场应当更加重视住房的社会属性，抑制投机投资性需求，把住房市场培育成以合理消费为主的市场。这是避免市场大起大伏、保持长期健康发展的关键。中央经济工作会议对明年的调控工作提出了明确要求。我们要坚持房地产调控政策不动摇，保持房地产市场的长期健康发展。在这个问题上，各地要有大局意识、全局意识、长远观念，结合实际把握好。

明天全国住房和城乡建设工作会议就要召开，借此机会，我就住房城乡建设其他方面的工作、特别是促进城镇化健康发展提点要求。住房城乡建设部门在推动城镇化发展方面大有作为，要牢牢把握难得的历史机遇，抓好相关重点工作。一是科学制定符合国情的城乡发展规划，引导和优化城镇空间布局，密切城市群联系，促进大中小城市和小城镇协调发展。二是加强城市基础设施建设，推动区域基础设施和公共服务设施共建共享，统筹地下管网建设，提升城市功能，增强城市综合承载能力和辐射带动能力。三是提高城市管理和服务水平，寓管理于服务之中，提高城市交通、污水处理、垃圾处理等市政设施运营效率，改善城市人居环境。与此同时，还要继续抓好建筑节能和城镇减排、建设工程质量安全监管、建筑市场管理等工作。

总之，住房城乡建设部门的工作都事关民生、事关全局，同志们肩上的责任重大。希望大家在明天的会议上认真总结经验，进一步认清形势，提出好的建议，形成新的共识，全面做好明年的各项工作。我相信，新的一年，同志们一定能够在以胡锦涛同志为总书记的党中央领导下，高举中国特色社会主义伟大旗帜，深入贯彻落实科学发展观，保持昂扬的斗志，以更加扎实的工作推动科学发展、加快转变经济发展方式，以优异的成绩迎接党的十八大召开，为经济社会发展作出新的贡献。

中共山西省委书记、省人大常委会主任袁纯清关于房地产业的讲话

把每一项工作都当成事业去做

“天下大事必作于细，古今事业必成于实”。落实是成事之基、事业之根。布置工作如果不抓紧落实，再好的设想也是空中楼阁，再好的规划也是纸上谈兵。

现在的目标已经确立，任务已经明确，我们要把抓落实作为责任和意志，把每一项工作都当成事业去做，对工作有激情，对事业有敬畏，对群众有责任，乘势而上，顺势而为，谋实事、出实招、求实效，在层层抓落实、层层解决问题上下功夫。

要在产业转型上狠抓落实，以循环经济为基本模式和路径，坚持全循环、抓高端、多联产，加快传统产业改造升级，整合资源优势，政策优势和产业优势，大力发展新兴产业，以大企业支撑大产业，加快绿色、清洁、低碳发展不俗。

要在项目建设上狠抓落实，善于把政策、资源、规划、措施变成具体的项目，以项目建设带动产业转型。加大开放引进力度，加快整合和建设一批大的产业园区，走高端化、配套化、集群化发展道路。

要在统筹城乡上狠抓落实，按照“一核一圈三群”的战略推进城镇化，把“一村一品”、“一县一业”作为农业现代化的重要切入点，扎实推进新农村建设，增强县域经济发展实力，要在改善民生上狠抓落实，以建设绿化、气化、净化、健康山西为抓手，建设生态文明，发展社会事业，让人民群众生活得更有质量、更有保障，更有尊严。

要在安全生产上狠抓落实，对山西而言，安全生产同样是第一要务。过去安全生产事故血的教训切不可忘记，今天安全生产省市的明显好转一定要倍加珍视，今后安全生产的要求要落实要每一个企业、每一个生产环节，确保生产安全、人民安康。

在山西省十一届人大五次会议上的讲话

要搞好房地产市场调控

要搞好房地产市场调控，加快保障性住房建设进度，稳定住房消费预期。

在全省领导干部大会上的讲话

加快保障性住房建设进度

关于保障和改善民生，改善民生是最大的政务，民生幸福是最大的政绩。要搞好“基本民生”，保障“底线民生”，关注“热点民生”，让全省人民共享改革发展成果。要完善覆盖城乡的公共就业服务体系，健全困难人员就业援助长效机制。要稳定市场价格总水平，完善消费网络，培育消费热点，挖掘和释放农村消费潜力。要更加注重通过制度安排解决民生问题，扩大社会保障覆盖面，提高各项社会保险统筹层次和待遇水平，落实社会救助和保障标准与物价上涨挂钩联动机制，帮助进城农民工解决好就业、居住、医疗、子女入学等方面的困难。要加快发展教育事业，深化公立医院改革、基层医疗卫生机构综合改革，继续落实好为低收入农户每户免费供应一吨取暖煤的政策，加快保障性住房建设进度。

在山西省委十届二次全体会议上的讲话

要实现发展县域经济的新突破

要在县域工业化上实现突破。一方面，我省正处于工业化加速期，工业化仍是推动国民经济发展的主要动力，离开工业化搞发展就是纸上谈兵。另一方面，我省大多数县属于资源型县份，最大限度地用好资源是发展县域经济的根本依托。因此，在县域经济发展中，必须坚持以县域工业化为主导。这个战略确定以后，需要进一步把握好三个关键问题：工业化要以培育主导产业为重要环节。就是要着眼县域这个有限空间，坚持有所为、有所不为，发挥资源优势，进行深度开发利用，放大资源效应，形成一两个打翻番仗的产业。工业化要以提升传统产业和培植新兴产业为主要抓手。传统产业以循环经济为基本路径；新兴产业要抓引进抓培植。工业化要以园区为主要承载。就是一个县要倾力打造一两个园区，在招商引资上用资源变资本、换技术，在项目建设上增

强要素供给能力，既要有中生优，更要无中生有，建成一批具有较强影响力的循环类经济园区、高新技术园区、现代农业园区和现代服务业园区。

要在城镇化上实现突破。让农民向城镇集中，让农村向城镇转变，不仅是大势所趋，是民之所愿，更有利于激活县域内的资源、资金、技术等要素，加快县域经济发展。因此，必须把推进城镇化作为县域经济发展的重要承载，重点是抓好县城这个龙头和建制镇这个节点。在县城建设上，要扩大规模、增强实力、完善功能，引导生产要素和优势资源向县城集中。在建制镇建设上，要坚持政府主导、市场化运作的方式，加大扶持力度，加快产业培育，建设一批特色名镇。具体操作中，还要尽快组织修订县城的总体规划，抓紧研究制定下放权限、改革户籍制度等支持重点镇发展的具体措施。要在落实配套资金的基础上，创新体制机制，完善城镇建设融资平台。

要在统筹城乡发展上实现突破。马克思曾说过，城乡关系的面貌一改变，整个社会的面貌也跟着改变。县域是城乡统筹的关键层次和核心舞台，只有实现城乡统筹，才能实现经济、政治、文化、社会、生态的协调发展。当前，城乡统筹的任务十分艰巨，必须努力缩小三个方面的差距。首先是加快新农村建设步伐，提高新农村建设水平，扩大新农村连片建设区域，努力缩小与城镇发展水平的差距；第二是通过完善农村路网水电等基础设施，大力实施农村新的“五个全覆盖”，努力缩小与城镇基础设施上的硬件差距；第三是着眼构建统筹城乡的社会保障体系，重点提高农民的社会保障水平、收入水平、健康水平和科技教育水平，维护农民切身利益，努力缩小与城镇居民生活质量和素质建设方面的差距。同时，还要统筹城乡规划、统筹产业发展、统筹管理制度，实现城乡更深层次的融合互动。

要在转变发展方式上实现突破。县域经济是基层经济，但不是低层经济，不能走粗放发展、重复建设、先污染后治理的老路，必须在科学发展的基础上实现强县惠民，做到经济效益、社会效益和生态效益的统一。一些地方在发展中不惜破坏生态，一些地方只追求短期政绩而不顾百姓安康，既是发展理念的错误，更是发展方式的落后。对此，我们必须以绿化山西、气化山西、净化山西、健康山西为突破口，加快县域经济发展方式转变。第一是大力推进节能减排，建立完善的节能减排标准体系、政策支撑体系、监督管理体系和技术服务体系。第二是强化环境准入和环境管理，大力淘汰落后产能，提高技术、工艺和装备水平，逐步实现由末端治理向全过程控制转变。第三是加强生态建设和修复，每年都要安排一两个重点生态工程，加大投入力度，加强督促检查，为县域经济发展和人民安居乐业营造良好生态环境。

在全省县域经济暨农村工作会议上的讲话

中共山西省委副书记、省长王君关于房地产业的讲话

认真贯彻落实房地产市场调控政策推动房地产业健康发展

按照"一核一圈三群"的布局，加快构建具有山西特色的现代城镇体系。全力支持太原率先发展。落实好支持太原率先发展的用地保障、园区发展和污染企业搬迁等政策措施，支持加快城中村改造，提升城市综合承载能力和服务功能，切实增强省会城市的带动力。以基础设施建设、项目产业发展、公共服务供给为突破口，以启动共建区建设为切入点，加快太原榆次同城化步伐。积极发展以太原都市区为核心，以太原盆地城镇密集区为主体，以阳泉、忻州、吕梁为腹地的太原都市圈，形成引领山西省城镇化发展的龙头。加快发展三大城镇群。统筹区域城镇布局、基础设施建设、经济社会发展和资源环境保护，建设以大同、朔州为核心的晋北城镇群，以临汾、侯马、运城为核心的晋南城镇群，以长治、晋城为核心的晋东南城镇群，培育区域经济新的增长极。大力实施"大县城"战略和百镇建设工程。引导生产要素、优势资源向县城集中，推进县城扩容提质，扶持一批基础条件好、发展潜力大的重点镇快速发展，发挥其连接城乡的纽带作用。要不断创新和完善城镇化推进机制，改革户籍制度，改善公共服务，使稳定就业和居住的进城农民有序转为城镇居民。坚持高起点规划、高质量建设、高水平管理，着力打造现代宜居城市和特色城镇，形成大中小城市和小城镇协调发展的格局。

加大保障性住房建设力度。大力推进各类棚户区改造，加大廉租住房、公共租赁住房、经济适用住房、限价普通商品住房建设和农村危房改造力度，今年再投资240亿元，开工建设保障性住房28万套、1665万平方米，逐步改善居民基本居住条件。

认真贯彻落实房地产市场调控政策，推动房地产业健康发展。

在山西省十一届人大五次会议上的《政府工作报告》

中共山西省委常委、副省长高建民关于房地产业的讲话

切实做好保障性住房建设工作

各级各部门要增强紧迫感和使命感，切实做好保障性住房工作，要保进度、保质量、保公平分配；要转变作风、简化程序、提高效率、开辟绿色通道，确保项目早开工、早建设；要创新机制，积极破解建设过程中遇到的难题和困难，切实保障和改善民生，增加住房供给、抑制住房价格过快上涨，为促进我省经济转型跨越发展，尽早实现人民群众住有所居的目标做出积极贡献。

6月27日在全省保障性安居工程会议讲话

切实解决保障性住房建设中的困难和问题

今年以来，各级各有关部门深入贯彻落实中央和省委、省政府关于保障性住房建设的决策部署，紧紧围绕年度目标任务，采取有效措施，全力以赴推进，全省保障性住房建设取得了较好的成绩。

各级各相关单位要切实解决保障性住房建设过程中遇到的困难和问题，千方百计筹措资金，优先安排保障房土地，着力提高项目审批效率，确保全年超额完成国家下达的我省保障性住房建设任务，确保工程质量和安全，确保分配公平、公开、公正，积极探索保障性住房建设、管理、分配、运营、退出等工作新机制。同时，对明年的保障性住房建设工作要及早谋划，力争做到早动手、早准备、早落实。

8月8日在全省保障性住房建设专题协调会讲话

把城镇化推向一个新高潮

当前转型综改区建设给城镇化推进创造了前所未有的大好形势和难得机遇，各级各部门一定要把思想和行动统一到省委、省政府的决策上来，按照省委、省政府的安排部署，抢抓机遇、乘势而上，把城镇化工作推向一个新高潮；要进一步加大工作力度，强化落实，努力推进，把三项重点工作开展好，把三项考核完成好，全面完成今年确定的各项工作，并为明年的工作打好基础。

10月17日在全省城镇化工作推进会讲话

确保完成保障性安居工程建设任务

各级各部门要再接再厉，继续加大工作力度，确保全年任务的圆满完成；要抓好项目开工，确保各类保障房建设开工率达到100%；要做好统计工作，保证汇总数据的一致性和准确性；要严把工程质量和安全生产关，加快建设进度，达到竣工目标要求；要加强监督监管，确保分配公平公正；要合理安排、科学制定2012年的保障性住房建设计划，早动手、早准备、早落实项目和资金，确保明年保障房早日开工建设。

10月22日在全省保障性安居工程建设专题协调会讲话

工作报告

GONGZUOBAOGAO

紧紧抓住转型综改试验重大历史机遇
加快推进住房城乡建设事业转型跨越发展
—在全省住房城乡建设暨党风廉政精神文明建设工作会议上的报告

（2012年2月28日）

李俊明

同志们：

这次会议的主要任务是，全面贯彻落实省第十次党代会、省委十届二次全会暨全省经济工作会议、省“两会”和全国住房城乡建设工作会议精神，总结去年工作，安排部署今后一个时期和今年工作任务。省委常委、副省长高建民对这次会议十分重视，会前专门听取了筹备情况和工作思路的汇报，提出了明确要求，一会儿还要在全省住房城乡建设工作座谈会上作重要讲话，我们一定要认真学习领会，深入贯彻落实。下面，我讲三点意见：

一、2011年工作回顾

2011年是“十二五”开局之年，是全省住房城乡建设工作取得骄人业绩的一年。一年来，全省住房城乡建设系统认真贯彻落实省委、省政府决策部署，紧紧围绕转型跨越发展总体战略，着力推进住房保障、重点工程和城镇化工作，坚决贯彻落实国家房地产市场调控政策，切实加强建筑市场和建设工程质量安全监管，积极推进建筑节能和城镇减排，圆满完成了各项目标任务，为促进全省经济社会发展作出了积极贡献。

主要集中力量抓了“三项重点工作”：

（一）保障性住房建设规模和完成投资实现历史最好水平，走在了全国前列。

省政府召开了全省保障性住房建设工作会议，出台了《关于进一步加快保障性住房建设的意见》，将保障性住房建设列入省重点工程加以推进。通过多渠道筹集建设资金，保障土地供应，建立专题协调会议制度，完善月报通报制度，强化督促检查，保障性住房建设任务超额完成。全省新开工建设保障性住房44.62万套，为年度任务的114.3%；完成投资431.4亿元，为年度计划的150%，是我省保障性住房建设规模最大、完成投资最多的一年。大同市建设保障性住房套数和完成投资分别占到全省总量的35%和39%。同时，各地坚持公开、公平、公正的分配原则，进一步完善保障性住房申请、审核、公示、轮候等制度，严把准入关，确保将有限房源分配给应保对象。去年6月10日，李克强副总理在太原西华苑小区考察时，对太原市和我省保障性住房分配管理工作给予了充分肯定。

（二）重点项目落地金额和重点工程建设完成投资创出新高，发挥了“火车头”带动作用。

坚持一手抓重点项目落地，一手抓重点工程建设，实施了重点项目储备、签约、落地和建设“四位一体、统筹推进”工作机制，实行了重点项目落地对口推进、全程跟踪服务，重点工程建设月调度、月考核、月排名制度。各部门密切配合、大力支持，各市全力以赴、精心组织，确保了重点工程建设顺利推进。全省重点项目完成落地金额1万亿元，为年度计划的177.7%；重点工程完成投资7665亿元，同比增长51.3%。“省城十大建筑”建设任务圆满完成，中国（太原）煤炭交易中心、山西体育中心、山西大剧院、山西大医院等如期竣工并投入使用，成为省城太原新的地标，保证了中博会的顺利举办，受到了中外嘉宾的一致好评。省工务局承建的4项工程，投资省、进度快、质量高，发挥了典型示范作用。

（三）城镇化进程明显加快，呈现出竞相发展态势。

省政府召开了加快推进城镇化工作动员会，成立了城镇化推进工作领导组，集中推进城镇群规划统筹、城市扩容提质、双百城镇建设，取得明显成效。2011年，预计全省城镇化率同比提高1.65个百分点，超过“十一五”年均1.16个百分点的增幅，达到了49.7%。

城乡规划编制实施力度进一步加大。初步完成了“一核一圈三群”6项规划，完成了长治、晋城、临汾等市城镇组群规划。完成了县域村镇体系规划、小城镇总体规划、重点镇近期规划、名城名镇名村保护规划114项太原市在全国率先实现了城市总体规划、土地利用规划、产业发展规划“三规合一”，并对城市总体规划进行了环境影响评价。朔州、运城等市开展了整治违法建设活动，取得较好效果。太原市跻身国家历史文化名城行列，是1994年以来国务院批复的唯一省会城市。

*城市扩容提质取得较大进展。*全省城镇市政公用设施建设完成投资370.3亿元，同比增长22.6%。太原市以中博会为契机，引深城乡清洁工程，城市管理水平明显提高，城乡面貌明显改善。大同市按照“一轴双城”发展格局，新城建设与古城修复并重，彰显出城市特色。吕梁市投资5亿元，开展环境卫生、街道修饰、交通秩序3项整治，人居环境发生显著变化。晋中市实施“北进、西联、南扩、东延”扩城计划，启动了总投资120亿元的6大类56项市政重点工程，当年完成投资61.6亿元，超过“十一五”投资规模总和。

围绕建设气化山西、绿化山西、净化山西、健康山西，积极推进城镇污水处理、生活垃圾无害化处理、集中供热、燃气普及和城市绿化。阳泉、孝义跨入国家园林城市行列，襄垣、屯留、平顺获得国家园林县城称号，阳城县润城镇创建成为国家园林城镇。侯马、孝义率先创建成为山西省宜居城市。阳城、洪洞、阳曲创建成为山西省园林县城。大同富乔生活垃圾焚烧发电厂、临汾城市公厕、大同天然气集中发展利用、长治澳瑞特小区供热计量改革等4个项目荣获中国人居环境范例奖。长治、太原、晋城获得全国无障碍建设先进城市称号。

*百镇建设工程初见成效。*以21个省级示范镇为重点，开展“五建设两整治”活动，省、市、县三级每个镇安排2000万元资金给予扶持，开工建设项目169项，完成投资18.2亿元。汾阳市杏花村镇突出汾酒文化特色，规划建设酒业集中发展区、居民新区和汾酒文化一条街；孝义市梧桐镇充分利用土地增减挂钩政策，通过村民整体搬迁腾出7000多亩土地保障城镇建设；洪洞县广胜寺镇按照“低碳、生态、绿色”理念，将8平方公里的景区与镇区同步规划、同步建设，着力打造景观旅游型小城镇。天镇县新平堡镇等8个村镇被命名为全国特色景观旅游名镇名村。

在着力抓好“三项重点工作”的同时，其他各项工作都取得了新成效。

*房地产市场呈现出“两增一稳一降”的良好态势。*综合运用限购、提高首付比例等措施调控房地产市场，是全国第一个设市城市全部公布年度新建住房价格控制目标的省份。房地产开发投资和商品住房施工面积平稳增长，商品住房销售面积基本稳定，商品住房销售价格稳中有降。全省商品住房平均销售价格为3291元/平方米，同比下降1.1%。太原市新建住宅价格同比指数在国家重点监测的70个大中城市中排第48位，在中部6省省会城市排第5位。

*建筑市场和工程质量安全监管力度加大。*开展了3次全省建筑市场监督执法和质量安全大检查，抽查在建项目675项，下达执法文书156份。严格市场准入和清出，注销、责令停业各类企业70家，吊销安全生产许可证63家，责令限期整改263家。大力加强安全文化建设，开展了有奖征文、知识竞赛、文艺调演等活动，增强了全系统的安全生产意识，行业安全形势进一步好转。全省发生建筑生产安全事故7起，死亡10人，同比分别下降56.3%和56.5%；房屋建筑及市政工程百亿元施工产值死亡率同比下降0.67个百分点。全省建筑业持续健康发展，实现增加值674.0亿元，同比增长7.3%。

*建筑节能和城镇减排任务超额完成。*新建建筑50%能效标准执行率达到97%，晋中市全面执行了新建居住建筑65%能效标准。既有居住建筑节能改造完成302万平方米。当年新竣工居住建筑全部实行了供热计量收费。忻州、石楼、临猗被批准为2011年度国家可再生能源建筑应用示范市（县），省肿瘤医院、山医大二院、长治和济医院等3个项目被列为国家光电建筑应用示范项目。太原被确定为全国中德技术合作公共建筑（中小学校和医院）节能项目试点城市。全省累计处理城镇污水6.98亿吨，无害化处理生活垃圾318万吨，超额完成生活COD、生活氨氮减排量分别下降2.3%、1.8%的年度目标任务。

*住房公积金安全监管得到加强。*组织开展了全省住房公积金专项检查，长治、晋城、临汾等市理顺了公积金管理体制。

住房公积金缴存新增164亿元，同比增长26.8%。住房公积金余额累计达到573亿元。为2.89万户家庭发放个人住房公积金贷款41亿元，同比增长20.8%。清理回收逾期贷款本息1482万元。运城市开展了利用住房公积金贷款支持保障性住房建设试点工作，投入3亿元用于保障性住房建设。

建设法制、标准定额、信息宣传、建设稽查、招标投标、劳保统筹、城建档案、风景名胜等各项工作，均取得明显成效。厅机关自身建设和直属单位的工作进一步加强。山西建筑职业技术学院新校区顺利开工建设。

党风廉政建设和精神文明建设取得新进步。这项工作，耀平组长还要代表厅党组作全面总结和部署，我这里就不多讲了。

上述成绩的取得，是省委、省政府正确领导的结果，是省直各部门、各市县政府以及新闻单位密切配合和大力支持的结果，是全省住房城乡建设系统广大干部职工苦干实干、共同奋斗的结果。在此，我代表省住房城乡建设厅，向长期以来关心支持住房城乡建设工作的各级领导、有关单位和社会各界的朋友们，表示衷心的感谢和崇高的敬意！

二、今后一个时期的总体工作部署

省委、省政府将保障性住房建设作为重大的民生工程、发展工程，将重点工程作为拉动投资增长的主力军、带动经济发展的火车头和促进经济发展方式转变的排头兵，将城镇化作为推进全省转型跨越发展的四大路径之一，将城乡统筹作为建设综改试验区的四大领域之一。这充分说明住房城乡建设工作已经上升到关乎民生、关乎发展、关乎全局的重要地位。这对住房城乡建设工作来讲，既是难得的机遇，更是严峻的挑战。我们必须清醒地认识到，在我们工作中还存在许多问题和困难。比如，城镇化水平滞后，城市扩容提质任务艰巨，制约城乡统筹的土地、资金、户籍、社保等瓶颈问题没有真正破题；各地保障性住房建设进展很不平衡，全省公共租赁住房建设规模偏小，保障性住房分配和运营管理机制不够完善，等等。对于这些问题，一定要引起足够重视，下大力气加以研究解决。

今后一个时期，全省住房城乡建设工作的总体要求是：以邓小平理论和“三个代表”重要思想为指导，深入贯彻落实科学发展观，围绕主题主线总基调，抓住综改试验区建设重大历史性机遇，以住房保障、重点工程、城镇化三项工作为重点，以实施城市扩容提质十大工程为抓手，创新上下统筹联动、政策法规推动、试点示范引领、对标赶超管理、考核评价激励五个机制，进一步解放思想，对标一流，奋力赶超，开创住房城乡建设工作新局面，为转型跨越发展、再造一个新山西作出新贡献。

按照上述总体要求，在“十二五”的后几年，要认真抓好以下工作。

（一）抢抓机遇，破解难题，实现“三项重点工作”新突破。

保障性住房建设、重点工程建设统一于城镇化的实践之中。保障性住房建设是推进城镇化的重要支点，重点工程建设是推进城镇化的重要途径。

要紧紧抓住国家大力实施保障性住房建设的历史性机遇，推进住房保障工作实现新突破。哪个地方抓住了这次机遇，哪个地方民生改善就快，城市发展就好。国家保障性住房工程建设是一次历史性机遇，一是土地实行计划单列，应供尽供，二是对和保障性住房直接相关的基础设施由中央财政今年将给山西补助较多的资金，三是保障性住房建设项目纳入到重点工程当中统筹推进，这样的历史性机遇是不多的，各市对此要有机遇意识。要切实加大保障性住房特别是公共租赁住房建设力度。要创新建设模式，变单纯建房为建房与建路、建房与建城同步推进，整体开发，配套建设，实现城市建设和房地产开发方式的转型；创新融资模式，综合利用财政补贴、发行债券、金融贷款、企业投资、社会融资等多种渠道和多种形式，筹措保障性住房建设资金；加强政策研究，完善决策机制，充分发挥专家咨询、公众参与作用；完善管理机制，发挥市场作用，学习借鉴新加坡“政府组屋”管理经验和兄弟省市先进做法，实施保障性住房准入、分配、运营、退出全过程管理。到“十二五”末，全省城镇保障性住房覆盖面达到20%以上。

要紧紧抓住省委、省政府高度重视重点工程的历史性机遇，推进重点项目落地和重点工程建设实现新突破。坚持和完善“四位一体、统筹推进”工作格局，充分发挥组织协调、监督检查、量化考核、公示排名的作用，确保 “十二五”重点项目落地金额达到3万亿元，重点工程建设投资总量达到3万亿元，进一步发挥好重点工程在经济社会发展中的“主力军”、“火车头”和“排头兵”的作用。

要紧紧抓住城镇化快速发展的历史性机遇，推进城镇化建设实现新突破。2011年，我国城镇化率达到51.27%，城镇人口首次超过总人口的一半，今年我省城镇人口也将超过农村人口，标志着已经进入城市型社会。这对住房城乡建设工作提出了历史性的新任务。为此，我们要以城乡规划为引领，以统筹城乡为路径，以城市扩容提质为抓手，加快推进城镇化进程。要着力破解资金匮乏、土地紧缺、户籍限制、城乡社保差别等难题，努力走出一条又好又快、具有山西特色、可持续发展的新型城镇化道路。到“十二五”末，全省城镇化率达到55%以上。

（二）全力实施“十大工程”，推动城市扩容提质迈上新台阶。

社会要转型，经济要转型，产业要转型，城市更要转型。转型就是好，跨越就是快；只有扩容提质才能转型跨越。为此，要组织实施好“十大工程”。

规划转型工程。规划决定城市。有什么样的规划，就有什么样的城市。要以规划转型引领城市转型。在规划理念上，要从单纯追求现代向现代与地方特色并重转变；在规划重点上，要从重物质性规划向重综合性规划转变，从重规划编制向编制与实施并重转变，从重单个城市向城市与城镇组群并重转变；在规划方法上，要从各自为政、封闭性编制向部门联动、公众参与开放式编制转变，主动与相关部门配合，与土地利用规划及产业（园区）发展规划实现“三规合一”，保障规划的有效实施和项目的及时落地；在规划实施上，要从“项目牵着规划走”向规划引领转变，充分发挥规划的统筹指导作用。

新区示范工程。城市新区是城市转型的增长极。要学习借鉴天津滨海新区生态城建设等经验，大力推进新区建设。在新区风貌上，既要追求国际水准，更要体现地方特色；在新区形态上，要变摊大饼、粗放式为紧凑型集约式发展；在新区功能上，要变单一功能为综合功能；在建设理念上，要突出低碳生态，注重可持续发展；在建设方式上，要坚持先地下后地上，开发利用地下空间。疏解老城压力，完善城市功能，彰显城市特色，以新区转型促进城市转型。

新区建设的重中之重是加快太原晋中共建区建设。这是省委、省政府确定的推进太原晋中同城化的重要抓手。王君省长亲自担任省城规划委员会主任。要科学编制共建区规划，实施一批重大基础设施项目，率先实现规划同筹、制度同构、市场同体、产业同链、科教同兴、交通同网、设施同布、信息同享、生态同建、环境同治“十个一体化”，在推进太原城市群建设中发挥核心作用，在全省区域协调发展上起到示范作用。同时，重点抓好园区建设。园区是转型综改区和“一市两园”建设的重要载体，是实现“产城互促、产城融合”的重要抓手。要把园区建设纳入城镇体系规划、城市总体规划和产业规划之中，主动为园区扩充扩能搞好服务。

旧区提质工程。城市旧区是城市转型的用武之地。旧区功能不全，环境脏乱，但往往又是文化积淀最为深厚的地方，也是房地产开发的黄金地段。实现城市旧区提质，必须高度重视历史文化遗产保护。要从单体保护转向整体保护，从两相对立转向两全其美，从文物造假转向修旧如旧，从发展包袱转向产业创新。严格落实绿线、蓝线、黄线、紫线、红线“五线”管制。旧城改造要坚持整体开发和成片改造的原则，不能见缝插针、剥皮烂心。要按照省第十次党代会提出的“两年完成城市和国有工矿集中连片棚户区改造”的要求，摸清底数，统筹安排，加快实施，确保按时全面完成。

城乡清洁工程。实施城乡清洁是改变城乡面貌的重要抓手。王君省长在今年的《政府工作报告》中要求开展城乡清洁活动。我省实施的两轮“五个全覆盖”使农村面貌发生了较大变化，但“室内现代化、院外脏乱差”的问题依然十分突出，新农村建设村容整洁的任务依然十分艰巨，实现城乡基本公共服务均等化任务异常艰巨繁重。要推广太原做法，以“四治”、“五进”、“十创”为重点，在注重城市环境的同时，切实加大农村环境整治力度。市、县财政要列出专项资金，用于农村环卫车辆购置、人员工资和垃圾池、中转站建设，建立长效机制，力争实现一年一变样，三年大变样。

宜居城市创建工程。宜居城市是实现绿化、气化、净化、健康山西的有效载体。要以提升功能、改善环境、搞好绿化、节能减排、加强管理为重点，推进环境友好、功能完善、资源节约、管理先进的宜居城市建设。城镇绿化要推广太原西山绿化经验，引进大公司，实施大项目，实行大投入，实现大效果，一次成林一次成景，大幅增加城市绿量，整体提升生态水平。

数字城管工程。城市“三分建七分管”。实施数字城管是实现由人海战术粗放传统管理向网格化精细化现代管理转型的必由之路。11个设区城市要全面推行数字化城市管理。要建立全省统一的城市“三供应两处理”、市容环卫、道路桥梁、城市照明、风景名胜和住房保障、个人住房、公积金、建筑市场、房地产市场、机关办公建筑和大型公共建筑能耗监测平台等十一个公共信息平台，实现住房城乡建设系统资源整合和信息共建共享。

“四名”保护工程。历史文化名城名镇名村和风景名胜资源是一个城市不可再生、不可复制的第一稀缺资源，是打造城市特色、彰显城市魅力的物质基础。全省现有世界遗产地3处、国家历史文化名城6座、名镇名村30处、国家级风景名胜区5个、全国重点文物保护单位271处，分别居全国第2位、第7位、第1位、第18位和第1位；同时有省级历史文化名城名镇名村和风景名胜区135处，省级重点文物保护单位413处。要打造世界遗产、历史文化名城和风景名胜区三张名片，正确处理保护、开发、利用三者关系，充分彰显山西城镇特色和优势。

“六水联动”工程。历史文化资源丰富是我省城镇发展的最大优势，水资源短缺是我省城镇发展的最大制约。全省实施“大水网”工程为缓解城镇用水紧缺状况创造了条件。省政府针对水资源短缺问题正在研究制定包括地下水、地表水、城市供水、中水回用“四水联动”的架构机制。要经济、法律、行政、技术、宣教“五管齐下”，推进城镇供水、排水、污水、中水、节水、雨水“六水联动”，优化城镇水资源配置，改善城镇水生态环境，提高城镇供水保障能力，实现城镇可持续发展。

百镇建设工程。大县城和百镇是城乡统筹的桥头堡，加快实施大县城战略和百镇建设是城镇化建设的主战场。我省县城平均人口只有5.9万人，规模小，潜力大。要以22个扩权强县试点县为重点，全面推进扩容提质，加快大县城建设；以省级示范镇为重点，按照“五建设两整治”要求，每年完成50项重点规划，打造50项标杆工程，增强重点镇的辐射力、带动力，促进大中小城市和农村协调发展，实现城镇体系和城乡格局的转型。

“四改四变”工程。实行房改、户改、地改、社改和农民变市民、村委变居委、村民变股民、农保变城保即“四改四变”，是推进城乡统筹的动力源和突破口。要以阳泉、孝义城乡一体化试点市，“1+6”上党城镇群和22个扩权强县试点县为重点，以“四改四变”为抓手，在城乡统筹改革上取得突破性进展，为加快城镇化步伐提供政策支持，以城镇化率每年1.5%的增速，确保实现“十二五”末达到55%以上的目标。

“十大工程”是一个有机整体，是全省城镇化实践的总结，体现了城市扩容提质这个根本抓手、城乡统筹这个基本方法和加快城镇化这个重要目标，涵盖了城乡规划、建设、管理的方方面面，明确了城市转型跨越发展的具体路径。“十大工程”都要按照有组织、有规划、有计划、有设计、有标准、有规范、有规程、有监理、有验收、有考核的“十有”要求实行项目化管理加以推进。关于这方面的工作，省里还将召开城镇化推进工作会议进行专题研究部署。希望各地各部门高度重视，结合实际，先行先试，为全省创造经验。

（三）建立“五个机制”，实现工作方式和方法的新改进。

要有效推动工作，需要建立以下5个机制：

上下统筹联动机制。要按照建设综改试验区要求，以保障性住房建设、城镇化发展、绿色建筑三大领域为重点，以10个早期收获项目为抓手，建立省部共建机制，争取国家更多的支持。各市也要成立项目组主动对接，抓住这个机遇，用好这个平台。我厅对口11个市的住建、城管、规划、市政、房地、园林、环卫、执法、公积金、重点办等60个一级委、办、局。厅里有统筹协调的职责，各市也有统筹整合的要求，形成合力做好工作。同时，全省城镇化、重点工程、保障性安居工程建设等8个由省领导任组长的领导组办公室设在我厅，这就要求我们必须加强与省直部门的横向协调，争取兄弟厅局的最大支持，实现上下联动、横向联动，推动工作有序有力有效开展。

政策法规推动机制。用好政策法规是宏观、中观层面依法行政、加强调控、推动工作的主要基石，具有全局性、根本性和稳定性。从住房城乡建设系统来讲，正在实施的专业法律有5部，行政法规有17部，省人大地方性法规有15部，涵盖了行业的各个方面。行业标准、规范、规程、工法等技术法规比较完备。行政执法工作也具有很好的基础。同时，出台政策也比较多，以房地产业为例，近3年报请省政府下发文件10多个。要充分运用好政策法规这一有力武器，保障和促进各项工作健康规范发展。

试点示范引领机制。我厅作为全省综改试验区城乡统筹领域的牵头部门，要与相关部门一道，紧紧抓住国家正在开展的利用农村集体建设用地建设公共租赁住房、利用住房公积金支持保障性住房建设、绿色城市示范建设等试点的机遇，先行先试，敢行敢试，善行善试。创新的主体在基层，鲜活的典型在基层。

我们要善于深入基层学习基层，加强调查研究，不断发现、认真总结、广泛宣传、大力推广典型。善于用典型引路，在实施“十大工程”建设中大胆干、大胆闯，形成比学赶超的生动局面，推进住房城乡建设事业快速健康发展。

对标赶超管理机制。所谓“对标”就是对比标杆找差距。推行对标管理，就要紧紧瞄准一流标杆，不断改进，不断超越。袁纯清书记要求全省各项工作要对标一流、奋力赶超。住房城乡建设工作要创造一流的业绩，就必须强化对标意识，转变干部作风，转换思维方式，创新工作方法，以更加开放的心态、宽广的视野和开阔的胸襟，敢于对标一流，善于博采众长，勇于奋力争先。

考核评价激励机制。我厅在省委省政府“三合一”目标责任考核中承担着住房保障、重点工程、城镇化“三项重点工作”，考核分值合计10分，占到年度工作任务总分值的12.5%，考核权重大，是所有考核责任部门当中权重最大的部门，当然我们考核的任务重、责任大，难度也大。同时，对建筑节能、城镇减排和安全生产3项约束性指标实行一票否决。要严格依据目标责任考核结果进行表彰奖励，充分发挥考核的指挥棒、风向标和助力器作用，通过考核进一步调动各方面的积极性、主动性和创造性。

三、2012年工作安排

根据省委、省政府工作部署，今年全省住房城乡建设工作的主要目标任务是：

——开工建设保障性住房33.23万套，基本建成27万套。

——完成重点项目落地金额1万亿元以上，完成省级重点工程建设投资3600亿元左右。

——城镇化率提高1.5个百分点左右。

——完成城镇（含县城、百镇）市政公用设施建设投资396亿元。

——完成国家和省下达的建筑节能、城镇减排指标。

按照全省住房城乡建设工作的总体工作思路和上述目标任务，要重点抓好以下七方面的工作：

（一）切实加强保障性住房建设、分配和管理。

关于此项工作，省政府将召开专门会议进行安排部署。这里，我先强调几个重点：

要完善决策机制。省里将成立保障性安居工程建设与管理专家咨询委员会，组织开展保障性住房设计方案竞赛，制定保障性住房建设技术导则，对规划选址、质量品位、户型结构、容积率控制等进行指导和规范。强化专家咨询、公众参与，完善决策机制，避免决策失误。同时，要加强政策研究，不断完善保障性住房建设、分配、退出和管理政策措施。

要确保完成目标任务。各市、各部门要按照目标责任状确定的任务指标，及早细化、及早部署、及早落实，确保今年下达的任务全面完成。要摸清全省3000平方米以上集中连片的城市和国有工矿棚户区底数，精心组织，加快改造，今年至少要改造40%，确保两年全面完成。西山煤电、同煤集团两年内必须全面完成棚户区改造任务。

要解决好资金、土地两大难题。积极申请国家补助资金，落实好省级配套补助资金。进一步加强住房公积金监管工作，保证资金安全和有效使用，扩大住房公积金支持保障性住房建设试点城市范围。支持工矿企业发行企业债券用于保障性住房和配套基础设施建设。学习借鉴阜新市全程贷款模式和陕西省“政府+国企”模式，支持设区城市组建保障性住房投资公司，解决保障性住房建设资金短缺问题。继续实行用地计划单列，确保保障性住房建设用地。要会同国土部门做好工矿企业废弃用地整治和复垦工作，用好土地增减挂钩政策，确保棚户区改造用地需求。支持太原市开展利用农村集体建设用地建设公租房试点工作。

要切实加强保障性住房分配和管理。公平分配是住房保障工作的生命线。要按照李克强副总理“保障基本、公正程序、公开过程”的要求，建立省、市、县三级联网的住房保障综合监管平台、部门联动审核机制和住房保障诚信档案，完善失信惩戒制度，切实加大失信惩罚力度，切实加强对保障性住房建设特别是分配管理工作的监督检查，依法严厉打击骗购骗租和变相福利分房行为。要研究保障性住房运营管理方式，确保将保障性住房建设好、分配好、管理好、使用好，真正使这项最大的民生工程成为民心工程。

（二）着力推进重点项目落地和重点工程建设。

关于此项工作，省政府还将召开专门会议进行安排部署。我先强调几点：

要在重点项目落地上下功夫、见实效。2012年是省委、省政府确定的“项目落地年”。要健全完善重点项目落地责任体系，每个签约项目要成立由政府相关部门组成的工作组进行对口推进。强化对各市、各部门和省属大型企业项目落地的专项考核，实行逐月排名、媒体公示。要加快重点项目审批流程再造，促进大项目尽快落地。

要在重点工程建设上下功夫、见实效。坚持重点工程建设中形成的成功做法，完善领导联系重点项目和调度会、协调会、专题会等制度，加大对重点工程征地拆迁补偿工作的协调力度，保障重点工程有序建设。大力推进大同、吕梁、临汾、运城和五台山机场建设，加快推进大西客运专线、中南部出海大通道等重大铁路项目建设。

要在服务重点工程上下功夫、见实效。要为重点工程建设提供优质服务，加快规划选址审批，确保重点工程项目尽快开工建设。按照职责分工，加强工程质量安全监管，确保重点工程项目安全施工，质量优良。特别是要确保完成保障性住房建设任务。

（三）加快推进城市扩容提质和城乡统筹步伐。

城镇化推进与住房保障和重点工程建设工作一样，省里也要召开专项会议进行部署。这里，我先做一些强调。

实施规划转型工程，推进城镇组群构建。各市要结合城镇组群构建、城市扩容提质、大县城和百镇建设，搞好城镇组群规划编制和城市总体规划修编，加大专项规划和控制性详细规划编制力度，保证各项建设按照规划进行。将保障性住房、重点工程及“十大工程”项目纳入年度实施计划，超前谋划，及早安排。要总结推广长治“1+6”城镇组群建设经验，以区域性中心城市为依托，积极推进大同都市区、朔州东部、忻定原、离柳中、尧洪襄、盐临夏、晋城一城两翼等城镇组群和阳泉城乡一体化规划建设，支持临汾百公里汾河“四位一体”示范走廊建设。重点加快道路、生态绿地和区域供水等重大基础设施项目建设，强化中心城市与各城镇的联系，推动城镇组群发展。

实施新区示范工程，推进太原都市区建设。在省城规划委员会的领导下，成立太原晋中共建区领导机构，建立联动协调机制，启动共建区建设。今年要编制完成太原晋中共建区建设规划、太榆科技创新城规划、太原晋中轨道交通规划，开工建设一批基础设施项目，使同城化迈出实质性步伐。其他各市都要加快新区建设，加大道路、供水、供热、燃气、污水和生活垃圾处理、公园绿地等基础设施建设力度。

实施城市旧区提质工程，推进中心城市发展。以完善功能、改善环境、提升品位、突出特色为目标，总结推广太原万柏林区兴华南小区综合整治的做法，以城中村、棚户区和老旧基础设施改造为重点，对城市旧区进行成街成坊综合整治，拆除违章建筑，完善道路和停车设施，配套市政公用设施和公共服务设施，增加绿地和公共活动空间，使城市旧区面貌焕然一新。旧区征收补偿要坚持依法、和谐的原则。

*实施城乡清洁工程，促进城乡面貌明显改善。*太原、阳泉、长治、晋城等4个国家园林城市和22个扩权强县试点县要全面启动和扎实开展城乡清洁工程，将环境卫生整治工作延伸到农村，市县财政要给每个村配人、配车、建站、补钱。每个设区城市要打造1个城乡清洁示范县（市），每个县（市）要打造1个示范镇，每个镇（乡）要打造1个示范村。要组织开展创建街景容貌示范街道、清扫保洁示范街道、城市星级公厕活动。太原要按照王君省长的要求，大力开展环境综合整治，使省城环境质量一年初见成效，两年明显改善，三年大见成效，让省城人民呼吸上新鲜的空气，喝上干净的水。这项工作是以省委常委、常务副省长李小鹏为组长的省城环境质量改善协调领导组加以推进的一项重点工作，住建系统要全力以赴做好工作。

*实施数字城管工程，不断提高城市管理水平。*太原市要进一步完善数字化城乡管理机制，发挥引领作用。大同、晋城、长治要继续完善硬件设施，提高数字城管水平，阳泉、晋中要尽快启动数字城管工作。积极支持太原市开展运用物联网技术综合管理城市地下管线的“地眼工程”试点工作，做到感知地下，服务地上。省里将出台意见，指导和推进数字城管工作，进一步扩大全省数字化城市管理覆盖面。

*实施城镇“六水”联动工程，促进城镇用水转型。*以供水价格政策为杠杆，以六水联动为纽带，综合运用经济、行政、法治、技术、宣教等五种手段，推进六水联动有序发展，满足城市对供水需求，降低水对城市不利影响。城镇供水要开源、节流、提质、保供应；城镇排水要提高污水收集率，严格非居民户排水许可制度；污水处理要提高设施负荷率和处理合格率；中水回用要通过价格杠杆和配套设施，推动污水再生利用工作；节约用水要降低管网漏损率，提高工业重复利用率、节水器具普及率、污水再生利用率；城市雨水要减少地上径流，增加地下补给，研究收集利用，通过污水再生、雨水收集开辟水源，通过分类供应、节约用水提高供水能力，促进城镇科学合理、节约循环用水，确保城镇可持续发展和安全运营。

*实施百镇建设工程，推动城乡统筹发展。*按照“五建设两整治”要求，全面推进百镇建设，重点支持和集中建设一批标杆项目。同时，加强对农民建房的规划设计指导，建设乡土建筑，彰显宜居特色，防止过不了几年就拆建所造成的资源浪费。

*实施宜居城市创建工程和“四名”保护工程。*继续积极开展宜居城市、人居环境范例奖创建活动；加大园林城市创建力度，创建4—5个省级园林城市（县城），申报2—3个国家园林城市（县城）；深入开展星级公园、园林道路、园林单位和园林小区创建。申报、审定一批国家级和省级历史文化名城名镇名村和风景名胜区，全面推进“四名”保护和开发利用。

（四）继续实行严格的调控政策，促使房价合理回归，促进房地产市场长期稳定健康发展。

*要进一步巩固房地产市场调控成果。*严格执行差别化住房信贷、税收和住房限购政策，增加中低价位、中小套型普通商品住房供应，促使房价合理回归。城市新审批、新开工住房项目，套型建筑面积90平方米以下住房面积必须达到开发建设总面积的70%以上。引导房地产开发企业树立精品意识，调整产品结构，转变发展方式，促进房地产业转型升级。

*要进一步规范房地产市场秩序。*深入开展房地产市场秩序大检查，严厉打击扰乱市场秩序的活动，严肃查处违法违规行为。进一步加强商品房预售监管，健全房地产主管部门、房地产开发企业及商业银行预售资金三方监管机制，防范交易风险。太原市要按照国家住房城乡建设部要求在6月底前完成个人住房信息系统建设及纸质档案数字化工作，其它10个设区城市要在年底前完成。所有县（市）都要启动个人住房信息系统建设及纸质档案数字化工作。

*要加强国有土地上房屋征收与补偿工作。*国务院颁布的《国有土地上房屋征收与补偿条例》，对国有土地上房屋征收与补偿实施主体和动迁方式等作了重大调整，动迁方式由拆迁调整为征收，实施主体由企业调整为市、县级人民政府，补偿方式由先动迁后补偿调整为先补偿后搬迁，强制执行方式由行政强制拆迁或司法强制拆迁调整为司法强制征收。要学习借鉴太原、大同、襄垣等地和谐征收补偿的做法，严格履行征收补偿的法定程序，坚持公开、公平、公正原则，切实做到依法补偿、和谐征收。要积极配合省人大出台《山西省国有土地上房屋征收与补偿条例》，进一步规范征收补偿行为。

*要编制好住房发展规划。*按照国家要求，以市为主体、县（区）为单元，认真开展城镇住房现状摸底调查，做好住房发展专项规划编制工作，并纳入城市总体规划和近期建设规划之中加以统筹，纳入年度目标责任考核体系之中加以落实。

*要进一步提升物业服务水平。*物业服务要在扩面提质、延伸服务上做文章，延伸服务链条，涵盖业主的个性化需求。创建一批国优、省优示范项目，引领物业服务上水平。

（五）切实加强工程建设和建筑业管理。

以推进建筑业企业改革、建筑市场规范、建筑业发展为主线，以质量安全效益为核心，以保障性住房建设、重点工程建设和城镇化推进为主战场，以强化质量终身负责制、市场专项治理、诚信体系建设为抓手，全面推进全省工程建设和建筑业管理工作。

要切实加强建筑市场监管。认真落实建筑市场监督执法检查制度，严厉打击围标串标、资质挂靠、转包和违法分包等严重扰乱市场秩序的行为。加快推进建筑市场监管信息系统和诚信体系建设，大力推进省级工程交易市场建设。

要切实加强工程质量监管和安全生产监管。质量和安全是建筑业的生命，加强质量安全管理是工程建设管理的永恒主题。要加强施工单位专职工程质量管理人员培训与考核，落实各方主体工程质量终身负责制，严格执行工程建设强制性条文和各项标准，严厉打击建设工程质量检测中的违规违法行为，确保工程质量。要继续深入推进建筑安全专项整治和建筑施工安全标准化工作，启动施工企业安全认证和施工现场达标验收工作，确保不发生较大生产安全事故。去年4月7日，介休市绵山风景区换乘中心项目发生网架坍塌事故，造成7人死亡、2人重伤，主要原因就是景区实行封闭管理和市县住房城乡建设部门监管责任不落实、监管不到位，影响较大，教训深刻。要深入开展市政公用行业安全隐患治理活动，特别是要加强暴雨洪涝、大雪降温等特殊气候条件下和重大节假日期间的市政设施运营安全监管，确保城市运行安全。

要积极扶持建筑业企业做大做强。制定出台《关于加快建筑业发展的意见》，积极扶持培育和发展形成一批综合实力较强的大型龙头骨干企业或企业集团，构建以总承包企业为龙头，以专业承包企业为骨干，以劳务分包企业为辅助，结构合理、竞争有序、协调发展的行业组织结构，推进建筑业企业转型升级和建筑业持续健康发展，发挥支柱产业的重要作用。

（六）扎实推进建筑节能和城镇减排。

建筑节能要抓住重点、突破难点。积极开展绿色建筑试点，力争年内实现“设区市绿色建筑、三星级绿色建筑、绿色示范小区建设”零突破。大力推进既有居住建筑节能改造和分户供热计量改革，力争改造700万平方米。大力推行新建居住建筑65%节能标准。开展可再生能源建筑应用示范工作，确保可再生能源在新建建筑中应用比例达到30%以上。积极支持大同市办好2013年国际太阳能十项全能竞赛活动。

城镇减排要强化监管、完成指标。争取国家专项资金，加快城镇污水处理厂配套管网和垃圾无害化处理厂建设，新增县（市、区）污水处理配套管网550公里。启动11个设区城市污泥处置项目和二级排放标准污水处理厂提升改造工作。建成城镇生活垃圾无害化处理场（厂）10座，新开工建设10座，启动城市垃圾分类综合处理试点工作。确保完成国家下达的新增生活COD和氨氮减排指标任务。

（七）切实抓好党风廉政和精神文明建设。

住房城乡建设领域党风廉政和精神文明建设工作总的要求是，紧紧围绕保障性住房建设、重点工程建设、城镇化推进“三项重点工作”和国有土地上房屋征收补偿、工程建设领域突出问题专项治理、保障性住房分配“三大热点问题”，认真履行“一岗双责”，切实加强监督检查，解决突出问题，化解各类矛盾，树立良好形象，保持行业稳定。这方面的工作，要按照耀平组长代表厅党组所作的安排部署，全力抓好落实。

前面，我重点讲了7个方面的工作，其他各项工作也要按照要求扎实推进。最后，我再强调几点。一是大兴真抓实干之风。实干、苦干、肯干、敢干是住房城乡建设系统的优良传统和过硬作风。工程质量靠干，一流业绩靠干，“三项重点工作”靠干。实干兴业，空谈误事！要对重点工作实行项目化管理。各项重点工作要落实“五个一”推进格局，做到一个项目，一名领导，一套班子，一个方案，一抓到底。要向整合要行政力，向管理要执行力，通过整合行政资源，实施项目管理，强化目标考核，力争走出一条不增加机构编制、能干事能干成事的路子。二是加强机关建设。厅机关要结合开展保持党的纯洁性学习教育活动，紧紧围绕会议提出的“三项重点工作”、“十大工程”、“五个机制”和“三大热点问题”，以提高行政效能为目的，以绩效考评为手段，以电子政务为平台，以机关文化为灵魂，开展“四位一体”的机关建设，切实提高干部队伍素质、工作效率和服务水平，努力打造一流省直机关。三是正确面对舆论监督。去年，众多新闻媒体相继报道了“绛县廉租房只卖不租”、“兴县廉租房建而不分”等负面新闻，在社会上引起了强烈反应。我们一定要正确对待舆论监督，诚恳接受社会批评，积极解决反映问题，并举一反三，健全制度，抓好整改，坚决杜绝类似事件发生。

同志们，做好2012年及今后一个时期的住房城乡建设工作，责任重大，任务艰巨，使命光荣。让我们在省委、省政府的坚强领导下，抓住机遇、求真务实，开拓创新、锐意进取，努力开创全省住房城乡建设事业新局面，为促进转型跨越发展和再造一个新山西作出新贡献，以优异成绩迎接党的十八大胜利召开！

分析研究报告

FENXIYANJIU
BAOGAO

对国务院关于城镇保障性住房建设和管理工作情况报告的专题询问

2011年10月27日十一届全国人大常委会第二十三次会议召开联组会议，对国务院关于城镇保障性住房建设和管理工作情况的报告进行专题询问，受吴邦国委员长的委托，联组会议由全国人大常委会副委员长华建敏主持。

华建敏：

各位副委员长、各位委员：现在开会。按照日程安排，十一届全国人大常委会第二十三次会议今天上午举行联组会议，对国务院关于城镇保障性住房建设和管理工作情况进行专题询问。昨天下午的分组会议已经对国务院的报告作了审议。审议中，委员们认为，党的十七大提出要努力使全体人民"住有所居"，为实现这一目标，国务院作出了全面部署。"十一五"期间，我国的保障性住房建设快速发展，各级政府和有关部门目标明确，认真组织实施，保障性住房建设取得了积极进展和一定成效。审议中，委员们同时指出，规划好、建设好、管理好保障性住房是涉及广大人民群众切身利益的一件大事，是"十二五"规划的一项重要的约束性指标。在推进过程中，资金需求多、保障难度大、各级政府任务很重，为确保这项任务更好完成，委员们就进一步完善基本住房保障制度、科学合理制定规划、拓宽建设资金来源渠道、加强日常管理等方面提出了许多中肯的建议。

国务院及其有关部门对这次专题询问十分重视，今天到会听取意见、回答询问的国务院有关部门负责同志有：

住房和城乡建设部部长姜伟新同志，

住房和城乡建设部副部长齐骥同志，

发展改革委副主任穆虹同志，

财政部部长助理王保安同志，

国土资源部副部长贠小苏同志，

人民银行行长助理郭庆平同志，

银监会副主席王兆星同志。

现在专题询问正式开始。先请六个分组报名的12位委员作询问发言。询问时间请控制在3分钟之内；回答时间请控制在10分钟之内。

首先请牟新生委员发言询问。

牟新生委员：

我查阅了一下，自2008年以来，国务院和有关部门就保障性住房建设、调控房地产市场秩序，下发了29个文件，这充分说明本届政府对解决城镇居民的住房建设问题高度重视，力度很大。但是，我认真地翻阅了一下，在所有这些文件中，没有一个文件系统地阐明国务院作为中央政府解决我国城镇居民住房问题的整体思路是什么，没有一个整体设计。每一个文件差不多都针对某一个问题，零敲碎打的东西多，整合的东西、整体的思路不够明确。时髦一点说，缺乏一个顶层设计。但是最近我又翻了一下过去的文件，1998年国务院曾经就城镇住房建设问题发过一个通知，题目叫做《关于进一步深化城镇住房制度改革 加快住房建设的通知》。这个通知里有这样一段话，我觉得很精辟，"停止住房实物分配，逐步实行住房分配的货币化，建立和完善以经济适用房为主的多层次城镇住房供应体系，对不同收入家庭实行不同的住房供应政策，最低收入家庭由政府或者单位提供廉租住房，中低收入家庭，购买经济适用住房，其他收入家庭购买、租赁市场价格的商品住房"。通知还说，"要调整住房投资结构，重点发展经济适用房"，也就是'安居工程'，加快解决城镇住房困难的居民住房问题，新建经济适用住房出售价格实行政府指导价，按保本微利的原则确定。"我读了这段话以后反复思考，我认为，这段论述比较符合我国的实际，应该就是解决我国城镇居民住房问题的一个整体思路，是一个实事求是的顶层设计。我的问题是，请问1998年国务院的这个通知现在是否仍然有效？是否可以重申作为解决城镇居民住房问题的整体思路或者顶层设计？

姜伟新：

方才牟新生委员说2008年以来保障性住房的制度建设、顶层设计，有零敲碎打的感觉，我认为这个感觉是对的。因为这个事物确实是一个新生的事物，从来也没有做过这样的事情，所以经常是碰到一个问题就解决一个问题。但是实际工作当中又不完全是这样，国务院还是很注意整体的考虑。方才谈到说1998年有一个文件，讲得很不错，具体内容我不重复了，是不是可以考虑作为总体设计和建设的一个基本的文件。是的，现在那个文件仍然是有效的，仍然是指导我们现在住房工作的一个非常重要的文件。但是这几年随着实践的发展，也在不断地总结和完善。基本住房保障制度，按我们的理解，大概应该包括保障的范围、保障的方式、保障的机制、目标和原则。这几个方面，这几年确实都是在不断地完善着。我们考虑，住房保障范围就是低收入和部分中等偏下收入的，没有房子住的和住房困难的，住房困难的包括不成套，几百个人共用一个卫生间等等。方式还是实物保障和货币补贴两种方式，这两年实物保障多一点，"十二五"末以后，逐步转到货币补贴为主。

实物保障又分为租和售。机制上主要是两个机制，一个是投入机制，一个是建设管理分配运营的机制，这两方面也在不断地完善着。保障目标，我们考虑到2020年末，应该是绝大多数的城镇居民都住到成套的符合文明要求、健康要求的房子当中去，到"十二五"末，根据现在初步的测算，保障率达到户数的20%左右。保障的原则是满足基本住房需求，小户型、功能全、质量好。我归纳一下，1998年到现在，这些年的实践，以及政策文件的不断完善，目前是这样的情况，当然还要在实践当中不断总结和完善。

吴启迪委员：

我接着牟委员刚才的问题继续提问。大家都知道，保障性住房实际上是一个非常复杂的问题，首先它不是全覆盖的，所以公平性的问题是非常敏感的。第二，它的种类非常多，有廉租房、经济适用房等等，投资又涉及方方面面，有政府的、银行的，有企业的，也有居民自己的，当然还涉及到土地问题，地区差异又非常之大。刚才牟委员也提到了顶层设计的重要性，假如这个事情做不好，将来可能会出现许多意想不到的后果，这些后果，我们在讨论过程当中很多同志也谈到了。当然我相信，住房和城乡建设部也考虑到了这些问题。姜部长在自己的报告中也提到了做顶层设计，但是这件事谁来做，怎么样做，住房和城乡建设部在里面是什么样的角色，有什么样的考虑。作为一个附加的问题，刚才也讲到了，投资的方面非常多，而且比例也不一样，国家现在投入做得比较好，但是从银行，从地方等方方面面来讲，落实得还是不够的。现在一年差不多过去了，如果投资不到位的，质量保证等等问题是怎么样考虑的？

姜伟新：

公平问题确实是非常严肃的问题。住房保障这项工作的顶层设计，我们考虑第一位的还是基本保障制度的问题。我方才说到的在一定时期内我们国家究竟住房保障的范围是什么、方式是什么、机制是什么、目标是什么、原则是什么，我们认为最顶层的还是这个，这一点刚才已经跟委员们报告过了。下一个就是如何落实好这五个方面的制度，这是一个非常重要的问题。讲到公平性的问题，我们认为第一位的公平还是保障率，是保障多少。到"十二五"末期，我们国家城镇住房保障要达到20%左右，确实也是费了一番脑筋的，进行了深入的研究，跟其他国家比，我们这个比例是低的。这个比例究竟怎样，在实践当中还可以不断地研究和探索。

第二个层次的公平问题就是执行当中的个人财产的占有，会不会有人借这个机会谋取利益的问题，这也是我们这几年工作当中特别注意的一个问题，当然现在还没有做得很好。可以租的房子是一个问题，对可以售的房子，可能会产生资产上将来占很大的便宜，或者在房子销售上牟利。以经济适用住房为例，一是户型设计现在是限定在60平方米以内，一般收入较高的家庭不会住那么小的房子。二是条件的审查，必须是低收入，不够低收入你不能去，当然有个别现象，开着宝马去买经济适用住房的，这种现象发生过，但不是主要的，当然也说明我们管理过程当中还有问题。要审查收入，实行三榜公示、公开。三是政策上有限定，买了经济适用住房，五年内不能上市，只能自己住，五年后允许上市，但是还有两条非常严格的规定，第一是只能卖给政府，或者优先卖给政府，第二是80%-90%的土地收益由政府来收回，土地增值那部分的80%-90%必须由政府收回，这在很大程度上限制了那些借经济适用住房来谋取很大利益的情况发生。当然，执行过程当中，因为才刚刚开始，很多地方还没有到五年，没有到他卖了赚了很多钱的时候。当然我们会更加重视这个问题，认真对待。

关于种类，现在确实种类很多，我那天报告了，五、六类，搞这么复杂干什么？这有一个过程，不是全国就搞这五种了，也是随着实践的发展，有这样的需要，增加一个，又有需要再增加一个。原来的种类，有的地方仍在实行。所以我们现在的政策是这样的：一是几种类型保障房的形式是在实践中逐步形成的。二是允许各个地方从实际情况出发来选择保障类型，比如没有统一要求今年一千万套里限价商品房必须是八百万套，没有这样的规定，各个地方自己去选。实践证明，各个地方确有自己的侧重点，比如北京，更多地搞了限价商品房，别的城市几乎都没有搞或者是少量的限价商品房。北京为什么搞限价商品房呢？因为低收入那部分住房困难的已经解决得差不多了，而对最困难的是中等偏下收入那部分人住房困难，所以就更喜欢限价商品房的方式来保障。我们现在还没有想明确取消哪一类，因为不同的地方有不同的需要。

方才谈到投资，投资确实是一个大问题，以今年为例，就需要1.3万多亿，当然当年也不一定需要投入那么多，1.3万亿对应一千万套房，是对应到结构完成。事实上，我们现在要求是，三分之一达到结构完成，三分之一出地面，三分之一做到基础浇铸混凝土。因此，以今年为例的话，不一定1.3万亿全部到位了才能全部开工。从目前的情况看，国家发改委、财政部今年下了大功夫了，到现在为止已经安排了1520多亿元了。地方财政今年的投入也是非常大的，因为今年财政部代地方发了地方政府债券，中央要求他们大部分要用到保障性住房建设当中，这解决了地方保障性住房建设资金不足的问题。

顶层设计，现在是住房和城乡建设部在牵头，涉及到发改、财政、国土、银行、银监会、监察部、国家林业局、农业部、民政部等部门，这是一个联合战线，我仅仅是这个协调小组的召集人。总体来说，包括基本住房制度建设和有关的顶层设计，我们也是边干、边实践、边总结、边在设计着，眼下还没有一个非常完善的、很明确的“三页纸”说制度是什么、顶层设计是什么，这个还是很需要的，我们下一步会做这项工作。当然，我方才说的都是报告一些情况，实际执行当中确实有不少问题，比如面积问题，经济适用住房，要求六十平方米以内，他就给你建了九十平方米，执行当中确实是有问题。当然，应该说那还是少数的，多数地区还是按照国家的规定在做。

吴晓灵委员：

谢谢主席。住房是重要的民生问题，实践证明，完全依靠政府或完全依靠市场来解决住有所居的问题都是不现实的，必须采取政府与市场相结合的办法来解决，合理界定政府与市场的边界，我认为是问题的关键。政府最主要的责任是保障低收入困难群体的住房问题，即用廉租房或货币补贴的形式解决困难群体住有所居的问题，带有救助性质。廉租房应小面积、功能全，做到既能住又有改善住房的压力。而目前许多地方保障面积太大，对自己努力解决住房问题的人来说有失公允，享受救济的人比自己努力买房子的人或者租房子的人住的条件还好，那是不公平的。中央政府将采取什么样的措施督促各地纠正这些偏差？经济适用房和公租房是用来解决中低收入夹心层人群的居住问题的。但由于经济适用房能上市交易，即使补交了土地增值收益仍有巨大的增值空间，诱发了许多腐败问题，真正夹心层难以享受到此政策。刚才姜伟新部长谈到了未来要改，说五年之后要交一定的土地增值收益，我想剩下的那些收益是以万元计、几十万元计，对很多人来说是有很大诱惑力的，比他去打工，比他做一份工作，短期内积累是多很多的，因而寻租的动力、腐败的动力仍然存在。近来，又有些地方，又允许几年后公租房出售给承租人，又会有寻租空间。政府将采取什么措施消除经济适用房和公租房市场中的寻租空间呢？抑制商品房市场的过度投机是为了平抑房价，但长期采取限购政策与市场配置资源的原则相悖，应该更多地运用税收手段调节。我们可以用高额递减的增值收益税收和在扣除每人一定住房面积后开征存量房产税的方式加以调节。鼓励富人长期持有房产，并将房产投入租赁市场，解决租房市场房源的问题。不知政府是否认可这种调控方法，实施起来有什么困难？我再说一个观点。刚才谈到了限价房存在的必要性，其实我觉得限价房根本不需要存在。因为你要是针对一个过渡人群，可以把廉租房和公租房做好了，这些人就住有所居，他想改善，他买不起大房子，可以买小房子。限价房政策对于房价的确定其实是有扭曲的。

姜伟新：

方才吴晓灵委员提到的第一个问题，就是从制度上和方向上对住房保障应该是以廉租住房为主和货币补贴为主，这样可以避免很多不必要的问题的产生。正像她说的，有些享受了补贴的人比那些靠自己努力打拼的人住房条件还要好。廉租住房为主和货币补贴为主，我认为是对的，现在的方向也是在朝着货币补贴为主的方向在努力和行进着。我方才报告了，我们初步设想，两三年以后，恐怕就要逐步转到货币补贴为主。这两年之所以搞实物保障房，就是因为确实社会上这样的房源太少，这是我们这两年的考虑。现在是一个过渡阶段，正在朝着这样一个目标去走。

经济适用住房只要能够上市，未来获利的空间就是很大的事情，也会带来很多腐败的问题，这个问题提得非常好。我们开始就意识到了这个问题，回答第二个问题的时候我报告了一些，制度设计上考虑了一些，现在看来还没有到实际发生这种情况的时候，我们会尽可能提前考虑，尽可能减少谋利的范围、空间和数量，以前已经发生的，在工作当中逐步地改进。

关于第三点，公租房是不是可以卖的问题，从我们国家政策制度规定上是不允许的，公租就是租，不能卖，但是现在有些地方由于资金周转的问题，把一部分租的房子也卖了，这是不符合国务院有关规定的，我们会在工作当中看看怎么样纠正这种做法。

关于限价房取消问题，我们实践当中再研究。您还提到了一个非常重要的问题，就是限购的问题，这个政策是个行政办法，是我们不得已而采取的办法，是房价高速上涨，其他手段都用了以后，都起了作用，但还差那么点火候才能把房价抑制住，至少是过高过快上涨的势头给抑制住，最后不得已出了这样一个限购的措施。作为一把剑在悬着，还由监察部和住建部，实行问责。这招真是起了一些作用，不能说是主要作用。党中央、国务院采取了综合政策情况下，商品房的房价现在总体上趋于稳定，一些城市开始有下降的苗头了，一些二、三线城市还是在涨着，但是涨幅开始减小。您说要更多地采取税收的办法，对房价，对需求和供给，包括对房价进行调节，我们认为这也是一个非常重要的意见，也是对的。但是现在确实有一个信息不是特别清楚的问题，我们正在努力建设城镇个人住房信息系统，这个信息系统的建设老实说很艰难，我们准备先在四十个城市进行试点，试点的进程是先把四十个城市自身个人的住房信息收集起来，然后尽快实行全国的联网。这两个步骤进展得都不是很顺利。如果这个信息系统将来建立起来了，再加上银行系统、财政系统、税务系统的一些信息，再加上公安的一些信息系统，如果能统一起来，到一个平台上，就不必再采取限购这种行政色彩浓厚的办法。现在主要是基础的工作还不够，住房信息系统工作已经做了两年多了，正在艰难地进行着，我们努力把它做好。

王保安：

首先我非常赞成刚才吴晓灵委员提出的要明晰界定政府与市场边界的观点，也非常赞成关于在调控房地产市场运行过程当中充分发挥税收政策工具作用的观点。因为，这是在市场经济条件下，政府调控任何一个行业或者市场运行过程当中的常用的政策工具，又是一个国际惯例。所以，对吴晓灵委员两个观点我都是赞成的。

我需要解释的是，第一，当前要正视我们国家房地产市场发展的阶段性特征，我国房地产市场发展起步晚，起点低，又呈现一个跨越式突击性的迅猛发展状况。在这种情况下，国家税收政策的设计需要一个发现经济要素、发现市场经济特点，根据实际运行情况进行相应的税收政策设计的过程。所以当前我们国家的税收政策在住房的取得、转让和保有环节的合理负担问题以及相应的税率设计问题，还有不完善之处。我们承认这需要一个过程。

第二，在历次房地产市场调控当中，税收政策应该说也发挥了应有的作用。现在涉及到房地产市场的取得、转让和保有环节的税种，有专门面对房地产市场的五个，有共性的税种在房地产市场领域里发挥作用的五个，共涉及到十个税种。在这个过程当中，应该说国家的税收政策发挥了现阶段应有的作用。

第三，针对我国房地产市场的发展状况，目前在上海和重庆已经开始进行房产税的试点，各项准备工作已经完成，并且已经开征，投入了运行。下一阶段我们要做的工作，就是针对我国房地产市场发展的实际情况，完善税制，加快税收政策的制定，抓紧总结两个城市的房产税试点经验，加快推进房产税的实施，以使它进一步发挥在房地产市场运行过程当中的调控作用。

严以新委员：

谢谢主席，我提两个问题。姜伟新部长在报告中讲到，“十一五”期间全国开工建设各类保障性住房和棚户区改造房1630万套，基本建成1100万套，这个比例是67.5%，我们讲的是基本建成，“基本”就要打个折扣，估计真正建成的60%都不到。其中去年我们建了590万套，也就是说，到现在为止，还有许多前几年盖的房子没有竣工，而且今年各地的开工率也有突击完成之嫌。我们认为，政府不仅应该抓开工率，也应该抓竣工率以及入住率。能否报告一下在“十一五”期间保障房完成的情况，开工率是多少，竣工率是多少，入住是多少？以及由此产生的问题，政府有何考虑？

第二，刚才很多委员发言当中也提到顶层设计，我也很赞同。我认为，顶层设计不够完善是造成诸多问题的根本原因，社会信用的缺失，政府信息面不全，所以是否要建3600万套保障性住房，依据不是十分充分，而且各地的需求差异性也很大。我们保障性住房的财政大头是在各地的地方政府，我算了一下，13000多亿，中央政府出1709亿，大概占了13%不到。在现行的国家财政分配体系下，地方财政是不堪负担的，许多地方都是土地财政，现在在楼市不景气的情况下，土地又卖不出钱，因此会造成很多地方政府的虚假问题以及房屋建筑的质量问题。我的问题是，在经过科学论证后，这3600万套住房是否可以有变化？姜部长在报告中讲，我们其中有1500万套是给农民进城的，每年300万套，农民进城，农民的流动性也比较大，农民进城如果分解到各地的话，这300万套如何分解？这3600万套住房，经过科学论证后是否可以有所调整？另外，我们在各地调研的时候，了解到地方负担很大，现在银行贷款也比较困难，中央财政在这方面是不是能多负担一点？

姜伟新：

我先回答第一个问题，就是关于“十一五”期间完成的数量和“十二五”规划考虑的问题。“十一五”我们一共开工了现在保障范围几种类型的房子是1630万套，到去年年末基本建成1100万套，实际上到今年上半年，初步统计，这1100万套能够入住85%-90%。去年开工的590万套，就包括在了“十一五”期间开工的1630万套里面了。去年基本建成了330万套，其中99%都是前年结转过来的。保障性住房建设合理工期大概在两年半左右，所以去年开工的590万套绝大部分会结转到今年来进行建设。也就是说，今年加上新开工的1000万套，实际上在建的保障性住房是1500万套左右，规模应该是这样的。今年这1000万套新开工的，我在报告当中已经报告过了，再加上结转过来的500多万套，今年能够竣工投入使用的不低于300万套。跟你们报告我一定是留有余地，不低于300万套。这300多万套也是去年结转过来的那590万套里面建成的。今年的1000万套能够建成的很少，合理工期是两年半左右，东北还不止这些时间。

关于“十二五”3600万套的问题，根据各个地方上报数据统计汇总了以后，跟我方才说到的十来个部门共同研究，最后向国务院提出建议，国务院采纳，人代会也通过了。但是这3600万套应该根据实际情况，或变化或不变化。明年我们准备对“十二五”保障性住房建设的数量、质量，特别是数量进行中期评估，根据明年对“十二五”保障性住房建设中期评估的结果来确定3600万套原定的规划数是不是要进行调整，需要的话应该进行调整，实事求是。

关于抓竣工率、入住率的问题，我在报告中没有讲到，实实在在地说，我们是非常注意这个问题的，光是开工算什么呢？我们今年不光是为了1000万套能够按时保证质量的开工，而且要保证去年结转过来的500万套，至少有300万套能够投入使用，各个部门都做了不少工作。光住房城乡建设部今年4月份起，除了住房保障司20多人之外又抽了50多人，一个省两个人蹲在那里一个项目一个项目地看，看1000万套房开工了没有，看590万套今年能够真正竣工投入使用多少，当然还要看质量。这个工作我们确实是做了，今年下了很大的功夫。我们派出去的50多人，大部分还没有回来呢，就在下面，一个项目一个项目地盯，开了没有，是不是动一下土就算开了？去年结转的今年能不能建成？一个项目一个项目盯到了今天跟大家报告的这样的结果。国务院对这个问题也是很重视的，国务院专门发了一个文件，李克强副总理两个礼拜前专门开了一个会，对建设质量问题、分配问题、后续管理问题和竣工的问题进行了部署。

第三个问题，关于资金，一会儿保安和其他同志会说。前天给领导的报告中已经说了，以今年1.3万亿所需资金来说，实际上各级政府要投4000多亿，企业跟个人要出5000多亿元，银行贷款等社会投资要出3000多亿元，整个构成是这样的。今年中央政府和各级地方政府要出的4000多亿元，90%到位了，好于历年的水平。当然，明年的任务更重，需要的资金不亚于今年。现在我们考虑，明年可能不会开工这么大的规模了，各个地方正在上报，我们跟几个部门在研究，开工的数量可能要比今年的1000万套要少，但是明年资金的需要量，可能要持平，甚至还要略多一点。因为今年结转到明年继续建设的保障房的数量，我们的行话叫工程量，比今年还要大。因为今年在建是1500多万套，明年就不止了，今年的1000万套有900多万套要结转到明年，明年再开工几百万套，那么明年在建的规模跟今年持平或者比今年还要略高一点。因此我们现在就开始跟发改委、财政部、国土资源部和银行商量，已经开始预备明年，把账反复地测算，正在跟他们交换意见。

质量问题我就不再回答了，那天我的汇报里已经说了，质量总体可控，但是问题还是不少。开工是不是有突击完成的问题，今年应该说有，但是比往年突击开工要少得多得多。因为我们那三条标准不是动一下土就算开工的，必须三分之一达到结构完成，三分之一出地面，三分之一做到基础浇铸混凝土，这三个三分之一构成了1000万套开工。而且今年的数据比往年要实。因为我们50多人一个项目一个项目地跑呢。我不能说没有突击开工的情况，但是总体上比以前要实一点。

王保安：

保障性安居工程，按照现有的事权划分和财政体制规范，应该是地方事权，就是省级负总责，市县抓落实，中央给予适当补助。近几年，中央财政根据我国保障性安居工程建设的阶段性任务要求，千方百计地筹措资金，从2007年的72亿元增长到今年的1522亿元，这只是城镇的，如果要包括农村危房改造、游牧民定居工程就是1700多亿。从结构上来讲怎么样呢？首先，从地区结构来看，西部地区中央财政补助的资金占到了45.4%，中部地区占到了41.6%，实际上已经体现了向中西部地区倾斜的政策目标。从品种结构上讲，公租房中央财政负担了40%，廉租房中央财政负担了50%，从这个角度来看，应该说中央财政对保障性安居工程的补助实行了差别政策，或者说基本上保证了保障性安居工程的正常进展。

关于您提出的中央财政是否可以多分担一些的问题，刚才姜部长说了，明年套数任务可能有所调减，但是中央财政给的钱肯定不会减少，而且会有所增加，这实际上就回答了刚才严以新委员提出的问题，应该说可以多分担一些。至于能不能向困难地区增加一些，多补助一些，随着国家财力的增长和整个资金安排结构的调整、完善，对中西部地区，我们将进一步加大支持力度。

胡振鹏委员：

党的十七大提出，住房保障的目标是住有所居。我个人理解，这样一个目标是，让城镇没有地方住的人最终通过保障，有个地方安居。现行我们的住房保障对象是部分居民，也就是姜部长报告中谈的四类人，一是低收入者、二是中等偏下收入者、三是新参加工作的人员、四是进城务工人员。这两者和十七大的目标好象不完全一致，有重合的地方，这四类人住房确实比较困难，没有房子住，但是也有一些人没有被完全覆盖。所以我想问的第一个问题是，我们能不能把没有房子住的人都作为保障对象，这样就能够比较好地解决刚才一些委员提出的政府责任或者市场责任的问题。我感觉到，以政府为主导，着重解决有没有房住的问题，对于其他一些经济条件比较好一点的人，想住得大一点的人，就可以到市场上去买房子，让市场来解决住得好不好的问题，这样两种责任就能比较清晰地分开。目前，在我国国情和财力条件下，能不能把没有地方住的人都作为我们的保障对象？这是第一个问题。

第二个问题，根据姜部长的报告，目前来讲，我们的保障性住房主要是政府主导，财政开支也好，土地、投资、建设、分配，一切都是政府十几个部门在主导，这样要解决问题，确实困难也比较多。如果在政府主导之下，调动全社会积极力量，解决住房保障问题可能会好一些。事实上，目前农民工进城务工，大量是靠小产权房或者是靠城中村来解决居住问题。以政府为主导，调动全社会各方面的因素，来解决保障性住房，比政府一肩挑起来要好办一点。我的问题是，有一些单位有点地有点钱，我们的政策允不允许这些单位或者机构利用自己的土地，为无住房的人解决一些住房，自行建设、自行分配。

齐骥：

谢谢。刚才胡委员提到对实现“住有所居”目标的理解，在这个问题上我们跟您的理解是一致的。实现住有所居的目标，绝不意味着所有的城镇居民都拥有自己的产权住房，我们的目标是使每个生活在城镇的居民都能有适当的住房条件。经济富裕的一些群体，也可以说是多数的家庭，还是通过市场来购买，也包括租赁住房。对于经济能力比较弱，靠自己的收入无力在市场上解决住房问题的这部分群体，我们通过保障性住房的方式来解决他们的住房问题。这个保障方式，刚才姜部长也谈到，将越来越多地过渡到以货币的补助方式，以无产权的租赁型保障房的方式来解决，这是我回答您的第一个问题。

第二个问题，关于一些单位是不是可以利用自己的自有土地包括资金来建设保障性住房。这个问题，早在2007年国务院关于解决城镇低收入家庭住房困难的若干意见当中就有政策规定，当时的规定是，远离城市的独立工矿区和住房困难户较多的企业，可以利用自用土地，在符合城市规划的前提下建造住宅。在这个文件当中，这种企业建的住宅是按经济适用住房的政策来销售给本企业的职工，多余的住房由城市政府统一向符合经济适用住房购买条件的家庭出售，或者以成本价收购后，用作廉租住房。这是2007年国务院24号文件当中的政策规定，现在这个规定仍然在全国各地一些工矿企业执行着。

近年来，由于城镇化的快速发展，也由于一些大城市房价上涨得比较快，再加上一些城市外来务工人员，不见得非得是农民工进城，还有一些小城镇到大城市来就业，造成了一些大城市的住房特别是企业职工的住房十分困难。允许独立工矿企业和用工比较集中的企业，可以利用自己的自用土地来建设，今后更多的是鼓励企业建立公共租赁住房的方式，就是不给产权，解决住房问题，来调动社会的积极性和企业的积极性，增加保障性住房的供应，在一定程度上也减少政府在大规模保障性住房建设投入当中的压力。允许企业用自用土地建的保障性住房，不同于以往的集资建房，更不同于1998年房改以前的单位集资建的房子，最鲜明的特点包括：第一，允许企业利用自用土地建公共租赁住房是为了解决职工的无房住的问题，不是解决改善问题，这里不存在着允许企业利用自用土地来建房，去解决某个级别的人住房还没有达标的问题，这个不在政策允许之内。第二，企业建房要纳入城市保障性住房年度计划当中去，不是说你想建多少就建多少，要按照城市的统一规定来建设。第三，企业建的公共租赁住房的供应对象首先是符合这个城市的住房保障对象的标准，不是由于他是这个企业职工，他已经有了房子也可以再享受，这是不行的。企业建的公租房，供应对象必须符合这个城市保障性住房的准入条件，建设的过程当中也执行统一的标准，以此尽量去减少由于企业之间状况不一样、拥有的资源不一样，造成更大的不平衡。

辜胜阻委员：

我国楼市调控政策的一个重要后果是造成了销售市场冷，现在北京楼市国庆节期间的成交量下降了60%，但是租赁市场热。有人讲，一夜之间我们从买房时代进入了租房时代。为了做好这次审议，我们对北京、上海、西安、武汉一些买不起房而又得不到廉租房的夹心层的租房问题进行了调研。北京的租金两年来上涨了30%，这些夹心层特别是刚刚参加工作不久的夹心层，我们的调研是，最低的是用三分之一的工资来租房，最高的达到了三分之二，他们的可支配收入被大大挤压，面临极大的生活压力。所以我提两个建议。第一，要修改公积金条例，要破除公积金租房看得见拿不到的玻璃门，开辟让公积金租房的绿色通道。为什么说是玻璃门？西安两年来只有两例用公积金租房的案例，就是说你看得见，拿不到，要把这个玻璃门变为绿色通道。第二，要多渠道扩大租赁市场的房源。我的一个调查对象，夫妻两个月薪一万，但是要拿六千租房子。我问他愿不愿意去公租房，可以降低租赁成本。他说不愿意，公租房面积太小，只有40平米，公租房的位置太偏，公租房的选择性太低，质量也堪忧。他说，不愿意进公租房最大的一个问题是，中低收入人群集聚在一个社区，这个环境不利于他小孩的成长。贵阳现在收集大量的社会闲置房作为政府的公租房进行配租，我觉得这个办法非常好。现在我们的空置房、闲置房多，有些社区的黑灯率非常高，从存量上来讲，有大量的闲置房，我们怎么样把闲置房转变为租赁市场上的房源？我觉得这个问题非常重要。贵阳的做法是采取房屋银行的模式作为公租房进行配租，这有几大好处，少花钱、不用地、见效快、品种多。这就解决了面积太小和不愿意的问题，社会房源有大有小。还有一个最大的好处，避免让中低收入人群大量集中在一个社区，给社会管理带来严重挑战。

我的两个问题：第一个问题，转达我调查对象的问题，他觉得，他要用六千块钱租房，但是他的住房公积金拿不到，他对这个问题很纠结，他说我们的住房公积金应该是该保的就保，而且住房公积金是他自己工资的一部分，是老板为他交的，也减少了他的工资。住房公积金建廉租房，而廉租房跟住房公积金的所有者没有关系，是私款公用。请有关部门领导回应这个问题。私款公用，就是产权的边界。第二个问题，世界廉租房建设最大的教训是造成了贫民窟，连警察都不敢进去，我们在保障房建设中，怎么样避免让大量的中低收入人群集中在一个社区，给社会管理带来严峻挑战？

齐骥：

谢谢。您刚才谈到两个建议，两个问题，我理解就是四个问题，我把您的建议也当作问题一并来回答。第一，关于公积金存缴人能否利用公积金支付住房租金的问题。关于这个问题，正在实施当中的公积金管理条例中有明确规定，这个规定是这样讲的，允许缴存人提取自己的公积金来支付房租，但是后面跟着一个很苛刻的条件，就是你的房租已经占了收入的一定比例以上才允许你提取公积金去缴纳。这个规定，在具体的执行当中，各地不完全一样。刚才您讲的现象是存在的，有的地方为了管理公积金方便，干脆就不分青红皂白，公积金不允许提取用于住房的租金，只允许个人提取公积金进行买房和房屋的维修。我们非常高兴能够听到委员同志这样一个建议，我们也正在积极联合各个部门，研究修订公积金条例工作中，放开个人提取公积金用于支付住房租金的规定。

第二个问题，关于多渠道增加租房的房源，您刚才举了贵州的例子，我们非常赞成贵州的这种做法，不但贵州省这样做，辽宁省也是在这样做。由政府来组织，把社会上一些闲置的住房统一租起来，通过一个稳定相对长期的合同，由政府机构统一租出来。租出来以后，按照公共租赁住房的政策，再转租给受保障的对象。有些政府在这当中可能通过财政贴补，使得被保障对象从政府手里租到的实际上是私人的房子，但是在租给他的时候是采取公共租赁住房的政策，能得到一定的优惠。这样的做法，一方面可以使得有限的住房资源得到充分的利用，另一方面也可以减轻政府集中大规模建设公租房的压力。在地方有这样好的做法，我们认为是非常积极的。

第三个问题，您谈到关于公积金建保障房，是不是有私款公用的嫌疑。这个问题我做一下解释，按照目前的公积金管理条例，公积金本身的增值部分，或者叫增值收益部分，主要用于三个方面：一方面是提取风险金，第二方面是用于公积金管理机构的管理费用，第三方面是用于廉租住房建设，这是目前正在实施的条例当中的政策规定，指的不是公积金本身，是公积金增值收益的部分。从去年开始，随着大规模的保障性安居工程的建设，经国务院批准，我们在一些城市做了试点公积金结余部分，没有贷出去的，钱在这儿压着的部分，可以用于经济适用房、公共租赁住房和城市棚户区改造的短期贷款，然后在贷款当中，第一个是由政府来兜底，如果这笔钱发生了什么问题的话，政府要来偿还，因为这是公积金的性质本身决定的，公积金的安全是第一位的。第二个通过这样一个方式，比目前公积金简单地在银行的存款能够得到的收益更多一些，使得钱花得更有效一点。这个方法比现行的要往前迈了一步。另外，我们认为最积极的就是，通过公积金的这种贷款，增加了保障性住房的供应，缴存人申请保障性住房，这部分钱在一定程度上又用到他自己的身上。在这儿我给各位委员报告一个事情，即便修订了条例，允许无限制地缴存人可以提取公积金用于支付他租赁住房租金的话，也还存在另外一个很大的问题，就是您刚才讲的这个社会群体，真正需要利用公积金来提取缴纳租赁住房租金的群体当中，绝大部分是年轻人，绝大部分是工作在民营企业或者非公有企业当中，我给大家报告的是，当前全国城镇在职职工的公积金缴存率达到了78%，还有22%的职工没有得到公积金政策的实施。在整个调查过程当中，我们的非公企业，当中缴纳公积金的比例不足20%。我们认为这是一个更重要的问题，职工连公积金的政策，在非公企业当中都没有享受到，就谈不上利用自己的公积金提取支付他的租房资金。因此我们想，结合公积金条例的修订，需要对各种所有制的企业为职工缴纳公积金作出更加刚性的规定。

许智宏委员：

住房保障主要是解决城市低收入家庭的住房困难，这跟我们通常讲的养老、医疗保障是不同的，因为它并不面向全体居民。所以我想，确保保障性住房分配的公平公正，就显得特别重要。我记得李克强副总理在全国保障性安居工程的工作会议上也强调，确保分配的公平公正，是安居工程的生命线。问题是，现在从各方面的情况看，各地在保障性住房分配中以权谋私的情况还时有发生。我感觉，这些情况在经济适用住房中十分明显，各地媒体也有报道，比如经济适用房的小区发现户主有宝马名车，还有倒卖经济适用房等等情况。前天姜部长的报告中讲到，审批的16个城市中，分配给不符合条件的家庭仅占2.4%，是很小的一部分。但是正是这些情况，在群众中造成了很大的负面影响。这种情况的造成，当然与我们现在政策的不完善、监督机制的不完善有关，我们的信息公开方面还有很多问题，加上改革开放以来，我们的人口流动性大大加强，个人信息的收集也造成了很大的困难等等。虽然这个问题非常复杂，但是，我们还是应该下决心来做好保障性住房的公正公平。所以我的问题是，怎么样确保真正做到保障性住房分配的公正公平，来防止新的分配不公？

齐骥：

谢谢许委员。您刚才谈到的关于保障性住房的公平分配问题，不单单是社会广泛关注，作为相关的工作部门，我们也是非常关注。在两个星期之前，国务院保障性住房工作座谈会上，李克强副总理再次强调了保障性住房的公平分配问题。因为随着大规模的保障性住房的建设，刚才姜部长也谈到，今年特别是明年将会有大批的保障性住房进入到分配环节，因此这类由政府出资或主导建设的保障性住房的分配公平问题就日益摆在我们的面前。在这方面，我们做了一些工作，也学习和借鉴了一些国外包括香港地区的做法。一开始有的委员谈到，从2008年以来，我们零敲碎打地出了很多文件，在很多文件当中，对廉租住房、对经济适用住房、对公共租赁住房等等这类保障性住房都有相应的一些在分配环节如何保证公平的问题，但是总体上还没有一个完全系统化和系列化的规定。当然，目前我们认为，更大的缺失是在立法层面。您刚才讲过，我一会儿也会报告给各位委员，就是有一些通过不正当的手段，骗取了保障性住房的话，现在还没有承担相应法律责任，所以处罚起来也显得羞羞答答。我们通过这几年的工作，认为下一步尽可能确保公平公正的问题，主要有四个方面的工作要做，有些方面已经做过了，有的正在过程当中。

第一，关于住房保障制度的公开问题。我们想，在公开问题当中至少有这样几个公开，一是保障的条件要公开，要通过尽可能广泛宣传的渠道和手段，让所有的居民都知道，在这个城市当中，什么样的人可以作为住房保障政策的享受对象。从目前全国各地的实施情况看，大家把住房困难作为住房保障的首要条件。首先是住房困难，其次是他的收入水平要低于什么样的指标。有的可能没有房子，但是他并不缺钱，他喜欢租房子，这不是我们的保障对象。二是每个年度、每个城市制定的住房保障的计划，今年在什么地方建了多少保障性住房，房源要公开。三是如何分配，采取什么样的办法来分配保障性住房，包括怎么样审查，怎么样复核，这个程序要公开。四是今年这么多保障性住房保障了谁？是保障了张三还是李四？保障的结果要公开。我们想通过一系列的公开，使得城市的所有居民都明明白白地了解，我们这个城市当中住房保障是怎么一回事。

第二，要严格程序。现在很多地方是通过三级审查，有社区街道居委会，有区一级的政府，还有市一级的主管部门，通过三级核查。在实践当中，我们发现的问题，廉租住房用于保障低收入家庭，特别是低保户，这个比较容易，因为在市区的民政部门对低保户都有档案的，有花名册的，他的住房条件相对也比较容易掌握。刚才姜部长也谈到，在很多城市当中已经建立起了个人的住房信息系统，你有没有房，在什么地方有房，通过这套系统是能够查得到的，这是在审查过程当中相对容易的方面。但是比较不容易的，当然这个问题我们还没有广泛地遇到，就是对于中等偏下收入申请公共租赁住房的群体，他有没有房子，我们容易掌握，但是他的收入有没有变化，民政部门没有掌握，我们也没有掌握，还找不到一个政府的部门能够掌握每一个职工的收入状况。因此在这个问题上，有些地方提出，由自己申报，然后进行抽检，如果你抽检的结果跟申报符合的话就可以，如果抽检的结果和你的情况不符合的话，那就成为违规的、不诚信的骗取保障性住房。另外，还要完善退出机制。

在严格程序当中还有一点，因为相当多的城市目前保障性住房的房源少于申请的对象，这就存在一个轮候的问题，十个人申请三套房子，可能只有三个人中，因此多数城市采取传统的摇号抽签的方式。这又出现了另外一个问题，有的居民连续两三年都抽不到签，眼巴巴看到后来的人抽到，他抽不到心情也不愉快，所以像江苏的一些地方也提出，如果三次都没有好运气的话，那第四年你优先，就不要抽了，其他抽签人也能够理解。所以在程序上做了一些规定。

第三，纠错机制。即便我们通过公开，通过严格审查，目前我们的制度恐怕有空子可钻，不单单是住房保障制度，任何一个制度想完全杜绝钻空子的现象，现在看来还比较难。那就是我们刚才谈到，一旦发现有人骗租，有人通过不合法或者虚报信息的情况得到的话，就应发现一起纠正一起。为了严肃这个问题，即便没有法律规定，如果发现某一个居民通过虚假的信息骗到了保障性住房，第一个是清退，第二个是五年之内你不再有申请的资格。我们希望，法规健全以后，可能的处罚会更加严厉一些。

第四，就是处罚。这个处罚更多指的并不是被保障对象信息不真实，而是处罚公职人员，你在分配保障性住房过程当中，如果有违法违纪，为自己的一些熟人，通过不正当的手段谋取的话，这个公务人员将受到处理，特别严重的还移交司法。我们想，目前在大量保障性住房即将投入的时候，预先把这些工作做得更周全一些，避免社会上比较担心的一些现象出现。

郭雷委员：

我的问题也是涉及到保障性住房公平分配的问题，这涉及群众的切身利益，大家普遍关注，必须有严格的准入机制，这就涉及到刚才大家讲到的要准确掌握申请者的住房、收入、财产等有关信息。目前基础信息不足，相关情况比较复杂，使得管理比较困难。虽然我们有公示制度，但是还出现了一些问题，比如骗租、骗购和权力寻租的问题。刚才齐部长从三个方面对进一步解决这个问题作了比较系统的回答。姜部长也在回答问题中提到了信息系统建设的问题。我们国家“十二五”规划当中指出，要加快住房保障立法，依法强化各级政府的住房保障责任，健全组织机构政策，技术支撑体系，实现住房保障关键技术研究及应用示范，加快推进信息化建设，并且提出到2015年基本建立全国住房保障基础信息管理平台。我想问一下，目前在信息系统、信息平台建设方面，我们主要存在什么样的困难，有没有一个统一的协调机制？这个信息系统建成后，到底能在多大程度上能帮助我们解决保障性住房管理分配中出现的困难？

齐骥：

我重点汇报一下关于个人住房信息系统建设问题。关于这项工作，在去年的国务院1号文件当中就提到了，要加快个人住房信息系统建设，当时提到的是要加快重点城市的个人信息系统的建设。刚才姜部长已经作了部分汇报，我再稍微补充一些。按照国务院的要求，我们在去年下半年就已经启动了全国40个城市的个人信息系统的建设工作，这40个城市是所有的省会城市，还有计划单列城市，极个别一些比较大的地级市。我们这个信息系统的总体策划是在城市的住房管理部门，第一步要把城区内所有现有房屋已经进行了产权登记的，全部纳入到这个系统当中来，有一个算一个，是有产权登记的个人住房信息。据我们所知，目前有相当数量的住房没有进行产权登记，甚至包括一些商品住房，他买了房子之后，就拿了一个合同，没有到住房部门去登记，这还有相当的比例。我们想，市区内所有已经登记了的个人住房信息都要在系统中体现，同时要求去年年底要把信息平台扩大到所有城市所辖的行政区内，比如北京原来是城八区，去年年底就要求到所有的区和县，我讲的是城市区划内国有土地上的已经登记的住房信息，要整合起来。下一步，在今年年底以前，把这40个重点城市的信息系统联网，一个是解决对市场变化的分析问题，另一个是执行差别化的货币政策也要有这样的基础信息来支撑。按照目前我们掌握的情况，这四十个城市自己的系统已经实现了市、区联网都完成了。

这个信息系统运行以后，首先能够达到的是以人找房，点出了张三，我们就可以查到在张三名下目前有什么样的房产，至少解决这个问题。但是目前这个系统还存在着很大的不足，第一个不足，这里面不含家庭背景，只有个人信息，不是家庭信息，所以这个系统还不足以全部满足差别化的信贷政策和住房限购的临时性措施实施的需要。另一方面，这个系统当中，除了住房以外，不含其他的信息，包括公安的、民政的、税务的，都不含。因此，我们想下一步要实现您刚才谈到的全方位的信息系统，还有很多很多艰苦的工作要做，但是最终我们的目标是建成一个便于全方位社会管理包括住房信息在内的完整的系统，这恐怕也需要一些法律的支持。

姜伟新：

我补充一句，个人住房信息系统的建设比我们预想的要艰难，这里面非常重要的一点就是信息安全问题，还不光是采集的问题。采集在一定时间内还有可能接近，现在一个城市80%-85%是没问题的，这个比例还可以逐步提高，但是这些信息的安全性需要专门研究这个问题。我们原来设想是先搞40个城市，这40个城市先跟住建部联网，然后再推广到265个地级市，自己都建立起来，然后跟住建部联网，这个过程恐怕得几年的时间，现在看比预想的要艰难，但我们会往前推进。而且仅靠这个系统解决不了我们社会管理当中的很多问题，将来恐怕有朝一日会有各个方面的信息平台，有一个综合信息共用的问题，这是整个社会管理当中的非常重要的一个问题，住房信息仅仅是其中一个重要的环节，而这个环节这几年推进来看不是很容易，但是我们会努力尽可能做好。

乌日图委员：

我提两个问题。第一的问题，关于如何完善住房公积金制度和有关法规的问题。我们国家的住房公积金是借鉴新加坡的公积金制度，于1991年率先在上海建立的，然后逐步普及到全国。这么算下来，我们这项制度到现在也已经有二十年的时间了。近年来，社会各个方面，包括全国人大代表，对当前住房公积金的制度和条例提出一些意见和建议，我看了一下，比较集中的有这样三个方面的问题。第一，由于住房公积金的覆盖范围小，引发社会困难人群对我们这个制度的取向产生了怀疑。刚才齐部长讲了，我们也调查了，截止到今年9月末，全国住房公积金的缴存人数是9100多万，我们国家的政府机关事业单位的人群就是6000多万，再加上集体所有制单位职工，这说明现在参加人中绝大部分是机关事业单位和国有企业的职工，而大量的中小企业低收入人群所在单位没有为他们建立这项制度，我们的条例本身也不象社会保险的五项保险一样，不具有强制性。面对目前高起的房价和住房的商品化，大量在中小企业工作的劳动者比在座的人更迫切地需要得到这项制度的扶持。我们在座的都有住房公积金，但是到下面看，很多职工是没有的。所以这些职工就怀疑，我们这个制度是为这些中高收入的人锦上添花呢？还是为那些低收入住房困难人群的雪中送炭？我的问题就是，国务院有关部门准备采取什么样的措施，在这个制度已经进行了二十年之后，能够尽快地覆盖到所有的城镇劳动者，使他们得到公平的待遇，我觉得这还不够，还要使得这项政策有明显的向中低收入倾斜的意义，这才是我们建设住房公积金制度的本质意义。

第二，关于住房公积金个人使用的权益问题。现在的条例明确规定，个人提取自己的住房公积金，可以用于买房、建房、大修房，另外少数情况是出国定居、丧失劳动能力了、解除劳动关系了，退还本人。对本人用于租房，刚才齐部长也解释了，是有条件地使用，指的是如果房租高于家庭收入的一定比例之上部分，才允许你用自己的公积金支付房租。我认为，住房公积金是由职工本人和本人所在单位为本人建立的。条例第三条明确规定，公积金的所有权归职工个人所有，所以我觉得，现在我们这么强制的限定个人用于住房消费的范围，至少今天看来是有问题的，也许当初为了集中资金有一定的道理，不仅仅要对租房全面放开，只要是用于职工个人的住房消费，不是拿去抽烟喝酒或者其他消费，都应该允许，因为这属于个人权益，为什么政府要限定他用于住房方面的消费支出呢？而且住房也不只是一种形式，难道你就鼓励他非去买房吗？那政策是不是就鼓励人们只能买房不能租房？社会各方面提出的这个意见是有道理的。怎么样在下一步修改完善法规的时候有所考虑，刚才齐部长讲过了，我就在这里提一下。

第三，关于住房公积金增值收益部分的分配问题。这和刚才我说的第二个问题是有连带关系的，首先基本原则是遵循住房公积金所有权是职工个人的，不是政府的，因为这里没有政府投入的一分钱，是个人工资的5%再加上单位给他的5%。你要为职工建立一个住房公积金，是为了用于他自己今后的住房消费，当初规定给设计了一个基本的利率，在当时看来，大概还是略高于商业银行的贷款利率。但是这些年随着商业银行贷款政策的放开，现在公积金存款利率已经没有多少优势可讲了，尤其是这些年通货膨胀的情况下，那些钱的保值增值已经成为非常突出的问题了，所以必须要实现保值增值，只有一个方法就是投资，但是投资所得应该归谁？这就是非常重要的问题了。现在的做法是，条例明确规定，公积金的增值收益部分用于三个方面，第一方面是贷款风险金，公积金贷出去发生风险了，用这一块弥补。第二方面是用于住房公积金管理人员的管理费。第三方面是用于城市建设廉租房的补充资金。所以现在很多人提出这样的质疑，为什么政府拿职工个人的住房公积金去做一些应该由政府承担责任的事情？比如说管理费，为什么不能像社会保险那样？社会保险的管理费是明确列入财政预算支出的，是明确不能要求挤占职工的五项保险金的，这在八几年就通过了。我们现在的管理费，等于政府管理人员，各地公积金管理人员办公经费是靠个人缴纳的钱来维持的。所以刚才齐部长讲了，下一步要修改和完善条例。这些方面，我认为是值得修改完善的。

第二个问题，关于廉租房、公租房的管理体制问题。这些年房改告诉我们一个基本的经验，看来单靠市场提供商品房是不能解决所有职工的住房问题的，所以政府必须掌握一部分住房资源，解决城镇低收入人群的住房问题，很多国家都是这么做的。这些年我们建造了这么多的廉租房和公租房，今后几年还要扩大。面对这么大一块国有的房产，不知道国务院有关部门下一步要采取什么样的管理体制，是像过去房改之前由各级政府成立，由房管部门来负责公租房、廉租房的建设、分配、管理、服务等等，还是交由一个非政府的机构来进行管理？

姜伟新：

这个问题请齐骥同志再补充一下关于公积金方面的情况。

齐骥：

乌日图委员提到的这个问题，也是我们目前正在关注的事情，您提的问题给了我们很广泛的启发，我们考虑到了，到一定程度要修改，但是您刚才拓展了我们修订过程当中的思路。我再简单报告一下，公积金制度的产生是伴随着上世纪末我们城镇职工住房制度改革来的，因为当时在职工的工资收入当中没有解决住房这一块，停止实物住房分配了，采取货币化，要相应有一些补充和支持政策。因此，在公积金产生之初，我刚才说的这个背景，有些问题考虑得并不是很全面。您刚才说，将近二十年的发展和城市住房情况的变化，确实这个制度本身有很多需要完善的地方。我们同意您的观点，公积金本身是多数人帮助少数人，缴纳的多数人帮助少数人来解决极端的住房困难，这是制度设计的第一个方面。第二个方面，我们当时也考虑过，更多的收入比较好、能够通过自己的能力来解决住房问题的，来帮助这些自己解决住房能力差的群体，但是在这一点上，制度这么多年实行下来以后，它的功能发挥得不好。第三个方面，因为我们当时迫于住房公积金这个概念，所以怎么也绕不出缴纳人用公积金解决其他的问题，始终围绕着住房本身来转。实际上在新加坡，他们的公积金的用途要比我们广泛得多得多，已经超出了住房需求本身。所以刚才乌日图委员说到这么多，扩展了我们修订条例本身的思路，进一步作深入调查，恐怕这个问题在修订过程中还要更多地听取社会的意见，使我们的公积金管理条例这个二十年以前的产物能够在今天起到更积极的保证职工合法权益，特别是解决他住房困难的促进作用。

姜伟新：

我稍微补充一下关于公积金的问题。公积金条例现在确实到了需要修改的时候了，我们部里正在进行调研，下一步调研之后，准备起草报告，向国务院提建议。当然，稿子出来之后，要特别请几位委员帮着看一下。已经18年了，情况完全变化了，确实需要修改。我到住建部四年多，公积金问题一直是我非常头疼的问题，政策性极强，尤其是随着市场经济的发展，条例过去很多的规定，当时有当时的考虑，那也是很正确的，但是现在看来确实要很好地研究这个问题。管理上的问题也是很多，体系也不完善，我们部管着这个事，但是下面也没有系统。我到住建部以后，跟各位委员报告，我曾经一度专门研究过，这个问题是住建部管好还是谁来管好，要从大局来考虑。后来分析了以后，确实谁管都是利弊各半，很复杂，已经越来越成为住建部非常重要的任务。

关于您提到公租房和廉租房体制管理的问题，建设体制，国务院文件已经很明确，就是两者合并一起，统一建设，统一管理，因为他们户均面积差不多，四十到五十平方米，仅仅是对象不一样、房租不一样，管理基本上差不多。运营管理是这样的，我们也非常注意千万别回到老的路子上去，现在各地在管理这两类租赁房过程当中，80%、90%都不是政府组织管理，有的还是企业化管理。政府部门管理这两类住房仅仅是百分之几，而且也不是完全过去意义上的政府管理。我们也注意到这个问题了，别又回到老路上了，这肯定不行。因此您提得非常对，我们能用市场化的办法就用市场化的办法，现在公租房、廉租住房，我们是鼓励跟普通商品房在一起配建，总结前两年有的地方都集中到一起了，也可能会产生将来的贫民窟的问题。所以现在我们鼓励、提倡、要求配建为主，在运营管理上纳入到一般的物业管理当中去了，仅仅是这部分人群，政府还要稍微给一点管理上的照顾或者特殊的管理。

陈斯喜委员：

保障房建设是一项非常重要的民生工程，也是促进社会公平正义的一项民心工程，同时也是彰显社会主义制度优越性的一项固基工程，要把这项利民、利国的好事做好，收到好的效果，第一是建设，第二是分配，第三是管理。这三个环节，哪个环节做不好，都会使这项得民心工程达不到应有的效果。所以我的问题是，如何保证保障房，主要是廉租房、公租房将来能够得到良好的管理，避免廉租房、公租房成为脏乱差的贫民窟。虽然刚才姜部长讲到了，现在鼓励跟商品房配建，但实际上，由于各种原因，很多地方还是单独建的不少，这样单独建了以后，就涉及到了管理，其中管理的一个很重要的问题就是资金来源问题，有没有一个比较稳定的渠道，来保证将来管理有稳定的经费。具体来说，我们现在在建设廉租房、公租房的时候，特别是单独建的时候，有没有配套建设一些小区必须的服务设施，这些服务设施将来能够交给管理机构来经营，取得一定的管理费用，而不是将来都靠政府来拨款。如果将来都靠政府拨款，政府的重视程度够不够，或者经费紧张不紧张，有钱就给一点，没钱就不给，廉租房、公租房的管理将来就有很大的问题。

第二个问题，对租住廉租房、公租房的居民，跟他们同住的家庭成员，收入提高以后，如何让他们及时地退出廉租房、公租房，特别是一些家庭成员的收入提高以后，怎么能够使这一家退出，这种情况弄不好，将来也会出现住着廉租房、公租房，开着高级轿车的情况，这对社会的影响也是很负面的。

齐骥：

我理解您刚才提到的主要是两个方面的问题，第一个是大批的保障性住房的投入可持续运行的问题，是不是造成新的负面的影响。第二个是退出机制。关于头一个问题，这里面涉及到，一开始委员们提到的顶层设计问题。从目前的各地实践看，保障性住房，特别是廉租住房，因为供应对象是低收入或者是极困难的低保群体，政府除了要花钱建以外，也要花一定的钱来养护。从我们目前的制度层面上来考虑是这样，第一，刚才姜部长已经谈到，我们鼓励把保障性住房配建在商品住房当中，在有些地方，不是鼓励的问题，比如说山东的青岛市，还有一些其他城市，在所有普通商品住房项目当中是刚性的规定，一定比例的廉租住房或者公共租赁住房的建设，这是硬性的。这个政策的实施，本身会在一定程度上缓解您刚才担心的出现保障对象集中生活在一起产生的一些其他社会问题。但是，光是在商品住房当中配建一定比例，也不过是 5%、10%，这个量不够，所以避免不了还有一些相对集中建设的保障性住房的居住区，这也是一个现实情况。对于这样集中建设的，我们认为比较好的做法，对于极其困难的家庭，低保的家庭，本来这个家庭的成员劳动能力、就业能力不强，从哪个角度里说，都需要政府的支持。所以这部分租金的减免问题，即便住在廉租住房当中，几块钱一平米可能都不要交，更谈不上他要缴纳一定的物业费了，这部分群体确实是政府管起来。但是各地在建设集中的廉租住房过程当中，确实是配建了一些商业设施，把商业设施这部分产权跟廉租住房的产权捆在一起，由一个机构来运作。这个商业设施的全部营业收入或者租金收入，用于补充保障性住房小区的运行和维护。另一方面，一些地方还有一些做法，小区本身的包括环境卫生整理，包括治安的维护，通过政府购买一些服务岗位，使小区当中有劳动能力的人，通过不离开家门地提供一些就业机会，帮助他们提高收入，也使得这个小区的运行更良性一些。这是关于廉租住房运行的问题。

关于公共租赁住房的问题，公共租赁住房的供应对象本身是中等偏下收入住房困难群体，但是大部分是住房困难的新就业人员和外来务工人员。公共租赁住房设计本身一方面租金要低于市场租金，使得这部分群体可以消费得起，不至于使得他的收入三分之一，或者更高的比例用于住房的租金，这是一个考虑。第二个考虑是稳定的承租关系。现在有很多年轻人租了社会上的房子，日夜不得安宁，随时都有被业主提租金的压力，因此公共租赁住房免去了这部分群体的担心。国务院办公厅的文件当中也提到，对于公共租赁住房，它的承租期，三到五年是一个周期，如果三年以后你不具备这个条件了，就不再续签了，如果五年不具备，就不再续签了。如果你都不具备了，你还不退出的话，就可以通过提高租金，按照市场租金来收取，采取这样的方式。因此，公共租赁住房的运行维护不像社会上比较担心的廉租房那样管理起来资金不足。因为公共租赁住房的租金本身，除了支付投资成本贷款利息以外，还能够节余出来一部分用于日常的维护。

第二个问题是退出机制。我刚才已经讲过，现在住房部门没有手段，如果哪个家庭突然支付能力强了，将来随着信息系统的联网以后比较容易掌握。但是如果有一些别的渠道，比如有人举报了，比如非常明确的证明这个家庭已经不具备保障条件了。现在地方是三种做法，一种做法是劝退，但这招不是特别灵，一般劝不出去，那么怎么办呢？就是提高租金，一般情况下能够做得到。第三种做法，社会上有这方面的关注，就是你买了算了，用成本价或者略高于成本价卖给你了，因为毕竟当时你曾经是低收入，是被保障对象。但是这种情况没有任何法律的支持，只不过是一些地方出于无奈，清不出去，租金收不上来，怎么办呢？就采取这样的方式。但是在实践当中，这种现象很少见。

林强委员：

在调研中，我们感受到，在保障性住房建设中，建设资金的筹措和建设用地拆迁到位，是两个很突出的难点。

关于建设资金的筹措，虽然中央对地方资金的补助逐年大幅度增长，但是地方仍然是资金投入的主体，尤其是市县这两级的财力，从收入上来看，财政收入靠卖地收入的空间越来越小，从支出来看，市县政府日常运行的经费和公共建设、民生建设的压力都比较大，不少地方主要依靠融资贷款来筹集资金。由于保障性住房投资回收期比较长，配套、维护和建设用地拆迁的成本比较高，资金的良性循环难度增大，这样一方面就造成了大量的贷款，可能不能按时归还，增加了地方政府性债务的风险，另一方面还可能影响到保障性住房建设任务的如期完成。

下面请问两点：第一，如何采取有力的措施，来实现保障性住房建设工作和建设资金的良性循环，以及可持续发展？第二，保障性安居工程建设需要相当数量的土地，如何保证足够的土地用于保障性安居工程？

王保安：

作为一项标志性的重大民生工程，应该说在资金政策的设计与资金渠道的安排上，我们做了深入研究。从目前来看，对于林强委员提出的这个问题，我认为可以给予一个肯定的回答，是可以实现可持续发展的。从目前看，在政策设计上是可持续的，我们有中期的目标，有近期的具体任务分解，有资金政策的具体保证。我们七大类十一个品种的保障性安居工程并不是政府全包的，有不同的保障形式，实行差别化的支持政策。一类是像廉租房和政府投资的公租房，这是政府全包的。一类是政府补贴的，包括社会机构、市场主体建设的公租房和五大类的棚户区改造。一类完全是由市场主体投资建设的，包括限价房和经济适用房。所以从资金渠道上、资金政策和安排上，我们认为是有保证的，并不是像社会议论的1.3万亿，政府压力过大，是不是不能保障。从优惠政策的设计上，包括土地出让金免收，包括十项税收的减免政策，包括政府性基金和行政性收费的免收政策，这些优惠政策的设计，也有利于引导市场主体和社会机构进入保障房领域。资金渠道是稳定的，中央财政补助从2007年到现在增长了20倍，然后还有省级财政补助和市县财政补助，还有政府性基金的支持，还有金融机构其他筹资渠道的稳定的政策支持。 我们的建设政策，刚才齐部长已经讲了配建政策，包括商品用房租售收入的补助，再加上我们有合理的租金政策。最后还有“三公开”，即公开、公平、公正政策的保障。这些完整的政策体系，我认为可以使安居工程的建设实现可持续发展。

王兆星：

关于支持保障房相关金融政策，由银监会和人民银行共同来推进和研究，说得不准确的地方，一会儿请人民银行补充。对保障房的建设给予贷款，应该考虑两个方面的背景和前提。一是保障房建设特别是公租房、廉租房建设，是一种公共工程、保障性工程，带有民生救助性质，是政府需要承担的重要公共职能，廉租房、公租房不能出售，租金又低于市场，所以资金正常循环周转方面会受到很大的限制。另一方面，近些年来，商业银行已经进行了商业化和股份制改造，进一步强化了自主经营、自负盈亏、自担风险、自我发展的要求，也进一步强化了对资产安全性、流动性、盈利性的要求。在这样的大背景下，商业银行对保障房建设给予了积极审慎的支持，作为银行业监管部门，我们要求银行业金融机构在积极支持保障房同时，要确保风险的有效控制，从五个方面提出了基本的要求。第一，通过整改规范后的政府平台来统一借款、统一还款、统一监督。第二，用有效资产为保障性安居工程贷款提供抵押，增加第二还款来源的保障。如果既没有有效资产抵押，也没有其他的现金收入进行保障，或者还款保障不足，就要求相关地方政府把贷款偿还本息列入当地的财政预算，统筹进行贷款的还款付息保障。第三，要确保地方政府和中央政府对于保障性安居工程20%的资本金必须足额到位。第四，对保障性工程的贷款实行严格的监督，防止贷款被挪用、挤用，保证贷款真正用于保障性的安居工程建设。第五，保障房建成以后，根据实际情况可安排较长的还款期限，确保每年两次还本付息，利息随本还清，从还本付息的机制保证贷款的安全。据统计，截止今年三季度末，对公租房、廉租房和棚户区改造的三类保障性工程贷款余额已经达到了2672亿，比年初新增951亿元，远远高于全部的贷款增长速度，更高于商业房地产贷款的增长速度，接近新增的1000亿三类保障性工程贷款还不包括土地储备贷款当中用于保障性安居工程的土地储备贷款，也不包括银行信托资金进入房地产的安居工程的贷款，还不包括商业房开发过程当中配建的保障房用款。总体上看，银行业金融机构给予保障性安居工程建设很大的信贷支持，下一步，我们将加强跟踪调研，在满足保障安居工程贷款需要的同时，进一步加强贷款的风险管理。

郭庆平：

金融参与和支持保障性住房建设，主要需要考虑两个原则，第一要防范金融和地方债务风险，第二要积极支持保障性住房建设。围绕这样的原则，在保障房信贷政策的具体设计上，我们还是考虑区别对待、分类指导，大致可以把保障性住房分为这样四类。第一类，廉租住房。根据政策，这类住房在建成之后由政府按照回购协议把这部分房子回收，政府在收购的时候，这部分资金要归还银行贷款的本息。第二类，经济适用住房和限价房。这部分住房在向保障对象销售的时候，销售收入也是要归还银行贷款的。保障对象在购房的时候，还可以向银行申请贷款，居民可以用他的未来收入归还银行贷款。我们觉得，这部分资金安全也是有保证的。第三类，涉及棚户区改造。因为有土地整理、土地价格的升值，所以在建设、销售、回款后，再加上一些其他的资金，也能够归还银行贷款和本息。从前一段实践来看，这部分资金的安全性也没有什么大问题。第四类，公租房。这个量比较大，资金需要也比较多。在设计贷款政策的时候，可以用公租房的租金收入归还银行贷款，还有一些配套性的商业设施，如果将来这些设施出卖也好，用作经营有收入也好，都可以用作归还银行贷款本息。如果再不够的话，恐怕就涉及到地方政府要给予补贴，可以保证归还银行贷款。

大家非常关心的可持续性问题，今年是一千万套任务，明年还有，后年还有相应任务，这就涉及到可持续性的融资机制设计问题，需要认真地探索。我们现在主要从两个方面入手：第一，合格的政府融资平台应该继续运用，这种情况下，能够多渠道筹集资金，也能够保证银行贷款及时收回本金。第二，对于公租房，我们在政策设计方面把贷款期限拉长，原则上不超过十五年，期限长了，每年还款的份额就少了。资金的运筹及安全将能得到保障。

贠小苏：

回答一下如何确保保障性安居工程土地供应的问题。我从这样四个方面来说一说。

一是，2011 年，一千万套保障性安居工程用地已经基本实现应保尽保。按照年初下达的任务，国土系统测算需要建设用地是 41863 公顷，按照各类房各种套型面积初步测算，当然在实际建设中间，可能由于各类房和套型面积的实际变化，土地供应数据可能有些调整。到 9 月底，已经落实用地 42614 公顷，按测算总量算实现了 102%，当然也有个别省、个别市、个别县还没有完全落实到位，也存在这样的情况。

二是，今后四年，按照现在确定的还有 2600 万套保障性安居工程建设的任务，国土部门将会同有关部门，要切实保障好 2600 万套的保障性安居工程供地，任务仍然十分艰巨。但是按照现在每年供地的数量和新增建设用地的规模看，确保这一部分用地应该是没有问题的。按照 2600 万套测算，各类房和套型面积都不变的前提下，大帐需要 150 万亩土地左右。保障房除了要用 40%-50% 的存量土地以外，剩下的新增建设用地也就是 70、80 万亩，而全国每年供应的新增建设用地 700 多万亩，约占十分之一，应该说从供地规模上讲，从计划安排上讲，应该是没有问题的。当然，保障性安居工程是重大民生问题，今年各地政府工作做得不错，今后几年确保 2600 万套建设任务用地的落实，我相信各级政府仍然会正确处理好保民生与保发展的关系，一定会确保保障性安居工程建设用地的供应。

三是，就国土系统讲，还要注意做好两件事情：第一，根据明年年度建设任务，具体编制明年的保障性安居工程建设用地的供地计划，并且必须实行单列，向社会公示，在系统内部实行厅局长一把手责任制。第二，从现在起着手研究明年的土地供应，今年把相当一部分易供的土地都及时供出去。因此明年拆迁征收的任务会越来越重，如何及时保障有效的供给，这方面难度较大。因而，现在要做好调研，要和规划部门、建设部门共同商量，拟定明年按建设任务的拟供地块，来研究地块征收拆迁工作的风险和难度，从而及早研究、及早安排，早动手抓落实，确保明年的土地能及时有效供应。

郝如玉委员：

经过我们调研，我们觉得目前的保障性住房类型太多，能否根据公共财政的要求和保障性住房的社会需求，合理归并保障性住房的种类？我们提出这个问题是源于以下四点思考：第一，类型太多，涉及到公共财政投入的广度和深度，还涉及到政府该管什么的问题，容易产生越位和缺位并存的现象，不符合保基本，即保住房困难且收入低的人群的原则。第二，类型太多，容易带来的问题就是政府资金投入的机制能否保证良性循环和可持续？第三，类型太多会出现价格的多轨制，历史的经验告诉我们这样容易出问题。第四，类型太多使得管理难度加大，进入、退出、分配等等管理制度都难落实好，可能会造成新的不公平。谢谢。

穆虹：

这个问题刚才姜伟新部长两次谈及。当前多种类的保障性住房是随着住房制度改革， 1998 年以来住房保障工作探索推进，保障面不断扩大逐步形成的这样一个局面。现在实物保障是两大类，一类是租赁型的，包括公租房、廉租房；一类是出售型的，包括经适房和限价房，还有五种类型的棚户区改造，这些年积累下来，种类确实比较多。我们认为，随着住房保障制度改革顶层设计的逐步清晰和加强规范管理的需要，有必要进行适当的归并。首先，把廉租房和公租房进行统筹建设、合并管理。因为这两种租赁型的住房，建设、配售、管理方式相近，区别就是保障对象家庭收入情况不同，今后可以通过实行统一的租金，同时政府进行有差异的租金补贴来解决这个问题。有些地方已经开始这样做了。另外，对经适房和限价房，首先要说明，经适房国家有统一的政策，限价房是有些城市根据城市的房价过高的情况，出台的一些区域性政策。可能在一个城市里也存在这两种类型并存的情况。我们认为，今后创造条件，由城市作出选择，在规范管理的基础上使这两类住房适当进行并轨。一项好的政策，如果执行发生走样的话，也会影响政策效果。另外，各类棚户区的改造，这项任务是阶段性的任务。同时，因为有的棚户区是在城市之中，有的是在城市的附近，有的是远离城市，属于独立的工矿区，差异很大，所以目前还不具备简单合并的条件。

丛斌委员：

我的问题不用回答，就是听了刚才各位领导的回答，我有一种担忧，就像姜部长讲的，现在关于保障性住房，没有一个系统的制度管理体系，遇到什么问题解决什么问题，这就是一种用应急状态的方法来解决住房制度贯彻过程当中的一些难点问题，这种应急状态下出现的措施，不见得是科学和有生命力的。保障性住房中央提出总体方案，是一个非常好的方案，刚才委员都肯定了，这是一项民心工程，是体现了社会主义制度的优越性，这个事情一定要做好。基于这种担忧，我提两个建议：第一，还是要深入调查研究，认真地总结分析，对我们这项工作在推进过程当中作出科学的预测，对所遇到的困难一定要有一个预案，要把它作为一个重大的科学问题去对待，建议组织相关的专家，组成一个科研团队，科研的结果，给政府提供决策参考，没有科技的支持，我觉得这项工作可能在贯彻过程当中还会遇到我们意想不到的困难，好事办不好，还会影响我们的形象。所以，把它作为一个系统工程去抓。这里面，在制度建设过程当中，要建立严格的管理制度，而且制度要先行。我们现在没有统一的、系统的管理体系，现在就推开了，所以有些委员担忧就在这个地方，我们目前要做的工作，抓紧时间，要做好顶层设计，制度先行，根据制度来贯彻这项工作。卫生体制改革有方案，教育有纲要，住房也是一项重大的民生问题，所以建议国务院出台相关的总体方案。另外，在制度执行的过程当中，一定要有系统的监督执行机制。

第二，保障性住房制度的推进过程中，要从文化层面考虑一些问题，要鼓励人们艰苦奋斗，自食其力的奋斗精神，而不能纵容那些坐享其成的社会现象的发生。刚才有的委员提出区域分割，我们的保障性住房将来必然要通过居住的方式造成人群的区域分割，就会造成文化上的贫富差距。所以小区建设过程当中，一定要有强有力的文化设施，在社区管理上不要把他们边缘化。

周声涛委员：

我提一个意见，不要求回答。要解决住房的问题，是不是应该多条腿走路。除了商品房开发，政府的保障房建设能不能借鉴国际国内的经验，推广合作建房。合作建房有很多好处，看看应不应该研究在中国推行合作建房，在国外这是一个通行的做法。

华建敏：

委员讲了建房除了政府主导的模式以外，还有一种方式叫合作建房，这种方式我们采取什么态度？

姜伟新：

尽管两位委员说不用回答，我还是报告两句。关于总体设计和制度建设，这几年确实是遇到什么问题就先解决一个什么问题。但也不是仅此这样，总体设计、总体制度建设就不考虑了，也不完全是这样。现在的做法是，一方面解决具体问题，一方面也是在完善着、做着制度建设和顶层设计。但现在看来，还没有达到一个令你们满意和科学的程度，老实说，对很多问题的看法争论是很大的，现在是一边争论一边解决具体问题。但是，刚才丛斌委员讲得非常好，确实要加强这方面总体设计的建设，充分、深入地调研，我们也会努力这样做的。

关于合作集资建房，现在鉴于可能出现的问题太多，所以我们这几年明确规定，除远离城市的独立的工矿区、住房困难户较多的企业之外，不允许单位集资建房，这方面的漏洞比现在我们说的几种保障房的问题还要多，但是这个问题仍然可以研究，不是说不能研究了。

华建敏：

因为时间的关系，我们第二十三次会议的专题询问就进行到这里，请办公厅的同志将各位委员提出的询问进行汇总，归纳好了以后，送请国务院研究处理。现在散会。

2011 年全国房地产开发和销售情况

国家统计局

一、房地产开发投资完成情况

2011 年，全国房地产开发投资 61740 亿元，比上年增长 27.9%，增速比上年回落 5.3 个百分点，比 1-11 月回落 2 个百分点。其中，住宅投资 44308 亿元，增长 30.2%，增速比 1-11 月回落 2.6 个百分点，占房地产开发投资的比重为 71.8%。

2011 年，东部地区房地产开发投资 35607 亿元，比上年增长 27.2%，增速比 1-11 月回落 1.3 个百分点；中部地区房地产开发投资 13197 亿元，增长 25.5%，增速回落 3.7 个百分点；西部地区房地产开发投资 12936 亿元，增长 32.8%，增速回落 2.1 个百分点。

2011 年，全国房地产开发企业房屋施工面积 50.80 亿平方米，比上年增长 25.3%，增速比上年回落 1.2 个百分点，比 1-11 月回落 2.6 个百分点；其中，住宅施工面积 38.84 亿平方米，增长 23.4%。房屋新开工面积 19.01 亿平方米，增长 16.2%，增速比上年回落 24.4 个百分点，比 1-11 月回落 4.3 个百分点；其中，住宅新开工面积 14.60 亿平方米，增长 12.9%。房屋竣工面积 8.92 亿平方米，增长 13.3%，增速比上年提高 5 个百分点，比 1-11 月回落 9.0 个百分点；其中，住宅竣工面积 7.17 亿平方米，增长 13.0%。

2011 年，全国房地产开发企业土地购置面积 4.10 亿平方米，比上年增长 2.6%，增速比上年回落 22.6 个百分点，比 1-11 月回落 0.4 个百分点；土地成交价款 8049 亿元，下降 1.9%，而上年为增长 59.3%，1-11 月为增长 4.3%。

二、商品房销售和待售情况

2011 年，全国商品房销售面积 10.99 亿平方米，比上年增长 4.9%，增速比上年回落 5.7 个百分点，比 1-11 月回落 3.6 个百分点；其中，住宅销售面积增长 3.9%，办公楼销售面积增长 6.2%，商业营业用房销售面积增长 12.6%。商品房销售额 59119 亿元，增长 12.1%，增速比上年回落 6.8 个百分点，比 1-11 月回落 3.9 个百分点；其中，住宅销售额增长 10.2%，办公楼销售额增长 16.1%，商业营业用房销售额增长 23.7%。

2011 年，东部地区商品房销售面积 5.11 亿平方米，比上年增长 0.1%，增速比 1-11 月回落 4.6 个百分点；销售额 34628 亿元，增长 3.8%，增速回落 4.3 个百分点。中部地区商品房销售面积 2.93 亿平方米，增长 11.3%，增速回落 2.8 个百分点；销售额 11895 亿元，增长 29.4%，增速回落 2.9 个百分点。西部地区商品房销售面积 2.96 亿平方米，增长 8.0%，增速回落 2.7 个百分点；销售额 12596 亿元，增长 23.9%，增速回落 4.4 个百分点。

2011 年末，全国商品房待售面积 27194 万平方米，比 11 月末增加 1763 万平方米。其中，住宅待售面积增加 1322 万平方米，办公楼增加 115 万平方米，商业营业用房增加 203 万平方米。

三、房地产开发企业资金来源情况

2011 年，房地产开发企业本年资金来源 83246 亿元，比上年增长 14.1%，增速比上年回落 12.1 个百分点，比 1-11 月回落 4.9 个百分点。其中，国内贷款 12564 亿元，与 2010 年持平；利用外资 814 亿元，增长 2.9%；自筹资金 34093 亿元，增长 28.0%；其他资金 35775 亿元，

表 1 2011 年全国房地产开发投资及销售情况

指标	绝对量	同比增长（%）
房地产开发投资（亿元）	61740	27.9
其中：住宅	44308	30.2
办公楼	2544	40.7
商业营业用房	7370	30.5
房屋施工面积（万平方米）	507959	25.3

其中：住宅	388439	23.4
办公楼	15950	31.3
商业营业用房	56278	26.1
房屋新开工面积（万平方米）	190083	16.2
其中：住宅	146035	12.9
办公楼	5361	46.2
商业营业用房	20671	18.3
土地购置面积（万平方米）	40973	2.6
土地成交价款（亿元）	8049	-1.9
房屋竣工面积（万平方米）	89244	13.3
其中：住宅	71692	13.0
办公楼	2179	20.0
商业营业用房	9045	9.2
商品房销售面积（万平方米）	109946	4.9
其中：住宅	97030	3.9
办公楼	2008	6.2
商业营业用房	7878	12.6
商品房销售额（亿元）	59119	12.1
其中：住宅	48619	10.2
办公楼	2502	16.1
商业营业用房	6702	23.7
商品房待售面积（亿元）	27194	26.1
其中：住宅	16904	35.8
办公楼	1230	10.8
商业营业用房	5895	11.9
房地产开发企业本年资金来源（亿元）	83246	14.1
其中：国内贷款	12564	0.0
利用外资	814	2.9
自筹资金	34093	28.0
其他资金	35775	8.6
其中：定金及预收款	21610	12.1
个人按揭贷款	8360	-12.2

表 2　2011 年东中西部地区房地产开发投资情况

地　区	投资额（亿元）		同比增长（%）	
		住　宅		住　宅
全国总计	61740	44308	27.9	30.2
一、东部地区	35607	25215	27.2	31.1
二、中部地区	13197	9832	25.5	25.3
三、西部地区	12936	9262	32.8	33.3

表 3　2011 年东中西部地区房地产销售情况

地　区	商品房销售面积		商品房销售额	
	绝对数（万平方米）	同比增长（%）	绝对数（亿元）	同比增长（%）
全国总计	109946	4.9	59119	12.1
一、东部地区	51052	0.1	34628	3.8
二、中部地区	29312	11.3	11895	29.4
三、西部地区	29581	8.0	12596	23.9

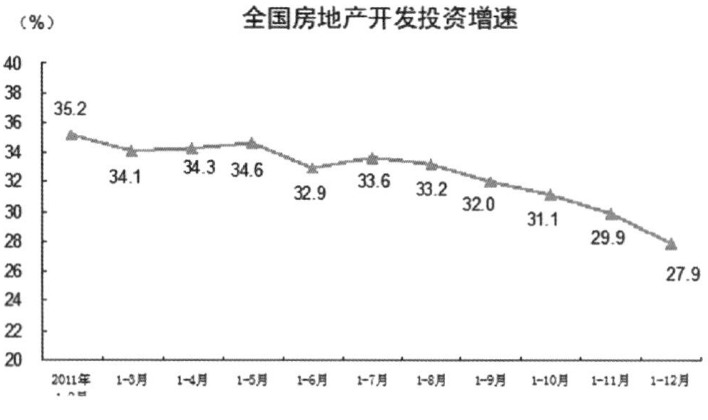

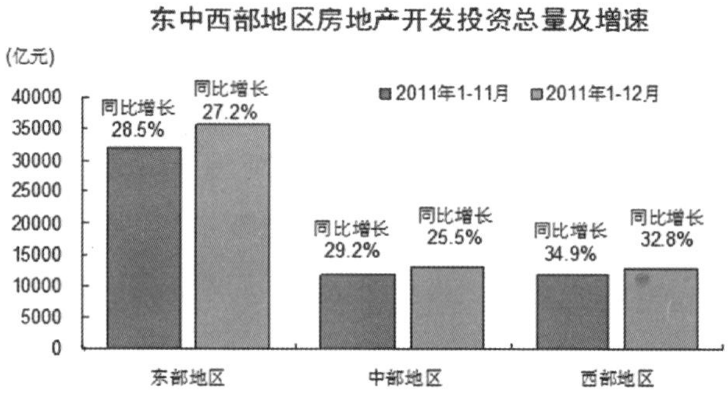

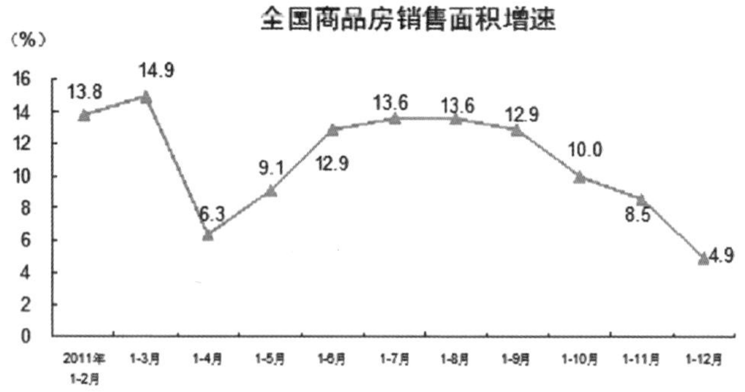

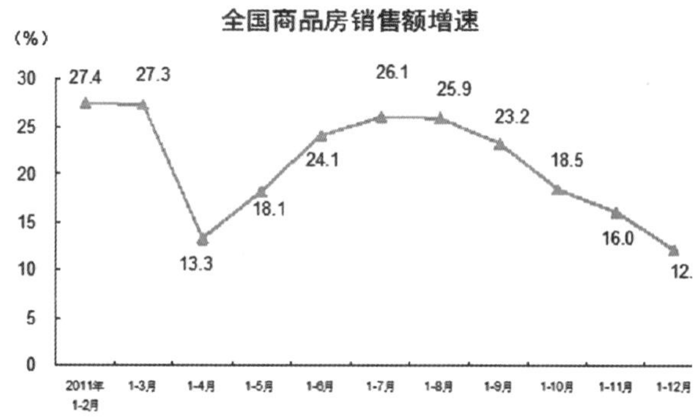

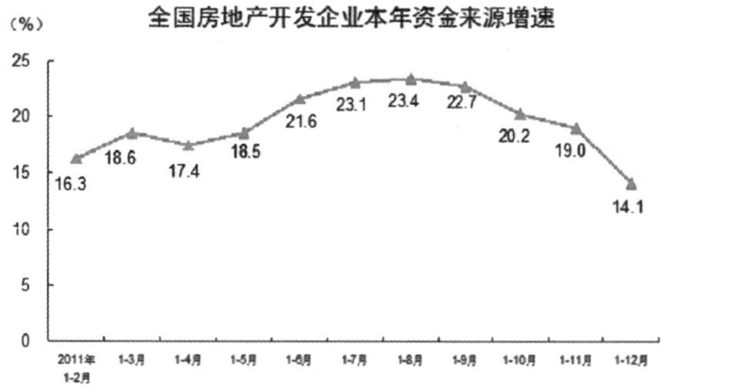

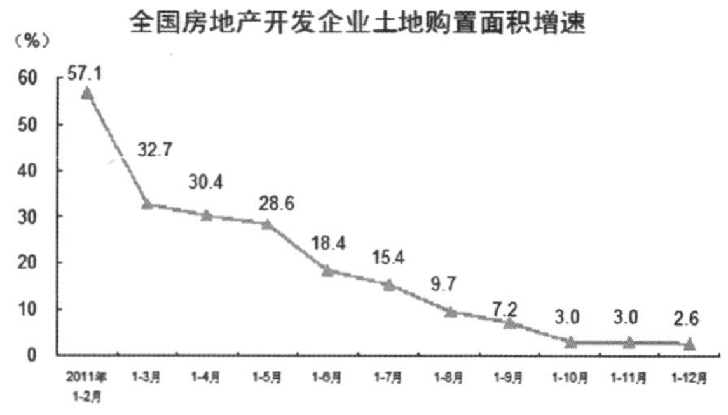

增长 8.6%。在其他资金中，定金及预收款 21610 亿元，增长 12.1%；个人按揭贷款 8360 亿元，下降 12.2%。

附注

1. 指标解释

房地产开发企业本年完成投资：指报告期内完成的全部用于房屋建设工程、土地开发工程的投资额以及公益性建筑和土地购置费等的投资。该指标是按照形象进度原则统计累计数据。

商品房销售面积：指报告期内出售新建商品房屋的合同总面积（即双方签署的正式买卖合同中所确认的建筑面积）。该指标是累计数据。

商品房销售额：指报告期内出售新建商品房屋的合同总价款（即双方签署的正式买卖合同中所确认的合同总价）。该指标与商品房销售面积同口径，也是累计数据。

房地产开发企业本年资金来源：指房地产开发企业报告期内实际可用于房地产开发的各种货币资金及来源渠道。具体细分为国内贷款、利用外资、自筹资金和其他资金。该指标是累计数据。

房屋施工面积：指房地产开发企业报告期内施工的全部房屋建筑面积。包括本期新开工的面积、上期跨入本期继续施工的房屋面积、上期停缓建在本期恢复施工的房屋面积、本期竣工的房屋面积以及本期施工后又停缓建的房屋面积。多层建筑物的施工面积指各层建筑面积之和。

房屋新开工面积：指房地产开发企业报告期内新开工建设的房屋面积，以单位工程为核算对象。不包括在上期开工跨入报告期继续施工的房屋建筑面积和上期停缓建而在本期复工的建筑面积。房屋的开工以房屋正式开始破土刨槽（地基处理或打永久桩）的日期为准。房屋新开工面积指整栋房屋的全部建筑面积，不能分割计算。

房屋竣工面积：指报告期内房屋建筑按照设计要求已全部完工，达到住人和使用条件，经验收鉴定合格或达到竣工验收标准，可正式移交使用的各栋房屋建筑面积的总和。

土地购置面积：指房地产开发企业在本年内通过各种方式获得土地使用权的土地面积。

土地成交价款：指房地产开发企业进行土地使用权交易活动的最终金额。在土地一级市场，是指土地最后的划拨款、“招拍挂”价格和出让价；在土地二级市场是指土地转让、出租、抵押等最后确定的合同价格。土地成交价款与土地购置面积同口径，可以计算土地的平均购置价格。

2. 统计范围：全部房地产开发经营法人单位。

3. 调查方式：按月（1 月份除外）进行全面调查。

4. 全国房地产开发景气指数简要说明

全国房地产开发景气指数遵循经济周期波动的理论，以景气循环理论与景气循环分析方法为依据，运用时间序列、多元统计、计量经济分析方法，以房地产开发投资为基准指标，选取了房地产投资、资金、面积、销售有关指标，剔除季节因素和随机因素的影响，采用增长率循环方法编制而成。国房景气指数选择 2000 年为基年，将其增长水平定为 100。通常情况下，国房景气指数 100 点是最合适的水平，95 至 105 点之间为适度水平，95 以下为较低水平，105 以上为偏高水平。

5. 东、中、西部地区划分标准

东部地区包括北京、天津、河北、辽宁、上海、江苏、浙江、福建、山东、广东、海南 11 个省（市）；中部地区包括山西、吉林、黑龙江、安徽、江西、河南、湖北、湖南 8 个省；西部地区包括内蒙古、广西、重庆、四川、贵州、云南、西藏、陕西、甘肃、青海、宁夏、新疆 12 个省（市、自治区）。

6、房地产开发投资增速与上年比较，按照 2010 年年报数进行比较。

2011年山西房地产开发业运行情况分析

省统计局

2011年是"十二五"开局之年，全省上下全面加快保障性住房建设，全省房地产开发业呈现出投资高位增长，保障房建设全面提速，房屋竣工面积高速增长，房价过快上涨势头得到有效遏制等良好态势，实现了"十二五"的良好开局。

一、房地产开发业运行情况

（一）房地产开发投资情况

1、保障性住房建设全面提速，房地产开发投资保持高位增长

2011年，全省房地产开发投资完成789.9亿元，同比增长33.4%，增幅比上年加快9.3个百分点，比全国平均增速快5.5个百分点。其中，房地产开发企业承建的保障性住房项目投资完成191.4亿元，同比增长67.0%，增幅比同期房地产开发投资增速快33.6个百分点，占房地产开发投资的比重为24.2%，分别比2009年和2010年高3.6和4.6个百分点，对房地产开发投资的贡献率为38.8%，拉动全省房地产开发投资13.0个百分点。

2、商品住宅投资快速增长，小户型住房投资比重提高

2000年以来房地产开发投资增速情况

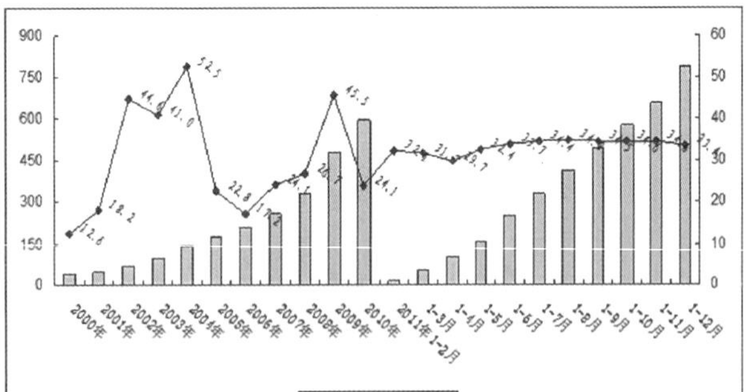

2011年，全省商品住宅投资完成615.0亿元，同比增长34.5%，增幅比上年加快13.4个百分点。其中，90平方米及以下住房投资完成166.0亿元，同比增长46.8%，占商品住宅投资的比重由上年的24.7%提高到27.0%；90-140平方米住房投资完成307.5亿元，同比增长27.3%，占商品住宅投资的比重由上年的52.8%下降到50.0%；140平方米以上住房投资完成141.5亿元，

2011年全省商品住宅投资中不同户型占比情况

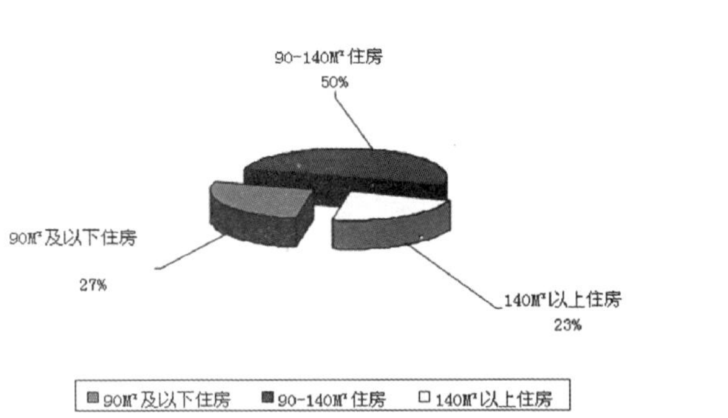

同比增长37.7%，占商品住宅投资的比重由上年的22.5%提高到23.0%。

3、太原都市圈投资增幅回落，城镇群投资增幅加快

2011年，太原都市区所覆盖的9个县（区）房地产开发投资完成330.1亿元，同比增长28.4%，增幅比上年回落17.4个百分点；太原都市圈所覆盖的30个县（市、区）房地产开发投资完成437.1亿元，同比增长27.8%，增幅比上年回落15.1个百分点；晋北城镇群所覆盖的10个县（区）房地产开发投资完成156.4亿元，同比增长44.3%，增幅比上年加快34.7个百分点；晋东南城镇群所覆盖的12个县（市、区）房地产开发投资完成67.1亿元，同比增长35.9%，增幅比上年加快13.1个百分点；晋南城镇群所覆盖的16个县（市、区）房地产开发投资完成62.1亿元，同比增长35.8%，增幅比上年加快55.6个百分点。

2011年"一核一圈三群"开发投资总量及增速情况

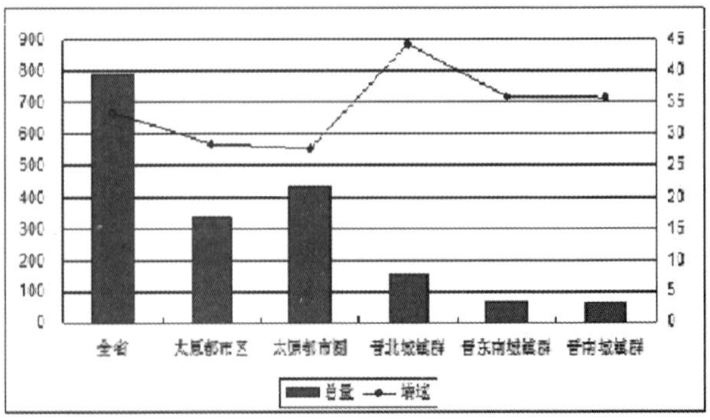

4、房屋施工面积增速回落，竣工面积高速增长

2011年，全省房屋施工面积9325.6万平方米，同

比增长22.7%，增幅比上年回落15.8个百分点，其中商品住宅施工面积7728.0万平方米，同比增长23.6%，增幅比上年回落11.8个百分点；房屋新开工面积2838.3万平方米，同比增长2.0%，增幅比上年回落11.8个百分点，其中商品住宅新开工面积2419.0万平方米，同比增长6.5%，增幅比上年回落1.4个百分点；房屋竣工面积2084.2万平方米，同比增长73.1%，增幅比上年加快33.4个百分点，其中商品住宅竣工面积1867.1万平方米，同比增长88.4%，增幅比上年加快55.0个百分点。

（二）房地产市场销售和土地情况

1、商品房销售额回落幅度明显高于销售面积

2011年，全省商品房销售面积1263.2万平方米，同比增长7.0%，增幅比上年回落7.2个百分点，其中商品住宅销售面积1150.6万平方米，同比增长7.5%，增幅比上年回落3.6个百分点；商品房销售额434.7亿元，同比增长5.6%，增幅比上年回落41.5个百分点，回落幅度比销售面积高34.3个百分点，其中商品住宅销售额372.3亿元，同比增长4.2%，增幅比上年回落41.1个百分点，回落幅度比销售面积高37.5个百分点。

2010年以来商品房销售面积和销售额增速情况

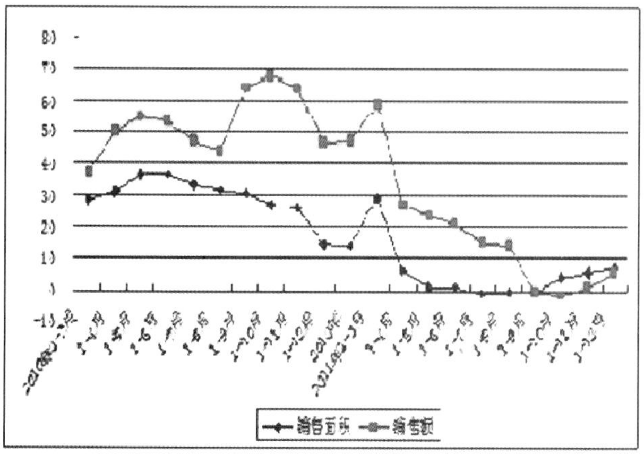

2、太原都市圈销售面积增速下降，城镇群销售面积增速加快

2011年，太原都市区所覆盖的9个县（区）商品房销售面积250.9万平方米，同比下降21.0%，其中商品住宅销售面积223.2万平方米，同比下降23.3%；太原都市圈所覆盖的30个县（市、区）销售面积517.0万平方米，同比下降7.4%，其中商品住宅销售面积469.1万平方米，同比下降9.4%；晋北城镇群所覆盖的10个县（区）销售面积145.1万平方米，同比增长16.6%，增幅比上年加快7.0个百分点，其中商品住宅销售面积131.7万平方米，同比增长27.2%，增幅比上年加快30.1个百分点；晋东南城镇群所覆盖的12个县（市、区）销售面积238.4万平方米，同比增长33.9%，增幅比上年加快29.1个百分点，其中商品住宅销售面积224.0万平方米，同比增长36.9%，增幅比上年加快34.4个百分点；晋南城镇群所覆盖的16个县（市、区）销售面积271.5万平方米，同比增长23.1%，增幅比上年加快31.5个百分点，其中商品住宅销售面积237.7万平方米，同比增长21.7%，增幅比上年加快33.2个百分点。

2011年"一核一圈三群"商品房及商品住宅销售面积增速情况

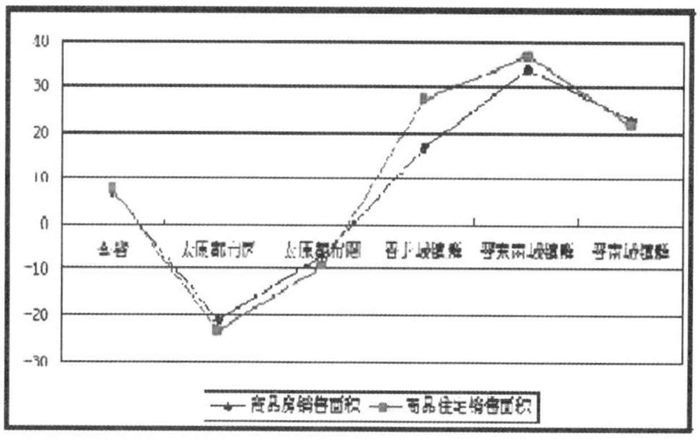

3、商品房单位面积销售额同比下降，太原都市圈下降幅度最大

2011年，全省商品房单位面积销售额为3441元/平方米，同比下降1.3%，其中商品住宅单位面积销售额为3236元/平方米，同比下降3.1%。分地区看，太原都市区所覆盖的9个县（区）商品房单位面积销售额为6438元/平方米，同比下降0.8%；太原都市圈所覆盖的30个县（市、区）商品房单位面积销售额为4452元/平方米，同比下降5.8%；晋南城镇群所覆盖的16个县（市、区）商品房单位面积销售额为2531元/平方米，同比增长18.4%；晋东南城镇群所覆盖的12个县（市、区）商品房单位面积销售额为3195元/平方米，同比增长14.8%；晋北城镇群所覆盖的10个县（区）商品房单位面积销售额为2782元/平方米，同比增长3.2%。

2010年以来商品房及商品住宅单位面积销售额变化情况

单位：元/万平方米

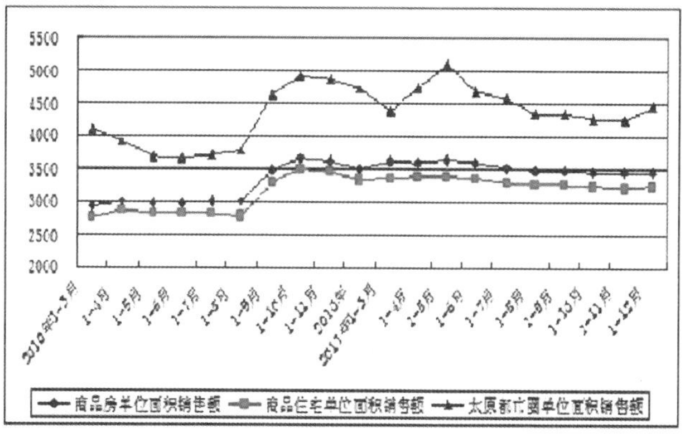

4、房价过快上涨势头得到有效遏制

据国家统计局公布的全国70个大中城市商品房销售价格调查统计，12月份，太原市新建商品住宅销售价格同比上涨1.2%，环比持平。1～11月太原新建商品住宅销售价格同比涨幅分别为2.2%、1.7%、1.7%、1.3%、1.2%、1.1%、1.3%、1.3%、1.4%、1.1%、1.2%、；环比涨幅分别为0.2%、-0.4%、0.3%、0.2%、0.4%、0.3%、0.2%、0.0%、0.1%、-0.1%、0.0%。

2011年各月太原新建商品住宅销售价格指数变化情况

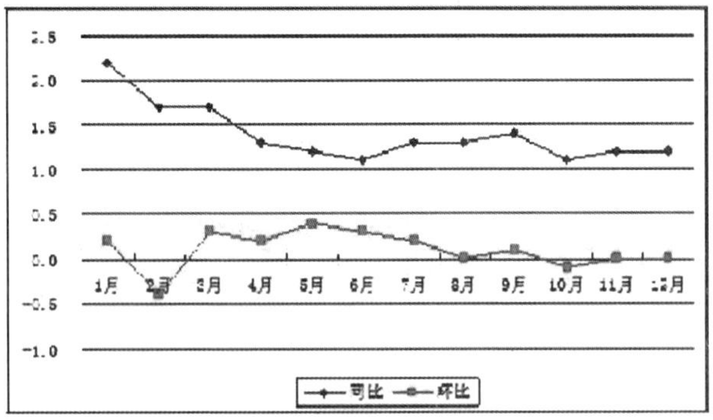

5、土地交易市场低迷

受房地产调控政策的影响，开发企业资金普遍较为紧张，购置土地更加理性，土地流拍频现。2011年，全省房地产开发企业购置土地面积654.9万平方米，比上年减少220万平方米，同比下降25.1%；土地成交价款81.3亿元，同比下降5.3%；企业存量土地532.5万平方米，同比下降9.6%；支付土地费用92.0亿元，同比下降0.6%。

（三）开发企业资金来源情况

1、楼市调控政策效应显现，开发企业各类贷款明显减少

2011年，全省房地产开发企业本年到位资金840.5亿元，同比增长5.6%，增幅比上年回落33.6个百分点。其中，国内贷款68.8亿元，同比下降22.2%，占本年到位资金的比重由上年的11.1%下降到8.2%；自筹资金377.1亿元，同比增长29.3%，增幅比上年回落11.2个百分点，所占比重由上年的36.6%提高到44.9%；其它资金394.6亿元，同比下降5.2%，所占比重由上年的52.3%下降到46.9%。在其它资金来源中，定金及预付款277.3亿元，同比增长2.7%，增幅比上年回落69.1个百分点，所占比重由上年的33.9%下降到33.0%；个人按揭贷款64.7亿元，同比下降6.8%，所占比重由上年的8.7%下降到7.7%。

2、太原都市圈企业到位资金深度回落

2011年，太原都市区所覆盖的9个县（区）开发企业本年到位资金399.9亿元，同比增长2.0%，增幅比上年回落56.6个百分点；太原都市圈所覆盖的30个县（市、区）开发企业本年到位资金501.1亿元，同比增长2.3%，增幅比上年回落52.7个百分点；晋北城镇群所覆盖的10个县（区）开发企业本年到位资金106.1亿元，同比下降24.9%，增幅比上年下降64.6个百分点；晋东南城镇群所覆盖的12个县（市、区）开发企业本年到位资金98.2亿元，同比增长32.5%，增幅比上年加快4.8个百分点；晋南城镇群所覆盖的16个县（市、区）开发企业本年到位资金106.5亿元，同比增长45.1%，增幅比上年加快56.7个百分点。

二、当前房地产开发市场应关注的问题

（一）房地产开发投资 总量仍显不足

虽然2011年我省房地产开发投资保持了快速增长势头，增幅居全国第12位，居中部六省首位，但今年我省房地产开发投资在全国的位次再次后移1位，跌至第25位。从开发投资总量与全国及其中部六省的比较来看，2010年，我省房地产开发投资完成789.9亿元，规模居全国第25位，居中部六省末位；中部其他五省的房地产开发投资分别为：河南2620.0亿元、安徽2590.1亿元、湖北2063.2亿元、湖南1896.7亿元、江西852.7亿元。从开发投资占固定资产投资的比重来看，我省房地产开发投资占固定资产投资的比重仅为11.1%，比全国平均比重低9.3个百分点，比中部六省平均比重低4.5个百分点，中部其他五省的房地产投资占固定资产投资的比重分别为：安徽21.4%、湖南16.6%、湖北16.0%、河南15.5%、江西9.7%。

2011年全国及中部六省房地产开发投资完成情况

地 区	开发投资（亿元）	位次	开发投资增速（%	位次	开发投资占固定资产投资比重（%）	位次
全 国	61740		27.9		20.4	
山 西	790	6	33.4	1	11.1	5
安 徽	2590	2	15	6	21.4	1
江 西	853	5	20.6	5	9.7	6
河 南	2620	1	23.9	4	15.5	4
湖 北	2063	3	27.5	3	16.0	3
湖 南	1897	4	29.1	2	16.6	2

（二）中小户型住房供应仍然偏少

2011年，全省商品房开发结构虽然得到较大调整，但结构性矛盾依然明显，中小户型住房所占比重仍显偏

低。2011 年，全省 90 平方米及以下住房投资占商品住宅投资的比重为27.0%，比全国平均比重低3.8个百分点，施工面积占商品住宅施工面积的比重为28.0%，新开工面积占商品住宅新开工面积的比重为23.2%；140 平方米以上商品住宅投资占商品住宅投资的比重为23.0%，比全国平均比重高2.5个百分点，施工面积占商品住宅施工面积的比重为17.2%，新开工面积占商品住宅新开工面积的比重为15.0%。

（三）后续建设资金缺口较大

从开发资金来源看，2011 年房地产开发企业本年到位资金 840.5 亿元，同比增长 5.6%，增幅比上年回落 33.8 个百分点，比同期开发投资增速低 27.8 个百分点，是 2000 年以来最低的。从近年来开发企业本年资金来源占本年投资完成额的比重来看，2011 年仅为 106%，仅高于 1992 年。一季度为 239%、上半年为 130%、三季度为 112%，一路下降到年底的 106%。由此可见，在继续坚持房地产调控政策不动摇的背景下，房企融资成本加大和资金回笼周期变长、个人购房贷款成本上升，后续建设资金将出现较大缺口。

1990 年以来本年到位资金增速及占开发投资的比重情况

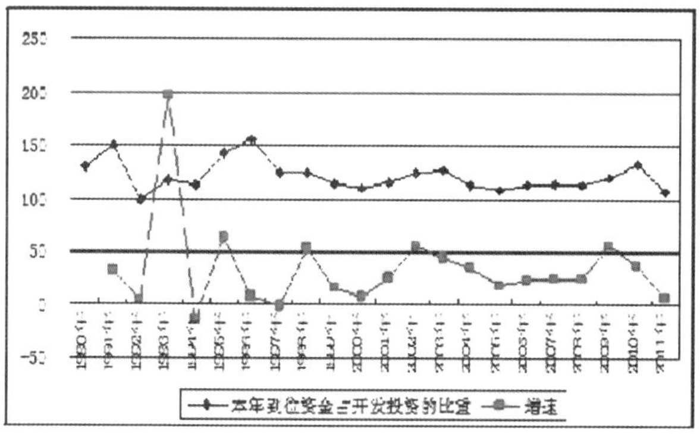

三、促进全省房地产开发业健康快速发展的建议

（一）进一步加大房地产开发投资力度

2011 年，我省的房地产开发投资增速高于全国和中部其它省份，但总量始终位于全国下游水平，并且位次比上年后移 1 位。因此要坚持积极稳妥、把握力度，突出重点、因地制宜的原则，尽量避免或减少调控政策对正在发育的我省房地产市场产生的制约影响，继续加大房地产开发投资力度，加快房地产业发展，逐步缩小与全国和中部六省的差距。

（二）继续调整住宅供应结构，加大保障性住房建设力度

优化住宅供应结构，遏制房价过快上涨势头，是现阶段调控房地产业发展的主旋律。要正确运用宏观调控和市场机制两个手段，以普通居民住宅为重点，推进房地产业发展，加大保障性住房建设力度，确保老百姓买得起或住得上房。要优先保证中低价位、中小套型商品房、保障性住房的建设用地，综合运用税收、信贷、土地等手段，调控住宅供应总量、结构和速度，扩大房地产有效需求。大力推进保障性住房建设，严格落实各类保障房的套型面积，完善保障性住房准入制度，使中低收入家庭、新就业职工和外来务工人员真正享受到住房保障的实惠。

（三）拓宽企业融资渠道，提升综合竞争力

融资能力是房地产企业竞争力的综合性核心要素，是房地产企业实现可持续发展的重要保证。一是要把各类资源向有市场优势、资金回笼快、效益好的优质项目倾斜，保障企业有顺畅的经营现金流量；二是要加强与省内外房地产开发企业、投资银行、基金管理公司的合作，在合适的时机，引入战略投资者，争取获得多方投资者的支持；三是要积极尝试通过房地产信托融资、租赁融资、回租融资、回买融资和夹层融资等方式，提升企业的融资能力；四是要加强企业信用管理，注重资信体系的建设，营造良好的金融信用环境；五是要提高经营管理水平，塑造规范经营的现代企业形象，优化产业结构和资产构成，争取企业上市融资。

2011年保障性住房建设与房地产业发展取得重大成就

省住房和城乡建设厅房地产市场监管处

2011年是"十五"开局之年，是全省保障性住房建设和房地产业取得重大成就的一年。一年来全省认真贯彻落实省委、省政府决策部署，全力推进保障性住房建设，坚决贯彻国家房地产调控政策。切实推进房地产市场健康平稳发展，为促进全省经济社会发展做出积极贡献。

保障性住房建设

2011年是"十二五"规划开局的一年，我省在制度建设、住房建设等方面都取得了显著的成效。省政府印发了《关于进一步加快保障性住房建设的意见》（晋政发〔2011〕12号），在确保建设用地、加大省级资金支持、严格准入退出机制等二十个方面提出了明确要求；印发了《关于加强保障性住房工程质量管理的通知》（晋建保字〔2011〕275号）等文件，要求在保障性住房建设项目设置永久性质量责任标牌，落实工程质量终身责任制。进一步完善工作机制，通过采取加强组织领导、签订目标责任、月报通报、监督检查、会议推进、现场办公、约谈问责等举措，逐步形成了一套推进保障性住房建设和管理的工作机制。多渠道筹集建设资金，全年获得中央补助资金44.49亿元，安排省级补助资金7.87亿元，安排中央代发地方债券41亿元。同时不断加强与金融机构合作，与省工行、农行、中行、建行、开行、农信、民生、渤海银行等8家金融机构签订保障性住房建设贷款合作协议，总额度达450亿元。

2011年，是我省保障性安居工程建设规模最大、完成投资最多的一年。全年开工建设各类保障性住房44.62万套（其中城镇保障性住房38.62万套，农村危房改造6万户），完成投资431.43亿元，竣工28.97万套，发放住房租赁补贴19.67万户。

截至2011年底，全省累计开工建设各类保障性住房138.73万套，竣工103.43万套，完成投资达1341.89亿元。其中：城镇保障性住房累计开工127.54万套，建成90多万套，入住70多万户。"十二五"期间，我省计划建设各类保障性住房123.11万套。2013年底前，基本完成3000平方米以上的集中连片的城市和国家有工矿棚户区改造；2015年底前，对房屋整体存在危险的农村困难家庭住房全部实施改造；到"十二五"期末，我省城镇居民保障性住房覆盖面达到国家要求的20%以上。

房地产开发

2011年，全省完成房地产开发投资789.9亿元，同比增长33.4%，投资增幅在全国排第12位，比全国同期平均增幅高5.5个百分点，在中部六省中排第1位，在周边5省（区）中排第3位。其中，全省商品住宅建设完成投资615亿元，同比增长34.5%。

2011年，商品房施工面积为9325.6万平方米，同比增长22.7%，其中商品住房施工面积为7728.0万平方米，同比增长23.6%；竣工面积为2084.2万平方米，同比增长73.1%，其中商品住房竣工面积为1867.1万平方米，同比增长88.4%；商品房销售面积为1150.6万平方米，同比增长7.5%。

商品住房平均销售价格为3291元/平方米，比2010年下降1.1%。

住宅建设

2011年，全省完成城镇住宅投资1029.9亿元，同比增长39.7%；城镇住宅施工面积11234.8万平方米，同比增长23.2%；竣工面积为3440.1万平方米，同比增长71%。全省城镇居民人均住房建筑面积达32平方米。

全省创建国家康居示范工程项目总数达到18个，位居全国第4位。当年，有1个项目被评为全国物业管理示范工程项目，30个项目被评为全省物业管理示范工程项目。

住房制度改革

公有住房出售和租金改革。截至2011年底，全省累计出售公房7946.12万平方米，其中，当年出售公有旧住房78.7万平方米。公房出售率达到86%以上。

住房分配货币化工作。截至2011年底，全省共有38200名（其中，省直单位9260名）职工领取了住房补贴，发放住房补贴总金额45721万元（其中，省直单位13400万元），位于全国中等水平。

住房公积金监督管理

2011年，全省住房公积金新增归集额163.92亿元，同比增长26.83%，完成本年目标责任制的130.61%；全省共发放公积金个人贷款2.89万笔、41.30亿元，贷款额同比增长20.84%，完成本年目标责任制的81.5%；全年住房公积金实现增值收益3.78亿元，可提供廉租住房建设补充资金8532.47万元。截至2011年底，全省住房公积金实际缴存人数为308.56万人，同比增长5.43%；住房公积金覆盖率为81.21%；全省住房公积金累计缴存总额度达792.31亿元；全省累计向缴存职工发放住房公积金个人贷款18.73万笔、168.14亿元，个人贷款余额为100.37亿元。

2011年，开展了住房公积金专项治理工作，共清理回收历史形成的逾期项目贷款本金173万元，逾期项目贷款本金由年初的1909.1万元减少为1736.1万元；截至2011年底，全省共有106个县（市、区）完成了住房公积金管理机构调整。

根据住房城乡建设部等七部门《关于利用住房公积金贷款支持保障性住房建设试点工作的实施意见》（建金〔2009〕160号）和《关于做好利用住房公积金贷款支持保障性住房建设试点工作的通知》（建金〔2010〕100号）要求，积极推进利用住房公积金贷款支持保障性住房建设试点工作。截至2011年底，运城市作为我省唯一利用住房公积金贷款支持保障性住房建设试点城市，共向试点项目发放保障性住房建设贷款3亿元。

2011年保障性住房建设情况

市（地）	廉租住房		公共租赁住房		经济适用住房		限价商品住房		城市棚户区改造	
名称	建设套数（套）	完成投资（万元）	建设套数（套）	完成投资（万元）	建设套数（套）	完成投资（万元）	建设套数（套）	完成投资（万元）	建设套数（套）	完成投资（万元）
全省	68561	554439	33533	240549	66295	840592	4715	45141	139705	1721016
太原市	1747	14492	4810	8323	18353	313436	2960	28309	6696	85514
大同市	47703	406322	18103	172921	6621	64129	0	0	54145	716591
朔州市	2657	15751	730	4480	1101	17492	0	0	41346	370953
忻州市	6931	27293	671	3168	2837	28687	1230	114492	1250	11962
吕梁市	2292	39541	516	5765	590	6278	0	0	2526	36130
晋中市	1936	13488	1411	9593	17999	173574	0	0	11792	98481
阳泉市	800	8070	1000	3651	2000	42342	0	0	3990	47440
长治市	2599	10882	4592	23400	5289	49377	525	5340	1164	28800
晋城市	144	950	1600	8098	713	36647	0	0	11770	164278
临汾市	0	6600	100	1150	2052	17500	0	0	388	13100
运城市	1752	11050	0	0	8740	91131	0	0	4638	147768

2011 年保障性住房建设情况

市（地）名称	国有工矿棚户区改造		国有重点煤矿棚户区改造		林区棚户区改造		垦区棚户区改造		农村危房改造	
	建设套数（套）	完成投资（万元）	建设套数（套）	完成投资（万元）	建设套数（套）	完成投资（万元）	建设套数（套）	完成投资（万元）	建设套数（套）	完成投资（万元）
全省	39472	329708	26857	413566	4915	13556	2100	3840	60000	151915
太原市	6637	50290	970	16310	187	458	—	—	2900	6460
大同市	6852	64582	14890	233150	293	818	—	—	7600	16868
朔州市	8966	91443	—	—	308	850	1098	1110	12600	28786
忻州市	632	7260	1800	21500	1049	2895	705	2000	7780	23550
吕梁市	0	0	1215	21244	902	2490	196	300	6150	13590
晋中市	0	0	—	—	378	1053	—	—	3366	7485
阳泉市	10306	48672	2000	74732	21	58	—	—	430	966
长治市	30165	41560	—	—	754	2081	—	—	4400	10019
晋城市	0	0	—	—	59	173	—	—	230	1407
临汾市	2000	15182	5982	46630	574	1604	101	430	5700	12580
运城市	1063	10719	—	—	390	1076	—	—	8844	30204

房地产开发主要指标

指标名称	计算单位	2005 年	2010 年	2011 年	2011 年为（%）	
					2005 年	2010 年
房地产开发完成投资	亿元	177.99	592.20	789.90	443.8	133.4
商品房施工面积	万平方米	2266.50	7616.40	9325.60	411.5	122.4
商品房竣工面积	万平方米	667.30	1089.70	2084.20	312.3	191.3
商品房销售面积	万平方米	688.70	1163.40	1263.20	183.4	108.6

城镇住宅建设情况

指标名称	计算单位	2005 年	2010 年	2011 年	2011 年为（%）	
					2005 年	2010 年
建设完成投资	亿元	172.31	730.00	1029.90	597.7	141.1
施工面积	万平方米	2540.2	9126.50	11234.80	442.3	123.1
竣工面积	万平方米	1015.4	1903.70	3440.10	338.8	180.7

山西省住房公积金缴存使用情况

指标名称	2005年	2010年	2011年	2011年为(%)	
				2005年	2010年
缴存人数（万人）	215.55	292.67	308.56	143.2	105.4
缴存总额（亿元）	157.63	628.39	792.31	502.6	126.1
缴存余款（亿元）	117.36	473.07	573.17	488.4	121.2
发放个人贷款总额（亿元）	26.59	127.11	41.03	154.3	32.3

城镇居民人均住房建筑面积及排序

单位：平方米

市（地）名称	数值	排序	市（地）名称	数值	排序
全省	32.0	—	晋中市	30.4	9
太原市	31.0	7	阳泉市	32.4	6
大同市	30.6	8	长治市	33.5	3
朔州市	35.4	2	晋城市	32.6	4
忻州市	29.4	10	临汾市	32.5	5
吕梁市	29.3	11	运城市	35.9	1

物业管理项目获奖情况

指　标　名　称	计算单位	2005年	2010年	2011年
获全国物业管理示范住宅小区称号	个	3	4	1
获全省物业管理示范住宅小区（工业区称号）	个	14	19	30

2011年全省住房公积金运行使用情况

省住房和城乡建设厅住房公积金监管处

2011年，全省住房公积金整体运行情况良好，缴存职工人数稳中有升，缴存额持续增长，提取额大幅增加，资金总体安全完整。

一、缴存情况

（一）缴存人数

2011年，全省新增住房公积金缴存职工17.38万人。截至2011年底，全省住房公积金实际缴存人数为308.56万人，同比增长5.43%；住房公积金覆盖率为81.22%，比上年底提高了2.36个百分点。

（二）缴存额

2011年，全省新增住房公积金缴存额163.92亿元，同比增长26.83%。其中，11个市住房公积金中心共缴存140.21亿元；机构未理顺的省直分中心、山西焦煤分中心、同煤分中心、阳煤分中心、潞安分中心（以下简称“未理顺分中心”）共缴存23.71亿元。

2011年全省及各中心当期缴存额

序号	中心	缴存额（万元）		同比增长(%)
		2011年	2010年	
	全省	11639205.38	1292433.08	26.83
1	忻州市中心	74850.81	53577.56	39.71
2	长治市中心	90796.00	65982.40	37.61
3	朔州市中心	76198.44	55566.62	37.13
4	大同市中心	137313.27	101204.41	35.68
5	晋中市中心	66558.54	53386.59	24.67
6	临汾市中心	109164.80	87757.89	24.39
7	太原市中心	526245.00	429311.00	22.58
8	运城市中心	86848.18	71399.06	21.64
9	晋城市中心	122271.58	100867.39	21.22
10	阳泉市中心	60874.34	52178.33	16.67
11	吕梁市中心	50900.00	45001.27	13.11
未理顺分中心	省直分中心	3660.58	2282.36	60.39
	焦煤分中心	130417.84	101738.20	28.19
	同煤分中心	30851.00	24501.00	25.92
	阳煤分中心	37599.00	19319.00	94.62
	潞安分中心	34656.00	28360.00	22.20

注：太原市中心数据包括太铁分中心数据，下同。

截至2011年底，全省住房公积金累计缴存总额达792.31亿元，同比增长26.09%；缴存余额为573.17亿元，同比增长21.16%（截至2011年底各中心缴存总额和缴存余额占全省比例情况见图I）。

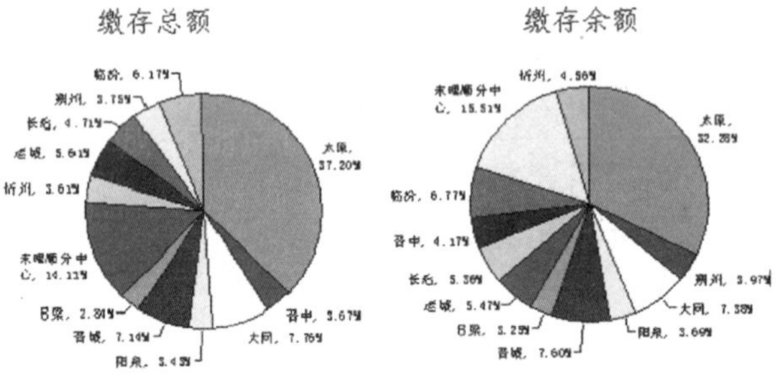

图I 截至2011年底各中心缴存总额和缴存余额占全省比例

二、使用情况

（一）提取额和提取率

2011年，全省职工离、退休和购、建、大修住房等共提取住房公积金63.82亿元，同比增长98.26%。当期提取率（提取额占同期缴存额的比例）为38.93%，同比增加了14.02个百分点（2011年各中心当期提取率情况见图II）。

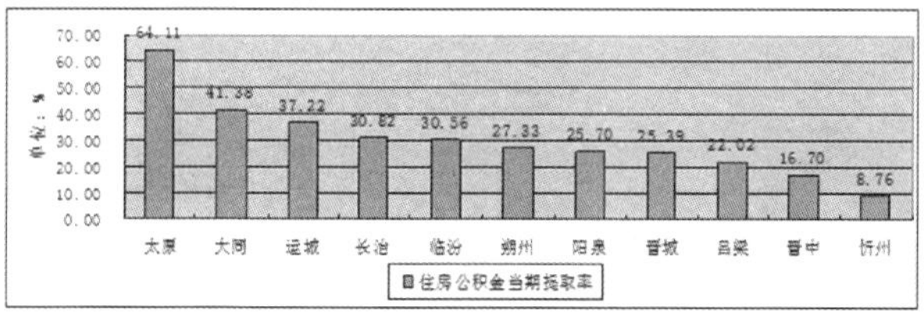

注：未理顺分中心 2011 年当期提取率为 22.76%。

图 11 2011 年各中心当期提取率

截至 2011 年底，全省职工累计提取住房公积金 219.14 亿元，提取率（提取总额占缴存总额的比例）为 27.66%，比上年底提高了 2.94 个百分点。其中，11 个市住房公积金中心共提取 196.19 亿元，未理顺分中心共提取 22.95 亿元。

（二）个贷额和个贷率

2011 年底全省及各中心住房公积金提取率情况表

序号	中心	2011 年底缴存总额（万元）	2011 年底提取总额（万元）	提取率（%）
	全省	7923056.43	2191352.35	27.66
1	太原市中心	2947475.00	1097165.00	37.22
2	大同市中心	614996.76	191864.66	31.20
3	运城市中心	444195.87	130767.25	29.44
4	朔州市中心	297062.67	69570.13	23.42
5	晋城市中心	565718.52	129942.49	22.97
6	阳泉市中心	271579.99	59877.30	22.05
7	临汾市中心	489084.82	101155.60	20.68
8	晋中市中心	290425.64	51689.75	17.80
9	长治市中心	373492.00	66143.00	17.71
10	吕梁市中心	225104.35	39099.22	17.37
11	忻州市中心	285793.50	24580.38	8.60
未理顺分中心	省直分中心	15222.92	2276.10	14.95
	焦煤分中心	545937.39	91293.47	16.72
	同煤分中心	168702.00	31388.00	18.61
	阳煤分中心	160818.00	32825.00	20.41
	潞安分中心	227447.00	71715.00	31.53

2011 年，全省共为缴存职工发放住房公积金个人贷款 2.89 万笔、41.03 亿元，个贷额同比增长 20.84%。其中，11 个市住房公积金中心共发放 39.00 亿元；未理顺分中心共发放 2.03 亿元。全省住房公积金 2011 年当期个贷率（个人贷款额占同期缴存额的比例）为 25.03%，同比减少了 1.24 个百分点。11 个市中心中，当期个贷率低于 20% 的有：太原市中心、晋中市中心、晋城市中心。

2011 年全省及各中心当期个人贷款发放情况

序号	中心	个贷发放额（万元）		同比增长（%）
		2011 年	2010 年	
	全省	410309.93	339561.21	20.84
1	大同市中心	43340.10	21063.84	105.76
2	太原市中心	102180.00	69460.00	47.11
3	忻州市中心	35111.00	24486.50	43.39
4	临汾市中心	51645.60	37799.16	36.63
5	运城市中心	46020.00	37775.50	21.82
6	晋中市中心	11933.21	10324.92	15.58
7	长治市中心	25040.00	22732.20	10.15
8	晋城市中心	20775.40	22261.30	－6.67
9	阳泉市中心	18576.00	25219.90	－26.34
10	朔州市中心	21576.00	32368.69	－33.34
11	吕梁市中心	13828.42	21194.20	－34.75
未理顺分中心	省直分中心	710.00	0.00	
	焦煤分中心	2907.00	1023.00	184.16
	同煤分中心	0.00	0.00	0.00
	阳煤分中心	10644.00	8628.00	23.37
	潞安分中心	6023.20	5224.00	15.30

自住房公积金制度建立以来，全省累计向缴存职工发放住房公积金个人贷款 18.73 万笔、168.14 亿元；截至 2011 年底，个人贷款余额为 100.37 亿元，同比增长 32.29%。全省住房公积金个贷率（个人贷款余额占缴存余额的比例）为 17.51%，比上年底增加了 1.47 个百分点。11 个市中心中，个贷率排前三位的城市为：临汾 34.58%、阳泉 33.59%、运城 32.57%；排后三位的城市为：

晋中14.66%、太原13.86%、晋城11.69%。机构未理顺的省直分中心、山西焦煤分中心、同煤分中心住房公积金个贷率分别为7.44%、1.24%、0%。截至2011年底，全省个贷平均逾期率为0.04%，比上年底降低了0.02个百分点，运城、晋中、阳泉、临汾4市存在逾期个贷，应加强贷后管理，采取有效措施清收逾期个贷（截至2011年底各中心个人贷款总额和余额占全省比例情况见图Ⅳ）。

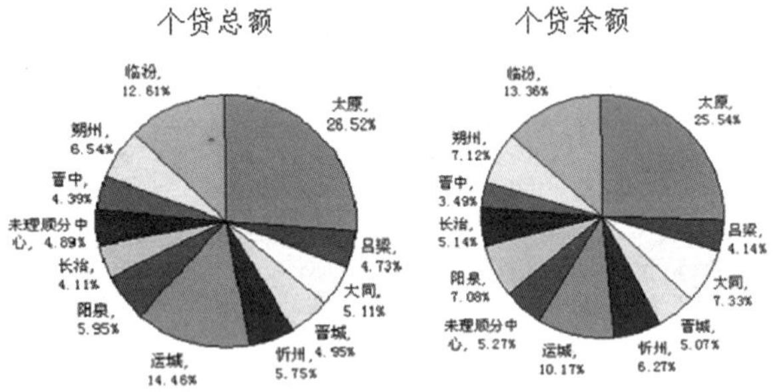

图Ⅳ 截至2011年底各中心个人贷款总额和余额占全省比例

（三）支持保障性住房建设试点情况

2011年，我省利用住房公积金贷款支持保障性住房建设试点的运城市解放南路棚户区综合改造项目前期工作推进顺利，到2011年底，运城市公积金中心已按计划向该项目发放保障性住房建设贷款3亿元。

2011年底全省及各中心个贷率和个贷逾期率情况表

序号	中心	2011年底缴存余额（万元）	2011年底个贷余额（万元）	2011年底逾期贷款额（万元）	个贷率(%)	个贷逾期率(%)
	全省	5731704.08	1003728.15	375.55	17.51	0.04
1	临汾市中心	387929.22	134139.25	2.70	34.58	0.00
2	阳泉市中心	211702.69	71102.76	17.27	33.59	0.02
3	运城市中心	313428.62	102090.83	333.90	32.57	0.33
4	朔州市中心	227492.54	71458.77	0.00	31.41	0.00
5	忻州市中心	261213.12	62979.91	0.00	24.11	0.00
6	吕梁市中心	186005.13	41600.27	0.00	22.37	0.00
7	大同市中心	423132.10	73524.74	0.00	17.38	0.00
8	长治市中心	307349.00	51630.00	0.00	16.80	0.00
9	晋中市中心	238735.89	35005.19	21.68	14.66	0.06
10	太原市中心	1850310.00	256362.00	0.00	13.86	0.00
11	晋城市中心	435776.03	50928.91	0.00	11.69	0.00
未理顺分中心	省直分中心	12946.82	963.31	0.00	7.44	0.00
	焦煤分中心	454643.92	5647.71	0.00	1.24	0.00
	同煤分中心	137314.00	0.00	0.00	0.00	0.00
	阳煤分中心	127993.00	25802.00	0.00	20.16	0.00
	潞安分中心	155732.00	20492.50	0.00	13.16	0.00

（四）国债额

2011年，全省利用住房公积金购买国债7.18亿元，到期兑付国债4.32亿元。

截至2011年底，购买国债余额为14.04亿元，占住房公积金缴存余额的比例为2.45%。

（五）资金使用率、运用率及沉淀率

2011年底，全省住房公积金使用率为42.10%，比上年底增加了3.53个百分点；住房公积金运用率为19.96%，比上年底增加了1.56个百分点。

截至2011年底，全省住房公积金银行专户存款余额为455.58亿元（缴存余额－个贷余额－国债余额－项目贷款余额），沉淀资金为340.95亿元（银行专户存款余额－缴存余额×20%），资金沉淀率为59.48%，比上年底减少了2.08个百分点。

2011年底全省及各中心国债额情况表

序号	中心	2010年底国债余额（万元）	2011年购买额（万元）	2011年兑付额（万元）	2011年底国债余额（万元）
	全省	111741.48	71814.00	43160.50	140394.98
1	太原市中心	36016.00	0.00	0.00	36016.00
2	大同市中心	312.80	5000.00	0.00	5312.80
3	阳泉市中心	11995.00	5600.00	10995.00	6600.00
4	长治市中心	9500.00	250.00	0.00	9750.00
5	晋城市中心	14603.00	0.00	12880.00	1723.00
6	朔州市中心	4002.18	50000.00	0.00	54002.18
7	忻州市中心	1030.50	1000.00	555.50	1475.00
8	吕梁市中心	15482.00	5964.00	11080.00	10366.00
9	阳煤分中心	17600.00	4000.00	6950.00	14650.00
10	潞安分中心	1200.00	0.00	700.00	500.00

注：资金使用率指个人提取总额、个人贷款余额与

年鉴
Shanxi Provincial Association Of the Real Estate Industry
山西省房地产业协会

购买国债余额之和占缴存总额的比例；资金运用率指个人贷款余额与购买国债余额之和占缴存余额的比例；沉淀资金指住房公积金银行专户存款余额扣除必要的备付资金（按缴存余额的 20%）；资金沉淀率指沉淀资金占缴存余额的比例。

2011 年底全省及各中心资金使用和资金沉淀率情况表

序号	中心	资金使用率(%)	中心	资金运用率(%)	中心	资金沉淀率(%)
	全省	42.10	全省	19.96	全省	59.48
1	朔州	65.65	朔州	55.15	朔州	24.85
2	运城	52.42	阳泉	36.70	运城	37.86
3	阳泉	50.66	临汾	34.58	阳泉	43.30
4	临汾	48.11	运城	32.57	临汾	45.34
5	太原	47.14	吕梁	27.94	吕梁	52.06
6	大同	44.02	忻州	24.68	忻州	55.32
7	吕梁	40.45	长治	19.97	长治	60.03
8	长治	34.14	大同	18.63	大同	61.37
9	晋城	32.28	太原	15.80	太原	64.15
10	忻州	31.15	晋中	14.66	晋中	65.14
11	晋中	29.85	晋城	12.08	晋城	67.92
未理顺分中心	省直	21.28	省直	7.44	省直	72.56
	焦煤	17.76	焦煤	1.24	焦煤	78.76
	同煤	18.61	同煤	0.00	同煤	80.00
	阳煤	45.57	阳煤	31.60	阳煤	48.40
	潞安	40.76	潞安	13.48	潞安	66.52

三、增值收益情况

2011 年，全省住房公积金实现增值收益 3.78 亿元，同比降低 9.16%；增值收益率为 0.658%，比去年减少 0.172 个百分点。扣除风险准备金和管理费用，全省实现增值收益可提供廉租住房建设补充资金 8532.47 万元。增值收益率排前三名的城市为吕梁 1.242%、忻州 1.205%、长治 1.093%；排后三名的城市为太原 0.565%、晋城 0.362%、大同 0.197%。

2011 年全省住房公积金增值收益情表

单位	增值收益（元）	负债总额（元）	增值收益率（%）	增值收益率排名
省合计	378136981.67	57500611491.04	0.658	
太原市中心	106905522.77	18935727817.00	0.565	9
大同市中心	8443816.12	4286933540.00	0.197	11
阳泉市中心	16418703.82	2234095767.30	0.735	7
长治市中心	34240475.58	3133765029.87	1.093	3
晋城市中心	16120620.65	4457518763.07	0.362	10
朔州市中心	23786008.82	2337534971.22	1.018	6
晋中市中心	16428758.47	2436287173.34	0.674	8
忻州市中心	33025780.38	2740914575.75	1.205	2
临汾市中心	42010241.00	4047700810.60	1.038	5
运城市中心	33854047.21	3182244182.75	1.064	4
吕梁市中心	23692317.75	1906886024.16	1.242	1
省直分中心	－2158430.21	131352103.13	－1.643	
焦煤分中心	10457524.98	4584409198.48	0.228	
同煤分中心	0.00	0.00	0.000	
阳煤分中心	9366444.23	1425256041.47	0.657	
潞安分中心	5545150.10	1659985492.90	0.334	

二〇一二年二月二十日

创新供地机制 贯彻落实调控房地产政策

省土地学会

党中央、国务院历来将关乎群众切身利益的事，当做头等大事来抓，当做要事来办。在医疗、教育、住房、就业、养老等各个领域，根据社会经济发展的不同阶段，各类群体的不同诉求，均会利用金融、税收、财政、土地等政策调控，并同时加入问责机制来督促各类政策的贯彻落实情况。

在2011年，是我国政治、经济、文化体制改革进入关键的一年，同时也是我国十二五规划的开局之年。在2011年，随着我国的城镇化建设进一步加快及产业结构的调整，农村剩余劳动力等的转移使得城镇人口迅猛增加．城镇人口的增加，对我国以投资，出口为主拉动经济增长，向以消费为主拉动经济增长有积极的推动作用，但是同时也带来城镇就业压力增大，住房刚性需求加大等等问题。针对以上态势，党中央国务院陆续出台了税收、信贷、财政、土地的房地产调控政策，目的就是让大多数群众住房的基本需求得到满足。2011年国家制定的十二五规划中就明确提出，”进一步落实地方政府责任，把保障基本住房、稳定房价和加强市场监管纳入各地经济发展的工作目标，由省级人民政府负总责，市、县人民政府负直接责任。完善土地供应政策，增加住房用地供应总量，优先安排保障性住房用地，有效扩大普通商品房供给。显见，党中央国务院将房地产调控，保障群众住房纳入长期的执行的政策之中，并纳入经济发展的工作目标，而且还明确了各级政府的责任，同时强调土地供应要从总量、时序上优先。随后，国务院以国办发〔2011〕1号向各省、自治区、直辖市人民政府、国务院各部、各直属机构发出“关于进一步做好房地产市场调控工作有关问题的通知”（以下简称通知）。为有效落实问责机制，通知中进一步细化了地方政府的责任。在通知中指出“各城市人民政府要根据当地经济发展目标、人均可支配收入增长速度和居民住房支付能力，合理确定本地区年度新建住房价格控制目标，并于一季度向社会公布。为使大部分低收入家庭，购得起房。从影响房价的主要因素土地上，从供应总量、供应方式、建房用地、闲置土地等方面均作了明确细致的规定。在通知中明确提出，“认真落实保障性住房、棚户区改造住房和中小套型普通商品住房用地不低于供应住房建设供应总量的70%的要求。进一步完善土地出让方式，大力推广“限房价、竞地价”方式供应中低价位普通商品住房用地”。对擅自改变保障性住房用地性质的，要坚决纠正和严肃处理。对已供房地产用地，超过两年没有取得施工许可证进行开工建设的，必须及时收回土地使用权，并处以闲置一年以上罚款。要依法查处非法转让土地使用权的行为，对房地产开发建设投资达不到25%以上的（不含土地价款），不得以任何方式转让土地及合同约定的土地开发项目。

国土资源部为全面贯彻落实《通知》要求，于2011年2月5日，以国土资发〔2011〕2号向各省市区国土资源部门发出“关于切实做好2011年城市住房用地管理和调控重点工作的通知”并在通知中提出：2011年的重点任务和基本要求；2011年住房用地供应计划编制和实施；切实保证保障性安居工程用地供应；坚持完善招拍挂供地政策；加强对囤地炒地、闲置土地的监测和查处等五项具体要求。

我省国土资源厅为将国务院、国土资源部的房地产调控政策落到实处，并为进一步做好住房供地的供前、供中、供后的监管，出台了具体的落实办法。

在供地前规定，市、县国土资源管理部门应及时向社会公布供地计划、供地时序、宗地情况、和供地条件．凡未发布住房供应计划的，一律不得向安居工程以外的商品房住房供地。要会同市县规划主管部门，严格依据经批准的控制性详细规划和集约集约用地要求，将出让地块的位置，使用性质、开发强度、住宅建筑套数、套型建筑面积等套型结构比例条件，作为土地出让的规划条件，列入出让合同。并将住房建设主管部门提出限价商品房的控制性销售价位，商品房住房建设项目中保障性住房的配建比例、配建套数、套型面积、设施条件和项目开竣工时间及建设周期等建设条件作为土地出让依据，并纳入出让合同。对违反规定的出让公告，及时撤销出让公告，重新拟定出让方案。

在供地中规定，对招拍挂出让中溢价率超过50%、成交总价或单价创历史新高的地块，市、县国土资源主管部门要在成交确认书签订（中标通知发出）后2个工作日，通过中国土地市场网下载并填写《房地产用地交易异常情况一览表》分别上报国土资源部和省厅。对可能在公开出让中成交总价或单价创历史新高、成交楼面地价超出周边地价的，要按部里通知的要求暂停出让，重新调整出让方案。

在供地后规定，保障性住房用地改变用途搞商品房开发的，必须坚决依法没收非法所得，收回土地使用权，由市、县国土资源管理部门重新招拍挂出让，对因企业原因造成土地闲置一年以上的，非法转让土地使用权的、违背出让合同约定条件开发利用土地等违法违规违约行为的开发商列入黑名单，在违法违规违约行为查处整改到位前，不准其参与招拍挂出让土地活动。对保障性安居工程住房建成后申请改变住房性质的，在纪检监察机关依法依纪追究相关部门和人员责任前，不得为其办理任何土地手续。各市、县国土资源局要加强住房建设用地全程监管，实时跟踪土地开发利用情况，加大清理查处违法违规违约行为力度，严厉打击囤地、炒地，确保闲置土地及时依法依规处置到位，促进住房用地按期依规开发利用。

据有关部门统计，在2011年住宅供地面积2577公顷，同比增42.52%。其中保障性住房、棚户区改造、中小套型商品房供地共1960公顷。占住宅供地面积的76.06%，高于国务院要求的6.06个百分点。由于土地供应上的出台的一系列措施，有力地保障了我省房地产调控政策落实到位。

2011年房地产法律法规政策综述

省房地产业协会法律事务部

2011年是全国楼市调控政策最为严厉的一年，也是调控政策落实最到位的一年。房地产调控政策以限购、限贷、限价等行政性调控手段为主，着力抑制投资投机性需求和遏制房价过快上涨，促进房价合理回归，大力推进保障性住房建设，加快普通商品住房建设，扩大有效供给，促进房地产市场健康发展。在2011年严厉的调控下，国房景气指数、70个大中城市房价综合指数等各项指标均显示全国房地产市场已经逐渐入稳，调控效果正逐渐显现。

房地产业发展具有强烈的“波及效应”。它的健康稳定发展会给整个国民经济的稳定发展提供重要基础。相反，如果房地产业发生重大波动，其对国民经济系统的平稳发展所带来的危害也是巨大而深刻的。这为政府利用一切可行手段调控房地产市场提供了理论依据。因此，在国民经济发展的周期性波动中，每一轮经济发展的启动，首先由启动房地产业开始，但当经济发展到一定程度出现过热时，国家调控经济的政策也从房地产业入手。在此背景下，2011年我国政府陆续出台了一系列政策措施以进一步加强和改善房地产市场调控。这些政策主要包括行政政策、税收政策、金融政策和住房保障等政策。

一、坚持调控政策不动摇 促进房价合理回归

2011年以来中央政府始终对房地产市场调控保持从严态势，调控力度不会放松。进一步巩固和扩大调控成果、确保调控目标和各项政策措施全面落实到位，

2011年1月26日，国务院总理温家宝主持召开国务院常务会议，研究部署进一步做好房地产市场调控工作。会议指出，自2010年4月份《国务院关于坚决遏制部分城市房价过快上涨的通知》印发后，房地产市场出现积极变化，房价过快上涨势头得到初步遏制。为巩固和扩大调控成果，逐步解决城镇居民住房问题，继续有效遏制投资投机性购房，促进房地产市场平稳健康发展，必须进一步做好房地产市场调控工作。会议确定了被业界称为“新国八条”的八项政策措施，其中，首次将房价调控目标化，明确要求在一季度落实各地区年度价格控制目标，首次将责任落实到地方政府。

此后，国务院总理温家宝在历次召开的国务院常务会议上均强调：“要坚定不移地搞好房地产调控各地政府要切实负起责任。继续严格执行政策，进一步巩固调控成果。”2011年12月12日召开的中央经济工作会议再次明确要求要坚持房地产调控政策不动摇，促进房价合理回归，加快普通商品住房建设，扩大有效供给，促进房地产市场健康发展。

针对房价上涨过快而一系列政策效果不够明显的问题，2011年1月26日国务院办公厅发布了《关于进一步做好房地产市场调控工作的有关问题的通知》（国办发〔2011〕1号），该通知第一次明确要求“各直辖市、计划单列市、省会城市和房价过高、上涨过快的城市，在一定时期内，要从严制定和执行住房限购措施”。2011年房地产政策的一个主要目标是控制住房价格。“限购令”出台后的几个月，许多实施“限购令”的大中城市商品房销售面积出现负增长，但2-5月份70个大中城市的新建商品住房的的价格同比下降的城市仅占到1%-4%，因此相关部委出台了一系列配套措施，希望通过商品房明码标价、降低开发企业和居民的生产和交易费用、减少安全和质量事故等来维护和保障企业和居民的利益，从而促进市场的健康发展。

作为“限购”等控制房价政策的配套政策，2011年3月16日国家发改委发布了《商品房销售明码标价规定》，要求商品房销售要实行一套一标价，并明确公示代收代办收费和物业服务收费。

2011年3月16日国家发改委发布了《关于降低部分建设项目收费标准规范收费行为等有关问题的通知》，2011年5月17日住房与城乡建设部发布了《房屋市政工程生产安全和质量事故查处督办暂行办法》，这些政策旨在通过降低开发企业和居民的生产和交易费用、减少安全和质量事故来维护和保障企业和居民的利益，是做好房地产市场调控工作、保证市场健康发展的重要举措。

可见，中央加强房地产调控的目标和决心是明确的、坚定的。楼市调控是一项艰巨复杂的任务，只有不断加

强和改善房地产市场调控，确保政策落实到位，既着眼于解决当前问题，又致力于长远制度建设，房地产市场才会平稳健康发展。

制定年度调控目标是“新国八条”中的一项新举措，一经公布便引起社会广泛关注，并得到舆论的普遍肯定，认为这一举措有利于让公众充分享有知情权、监督权，更使得问责地方政府具有可操作性。

让房价保持在一个合理的水平，但这个“合理”的标准界定，在各地出台的房价控制目标上却是五花八门。其实，最合理的水平应该是与居民住房支付能力相匹配，与CPI涨幅相适应的区间，各地公布的房价控制目标，与此显然还有距离。而且调控目标里除了北京提出“稳中有降”以外，多数城市只是将房价控制目标与当地经济增长速度和人均可支配收入增速挂钩，将控制目标定为上涨10%左右。这使得民众对整个房地产调控的未来产生动摇，也对整个房地产调控政策的公信力产生质疑。显然，楼市调控因其涉及民生、经济金融、政治等多重因素，已经到了强化执行的关键。

为了贯彻落实（国办发〔2011〕1号）文件精神，加强我省房地产市场调控、住房保障与稳定住房价格，促进房地产平稳健康发展，2011年3月18号省政府办公厅公布了《关于进一步加强房地产市场调控促进房地产市场平稳健康发展的通知》，《通知》进一步强化了地方政府在稳定房地产市场的作用。同时提出了稳定住房价格、保障性住房建设的具体目标，要求“商品住房价格超出全省平均20%的城市，2011年要采取“限房价、竞地价”方式建设一定规模的限价商品住房，同时对贷款购买第二套住房的家庭要求首付款比例不低于60%，贷款利率不低于基准利率的1.1倍。

为了进一步加强房地产市场管理的规范化，2011年5月，省住建厅和省物价局分别发布了“关于印发《房屋登记办法》实施细则的通知”和“关于印发《商品房销售明码标价的规定》实施细则的通知”进一步明确了房屋登记的具体操作细则，要求商品房价格应做到“一套一标”，而且应当“在交易场所的醒目位置放置标价牌，价目表或价格手册”，并明确了价目表及价格手册中应当包含的具体内容。

二、保障性住房政策不断健全 保障性住房建设继续加紧

国务院办公厅《关于进一步做好房地产市场调控工作的有关问题的通知》中确定了2011年全国建设保障性住房和棚户区改造住房1000万套的目标，之后就出台了一些为实现该目标“保驾护航”的配套政策。4月29日国土资源部发布的《关于加强保障性安居工程用地管理有关问题的通知》要求各地要切实做到保障性安居工程用地应保尽保、及时供应，要严格控制保障性安居工程建设标准，同时严禁擅自利用农村集体土地兴建公共租赁住房，严格规范企业利用自用土地兴建保障性住房行为。住建部5月10日发布的《关于公开城镇保障性安居工程建设信息的通知》和5月18日发布的《关于加强保障性安居工程质量管理的通知》则从保障性住房的建设管理方面提出了具体的要求，使保障房质量有了进一步的保证。5月24日财政部和住建部发布的《关于切实落实保障性安居工程资金加快预算执行进度的通知》和6月9日国家发改委发布的《关于利用债券融资支持保障性住房建设有关问题的通知》则指出了保障性住房建设所需资金的具体来源和管理方法。一系列的政策保障使得各地的保障性住房建设有了实质性的进展，许多省市的开工面积都成到或超过了既定的指标。

6月11日，省政府发布了《关于进一步加快保障性住房建设的意见》，明确了到“十二五”期末，全省城镇居民住房保障覆盖面达到20%以上的目标，以及包括公共租赁房在内的各类保障性住房的具体建设目标，同时提出了在土地供应，税收减负、资金支持等具体措施，要求各级政府要加强保障性住房的分配运营管理，确保公开、公平、公正，在进一步加快保障性住房建设，切实改善城镇低收入家庭和农村困难群众的住房条件的进程中迈出了更为扎实的步伐。

为了进一步加强保障性住房建设，解决城镇中低收入家庭的住房困难，完成保障房建设任务农村危房改造。我省组织编制《山西省保障性住房建设“十二五”规划》。

“十二五” 规划根据（国办发〔2011〕45号）以及住房和城乡建设部《“十二五”住房保障规划（草案）》和《山西省国民经济和社会发展第十二个五年规划纲要》制订，为推进住房保障工作，解决城镇中低收入家庭、新就业职工、外来务工人员的住房困难以及农村困难家庭的基本居住安全问题，指导和统筹全省保障性住房建设，实现住有所居基本目标，促进社会和谐稳定，更好地适应我省转型跨越发展和城镇化进程加快起到了重要作用。

“十二五”规划所称住房保障是指政府通过提供租赁型或产权式的保障性住房、发放租赁补贴、提供建房补助等方式，帮助仅依靠自身努力难以解决基本居住问题的家庭享有基本住房并逐步改善住房条件的一系列制度安排。所称保障性住房是指政府通过政策扶持、货币补贴或直接组织建设保障性安居工程，在对中低收入住

房、困难家庭实行分类保障过程中所提供的限定供应对象、建设标准、销售价格或租金标准，具有社会保障性质的住房，主要包括廉租住房、公共租赁住房、经济适用住 房、限价普通商品住房，以及城市和国有工矿、国有重点煤矿、林区、垦区等各类棚户区改造。

国务院领导2011年以来在不同场合分别表态要加快保障性安居工程建设足以显现出政府对此项工作的重视。保障性安居工程是“十二五”时期保障和改善民生的标志性工程，也是当前经济工作的硬任务。未来五年，要建设保障性住房、棚户区改造住房3600万套，这是推动科学发展、加快转变经济发展方式的具体实践，具有重大的现实意义和深远的历史影响

三、房产税改革 加强税收调控

2011年出台的房地产税收政策主要是《关于调整个人住房转让营业税政策的通知》，恢复了个人转让住房营业税的征收办法，即个人将购买不足5年的住房对外销售的，全额征收营业税；个人将购买超过5年（含5年）的非普通住房对外销售的，按照其销售收入减去购买房屋的价款后的差额征收营业税；个人将购买超过5年（含5年）的普通住房对外销售的，免征营业税。

房地产税收方面引人关注的是批准了上海和重庆对部分个人住房征收房产税试点。国务院同意在部分城市对个人住房征收房产税试点。2011年1月27日晚间，重庆和上海几乎同时宣布，1月28日起试点征收房产税。作为两个试点城市，重庆、上海房产税征收方案有很大不同，重庆市房产税改革试点采取分步实施的办法。首批纳入征收对象的住房包括，个人拥有的独栋商品住宅，个人新购的高档住房，在重庆市同时无户籍、无企业、无工作的个人新购的第二套（含第二套）以上的普通住房。未列入征税范围的个人高档住房、多套普通住房将适时纳入征税范围。重庆市个人住房房产税税率征收标准为，独栋商品住宅和高档住房建筑面积交易单价在上两年主城九区新建商品住房成交建筑面积均价3倍以下的住房，税率为0.5%，3倍（含3倍）至4倍的，税率为1%，4倍（含4倍）以上的，税率为1.2%，在重庆市同时无户籍、无企业、无工作的个人新购第二套（含第二套）以上的普通住房，税率为0.5%。 和“重庆版”房产税征收方案不同的是，上海的方案针对新增一般房地产而且按照人均面积考虑起征点，税基暂按应税住房市场交易价格的70%计算缴纳，适用税率暂定为0.6%，对应税住房每平方米市场交易价格低于当地上年度新建商品住房平均销售价格2倍（含2倍）的，税率暂减为0。

四、金融政策积极稳健 审慎灵活

2010年12月10日至12日在北京召开的中央经济工作会议提出了2011年经济工作“加强和改善宏观调控，保持经济平稳健康运行”等六项主要任务，明确了2011年宏观经济政策的基本取向是“积极稳健、审慎灵活”，要实施积极的财政政策和稳健的货币政策。

当天，央行亦宣布从2010年12月20日起，上调存款类金融机构人民币存款准备金率0.5个百分点。2011年上半年，央行以每月一次的频率上调存款准备金率，自6月14日再度上调0.5个百分点后，大中型金融机构存款准备金率已经达到21.5%的历史高位，凸显了当前货币政策的“稳健”特征。虽然2011年11月以来央行连续两次下调了存款准备金率，但下调存准率主要是基于实体经济融资困难、外汇占款下降等因素，并不意味着货币政策基调有所放松。

与此同时，2011年中国人民银行3次加息，自2011年7月7日起上调金融机构人民币存贷款基准利率后，金融机构人民币一年期存款利率达3.5%，一年期贷款利率达6.56%。在经济增速趋缓的背景下，央行3次加息凸显出我国政府坚决抑制通货膨胀的决心。

提高存款准备金率、上调利率等一系列银根紧缩政策主要是为了继续抑制通货膨胀、收紧市场的流动性，但同时一定程度上也是为了配合楼市调控。房地产是典型的资金密集型行业，银根紧缩政策对开发与消费都明显依赖银行信贷的房地产市场将产生重大影响。

首先，在企业资金方面，从目前情况来看，房地产开发对银行贷款依赖度过高的状况还没有从根本上改变，房地产开发企业资金来源中50%以上依赖银行贷款。在此情况下，商业银行为满足提高存款准备金率的要求，控制贷款增长速度，甚至收紧贷款，必将给房地产开发企业的流动性带来压力。特别是一些中小企业，由于资信、抵押等诸多方面的原因，要想满足贷款需求就更加困难。与此同时，在一系列遏制房价过快上涨等宏观调控政策影响下，今年以来全国房地产开发企业资金来源同比增长速度已经显现出快速回落态势。随着一系列调控政策的出台，银行总体信贷规模将随之缩小。作为滞后指标，在开发贷款的结构性收紧以及资本市场再融资的难度加大等影响下，开发企业资金来源增长速度回落会更加明显。 其次，银根紧缩政策也将遏制房地产市场需求。近几年我国房地产价格在一系列宏观政策调控下依然屡创新高，不断加强了消费者“越晚入市，房价越贵”的预期，

助长了消费者和投资者的"追涨"行为。一些消费者拼凑首付款后按揭供房，一些投资者利用按揭贷款的杠杆效应，放大房地产投资规模，这些现象的存在使房地产消费与投资需求过度膨胀。提高存款准备金率在各种货币政策中是发挥效率最直接和迅速的政策工具，商业银行在这一政策作用下必须立即做出反应。尽管商业银行可以首先选择出售有价证券弥补流动性的不足，但中期看，其贷款业务不可能不作相应调整，至少贷款增长速度将会放缓。在房地产按揭贷款中，银行可能将更严格地执行首付款比例要求，一定程度上将遏制近年来房地产需求的过度膨胀。 从理论上讲，银根紧缩将对房地产行业的供求双方产生巨大影响。但值得注意的是，虽然政府不断出台措施，决策层也多次表示要遏制房价的过快上涨，但从现实情况来看，其效果并不明显。截至目前，全国70个大中城市房屋销售价格同比仍在上涨。面对不断上涨的房价不仅需要政府有更多的精力关注房价，对房地产市场的健康发展予以调控，更需要政府提高公共政策水平和政策执行能力。

五、新政策颁布 完善房产管理

首部规范房地产经纪行为法规开始实施，由住房城乡建设部、发展改革委、人力资源社会保障部联合出台的《房地产经纪管理办法》，2011年4月1日开始实施。这是我国第一个专门规范房地产经纪行为的部门规章，《房地产经纪管理办法》明确对房地产经纪机构和人员可以采取多种管理手段和监督措施。

房地产经纪行业已成为房地产业和现代服务业的重要组成部分。近年来，我国房地产经纪行业快速发展。据不完全统计，目前全国房地产经纪机构逾5万家，从业人员超过100万人。房地产经纪机构在搞活二手房市场以及降低交易成本、提高效率等方面都发挥了积极作用。但令人忧心的是，房地产经纪在快速发展的同时，也出现了很多新问题。由于房地产经纪行业门槛低、人员流动性大、市场秩序不规范，一些经纪机构存在发布虚假信息、协助当事人签订阴阳合同、吃差价、挪用交易资金等不规范行为。同时，由于房地产经纪管理涉及多个部门，各部门之间缺乏有效衔接，法律依据不充分，导致对房地产经纪的监管也不到位。为解决这一问题，从2002年起，原建设部启动了房地产经纪立法的前期研究工作，并起草了相关草案。

纵观各项调控措施，各种税收，金融，保障等政策，以及新政策的颁布，房地产相关法律法规、政策不断完善，改进，房地产发展环境更加健康。房产发展前景趋于看好，政策调控趋于清楚理性。

产业发展报告

CHANYEFAZHAN BAOGAO

太原市2011年房地产业发展报告

太原市房地产业协会

【综述】

2011年1月26日，国务院出台了被称为“史上最为严厉”的调控政策“国八条”。从近一年的诸多迹象表明，调控政策已经取得一定的短期成效；但从长远来看，“国八条”的出台更是为了逐渐平衡住房市场供需结构，引导房地产市场健康稳定发展。我市也积极响应，对各项细则深入落实。2月19日出台了《关于进一步做好房地产市场调控工作的意见》，将限购房屋范围从“新建商品住房”扩大到“住房”； 3月18日，太原市政府发布《关于进一步稳定省城住房价格的通知》。确定2011年太原市新建商品住房年度价格涨幅不超过全市年度GDP和人均可支配收入增长水平的控制目标。

在此一系列的调控政策之下，我市房地产市场呈现出以下几个特点：一、房价整体下跌。全年我市商品房平均成交价格为6918元/㎡，同比下降9.54%，其中商品住房平均成交价格为6058元/㎡，同比下降16.77个百分点；二、需求回归理性。在政府调控的影响下，不自量力、盲目攀比、盲目投资的购房行为已经日趋减少，房产需求已有回归理性的态势；三、市场成交低迷。2011年，受政府延续性的调控政策影响，保障房大量推出、政府利用信贷杠杆严控房地产投资的市场状况下，投机、投资性购房需求受到极大抑制，加之消费者的持续观望，房地产市场成交持续低迷。全年我市二手房交易办证面积为59.19万㎡，同比减少4.19%。

【 房地产市场开发投资情况】

（一）房地产开发投资

2011年1-12月份，我市固定资产投资1024.14亿元，较去年同期增加107.76亿元，同比增加11.75%，其中房地产开发投资为312.08亿元，占比由去年同期的26.31%上升到30.47%，说明我市房地产开发投资占全社会投资比例呈现逐年上涨的趋势。前12个月我市房地产开发投资较去年同期增加70.99亿元，同比增加达到29.45%。

（二）房屋施工面积

全年，我市房屋正在施工面积为2854.55万㎡，同比增加20.62%，其中住宅施工面积2373.98万㎡，占比高达83.16%，表明我市房屋施工仍然以住宅为主，同比增加23.50%。

（三）房屋新开工面积

1-12月份，我市房屋新开工面积704.23万㎡，同比增加2.51%，其中住宅新开工面积为610.14万㎡，占到86.64%，同比增加9.81%。

（四）房屋竣工面积

2011年全年，我市房屋竣工面积232.70万㎡，同比上升79.58%，其中住宅竣工面积210.82万㎡，同比增加112.11%，占到总竣工面积的90.60%。

表1 2011年1-12月份房地产开发投资情况表

单位：亿元、万㎡

	11年1-12月	10年1-12月	同比%
固定资产投资	1024.14	916.48	11.75
房地产开发投资	312.08	241.09	29.45
其中：住宅	246.39	185.16	33.07
房屋施工面积	2854.55	2366.52	20.62
其中：住宅	2373.98	1922.21	23.50
房屋新开工面积	704.23	687.02	2.51
其中：住宅	610.14	555.61	9.81
房屋竣工面积	232.70	129.58	79.58
其中：住宅	210.82	99.39	112.11

通过以上数据说明，我市房地产开发投资在全社会固定资产投资中的比重逐年增加，占有越来越重要的地位。在房地产开发各项指标中，均较去年同期有较大幅度增加，且呈现出以住宅为主的特点，各项指标中住宅所占比重均在80%以上。

【 商品房市场成交情况】

一、商品房供应情况

2011年1-12月，我市商品房月末累计可售面积为729.03万㎡，其中商品住房月末累计可售面积为431.5万㎡占到商品房月末累计可售面积的59.19%。

二、成交面积分析

（一）基本情况

2011年全年，我市商品房成交面积为288.28万㎡，成交套数24366套，同比分别下降13.76%和3.49%，户均套型面积118.31㎡；其中商品住房成交面积为244.42万㎡，占商品房总成交面积的84.79%，同比下降

16.1%，成交套数 20850 套，同比下降 8.92%，户均套型面积 117.23 m²。（具体情况见下表）

表 2 2011 年 1-12 月份我市商品房市场成交情况

单位：万m²，%，套，m²

	成交面积		成交套数		户均面积
	数值	同比	数值	同比	
商品房	288.28	-13.76	24366	-3.49	118.31
商品住房	244.42	-16.1	20850	-8.92	117.23

今年 1-12 月我市商品住房成交面积为 244.42 万m²，同比下降 16.1%，市场观望情绪浓厚。商品住房成交面积 12 个月同比均下降，且全年平均降幅达 16.01%。特别是以往"金九银十"的销售旺季今年并没有出现，两个月商品住房同比分别下降 24.09% 和 22.97%。表明在"限购令"等政策的影响下，我市商品住房市场观望情绪浓厚。

（二）商品住房各面积段成交情况

2011 年 1-12 月，我市商品住房成交面积为 244.42 万 m²，其中 120-144 m² 面积段成交面积最大，达到 67.06 万m²，占商品住房总成交面积的 27.44%；其中小于 90 m²面积段成交面积为 42.51 万m²，占到 17.39%，较之 2010 年年底提高 3.05 个百分点，增幅虽然缓慢，但说明居民购房观念正在逐渐转变，大户型不再是购房者唯一的选择，小户型正逐步得到人们的认可和青睐。

表 3 2011 年 1-12 月份太原市商品住房套型销售结构表

单位：套，万m²，元 / m²，%

套型	套数	面积	平均成交价	面积比例
<=60	519	2.61	5432	1.07
60-80	1397	9.82	4898	4.02
80-90	3478	30.08	5479	12.31
90-100	4002	37.9	5662	15.51
100-120	2962	32.77	5500	13.41
120-144	5041	67.06	5171	27.43
144-180	2322	36.69	5811	15.01
>180	1129	27.48	10872	11.24
合计	20850	244.42	6058	100

（三）商品房成交面积各月走势

2011 年 1-12 月份我市商品房成交面积为 288.28 万 m²，各月平均成交面积为 24.02 万m²；其中商品住房成交面积为 244.42 万m²，各月平均成交面积为 20.37 万m²。

从全年各月成交面积走势来看，商品房和商品住房成交面积总体上处于震荡态势之中。2 月份受到传统佳节影响单月成交面积较低；11、12 月份临近年关，受到诸如金隅国际、恒大绿洲等开发项目集中签约备案的影响，后两个月成交面积呈现上涨的趋势，且 12 月一个月商品房和商品住房成交面积达到全年最高值，分别为 34.47 万m²和 32.11 万m²，导致从 9 月份到 12 月份连续 4 个月我市商品房市场呈现逐月上涨的趋势。其他各月成交面积均呈现窄幅振荡的态势，且逐渐趋于平缓。

图 1　2011 年 1-12 月商品房、商品住房各月成交面积走势图

单位：万m²

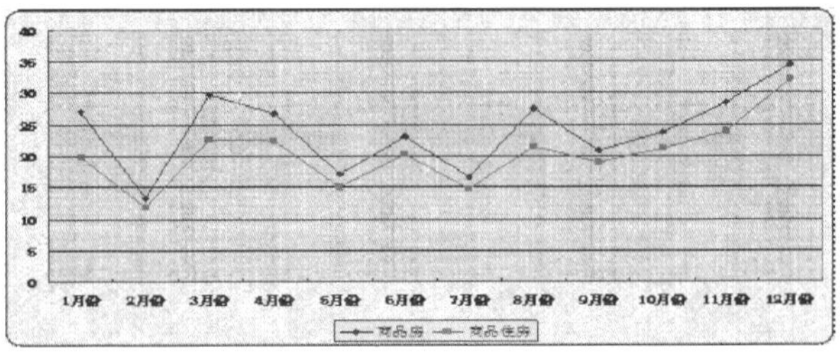

表 4　2011 年 1-12 月商品房、商品住房各月成交面积

单位：万m²

	2011 年					
	1 月份	2 月份	3 月份	4 月份	5 月份	6 月份
商品房	27.01	13.22	29.77	26.73	17.02	23.05
商品住房	19.84	11.89	22.59	22.39	15.06	20.2
	2011 年					
	7 月份	8 月份	9 月份	10 月份	11 月份	12 月份
商品房	16.57	27.46	20.88	23.69	28.41	34.47
商品住房	14.78	21.56	19.01	21.12	23.87	32.11

（四）商品房成交面积各季度走势

今年前三个季度，我市商品房和商品住房整体上保持平稳，略有下降的趋势。四季度由于临近年关，大批开发商集中签约，致使四季度较之前三个季度有较大幅度上涨，较三季度商品房和商品住房环比分别上升 33.37% 和 39.30%。

图 2　2011 年 1-12 月商品房、商品住房各季度成交面积示意图

单位：万m²

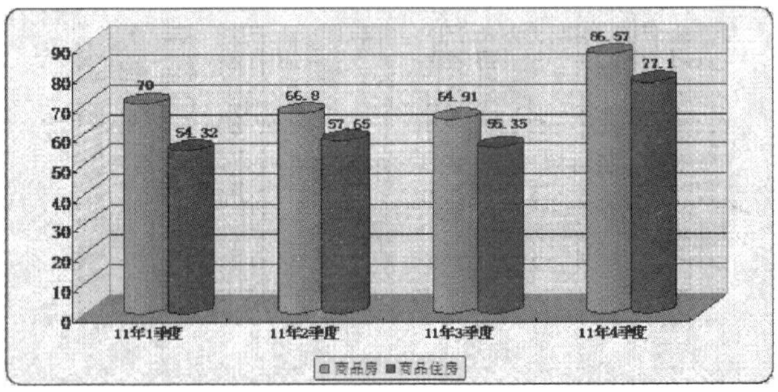

三、成交价格分析

（一）基本情况

2011 年 1-12 月份，我市商品房平均成交价格为 6918 元 / m²，同比下降 9.54%，其中商品住房平均成交价格为 6058 元 / m²，同比下降 16.77 个百分点，非住宅价格为 11710 元 / m²，同比上升 17.84%。

表 5 2011 年 1-12 月份我市商品房市场成交均价情况

单位：元 / m²，%

	商品房	住宅	非住宅
累计成交均价	6918	6058	11710
同比（%）	-9.54	-16.77	17.84

（二）商品住房价位段分析

从商品住房价位段来看，2011 年 1-12 月份，我市商品住房价位段多集中在 3000-8000 元／㎡，这个价位段的成交面积为 208.07 万㎡，占到商品住房成交面积的 85.13%。大于 10000 元／㎡的成交面积为 13.63 万㎡，仅占到 5.57%，说明在限购令等一系列宏观调控政策的影响下，市场的观望情绪渐浓，高价位楼盘有价无市。（具体情况见下表）

表 6　2011 年 1-12 月太原市商品住房价位销售结构表

单位：套，万㎡，元／㎡，%

价格范围（元/㎡）	套数	面积（万㎡）	11 年 1-12 月面积比例（%）
≤4000	5021	58.32	23.86
4000－5000	4063	45.83	18.75
5000－6000	3357	36.99	15.13
6000－7000	4218	46.09	18.86
7000－8000	2984	34.14	13.97
8000－9000	463	6.67	2.73
9000－10000	178	2.74	1.12
＞10000	566	13.63	5.58
合计	20850	244.42	100

（三）各月商品房成交价格分析

从今年 1-12 月份我市商品房单月成交价格走势来看，除去今年 2 月份过节商品房和商品住房价格出现较大幅度的回落以外，其他各月房价走势保持平稳的态势。8 月份达到今年单月商品房和商品住房成交均价的最高值，分别为 7921 元／㎡和 6736 元／㎡。

图 3　2011 年 1-12 月商品房、商品住房各月成交价格走势图

单位：万㎡

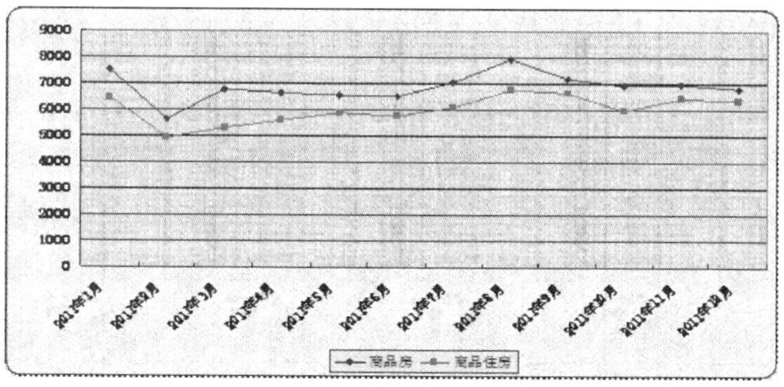

表 7　2011 年 1-12 月商品房、商品住房各月成交价格

单位：元／㎡

	2011年					
	2011年1月	2011年2月	2011年3月	2011年4月	2011年5月	2011年6月
商品房	7512	5605	6769	6644	6522	6490
商品住房	6460	4903	5312	5574	5870	5757
	2011年					
	2011年7月	2011年8月	2011年9月	2011年10月	2011年11月	2011年12月
商品房	7027	7921	7180	6933	6956	6787
商品住房	6098	6736	6621	5964	6437	6325

（四）各季度商品房成交价格分析

从各季度商品房的平均价格来看，商品房平均价格逐渐趋于理性，呈现出窄幅震荡的态势，维持在较平稳的水平上。三季度是全年商品房和商品住房平均价格最高的，较上个季度环比分别上涨 3.63% 和 14.19%，主要是由于 8 月份价格拉升起来。从我局签约备案系统可知，8 月份星河湾、万达广场和昌盛双喜城等高端品质楼盘均价在万元以上，从而拉动我市商品房市场价格升高。

图 4　2011 年 1-12 月商品房、商品住房各季度成交价格示意图

单位：万㎡

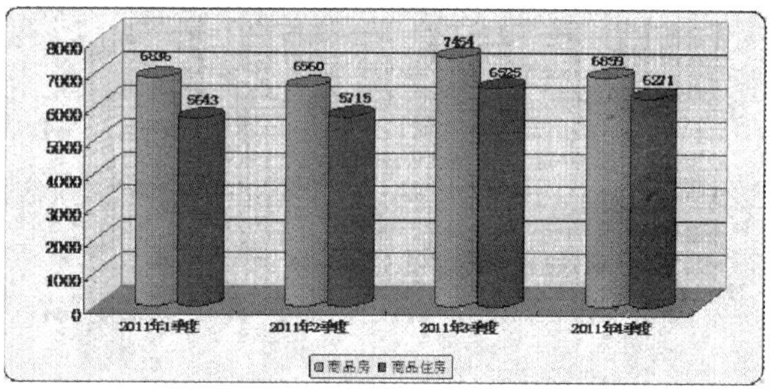

从国家统计局公布 2011 年 1-12 月份七十个大中城市房屋销售价格指数来看，我市房屋销售价格指数同比为 101.2，在 70 个大中城市中排在第 47 位。

【二手房市场交易办证情况】

（一）交易办证情况

2011 年 1-12 月份，我市二手房交易办证面积为 59.19 万㎡，同比减少 4.19%。其中二手住房交易办证面积为 58.13 万㎡，占到二手房交易办证面积的 98.21%，说明在我市二手房市场中，二手住房交易活跃，所占比重逐年增大。

全年二手房交易办证套数为 6102 套，其中二手住房交易办证套数为 6094 套。二手房、二手住房交易办证套均面积分别为 97.00 ㎡和 95.39 ㎡。二手房、二手住房交易成交金额分别为 17.95 亿元和 17.48 亿元，同比分别下降 12.86% 和 2.42%。（具体情况见下表）

表 8　2011 年 1-12 月二手房、二手住房交易办证情况

单位：万㎡、亿元、套

	交易办证面积	同比	交易办证金额	同比	交易办证套数	户均面积
二手房	59.19	-4.19	17.95	-12.86	6102	97.00
二手住房	58.13	5.79	17.48	-2.42	6094	95.39

（二）申报价格

我市二手房和二手住房申报均价分别为 3032 元／㎡和 3006 元／㎡，同比分别下降为 9.04% 和 7.76%。

从国家统计局公布的 2011 年 1-12 月份 70 个大中城市房屋销售价格指数来看，我市二手房住宅销售价格指数同比为 103.2，在 70 个大中城市中排在第 7 位。

【二手住房交易联动分析】

2011年1-12月份，我市新建商品住房共计成交20850套，面积244.42万m²；二手住房总共交易办证6094套，交易办证面积58.13万m²，一、二手住房成交套数比例为3.42：1，成交面积比例为4.20：1。而2010年全年一、二级住房市场的面积成交比例为6.14：1，由此可以看出，我市今年二级住房市场所占比重由所增加，但是我市二手房市场潜力依然巨大，仍有较大上升空间。

表9　2011年1-12月一、二手住房成交情况表

单位：套、万m²、%

分类	一手居住用房	二手居住用房	一、二手比例
成交套数	20850	6094	3.42
成交面积	244.42	58.13	4.20

【购房人结构分析】

在我市成交的商品住宅中，以成交面积统计，今年1-12月份本市居民购买的商品房住宅面积为176.87万m2，占成交总面积的72.36%；外地居民购买的商品房住宅面积为67.53万m2（本省为51.5万m2，外省为15.99万m2，境外为0.07万m2），占成交总面积的27.64%（本省占21.07%，外省占6.54%）。

以成交套数统计，本市居民购买商品住宅套数为14958套，占成交总套数的71.74%，外地居民购买的商品住宅套数为5891套，占成交总套数的28.26%，在外地人购买人群中，我省其他地区的购房人群比例较高。

表10　2011年1-12月商品住房购房人群销售表

单位：万m²，套，元／m²，%

分类	销售面积	销售套数	平均价格	面积比例
本市	176.87	14958	5770	72.36
外地	67.53	5891	6812	26.64
本省其它地区	51.5	4481	6701	21.07
外省市	15.99	1410	6692	5.54
境外	0.07	3	13812	0.03

从购房人的成分来分析，我市外地来并购房的人数有较大幅度的下降，今年1-12月份外地人来我市购房所占比重较去年同期下降6.56个百分点。说明我市在出台限购令，对非本市居民购房进行限制后，效果已经开始显现，外地购房人所占比重有较大幅度的下降。

【我市房地产市场存在的问题】

（一）商品房供应结构仍有待优化

目前，伴随着我市经济快速发展，大批的全国知名房地产开发企业陆续登陆龙城，高档住房比重增加，低价位经济适用房屋的开发量不足，无法满足中低收入家庭的住房需求。我市在房地产开发中忽视了供需关系，房地产开发企业为追求高利润，热衷于高档商品房的开发，造成了高档商品房供过于求，价格虚高。

（二）二级市场尚未全面启动

我市的房屋二级市场，近两年虽然交易量有了大幅增加，但相对于增量房而言，存量房交易量、交易额要小得多。2011年我市二手房交易套数为6102套，交易面积59.19万m²，同比分别下降12.58%、4.19%；增量房与存量房交易面积比为4.20：1；与新建商品房成交量相比，二手房的交易面积、交易套数、交易金额数量很少。因此，太原市的二手房市场潜力还有待于进一步挖掘。同时，受税费调整等政策影响，作为房地产供应链的中间环节受阻，“二手房”市场的活跃程度还远远不够。

（三）市场监控力度不够

我市对房地产市场的监管力度逐年加大，商品房销售明码标价、“一房一价”等措施逐步落到实处。但是依然存在部分楼盘开盘前就已售空或排队、摇号认购的情况，甚至还出现了期房销售火爆、炒楼花和市场冷热不均等现象。

【2012年我市房地产市场下一步走势】

（一）房地产市场开发投资将稳步增长

房地产开发投资在2012年仍将稳步增长。随着企业投资信心的逐渐恢复和我市可售量的减少，预计企业将在四季度加大投资力度，开发投资将稳步增长。

（二）限购政策依然收紧

2010年到2011年，全国各大城市先后出台“限购”“限价”等一系列房地产调控政策来抑制房价的过快增长，并且在今年下半年取得显着成果，全国各地成交量下滑明显，虽然房价依然坚挺，但是大部分都已停涨。2011年初，太原也加入了“限购”的队伍，并且在随后的一个月内出台了“限购令”11条细则。短期内，由于没有可以代替限购令的政策制度出台，2012年限购令继续实行。

（三）房价将持续平稳

我市属于二三线城市，房地产发展时间不长，房价并没有出现一线城市动辄上万的情况，并且随着城市化的进一步加深，刚需族数量众多，房价大幅下降的可能性不大。2012年，太原的房价在全国降价大背景的影响下，短期内可能会出现小幅的下跌，但是下降幅度不会太大；从长期来看，太原的房价依然会处于平稳上升状态。

大同市2011年房地产业发展报告

大同市房地产业和物业管理协会

【综述】

在国家和地方一系列促进房地产市场健康发展的政策措施作用下，2011年，大同市房地产开发投资继续保持平稳快速增长，项目建设进展顺利，施工规模进一步扩大，新开工步伐减缓，房屋竣工面积持续增长，资金来源趋紧。

【房地产开发投资】

2011年，大同市房地产开发投资完成134.2亿元，比上年同期增长48.1%，高于全市固定资产投资增速11.9个百分点。在房地产开发投资中，住宅投资完成103.4亿元，同比增长48.2%，高于房地产开发投资增速0.1个百分点，所占比重为77.0%；办公楼投资完成1.7亿元，同比增长180.6%，所占比重为1.3%；商业营业用房投资完成8.3亿元，同比增长28.6%，所占比重为6.2%；其他投资完成20.9亿元，同比增长50.6%，所占比重为15.6%。

【项目建设】

2011年，大同市商品房建设规模进一步扩大，商品房施工面积1707.9万平方米，同比增长54.0%。其中：住宅施工面积1520.4万平方米，同比增长58.3%；办公楼施工面积17.7万平方米，同比增长13.4%；商业营业用房施工面积72.8万平方米，同比下降5.5%；其他房屋施工面积96.9万平方米，同比增长75.0%。受国家宏观调控政策的影响，全市房地产新开工建设步伐放缓。2011年，全市商品房新开工面积399.9万平方米，同比下降21.2%，增幅较上月回落8.2个百分点。

【房屋竣工面积】

2011年，大同市房屋竣工面积872.5万平方米，同比增长8倍多，其中：住宅竣工面积812.2万平方米，同比增长10倍多；其中：90平方米及以下住宅竣工面积767.2万平方米，同比增长17倍多；商业营业用房竣工面积12.4万平方米，同比下降25.5%；其他房屋竣工面积41.6万平方米，同比增长6倍多。

【商品房销售】

2011年，大同市商品房销售面积为90.2万平方米，比上年同期增12.0%，增速较上月回升14.6个百分点。其中，商品住宅销售面积为86.0万平方米，比上年同期增长17.5%，增速较上月回升13.4个百分点。

在商品住宅销售中，90平方米及以下住宅销售面积34.8万平方米，比上年同期增长116.5%，增速较上月回升45.6个百分点，占商品住宅销售面积的比重为40.5%；140平方米以上住宅销售面积11.1万平方米，比上年同期下降19.5%，增速比上月回落7.8个百分点，占商品住宅销售面积的比重为12.9%。

2011年，大同市商品房销售额29.3亿元，比上年同期增长22.4%，增速较上月回升16.9个百分点。其中商品住宅销售额为27.6亿元，比上年同期增长36.7%，增速较上月回升16.8个百分点。

在商品住宅销售中，90平方米及以下住宅销售额10.4亿元，比上年同期增长117.7%，增速较上月回升27.2个百分点，占商品住宅销售额的比重为37.7%；140平方米以上住宅销售额4.7亿元，比上年同期下降19.8%，增速比上月回落2.7个百分点，占商品住宅销售额的比重为17.0%。

【房地产开发企业资金来源】

2011年，大同市房地产企业本年到位资金148.0亿元，同比增长5.7%，增速较上月回落13.7个百分点，房地产开发企业资金来源增速低于完成投资增速42.4个百分点。若扣除上年末结余资金，本年全市房地产企业到位资金为80.5亿元，同比下降29.9%，增速较上月回落3.8个百分点，其增速低于完成投资增速18.2个百分点。其中，国内贷款6.1亿元，同比下降24.6%，增速低于上月19.3个百分点，所占比重7.6%；自筹资金39.2亿元，同比下降34.7%，增速低于上月6.1个百分点，所占比重为48.7%；其他资金35.2亿元，同比下降24.7%，增速低于上月2.6个百分点，所占比重为43.7%。

【农民人均住房面积】

2011年末，大同市农民人均住房面积达22.43平方米，同比增加2.12平方米，增长10.44%。其中，砖木结构和钢筋混凝土结构住房面积占60.98%；饮用自来水的农户占全部被调查农户的52.5%；住宅外道路路面是水泥、砂

石或石板等硬质路面的农户占全部被调查农户的63.75%

【城镇居民人均住房面积】

2011年末，大同市城镇居民人均住房建筑面积为:30.6平方米。

【发展趋势】

今年大同市房地产开发市场运行平稳，市场运行走势正朝着宏观调控预期方向发展。因此，全市要认真贯彻落实国家促进房地产市场平稳健康发展的一系列宏观调控政策措施，高度关注房地产开发市场出现的新情况、新变化，积极引导和调控房地产市场走势；继续加大保障性住房建设力度，着力调整商品房供应结构，切实增加保障性住房和普通商品住房有效供给；要强化合理住房消费的引导和舆论的正确导向，切实做好稳定房价工作；要进一步拓展资金融资渠道，激发民间投资的积极性；要加强市场监管，进一步规范房地产市场秩序，促进大同市房地产开发市场平稳健康发展。

朔州市 2011 年房地产业发展报告

朔州市房地产业协会

【综述】

2011 年，是十二五的开局之年；朔州市落实继续加快我市综改试验田领先区和四化一体东部新区建设步伐，全面实 现转型跨越发展，推进城镇化进程的重要之年。一年来，朔州市房产管理局认真贯彻落实党的十七大精神，以邓小平理论和“三个代表”重要思想为指导，坚持以科学发展观统领全局，按照市委、市政提出的“打造新基地、拓展新优势、建设新朔州”，建设自然、生态、现代、宜居的幸福新城的战略部署，紧紧围绕“城市让人民生活更美好”主题，狠抓保障性安居工程、创先争优活动、省级文明和谐单位创建、党务公开、政风行风建设五项重点工作的同时，不断强化业务工作管理水平，有力地推动了全局各项工作的深入开展，较好地完成了今年的工作任务，为推动市域城镇化做出了积极贡献。

【房地产开发】

全年房地产开发投资 24.2 亿元，比上年增长 22.4%。按工程用途分，商品住宅投资 15.1 亿元，增长 45.2%；商业营业用房投资 3.4 亿元，下降 52.1%。

【保障性安居工程】

实施保障性安居工程，是党中央、国务院作出的促进经济平稳较快发展，保障和改善民生的重大举措。今年以来，朔州市高度重视保障性安居工程建设，将此项工程作为最大的为民办实事、谋福祉的大事、要事来抓。坚持“民生优先战略”，通过健全机制，严格管理、创新举措三管齐下，积极稳妥地推进保障性安居工程建设，超额完成省政府下达我市的目标任务，取得了显著成效。

（一）超额完成保障性住房建设任务。

2011 年全市保障性安居工程共开工项目 56 个，开工面积 559.6 万平方米，占省定任务的 109.96%；开工套数 54800 套，占省定任务的 114.54%；完成投资 492991.5 万元，占省定任务的 157.97%。保障性住房建设开工量全省排名第二。

（二）积极争取中央资金。

2011 年，全市共争取到中央投资补助资金 50511 万元。其中：廉租住房中央投资补助资金 11670 万元；廉租住房保障专项补助资金 2400 万元；城市棚户区改造专项补助资金 34610 万元；公共租赁住房专项补助资金 1831 万元。

【创先争优活动】

今年以来，按照市委创建办安排，继续深入开展创先争优活动。一是营造创建氛围。通过悬挂横幅、办简报、宣传栏等方法，大力宣传我们关于创先争优活动的安排部署、工作动态和活动成效，构成了“三位一体”的宣传体系，提高了群众知晓率，扩大了参与面。形成了学先进、争先进、赶先进的创建氛围。二是认真兑现承诺。住房保障工作作为全局党员干部履诺践诺的有力抓手，组织广大党员干部在实施保障性安居工程中创先争优，为城市低收入家庭解决住房困难问题。加快市直和谐小区保障性住房建设。其中：廉租住房项目，建筑面积 5.3 万平方米、1024 套，主体已全部完工；经济适用住房项目，建筑面积 12 万平方米、1411 套，已完成投资 4000 万元。已审定符合发放廉租住房租赁补贴条件户数 4500 户，使住房保障这项惠民政策落到实处。三是多种方式点评。采取会议集中点评、工作现场点评等方式推进创先争优活动的深入开展。四是提高行政效能。我们把改善工作作风、提高工作效率、改善服务水平作为全局的重点工作来抓，通过加强教育、完善制度体系、规范服务行为、简化办事程序、建立服务绿色通道，通过市长信箱、政协提案及 12319 二级受理平台等形式，畅通了服务咨询渠道，进一步优化了服务环境。截至目前，已办理市长信箱来件 4 件，政协提案 5 件，办结 12319 二级平台受理件 24 件，受到群众好评。

【省级文明和谐单位】

今年以来，我局在省、市文明办的精心指导下，通过开展“五个抓”为主要内容的精神文明建设工作，取得了突出成效。一是抓机制，夯实创建的组织基础。成立组织机构、制定创建方案、召开专题工作会议、加强日常督促检查等形式，确保创建目标实现。二是抓教育，提升创建队伍的素质。通过开展“五型”机关创建活动、廉政教育活动、专业培训活动。有计划地选派 18 人次参加省行业组织部门组织的业务培训班和市直机关组织的政治理论学习培训班。每位干部职工全年撰写心得体会2篇以上，形成读书笔记2万字以上。通过深入学习，提高全体干部职工的综合素质。三是抓实践，增强创建工作的实效。驻村扶贫工作取得新成效。2011年，我局安排专项经费1万元，对右玉县威远镇肖村高家堡乡高家堡村进行驻村扶贫。四是抓管理，优化创建服务的环境。对涉及房地产管理5大项行政审批事项及1项非行政审批事项，全部授权市政务大厅房地产窗口，并将办理事项办事时限、所需资料要件等以卡片形式提供给用户，方便用户办事。设立了举报电话和热线电话，实行阳光作业，接受群众监督。五是抓硬件，建立创建活动的阵地。通过开展文娱活动、节约活动和“树立诚信风尚、创建文明行业”的活动，丰富职工生活。

【政风行风评议工作】

今年，房管局被市政府列为全市政风行风评议对象。为切实加强政风行风建设，着力纠正损害群众利益的行为，进一步提高行政效能，紧紧围绕“端正政风行风，优化政务环境”为主题，在全局范围内深入开展政风行风建设工作。一是加强组织领导、健全工作机构。成立了以局长李明德同志任组长的政风行风领导小组，主要领导亲自抓，分管领导具体抓，按照“一岗双责”的要求，明确分工，落实政风行风建设目标责任制，并下设办公室，负责具体实施工作，做到领导重视、机构健全。二是加强窗口建设，转变政风行风。继续推行窗口优质服务，在加强窗口规范化管理和“三项”便民服务的同时，严格落实岗位工作责任制、一次性告知制、首问制、限时办结制等服务工作制度，公开办事程序，遵守承诺制度。此外，我局通过聘请政风行风义务监督员、公开投诉电话、投诉信箱等方式，加强对全系统的行业管理和工作人员的依法行政等工作进行全面监督。我局先后参加了市政风行风面对面对话会1次、山西广播电台“政风行风热线”2次，现场解答了关于廉租住房补贴申请等2个热线问题，召开民主评议行风听证会1次，相关职工座谈会3次，向办事群众征求意见表50份等，广泛听取各方人士的意见和建议，解决工作中存在的热点难点问题，不断改进机关工作作风。

【房地产信息系统】

开通了商品房销售合同网上备案登记系统和产权登记内部网络运行系统，使房地产管理和房屋产权登记初步实现了信息化和现代化，有效地防止一房多售现象和商品房交易过程中各种违法违规行为的发生。

【房地产产权监管】

已完成初始登记2398户，占目标任务的126.21%；完成转移登记380户，占目标任务的126.66%。

【商品房预售管理】

严格按规定发放预售许可证，规范销售行为，全年共颁发商品房预售许可证8份，办理商品房预售合同备案3000余份；

【搞好档案利用服务】

为局内外提供档案利用200卷，提供档案有偿查阅800余人次。取得了良好的社会效益和经济效益。

【物业服务行业指导】

今年以来，紧紧围绕“增强服务意识，提高服务水平，构建和谐物业”的主题，加强物业服务监管。定期对小区物业情况进行检查，依法查处物业管理中存在的无证经营、服务不到位、不按合同提供服务等违法行为，有效净化了物业管理市场环境。通过实行动态监管、省级示范项目创建等活动，进一步规范物业服务行为。全市住宅小区物业管理面积达到493万平方米，物业管理覆盖率达到81%，较上年增长了3个百分点，占目标任务的100%。新建住宅小区物业管理覆盖率达到100%。

【规范房地产交易秩序】

房管局会同市住建局和市物价局抽调专人组成联合检查组，从8月1日起，对全市正在销售的商品房项目进行了集中拉网式排查。我局和市住建局从商品房预售许可管理、商品房预（销）售活动的动态监管等方面入手；市物价局从商品房明码标价、一房一价等方面入手，三部门联合执法，对全市的房地产交易秩序和商品房明码标价行为进行了认真的检查。检查采取县区建设局自查汇报、现场实地检查登记、提出整改意见、与县区主管部门交换意见等方法进行。经查，2011年全市取得商品房预售许可证的项目有19项，建筑总面积203万平方米。其中市直4项，朔城区4项，平鲁区2项，山阴县2项，怀仁县3项，右玉县3项，应县1项。所有项目全部进行了现场检查，对现场检查出的问题进行了处理，共下发整改通知书7份，执法建议书2份。对已经取得预售许可证但未开始售房的给予了政策性的指导，为下一步开发商严格按照要求预售、销售商品房提供帮助。

【保障性住房建设任务】

2011年，省政府给我市下达的保障性住房建设目标考核任务为开工建设47842套（不含新增廉租住房租赁补贴户数667户，林区、垦区危房改造1114户），全年计划完成投资312081万元。其中：经济适用住房开工建设869套，完成投资15681万元；廉租住房开工建设2177套，完成投资11600万元；公共租赁住房开工建设730套，完成投资4480万元；城市居民棚户区改造开工建设36093套，完成投资190300万元；国有工矿棚户区改造开工建设7973套，完成投资90020万元。

2011年，市政府下达各县（区）的保障性住房建设目标考核任务为开工建设53778套，比省定任务增加11.24%；全年计划完成投资397481万元，比省定任务增加27.36%。其中：朔城区开工建设33895套，完成投资245980万元；平鲁区开工建设1351套，完成投资11700万元；山阴县开工建设2329套，完成投资10420万元；怀仁县开工建设7864套，完成投资63500万元；应县开工建设2266套，完成投资17800万元；右玉县开工建设2230套，完成投资15081万元；开发区开工建设2500套，完成投资17500万元；神头实业公司开工建设1000套，完成投资5500万元；省电建二公司开工建设343套，完成投资2000万元。

【保障性安居工程建设进展情况】

（一）总体进展情况。

截至11月底，全市各类保障性住房开工项目56个，开工套数54800套（开工量全省排名第二），开工面积559.6万平方米，占省定任务的114.5%，占市定任务的101.9%；完成投资492991.5万元，占省定任务的157.97%，占市定任务的124.03%。其中：廉租住房开工套数2657套，13.16万平方米，完成投资15575万元；公共租赁住房开工套数730套，4.78万平方米，完成投资4480万元；经济适用住房开工套数1101套，7.48万平方米，完成投资17451万元；城市棚户区改造开工套数41346套，449.59万平方米，完成投资365313万元；国有工矿棚户区改造开工套数8966套，84.59万平方米，完成投资90172.5万元。

（二）各县区进展情况。

1、朔城区保障性住房开工项目25个，开工套数35437套，开工率为104.55%；完成投资334796.5万元，占目标任务的136.11%。

2、平鲁区保障性住房开工项目5个，开工套数1351套，开工率为100%；完成投资16336万元，占目标任务的139.62%。

3、山阴县保障性住房开工项目5个，开工套数2193套，开工率为94.16%；完成投资8175万元，占目标任务的78.45%。

4、怀仁县保障性住房开工项目4个，开工套数7468套，开工率为94.96%；完成投资61723万元，占目标任务的97.20%。

5、应县保障性住房开工项目7个，开工套数2278套，开工率为100.53%；完成投资17110万元，占目标任务的96.12%。

6、右玉县保障性住房开工项目6个，开工套数2230套，开工率为100%；完成投资21471万元，占目标任务的142.37%。

7、开发区保障性住房开工项目2个，开工套数2500套，开工率为100%；完成投资17880万元，占目标任务的102.17%。

8、省电建二公司保障性住房开工项目1个，开工套数343套，开工率为100%；完成投资200万元，占目标任务的100%。

9、神头一电厂保障性住房开工项目1个，开工套数1000套，开工率为100%；完成投资5500万元，占目标任务的100%。

【中心城市基础设施建设】

2011年，全市铺开了11项建设行业属重点工程。目前，市区完成市政公用设施固定资产投资额达10 多亿元，远远超出省定任务指标2.6亿元额度

——热电联产集中供热工程。该工程由山西双良再生能源开发利用有限公司中标并投资建设。工程采用先进的吸收式热泵热电联产集中供热新技术，总投资13.9亿元，建设内容包括改造神头二电厂4台50万千瓦机组，建设两座热源首站，敷设96千米主管网，改造及新建换热站128座，计划三年内覆盖全市，具备2000万平方米的供热能力，满足未来5年内规划用热需求。工程于5月15日开工建设，10月21日启动集中供热系统，如期实现500万平方米的集中供热能力，年度完成投资6.63亿多元，标志着工程项目如期顺利实现了“当年引进、当年设计、当年建设、当年投产运行”的目标。

——城西地下水源地建设工程：建设内容包括厂区建设、水管网建设、水源配套工程，设计日供水能力为1万吨，形成西环路以东、张辽路以西的西区供水区域，总概算投资5600万元。目前，8眼深水井已建成7眼、1眼在建，厂区所有土建工程、设备安装工程全部完工，输水管网工程、配水管网主干线工程全部完工，配水管

网支线工程正在施工中，累计完成投资4300万元。

——恢河大桥工程：该工程是打通开发南路的“节点”工程，是打造生态新城的地标性建筑，于11月1日隆重举行开工庆典仪式。工程总占地43215.07平方米，桥长518米，宽41米，采用主桥加引桥的建设方案，概算投资2.8亿元。目前，工程正在进行桩基施工，计划2013年建成通车。

——和平街道路工程：建设内容包括道路工程、地下管网工程、路灯工程，建设规模为1434.46米×27米，总投资2210万元。目前，机动车道、非机动车道工程除有200米因拆迁问题未施工外，其余的全部完工；路灯工程、人行道铺装工程、分隔带绿化工程计划明年实施。工程累计完成投资800多万元。

——城市公厕建设工程：按照省级宜居城市标准设计的18座高标准水冲公厕和11座流动公厕工程现已全面展开。目前，水冲公厕已有5座投入运行，5座具备运行条件，4座已确定建设位置，4座待确定位置；移动公厕已有6座具备运行条件，剩余5座待完成接电工程。工程累计完成投资540万元。

——市污水处理厂再生水利用工程：项目设计日处理规模为3.2万吨，工程总投资6502万元，其中：中央、省市到位资金2100万元、银行贷款3500万元。除厂区绿化工程未完工外，土建、设备安装和厂区道路工程已完成，完成投资近6000万元。现正在与意向用户神头二电厂进行对接工作，待确定用户后即可开展管网敷设工程。

——城南污水收集管网工程：建设规模为铺设污水收集管道6100米、建设加压泵站一座，概算投资为1202万元。目前，除同蒲铁路桥下段管网工程正在与太原铁路局沟通协商外，其余工程全部完成，累计完成工程总量的98%。

——垃圾处理厂城南填埋区工程：市生活垃圾处理厂总投资1.06亿元（到位资金7600万元，其中：中央7600万元、省2200万元、市3100万元），设计日处理垃圾350吨。第一填埋区于2008年完工投入运行，市区生活垃圾无害化处理率达100%；城南填埋区（第二填埋区）计划投资3800万元，现已完成投资2100万元。因缺口资金尚未落实，城南填埋区工程今年基本处于停滞状态。

——府南小区整治工程：建设内容包括空地绿化、路面翻修、侧平石更换、排水设施改造、集贸市场建设、自行车棚改造等，计划投资1387万元（市财政预算配套资本金387万元、开发银行贷款1000万元）。工程现已完成道路改造12300平方米、人行道改造15500平方米，侧平石更换4300米、排水改造270米、绿化面积约3000平方米、新增停车位146个（计1642平方米）、新安装照明路灯48座，累计完成投资800多万元。明年计划进行垃圾箱添置（每单元一个）、健身器材投放、自行车棚改造、集贸市场建设等工程。

——小村小康村“四通一平”改造项目。建设内容主要包括给水、排水、天然气、供热、路面工程，总投资746.3万元（市财政预算安排460万元、用户集资240万元）。该工程现除天然气入户管道工程未完成外，其余工程全部完工。

——垃圾焚烧发电项目：建设规模为日处理垃圾700吨，装机容量2×15MW，两炉两机，概算总投资4.891亿元。目前，项目已经省发改委核准，现正在办理土地审批、银行贷款手续，进入项目设计、总设备招标程序，明年年初即可落地建设。工程建成后，将基本实现我市生活垃圾的无害化、减量化、资源化处理。

吕梁市 2011 年房地产业发展报告

吕梁市房产管理局

【概述】

2011 年我市房地产业认真贯彻落实国务院办公厅“关于进一步做好房地产市场调控工作有关问题的通知”【国办发〔2011〕1 号】，进一步完善住房制度，实施了加快保障性住房建设、公布新建住房价格调控目标、实行商品房销售明码标价等一系列措施，确保了全市房地产业的健康有序发展。

【房地产开发投资】

全年房地产开发投资 23 亿元，增长 16.5%。其中，住宅投资完成 16.9 亿元，下降 0.2%；办公楼投资 0.7 亿元，增长 13 倍；商业营业用房投资 2.5 亿元，增长 30.9%。

2011 年房地产开发和销售情况

指标	单位	绝对数	比上年增长（%）
投资完成额	亿元	23.0	16.5
其中：住宅	亿元	16.9	-0.2
房屋施工面积	万平方米	320.9	-3.7
其中：住宅	万平方米	261.6	-0.3
房屋新开工面积	万平方米	117.5	5.1
其中：住宅	万平方米	99.5	24.7
房屋竣工面积	万平方米	73.5	-29.6
其中：住宅	万平方米	64.5	-17.5
商品房销售面积	万平方米	60.1	-7.3
其中：住宅	万平方米	54.5	-3.0

【调控政策全面落实】

2011 年，在“稳增长、抑通胀、调结构”的宏观调控大背景下，为巩固和扩大 2010 年房地产调控成果，国务院办公厅在 1 月 26 日出台了“新国八条”房地产调控政策，我们坚持抑制需求与加强保障两手抓。在“新国八条”政策出台后，我市迅速响应，先后出台了《吕梁市人民政府关于 2011 年度市区新建住房价格控制目标的通告》（吕政告〔2011〕1 号）《吕梁市人民政府办公厅关于加快保障性住房建设的通知》（吕政办发〔2011〕116 号），要求各县（市、区）政府统一思想，坚决贯彻中央调控政策；进一步落实保障性住房的政策支持；强化组织领导、明确工作责任等。

【房地产开发情况】

全市全年在建房地产开在建项目发完成投资 274218.29 万元施工房屋面积 2950873.55 平方米，其中：新开工面积 857120.89 平方米，全市房屋竣工面积 498556.98 平方米。

【商品房销售情况】

全市商品房销售面积 40.376 万平方米，其中：市区商品房销售面积 18.1229 万平方米，网上合同备案市区达 100%。

【销售价格情况】

全市商品房平均销售价格 2663 元 / 平方米。

【保障性住房建设】

2011 年，全市开工建设的各类保障性住房共 73.26 万平方米，11092 套。有续建项目 27.4 万平方米，5168 套；新建项目开工面积 45.86 万平方米，5924 套，占省下达目标任务的 323%。其中：新建廉租住房开工面积 11.38 万平方米，2292 套，占目标任务的 229%；经济适用房开工面积 4.58 万平方米，590 套，占目标任务的 590%；公共租赁住房开工面积 3.7 万平方米，516 套，占目标任务的 156%；城市棚户区改造开工面积 26.2 万平方米，2526 套，占目标任务的 502%。共完成投资 87714 万元，占目标任务的 309.8%。

全市各类保障性住房共竣工面积 55.755 万平方米，8191 套。其中：新建项目竣工面积 31.275 万平方米，3623 套，新建项目中新建廉租住房竣工面积 5.4 万平方米，1033 套，经济适用房竣工面积 1.8 万平方米，164 套，公共租赁住房竣工面积 2 万平方米，330 套，城市棚户区改造竣工面积 22.075 万平方米，2096 套；续建项目竣工面积 24.48 万平方米，4568 套，续建项目中廉租住房竣工面积 22.88 万平方米，4345 套，经济适用房竣工面积 1.6 万平方米，223 套。

【城镇居民人均住房面积】

2011 年吕梁市城镇居民人均住房建筑面积为 29.3 平方米。

【分析与展望】

我市房地产处于起步阶段，随着城镇化的不断扩大，城市基础设施的完善，全市房地产业发展潜力较大，规模化、高品位的精品小区将推出，必将推动住宅建设向更高层次发咋还能，对全市经济转型跨越发展起到积极的作用。

晋中市2011年房地产业发展报告

晋中市房地产业协会

【综述】

2011年，是国家大力推进保障性住房建设和对房地产市场实行严格调控的一年，我们在局党组的正确指导和大力支持下，克服了时间紧、任务重、工作头绪多等重重困难，精心谋划、齐心协力超额完成了省、市政府下达的保障性住房建设目标任务。同时，积极采取措施，调控房地产市场，加强中小套型普通商品住房的建设，改善商品住房供应结构。从整体上看，我市的房地产业保持了平稳健康的发展态势，达到了预期目标。

【开发投资】

全年房地产开发投资32.2亿元，增长8.1%。其中，住宅投资完成25.9亿元，增长11.5%；办公楼投资1.11亿元，下降1.4%；商业营业用房投资3.07亿元，增长83.8%。

2011年房地产开发和销售情况

指　标	单位	绝对数	比上年增长%
投资完成额	万　元	32.2	8.1
其中：住宅	万　元	25.9	11.5
房屋施工面积	万平方米	470.4	9.5
其中：住宅	万平方米	391.5	6.8
房屋新开工面积	万平方米	202.5	23.9
其中：住宅	万平方米	168.9	17.9
房屋竣工面积	万平方米	74.7	-29.1
其中：住宅	万平方米	65.8	-30.6
商品房销售面积	万平方米	86.9	-24.1
其中：住宅	万平方米	81.1	-25.6

【保障性住房建设】

2011年省政府下达给我市保障性住房建设目标任务为新增廉租住房租赁补贴1098户；开工建设保障性住房1.87万套，完成投资24.236亿元，。截止12月10日，我市共新增廉租住房租赁补贴1098户；开工保障性住房33138套，开工率为177.2%；完成投资29.51亿元，投资完成率为121.76%。

【廉租住房建设】

目标任务：全市新增廉租住房租赁补贴1098户；开工建设廉租住房800套；完成年度投资8000万元。

完成情况：全市新增廉租住房租赁补贴1098户；已开工1936套，开工率为242%；完成投资1.35亿元，投资完成率为168.75%。

【经济适用住房建设】

目标任务：全市开工建设经济适用住房6900套；完成年度投资91080万元。

完成情况：已开工17999套，开工率为260.9%；完成投资17.36亿元，投资完成率为190.6%。

【公共租赁住房建设】

目标任务：全市开工建设公共租赁住房600套；完成年度投资6000万元。

完成情况：已开工1411套，开工率为235.2%；完成投资0.96亿元，投资完成率为160%。

【城市棚户区改造住房建设】

目标任务：全市开工建设城市棚户区改造住房10400套；完成年度投资137280万元。

完成情况：已开工11792套，开工率为113.38%；完成投资9.85亿元，投资完成率为71.57%。

房地产市场监管达到了预期目标

【房地产市场信息系统】

我市市城区通过前期投入，逐步追加等方式已累计投入房地产信息系统建设资金约450余万元，市级信息平台已经已经启动，并与省住建厅信息网对接。通过（www.jzsfcgov.cn）网站，具体发布统计信息、项目信息、存量房信息，房地产开发企业按月报送网上信息；新建商品房网上合同备案全面实现；个人档案的信息入库率达到100%。实现了电子档案与实物档案相一致。我市各县（市）中，太谷、介休、寿阳、平遥四县（市）信息系统建设进展较快，已完成系统研发并基本具备与市级的联网条件。

【房地产市场调控】

市政府制定出台了《关于进一步加强房地产市场调控 促进房地产市场健康发展的通知》，确定了年度新建住房价格控制目标，同时，制定了7个方面的调控措施，在市政府网上进行了公布并报省政府备案。目前，我市房地产开发投资共59.51亿元（其中：商品房30亿元，保障性住房29.51亿元）。比去年年底49亿元，增加了10.51亿元。房地产市场调控成效明显，房地产市场实现了平稳增长。

【物业管理示范项目创建】

今年我市积极开展物业创优年活动，在此基础上，从规模较大、管理规范、服务较好的物业小区中，推荐我市银海心悦小区报省住建厅参加评选。9月份已完成省级物业管理示范项目验评。

【城镇居民人均住房面积】

2011年晋中市城镇居民人均住房建设面积为30.4平方米。

【我市房地产业的特点】

通过分析今年我市保障性住房建设和房地产市场的发展，主要呈现出四个特点：

（一）保障性住房建设取得突破性的进展

今年以来，虽然受国家政策严格的调控影响，但是全市房地产业新开发面积仍然达到423.31万平方米（保障性住房：283.31万平方米；商品房：140万平方米），完成投资59.51亿元，与去年同期相比分别增长了43%和21.45%，保障性住房建设总量首次超过普通商品房，这充分说明了我市积极贯彻落实国家“十二五”期间扩大保障性住房建设规模的有关政策，采取推进工作的有效措施，加大保障性住房这一民生工程的建设投资力度，使全市保障性住房建设取得突破性的进展，从而保持了房地产业平稳健康的发展态势。

（二）商品房开发渐趋理性，调控政策大见成效

全市共开发建设普通商品房140万平方米，完成投资30亿元。与去年同期相比，分别下降34.44 %和3.44%。其中：市本级新开发面积48.25万平方米，完成投资11.78亿元，与去年同期相比，分别下降45.6 %和26%。新建住房户型90平方米以下的占到70%，90—144平方米之间的占到 20%，144平方米以上的占到10%，这反应了国家在遏制投机、促进房地产市场健康、可持续发展的调控政策大见成效，同时，我市房地产开发企业投资渐趋理性。

（三）房地产交易总量减少，房价呈稳中略升趋势

今年，全市房地产交易面积130.23万平方米，交易金额24.1017亿元；同比减少27.89%和6.66%。其中市本级交易面积75.77万平方米，交易金额 16.56 亿元。同比减少19.07% 和9.46%。目前，我市新建住房均价为每平方米4100元，价格较去年上涨 5.12 %，处于年初市政府制定的房价控制目标之内。整体房价呈稳中略升趋势。主要是由于一方面我市今年大规模建设保障性住房，商品房开发项目减少。另一方面，北部新城、大学新校区内的一些项目陆续启动，客观上对我市房价起到了预期拉高的作用，导致购房者驻足观望心态增强。

（四）房地产市场行为较为规范，整体运行平稳

为确保房地产市场运行平稳，我们除下大力气抓好保障性住房建设的同时，把房地产市场监管紧紧抓在手上。今年，我们通过重点开展房地产交易市场秩序整顿，对“三无”中介、超范围经营中介和其他违规中介机构分别进行取缔经营和限期整改处理；以及对商品房项目执行价格备案和明码标价情况进行抽查，严格规范开发商销售行为。没有发现严重违规现象。同时，我们加强了对房地产经纪机构的资质备案审核、管理及对各县、市房产交易及权属登记工作指导，有效地规范了我市房地产交易市场秩序，保护了消费者的利益。今年，我市新申报开发企业18家，与去年基本持平。这也显示了房地产开发企业对市场投资的信心。

【主要举措和成效】

（一）采取有力措施，调控稳定房地产市场

按照今年国务院出台的“国八条”调控政策，我市出台了《关于进一步加强房地产市场调控促进房地产市场健康发展的通知》，对商品房开发实施了严格地控户型、控面积、控房价等控制目标措施，继续深化调控；并联合市物价局出台了《关于加强住房价格管理的通知》，对商品房实行了价格备案、明码标价制；对经济适用房实施了价格审核制度，切实加强了对我市房地产价格的调控管理。同时，积极加大各类保障性住房的建设力度，进一步增加住房市场供应，使我市房地产市场保持了平稳健康发展态势。

（二）全力以赴，大力推进保障性住房建设

今年是“十二五”规划的开局之年，经市政府研究确定，我们在省定任务的基础上，主动增加1万套，由1.87万套调高至2.87万套。为此，我们全力以赴大力推进保障性住房建设。特别是4月20日省政府召开全省保障性住房建设工作会后，我们立即整理编印了《保障性住房文件选编》、《晋中市保障性住房建设管理的主要内容和操作程序》，在4月22日召开全市保障性住房建设工作培训会，发放到全市各县（区、市），有力指导规范了我市的保障性住房建设管理工作。为加快保障性住房的建设进度，按照市政府建立的“周排队、旬分析、月例会”制度，我们积极加强与省建设厅和市直财政、土地、规划、环保等相关部门的沟通联系，加快资金到位和手续办理进度；每月至少两次深入各县（区、市）81个保障性住房工地，加强调研分析和检查督促；分别在平遥、寿阳、市城区召开五次现场推进会，有力推动了保障性住房建设顺利进行。

（三）超前规划，健全和完善保障性住房的制度建设

一是为实现全市保障性住房的持续健康发展，我们和规划局编制了《晋中市“十二五”住房保障与房地产业发展规划》，为保障性住房建设提前确定好了目标任务、年度建设指标、土地供应计划。二是建立完善了保障性住房建设和租售制度。出台了《晋中市经济适用住房建设管理实施办法》、《廉租住房建设管理实施意见》等；三是印发了、《关于规范我市城区房地产开发企业提供廉租住房有关事项的通知》《关于进一步加强保障性住房工程质量安全管理的意见》《关于加强保障性住房建设管理有效预防职务犯罪的通知》等17个相关文件，为推进全市保障性住房建设工作提供了政策、机制保障。

（四）典型引路，提升物业服务品质

今年结合物业管理改革发展三十周年系列活动，推动服务示范项目创建，推荐开发区银海心悦住宅小区参加省级物业管理示范项目评选，并通过了验收，为有效提升物业管理的整体水平发挥了辐射带动作用。在此基础上，我们继续加大住宅专项维修资金归集力度，截至目前市城区归集维修资金1.5亿元，为物业管理的健康、和谐、持续发展奠定了基础。

（五）不断加强信息化建设，提升管理水平

信息化建设是房地产工作的重要基础工作，开展房地产市场的有效监控和分析，对于确保保障性住房分配使用公平和房地产业健康发展具有越来越重要的现实和长远意义。市城区在建成的房地产信息系统的基础上，把七个子系统进行了延伸拓展。6月份顺利完成建设部对全国90个城市房地产市场信息系统建设实地验收工作。带动了灵石、介休、平遥、太谷率先开展“一簿一证一卡”信息管理模式，使全市房产信息联网有了良好的开端。

忻州市2011年房地产业发展报告

忻州市房地产业协会

【综述】

2011年，忻州市以优化环境、推进转型跨越发展为宗旨，强化房地产市场监管，积极开展保障性安居工程建设，全力整顿规范房地产市场秩序，不断提高政务服务水平，

【房地产开发投资】

2011年全市房地产开发完成投资24.1亿元，商品房施工面积443.65万平方米，其中商品住宅施工面积377.58万平方米，商品房竣工面积78.65万平方米，其中商品住宅竣工面积66.7万平方米。

【保障性住房建设】

2011年，全市保障性安居工程开工建设13551套，建筑面积90.82万平方米，累计完成投资89861万元，其中：廉租住房开工建设6931套，建设面积34.774万平方米，累计完成投资27293万元；经济适用住房开工建设2837套，建设面积23.62万平方米，累计完成投资28686.8万元；限价商品房开工套数1230套，建设面积11.975万平方米，累计完成投资11492万元；城市棚户区（危旧房）改造开工建设1250套，建设面积10.8万平方米，累计完成投资11961.6万元；国有工矿棚户区改造开工建设632套，建设面积5.39万平方米，累计完成投资7260万元；公共租赁住房开工建设671套，建设面积3.85万平方米，累计完成投资3167.8万元；新增廉租住房租赁补贴6107户。

【开发市场管理】

贯彻落实国家和省房地产市场宏观调控政策，有效遏制投资投机性购房，稳定商品住房价格，确定了我市新建住房价格控制目标为年度新建住房价格指数(均价）同比增幅要低于当年城市人均可支配收入和经济增长幅度，于3月31日通过市政府网站等媒体向社会进行了公布。全年全市国民生产总值同比增长15%，城镇人均可支配收入同比增长16.4%，市区新建商品住房网签价格同比增长4.9%。全市共有房地产开发企业146家，其中：城区72家，县市74家。全市房地产开发累计完成投资24.1亿元，同比增长29%，房地产开发投资保持平稳增长态势。加强商品房预售资金的监督管理，全年共批准拨付项目工程款、材料款和税款共2.45亿元。

【产权交易】

全市发放产权证书12639本，同比增长26%，产权登记面积197.25万平方米，同比增长27%。其中市区发放产权证书8495本，同比增长15.7% ，产权登记面积118.79万平方米，同比增长24.5%；县市发放产权证书4144本，同比增长86%，产权登记面积78.46万平方米，同比增长32%。办理房屋他项权登记3013宗，登记面积88.79万平方米，同比下降18%。其中市区办理房屋他项权登记1302宗，登记面积42.8万平方米，同比下降8%，；县市办理房屋他项权登记1711宗，登记面积45.99万平方米。

全市共办理房地产交易4933宗，交易面积61万平方米，同比增长16%，交易金额9.41亿元。其中市区办理房地产交易3901宗，同比增长12%，交易面积48.91万平方米，同比增长26%，交易金额7.63亿元，同比增长31%；县市办理房地产交易1032宗，交易面积12.09万平方米，同比下降12 %，交易金额1.78亿元。城区办理租赁登记备案1327宗，发放租赁许可证1207本，管理租赁户数1408户，面积29.5万平方米。市本级建立了房屋交易与权属登记信息系统，实行登记业务内部网络化管理，登记信息资源共享，房屋产籍档案数字信息库，实现了一房一号、以图管房、以图管档、图档合一的规范化管理模式。

【物业服务】

全市共有物业服务企业102家，其中城区60家，县市42家。管理建筑面积近198万平方米。创建省级优秀示范项目1个（静乐县百汇佳园），市级优秀示范项目2个（药苑小区、翔龙二区）。

【城镇居民人均住房面积】

2011年，忻州市城镇居民人均住房建筑面积为：29.4平方米。

【房地产市场信息系统建设】

所属13个县市均已初步建成房地产信息系统，并投入使用。个人住房信息系统建设市区已完成登记房屋基本内容、权属状况和个人部分身份信息录入工作。

【城区保障性住房建设】

2011年，忻州城区保障性住房新建1238套，10.8万平方米，累计完成投资17584万元。其中：经济适用住房1072套，9.76万平方米，累计完成投资12508万元；公共租赁住房126套，0.68万平方米，累计完成投资60万元；城市棚户区改造项目累计完成投资6635.6万元；国有工矿棚户区改造项目40套，0.36万平方米，累计完成投资100万元。

【“民心家园”保障性安居工程】

2011年3月16日，忻州市政府与山西省浙江商会，在忻州宾馆签署合作框架协议，在忻州城区建设“民心家园”保障性安居工程。项目位于城北街南、芦芽山路东，总投资约5.2亿元，总建筑规模25万平方米，其中，廉租房9.3万平方米，1782套，公共租赁住房15.7万平方米，2491套。经济适用住房6万平方米，710套。10月19日上午，在大运公路绕城段忻府区解原乡解原村，民心家园保障性住房建设项目开工奠基仪式隆重举行。

【首开公共租赁住房工程】

2011年9月5日，第六届中博会忻州市招商引资项目签约仪式在太原迎泽宾馆隆重举行。与北京首都开发控股（集团）有限公司合作项目为：计划投资6.4亿元合作建设公共租赁住房16万平方米，2450套，全部为小高层；经济适用住房项目9.7万平方米，1100套，全部为高层。

【“开莱国际社区”】

由忻州市开莱房地产开发有限公司开发建设，是忻州首席大型园林景观居住区；是忻州首家（山西省第四家）国家康居示范工程；是忻州首家集高档住宅区、园林景观区、教育文化区、配套商业区于一体的建筑最精致、配套最齐全、功能最完善、环境最优美的超大型、高档次城市居住社区。

“开莱国际社区”南北纵向、东西横向各有两条主干道，以此为界，小区分为四个组团，南面分别为：阳光地带、绿韵广场组团、北面分别为：蓝天花园、倚林雅居组团。阳光地带、绿韵广场以多层建筑为主，采用砖混结构；蓝天花园、倚林雅居组团以小高层、高层住宅为主，采用框架剪力墙结构，防地震能力强，户型多样，便于装修。

忻州第十三中学落户于社区西南侧，为社区与周边的孩子提供了九年制义务教育；社区沿九源街、五台山路，布置了两层沿街商用房，分别为商铺，医疗保健中心、文体活动中心、商业服务、金融邮电等，沿五台山路主入口处，设计了引入小区内部的步行商业街，为住户的生活提供了便利的服务；社区的中心广场建设有26层的社区地标建筑和24层的景观观景建筑，两栋建筑建设宏伟，设计独特，尽显都市奢华风范；26层地标建筑底座设有多功的综合会所，为社区人们提供休闲、娱乐、交际的高品味场所；社区中央广场、社区组团和庭院间，安置运动健身器械、运动场地和背景音乐，在社区便可以边锻炼边享受优美的乐曲；社区在地下设置停车库，地下停车位；社区按照“乙级智能化住宅标准”建设，充分保证了安全保卫问题，社区内设有红外线报警系统、智能保安系统、门禁系统、社区内保安巡逻体系等充分保证了业主的生活安全，解决了业主的后顾之忧。

【世纪花苑住宅小区】

建设项目位于忻州市城区七一北路西与公园街交汇处，东临人民公园，西依正在建设中的忻州市人民医院，北靠忻州市经济技术开发区，南接忻州市客运北站，处于城区建设规划中心位置。

该项目建设一期工程总投资约6.7亿元，占地160.97亩，总建筑面积26.6万平方米，建筑密度16.59%，绿化率37.69%，容纳住户1578户。由忻州市宏泰房地产开发公司负责组织建设，省内外16家一级资质大型企业施工，山西理工大学设计院规划设计，山西省建筑工程建设监理中心和山西省圣业工程监理公司监理。小区规划建设18栋11～23层板式住宅楼、1栋会所及4栋临街商铺。小区规划停车位971个，其中地下车库570个停车位，地上停车位401个。

世纪花苑住宅小区地理位置优越，设施配套完善。小区规划设置有安全防范系统、家庭服务系统、信息网络系统和设备自动化管理系统，是集安全性、实用性、舒适性与便利性为一体的高档智能化社区。小区建设坚持“高标准选人、高起点设计、高水平建设、高强度管理、高效率服务”的原则，以原生态的自然环境演绎现代时尚的建筑风格，将高密度绿化和低密度住宅融入全球住宅的最新理念，它的建成，将成为忻州城区又一个地标式建筑群。

阳泉市2011年房地产业发展报告

阳泉市房地产业协会

【综述】

2011年，是“十二五”规划的开局之年，也是我市推进转型跨越发展的关键之年。一年来，全市上下紧紧围绕市委、市政府年初确定的各项经济目标，以房地产市场调控为主线，不断加大房地产业发展的组织力度，合理调整开发投资结构，积极采取各种有效措施，房地产业整体保持平稳健康运行态势，各项主要经济指标基本达到或超过预期目标，实现了“十二五”规划完美开局。

【房地产开发】

全年房地产开发投资58.9亿元，比上年增长35.9%。按工程用途分，商品住宅投资46.3亿元，增长33.0%；办公楼投资2.4亿元，增长84.6%；商业营业用房投资6.7亿元，增长21.8%。

2011年房地产开发和销售主要指标完成情况

指　　标	单位	绝对数	比上年增长%
投资完成额	亿元	58.9	35.9
其中：住宅	亿元	46.3	33.0
房屋施工面积	万平方米	657.2	8.1
其中：住宅	万平方米	496.1	4.2
房屋新开工面积	万平方米	199.7	24.0
其中：住宅	万平方米	150.7	4.4
房屋竣工面积	万平方米	123.3	68.7
其中：住宅	万平方米	112.5	76.1
商品房销售面积	万平方米	106.4	-4.1
其中：住宅	万平方米	99.9	-3.5

【保障性住房建设】

年初省政府下达我市保障性住房建设目标任务是全年完成投资8.83亿元，开工新建各类保障性住房17790套。其中：廉租住房800套；经济适用住房2000套；公共租赁住房1000套，城市棚户区改造新建住房3990套；国有工矿棚户区改造新建住房10000套。5月省政府对任务进行了调整，增加2451套（煤矿棚户区改造2000套；林业棚户区改造21套；农村危房改造430套），加上新增廉租住房租赁补贴家庭350户，我市2011年保障性住房建设目标任务达到20591套。

全市保障性住房累计完成21632套，为全年任务的105.1%。其中：开工新建各类保障性住房20737套（包括新增2451套），新增廉租住房租赁补贴家庭895户。另外，按照年初省政府下达任务（17790套）考核，全市新建开工18096套，开工率为101.7%；完成投资15亿元，完成投资率170%。

【廉租住房】

目标任务为新建800套，完成投资4900万元。新增廉租住房租赁补贴350户。

进展情况：新建开工800套，开工率为100%；完成投资8070万元，完成目标任务的164.7%。

经审核，有895户住房困难家庭新纳入廉租住房租赁补贴范围，为省下达任务的255.7%。

【公共租赁住房】

目标任务为新建1000套，完成投资3600万元。

进展情况：新建开工1000套，开工率为100%；完成投资3651万元，完成目标任务的101.4%。

【经济适用住房】

目标任务为新建2000套，完成投资2亿元。

进展情况：新建开工2000套，开工率为100%；完成投资4.23亿元，完成目标任务的211.5%。

【城市棚户区改造】

目标任务为新建3990套，完成投资1.78亿元。

进展情况：新建开工3990套，开工率为100%；完成投资4.74亿元，完成目标任务的266.5%。

【国有工矿棚户区改造】

目标任务为新建10000套，完成投资4.2亿元。

进展情况：新建开工10306套，开工率为103.1%；完成投资4.87亿元，完成目标任务的115.9%。

【农村危房改造】

目标任务是改造430户，完成投资966万元。

进展情况：实际开工430户，开工率为100%；完成投资966万元，完成目标任务的100%。

【林业棚户区改造】

目标任务是改造21套。

进展情况：实际开工21套，开工率为100%；完成投资 12 万元。

【煤矿棚户区改造】

目标任务是开工新建 2000 套。

进展情况：实际开工 2190 套，开工率为 109.5%；完成投资 2.6 亿元。

【保障性安居工程资金落实】

2011 年，累计落实保障性安居工程建设资金 1.61 亿元。

一、累计落实廉租住房工程建设资金 4799.8 万元，其中：中央资金 2751 万元；省级资金 48.8 万元；市财政预算安排 2000 万元。

二、累计落实公共租赁住房工程建设资金 4300 万元，其中：中央资金 2000 万元；省级资金 300 万元；市财政预算安排 2000 万元。

三、累计落实城市棚户区改造 6507 万元，其中：中央资金 2517 万元；市财政预算安排 3990 万元。

四、累计落实农村危房改造资金共计 493 万元。其中：中央补助资金 278 万元，省补助资金 86 万元，市级财政安排预算 64.5 万元，县级财政配套 64.5 万元。

【义北小区廉租住房举行钥匙发放仪式】

经过建设者的不懈努力，义北小区廉租住房顺利竣工。该项目的竣工，将使 216 户廉租住房保障家庭告别长期居无定所的日子，住上明亮、舒适、配套的新房。

二〇一一年五月十九日在项目现场举行了隆重的钥匙发放仪式。市住房城乡建设局王伟锁局长、城区领导李春泽、武雪以及廉租住房保障家庭、建设单位和物业公司有关人员参加了发放仪式。在发放仪式上，城区 123 户住房困难家庭首先领到了新房钥匙。

【两个项目获省级物业管理示范项目称号】

今年年初，省政府下达我市住房和城乡建设目标责任，要求我市创建 1 各省级物业管理示范项目。在创建过程中，我市有两个项目半山公馆住宅项目和商业银行大厦项目提出申报。经过管理单位和广大业主的共同努力，两个项目全部通过省验收组验收。半山公馆住宅项目获省级物业管理示范住宅小区称号；商业银行大厦项目获省级物业管理示范大厦称号。

【2011 年阳泉春季房展会】

4 月 30 日 -5 月 5 日，我市在市展览馆举办“2011 年我家在阳泉．电视春季房展会”，展会以时尚、新颖的形象到广大市民的赞誉。本次展会突出节能、环保、宜居的居住理念，是一次经典楼盘的集中亮相和展示，参展房地产开发企业达 14 家，参展楼盘 20 多个，广大市民以及外地群众近 20000 名踊跃参观。到 5 月 5 日展会落幕，共达成购房意向 1500 个，现场售出房屋 103 套，成交金额近 5000 万元。

【阳泉市启用房地产信息管理系统】

我市“房地产市场信息管理系统”已升级新版本，新版本房地产信息管理系统包括：从业主体管理、开发项目管理、新建商品房合同备案管理、存量房合同备案管理、统计与分析信息发布业务的综合管理。为了使企业人员尽快熟悉新版本系统操作软件，从 3 月 28 日至 4 月 8 日，我局在山西广播电视大学阳泉分校电教室举办了第二届阳泉市房地产信息管理系统网络操作培训班，采用集中授课、投影软件讲解和上机环境实际操作相结合的方式，分五期对房地产开发企业、中介机构、物业企业、测绘企业等房地产相关企业进行了培训，培训人员达 200 余名，通过培训，为规范房地产从业主体管理，房地产开发项目管理，市场管理奠定了基础。5 月 1 日正式启用新系统。

【实行商品房明码标价】

2011 年 6 月 17 日，我局与市物价局在市住房城乡建设局四楼会议室联合召开了商品房销售明码标价的会议。全市 54 家房地产开发企业的销售经理、销售主管参加了会议。

市物价局副局长陈前传达了《商品房销售明码标价规定》、省物价局《商品房销售明码标价规定实施细则》，市住房城乡建设局副局长郑耀东对市房地产市场现状做了分析。

会议强调了实行商品房销售明码标价制度，规范商品房销售价格行为，是解决广大人民群众普遍关心的商品房销售标价混乱，信息不透明，价格欺诈等问题，建立和维护公开、公正、透明的房地产市场价格秩序，保护消费者和经营者合法权益的重大举措，要把此项工作抓实抓好抓出成效。要求房地产企业按规定对现有销售的楼盘及商品房进行标价销售并及时备案监制。要求各房地产开发企业要认真学习国家、省、市房地产市场宏观调控政策及商品房销售明码标价制度，努力提高对此项工作的认识，确保此项工作的顺利进行。

会上同时强调房地产开发建设要规范操作，保证售后服务，兼顾配套及小区环境建设，使我市房地产行业和谐、理性、健康发展，积极推进“三城同创”。

临汾市 2011 年房地产业发展报告

临汾市房地产业协会

【综述】

2011 年，在市委、市政府的正确领导下，全市上下认真贯彻落实中央、省、市各项决策部署和工作要求，围绕科学发展观主题和加快转变经济发展方式主线，认真贯彻落实国家促进房地产市场平稳健康发展的一系列宏观调控政策措施，调控房地产市场走势；继续加大保障性住房建设力度，调整商品房供应结构，做好稳定房价工作；加强市场监管，进一步规范房地产市场秩序，全力实施“十二五”规划，着力推动转型跨越发展，房地产发展取得新的成绩，实现“十二五”良好开局。

2011 年全市房地产开发和销售主要指标完成情况

指 标	单 位	绝对数	比上年增长 %
投资完成额	亿元	37.4	19.2
其中：住宅	亿元	30.2	18.1
房屋施工面积	万平方米	565.1	-2.7
其中：住宅	万平方米	453.7	-6.4
房屋新开工面积	万平方米	144.3	-14.9
其中：住宅	万平方米	108.9	-16.6
房屋竣工面积	万平方米	109.8	-16.4
其中：住宅	万平方米	91.5	-21.3
商品房销售面积	万平方米	110.8	64.1
其中：住宅	万平方米	100.7	67.5

【开发投资】

全年房地产开发投资 37.4 亿元，增长 19.2%。其中，住宅投资完成 30.2 亿元，增长 18.1%；办公楼投资 1.0 亿元，增长 341.2%；商业营业用房投资 4.9 亿元，增长 41.6%。

全年全市市级重点建设工程 257 项，计划总投资 2462 亿元，其中当年计划投资 436.1 亿元，全年完成投资 464.1 亿元，项目开工率 87.5%，当年投资计划完成率 106.4%。

【保障性住房】

2011 年度目标任务。

新建保障性住房 3650 套、31.4 万m²，完成投资 43090 万元。其中：

新增廉租住房租赁补贴 300 户，廉租住房建设完成投资 5190 万元；

经济适用住房新建 1350 套、9 万m²，完成投资 13500 万元；

公共租赁住房新建 100 套、0.6 万m²，完成投资 1100 万元；

城市棚户区改造新建 200 套、1.8 万m²，完成投资 10000 万元；

国有工矿棚户区改造新建 2000 套、20 万m²，完成投资 13300 万元。

2011 年度保障性住房建设进展情况。

（一）、新建项目：开工 4540 套、38.48 万平方米，完成投资 48082 万。其中：市本级“漪汾花园”公共租赁住房 34 套、0.204 万m²，完成投资 400 万；市本级“临钢经济适用住房配建”公共租赁住房 46 套、0.246 万m²，完成投资 350 万；洪洞县南坂街公共租赁住房 20 套、0.15 万m²，完成投资 150 万元；市本级经济适用房“漪汾花园”三期 1174 套、8.22 万m²，完成投资 5500 万；市本级 “临钢小区”经济适用房 878 套、6.2 万m²，完成投资 4500 万；市本级迎春家园城市棚户区改造 104 套、0.9 万m²，完成投资 2100 万元；洪洞县“飞虹中街”城市棚户区改造 100 套、0.9 万m²，完成投资 1900 万；洪洞县“山焦集团”国有工矿棚户区改造建设 2000 套、10 万m²，完成投资 10782 万元。

（二）、续建项目：廉租住房 2410 套、12.05 万m²，完成投资 6300 万元；经济适用住房 1600 套、9.6 万m²，完成投资 4800 万元；城市棚户区改造 1138 套、9.87 万m²，完成投资 7700 万元；国有工矿棚户区改造 766 套、5.1 万m²。

【普通商品房】

2011 年基本统计数据： 完成开发投资 37.38 亿元、增速 19.2%，新开工面积 144.28 万平方米、增速

14.9%，竣工面积109.83万平方米、增速-16.4%，销售面积110.79万平方米，增速64.1%，完成投资3600万元。

【城镇居民人均住房面积】

2011年，临汾市城镇居民人均住房建筑面积为32.5平方米。

【存在的问题】

从目前工作进展情况看，存在的主要问题：一是部分项目前期工作不够扎实；二是地方配套资金落实不到位；三是经济适用住房供应范围相对局限。如市区首期经济适用住房申购核准工作已基本结束，经初步统计，符合条件的申报家庭共273户，约占市区首批经济适用房可售房源550套的50%，影响经济适用房建设的正常运作。

【2012年工作计划】

（一）、加强项目管理。要会同市直有关部门加强督促检查，严格落实项目法人责任制、招标投标制、合同制和工程监理制。加强工程质量管理，严格执行有关建设标准；加快项目建设进度，尽快形成更多实物工作量；加大建设资金管理，确保资金使用安全。做好项目建设信息工作，定期报告建设进度。

（二）、加强组织协调，确保工程进度。保障性住房工程涉及多个方面，我们要与有关部门密切配合，形成合力，共同做好廉租住房、经济适用房、公共租赁住房、棚户区改造及租赁补贴发放工作。要进一步加大力度，落实项目建设工作台帐，督促相关县市、相关部门及时拨付项目建设资金，确保年底完成年度投资计划。

（三）、加强监督检查。对于疏于管理、进度缓慢、配套资金落实不力的，将通报批评并限期整改。尽最大努力，不断加快保障性住房建设，满足广大低收入家庭住房需求，为加快经济发展做出积极贡献。

运城市2011年房地产业发展报告

运城市房地产业协会

【综述】

2011年，在市委、市政府的正确领导下，全市上下坚持以科学发展观为指导，认真贯彻中央、省的各项决策部署，积极应对复杂多变的经济形势，着力做好房地产市场调控工作，推动转型跨越发展和“四基地一中心”建设，房地产业保持了平稳健康发展，保障性住房任务如期完成，商品房销售价格得到有效控制，人民生活得到明显改善，实现了“十二五”时期良好开局。

【房地产开发】

全年全市房地产开发投资52.6亿元，比上年增长58.3%。其中，住宅投资38.9亿元，增长71.4%；商业营业用房投资8.4亿元，增长74.0%。

2011年全市房地产开发和销售主要指标完成情况

指　　标	单位	绝对数	比上年增长（%）
投资完成额	万元	526266	58.3
其中：住宅	万元	388982	71.4
房屋施工面积	万平方米	788.4	19.5
其中：住宅	万平方米	613.8	20.1
房屋新开工面积	万平方米	318.7	27.8
其中：住宅	万平方米	266.3	30.9
房屋竣工面积	万平方米	193.2	-8.6
其中：住宅	万平方米	154.5	-10.1
商品房销售面积	万平方米	191.7	10.6
其中：住宅	万平方米	167.0	7.5

【新建住房价格目标控制】

根据国务院办公厅《关于进一步做好房地产市场调控工作有关问题的通知》要求，3月底，市政府公布了运城市新建住房价格控制目标，目标规定2011年运城市中心城市新建住房价格指数（均价）同比增幅低于当年中心城市人均可支配收入增长幅度。河津、永济两个县级市同时也公布了2011年度新建住房价格控制目标。为做好住房价格控制工作我局要求市区各房地产开发公司在办理商品房预售许可证时将新建商品房价格要报市住建局和市物价局进行备案，且商品房销售价格不能高于备案价格，局房地产市场检查组定期对市区的在建项目销售情况进行检查，对不按申报价格进行销售的项目要严肃查处，确保市区内的商品房销售价格得到有效控制。

【保障性住房建设】

年初，省政府与我市签订了建设工作目标责任状，根据目标责任中保障性住房的任务要求，结合各县市2010年保障性住房建设情况及2011年的实际状况，合理地将保障性住房建设任务分解到各县市，为保障性住房任务的顺利完成打好基础。为确保保障性住房任务如期完成，与7月、9月对各县市保障性住房建设进行了两次检查、督查，到各县市察看项目各项手续，到现场察看项目进度，对于进度慢的提出要求和合理化建议，督促他们克服困难想方设法赶工期、赶进度，必须如期完成任务。

今年我市在省定目标的基础上，增加了经济适用住房的建设任务，2011年我市将建设各类保障性住房15331套，其中经济适用住房8730套，廉租住房1750套，城市棚户区改造3788套，国有工矿棚户区改造1063套。目前，全市保障性住房累计开工13323套，占省定任务的126.8%，完成投资72601万元，占省定任务的32.1%。其中经济适用住房开工8740套，占省定任务的223.8%，完成投资41278万元，占省定任务的72.4%；廉租住房开工1752套，占省定任务的100.1%，完成投资6173万元，占省定任务的56.7%；城市棚户区改造开工1768套，占省定任务46.7%，完成投资19850万元，占省定任务的13.4%；工矿棚户区改造开工1063套，占省定任务的100%，完成投资5300万元，占省定任务的49.4%

【商品房预销售检查制度】

2011年继续加大房地产市场秩序的整顿力度，重点加强对商品房销（预）售的监管。市区内组织专门人员每季度对市区所有开发项目的开发和销售情况进行专门检查，要求各售楼部五证上墙，销售人员持证上岗。一年来市区内共检查项目40多个，发现问题13个，并及时进行了规范和整改，对于问题严重两个项目，关停了售楼部，限期整改。并要求各市县建设局对本辖区的房地产开发和销售情况进行检查整顿，规范各开发项目的开发和销售行为。

【房地产信息系统建设】

目前，各县市已建立了的统一的个人住房信息系统，房地产市场信息系统正在筹备之中。

【省级物业管理示范小区】

2011年9月，对全市范围内申报省级物业示范小区的项目进行了验收，对符合条件的书香名邸、大世界花园、鑫地阳光城的三个项目向省厅进行申报，省厅已于9月份进行了验收，被评定为2011年度全省物业管理示范住宅小区。

【做好《国有土地上房屋征收与补偿条例》的宣传及政策解释工作】

为切实领会其精神实质与内涵，市住房城乡建设局组织局法规科和局拆迁办有关人员进行学习培训，培训人员在拆迁项目部对《条例》的新精神和新要求向大家进行了讲解宣传。成立了《运城市征地拆迁制度规定落实情况专项检查工作领导组》，并制定了《运城市征地拆迁制度落实情况检查工作方案》。

【房地产开发企业统计月报】

专人负责房地产开发企业统计数据的月报工作，积极督促各房地产开发企业及时、准确按月报送房地产开发网上月报信息，并对企业报送数据进行审核，确保数据的时效性和真实性。1-10月份，月报网上上报率达到100%，审核率达到100%。

长治市2011年房地产业发展报告

长治市房地产业协会

【综述】

2011年，长治市积极落实各项促进房地产市场健康发展的政策措施，有力地促进了房地产开发业的平稳快速发展。全年房地产开发投资完成537603万元，同比增长64.1%，增幅比上年同期加快40.5个百分点；商品房施工面积6380523平方米，同比增长27.5%，增幅比上年同期回落27.1个百分点；商品房销售面积1443357平方米，同比增长17.9%，增幅比上年同期上升12.4个百分点。从全年的主要开发指标运行情况来看，长治市房地产开发市场呈现出建设规模快速扩张，商品房销售量增速放缓的态势，与全省其他地市相比，部分主要指标位次前移。

【房地产开发投资】

截止12月底，长治市房地产开发投资完成537603万元，同比增长64.1%，占全市固定资产投资的比重为7.8%。房地产开发投资总量在全省各地市中，位居第4，房地产开发投资的增幅位于全省第一。

【商品住宅投资】

1-12月底，长治市商品住宅投资完成424664万元，同比增长63.4%，增幅比上年同期加快46.1个百分点，占房地产开发投资的比重为80.0%，比上年同期低3.6个百分点。其中，90平方米及以下住房投资完成78771万元，同比增长65.2%。

【商品房施工】

至2011年底，长治市商品房施工面积6380523平方米，同比增长27.5%；商品房新开工面积2497149平方米，同比增长20.6%；商品房竣工面积仅为2112495平方米，同比增长70.7%。从商品房竣工率来看，全市商品房竣工率为33.1%。

【商品房销售】

1-12月，长治市商品房销售面积为1443357平方米，同比增长17.9%，增幅比上年同期提高12.4个百分点，其中商品住宅销售面积1357638平方米，同比增长19.2%，增幅比上年同期下降14.2个百分点；商品房销售额423074万元，同比增长32.4%，增幅比上年同期上22.7个百分点。受商品房施工面积快速增长，销售增速相对缓慢的影响，全市商品房的存量扩大。2011年，全市商品房待售面积1183564平方米，同比增长179.2%，增幅比上年同期加快61.9个百分点，其中商品住宅待售面积988453平方米，同比增长203.3%，增幅比上年同期加快20个百分点。

晋城市2011年房地产业发展报告

晋城市房地产业协会

【综述】

2011年，在市委、市政府的正确领导下，全市上下以科学发展观为指导，以转型跨越发展为主线，全力推动经济发展和民生改善，经济建设和社会发展取得新的成绩，实现了“十二五”时期良好开局。

在国家和地方一系列促进房地产市场健康发展的政策措施作用下，房地产开发投资继续保持平稳快速增长，保障性住房建设项目进展顺利，施工规模进一步扩大，新建住房价格控调取得成，

【开发投资】

2011年房地产开发和销售情况

指　标	单位	绝对数	比上年增长%
投资完成额	亿元	37.5	15.9
其中：住宅	亿元	30.0	11.2
房屋施工面积	万平方米	488.5	19.5
其中：住宅	万平方米	394.1	16.3
房屋新开工面积	万平方米	160.4	-13.9
其中：住宅	万平方米	131.5	-14.8
房屋竣工面积	万平方米	77.7	12.0
其中：住宅	万平方米	70.2	23.0
商品房销售面积	万平方米	101.5	65.3
其中：住宅	万平方米	95.5	72.8

全年房地产开发投资37.5亿元，增长15.9%。其中，住宅投资完成30.0亿元，增长11.2%；商业营业用房投资4.5亿元，增长40.0%。

【保障性住房建设】

新建项目：今年省政府下达我市保障性住房建设目标为13420套、113.2万平方米，总投资223950万元，年度计划投资110700万元。其中：廉租房239套，经济适用房581套，公共租赁房1600套，棚户区（城中村）改造11000套。

续建项目：共4个，4300套、37万平方米，总投资121527万元，年度计划投资49280万元。其中：经济适用住房3300套，棚户区（城中村）改造1000套。

【目标任务完成情况】

今年晋城市13420套保障性住房建设已全部开工，今年计划完成110700万元。其中：廉租住房239套，经济适用住房581套、公共租赁住房1600套、棚户区改造11000套。

全市4个保障性住房建设项目除阳城县经济适用住房建设项目外，其他三个项目年底都能按目标要求基本完成。具体情况如下：

①、廉租住房

指标／责任单位	目标任务		开工建设进展情况				形象进度
	新建套数（套）	计划投资（万元）	新建套数（套）	开工比例	完成投资（万元）	完成投资比例	
高平市	50	200	144	288%	920	460%	主体完工
市住建局	189	400	216	114.3%	400	100%	基础施工
合　计	239	600	360	150.6%	1320	220%	

②、经济适用住房

指标／责任单位	目标任务		开工建设进展情况				形象进度
	新建套数（套）	计划投资（万元）	新建套数（套）	开工比例	完成投资（万元）	完成投资比例	
高平市	300	1500	432	144%	4060	270.7%	主体完工
市住建局	281	600	281	100%	673	112.2%	基础施工
合　计	581	2100	713	122.7%	4733	225.4%	

③、公共租赁住房

指标／责任单位	目标任务		开工建设进展情况				形象进度
	新建套数（套）	计划投资（万元）	新建套数	开工比例	完成投资（万元）	完成投资比例	
开发区	1600	8000	0	0	5559	69.5%	采空区治理

④、城市棚户区改造

指标／责任单位	目标任务		开工建设进展情况			
	新建套数（套）	计划投资（万元）	新建套数（套）	开工比例	完成投资（万元）	完成投资比例
市　区	11000	100000	11210	101.9%	129329	129.3%

2、续建项目（经济适用住房）

指标／责任单位	目标任务				建设进展情况		
	目标任务年度	续建套数（套）	计划投资（万元）	进度要求	完成投资（万元）	完成投资比例	形象进度
高平市	2009年	700	7000	竣工	7230	103.3%	主体完工
阳城县	2009年	600	5000	竣工	1200	24.0%	三通一平
晋煤集团	2010年	2000	17280	主体完工	18483	107.0%	主体完工
合　计		3300	29280		26913	91.9%	

【城镇居民人均住房面积】

2011年，晋城市城镇居民人均住房建筑面积为：32,6平方米。

【房地产市场监管】

1、建立个人住房信息系统；指导和推进县（市）建立房地产市场信息系统。负责督促房地产开发企业按月报送房地产开发网上月报信息，并对企业报送数据进行审核，确保数据的时效性和真实性。实现与省房地产信息系统联网。

2、保持房地产开发投资平稳增长。

3、出台新建商品住房价格调控措施，合理确定当年新建商品住房价格控制目标，建立房地产信息公开机制。

4、创建1个全省物业管理示范项目。

5、做好《国有土地上房屋征收与补偿条例》的宣传及政策解释工作。

【个人住房信息系统建设情况】

完成了《晋城市个人住房信息系统建设规划方案》编制，目前，个人住房信息系统规划方案已经市政府批复，正由市信息中心对其细化审核，方案修改后进行集中采购，计划年底前完成软件、硬件、档案数字化招标。

【网上信息月报情况】

一是对房地产开发企业报表人员进行了专门培训。

二是督促房地产开发企业按月报送房地产月报表，确保数据的时效性。建立了月报表通报制度，按月对未报表企业通报。

三是对企业报送数据进行审核，确保数据的真实性。

【商品住房价格调控情况】

晋城市政府出台《关于加强房地产市场调控工作的意见》（晋市政办〔2011〕36号），采取了提高廉租住房配租比率、积极推进公租房建设、加强保障性住房租（售）后监管、实行预售价格申报备案等18条调控措施。成立了市长任组长的房价调控工作领导组（市政府办公厅《关于成立保障性住房建设与稳定住房价格工作领导组的通知》（晋市政办函〔2011〕36号）），明确了晋城市市区2011年新建住房价格（均价）同比增幅控制在6%以内，高平市区增幅控制在9%以内。

1-11月，市区商品住宅累计成交45.56万平方米，成交金额19.64亿元，成交均价4218.67元/平方米，与去年底相比，增长5.6%，预计年底新建住房价格目标可以控制在6%以内。

【建立房地产信息公开机制】

晋城市建成了“晋城市房地产信息网”，做到了：房地产政策信息公开，商品房房源信息公开，商品房销售信息公开，商品房项目信息公开。

【商品住房预售资金监管机制】

晋城市房管局与人行、银监局联合起草了《晋城市商品房预售资金监管实施细则》、《商品房预售资金监督管理配套资料》，现正联合发文。

【物业管理示范项目创建】

晋城市铭基凤凰城住宅小区已通过省住建厅“省级物业管理示范项目”审核。

【贯彻落实《国有土地上房屋征收与补偿条例》】

一是完成了机构更名及职责确定工作。市拆迁办变更为市房屋征收与补偿管理办公室，负责国有土地上房屋征收补偿具体工作。

二是草拟了《晋城市国有土地上房屋征收与补偿实施办法》（送审稿）、《晋城市国有土地上房屋征收与补偿工作程序》（试行）、《晋城市国有土地上房屋征收与补偿资金管理办法》。

三是全员参加住建部组织的《条例》培训，通过培训学习，极大地提高了征收人员的素质，提高了对《条例》的理解与把握。

二〇一一年十二月六日

太原市2011年存量房（二手房）市场分析报告

省房地产业协会咨询服务部
太原我爱我家房地产经纪有限公司

一、二手房市场运行的政策环境

（一）商品房政策

1. 限购令陆续出台

限购范围和严厉程度递增、限价令陆续出台。年初，“国八条”中明确提出限购条件，并指定必须限购的城市，将2010年“国十条”和“9.29新政”的限购要求具体化、严格化，限购范围扩大至40多个城市，限制标准严厉程度大大提高。7月“国务院常务会议”又将限购范围扩大到地级县级城市，限购城市进一步扩大至近50个城市。价格方面，中央规定商品房明码标价防止房地产企业坐地起价，要求各地制定房价控制目标，并以问责制确保地方政府执行力度，地方“限价令”陆续出台。

2. 贷款门槛提高

首套、二套贷款门槛提高，三套停贷，各类需求均受到一定抑制。从2010年1月“国十一条”到2011年1月“国八条”，首套房贷款首付比例全面调到30%及以上；二套房首付比例不低于60%，贷款利率不低于基准利率的1.1倍；三套及以上住房暂停发放贷款；不能提供1年以上当地纳税或社会保险缴纳证明的非本地居民暂停发放购房贷款。

3. 房产税试点改革

住房转让营业税调整、房产税改革试点正式落地。紧随“国八条”之后，2011年1月27日，财政部发通知，将购买不足5年（含5年）的普通住宅对外销售由按差额征收营业税改为按全额征收；同日，上海、重庆开始实施房产税改革试点，进一步打击炒房行为。10月人大会议已经表明今后会扩大房产税改革试点范围。

（二）保障房政策

1. 多项政策支持保障房融资

中央投入资金增加，多项政策支持保障房融资。2011年10月住建部部长姜伟新在十一届全国人大常委会上表示，今年中央政府实际已投资1520多亿元，好于历年水平。姜伟新还表示，明年的任务更重，中央的投入肯定不会少，而且会有所增加。另外，中央发布《关于利用债券融资支持保障性住房建设有关问题的通知》、《关于多渠道筹措资金确保公共租赁住房项目资本金足额到位的通知》等多项政策支持保障房融资，确保建设进度。

2. 1000万套保障房计划提前实现

2011年，《国民经济和社会发展第十二个五年规划纲要》中提出，未来5年，我国将开工建设3600万套保障房，2011年和2012年各1000万套，后面三年1600万套，“十二五”末使保障性住房的覆盖率达到20%。根据住建部统计数据，截至2011年10月底，全国保障房已开工1033万套，超额完成年初计划任务。

（三）货币政策

1. 上半年持续收紧

为抑制通货膨胀，央行在2011年上半年持续收紧货币政策。2011年1月-7月，央行共加息3次（2010年以来共5次），上调存款准备金率6次（2010年以来共12次）。一年期存款利率提高到3.5%，大型金融机构存款准备金率达到21.5%的历史高点。

2. 下半年放缓

进入下半年以后，随着物价过快上涨的势头得到遏制（CPI增速由7月的6.5%高位回落至10月的5.5%，11月进一步下降至4.2%），中央及时调整货币政策收紧步伐，7月-11月共计5个月里，央行未上调利率和存准率。2011年11月30日，央行公布从12月5日起下调存款准备金率0.5个百分点，这是近三年来央行首次下调存准率，释放2012年货币政策微调的信号。

（四）市场运行政策环境收紧

从各级政府及金融部门房地产调控政策出台的力度和频率上看，2011年房地产市场可以称之为历史之最。政策力度的加强和频率的加快，无疑反映出我国政府对遏制房价过快增长的决心，但同时也反映出近几年房地产市场价格上扬事态的坚挺程度及市场泡沫政策性挤压的难度。从2011年二手房市场的表现来看，70个大中城市二手住房价格。二手房市场受到受到市场政策的影响要小于新建房市场，但从长期角度看，市场运行政策环境将保持整体紧收格局，并逐步反映到二手市场的价格和交易量上。对于属于二线城市的太原市来讲，二手房市场属于逐步上升的发展阶段，市场的总量小于一线城市及东部发达城市，但市场发展的上升趋势表现良好，空间巨大。

二、市场供需结构分析

（一）市场供给分析

1. 二手房市场供给介绍

二手房市场供给是指在一定时间段内，市场挂牌出售的住房的数量。市场供给作为市场基本的要素之一，其作用不言而喻，有效稳定的的市场供给会为市场的需求提供有效满足的通道。对于二手房市场而言，地理位置优越、总价较低、产权明确、房龄较新的市场供给对于首次置业及部分置业升级的需求人群，其吸引力往往要大于新建商品房。随着房地产市场的发展，越来越多的次新房逐步进入市场，二手房交易量在市场中的份额逐年增加。随着我市行业管理部门对新建商品房、已购公房等房产确权工作的深入展开，市场二手房供给也呈现出逐年上升的态势，这为我市二手房市场的逐步繁荣提供了有力的推动。

2. 市场供给量图表

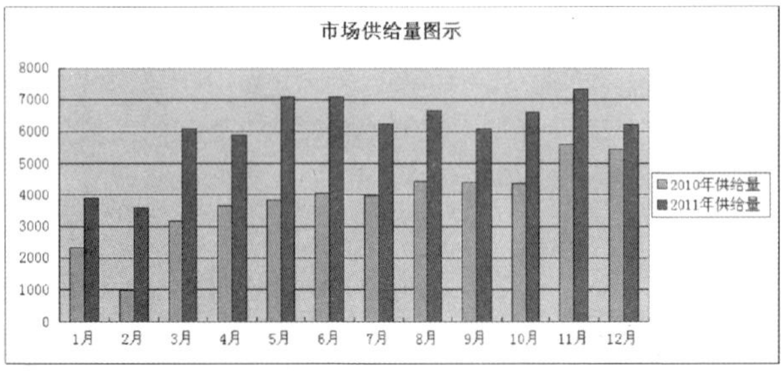

注：以上数据源于我爱我家公司 ERP 数据库

3. 图示分析说明

从上图可以看出，2010 年我市二手房市场供应量除二月份受春节长假影响而出现一个低谷外，整体趋势呈现出温和上升态势；而进入到 2011 年，市场供应量开始以一个水平范围内小幅上下波动，但总体较上年有大幅度上升，同比去年上涨 57.43%。2011 年度市场供给的大量释放反映出我市二手房市场在本年度更加活跃，在限购政策的影响下，手中有多套房源的业主如果想要购买第二套新建商品房，就必须对手中现有住房进行处置，这也使得 2011 年二手房供应一直保持在一个较高水平上，说明政策因素对二手房市场影响程度日益加大。

（二）市场需求分析

1. 二手房市场需求介绍

相对于市场供给而言，市场需求则决定着整个市场的活跃程度，是房地产市场发展的根本动力，而市场中刚性需求比重较大，说明市场的发展动力稳定而有效，对于政策调控的影响相对较小；而市场中投资性需求偏大，则反映出市场价格短期上升趋势明显，房地产产品投资收益明显或保值性能优于其他产品。从目前我市主要房地产经纪公司一线从业人员反馈来看，我市基本属于刚性自住需求和改善性需求占主导地位，相对与一线城市而言，市场受到政策影响程度总体上要相对较小。

2. 市场需求量图表

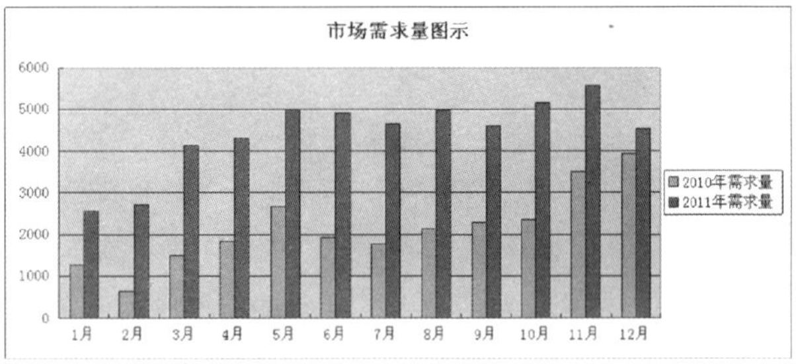

注：以上数据源于我爱我家公司 ERP 数据库

3. 图示分析说明

从我市二手房需求图示看，2011 年较 2010 年需求量同比增长 105.77%，从全年市场图示的走向可以看出，整个 2011 年我市二手房需求呈现小幅上升、波动较小的态势。说明我市二手房市场无论是在供应还是需求方面，近几年的活跃度都在不断提高，市场也在日趋成熟，稳步前进。

（三）市场供需比分析

1. 二手房市场供需情况介绍

市场供给和需求作为两个主要因素，其相互之间的作用是影响市场价格、交易量的动因之一，传统上所讲的买方市场或卖方市场也是根据上述两者之间的比例关系来确定的。当市场处于买方市场时，有效需求一方所可以承受的价格往往决定市场价格的走向，反之亦然。而作为不动产的二手房有其自身特点，地段、确属、配套等综合条件较好的供给在市场价格决定中仍起到决定作用。

2. 市场供需比图示

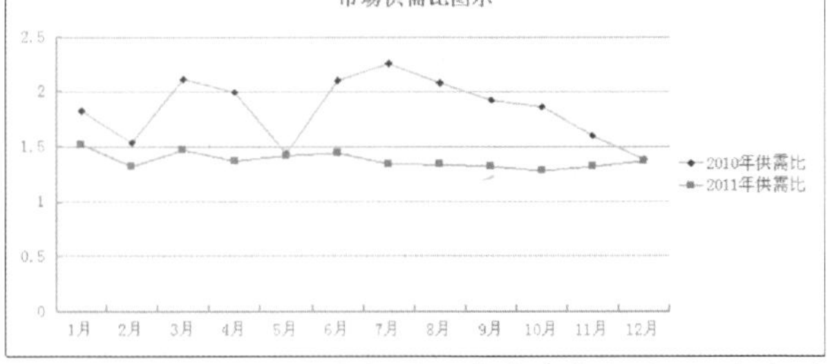

注：以上数据源于我爱我家公司 ERP 数据库

3. 图示分析说明

根据数据显示，太原市二手房市场在2006年之前一直处于卖方市场，如2004年的市场供需比为1:3.5，所以市场中临时涨价、争抢房源的现象非常多。随着市场发展进程的加快，越来越多的商品房确权，同时大量的已购公房在市场中释放，市场供给量的递增速度明显要高于需求递增的速度，市场供需比例出现变化，逐步由卖方市场转化为买方市场。如上图所示，2010年太原市二手房供需比为1.79:1，为历年来最高值。且其中的三、四、六、七、八这五个月的供需比均超过2:1。2011年太原市二手房供需比为1.37：1，较2010年有所回落，且供需比例波动很小。从市场操作层面来看，总价低、地段优的老城区房源依然受到市场的追捧，而大量的总价高、面积大、教育配套较弱的新城区次新房在市场中的沉积现象比较严重。

三、二手房市场交易量分析

（一）市场概况

2011年全年太原市二手房交易办证6102套，成交套均面积97平米，成交总金额17.95亿，同比去年下降了11.53%。与全国其他大中城市一样，2011年度太原市二手房交易也停止了往年的大幅上涨趋势，整体首次出现了负增长，但环比增加2.19%。虽然降幅小于其他城市，但不可否认的宏观调控政策的影响已经逐步深化到了我市的二手房市场，很多人开始持观望态度，伺机等待房价的进一步回落。不过太原作为中西部二线城市，房地产市场仍属于初级发展阶段，泡沫相对较小，市场交易主体仍以自住型需求为主，所以受政策影响也相对较小。

（二）存量房交易量图示

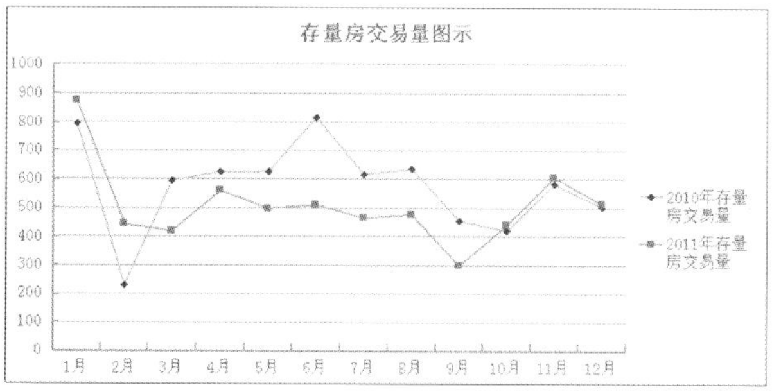

注：以上数据源于太原市房地局

（三）图示数据分析

根据数据显示，2011年二手房各月成交量波动幅度较上年趋于平缓。在限购令的影响下，楼市整体观望气氛浓厚，进而影响了二手房的交易活跃度。同时由于限购政策引起部分增量房项目的价格下调，拉近了与二手房价格的差距，导致刚需客户的分流，造成2011年二手房市场整体成交量的萎缩。

四、二手房市场交易价格分析

（一）市场概况

2011年太原市二手房交易平均价格5945元/平米，较去年同期上涨明显，同比增涨11.52%，环比增长17.29%。二手住房销售价格指数同比为103.6，在70个大中城市中排在第十位。从二手房价格的趋势来讲，我市二手房上涨幅度高于全国平均水平，结合成交量的情况，属于量跌价升的市场格局。

（二）存量房成交价格图示

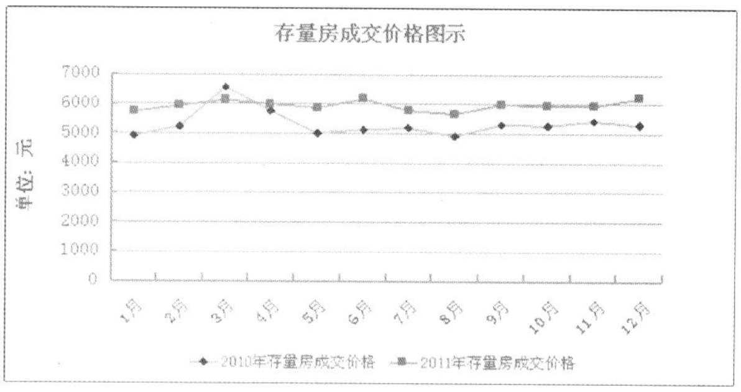

注：以上数据源于我爱我家公司ERP数据库

（三）图示数据分析

由于限购政策对二手房的约束力有限，使得部分投资性客户转入了二手房市场，这就使得部分生活便利、地段优良、配套成熟且具备投资的高价位二手房成交活跃，进而推动了二手房市场整体价格的攀升。同时越来越多的次新房由于投资获利回吐、限购政策挤压等原因流入二级市场，结合整体交易套数的下滑，形成了二手房市场价升量跌的态势。

五、二手房市场特征分析

（一）二手房在市场中所占份额分析

1. 二手住房成交面积与新建商品住房销售面积比较：

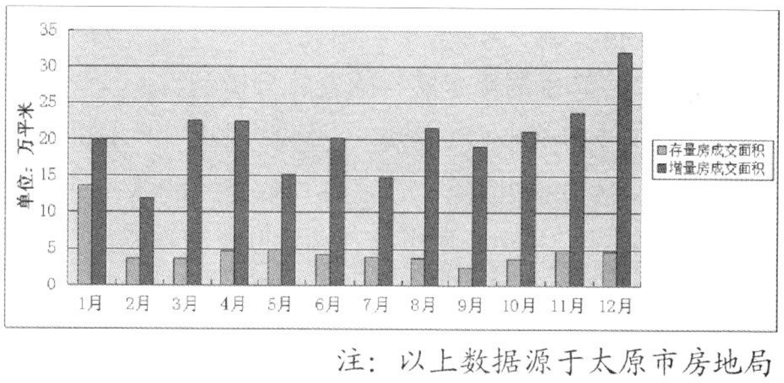

注：以上数据源于太原市房地局

从总体及月度表现来看，2011年太原市二手住房成交面积均小于同期新建住房成交面积，增存比值为4.2:1，而10年这一比值为4.8:1，说明11年二手住房在总成交面积中所占份额有所增加。这一变化与2011年新建商品住房的平均面积由10年的128平米减小到了120平米，而二手房的成交平均面积变化较小有着一定关系，但总体来看太原市二手住房成交面积所占的市场份额还是远小于同期新建商品住房的份额。

2. 二手住房成交套数与新建商品住房备案套数比较：

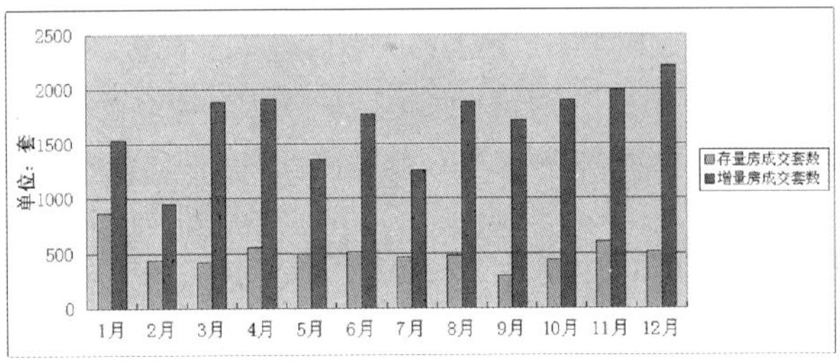

注：以上数据源于太原市房地局

从全年整体来看，2010年太原市成交新建住房21405套，二手住房6857套，增存比约为3.12:1；2011年太原市成交新建住房20350套，二手住房6094套，增存比约为3.34:1。这说明2011年由于受政策影响，一、二手住房的成交量都有所下滑，但曾存比例变化不大，市场份额结构保持在一个稳定的水平。从各月度表现来看，一手住房市场的成交量波动较大，这于一些大盘的集中开盘放量有一定关系，相比新建商品住房而言，二手住房市场的月度成交情况要平稳的多。

3. 市场份额分析

二手房在市场交易中所占份额的大小，很大程度上说明市场的成熟程度和梯度消费的合理性，一个发达且稳定的房地产市场，二手房的交易量往往要高于同期新建房的交易量。太原作为传统意义上的二线城市，房地产市场属于逐步上升的发展阶段，二手房市场所占的份额与新建商品住房市场仍存在明显差距。目前市场中二手房源的建筑质量、产权归属、物业服务、配套情况等诸多问题在一定程度上影响的二手房市场的发展，但从长远角度来看，随着太原城市化进程的加快，越来越的的次新房进入二手市场，将使得二手房的市场份额逐步扩大，人们对改善性住房的需求加大也会促使市场梯度消费的格局的逐步实现。

（二）二手房需求结构的变化分析

1. 二手房交易面积变化

2011年太原市二手房成交套数中，80-100平米住房所占比重较10年有所下降，而120平米以上住房所占的比例上涨明显。80平米以下的住房所占比例变化不大，但市场份额所占比重却很高（达到50%以上）。

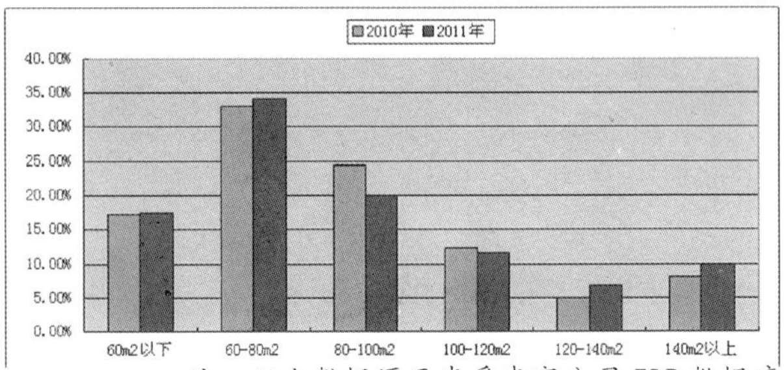

注：以上数据源于我爱我家公司ERP数据库

2. 二手房交易总价变化

2011年太原市二手房成交套数中，30万元以下二手房所占比重为16.52%，比10年减少7.2个百分点，30-50万元的二手房所占比重为43.67%，比10年增加3.7个百分点，50-70万元的住房占有比重变化不大，值得注意的是70万元以上的二手住房成交量比10年提高了8.16个百分点，市场份额达到了20%以上。

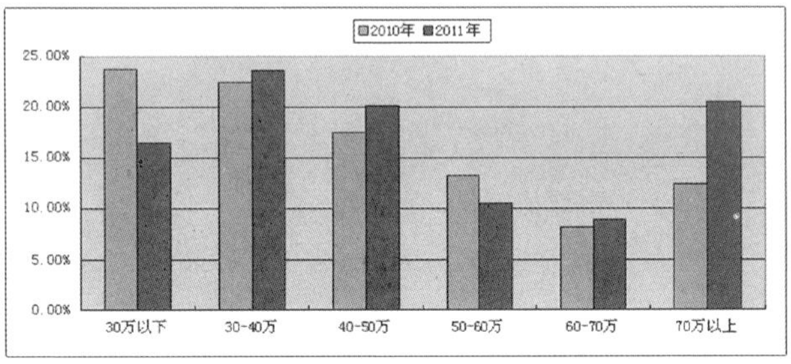

注：以上数据源于我爱我家公司ERP数据库

3. 二手房需求结构变化

从以上成交面积和成交总价在不同区段的成交量可以看出：大面积高价位的二手房成交中所占的比重增较明显，而大面积住房的建设年代一般都比较新，这就说明一些小区环境较好的面积次新房房作为消费者的改善性需求住房越来越受到人们的认可，改善型需求在人们的购房比重中份额增大；80平米以下的小户型依旧是二手成交的主力军，而这成交量还在不断扩大，这些二手房大多地理位置优越，生活配套齐全，公共交通便利，而且有很大一部分周围有很好的教育资源，但由于地处老城区中心位置，房龄大多较长。不过购买者主要看重的是他的的区位优势，主要用于就进工作和对口升学。

六、2011年租赁市场浅析

（一）供求比分析

2011年太原租赁市场供给量同比增加85.66%，增幅比2010年的51.54%还提高了34个百分点。需求量同比增加80.55，增幅比2010年的82%下降了1.5个百分点。整体来看，无论是供应还是需求，涨幅都很明显，说明买卖市场中价格的实际上涨和消费者预期的房价下降存在的偏差导致导致部分购买需求暂时转入租赁市场，导致租赁市场持续活跃。

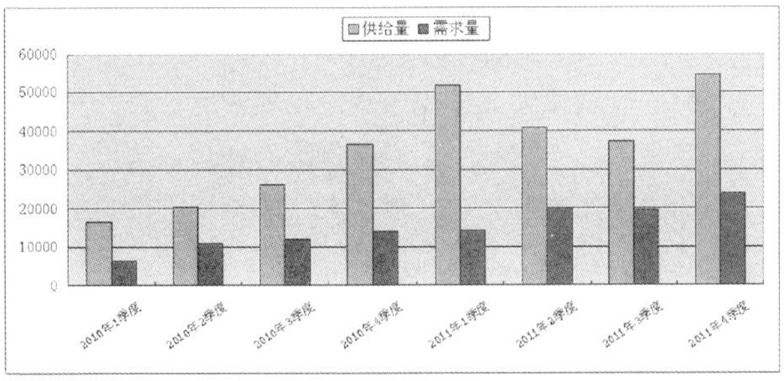

注：以上数据源于我爱我家公司 ERP 数据库

（二）价格分析

2011 年度太原市租赁市场的成交价格同比上涨 13.59%，涨幅比 2010 年的 11.9% 还增加了 1.7 个百分点。由于租赁市场的持续活跃，导致了租赁市场价格的曲线上涨，而且涨幅高于买卖市场的涨幅。

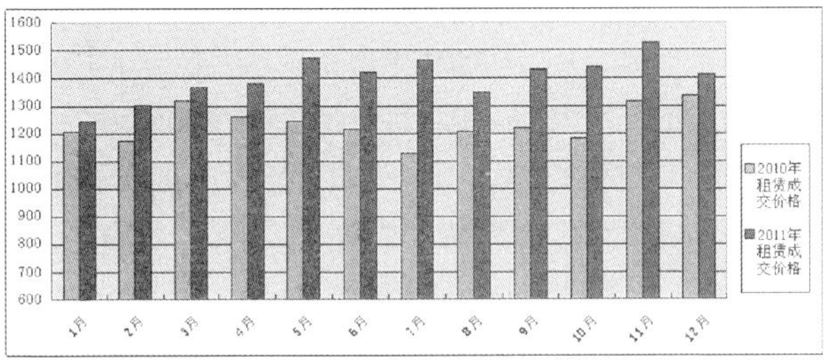

注：以上数据源于我爱我家公司 ERP 数据库

总结

综合以上数据进行分析，可以得出以下结论：

（一）限购政策对二手房市场的影响正在逐渐加大

自限购令颁布以来，商品房市场的萎靡态势逐步加剧，市场观望气氛日渐浓厚。很多投资客户获利出货、多套房客户急于出清手中余房，导致很多次新房流入二级市场，在需求不振的市场背景下，导致房源竞争日趋激烈，买方市场迅速确立。同时很多增量房迫于资金、政策等原因不得不低价促销，导致增存市场的价格差缩小，使得部分均好性差的二手房成交困难；而均好性强、特点突出的二手房却供不应求。这就造成了目前市场价升量跌的反常态势。

（二）二手房版块对房地产整体市场的参与度将稳步提升

虽然二手房版块的成交量也在下滑，但是相对增量房市场而言，跌幅缓慢的多，在房地产整体市场中所占的比重也在稳步攀升。同时，很多短房龄的二手房及大量次新房上市交易也使得购房客户有了更多的选择。由于很多二手房走集中在配套成熟的老城区，而这些区域由于地价等原因，增量房房源短缺，从而使得二手房成交量在局部地区甚至超过了增量房。

（三）增存市场的界定逐步模糊

由于增量房与存量房的销售渠道、价格、客源正在逐步重合，购房客户选择面将逐步扩大，使得一、二级市场的区别正在逐渐消失。而这样的趋势会反过来影响政策、金融的导向，从而促使两级市场的进一步融合。

七、走势预测

（一）政策环境导向

1. 房地产调控：中央继续加强房地产调控决心不减

本轮调控事关中央政府公信力和中国经济健康发展的大局，中央力度和决心不减。2010 年以来，中央政府紧盯市场变化持续加码调控，“国十条”、“国八条”等政策密集出台，温家宝总理等领导人也不断强调中央政府继续加强调控的决心。2012 年房地产调控政策仍将维持从紧取向。中央政治局会议定调 2012 年经济工作时表示“坚持房地产调控政策不动摇”，“限购”、“限价”等行政性措施在近期不会放松。从内部因素看，GDP 增速仍在较高水平，通胀压力依然较为突出，财政收入增长仍在高位。从外部环境看，由于近两年出口对经济增长贡献低于 2007 年，欧债危机影响不如 2008 年的全球性金融危机。从房地产行业看，投资开工增速仍在高位，房价刚刚出现下调，主要城市房价跌幅明显小于 2008 年下半年。预计 2012 年房地产调控政策仍将维持从紧取向，在房价明显下降或达到中央的预期之前，调控不会冒然放松。

2. 经济环境：外需不振，投资放缓，经济减速，CPI 连续四个月下行

2011 年，为控制通货膨胀，国内货币政策持续收紧，经济减速，国际环境恶化，不确定性加大。下半年货币政策收紧的节奏放缓，开始适时适度预调微调。预计 2012 年，中国经济将在积极的财政支持以及货币政策的微调下实现平稳软着陆，同时使物价水平控制在合理范围内。

3. 货币政策：稳增长背景下货币政策微调，由“稳中偏紧”向“稳健”转变

货币政策预调微调，2012 年货币政策将由 2011 年的“稳中偏紧”向“稳健”转变，但全面放松可能性不大。近期通胀水平明显回落，若明年我国经济仍能保持稳定的发展水平，则货币政策不会大幅度全面转向。目前的货币政策微调源于前期收紧幅度过大，现在是向正常水平回归，不代表政策全面放松，应密切关注利率下调。预计 2012 年总的信贷规模可能与 2011 年持平，达到 2008 年四季度至 2009 年期间放贷近 11 万亿元天量的可能性很小。

4. 保障房：力度持续加大，给地方政府带来巨大资金压力

保障房建设力度持续加大，规模迅速增加，地方政府将面临更大资金压力。近几年保障房建设规模迅速增加，政府资金压力较大。2009 年，我国保障房计划建设 387 万套，2010 年达到 580 万套，实际开工 590 万套。“十二五”期间，中央政府计划建设保障房 3600 万套，2011 年已经完成了开工建设 1000 万套的目标。明年政府要进行保障房建设中期评估，保障房建设规模或将进行调整，预计 2012 年保障房开工建设目标为 800 万套，相比原计划的 1000 万套或将略有下调。但 2012 年是保障房建设的高峰期，2011 开工的要继续施工，再加上明年新开工的，政府筹集资金压力将会很大。

5. 房产税：试点范围可能扩大，为建立中长期制度奠定基础

预计在 2012 年或更长时间内，房产税试点改革范围将进一步扩大，尽管试点初期由于税率较低、覆盖范围窄，不会对市场产生显著影响，但其长期影响不容忽视。房产税改革试点和相关配套制度的逐步实施，将优化房地产税收制度、平衡房产持有和交易环节税负，有助于促进公共财政制度的变革，从根本上有助于房地产业的长期健康发展。另一方面，房产税改革试点范围扩大，可能降低相关城市限购的必要性，这将为限购政策的逐步退出提供条件。若经济下行趋势和房地产投资等指标增速放缓，通过房产税试点并逐步退出限购可能成为政府的一个选择。

（二）市场运行特征预测

1. 供需关系的变化：

短期来看，由于国家近两年来对房地产严厉的打压政策，使得购房者对未来房地产市场信心不足，一些业主开始抛售手上的房源，使得二手房市场的供应量加大，而购房者现在大多持观望政策，期望房价进一步下调，市场需求的增速赶不上房源供给的增速，所以短期内市场的供需比可能会进一步扩大，房价受到供需关系和市场环境的影响，近期预计不会有大的提升。从长远角度看，随着房地产政策的逐步稳定，投机型购房的减少和近日积攒刚需的释放，二手房市场的供需比例应该会有所缩小。

2. 市场份额的变化：

从市场供应量来看，受国家房地产调控政策的影响，开发商拿地日趋谨慎，这就会使得在未来一段时间内，新建商品房的增加速度放缓，而且现在市场上的大量新建商品房也都会转化成二手次新房。城市发展来看，随着城市新建商品房趣味的逐渐外移，二手房的区位优势将更加明显。从市场的成熟度来看，二手房在市场交易中所占的份额大小，很大程度上说明市场的成熟程度和梯度消费和合理性，一份发达且稳定的房地产市场，二手房的交易量往往要高于一手房交易量。太原二二手房发展仍属于起步阶段，还需要不断地发展和完善。所以随着市场的发展和成熟，二手房市场的份额占有将会大大增加。另外，随着城市化进程的加快，租赁市场也会更加活跃。

3. 交易价格的变化：

随着国家对房价的宏观调控的不断深化，太原的新建商品房已经出现的量价齐跌的现象，这也在一定程度上影响二手房价的走势。不过我市二手房需求基本以自住型改善需求和就进工作就学需求为主，所以受政策影响不大。一些地区的学区房由于供应有限，需求扩大还会有一定程度的价格上涨。

市场运行监测报告

SHICHANGYUNXING JIANCEBAOGAO

2011 年太原市房地产市场运行监测报告

市场运行监测课题组

2011 年太原房地产市场，正处于调控转型时期。

从政策层面看，国家调控房产市场政策频出，“坚决抑制投机投资性购房需求”、“遏制房价过快上涨”、“增加住房有效供给”、“加快保障性安居工程建设”等政策成为调控的主要目标。此后，地产政策越发严厉，二套房房贷首付比例和利率纷纷上调，三套及以上房贷全面叫停……各地的“限购”、“限贷”政策不断出台。

虽然调控压力重重，但 2011 年房地产市场还是走出了 09 年的低迷。加上星河湾、万达等高端项目相继入市，宣告了太原房地产高端时代的来临。在高端项目的带动下，整个太原房地产市场成交均价出现上涨。

2011 年，全市实现地区生产总值（GDP）2080.12 亿元，比上年增长 9.9%，增速比上年（11.0%）减慢 1.1 个百分点。经济总量比上年净增加 302.07 亿元。

全年第一产业增加值 33.88 亿元，增长 3.1%；第二产业增加值 949.19 亿元，增长 11.6%；第三产业增加值 1097.05 亿元，增长 8.7%。三次产业占 GDP 的比重依次为：1.6%，45.6% 和 52.8%，在 GDP 9.9% 的增长速度中，三次产业分别拉动 0.1、5.2 和 4.6 个百分点。

全社会固定资产投资增速在前 8 个月回落至全年最低点（仅增长 2.8%）后，从 9 月份开始增速明显加快。从单月看，连续 4 个月稳步提升，9 月、10 月、11 月、12 月的增速均在 30% 左右，月平均投资额扩大到 100 亿元以上，特别是 12 月份投资额达到 230.92 亿元，创造了改革开放 30 年以来的单月投资最高值。

太原房地产市场有着巨大潜力，并且不断改善的投资环境和较为丰厚的投资回报，使太原房地产业成为各大开发商投资的重要领域。星河湾、万科、万达等十多家全国知名的大型房地产开发企业陆续进驻太原。

这些外来大型房地产企业，一方面为太原房地产市场带来了品质出众的高端产品，从而更加丰富了太原房地产市场的产品，另一方面也带来了大型房地产企业成熟的运作和管理机制，以及对客户需求的准确把握。但不可否认的是，同时也成为推高太原市商品住宅均价的重要原因。

从太原市商品住宅均价走势来看，10 年 7 月前基本维持在 5700 元上下，但随着星河湾、万达广场项目的集中上市，7 月底太原市商品住宅的平均价格就飙升至 12654 元，其后也一直维持在 7000 多元的高位，如果不考虑外来高端项目的拉动作用，太原市实际房价仍然在 5500~6000 元左右。

总的来说，与国内一线城市及大部分二线城市相比，太原市房地产市场保持了较为平稳、健康的发展，总体上保持了购销两旺的局面，在国家出台严厉的限购措施后，太原市政府对政策积极、深入地进行贯彻和执行，保证了太原市整体商品住宅价格的涨势趋于平稳，保证了今后平稳发展的基础。无论从哪个角度来看，太原市房地产市场都具有着极其广阔的发展前景。

一、太原城市基础设施建设

基础设施建设：2011 年开工建设各类重点工程 150 项，其中城市基础设施建设项目 55 项。太原美术馆、太原博物馆、文化岛平台等中博会场馆及配套工程全部完工，省城地标性建筑群初具规模。全年开工建设道桥工程 31 项，其中滨河西路南延、新晋祠路拓宽改造、奥体片区路网等 21 项工程全部完工。全年小街巷改造完工 47 条，完成长风桥至祥云桥段 5.1 公里的汾河治理美化南延工程。全年完成既有建筑节能改造 154.90 万平方米，新增可再生能源利用面积 174.69 万平方米，成功入围全国首批“中德技术合作—公共建筑中小学校节能试点城市”。

2011 年末全市天然气供气总量 38670 万立方米，集中供热面积 9984 万平方米，集中供热扩网 1323 万平方米。新购置公交车 600 辆，年末城市公交运营车辆 2677 辆，其中：公共汽车 2546 辆。公交运营线路网长度 3003 公里，年客运量 6.43 亿人次。

城市绿化：建成区开工建设园林绿化工程 31 项，其中滨河西路南延风景林带绿化工程、奥体片区绿化、新晋祠路林带景观工程等 29 项工程全面竣工。创建省级园林单位 5 个，省级园林小区 2 个，省级园林道路 2

条。全市共有综合性公园30个，专类公园11个，带状公园4个，街头游园80个，社区游园43个，街旁绿地47块。建成区绿化覆盖面积达到11403公顷，园林绿地面积9948公顷，公园绿地面积3027公顷。建城区绿化覆盖率38.01%，绿地率33.16%，人均公园绿地面积10.09平方米。

二、商品住宅总体情况

1、商品住宅

2009年至2011年太原商品住宅供求情况

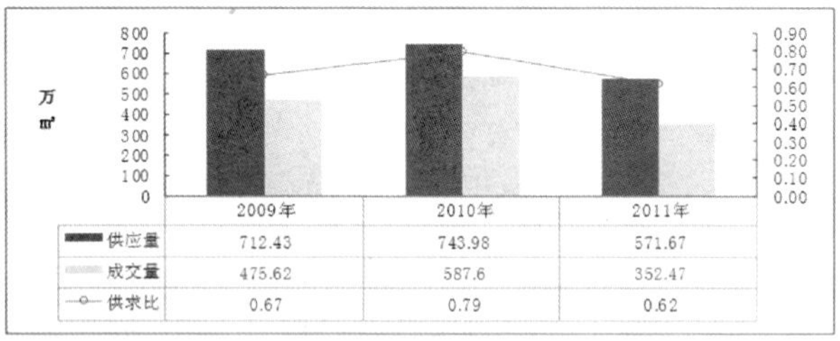

数据来源：CRIC

2011年，太原商品住宅市场供应面积为571.67万㎡，较上年减少了23.16%。由于2011年一系列强制性调控措施的出台，房地产市场走势不明朗，开发商观望情绪浓厚，多数采取了放慢开发节奏、延缓开盘时间和减少推盘量的方式规避市场风险，由此造成了全年市场供应量的大幅下降。

太原商品房住宅市场成交面积为352.47万㎡，较上年减少了40.02%。从数据上看，调控的最大效果，就是使得住宅成交量锐减，政府也正是希望由此给开发企业造成市场压力，从而逼迫开发商降价，这一目的基本达成。接下来的半年，将是市场和政府博弈的关键时期，房价是否会真的下降，还要看各房企对市场压力的承受能力，对于太原市这样的以刚性需求为主的二线城市来说，并没有太多支持房价下跌的因素。

2、商品房住宅价格

2009年至2011年太原商品住宅成交价格变化情况

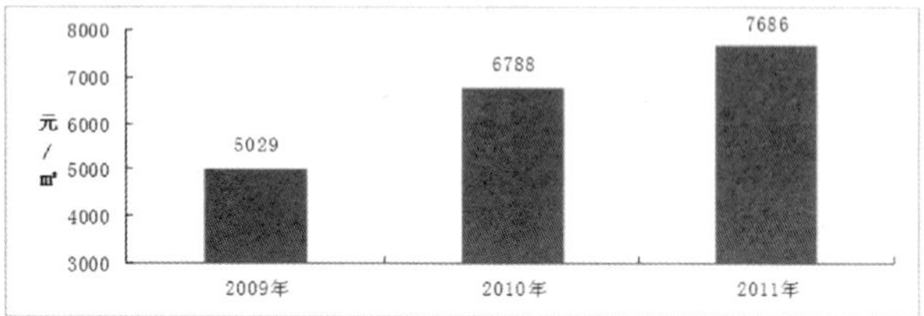

数据来源：CRIC

2011年，太原房商品房住宅成交均价为7686元/㎡，较上年上涨13.23%。今年万国城MOMA、首开国风上观、恒大华府、万科等大量中高端楼盘的相继开盘，是导致太原市商品住宅市场均价提高的主要原因。

2011年太原商品住宅成交价格变化情况

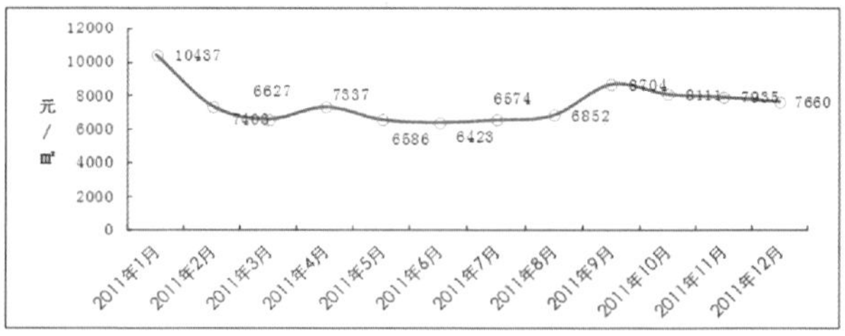

数据来源：CRIC

2011年，由于限购令的实施，商品住宅成交价格迅速上涨的势头被遏制，成交价格重新回归到正常水平。因此全年商品住宅市场成交价格基本在6500-8000元/㎡的范围内小幅震荡。

三、保障房建设

住房保障是社会保障体系的重要组成，也是关系群众切身利益的重大民生问题。

2011年，全年房地产开发投资312.08亿元，比上年增长29.4%。商品住宅投资246.53亿元，增长33.1%，其中：90平方米以下住房投资44.04亿元，占住宅投资的比重为17.9%。

2011年，太原市保障性安居工程开工45870套，开工率分别为省、市任务的267%和1115。其中，廉租房开工1747套，分别为省、市任务的388%和100%；公租房开工5124套，分别为省、市任务的1165%和107%；经适房开工18353套，分别为省、市任务的231%和100%；棚户区改造开工17686套，分别为省、市任务的211%和132%；限价商品房开工2960套，为太原市任务的102%。

四、商业用房

2009-2011年太原市商业市场供求对比图

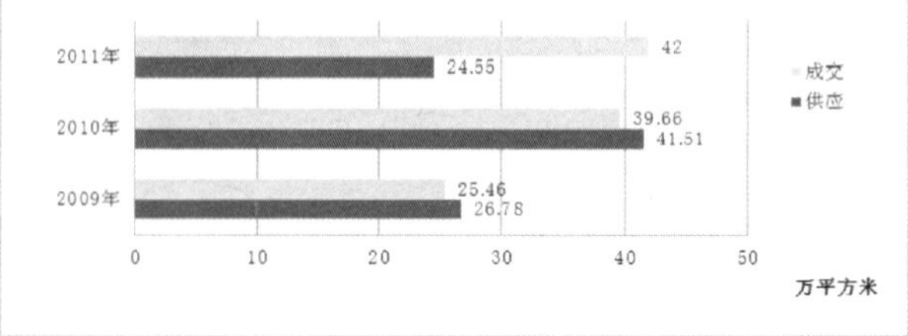

数据来源：CRIC

2011年，太原商业市场供应量为24.55万㎡，较去年下降40.86%。本年成交面积为42万㎡，成交量较上年上涨5.9%。

2011年商业市场供应量减少，主要是由于土地供应减少导致的，成交方面，由于受到住宅限购令的影响，一部分投资消费者把目标转向了商业市场，因此本年度商业市场的成交量相比去年有小幅上涨。对于太原这个二、三线城市来讲，商业市场还处于由低级向高级过渡的阶段，商业物业的价值尚未真正地发掘出来，投资回报率较低，投资者更多地还是以等待地价升值为主要投资目的。

由于受到调控政策影响，部分开发商开始转向商业地产和旅游地产的开发，未来这两种形式的地产项目预计将会增多；万科等知名开发商也逐渐转向商业开发，寻求自己的商业开发模式，对于太原市场而言，商业市场属于刚刚起步的初级阶段，这是未来市场重新洗牌的一个重要契机，在大型开发商开发形态转型的时候，本土开发商也应该跟上节奏，增强自己的市场竞争力。

五、商业物业价格

2011年太原市商业市场成交均价月度对比图

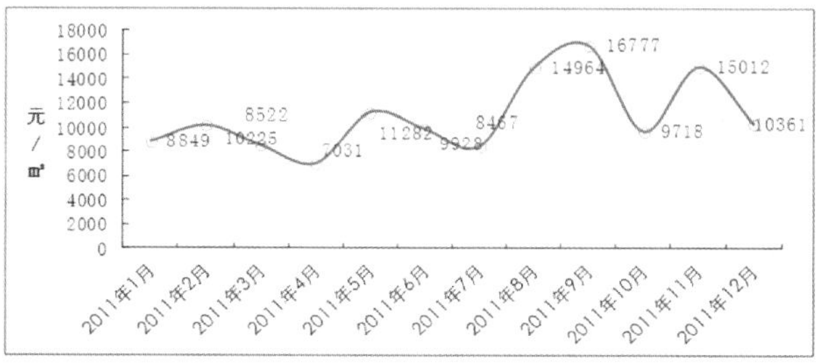

数据来源：CRIC

2011年，太原商业物业销售价格波动较大，基本上逐步上升的趋势，在住宅市场受到限购令影响的情况下，商业地产慢慢受到了更多消费者的青睐。

六、办公用房

2009-2011年太原市办公市场供求对比图

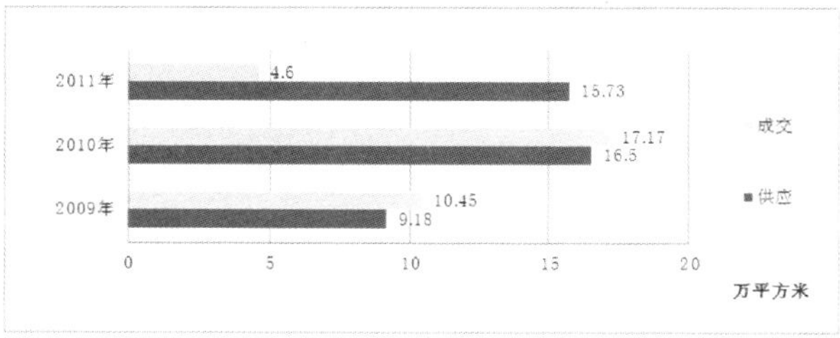

数据来源：CRIC

2011年，太原办公市场供应面积为15.73万m²，较上年下降4.67%。成交面积为4.6万m²，较上年下降73.21%。

办公市场的消费者大部分为投资型消费，在2011年银行准备金率不断上调的情况下，银根紧缩，银行贷款困难，导致投资型消费客户的成本增加，被迫放弃对于办公市场的投资，因此在今年办公市场供应量未出现明显降幅的情况下，成交量出现了较大幅度的下滑。

七、办公价格

2011年太原市办公市场成交均价季度对比图

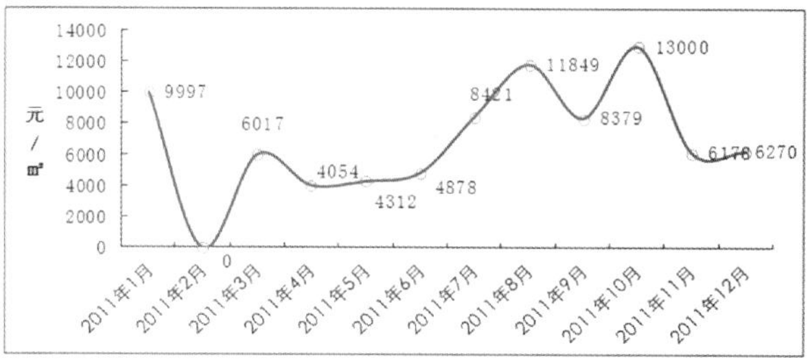

数据来源：CRIC

2011年，太原办公市场成交均价浮动幅度比较大，主要原因是银行准备金率上调，贷款困难导致办公市场投资客成本增加，未来的办公市场情况不太明朗，因此办公市场基本处于不稳定的阶段，预计未来在银行放松贷款的情况下，办公市场成交价格将会逐步稳定。

八、土地供应量

2008年至2011年太原土地供应情况

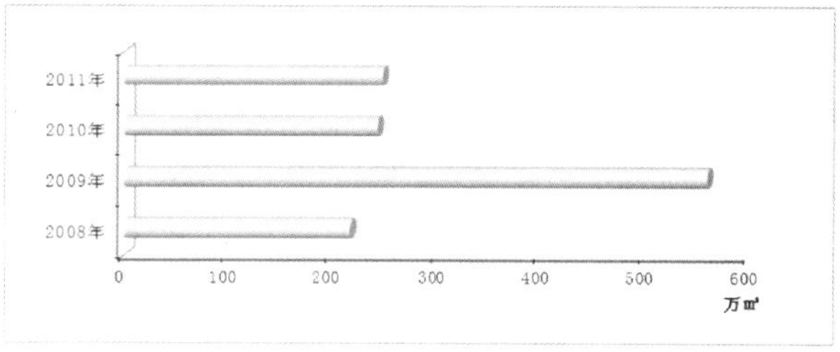

数据来源：CRIC

从数据上来看，2011年总共出让土地56幅，出让2011年太原市土地供应面积为248.06万m²。与去年相比基本保持同等水平。

太原市供应地块区域分析

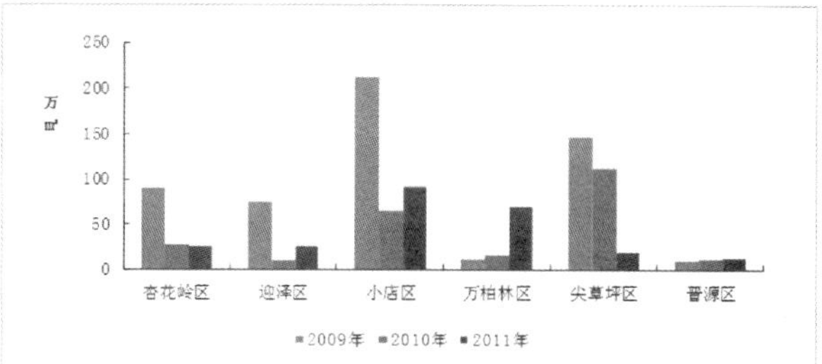

数据来源：CRIC

从区域情况来看，2011 年推出了 56 幅土地，总面积为 248.06 万㎡。其中，迎泽区的出让土地面积为 25.71 万㎡，占土地出让总量的 10.36%；杏花岭区的出让土地面积为 25.63 万㎡，占土地出让总量的 10.33%；小店区的出让土地面积为 92.22 万㎡，占土地出让总量的 37.18%，万柏林区的出让土地面积为 70.47 万㎡，占土地出让总量 28.41%；尖草坪区的出让土地面积为 20.22 万㎡，占土地出让总量的 8.15%；晋源区的出让土地面积为 13.8 万㎡，占土地出让总量的 5.56%。

从图表上可以看出，迎泽区、小店区、万柏林区和晋源区比去年土地出让面积高，杏花岭区和尖草坪区出让面积有所下降，其中尖草坪区出现明显的下降。我们分析认为，随着太原市“南移西进”发展政策的推进，开发商拿地重心已经向南转移。

九、土地成交量

2011 年太原土地成交量小幅上涨，2011 年土地市场共成交 36 幅土地，占地面积为 184.37 万㎡。与去年同期相比成交幅数增加 14 幅，同比增加幅度为 63.64%， 占地面积增加了 33.14 万㎡，同比上涨了 21.91%。

2008 年至 2011 年太原土地成交情况

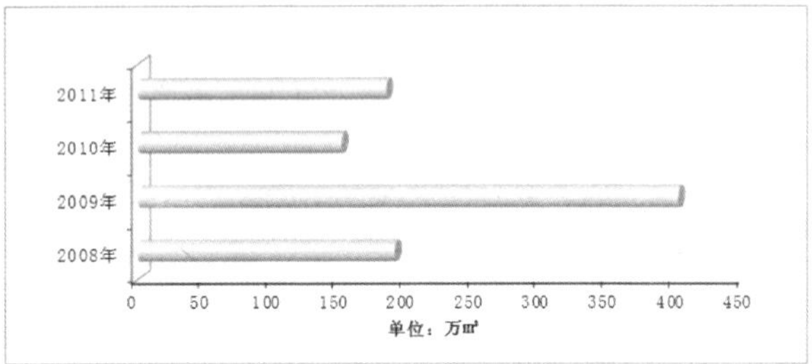

数据来源：CRIC

成交地块区域分析

2011 年太原土地市场总共成交了 36 宗土地，总占地面积为 184.37 万㎡。迎泽区总共成交土地面积为 10.5 万㎡，占总成交面积的 5.7%，杏花岭区总共成交土地面积为 15.2 万㎡，占总成交面积的 8.24%，尖草坪区总共成交土地面积为 20.22 万㎡，占总成交面积的 10.97%，小店区总共成交面积为 65.58 万㎡，占总成交面积的 35.57%，万柏林区总共成交面积为 63.48 万㎡，占总成交面积的 34.43%，晋源区总共成交面积为 9.39 万㎡，占总成交面积的 5.09%。

2011 年太原各区域板块土地成交情况

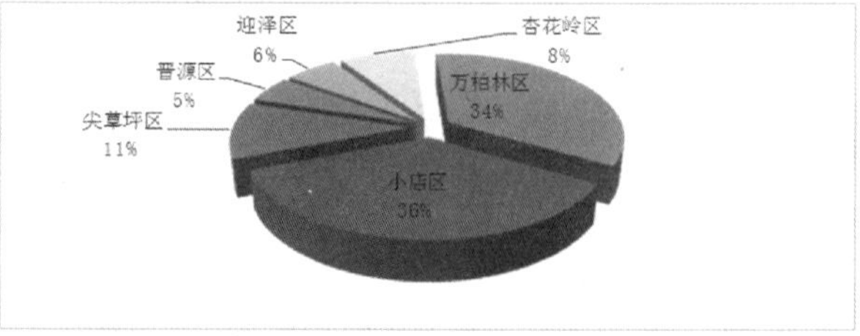

数据来源：CRIC

从表中可以很直观的看出，2011 年太原土地成交市场主要还是以小店区和万柏林区为主，占比为 36% 和 34%。在当前太原市“南移西进”的大城市发展战略指导下，这两个区域未来较长时间内，仍将是发展的主要区域，两区域的建设速度也将越来越快。

成交结构

2011 年土地成交类型占比图

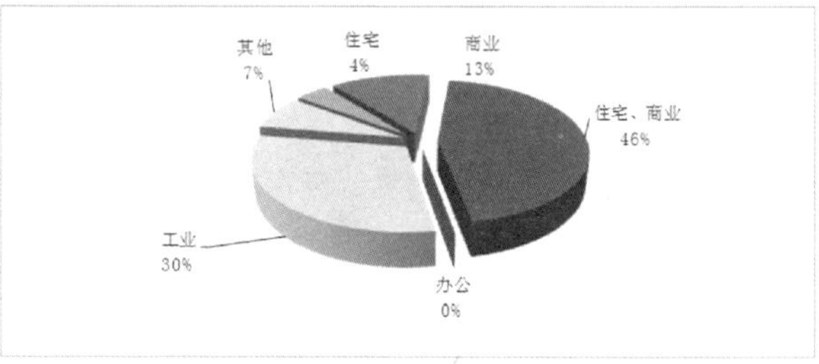

数据来源：CRIC

由上图可知，2011 年太原土地市场仍以住宅、商业的综合用地为主，占比为 46%。

十、土地成交价格

2009-2011 年太原市土地成交价格

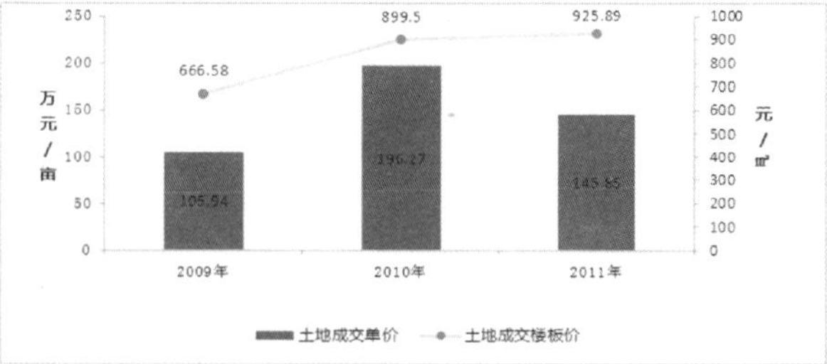

数据来源：CRIC

2011 年太原土地市场价格有所回落，与去年相比下降了 25.69%。从这可以看出，调控政策的效果已经体现，开发商拿地相对理智，就这种情况来看，未来一到两年内，太原市商品房价格将继续保持小幅浮动，不会出现明显变化。

2009 年—2011 年太原土地区域成交价格对比

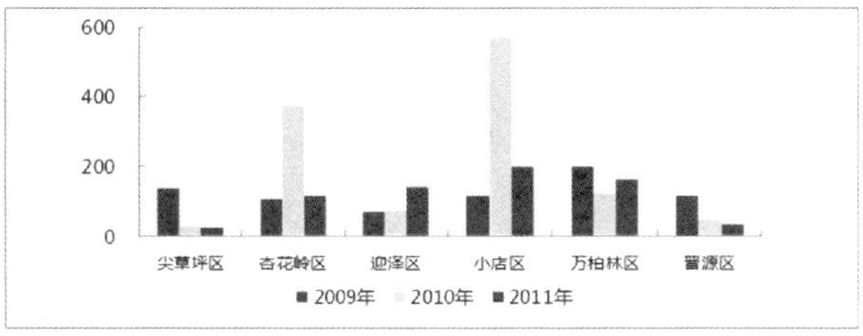

数据来源：CRIC

从区域土地成交价格来看，只有迎泽区和万柏林区比去年小幅上涨，其他区域土地价格都有所下降，这主要是由于城市正在向周边区域扩张，建设用地以城市周边区域为主，由于配套设施等条件尚未成熟，这些区域的土地价格也较低。

十一、项目活动

2011 年，全市共有 17 个楼盘项目进行了 80 次推案活动，共计推出 101.68 万平米，约 8041 套住宅，其中 80-120 平米的二房或三房是主推户型。

全年全市各项目共举行 58 场大、中型活动，活动主要围绕开盘、节假日、项目重大事件等进行开展，目的主要是利用活动引起众多媒体和市民的关注，强化了大家对项目本身的认识和了解，扩大项目在全市的知名度和影响力，有效的带动人群，引发了购房者的注意、兴趣和购买欲，同时达到了宣传项目品牌的作用，从而进一步提升了企业和产品的社会形象力。

十二、报广投放监测

2011 年，本市房地产企业报广投放共计 1839 次，其中《太原晚报》以 36% 的投放比例成为首选，其次是《山西晚报》和《山西青年报》，约占总投放量的 34% 和 20%。

从投放广告的项目分布区域来看，小店区占 51%，其次是万柏林区占 17%，杏花岭区占 12%，这与目前各区域的项目开发数量基本接近。

2011 年，恒大华府以 1616.68 万元，排名第一；恒大绿洲排名第二，为 947.96 万元；万达广场排名第三，为 454.47 万元。

从广告投放金额排行榜来看，位于前十位的均为外来开发商建设项目，本地开发商在报广投放方面重视度较为欠缺。

十三、下半年展望

从政策方面看，2012 年，预计国家会继续巩固已经取得的调控成果，并将继续维持限购政策，直到有其它可作为常态使用的调控政策出台。但由于房地产业在国计民生中所占比重较大，国家也不会任由房地产行业持续低迷，必将逐步放松调控，但前提是要保持稳定。

从资金方面看，预计 2012 年资金面会有所放松，从新年开始的银行存准率下调，已经可以看到信号。由于国内通胀已经得到一定程度的缓解，同时在外部与内部经济环境恶化的双重压力下，国家为了保障经济平稳发展，必将对金融政策有所放松，这也可以给房地产企业松口气的机会。

从市场方面看，2012 年，太原房地产市场走势趋于平缓，在产业结构调整以及煤炭资源整合和城市化的影响下，太原房地产市场将迎来一个快速发展期，市场的广度以及深度都将得到前所未有的发展。在新的城市规划的影响下，房地产市场将沿着“南移西进”、“北展东扩”、“提质扩容”的方向不断深化发展下去。

外来开发商的集中进入仍是太原市房地产市场发展的重要推动力，他们在带来先进产品的同时，也对太原的房地产市场环境和秩序产生了重要的影响，有效的引导本地消费者的置业观念和习惯，对政府市场监管的水平和思路都提出了更高的要求。也将带动本地开发商的开发水平与产品品质。

附件：

2011 年太原土地成交明细

公告号 / 宗地号	土地名称	区域	土地属性	总建筑面积（平方米）	容积率	用地面积（平方米）	成交日期	土地价格（万元）	受让方
LG-1114	太原市国土资源局国有建设用地使用权挂牌出让公告（并国土公出告字[2011]09号）LG-1114	万柏林区	住宅；	15951.6	3.5	4557.6	2011-5-27	1870	太原万科房地产有限公司
CG-1105	太原市国土资源局国有建设用地使用权挂牌出让公告（并国土公出告字[2011]03号）CG-1105	迎泽区	住宅；商业（商服）；	174293.7	3	58097.9	2011-3-2	6550	山西东林房地产开发有限公司
CG-1116	太原市国土资源局国有建设用地使用权挂牌出让公告（并国土公出告字[2011]11号）CG-1116	小店区	住宅；	5689.91	1.26	4515.8	2011-6-21	1230	山西省农业机械化科学研究院
CG-1104	太原市国土资源局国有建设用地使用权挂牌出让公告（并国土公出告字[2011]03号）CG-1104	杏花岭区	住宅；商业（商服）；	192746.25	4.5	42832.5	2011-3-2	10000	山西顺康房地产开发有限公司
LG-1120	太原市国土资源局国有建设用地使用权挂牌出让公告（并国土公出告字[2011]13号）LG-1120	杏花岭区	住宅；商业（商服）；	11083.38	4.2	2638.9	2011-12-2	1001	山西宝洁房地产开发有限公司
CG-1108	太原市国土资源局国有建设用地使用权挂牌出让公告（并国土公出告字[2010]05号）CG-1108	小店区	住宅；商业（商服）；	95097.15	4.5	21132.7	2011-11-9	33000	太原锦荣房地产开发有限公司
LG-1111	并国土公出告字[2010]07号 LG-1111 地块	尖草坪区	住宅；	5410.65	3.5	1545.9	2011-4-8	320	山西双明房地产开发有限公司
CG-1107	太原市国土资源局国有建设用地使用权挂牌出让公告（并国土公出告字[2011]05号）CG-1107	小店区	住宅；商业（商服）；	291689.55	4.5	64819.9	2011-11-9	87400	山西鑫盛联房地产开发有限公司
CG-1140	太原市国土资源局国有建设用地使用权挂牌出让公告（并国土公出告字[2011]35号）CG-1140	杏花岭区	其他；	102409.61	1.2	85341.14	2011-12-16	5000	太原市裕吉经贸发展有限公司
CG-1132	太原市国土资源局国有建设用地使用权挂牌出让公告（并国土公出告字[2011]24号）CG-1132	迎泽区	住宅；商业（商服）；	136831.6	4	34204.9	2011-10-13	8725	山西东瑞房地产开发有限公司
CG-1123	太原市国土资源局国有建设用地使用权挂牌出让公告（并国土公出告字[2011]16号）CG-1123	万柏林区	住宅；商业（商服）；	694370.64	3.5	198391.61	2011-8-29	125141	太原万科房地产有限公司 昆山京兆久天投资中心，昆山京兆久实投资中心，昆山京兆久乐投资中心
CG-1119	太原市国土资源局国有建设用地使用权挂牌出让公告（并国土公出告字[2011]12号）CG-1119	小店区	住宅；	58359.51	1.1	53054.1	2011-6-21	3310	山西济同房地产开发有限公司
CG-1118	太原市国土资源局国有建设用地使用权挂牌出让公告（并国土公出告字[2011]12号）CG-1118	小店区	住宅；商业（商服）；	480783.45	3.5	137366.7	2011-6-21	9290	山西济同房地产开发有限公司
CG-1127	太原市国土资源局国有建设用地使用权挂牌出让公告（并国土公出告字[2011]20号）CG-1127	小店区	商业（商服）；	36739.4	2	18369.7	2011-9-28	8100	太原市华天房地产开发有限公司

CG-1138	太原市国土资源局国有建设用地使用权挂牌出让公告（并国土公出告字[2011]33号)CG-1138	迎泽区	住宅；商业（商服）；	19242.96	6.6	2915.6	2011-12-2	1500	山西金海港房地产开发有限公司
CG-1133	太原市国土资源局国有建设用地使用权挂牌出让公告（并国土公出告字[2011]25号)CG-1133	小店区	住宅；商业（商服）；	399791.2	4	99947.8	2011-10-13	14168	山西竞杰房地产开发有限公司
CG-1122	太原市国土资源局国有建设用地使用权挂牌出让公告（并国土公出告字[2011]15号)CG-1122	小店区	住宅；商业（商服）；	57056.8	4	14264.2	2011-9-6	8562	山西天泉房地产开发有限公司 太原市海棠大厦有限公司
LG-1129	太原市国土资源局国有建设用地使用权挂牌出让公告（并国土公出告字[2011]22号)LG-1129	杏花岭区	住宅；商业（商服）；	100581.74	6.7	15012.2	2011-9-23	6800	太原市市政建设开发处
CG-1112	太原市国土资源局国有建设用地使用权挂牌出让公告（并国土公出告字[2011]08号)CG-1112	晋源区	住宅；商业（商服）；	89791.32	1.2	74826.1	2011-5-10	3331	山西蒙山佛光旅游项目开发有限公司
CG-1126	太原市国土资源局国有建设用地使用权挂牌出让公告（并国土公出告字[2011]31号)CG-1126	小店区	公建配套（文化娱乐、酒店、加油站、科教等）；	131922.25	2.5	52768.9	2011-11-18	8643	晋美工商管理专修学院
CG-1136	太原市国土资源局国有建设用地使用权挂牌出让公告（并国土公出告字[2011]29号)CG-1136	小店区	住宅；	10146.96	1.8	5637.2	2011-11-18	1516	山西紫田房地产开发有限公司
CG-1125	太原市国土资源局国有建设用地使用权挂牌出让公告（并国土公出告字[2011]30号)CG-1125	万柏林区	商业（商服）；	109269.9	4.5	24282.2	2011-11-18	5000	山西广兴房地产开发有限公司
LG-1128	市国土资源局国有建设用地使用权挂牌出让公告（并国土公出告字[2011]27号)LG-1128	迎泽区	住宅；商业（商服）；	8527.35	3.25	2623.8	2011-11-11	810	太原晨光房地产开发有限公司
LG-1025	太原市国土资源局国有建设用地使用权挂牌出让公告（并国土公出告字[2010]16号)LG-1025	晋源区	住宅；商业（商服）；	22914.84	1.2	19095.7	2011-1-18	1120	山西名雄房地产开发有限公司
LG-1134	太原市国土资源局国有建设用地使用权挂牌出让公告（并国土公出告字[2011]26号)LG-1134	迎泽区	住宅；	1500.74	10.23	146.7	2011-10-27	93	山西恒实房地产开发有限责任公司
LG-1130	太原市国土资源局国有建设用地使用权挂牌出让公告（并国土公出告字[2011]22号)LG-1130	杏花岭区	住宅；	55469.7	9	6163.3	2011-9-23	3010	太原市市政建设开发处
CG-1131	太原市国土资源局国有建设用地使用权挂牌出让公告（并国土公出告字[2011]23号)CG-1131	小店区	商业（商服）；	159999.6	1.2	133333	2011-10-13	13000	山西蓝海房地产开发有限公司 山西蓝海国际汽配城有限公司
CG-1121	太原市国土资源局国有建设用地使用权挂牌出让公告（并国土公出告字[2011]14号）CG-1121	小店区	住宅；商业（商服）；其他；	151689.9	3	50563.3	2011-8-4	7600	山西锦秀房地产开发有限公司
CG-1124	太原市国土资源局国有建设用地使用权挂牌出让公告（并国土公出告字[2011]17号)CG-1124	迎泽区	住宅；	20056.78	9.4	2133.7	2011-9-6	1246	太原公共交通控股（集团）有限公司
LG-1117	太原市国土资源局国有建设用地使用权挂牌出让公告（并国土公出告字[2011]11号)LG-1117	迎泽区	商业（商服）；	51683.1	10.5	4922.2	2011-6-21	2925	太原迎春楼广东酒家实业有限公司

CG-1115	太原市国土资源局国有建设用地使用权挂牌出让公告（并国土公出告字[2011]10号)CG-1115	万柏林区	工业；	365299.9	1	365299.9	2011-6-10	11074	太原轨道交通装备有限责任公司
LG-1109	并国土公出告字[2011]06号LG-1109地块	万柏林区	商业（商服）；	18186.8	5	3637.36	2011-4-26	655	长治市宏威房地产开发有限公司太原分公司
LG-1110	并国土公出告字[2011]06号LG-1110地块	尖草坪区	商业（商服）；	25702.84	3.49	7364.71	2011-3-31	1018	北辰正方建设集团有限公司太原分公司
CG-1106	太原市国土资源局国有建设用地使用权挂牌出让公告（并国土公出告字[2011]04号)CG-1106	万柏林区	商业（商服）；	60706.28	4	15176.57	2011-3-3	8050	中化二建集团有限公司
LG-1103	太原市国土资源局国有建设用地使用权挂牌出让公告（并国土公出告字[2011]02号）LG-1103	万柏林区	商业（商服）；	83061.9	3.54	23463.8	2011-2-23	3872	太原市鑫盛通房地产开发有限公司
CG-1101	太原市国土资源局国有建设用地使用权挂牌出让公告（并国土公出告字[2011]01号）CG-1101	尖草坪区	工业；	193244.6	1	193244.6	2011-2-18	5916	太原轨道交通装备有限责任公司

2011年大同市房地产市场运行监测报告

市场运行监测课题组

2011年大同市人均国内生产总值达到25301元，比上年增加4376元，增长21%，据大同市统计局统计，2011年全年全市实现地区生产总值达到842.59亿元，同比增长13.0%。其中： 第一产业增加值46.50亿元，同比增长9.4%，第二产业增加值428.54亿元，同比增长16.1%， 第三产业增加值367.55亿元，同比增长10.3%。

2011年大同市社会消费品零售额 356.57亿元，比上年增长18% 。本年度大同市房地产投资额134.18亿元，比上年增长48.1%；其中，住宅投资103.4亿元，占比77%。

2011年，大同未被列入执行限购令的城市范围之内，但当地政府针对本地房地产市场的情况，积极对住房供应结构进行了调整，增加商品住房有效供给，确保房地产市场价格基本稳定。根据大同市2011年经济发展和城镇居民人均可支配收入水平，大同市新建商品住宅年度成交均价同比增幅控制在全年城镇居民人均可支配收入和经济增长幅度以内。同时，大同市政府加大保障性安居工程建设力度。拓展多种渠道确保保障性住房房源，优先安排储备用地用于保障性安居工程建设，市财政部门切实落实资金筹集和投入，市税务及相关部门积极落实税费减免等优惠政策，引导房地产开发企业积极参与保障性安居工程建设。

虽未实施限购，但市场仍然存在观望情绪，导致市场成交量有一定减少，价格涨幅受到影响。由于保障性住房的大量面市，中低档住宅销售受到较大冲击，高端住宅市场相对坚挺。

大同市作为一个中等城市，房地产业起步较晚，但近年来大同市不断加大城市拆迁、改造建设力度，加大固定资产投资，在大同城市面貌焕然一新的基础上，也改善了城市投资环境。城市配套设施的完善、人民生活水平的提高，直接催化着房地产需求的旺盛，也带动着房地产业的进一步发展，价格呈现稳步增长的态势。但是整体房地产开发模式的成熟度滞后于其他中等城市，市场发展空间巨大，市场潜力有待进一步深度挖掘。

一、大同城市基础设施建设

从2007年到2011年，大同持续开展大规模的城市建设，全市新建改造城市道路147条310公里、6座跨河大桥。大呼、荣乌、天大、同源、广源等覆盖灵丘、广灵、浑源、天镇、阳高、左云、大同、新荣等八个县区、全长387公里的5条高速公路基本完成。全长60公里的208改扩建工程完成70%。

城市改造建设拆迁面积1000多万平方米，城市棚户区和城中村改造取得决定性成果，城市规划建设面积由90平方公里扩展到180平方公里。四年新增建筑面积2000万平方米，新增绿化面积1700万平方米，新增集中供热面积3000万平方米。城市面貌和格局发生翻天覆地的变化。

古城墙修复完成四分之三，御东太阳宫、博物馆、图书馆、大剧院、美术馆、体育中心等重大项目建设顺利，6.8平方公里的文瀛湖基本完工，这些具有大同地标性的建筑和景观，积累着量变到质变的历史性嬗变，折射出一轴双城的无限魅力。

孤山水库、唐河水库、引黄入同等重点工程基本完成。

植树造林完成135万亩，森林覆盖率从15%提高到20.11%。

投资百亿元新建改造几乎遍及全市城乡所有中学、小学共656所，建筑面积256万平方米。

投资30亿元，新建市三医院外科楼、市一医院、五医院、六医院、中医院等重大工程，与民生关系密切的教育、卫生服务体系发生历史性深刻变化。

二、商品住宅总体情况

1、商品住宅

2009年—2011年大同市商品住宅供求情况

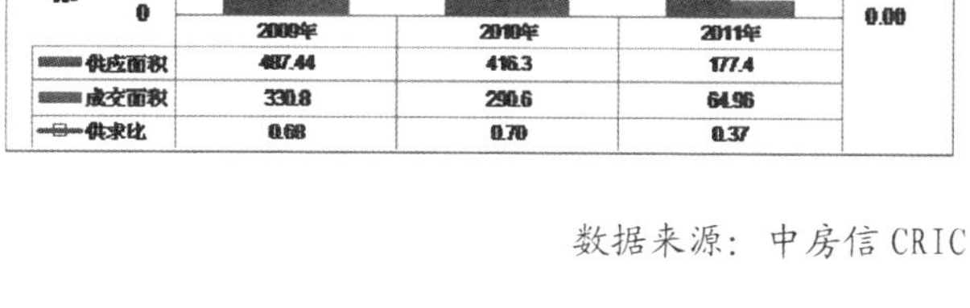

数据来源：中房信CRIC

2011 年，大同市商品住宅市场供应面积为 177.4 万平方米，较上年下降 57.39%；商品住宅市场成交面积为 64.96 万平方米，较上年下降 77.65%。

究其原因，主要有以下几方面：一方面，从大同整体市场来看，自 2009 年开始，商品住宅市场供应量已经远远大于成交量，2010 年和 2011 年这种供大于求的态势持续加重。2011 年商品住宅的成交面积主要是在消化市场存量。另一方面，大同城区绝大多数居民拥有自住房，加上一部分在旧城改造过程中分得的回迁房，刚需客户相对较少，购房客户主要来源于改善型客户、部分周边县市居民和外地客户。

2011 年国家实施了严厉的房地产调控政策，整个房地产市场处于低迷期。大同并未被列入实施限购政策的二三线城市中，不在本轮限购范围之内，但是房地产市场低迷的氛围影响着大同市场购房客户的积极性，在一定程度上也影响着整个市场的成交量。

2、商品房住宅价格

2009 年—2011 年大同市商品住宅成交价格变化情况

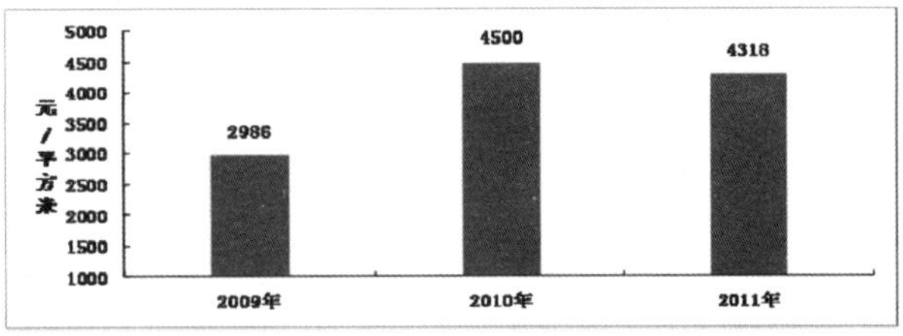

数据来源：中房信 CRIC

2011 年，大同市房商品住宅成交均价为 4318 元/平方米，较上年下降 4.04%。

从 2009 年到 2010 年，大同市商品住宅成交价格快速拉升，跨上了一个新台阶，2011 年成交价格出现小幅回落。究其原因，一是市场供应量大大超过成交量，导致成交价格难有进一步提高；二是由于房地产大环境较差，购房客户纷纷采取观望态势，影响了购房的积极性，这种影响尤其表现在高端客户这一群体上，高端楼盘的成交受到一定的影响，拉低了商品住宅市场整体成交均价。

三、保障房建设

大同市 2011 年保障性住房建设计划约 13 万套，各类保障性住房建设计划均高于其他 10 市，是全省保障性住房建设推进力度最大的市。全年全市共开工建设保障性住房 834 万平方米、13.34 万套，年度完成投资 120.51 亿元，连续三年在全省名列第一，极大地改善了低收入困难家庭住房条件、改变了城市面貌、提升了城市品位。

四、商业办公用房

2009—2011 年大同市商业办公市场供求对比图

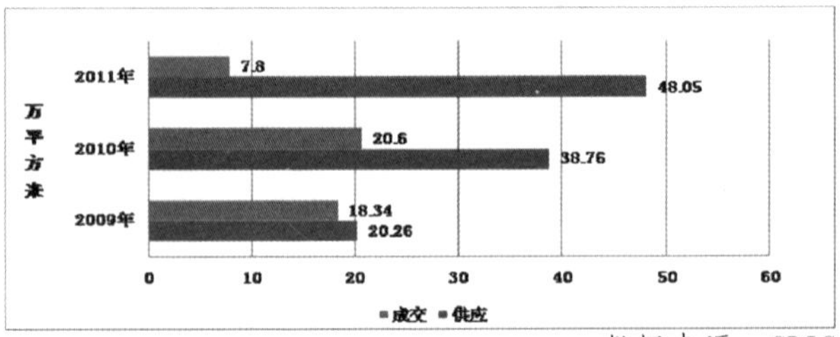

数据来源：CRIC

2011 年，大同市商业办公市场供应量为 48.05 万平方米，较去年上涨 23.97%。本年成交面积为 7.8 平方米，成交量较上年下降 62.14%。

市场现有商办项目供应量为成交量的 6 倍，存在严重的供大于求现象，对存量的去化压力较大。

大同市商业办公市场目前处于刚刚启动阶段，尚未形成较为成熟的物业形态。现有商业办公项目属于商办市场试探性产品，品质整体较低，存在一定的产品同质化问题。办公项目主要是满足较为简单的办公商务需求，商业主要表现为社区配套等满足基本生活需求的低端商业。随着城市化建设进一步加快，未来大同商办市场将有巨大的发展潜力。

五、商业办公用房价格

2006 年—2011 年大同市商业办公价格走势

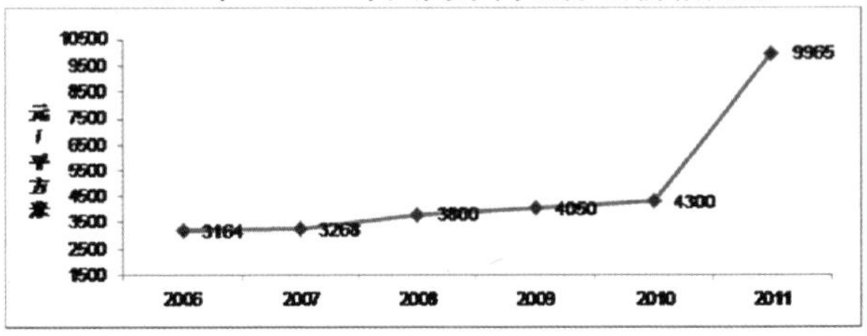

数据来源：CRIC

大同市商业办公用房均价上涨较快，从 2006 年到 2011 年的六年间， 2010 年到 2011 年为快速拉升阶段。2011 年成交均价达到 9965 元/平方米，较上年上涨 131.74%，上涨幅度明显。随着大规模城市建设及对产业结构调整的展开，预计大同市未来商办价格将呈现逐步上涨的态势。

六、土地供应量

2005 年—2011 年大同市土地供应情况

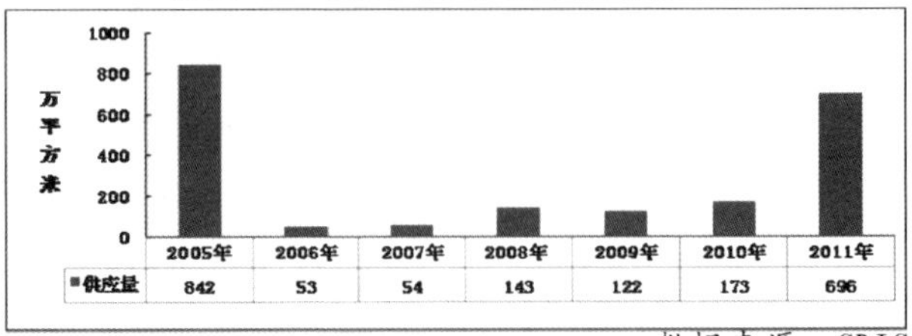

数据来源：CRIC

2005年大同市土地市场的供应量达到了近年来的最高值，达到842万平方米。2006年土地供应量迅速回归到正常水平，并呈现逐年稳步增长的态势，2011年土地供应达到696万平方米。随着城市大规模的开发建设，土地供应量将处于高位运行。

2005年—2011年大同市供应土地性质分析

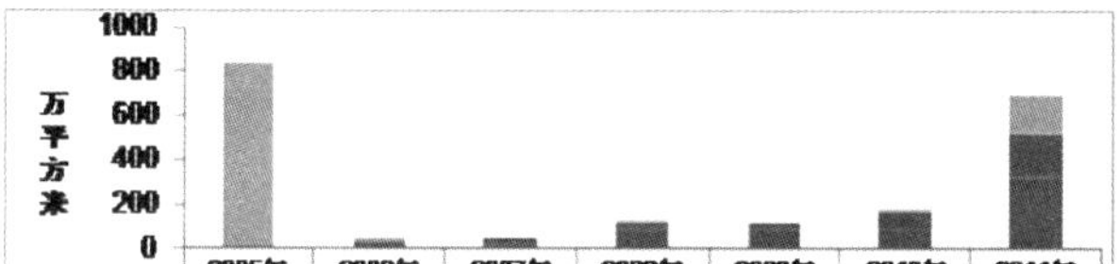

	2005年	2006年	2007年	2008年	2009年	2010年	2011年
其他	842	28	0	2	0	7	173
商业办公	0	2	34	27	28	72	198
住宅	0	24	20	93	93	93	324

数据来源：CRIC

通过比较近年来经营性用地的各类型地块出让比重可以发现，随着大同房地产业的启动，城市土地供应结构进一步调整，供应土地性质逐渐丰富。其中住宅类用地在整体供应中占比最大，随着房地产市场的发展，商业办公用地在总体土地供应中的比重呈现逐步上升的态势。发展过程中住宅用地最先开始发展，且其占比最大，其次为商业办公类。商办类用地的出让比重有所上升。2011年，商业办公用地供应面积198万平方米，较去年增长2.8倍，达到了近年来商办用地供应的最高峰。

七、土地成交量

2005年—2011年大同市土地成交情况

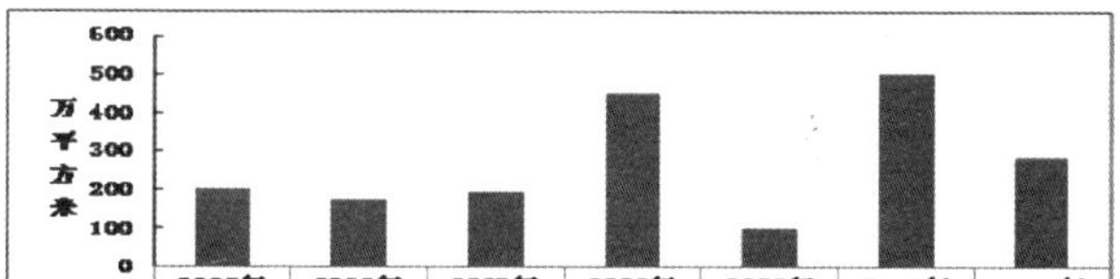

	2005年	2006年	2007年	2008年	2009年	2010年	2011年
成交量	202.69	174.55	193.22	448.67	99.3	503.05	282.95

数据来源：CRIC

2011年，大同市土地成交量达到282.95万平方米，同比下降了43.75%。主要是受国家宏观调控的影响，市场产生观望情绪，开发商在拿地方面态度谨慎。

2009年，大同市土地成交量创下近来来的新低，一是2008年次贷危机产生的不良影响在2009年持续显现，导致房地产业大环境的萧条，土地成交量急剧下降；二是2009年山西煤炭大整顿，对大同整体经济影响较大，房地产业随即萧条，土地成交跌入低谷。

八、土地成交价格

2005年—2010年大同市土地成交价格

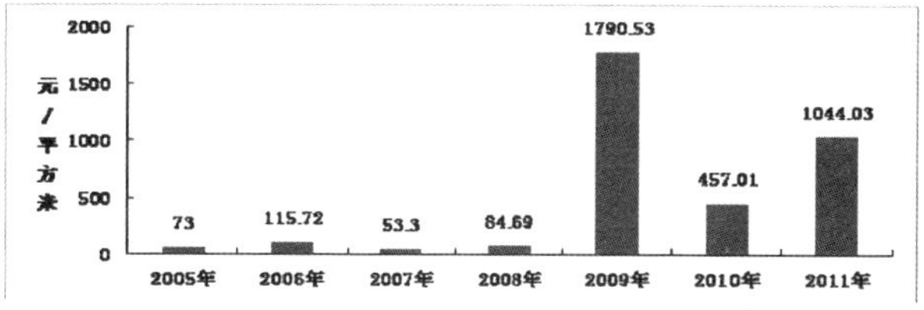

数据来源：CRIC

2011年，大同土地成交价格为1044.03元/平方米，同比上涨128.45%。随着城市建设的不断发展，土地资源越来越宝贵，土地价值不断增加，成交价格不断攀升。

2005年—2011年六年间，大同市土地成交均价波动较大，随着房地产市场的不断发展，2009年土地成交价格达到最高峰，其原因主要是09年成交地块中商服用地较多，整体拉升了大同市土地成交价格。2010年由于廉租住房、街巷用地、科教用地和工业用地等较多，大幅拉低了大同土地市场成交均价，导致2010年土地成交价格处于低谷。

九、项目活动

2011年，大同市共有43个楼盘项目组织了营销活动，活动次数达到204次。项目推出户型集中在64-136平方米的两居、91-170平方米的三居和162-202平方米的四居。

从大同整体营销活动来看，各楼盘开展营销活动较为活跃，这将有利于传递楼盘信息、树立项目及开发企业形象，扩大项目及企业在市场中的影响力，从而间接地促进楼盘销售。

但存在活动内容普遍较为单一的问题，活动主题多为开盘或传统节假日。建议将活动的方式多元化，活动内容丰富化，以利用吸引人气，增强活动效果。

十、主流媒体

1、纸质媒体

大同纸质媒体主要集中在两种报纸上，一种是《大同日报》，一种是《大同晚报》。

2011年大同共有52个楼盘项目进行了报纸广告的投放，共计796次。其中在《大同日报》投放广告的项目共计41个，有78.85%的项目在该报纸投放广告；在《大同晚报》投放广告的项目共计44个，有84.62%的项目在该报纸投放广告。在《大同日报》投放的广告次数共计320次，占总投放次数的40.20%；在《大同晚报》投放的广告次数共计476次，占总投放次数的59.8%。从统计数据看，无论从投放广告的项目数量，还是广告投放次数，《大同晚报》均占据优势。

究其原因，一是《大同晚报》覆盖面广泛，包括大同、朔州、内蒙古乌兰察布盟及河北张家口地区；二是其包含内容较丰富，信息快捷，受到广大阅读者青睐，受众范围较广；三是更具权威性和地方特色，涉及的行业较为广泛。

2、网络媒体

2011 年，大同房地产网络媒体包括大同房地产门户网、大同信息网、搜房网、门户网、楼盘网，其中大同房地产门户网和大同信息网是主要网络媒体，均为大同本土成长起来的网络媒体。搜房网、门户网、楼盘网由于进入大同市场时间较短，发展有待进一步成熟。

十一、总结及展望

2011 年，国家对房地产实行了宏观调控政策，大同市未列入房地产政策调控范围，但受大环境影响，房地产市场产生了观望情绪，整体来看大同市受到国家宏观调控政策的影响较小。作为三线城市，大同市房地产市场目前尚处于初步发展阶段，商品房价格尚处于较低水平，成交价格下降的空间较为有限，因此在未来一段时间内大同房价将处于较为稳定的状态。

从降价楼盘来看，多数为比较偏远的地段，位于中心地段的产品，价格仍保持原有水平。

从大同房地产市场整体发展水平来看，目前大同房地产市场保持着稳定健康的发展态势。近年来，大同房地产供应体系不断完善，住房供应结构向着多样化、人性化方向发展，基本能满足不同阶层居民的住房需求。

目前大同房地产市场开发水平还较为有限。从开发商来看，绝大多数为本地开发商，全国性大型房企进驻大同的比较少。但大同各行各业均保持了较快发展速度，这一现象越来越引起全国性大型房企的注意，预计未来，将会有较多全国性的房地产企业考虑在大同落户，这将推动大同房地产行业的发展速度，同时也在烘托和引导市场，跳出目前市场固有产品的局限，接触更为精致的产品品质和生活品质。

房地产业的发展离不开整个大的宏观经济环境，2012 年，无论是国际经济金融环境压力，还是国内的经济增长动力不足，均对房地产业形成不利条件，未来一年大同房地产业的发展面临着较大的挑战。

2011 年晋中市房地产市场运行监测报告

市场运行监测课题组

2011 年晋中市地区生产总值 890.2 亿元，比上年增长 13.1%。其中，第一产业增加值 73.3 亿元，增长 5.0%；第二产业增加值 488.7 亿元，增长 17.6%；第三产业增加值 328.2 亿元，增长 9.0%。第三产业中，金融保险业增加值 29.4 亿元，增长 13.8%；交通运输、仓储和邮政业增加值 90.6 亿元，增长 6.8%；批发和零售业增加值 67.9 亿元，增长 14.7%；人均地区生产总值 27300 元，按 2011 年平均汇率计算达到 4227 美元。

2011 年全市社会消费品零售总额 325.4 亿元，比上年增长 17.2%。其中，城镇消费品零售额 229.9 亿元，增长 18.8%；乡村消费品零售额 95.5 亿元，增长 13.6%。

2011 年全市房地产开发投资 32.2 亿元，增长 8.1%。按工程用途分，住宅投资 25.9 亿元，增长 11.5 %；商业营业用房投资 3.07 亿元，增长 83.8%；办公楼投资 1.1 亿元，下降 1.4%；其他投资 2.5 亿元，增长 407.4%。

2011 年，晋中市现代服务业增添新活力，太铁货运项目获批，方略保税物流中心功能延伸工程获准，全市物流业增加值占 GDP 比重 13.5%，比上年增加 0.1 个百分点。

文化旅游发展出现新气象，大型实景演艺印象团队落地平遥，首开与北方地区合作先河，国家旅游服务业标准化示范城市创建扎实推进，旅游总收入增长 19%；

房地产业投资 78.9 亿元，比上年增长 17%。全市第三产业增加值完成 328.2 亿元，人均超过 1 万元，步入快速上升通道。

集中推进了一批增后劲的要事，加快推进山西高校新校区、晋商公园等一批同城发展标杆项目；大力建设龙湖立交桥、龙城高速、太谷旅游机场等一批重大基础设施标杆项目；引进落地吉利新能源汽车、中航特种装备及车辆、太重榆液高性能液压产品基地、太钢万邦镍铬合金、中科鸿基生物科技、平遥煤化新型光学材料等一批重大产业转型标杆项目，进一步夯实了转型跨越的基础。一年内获得国家级荣誉称号、国家级工程 17 个，提升了晋中在全国的知名度和影响力。

一、晋中城市基础设施建设

太原晋中同城化发展加速，城镇化率提高 1.62 个百分点、达到 45.74%。突出规划引领，5 大类 80 个重大规划项目编制完成，北部新城、太榆科技创新城、山西高校新校区、现代物流园区、山西新能源汽车•机械装备制造区、潇河生态景区规划加快实施。扩容提质步伐加快，全市铺开各类市政重点工程 193 项，其中市城区完成投资 61.6 亿元，是上年的 7.8 倍，超过“十一五”投资总和；市城区启动国家园林城市创建工作，介休市通过国家园林城市初步验收，潇河生态公园等 40 项重点园林项目进展顺利，人均公园绿地新增 1.05 平方米、达到 10.89 平方米，城市品位和承载力不断强化。全市市容环境卫生进一步改善，11 个县（区市）再次全部通过省级卫生城市验收。基础承载能力强化，“双百”水利工程全面铺开，山西大水网东山供水工程在全省率先上马，石膏山水库、恋思水库建设加快推进，松塔水电站大坝封顶下闸蓄水，昔阳松溪供水工程奠基开工。汾邢、阳黎高速晋中段全速推进，龙城高速通车在即。电网建设、“气化晋中”稳步推进。精心打造“双百公里林果带、千里林业生态圈”，完成造林合格面积 35 万亩。

单位生产总值能耗预计下降 3.7%，6 种主要污染物减排完成年度目标，所有县（区市）环境空气质量全部达到国家二级标准，市城区综合污染指数 1.45、下降 4.61%，林木绿化率提高 1.2 个百分点，全部超额完成省定任务。

城镇新增就业 4.44 万人，年末城镇登记失业率 1.78%。城镇社会保险综合覆盖率 93%，新型农村养老保险参保率 99.1%，新农合参合率 97.86%。中小学校舍安全工程全部完工，新改扩建标准化公办幼儿园 60 所，义务教育均衡发展继续保持全国领先。

二、商品住宅总体情况

1、商品住宅

2009 年—2011 年晋中市商品住宅供求情况

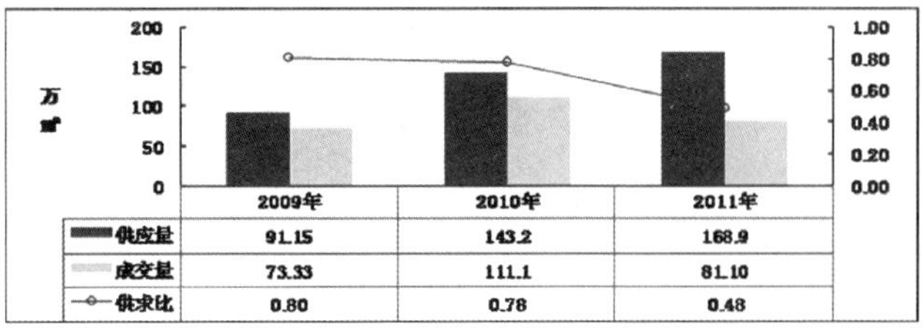

数据来源：CRIC

2011 年，晋中市商品住宅市场供应面积为 168.9 万平方米，比去年上涨 17.95%；商品住宅市场成交面积为 81.1 万平方米，较上年下降 27.00%。

借助太榆同城化的政策东风，近年来晋中榆次区得到了迅速的发展。2011 年，太原受国家调控政策影响，出台限购令政策，房地产业受到了较大打击。紧邻太原的晋中榆次区虽不属于限购城市名单之内，但仍受到政策带来的市场观望情绪的影响，成交量受到一定影响。晋中市作为城市未来重点发展区域、不限购城市、较低的房价、完善的配套、畅通的交通、毗邻大学城等有利因素，对许多刚需购房者和房地产投资者有巨大吸引力，预计未来晋中市房地产业发展空间将更为广阔。

2、商品房住宅价格

2009 年—2011 年晋中市商品住宅成交价格变化情况

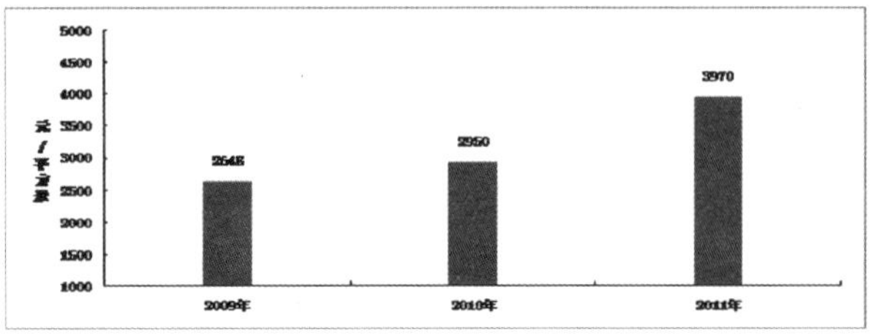

数据来源：CRIC

2011 年，晋中市房商品住宅成交均价为 3970 元/平方米，较上年上涨 34.58%。

2011 年，晋中市作为不限购城市，承接了大量来自太原市的刚需客户和投资客户，这些客户的大量涌入，助推了晋中市房价的上涨；另一方面，受政府规划影响，晋中榆次区成为了未来城市重点发展区域，众多购房者对晋中房地产寄予了较大升值预期，在一定程度上也推动了房价上涨的态势。预计未来晋中市房价将呈现稳中有升的态势。

三、保障房建设

2011 年，晋中市各类保障性住房建设任务为 2.87 万套，开工 3.3138 万套，开工率为 115.5%，开工套数比 2010 年增长 213%，开工率和投资完成额均位居全省前列，主体完工 1.23 万套。总投资为 44.02 亿元，完成投资 29.51 亿元，占总投资的 67%，完成投资比 2010 年增长 32.5%，其中廉租住房、公共租赁住房、经济适用住房、城市棚户区改造开工率均超过 100%。3366 套农村危旧房改造目标任务和投资额均全部完成。

2011 年，晋中市保障性住房建设呈现出以下几方面特点：一是全市保障性住房建设取得突破性进展。开工面积首次超过普通商品房的建设面积，完成投资占到全市房地产业投资的 49.59%，是晋中有史以来规模最大、投资最大、力度最大的一年。二是住房保障的政策体系逐步完善。晋中市政府相继出台或完善了一系列制度、办法，为推进全市保障性住房建设工作提供了有力的政策支持和制度保障。三是住房保障对象的范围逐步扩大。2011 年，晋中市出台了《晋中市城市低收入家庭认定办法》，廉租住房保障对象由城市最低收入住房困难家庭扩大到低收入住房困难家庭，廉租住房租赁补贴对象在已有的 8080 户的基础上，又新增 1098 户。市城区经济适用住房保障范围从人均可支配收入 12300 元提高到 13915 元，住房保障的范围不断扩大，应保尽保的程度不断提高。四是保障性住房工程质量进一步提高。通过对保障性住房设计、招标投标、建筑材料和工程质量责任制等环节的强制要求，在努力使低收入群众实现“住有所居”的同时，保证了城市中低收入群众住上安心房、放心房。

四、商业办公用房

2009 年—2011 年晋中市商业办公市场供求对比图

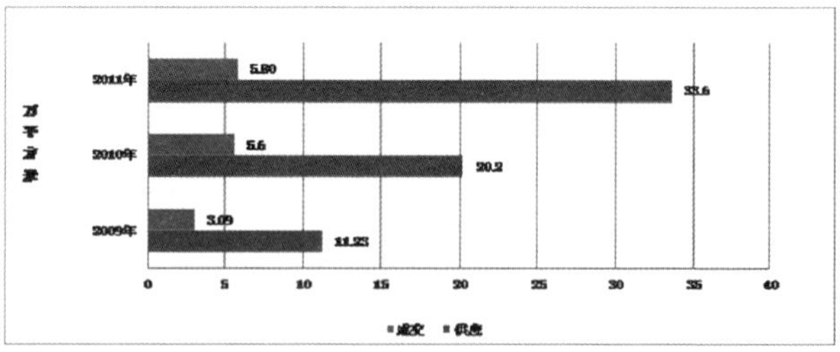

数据来源：CRIC

2011 年，晋中市商业办公市场供应量为 33.6 万平方米，较去年上涨 66.34%。全年成交面积为 5.8 万平方米，成交量较上年上涨 8.57%。

晋中市作为三线城市来说，各城区现有商业设施仅初步满足商业需求，缺乏商务主导型商业功能区，未形成中央商务区及国际化、现代化设施商务区，商业档次有较大提升空间。总体来说，商办市场的发展尚处于初步发展阶段，但其发展速度较快，尤其是近年来太榆同城化的大力推动，预计未来晋中市商办市场将有较大发展空间。

五、土地开发量

2009 年—2011 年晋中市土地开发情况

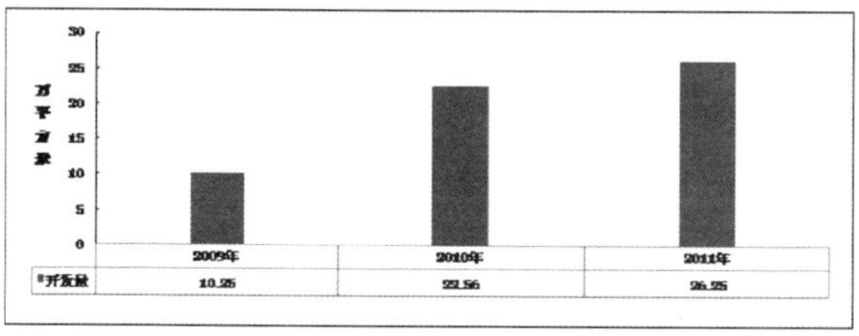

数据来源：CRIC

2011 年，晋中市全年完成土地开发面积 26.25 万平方米， 与去年同期相比，增加 3.69 万平方米， 同比增加 6.36%。

六、土地成交量

2009 年—2011 年晋中市土地成交情况

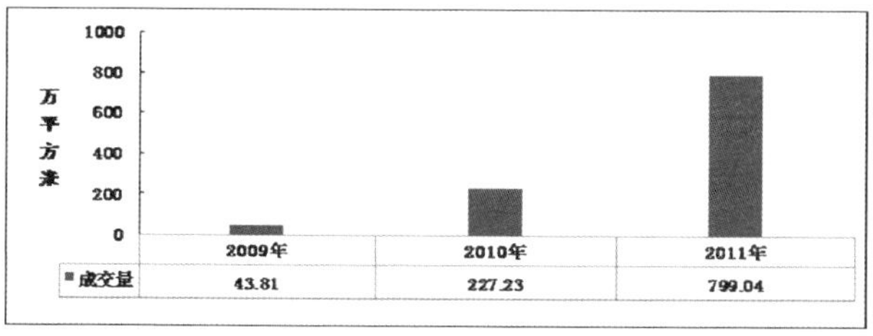

数据来源：CRIC

2011 年晋中市的土地成交量大幅增加，全年成交土地面积为 799.04 万平方米，与去年同期相比增加 571.81 万平方米，同比增加 251.64%，是去年同期土地成交面积的 3.52 倍。

2011 年，晋中市城市功能扩展区和北部新城发展新区的用地量占总用地量的 57%，高速公路和高速铁路的用地量占总用地量的 23%，市城区东部机械装备基地用地量占总用地量的 16%。全年晋中市大力开展北部新城建设，是 2011 年土地成交量大幅增加的主要原因。

七、土地成交价格

2009 年—2011 年晋中市土地成交价格

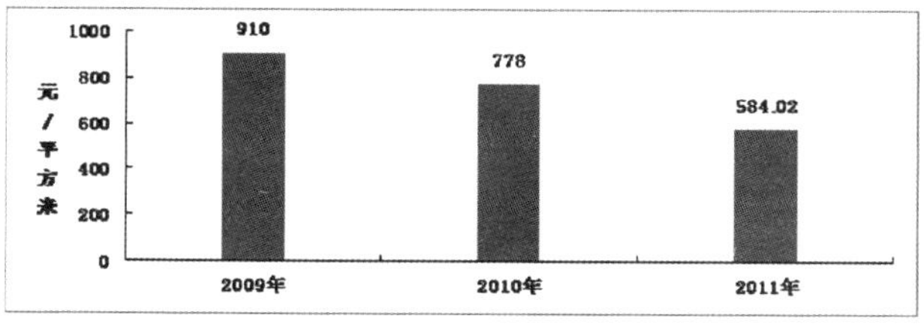

数据来源：CRIC

2011 年晋中市土地的平均成交价格为 584.02 元 / 平方米，与去年同期相比减少 193.98 元 / 平方米，同比下降 24.93%。

究其原因，一是成交土地面积中工业用地占比较大，其成交价格较低，整体拉低了全年全市土地成交价格。二是成交土地多数离市中心较远，位于新开发区域，土地配套较差，土地价值较低，导致土地难以高价成交。

八、项目活动

2011 年，晋中市约有 14 个楼盘项目进行营销活动，商品住宅包括多层、小高层和高层。推出户型二房、三房为主。

由于太原市实施限购令政策，部分购房客户转而选择购买晋中市商品住宅，造成晋中市商品住宅成交较为活跃，导致开发商对组织营销活动的意愿较为薄弱。全年全市各项目的宣传推广通过本地报纸、、户外、电视、广播、短信、网络等渠道进行项目宣传。

九、流媒体

1、纸质媒体

2011 年，全市楼盘项目进行广告投放主要集中在《晋中日报》和《晋中晚报》。

《晋中日报》是中共晋中市委机关报，为对开大报。覆盖晋中及下属 11 个县市的 300 余万人口，并面向全国发行，是晋中唯一的、最大的报刊媒体，发行量约 60000 份。《晋中日报》周一至周六出版，对开四版。

《晋中晚报》是中共晋中市委领导下，晋中日报社主办，面向全晋中市发行，覆盖榆次区、介休市、寿阳县、昔阳县、和顺县、左权县、太谷县、榆社县、祁县、平遥县、灵石县，总发行量 5 万余份，阅读人群包括了社会各阶层，突出都是特色，服务市民生活，反映市民呼声，是晋中地区发行量最大的主流媒体、强势媒体，是各项目展示自我形象、传达项目信息的良好平台。

2、网络媒体

晋中市房地产网络媒体主要集中在搜房网和晋中房产网。晋中市房地产业发展较晚、起步较低、发展较慢，成熟度还很欠缺，导致相关行业发展也较为滞后。网络媒体的发展目前已具备一定的成熟度，但房地产板块的业务开发得较晚，发展较滞后，目前来看还需较长发展历程才能具备大型房地产门户的实力。

十、总结及展望

2011 年以来，随着一系列调控政策的深入实施，以及金融货币政策逐步紧缩，房地产市场观望气氛日浓，楼市明显降温。在房地产调控政策将继续保持从紧及越来越多的购房者降价预期增强的情况下，楼市已经进入整体下行阶段。由于晋中特殊的地理位置，且受太原房地产市场的影响，晋中房地产开发呈现出投资下降，待售面积持续增加，资金充裕、结构变化明显，以及各区域房地产投资总量不平衡、增幅差距较大等特点。

在太榆同城化背景下，晋中市北部新城将作为晋中直接对接太原南部新城的城市新区，成为晋中中心城区发展的最大腹地、成为太原重要枢纽；随着时间的推移，高校园区将在不久逐步建成并投入使用。这些利好消息将增加人们对这一区域的升值预期，进而促进晋中市房地产业的发展。2012 年，预计晋中市商品房销售面积和销售额将呈现稳步增长态势。

2011年长治房地产市场运行检测报告

市场运行监测课题组

长治的房地产市场近几年一直处于高速发展的阶段，但市场中结构性的供求矛盾却日益突出，这种矛盾表现在长治市房地产市场中区域、价位、楼型、套型等方面的供应与需求不平衡。

2011 年，全年房地产开发投资完成 53.8 亿元，比上年增长 64.1%，其中住宅投资 42.5 亿元，增长 63.5%。商品房销售额 42.3 亿元，增长 32.4%，其中住宅销售额为 39.0 亿元，增长 39.7%。年末全市城镇居民人均住宅面积达到 33.5 平方米，农村居民人均住宅面积达到 37 平方米。全市城市建成区面积 5930 万平方米，城市房屋建筑面积 6505.69 万平方米，比上年增长 9.58%，其中住宅建筑面积 4879.27 万平方米。

房地产市场容量分析

调查数据表明，长治购房需求成因主要包括城市改造购房、市民改善居住条件购房、结婚购房、投资购房以及外来人员购房所带来的购房等。

1. 改善居住是目前购房需求的主体

由于市民生活水平的提高和消费观念的变化，产生了大量的以改善居住为目的的购房需求，因改善住房条件的购房比例上升，占市场容量的 34.0%。

2. 结婚购房比例稳中略升

未来几年内，30 岁以下群体的人口比例将逐步增加，因而结婚购房的需求将稳中略升。

根据调查，2011 年因结婚而有购房意向的占年度购房总需求的 22.5%。

3. 因投资而产生的购房比例降低

2006 年，因投资而产生的购房比例为 14.5%；2007 年，伴随着房价的攀升，因投资而产生的购房比例为 29.3%；2008 年，受宏观调控和全球金融危机影响，因投资而产生的购房比例为 25.3%；2009 年，因投资而产生的购房比例为 29.2%；2010 年，因投资而产生的购房比例为 28.3%；2011 年中央出台了各种限制购房政策，各大城市房价呈现下降趋势，投资购房比例为 22.1%。

4. 外来人员购房需求增速平稳

随着城市化进程的加快，外来人员涌入中心城市，2006 年，外来人员购房比例为 8.9%；

2007 年，外来人员购房比例为 16.9%；2008 年，外来人员购房比例为 14.0%；2009 年，外来人员购房比例为 16.5%；2010 年，外来人员购房比例为 15.8%；2011 年，外来人员购房比例增长为 19.1%，需求增速平稳。

房地产市场需求特征分析

1. 购房者心理需求特征

购房者消费心理和态度直接影响其购买行为。经调查，48.5%的准购房者认为目前长治市的房价过高，47.7%的购房者认为房价偏高，而只有 3.8%的购房者认为房价适中。这种心理导致许多购房者退缩，房地产实际成交量减少。

2. 现实需求减少与潜在需求增加并存

市场容量包括现实需求与潜在需求，从经济学的角度来看，现实需求是钢性的和非弹性的，满足的可能性非常大；而潜在需求是弹性的，受价格、区域以及投资支付条件等因素的影响非常大，不易得到满足。

3. 已实现购房需求的消费群体分析

在长治市住宅房地产市场发展阶段，除因改善生活条件实现市场需求外，买房者主要是企业主、经营小业主、公务员等具有中等偏高收入的社会阶层。2006 年以来，长治房价一路攀升，平均边际消费倾向（新增加的收入中被消费的比例）呈现递减态势。在原有高收入群体的购房需求主体被满足后，开发商面对的是收入相对下降的购房者，现实需求下降，某些高档社区的商品房销售放缓。

4. 需求结构分析

市场需求是指一定的顾客在一定的地区、一定的时间、一定的市场营销环境和一定的市场营销方案下的购买总量。房地产做为不动产具有明显的区域特征，不同的区域具有不同的区位和不同的相关配套。

各片区的需求结构及变化情况：

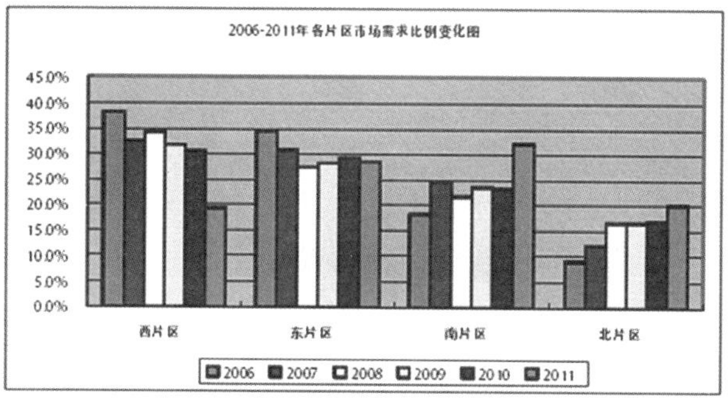

体呈现下降趋势，2011 年占需求比例降至 19.3%；由于近几年北片区几个大型社区的正式入住（如佳美绿洲、沁芳苑等），人口流动量增加，公共配套设施的完善，北片区商品房的供应量逐步增加，为消费者提供了选择空间，北片区市场需求比例由 2006 年的 9.1%逐渐上升到 2011 年的 20.1%。

2006-2011 年，东片区尽管以其良好的生活环境和齐全的配套在区域购房比例中处于其次，由于有些楼盘价格超出了消费者所能够承受的范围，仅占需求比例的 28.5%，与长治市房地产市场初期相比有所下降。

南片区尽管距离市中心较远，相关配套较差，但是最大优势体现在其较低的价格上。最近几年，南片区基础设施及公共配套设施不断完善，西一环路、城东路为南北贯通提供了许多地便利，加上 2011 年上党城镇群的建设，南片区的房价上涨很快，新开发楼盘较多，致使西片区的需求比例在 2011 年上升至 32.1%。

5. 价格层次需求结构分析及变化情况

价格是制约需求实现的最主要的因素，也是购房者最为关心的敏感因素。2011 年与去年相比，消费者能够承受的商品房单价基本没有变化，依然介于 3000－5000 元／平米的价格区间，其中可承受商品房单价在 3000 元以下的占 25.5%，可承受商品房单价在 3000-4000 元的占 38.6%，可承受商品房单价在 4000-5000 的占 26.2% ，5000 元以上只占 9.7%。

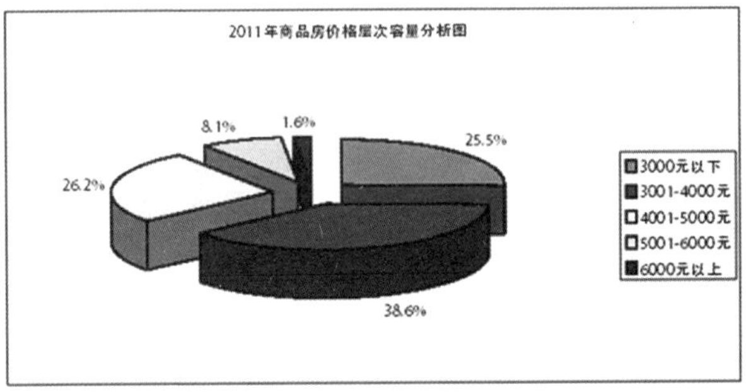

6. 楼型层次需求结构分析及变化情况

从 2011 年长治市商品房楼型的市场容量结构分析图可以看出，购房者主要的需求还是集中在多层和高层商品房。

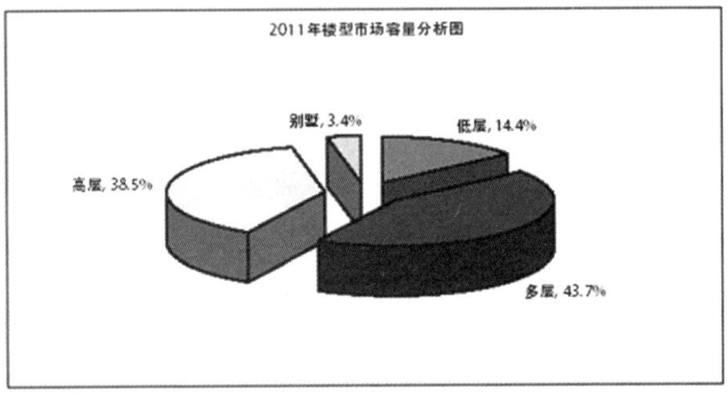

产品结构与价格分析

产品结构分析主要是从供给角度分析市场状况，市场状况包括房地产投资、土地供给和商品房供给。在新建商品房的供给结构中，既有供给总量的分析，也有价格层次的分析。另外，本节还从供需平衡角度对目前长治市房地产市场运行情况进行了综合分析。

1. 房地产投资状况

2011 年，全年房地产开发投资完成 53.8 亿元，比上年增长 64.1%，其中住宅投资 42.5 亿元，增长 63.5%。商品房销售额 42.3 亿元，增长 32.4%，其中住宅销售额为 39.0 亿元，增长 39.7%。全市城市建成区面积 5930 万平方米，城市房屋建筑面积 6505.69 万平方米，比上年增长 9.58%，其中住宅建筑面积 4879.27 万平方米。

2. 商品房需价格供需情况

2011 年，长治市新建商品房单价均价都处于 3000 元以上，单价在 3000 元-4000 元的商品房“供不应求”、单价在 4000 元／平米以上的商品房明显地“供过于求”。价格层次的需求结构分析将在第二节具体分析。从未实现的需求的角度进行分析，2011 年未实现的需求主要集中于单价在 3000-4000 元／平米的新建商品房，而未被消化的供给主要集中于单价在 4000 元以上／平米的新建商品房；从片区的角度进行分析，能够提供单价在 3000-4000 元／平米的商品房的片区只有南片区和北片区的部分地区。

3. 供给价格水平分析

1. 典型楼盘价格指数

2011 年 11 月，山西千万家房地产经纪有限公司、长治市诚信地产咨询评估有限公司、山西誉利房地产咨询评估有限公司三家公司多名调查人员对长治市市区 90% 的房地产项目进行了调查，对 26 个高层典型楼盘和 400 多套多层房屋交易信息、楼盘信息、销售动态与价格浮动等信息进行汇总分析，2011 年 11 月，形成了长治市市区比较完善的商品房价格行情汇总数据。

2011 年长治市区典型楼盘价格指数表

类 别	2009 年住宅均价	2010 年住宅均价	2011 年住宅均价	与 2010 年相比涨幅(%)
高 层	3774	3951	4405	11.49%
多 层	3115	3298	3586	8.73%
整体均价	3445	3624	3996	10.26%

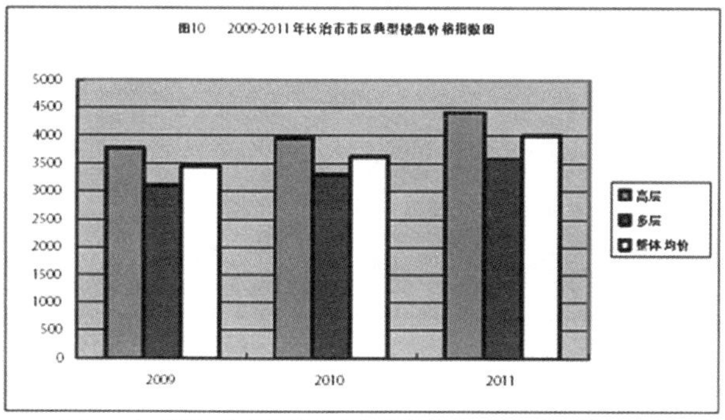

2011 年长治市区区域典型楼盘价格指数表 (单位：元/m²)

类别	东片区				西片区			
	2009	2010	2011	与 2010 年相比涨幅(%)	2009	2010	2011	与 [illegible] 年相比涨幅
高　层	4083	4153	4871	17.29%	3700	4219	4357	[illegible]
多　层	3290	3505	3769	7.53%	3260	3365	3617	[illegible]
整体均价	3687	3829	4320	12.82%	3480	3792	3987	[illegible]
类别	南片区				北片区			
	2009	2010	2011	与 2010 年相比涨幅(%)	2009	2010	2011	与 2010 年相比涨幅(%)
高　层	3438	3780	3911	3.47%	3875	3650	4275	17.12%
多　层	2700	2917	3245	11.24%	3210	3404	3500	2.82%
整体均价	3069	3348	3578	6.85%	3543	3527	3888	10.24%

从上表中我们可以得知，2011 年东片区高层商品房价格与 2010 年相比涨幅最高，达到了 17.29%，其次是北片区高层价格涨幅达到 17.12%，西片区与南片区涨幅分别为 3.27% 和 3.47%；而多层商品房的价格涨幅最高的属南片区，高达 11.24%，东片区和西片区涨幅相当，分别为 7.53% 和 7.49%，北片区的多层价格涨幅仅为 2.82%。总体来看，2011 年商品房价格涨幅由高到低依次为东片区、北片区、南片区、西片区。

2011 年长治市市区商品住宅价格水平分析

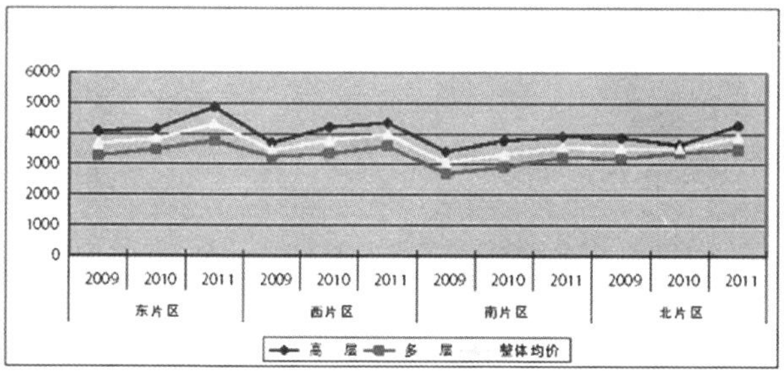

从图中可以看出，2009-2011 年，长治市四大片区的商品住宅价格都处于平稳上升趋势，四大片区商品住宅均价 3943 元／平米。

4. 长治市市区区域住宅租赁行情分析

目前，长治市市区住宅房屋租赁需求者主要是外来人员，包括外来打工人员、孩子上学的陪读人员以及刚毕业的大学生。房屋租金与出租房的地理位置、建筑年代、户型及装修程度等因素密切相关。下表直接反映出 2011 年长治市市区各区域住宅租赁价格。

2011 年长治市区区域住宅价格指数表

类　型	发布时间	东片区	西片区	南片区	北片区	整体均价
住　宅	2011 年 11 月	130	132	88	149	125

商品房供需状况对房价涨幅的影响分析

2011 年，长治市市区商品房总供需比增大，尽管由于某些价位细分市场的供给比较集中，对房价产生了一定的抑制作用，但是，房价总体涨幅较平缓。

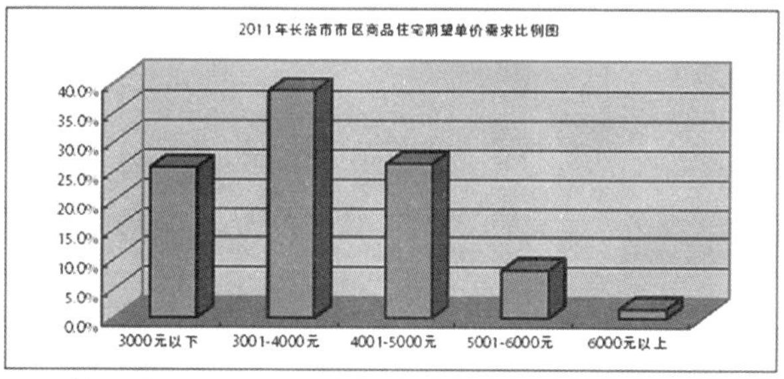

统计数据显示住宅期望价格为 3000 元／平米以下的需求比例占 25.5%，3001-4000 元／平米的需求比例占 38.6%，4001-5000 元／平米的需求比例占 26.2%，5001-6000 元／平米的需求比例占 8.1%，6000 元／平米以上的需求比例占 1.6%。目前，长治市市区房地产市场，3000 元／平米以下的住宅区很少，南片区、或离交通干线较远的地段有选择空间；3001-4000 元／平米的住宅东片区、西片区、北片区均有选择。4001-5000 元／平米的住宅东片区所占比重最大，其次为西片区。因此，长治市商品房市场供需结构性矛盾仍然十分严重，会对未来房价上涨有所抑制，这种结构性矛盾需要在较长时期内调整。

1. 房地产开发投资增幅对房价的影响

长治市的房地产开发投资特征中如增长速度、投资结构不均衡现象在全国房地产市场中属于较典型的，但从目前的现状可以看出房地产开发投资增幅仍然较大，投资结构不够合理，中高档项目开发量偏大，商品房价格仍然居高不下。

2. 城市化进程加快带动房价上涨

长治新区重点工程的建设发展较快，沿太行西街与长治高新技术开发区相衔接功能进一步完善。依托漳泽湖湿地，以自然生态公园为景观核心，集市级行政办公、公共设施服务、大型居住社区为一体，同时兼有文化、会展、体育、休闲和旅游产业，体现人文生态和滨水特色的新区核心功能。

长治市市区房地产发展特征综述

1. 郊区与城区商品房价格差距继续拉大，出现商品房价格两极分化；物业价格攀升，但市场接受程度存在差异；单价上涨使大户型商品住宅的市场接受度有所降低。

2. 产品趋向多元化，户型设计人性化

新开楼盘品质提高，物业类型逐渐向小高层和高层发展，户型设计逐步趋转人性化。

3. 房地产市场发展趋于稳定，价格变化趋于平稳

2011 年房地产发展较去年相比发展趋于缓慢，市场逐步规范，长治市个别片区发展较好，价格上涨速度逐步趋于理性。

4. 新建商品房市场继续升温，存量房市场交易平稳

2011 年长治新开盘商品房增加，楼盘自身档次较高，而今年二手房交易量呈下滑趋势，这主要原因是二手房价偏高，有些较好地段的房龄较长的二手房与一些新盘价格所差无几，银行对二手房贷款限制，使得二手房交易量有所下滑，部分准备购买二手房的购房者都选择了持币观望状态，这就需要二手房出售价格的调整，来换取市场认同。

房地产市场消费者分析

2011 年长治市房价略有涨幅，总体供求基本平衡，消费选择空间增大，消费者开始观望。有些楼盘火爆，有些楼盘趋冷。因此，研究消费者消费习惯和喜好显得尤为迫切和必要。通过了解消费者的需求、消费行为及消费习惯，为长治市房地产开发及相关企业提供有力的数据支持，从而有效缓解房产供给的结构性失衡。

购房需求特征分析

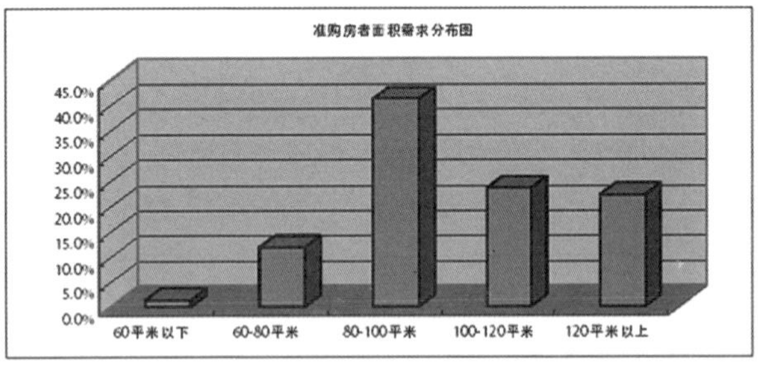

准购房者面积需求分布图

由于近几年房价的上涨，购房者对 100 平米以上的商品房需求有所减少，准购房者对 80-100 平米的商品房需求最大，达到了 41.2%，对 100-120 平米的商品房需求为 23.5%，对 120 平米以上的商品房需求为 22.2%，对 60-80 平米的商品房需求为 11.8%，对 60 平米以下的商品房考虑的比较少，需求只占到 1.3%。

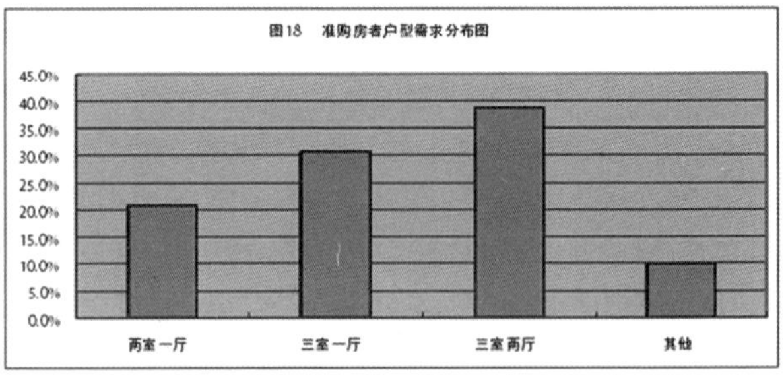

图18 准购房者户型需求分布图

如今，人们越来越重视房间的私密性、动静分区、干湿分区等，因而购房者对三室两厅的需求比例最高，占 38.7%；其次是三室一厅，需求比例占 30.6%；对两室一厅的需求比例为 20.8%。

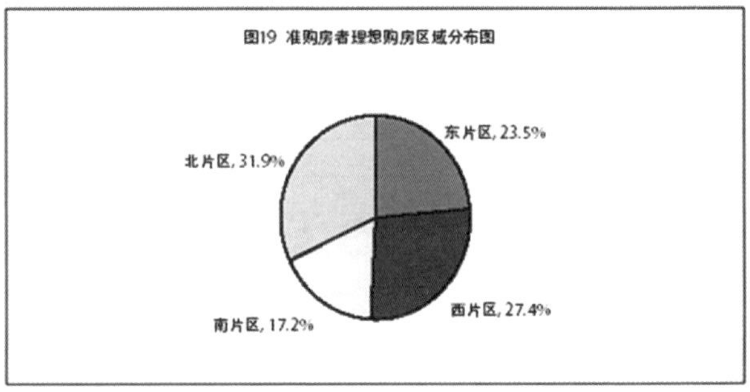

图19 准购房者理想购房区域分布图

长治市市区四大片区都以其各自的优势吸引着不同的购房者。北片区距离八一广场、长治高速口较近，交通便利，环境优美，因此许多长治市区内的购房者更倾向于到北片区购房，比例占到 31.9%。西片区包含的学校较多，为了子女的上学方便，有 27.4% 的准购房者选择在西片区购房。东片区的优势在于环境较好、人流集中、购物方便、配套设施齐全，有 23.5% 的准购房者将东片区选为他们的理想购房区域。而南片区相对来说价格较低，但配套设施不完善，只有 17.2% 的购房者选择南片区。

年龄结构与楼型需求的综合分析

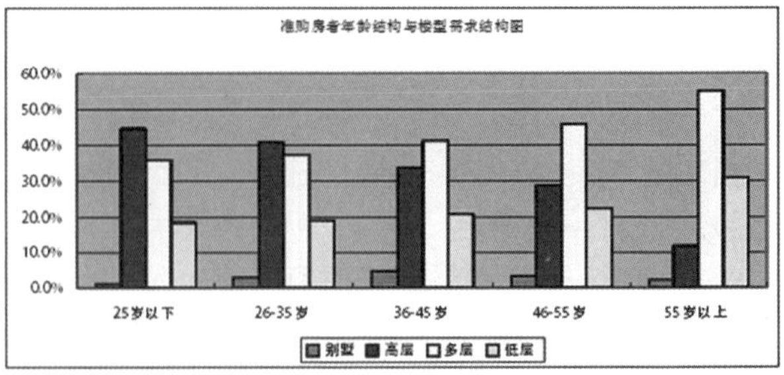

准购房者年龄结构与楼型需求结构图

从图中可以明显地看出，随着年龄的增长，购房者对高层的需求越来越低，对多层及低层的需求是越来越高。对别墅需求最高的年龄段是 36-45 岁，这个年龄段的人生活条件比较优越，喜欢独处，因此多选择比较安静、环境高的别墅。

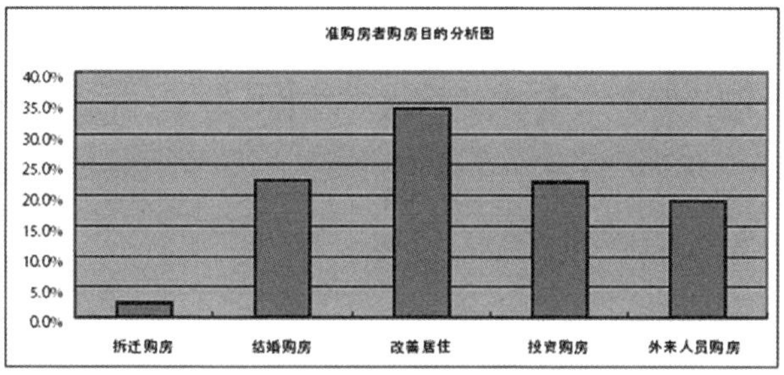

经调查，2011 年因拆迁购房的占 2.3%，因结婚成家购房的占 22.5%，因改善居住条件购房的占 34.0%，外来人员购房的占 19.1%，以投资为目的购房的占 22.1%。

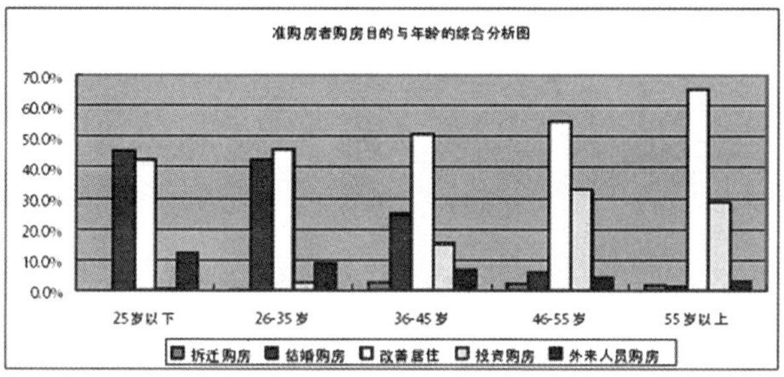

图中显示，25 岁以下和 26-35 岁购房目的主要为结婚和改善居住，36 岁 -45 岁购房的主要目的是改善居住，46-55 岁和 55 岁以上购房者购房主要是为了改善居住，其次是为了投资。

25 岁以下因结婚购房的占 45.3%，因改善居住购房的占 42.5%，外来人员购房的占 11.9%，因投资购房的占 0.3%；26-35 岁因结婚购房的占 42.6%，因改善居住购房的占 45.8%，外来人员购房的占 8.9%，因投资购房的占 2.5%，因拆迁购房的占 0.2%；36-45 岁因结婚购房的占 24.8%，因改善居住购房的占 50.7%，外来人员购房的占 6.8%，因投资购房的占 15.2%，因拆迁购房的占 2.5%；46-55 岁因结婚购房的占 5.8%，因改善居住购房的占 55.1%，外来人员购房的占 4.2%，因投资购房的占 32.8%，因拆迁购房的占 2.1%； 55 岁以上因结婚购房的占 1.4%，因改善居住购房的占 65.2%，外来人员购房的占 3.0%，因投资购房的占 28.6%，因拆迁购房的占 1.8%；

准购房者价格需求分析

房价是调节房地产市场供需的杠杆，购房者对房价的心理承受能力尽管随房价逐渐升高而增强，但须找到其心理承受的边缘分界线，否则，消费者会选择放弃。

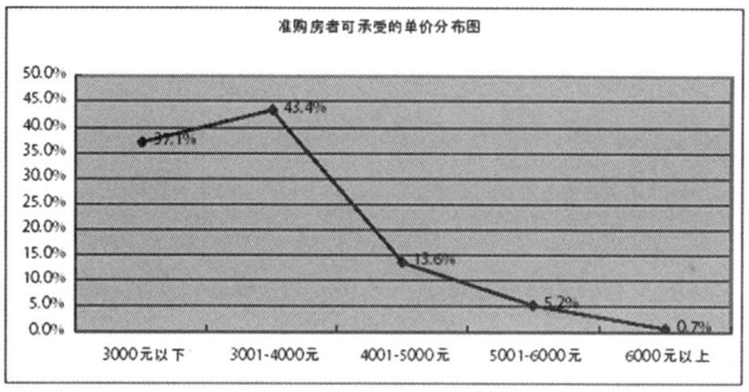

可承受 3000 元 / 平米以下的购房者占 37.1%；可承受 3001-4000 元 / 平米的购房者占 43.4%；可承受 4001-5000 元 / 平米的购房者占 13.6%；可承受 5001-6000 元 / 平米的购房者占 5.2%；可承受 6000 元 / 平米以上的购房者占 0.7%；

家庭年收入与可承受总价的综合分析

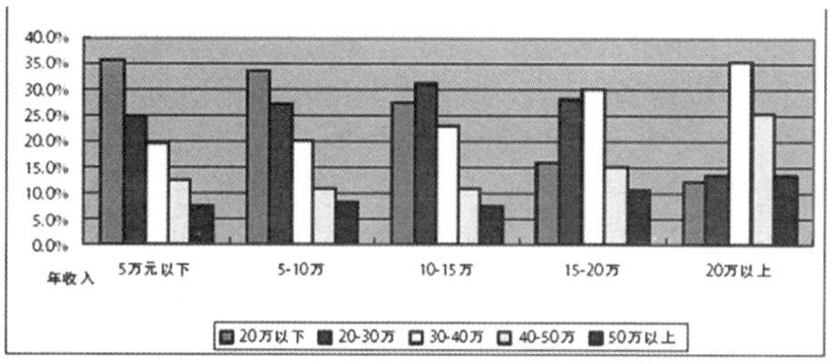

从图中可以看出，家庭年收入在 5 万元以下的购房者，有 35.7% 的可承受总价 20 万元以下的房产，24.8% 的可承受总价为 20-30 万元的房产，19.7% 的可承受总价为 30-40 万元的房产，12.4% 的可承受总价为 40-50 万元的房产，只有 7.4% 的可承受总价为 50 万元以上的房产。

家庭年收入在 5-10 万元的购房者，有 33.7% 的可承受总价 20 万元以下的房产，27.2% 的可承受总价为 20-30 万元的房产，20.1% 的可承受总价为 30-40 万元的房产，10.8% 的可承受总价为 40-50 万元的房产，8.2% 的可承受总价为 50 万元以上的房产。

家庭年收入在 10-15 万元的购房者，有 27.5% 的可承受总价 20 万元以下的房产，31.1% 的可承受总价为 20-30 万元的房产，23.0% 的可承受总价为 30-40 万元的房产，10.9% 的可承受总价为 40-50 万元的房产，7.5% 的可承受总价为 50 万元以上的房产。

家庭年收入在 15-20 万元的购房者，有 15.9% 的可承受总价 20 万元以下的房产，28.2% 的可承受总价为 20-30 万元的房产，30.2% 的可承受总价为 30-40 万元的房产，15.1% 的可承受总价为 40-50 万元的房产，10.6% 的可承受总价为 50 万元以上的房产。

家庭年收入在 20 万元以上的购房者，有 12.2% 的可承受总价 20 万元以下的房产，13.5% 的可承受总价为 20-30 万元的房产，35.5%的可承受总价为 30-40 万元的房产，25.4%的可承受总价为 40-50 万元的房产，13.4%的可承受总价为 50 万元以上的房产。

付款方式

目前，市场商品房价与购房者的年收入及可承受的房价相差很大。经调查，买房后，有 44.6%的购房者将采用按揭贷款的方式，有 35.6%的购房者选择分期付款，有 19.8%的购房者会采取一次性付款。

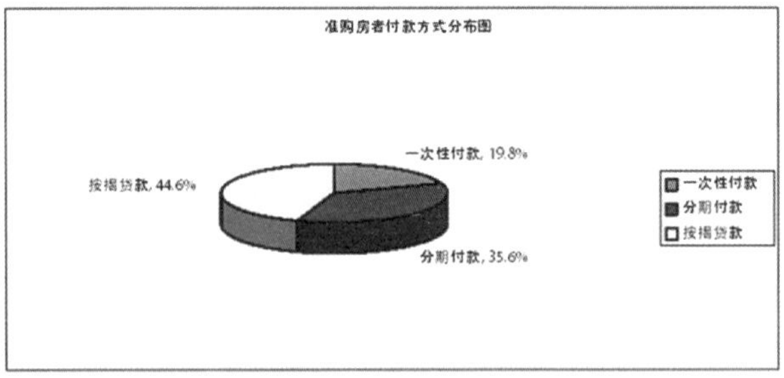

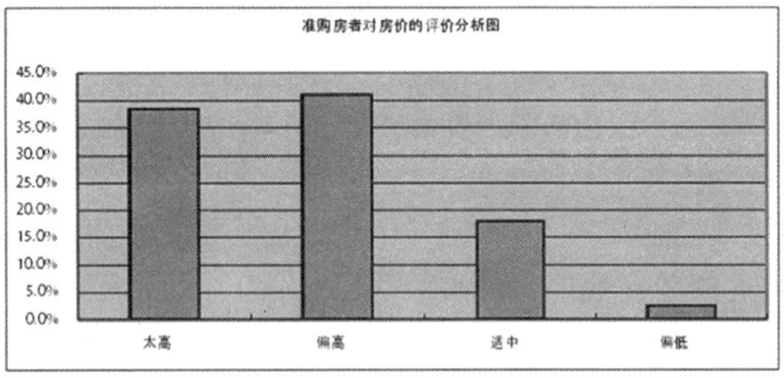

认为目前长治市房价太高的购房者占 38.5%，认为房价偏高的购房者占 41.1%，认为房价适中的购房者占 17.9%，认为房价偏低的购房者占 2.5%。

准购房者的媒体接触习惯及媒体影响

影响购房的因素很多，在决定购房时，信息刺激可能会影响其购买决策。因此，有必要研究信息对购房的影响。信息来源主要有大众媒体、亲朋、广告及中介机构。

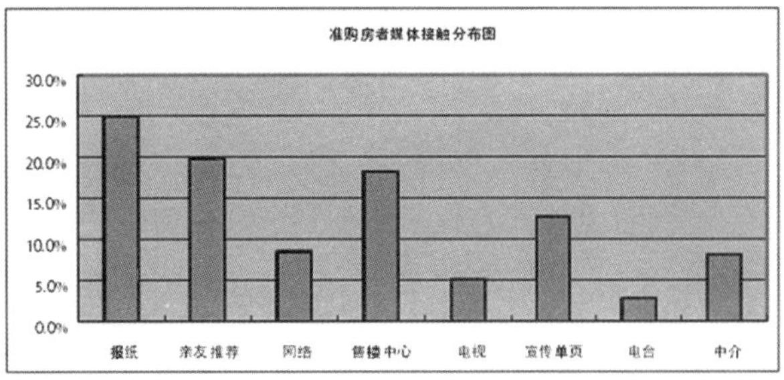

以报纸为提及率的购房者占 24.9%，以亲友推荐为提及率的购房者占 19.8%，以网络为提及率的购房者占 8.5%，以售楼中心为提及率的购房者占 18.2%，以电视为提及率的购房者占 5.2%，以宣传单页为提及率的购房者占 12.6%，以电台为提及率的购房者占 2.7%，以中介为提及率的购房者占 8.1%。

媒体监测与研究

房地产营销策略包括市场定位、产品、价格和房地产分销、促销策略，其意义为帮助开发商认清市场、审时度势、扬长避短。房地产广告是房地产营销策略中的重要环节，其目的是达成或帮助达成房地产营销目标。本期媒体监测与研究是以媒体监测数据库为基础，对长治市房地产的营销活动的基本状况进行分析，来研究区域房地产市场及营销策略。

媒体影响度分析

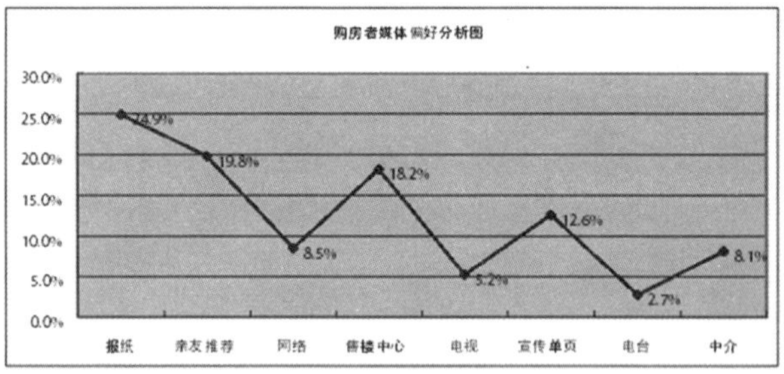

偏好报纸媒体的购房者占 24.9%，偏好亲友推荐的购房者占 19.8%，偏好网络媒体的购房者占 8.5%，偏好售楼中心的购房者占 18.2%，偏好电视媒体的购房者占 5.2%，偏好宣传单页的购房者占 12.6%，偏好电台媒体的购房者占 2.7%，偏好中介机构的购房者占 8.1%。

从上图可以看出，媒体广告对购房者的决策影响很大的占 32.4%，媒体广告对购房者的决策有一定影响的占 59.6%，媒体广告对购房者的决策无影响的占 8.0%。

结语

为将房价控制在合理水平，2011 年中央出台了一系列房地产调控政策，回顾 2011 年房地产政策的变化，大体有以下几项：

1、“国八条”确立基调，明确调控措施

2011 年 1 月，即春节前夕，“国八条”出台，确定了全年房地产调控基调，同时也拉开了全国范围严格控制房地产行业的序幕。

（1）控价格：“国八条”首次释放通过调控平抑的信号，即“将房价控制在合理水平”，并且要求地方

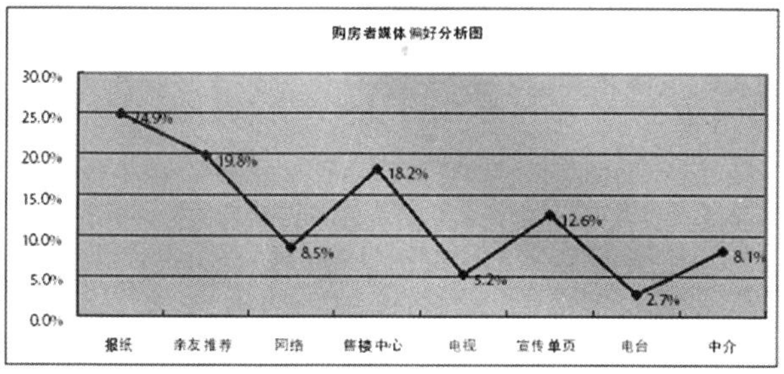

政府上报年度价格控制目标。

（2）强保障：再次强调加强保障性住宅建设，并确定年度、十二五期间建设目标，并要求地方政府逐级分解。

（3）严问责：对房价控制、保障房建设均有明确的目标和时间限制，并要求对公众公开，使“问责制”的落实有据可依并可由公众监督。

（4）扩范围：将限购、限贷等调控政策的涉及范围进一步扩大，进行全国性的房地产调控。

2、 地方政府细则跟进，北京举措最为严厉

在“国八条”出台之后，所有调控要求范围内的城市均先后出台了相关细则，其中限购、确定年度房价控制目标这两项重量级的措施均为北京最为严厉。此外，年底北京市在调整普通住宅标准的同时，也调整了存量房交易环节税费的计税标准，从而大幅提供存量房交易税费。

（1）限购：北京市进一步强化了 2010 年 4 月开始执行的限购政策，即对已拥有 2 套住房的北京市户籍家庭限购、已拥有 1 套住房的非北京户籍家庭、未能提供连续 5 年（含）以上在本市缴纳社会保险或个人所得税缴纳证明的非北京户籍家庭进行限购。其余城市限购条件均较北京宽松很多。

（2）房价：北京市要求 2011 年新建普通住宅价格稳中有降，是所有城市中唯一以房价下降为控制目标的城市。

（3）税费：2011 年 12 月 10 日起，北京市开始实施新的存量房交易计税标准，但并未对公众具体公布细则，据调研结果显示，各区域新的计税标准大概是原最低过户指导价的 3 倍，意味原来通过做低合同价来少交税费的方式已不可行，存量房交易将再糟重创。

3、 货币环境全面收紧，影响房地产供需双方

2011 年央行共上调 6 次存款准备金率，达到了 21.5% 的历史最高点，累计冻结流动性约 1.8 万亿元。此外，2011 年年内，央行共上调存贷款基准利率 3 次，使一年期贷款利率累计增加 75 个基点，达到 6.56%。

（1）影响供应：货币环境的收紧，加上从中央到地方各类金融机构均严格控制开发贷，使绝大多数开发企业陷入融资困难的窘境，不仅没有足够的资金拿地，连存量项目的运营都捉襟见肘，无形中加大销售回款的压力。

（2）影响需求：屡次加息，以及取消首套购房优惠利率，甚至个别银行要求在基准利率基础上上调首套购房利率，大幅加大了购房成本，使已被限购政策甄选一轮的购房者也不得不望而却步。自 2011 年 12 月 5 日起下调存款准备金率 50 个基点，这是自 2008 年 12 月以来央行首次下调存款准备金率。下调准备金率，确实能够适度解冻银行贷款资金，对于目前房地产市场由于贷款额度紧张而普遍面临的延迟放贷现象将有所利好，但程度十分有限。总体而言，一次下调存准率对房地产市场并不会有影响，但下调存准率已释放出的宏观经济调控微调的信号，信贷环境应不会再度趋紧。

4、中央经济工作会议，确立未来调控方向不动摇

12 月 12 日至 14 日，中央经济工作会议在北京召开。明确提出明年经济工作的总体要求、大政方针和主要任务。会议提出对明年经济工作的总体要求是：“继续实施积极的财政政策和稳健的货币政策，保持宏观经济政策的连续性和稳定性，增强调控的针对性、灵活性、前瞻性，继续处理好保持经济平稳较快发展、调整经济结构、管理通胀预期的关系，加快推进经济发展方式转变和经济结构调整”。会议指出要突出把握好“稳中求进”的总基调。

其中，会议提出的涉及房地产业的政策方针有如下三个方面：一是进一步推进房产税改革试点；二是抓好保障性住房投融资、建设、运营、管理工作；三是坚持房地产调控政策不动摇，促进房价合理回归，加快普通商品住房建设，扩大有效供给，促进房地产市场健康发展。

（1）继续通过控制商品房、强化保障房，促成房地产双轨制的健康发展道路 2010 年以来，中央希望通过加大保障房建设，同时抑制商品房过快发展的途径来促进房地产健康发展的调控思路已逐渐明晰。以往，保障房建设强调的是规模化，而此次中央经济工作会议中提出“要抓好保障性住房投融资、建设、运营、管理工作”，说明保障房建设工作将更加深入，正朝双轨制的方向迈进。

（2）房地产调控目标升级为“促进房价合理回归” 去年 4 月“国十条”房地产调控目标为“遏制部分城市房价过快上涨”，今年 1 月出台的“国八条”强调“巩固和扩大调控成果，将房价控制在合理水平”，今年中央在此次会议上把调控目标由“遏制房价过快上涨”正式升级为“促进房价合理回归”，这是中央首次提出带有压低房价的调控策略，反映目前的调控成果并未得到政府首肯，未来一段时间总体从严的调控方向不会松动。

（3）从“调结构”角度落实房地产调控

与庞大的自住需求相比，我国住宅市场始终存在结构不合理，中低价商品住宅供应短缺的问题，此次中央经济工作会议再次明确提出“要加快普通商品住房建设，扩大有效供给”，目的就是为了优化住宅市场供应结构，改变供求比例，缓解中低价商品住宅市场严重的供不应求局面。显然，依靠行政手段抑制市场需求不是长效机制，也会为政策撤出后市场的报复性反弹慢下隐患，所以，只有优化房地产市场的供应结构，调整供求比例，才能促进房地产市场的长期健康发展。

总之，对于房地产开发投资和市场供给还将稳步增长，在建筑品质方面会逐步提高。受价格上涨和担心政策可能变化的预期，一些地方的交易量可能会有所波动，但全国市场交易量总体趋于平衡。预计 2012 年，一些省市交易量受高房价的影响会下降，但对于长治这个三线城市来说，交易量仍可能稳步增长。房地产价格呈上升态势，但涨幅会趋缓。

2011年晋城市房地产市场运行监测报告

市场运行监测课题组

2011年，宏观经济增长速度下行的压力和物价上涨的压力并存，持续宽松的货币政策回归稳健，房地产市场宏观调控政策频出，国家出台了新“国八条”，在强化差别化信贷政策，更大规模推出保障性安居工程建设等在内的一揽子调控政策的背景下，房地产市场总体增速放缓，保障性住房建设加快。

第二产业持续快速增长。2011年全市生产总值895.0亿元，比上年增长13.6%。其中，第一产业增加值38.8亿元，增长7.7%；第二产业增加值585.8亿元，增长16.3%；第三产业增加值270.3亿元，增长9.1%。第一、第二和第三产业增加值占全市生产总值的比重分别为4.3%、65.5%和30.2%，第二产业占绝对主导地位。

固定资产投资快速增长，房地产开发投资增速。全年固定资产投资504.1亿元，比上年增长29.5%。按产业分，第一产业投资14.8亿元，增长89.9%；第二产业投资289亿元，增长41.6%；第三产业投资200.4亿元，增长12.9%。全年房地产开发投资37.5亿元，增长15.9%。

社会消费品零售总额稳步增长，居民人均可支配收入显著提高。全年全市社会消费品零售总额224.5亿元，增长17.5%。全年城镇居民人均可支配收入为20127元，比上年增长16.0%。城镇居民家庭恩格尔系数28.3%，农村居民家庭恩格尔系数36.0%。城镇居民人均工薪收入17567元，比上年增长34.1%。

开发企业资金到位趋紧。2011年，全市房地产开发企业本年到位资金40.2亿元，比上年增长0.7%，远低于房地产开发投资增速15.2个百分点，分别比去年前三季度和上半年回落了55.4和49.3个百分点。其中：国内贷款3.4亿元，下降37.2%；自筹资金15.3亿元，下降17.4%；其他资金来源21.5亿元，增长34.9%，中定金及预收款18.9亿元，增长50.8%。

一、晋城城市基础设施建设

2011年，晋城启动实施了5条城市道路工程建设，完成投资近5亿元，其中凤城南路建成通车。兰花路、红星西街、红星东街开工建设，泽州路、凤台街罩面改造工程全部完成。困扰老城区居民多年的40条背街小巷改造工程竣工。新购置的40辆公交车上线运行。

总长35公里的热电联供热网工程主干管网投入使用，新增集中供热能力1227万平方米。豪德贸易广场、金村新区的供水、供热、供气等基础设施配套项目已全部启动实施。市区和各县城全部开通煤层气，主城区气化率达到90%。城市水系建设积极推进，任庄水库调水工程白马寺温馨湖竣工，主城区花园头河景观水系、滨河南路建设工程开工奠基。城镇扩容提质大行动和百镇建设工程全面启动。沁河高标准综合治理工程正在设计。荣膺“国家卫生城市”称号。

市中等专业学校的搬迁扩建工程、凤城中学、秀水苑学校、汇仟小学等四所学校全部开工奠基。完成了中小学校舍安全工程扫尾工作，为100所农村中小学校配备了体艺器材，为100所农村寄宿制学校增添了卫生安全设施。新建和改扩建幼儿园15所。

二、商品住宅总体情况

1、商品住宅

2008年至2011年晋城商品住宅供求情况

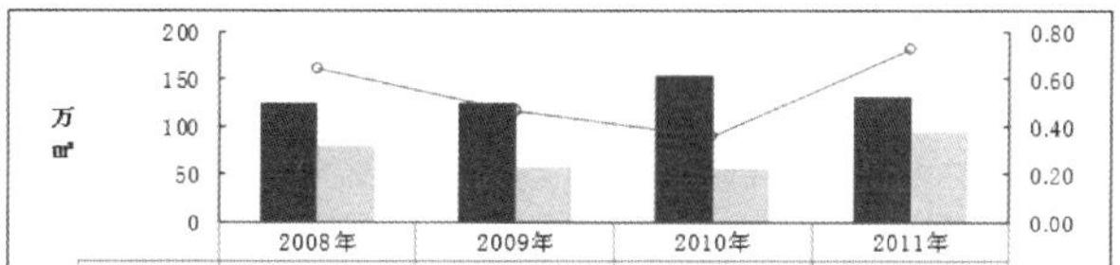

	2008年	2009年	2010年	2011年
供应量	125.4	124.94	154.5	131.5
成交量	80.4	57.89	55.3	95.5
供求比	0.64	0.46	0.36	0.73

数据来源：CRIC

2011年，晋城商品住宅市场供应面积为131.5万㎡，较上年下降了14.89%。

主要原因是：国家对房地产市场实行宏观调控政策，对全国房地产市场均产生巨大影响。晋城市虽不在此次限购城市范围内，但受行业整体环境影响，市场上存在较为浓厚的观望情绪，导致开发商调整供应策略，采取减少供应量，放缓推盘节奏的策略。

晋城商品房住宅市场成交面积为95.5万㎡，较上年上涨72.69%。

一方面，晋城市不在宏观调控政策实施的城市范围内，市场上虽有一定的观望情绪，但购房者受到的影响较小，成交量不降反升；另一方面，投资客户将投资方向从一二线城市转向三四线城市，晋城承接了一部分投资需求，促进了商品住宅成交量的上涨。

2、商品房住宅价格

2008 年至 2011 年晋城商品住宅成交价格变化情况

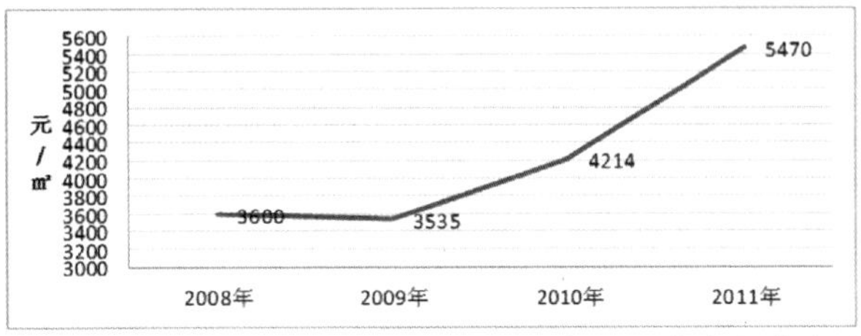

数据来源：晋城市房地局

2011 年，晋城房商品房住宅成交均价为 5470 元 / ㎡，较上年上涨 28.81%。

2011 年，晋城商品住宅价格增长幅度较大，表现出较猛的发展势头，从整体市场来看，市场需求强烈，未来成交均价仍有上升空间。

三、保障房建设

保障性住房建设是党和政府改善困难群众住房条件，提高人民生活水平，促进经济社会平稳较快发展的重要举措。

2011 年，全市开工建设各类保障性住房完成投资 14.4 亿元，比上年增长 1.3 倍；保障性住房新开工面积 145.2 万平方米，新开工套数 14416 套；保障性住房竣工面积 68.9 万平方米，竣工套数 6991 套。

保障房投资力度加大，有利于控制高房价，更好地落实高位房价调整的政策目标。

四、商业及办公用房

2008-2010 年晋城市商业及办公市场供求对比图

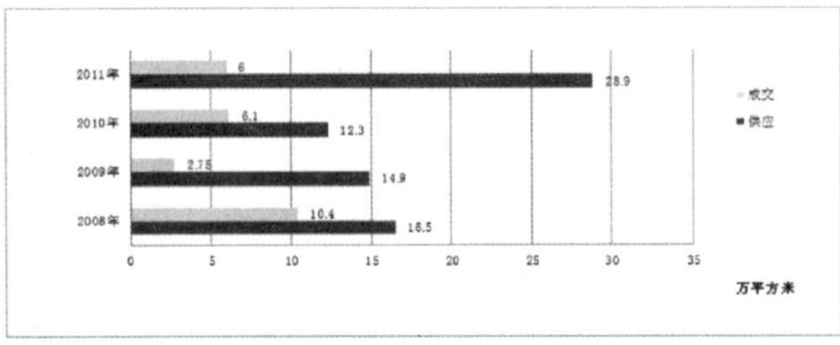

数据来源：CRIC

2011 年，晋城商业市场供应量为 16.3 万㎡，较去年增加 32.52%。本年成交面积为 6.0 万㎡，基本跟去年持平。

晋城商业市场的发展还处于初级阶段，对商业物业的消化量较为有限，商业分布较为集中，新的商业圈的出现尚需要较长时间的培养。

五、商业物业价格

晋城市城区得益于其区位优势，形成了种类较为齐全的商品交易市场体系。各类市场，由于定位不同，因而层次各异。从总体来看，老城区的市场分布集中度较高。2011 年全市商业营业用房最高价格达每平方米 14000 元，最低 6500 元。

2011 年，全市办公楼投资完成 0.4 亿元，增长 19.8%，占房地产开发投资的比重为 1.2%；商业营业用房投资完成 4.5 亿元，增长 40.0%，占房地产开发投资的比重为 11.9%。

六、土地供应量

2009 年至 2011 年晋城土地供应情况

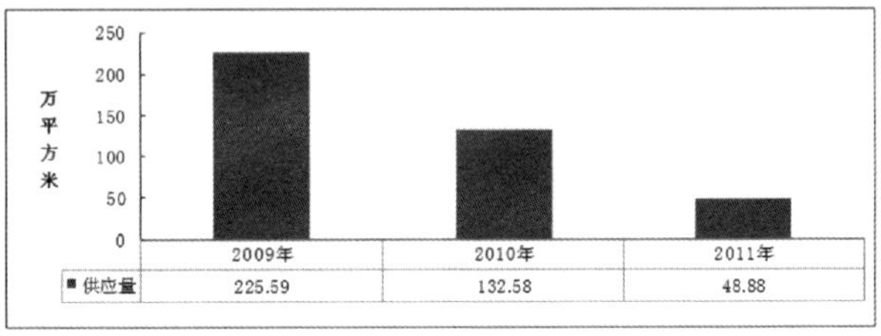

数据来源：CRIC

2011 年，晋城市共供应 17 幅土地，供应面积为 48.88 万平方米，同比下降 63.13%。与 2010 年相比大幅减少。

晋城市供应地块属性分析

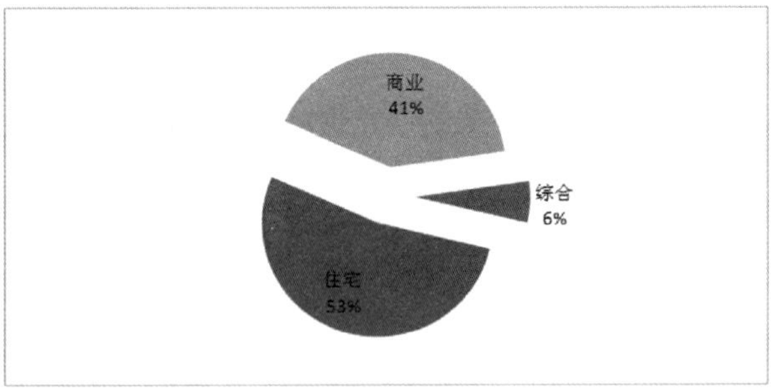

数据来源：CRIC

从供应土地属性来看，2011 年晋城市土地供应以居住用地为主，占比达到 53%；其次为商业用地，占比达到 41%。晋城房地产市场以商品住宅为主，其次是商业地产。

七、土地成交量

2011 年晋城共成交 23 幅土地，成交面积为 85.59 万平方米，同比下降 25.32%。

2009 年至 2011 年晋城土地成交情况

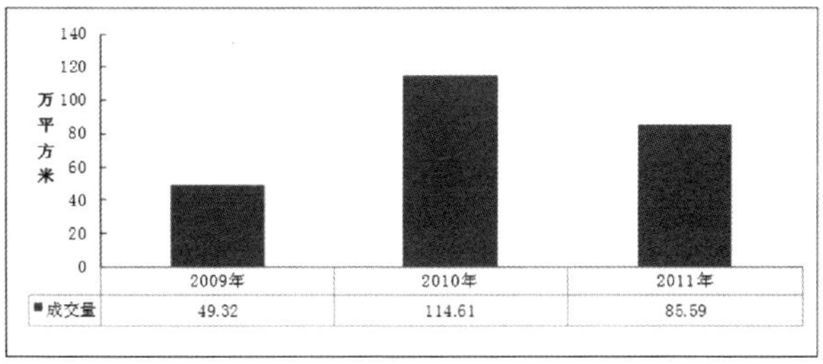

数据来源：CRIC

成交结构

2011 年土地成交类型占比图

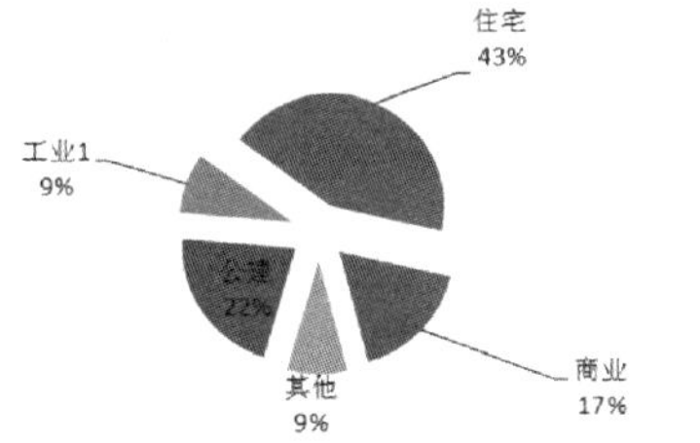

数据来源：CRIC

2011 年晋城市土地成交仍是以住宅为主，占比为 43%；其次为公建用地，占比为 22%；纯商业性质用地比重较少，占比仅为 17%。

晋城市房地产市场处于快速发展期，对居住类用地的需求仍然是土地市场最强劲的需求。

因晋城市大幅度开展城市化建设，公建用地大幅增加，导致在全年土地成交量中公建用地占据了较大比重。

八、土地成交价格

2008-2011 年晋城市土地成交价格

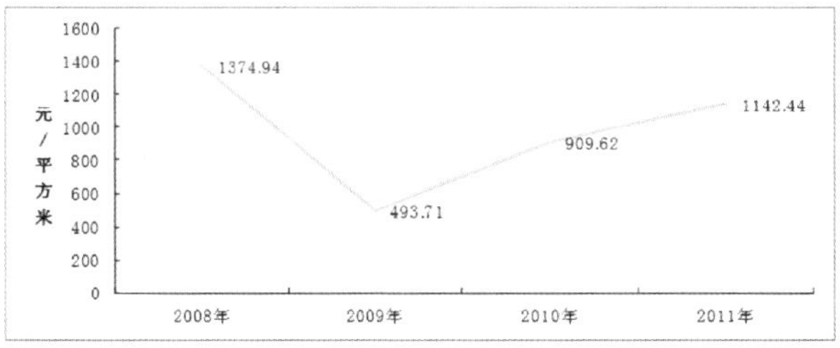

数据来源：CRIC

2011 年晋城土地市场价格达到 1142.44 元/平方米，与去年相比上涨了 25.60%。

随着城市建设的不断开展，城市环境不断优化，城市配套逐渐完善，晋城市土地存在较大的升值空间。

城镇化进程是推动晋城房地产发展的重要力量，从而导致城市中央的地块日渐稀缺，加上土地资源的不可再生性，晋城土地具有巨大的升值潜力。

九、项目活动及广告投放

晋城市楼盘项目营销活动中开盘活动较多，举办次数较少。随着晋城市房地产业的逐渐发展，预计未来项目营销活动将逐步增多。

2011 年，晋城市纸质媒体主要有《太行日报》、《太行晚报》和《晋城广播电视报》。

《太行日报》是中共晋城市委机关报，创刊于 1986 年 7 月 1 日。前身为《晋东南报》。1984 年 9 月 1 日更名为《太行日报》，一代伟人邓小平同志亲笔题写了报头。其发行总量 6.8 万份。

《太行晚报》面向全省发行，对开四版，每周一至周日出版，详细报道全市政治、经济、科技、文化和社会生活的最新信息，更及时报道国内外重大新闻，是一份注重指导性和服务性的综合性报纸。发行量略多于《太行日报》，覆盖晋城五县一区。

《晋城广播电视报》是《山西广播电视报》的地方版，覆盖全市五县一区，是一份“立足广电，面向家庭”的服务类报纸。创刊六年，借助《山西广播电视报》的强大品牌优势，已经形成稳定的读者群，成为晋城市最大的家庭类报纸，在读者中具有较为深厚的影响。

十、2012 年展望

从全国经济形势看，宏观经济增长速度下行的压力和物价上涨的压力并存，持续宽松的货币政策回归稳健，房地产市场宏观调控政策频出。从有利因素来看，晋城市是未受“限购令”制约的城市，并有日益增长的刚性市场需求，更有转型综改试验区先行先试的优惠政策，晋城市房地产市场有望平稳健康发展。

1、对房地产土地供应进行科学调控。整个“十二五”时期晋城市经济社会发展用地总体应在八万亩以上，城市建设进入到一个快速提升时期，晋城市既要在创新土地供给上先行先试，更要注重科学调控土地供应，来满足发展需求。作为一个建市只有二十七年的新建城市，目前正处在城市化发展的加速阶段，城市人口的日益增长将为房地产开发带来一定的刚性市场需求，当前晋城市房地产企业对土地的需求和现有土地供应量的矛盾是当前房地产领域的主要矛盾之一。2011 年，晋城市房地产企业有 94 家，有施工项目的 63 家，31 家没有项目启动，处在停工歇业状态。土地供应调控一要通过利用低效闲置用地、加快城中村改造等方法，努力探索节约集约用地，用足用好矿业用地改革和城乡建设用地增减挂钩等新政策，做好内涵挖潜这篇文章。大胆借鉴无锡、重庆等市农村承包地换社保、宅基地换住房等经验，推进农村土地流转。二要科学合理供应土地，根据房地产市场供需状况，调节土地市场投放，有序出让开发建设用地，避免土地出让规模大起大落，影响房地产市场稳定发展。三要加快已出让土地的交付，简化办事程序，提高交付效率，采取有效方式尽快解决已出让但仍未交付土地的遗留问题。

2、规范房地产市场的健康发展。要着力改善房地产市场发展环境。只有市场环境的健康发展，才能带来房地产投资环境的改善，只有市场环境和投资环境改善了，房地产市场才能平稳健康的发展。晋城市不少房地产单位是在2000年后才开始进入晋城市场，有的楼盘甚至是在2007年下半年才开工建设，与山西省其他地市相比，晋城市房地产开发既有一定的后发优势，又在方方面面都存在一定的缺陷。规范房地产健康发展，一要积极做好规划，引导企业调整开发结构，采取有效措施解决房地产结构不合理问题。有关部门要调整供地结构，提高中低价位、中小造型、普通商品房建设用地的比例，严格限制低密度、大套型住宅的用地供应。二要加强土地供应的开发管理，完善土地出让招拍挂制度，严格土地出让合同和划拨管理，推行“限房价，竞地价”方式建普通商品住房。三是坚决打击囤地、炒地等违规行为，坚决防止恶意炒作和人为抬高房价的行为，打击房地产市场的投机行为。要加强市场动态监测，加大政府监管和社会监督力度。一定程度上监控房地产开发闲置土地，借助政府、社会和民众的力量加强监管。对由于房地产开发企业自身原因闲置一年以上不满两年的，必须征收闲置费，闲置两年以上的，收回土地使用权。

3、房地产企业自身要积极应对市场变化。在政策调控下，晋城市房地产整个行业面临着整合和规范，必将有一部分专业资质不高、资金不足、经营不够审慎、不注重品质的企业被兼并或破产，有竞争实力的企业会得以发展壮大。房地产开发企业自身要根据市场变化和需求，积极调整，强化内部管理，开发出更好的楼盘产品。要以品质和效率而非扩张土地储备等方式来提升价值，应对调整。主动采取措施，以合理价位进行商品住房销售。面对目前紧缩银根的政策，企业要采取多种有效销售策略，杜绝捂盘惜售、囤积居奇等谋取暴利的行为。加快销售进度，盘活资产，使现金流保持充裕，避免资金链出现问题。

4、继续加快保障性住房建设。保障性住房建设，是重要的民生工程。既可以改善城市低收入居民的居住条件，又对相关产业具有很强的带动效应。据测算，2010年新增的每5亿元廉租房建设投资及其所带动的地方和社会投资，可以拉动钢材消费量4.3万吨，水泥消费量3.3万吨。同时，在棚户区改造基础设施工程建设上，每10亿元投资可以拉动铸铁消费量1.2万吨，钢材消费量5.9万吨，水泥消费量17.6万吨。由此可见，保障性住房建设可以拉动相关产业的发展，产业的发展又将助推整个城市的建设。加快保障性住房建设对于改善民生、促进社会和谐稳定具有重要意义，下大力气加快建设保障性安居工程，是促进经济社会发展的顺时应势之举。晋城市要通过新建、改建、购买、长期租赁等方式，多渠道筹集保障性住房房源，逐步扩大保障住房制度覆盖面。要进一步完善住房保障制度，建立保障房建设、分配、管理、运营的规范有效的制度体系。加快进行新农村建设，城中村改造的整体搬迁，全力推进经济适用房、限价商品房建设，加快廉租房、公租房建设。增加政府投入，发挥财政资金撬动作用，加大金融支持，拓宽融资渠道，通过创新经营模式吸引更多社会资金进入保障房建设领域。更好地发挥保障性住房建设惠民生、稳房价、扩内需、促发展的多重作用。

附件：

2011 年晋城土地成交明细

序号	行政区	土地座落	总面积（平方米）	土地用途	供应方式	签定日期	金额（万元）
1	晋城市本级	城区北闫庄、王谷坨村和屋厦村	286760	公共设施用地	划拨	2011-12-30	3052.4851
2	晋城市本级	涉及城区鸿村等 6 宗土地	128980	工业用地	协议出让	2011-11-22	3822.0024
3	晋城市本级	晋城市晋韩路	3090	工业用地	协议出让	2011-11-04	2711.482
4	晋城市本级	红星街南侧、景西路西侧	6720	其他普通商品住房用地	拍卖出让	2011-11-02	3700
5	晋城市本级	文昌街北、凤城路东	6360	其他普通商品住房用地	协议出让	2011-10-25	1294.5145
6	晋城市本级	白水街以北，黄华街以东	17807	其他商服用地	协议出让	2011-09-20	1523.0843
7	晋城市本级	西外环路东北侧，苗匠村南侧	186089	其他商服用地	挂牌出让	2011-09-05	8310
8	晋城市本级	凤城南路和东阳村西侧	119344	其他普通商品住房用地	拍卖出让	2011-08-30	12260
9	晋城市本级	新市西街南侧、黄华街北端	16648	其他普通商品住房用地	拍卖出让	2011-08-29	17100
10	晋城市本级	泽州北路西、收藏家协会用地南	33333	其他普通商品住房用地	拍卖出让	2011-08-29	8900
11	晋城市本级	白水街北侧、泽州路西侧	30896	其他普通商品住房用地	拍卖出让	2011-08-29	8880
12	晋城市本级	泽州北路东、自来水厂西侧	11768	其他普通商品住房用地	拍卖出让	2011-07-20	5200
13	晋城市本级	文昌西街南侧	3222	其他商服用地	拍卖出让	2011-07-20	495
14	晋城市本级	城区苗孟庄社区	5233	科教用地	划拨	2011-05-24	——
15	晋城市本级	城区钟家庄办事处望川楼社区	3000	医卫慈善用地	划拨	2011-05-24	45.0198
16	晋城市本级	城区北石店镇北石店村、临泽村	53460	医卫慈善用地	划拨	2011-05-24	574.2859
17	晋城市本级	新市街北侧，瑞丰路东侧	847	其他商服用地	拍卖出让	2011-04-11	360
18	晋城市本级	城区晓庄社区居委	13080	科教用地	划拨	2011-03-22	200.2309
19	晋城市本级	规划红星西街北	11938	机关团体用地	划拨	2011-03-08	179.1488
20	晋城市本级	城区北石店镇南石店村等	229100	公路用地	划拨	2011-03-09	1918.5672
21	晋城市本级	新市街北、四期热源厂西	37616	中低价位、中小套型普通商品住房用地	拍卖出让	2011-01-10	8650
22	晋城市本级	新市街南、苑北路西	5400	中低价位、中小套型普通商品住房用地	拍卖出让	2011-01-10	1800
23	晋城市本级	景西路东、铁路专用线北	19327	中低价位、中小套型普通商品住房用地	拍卖出让	2011-01-10	6800

2011年临汾市房地产市场运行监测报告

市场运行监测课题组

2011年，临汾市社会经济发展进入了新阶段。生产总值完成1135.1亿元，同比增长15.3%；规模以上工业增加值完成574.86亿元，增长23.6%；社会消费品零售总额完成360.7亿元，增长17.7%；海关进出口总额完成79596万美元，增长22.4%；财政总收入完成188.4亿元，增长17.5%；一般预算收入完成89.1亿元，增长18.1%；城镇居民人均可支配收入达到15949.5元，增长15.3%；农民人均纯收入达到6084.05元，增长15.07%。人均地区生产总值26199元，按2011年平均汇率计算为4056美元。

2011年，临汾以"转型"为中心，在区域布局上突出"百公里汾河生态城镇经济走廊"和山西国际陆港园区两大重点，大力扶持板块经济。"百公里汾河生态城镇经济走廊"建设迈出重大步伐。成立了管理机构，编制完成了规划方案。汾河城区段生态修复一期工程圆满完成。洪洞赵城煤化工园区、洪洞甘亭工业园区、曲沃优特钢循环工业园区和侯马高新技术电子工业园区建设稳步推进。山西国际陆港园区全面铺开10平方公里的起步区建设，落户企业达28家，成为临汾开放型经济发展新亮点。

煤矿企业兼并重组基本完成；尧都、古县、安泽等焦化整合顺利推进；翼城舜达新型锻造基地建设初具规模；山焦60万吨烯烃项目开工建设；山西华翔年产35万吨精密铸件项目竣工投产；飞虹微纳米一期顺利完工。20个市级工业园区实现销售收入880亿元，占全市工业总产值的48%。

以旅游为重点的现代服务业健康发展。重点实施了大槐树二期、丁村文化开发等20余项重点旅游景区开发；成功举办了洪洞大槐树祭祖节、安泽荀子文化节等节庆活动，全年旅游综合收入达121.4亿元，增长25%。

一、临汾城市基础设施建设

2011年，临汾市坚持城乡一体，统筹发展。市区旧城改造和新城建设步伐加快。五一路立交桥主体完工；五一路道路改造、西关桥西延道路一期竣工通车；汾河公园全面建成并向市民开放；公厕建设荣获"中国人居环境范例奖"，在世界厕所峰会上获国际设计大奖；市区框架进一步拉大，功能更趋完善，城镇绿化覆盖率、生活垃圾无害化处理率、集中供热普及率、燃气使用普及率大幅提升。各县（市、区）也不断加大城市基础设施建设力度，乡宁、蒲县、古县、安泽、翼城、洪洞城镇化建设走在了全市的前列。

综合交通运输体系建设成效显著。祁临高速临汾北环段、京昆与青兰高速临汾联络线、临吉高速等基本完成，临汾民航机场、大西、中南、张台铁路进展顺利，霍永高速快速推进，新改建县乡公路1018公里。

农村新的"五个全覆盖"超额完成年度任务，改造硬化农村街巷13216公里；新建农村便民连锁商店796个；完成农村文化活动室2968个，农家书屋955个，农民休闲健身场所963个；中等职业教育免学费实现全覆盖；新增新型农村社会养老保险试点县7个，总数达到12个。240个新农村建设重点推进村"四化"、"六个一"工程和20个精品示范连片区建设任务全面完成。整村推进87个，移民搬迁5200人。

始终把改善环境质量放在政府工作的重要位置，深入开展工业污染治理、城市环境综合整治、农村生态环境保护、水环境治理和蓝天碧水扩容提质五大行动，成功创建省级环保模范城市。新建垃圾处理场10个，建成并投入运营污水处理厂19座。三大水系生态治理取得明显成果。新完成营造林70.万亩。节能减排任务全面完成。全市城区空气质量全部达到国家二级标准，市区达到339天。地表水环境质量持续改善，汾河临汾段主要污染物出境浓度持续下降，市区饮用水质达标率保持100%。洪洞县被评为全国首批资源集约节约模范县。

临汾一中高中部投入使用，农村义务教育经费保障机制全面落实，300所标准化学校建设、27所公办幼儿园和5所特教学校新建和改扩建全面完成；高考二本B类以上人数首次突破万人大关，总达线率29.8%。临汾新医院主体完工，市人民医院重新跨入"三甲"行列，28个卫生国债项目顺利推进，基本药物制度全面实行，全市新农合参合率达到97.9%。五大社会保障体系进一步完善，新增城镇就业4.6万人，下岗失业人员再就业1.06万人，转移农村劳动力4.8万人。

二、商品住宅总体情况

1、商品住宅

2009年—2011年商品住宅供求情况

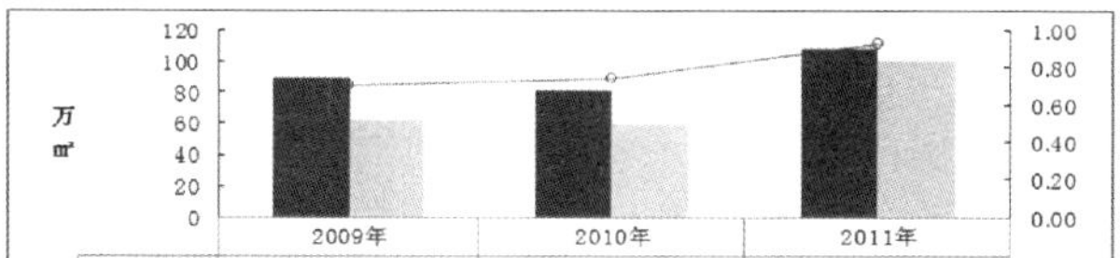

	2009年	2010年	2011年
供应量	90.1	80.63	108.9
成交量	63	60.1	100.7
供求比	0.70	0.75	0.92

数据来源：CRIC

2011年，临汾市商品住宅市场供应面积为108.9万平方米，较上年增加了28.27万平方米，同比增长了35.06%；商品住宅市场成交面积为100.7万平方米，较上年增加了40.6万平方米，同比增长了67.55%。

临汾由于不在限购城市范围内，房地产市场不仅未受到打压，反而获得了难得的发展机遇。临汾市商品住宅供应面积和成交面积均有所上涨，一是因为城市的快速发展带来了巨大的住房需求；二是城市居民改善住房条件的需求不断增加；三是部分一二线城市投资商转移到临汾投资，在一定程度上也促进了本市房地产业的发展。

2、商品房住宅价格

2009年—2011年临汾市商品住宅成交价格变化情况

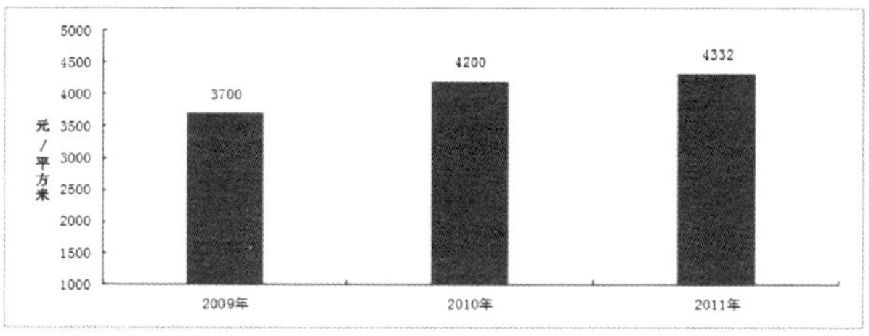

数据来源：CRIC

2011年，临汾市房商品住宅成交均价为4332元/平方米，较去年上涨了132元/平方米，同比上涨了3.14%，涨幅较小。

临汾市商品住宅成交价格近年来呈现逐年上涨的态势，一是土地相对不足，推动商品住宅价格逐年攀升；二是建筑材料价格的上涨，在一定程度上也推高商品住宅价格上涨；三是城市化进程的不断加快和城市规模的扩大，居民对商品住宅需求日益增加，导致商品住宅价格的上涨。

三、保障房建设

2011年，临汾市保障性住房目标任务：新增廉租房租赁补贴300户，新建保障性住房3650套，完成年度投资43090万元。

10月底，全市已落实廉租房租赁补贴300户，为目标任务的100%；开工建设保障性住房4540套，为目标任务的124.4%；完成投资38682万元，为年度投资计划的89.8%。

2011年，临汾市区经济适用房、廉租住房拟供应家庭名单已公示，其中经济适用房拟供应家庭587户，廉租住房拟供应家庭包括实物配租家庭1301户和租金补贴家庭489户共计1790户。另外，完成农村危房改造5700户，落实廉租房租赁补贴562户，907户中低收入家庭喜迁新居。

保障房建设呈现以下特点：

1、新建项目超额完成。2011年，全市经济适用住房新建项目年度目标为1350套、9万平方米，截至10月底，开工2052套、14.42万平方米；公共租赁住房新建项目年度目标任务为100套、0.6万平方米，截至10月底已全部完成任务；城市棚户区改造新建项目年度目标任务为200套、1.8万平方米，截至10月底，开工388套、3.46万平方米；国有工矿棚户区改造新建项目年度目标任务为2000套、20万平方米，截至10月底已全部完成任务。

2、续建项目稳步推进。2011年，全市经济适用住房续建项目年度目标任务为1600套、9.6万平方米，截至10月底已全部复工，其中竣工480套、3.36万平方米；廉租住房续建项目年度目标任务为2410套、12.05万平方米，截至10月底已全部复工，其中竣工2264套、11.56万平方；城市棚户区改造续建项目年度目标任务为1138套、9.87万平方米，截至10月底已全部复工，其中竣工566套、5.25万平方米；国有工矿棚户区改造续建项目年度目标任务为766套、5.1万平方米，截至10月底已全部复工，其中竣工678套、4.45万平方米。

3、资金到位情况良好。2011年，全市经济适用住房新建项目年度计划投资1.1亿元，截至10月底资金全部到位，完成投资7500万元。续建项目年度计划投资2500万元，截至10月底，资金到位3426万元，完成投资4000万元；公共租赁住房新建项目年度计划投资1100万元，截至10月底，资金到位1303万元，完成投资500万元；廉租住房续建项目年度计划投资5190万元，截至10月底，资金到位6058万元，完成投资5500万元；城市棚户区改造新建项目年度计划投资2500万元，截至10月底，资金到位3622万元，完成投资3100万元。续建项目年度计划投资7500万元，截至10月底，资金到位7500万元，完成投资6200万元；国有工矿棚户区改造新建项目年度计划投资1亿元，截至10月底，资金到位1.1亿元，完成投资8282万元。

四、商业办公用房

2009年—2011年临汾市商业办公用房施工面积

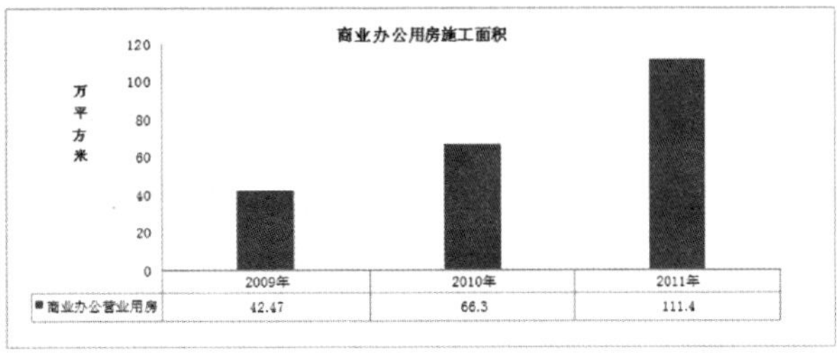

数据来源：CRIC

2011年，临汾市商业办公用房施工面积为111.4万平方米，较去年同期上涨68.02%。

目前临汾商业地产市场随着城市北移进程不断加快，北部楼盘的价格高于市场平均水平，临汾新的五星级酒店（白天鹅）也建在滨河东路的北部（向阳西街与滨河东路交叉口）；沃尔玛、大润发等超市在鼓楼北大街、河汾路一带寻找店址，预计临汾市商业新区将出现在北部，在平阳北街以西、滨河东路以东、河汾路以南及向阳路一带；临汾东部随着尧都区政府的搬迁，也将有较大发展，但该区域是原临钢所在地，居民收入水平有限，且离市中心区域较远，商业氛围的营造尚需时日。

五、土地供应量

2009年—2011年临汾市土地供应情况

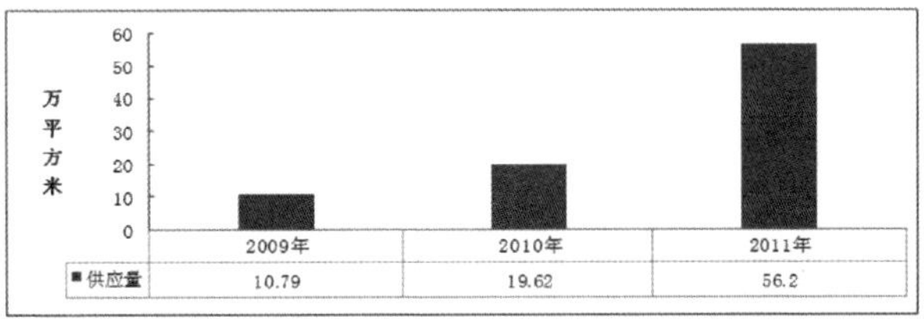

数据来源：CRIC

2011年，临汾市土地供应量达到56.2万平方米，较去年增加了36.58万平方米，同比增加了186.44%。

近年来临汾市房地产业进入快速发展的时期，土地供应量也开始逐步增加。土地供应的分布逐渐从东城区逐渐向作为新区的河西新城转变。河西新城的土地供应开始于2008年，土地供应主要呈现供应幅数多，地块面积小的特点，2008年到2010年共出让土地仅976亩。随着新区的不断开发，新区土地周边配套逐步完善，该区土地供应量的占比逐渐加大。2011年河西新城土地供应量占全市供应总量的56.95%，旧城区土地供应量占供应总量的43.05%。预计未来该区供应土地在全市土地供应总量中，将持续占据较大比重。

六、土地成交量

2009年—2011年临汾市土地成交情况

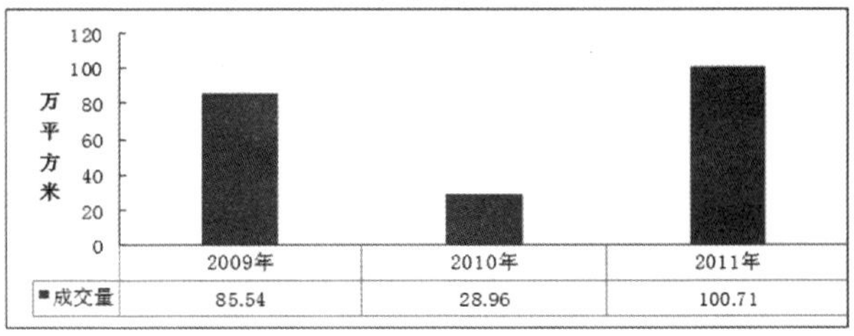

数据来源：CRIC

2011年，临汾市土地成交创近年来新高，成交面积达到100.71万平方米，较去年增加了71.75万平方米，同比上涨了247.76%。

其中，住宅用地71.84万平方米，占总成交面积的71.33%；商服用地2.17万平方米，占总成交面积的2.15%；工业用地0.51万平方米，占总成交面积的0.51%；公共设施用地4.53万平方米，占总成交面积的4.50%；科教用地20.19万平方米，占总成交面积的20.05%；医卫慈善用地1.48万平方米，占总成交面积的1.47%。

随着临汾市城市化进程的加快，对土地的需求越来越大，临汾市土地市场呈现供不应求的局面。2011年土地市场加大供应量，刺激了土地成交量的快速增加；成交土地的用途主要用于商品房，满足市场刚需的需要。

七、土地成交价格

2009年—2011年临汾市土地成交均价

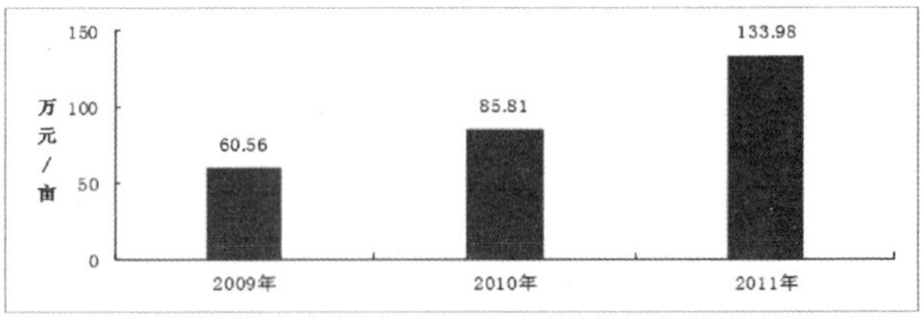

数据来源：CRIC

2011年土地成交均价为133.98万元/亩，较去年上涨了48.17万元/亩，同比上涨56.14%。

其主要的原因，一是临汾市土地市场呈现供不应求的态势，土地供应量的不足推动着土地价格的进一步上涨；二是地块占据较好的地理位置，土地离市中心较近，先天配套较好，土地本身价值较高。

八、项目活动

2011 年， 临汾市 13 个楼盘项目进行营销活动。项目体量集中在 13-35 万方，包括多层、小高层和高层。主力户型以二房和三房为主。

全年全市各项目的宣传推广，主要通过《生活晨报》《临汾日报》《临汾晚报》户外、电视、广播、短信、网络等渠道进行，传达各楼盘信息，吸引购房者前来了解。

九、主流媒体

1、纸质媒体

2011 年，临汾市楼盘项目投放广告以《临汾日报》和《临汾晚报》为主要投放媒体。

《临汾日报》是临汾市委机关报，而向全国发行，最全市最大，最广泛，最具权威性的新闻媒体，同时办《教育周刊》、《农村版》、和《周末版》。覆盖全市 17 个县市区，拥有多层次的读者。

《临汾晚报》是市宣传部领导和管理的以经济宣传为主的综合性地市级党报，是市委、市政府指导全市经济工作的重要舆论阵地，是全市经济类报刊中权威性、公信力最强的报纸，是传播发布党和政府关于经济方面、政策方面信息的重要渠道，是全市了解临汾经济发展动向的重要窗口，是政府和企业沟通的重要桥梁。该报在全市有 17 个记者站，使报纸更贴近实际，更贴近生活，更贴近群众。处于全市主流报纸的最前沿，造就了全市阅读率最高的报纸。

据统计，《临汾晚报》的读者中，以男性为主，占总数的 60% 以上。读者年龄结构趋于年轻化，主要以 25-44 岁年龄段的读者为主体。订阅率为 68%，市场零售率为 32%，忠实读者所占比例高达 94.6%。读者受教育程度高，具有大专及以上学历的读者比例达到 52.1%，远远高于调查总体的 25.9%。在读者职业构成中，公务员、教师、军人、医生、企事业单位管理人员和专业技术人员等社会主流人群的比例非常高。

2、网络媒体

2011 年，临汾房地产项目主要的网络媒体包括临汾房地产门户网、中华地产网—临汾房地产网、搜房网，其中临汾房地产门户网和中华地产网—临汾房地产网占据主要地位。

十、总结及展望

2011 年，临汾市围绕科学发展观主题和加快转变经济发展方式主线，全力实施“十二五”规划，着力推动转型跨越发展，全市经济和社会发展取得新的成绩，实现“十二五”良好开局。临汾房地产也进入快速发展阶段，主要表现为以下几点：

1、房地产发展迅速。一是房地产开发投资增加。2011 年临汾市房地产开发投资 37.4 亿元，比去年增长 19.2%。二是房屋施工面积较大。2011 年全市房屋施工面积为 565.1 万平方米。三是房屋销售面积大幅度增加。2011 年全市房屋销售面积为 110.8 万平方米，比去年增加 64.1%。

2、房地产开发以本地企业为主，兼有外地入晋开发商。近年来，临汾以恒安、博浩源、派德森、鸿安世纪、新盛、康桥为代表的房地产企业相继成立，全市房地产开发商增加到 151 个，先后建设了博浩源馨城、东方亚特兰、滨河湾城市花园、恒安新东城、莱茵半岛、教授花园等大批居民住宅小区。2010 年，中骏置业、阳煤地产、御景水城 3 家实力雄厚的房地产开发企业入驻临汾。2011 年，全国知名品牌开发商恒大进驻临汾。这些房地产企业有着品牌优势、产品优势、企业管理优势、资金实力和专业化程度等各方面的优势，理念超前。与此同时，在资金资源的争夺上，大型企业更具有抗风险能力，在自身发展的同时，也为提升整体城市的综合竞争力起到了很大的推动作用。

临汾市房地产市场的供应量相对不足，2012 年，预计临汾市将进一步加大商品住宅的供应，以便满足购房者需求。同时也将加大经济适用房等保障性住房供应量，以便缓解当前房地产市场存在的中低收入者住房问题。在建设的过程中逐步调整商品房供应结构，保证临汾房产健康发展。

2011年运城市房地产市场运行监测报告

市场运行监测课题组

经济继续保增长。2011年运城市国民经济继续保持稳步增长态势。全年全市地区生产总值1016.8亿元，比上年增长14.1%。人均地区生产总值19732元，按2011年平均汇率计算达到3055美元。第一、第二和第三产业增加值占全市生产总值的比重分别为16.2%、48.6%和35.2%，对经济增长的贡献率分别为9.7%、61.9%和28.4%。

固定资产投资持续增长。固定资产投资：全年全社会固定资产投资664.2亿元，比上年增长26.5%。按产业分，第一产业投资45.7亿元，增长23.5%；第二产业投资379.4亿元，增长33.2%；第三产业投资239.0亿元，增长17.7%。按登记注册类型分，国有投资140.7亿元，下降18.3%；非国有投资523.5亿元，增长48.4%。全市全社会固定资产投资在建施工项目1822个，增长31.9%；全年房地产开发投资52.6亿元，比上年增长58.3%。按工程用途分，住宅投资38.9亿元，增长71.4%；商业营业用房投资8.4亿元，增长74.0%。

金融年末全市金融机构本外币各项存款余额1118.2亿元，比年初增长17.0%。各项贷款余额605.3亿元，增长15.8%。人民币各项存款余额1115.1亿元，比年初增长16.9%；各项贷款余额604.4亿元，比年初增长16.0%。人民币个人消费贷款33.9亿元，增长28.8%。年末全市农村金融合作机构(农村信用社、农村合作银行)人民币贷款余额253.2亿元，增长17.2%。

2011年，国家住房和城乡建设部与各省市、自治区、直辖市以及计划单列市签订《保障性住房目标责任书》，将全年全国保障房建设的目标大幅提高到1000万套，为督促地方政府完成这一艰巨任务，住房和城乡建设部与各省级政府签订“军令状”，将任务完成情况纳入对地方政府的考核中。所有目标任务，必须在2011年10月31日前全部开工，否则主要领导将遭到从约谈到行政处分乃至降级、免职的严厉处罚。运城市随后陆续出台2011年保障房建设规划和具体落实政策，并在圣惠公园周围划拨了510亩土地建设保障性住房，以保证保障性住房建设用地。

2011年，国家对房地产业进行了宏观调控，运城市虽不在此次调控范围之内，但在涉及到运城市的政策方面，紧跟中央政府下达各项政策，执行较到位，比如保障房建设、地方落实政策等。

近年来，随着运城空港新区的大力建设，该区楼盘正在火热建设中，城市中心逐渐北迁，城市发展方向显现出东扩的趋势。全市房地产业发展平稳，价稳量升、产销两旺。

城市功能日益完善，有利于运城房地产的发展

桃花湾体育馆投入使用，仙人山公园、白鹭公园向市民开放，北部湾广场为市民提供了休闲场所，被誉为运城市四张文化名片的四个场馆即将投入完工。建公园、建场馆、建广场、修路网、建公厕、修垃圾处理站，这一系列的建设项目均填补了运城市以往的空白，完善了城市基础设施配套。其中，城市道路的大面积修建对城市发展起到了至关重要的作用，城市道路的修建连通了各大区域，发达的路网促进了城市面积的不断扩大。道路所及之处，房地产才有发展机会。房地产业的发展不仅提升了城市整体面貌，也对运城经济发展起到了不可忽视的作用。

合理的规划成为运城房地产的催化剂

运城市桃花湖公园、白鹭公园由于占据先天地理位置的优势，加上未修建之前面貌较陈旧，参观游览人次极少，休闲娱乐价值较低。众多开发商将该地块纳入未来开发建设范围，试图将该地块用于商品房开发建设。运城市政府从城市长远发展角度出发，对城市整体进行合理规划布局，重新规划建设挑花湖公园、白鹭公园和北部湾大道，改善了城市环境、提升了城市面貌。随即周边房地产建设如火如荼地开始建设，均为30层以上高楼，占据稀缺湖景资源、公园景观资源，迅速带旺了运城市房地产市场。

一、运城城市基础设施建设

2011年，全市公路线路年末里程15305公里，其中，国道、省道1716公里（包括高速公路571公里），县道、乡道、村道及专用道13589公里。公路密度达到107.9公里/百平方公里。

铁路：大西高铁运城段完成投资60.87亿元。侯西铁路扩能改造完成投资4亿元。闻合高速东镇至孙吉段

建成通车，河运高速主体工程完工，运宝高速进展顺利。

运城机场共开通了运城——北京、上海、广州、天津、重庆、深圳、成都、武汉、南京、海口、厦门、三亚、贵阳、福州和太原十五条航线。

中心城市重点工程完成投资 10.8 亿元，新建和改善道路 25 公里。学苑路立交桥、飞雁桥、黄河文化博物馆、环湖路一期全面竣工，机场航站区完成主体工程。新建和扩建垃圾收集站、垃圾中转站 83 个，完成医疗废弃物处置中心建设。中心城市绿化覆盖率、供热普及率、天然气气化率、垃圾无害化处理率和污水处理率分别达到 36.5%、89%、90%、95% 和 92.8%。全市完成各项造林工程 33.9 万亩，实现森林覆盖率增长 1 个百分点目标。气化运城扎实推进。完成 5 条输气管网和一座 5000 万立方加气母站建设，年输气能力达到 30 亿立方米，实现中心城市、12 个县城、3 个省级开发区天然气管网全覆盖。中心城区二级以上优良天数达 356 天。

二、商品住宅总体情况

1、商品住宅

2009 年至 2011 年运城商品住宅供求情况

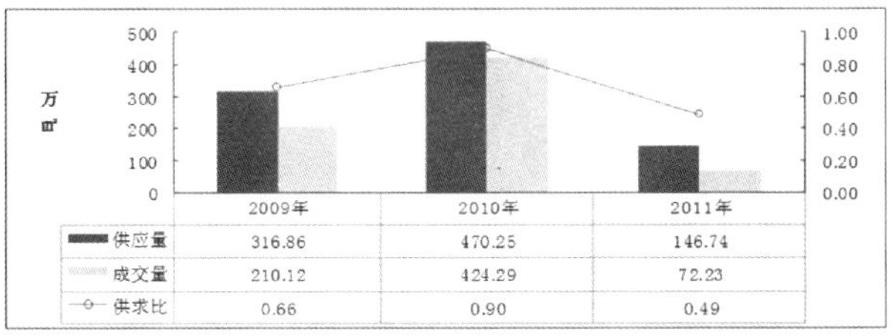

数据来源：CRIC

2011 年，运城商品住宅供应量为 146.74 万平方米，同比下降 68.8%；成交量为 72.23 万平方米，同比下降 82.98%。

从供求关系来看，2009 年以来，运城商品住宅市场一直处于供大于求的态势，到 2011 年，这种供求矛盾进一步加剧了。究其原因，一方面商品住宅市场尚有一部分存量房，加上 2011 年新增供应，市场总供应量较大，市场消化较慢；另一方面，由于国家实施限购令政策，房地产大环境较差，运城受大环境影响，客户购房较为谨慎，在一定程度上影响了住宅成交量。

近年来，运城房地产市场进入快速发展阶段。从产品方面来看，由以砖混结构的多层住宅为主变为以框架结构的高层、小高层住宅为主，产品品质得到了极大提升。从客户来源看，随着城市化进程的加快，购房客户由以城区为主转变为城区和周边县市各占一半，市场刚性需求逐步增加。

2、商品房住宅价格

2009 年至 2011 年运城商品住宅成交价格变化情况

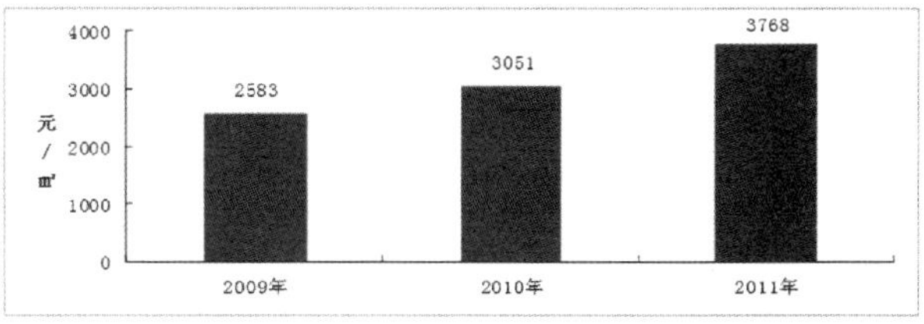

数据来源：CRIC

2011 年，运城市全年商品住宅均价为 3768 元 / ㎡，同比去年上涨 23.50%。

2011 年受到调控政策的影响，房地产投资客户受到极大限制，大量投资客从限购的一二线城市向不限购的三四线城市转移。运城由于不在此次限购范围内，承接了部分投资需求，在一定程度上助推了运城商品住宅成交价格的上涨。2011 年运城恒大绿洲入市，进一步拉开了运城商品住宅的档次，拉升了运城整体住宅成交价格。品牌开发商的进驻为运城房地产市场注入了新鲜血液，预计未来运城商品住宅的价格将会稳步上升。

三、保障房建设

2011 年，运城市各类保障性住房建设任务为 15331 套，其中经济适用住房 8730 套，廉租住房 1750 套，城市棚户区改造 3788 套，工矿棚户区改造 1063 套。新建的保障性住房重点解决具有市区东、西、南、北、中、安邑、解州办事处户口；家庭人均可支配收入低于当地 2010 年度城镇居民人均可支配收入 80%；人均住房建筑面积低于当地上年度人均住房平均面积 60% 或无住房的家庭。2011 年运城市保障性住房建设项目包括圣惠嘉园小区、解放南路棚户区综合改造等，圣惠嘉园小区已启动建设，解放南路棚户区综合改造工程完成总量的 80%。

2011 年运城市保障性住房重点建设工程是位于城西圣惠公园旁的“圣惠嘉园小区”。这是该市中心城市继“四季绿城”经济适用住房项目建设后，再一次启动的一项大规模民生保障性住房建设工程。该项目规划占地面积为 534.4 亩，总建筑面积 74.33 万平方米，总投资约 18 亿元。其中建设经济适用住房 39.2 万平方米、廉租住房 4 万平方米、公租房 8000 平方米，棚户区改造 26 万平方米。小区还配建一所小学和一所幼儿园。

根据七部委关于印发《经济适用住房管理办法》的通知（建住房〔 2007 〕258 号）文件要求和运城市《经济适用住房管理办法》运政发（〔 2008 〕24 号）第八条规定：经济适用住房建设项目免收城市基础设施配套

费等各种行政性收费和政府性基金，经济适用住房项目外基础设施建设费用由政府负担。圣惠嘉园小区用地为净地，其项目以外的南环路、银湖路、供排水、供电、天然气、供热等基础设施建设应由政府承担，以降低房价，为广大中低收入住房困难户提供舒适的居住环境。

四、商业用房

运城市商业业态正处于以大型综合购物中心为主的阶段，商业规模不断扩张，购物环境不断改善，经营方式更加灵活多样，商业市场稳步发展，不断走向成熟。

运城商业分布较集中，商业中心在南风广场与二郎庙一带，以东星购物广场、恒隆购物广场、南风时尚百货、华联超市等为主，形成了围绕已形成商圈不断向周边渗透的格局。

消费人群的关注点由商品价格、商品品质和性价比转变为商品价格、产品品质、服务质量及购物便捷性，经营者应根据这一变化调整经营方式，提高服务质量。

从商业开发模式上来说，开发商开发模式大都采取了产权式销售开发模式，持有型物业较少，究其原因，主要是持有型物业需要大量资金的沉淀，开发商为了快速回流资金多选择产权式销售的开发模式。

五、办公用房

运城市办公市场尚处于启动期，分布较为集中，主要分布在市中心区域，整体档次一般。运城写字楼市场主要以商住写字楼为主，只有少量纯办公楼。纯办公楼多注重实用性，缺少优服务、高品质的写字楼。在产品设计、物业服务、硬件配套等方面也不够精细，存在较大的市场发展空间。

运城纯办公楼的租金差距较大，租金的溢价来源于硬件设施的提升。出租率差距也较大，存在差距的原因主要是所处的地段以及硬件的配置的不同。软性服务的提升以及配套是否完善尚未成为市场竞争点。

随着运城经济的快速发展以及城市功能的不断丰富，市场对办公楼的产品品质提出了更高的要求，运城办公楼正处在向中高端产品转型的过渡阶段。凭借其地处黄河金三角区域的独特优势以及经济的快速发展，未来办公市场存在巨大的发展空间，运城办公市场的提质升级势在必行。运城市未来办公市场将朝着更多现代化的功能，更好服务品质的方向发展。

六、土地供应量

2009 年至 2011 年运城土地供应量

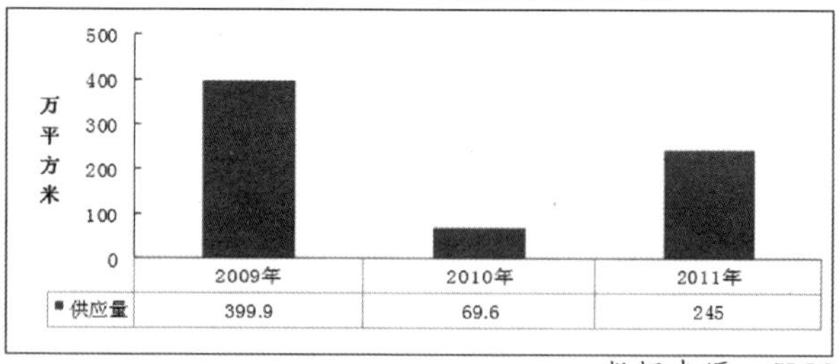

数据来源：CRIC

2011 年运城的土地供应量达到 245 万平方米，同比上涨 251.58%。

依据运城市城镇常住人口增长趋势、住建局提供的保障性住房用地需求和拟出让的普通商品住宅用地项目的调查，2011 年运城市土地需求量有较大增长，国土资源局应需求的增加加大土地供应。

七、土地成交量

2009 年至 2011 年运城土地成交量

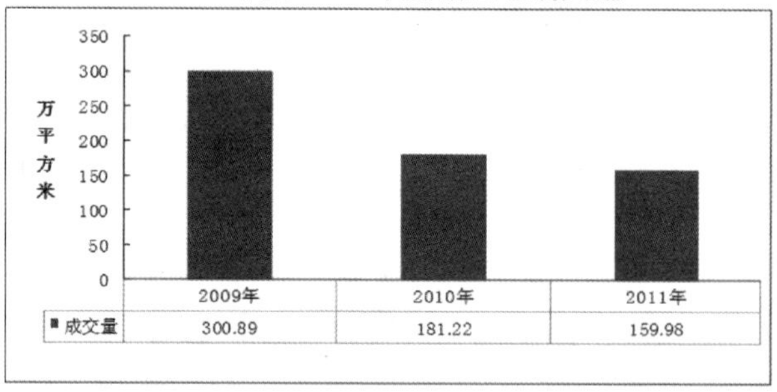

数据来源：CRIC

2011 年，运城市土地成交面积为 159.98 万平方米，同比去年大幅下降，下降比例为 11.72%。由于房地产市场受到持续不断的限购令政策的影响，开发商拿地逐渐回归理性，拿地态度谨慎。

八、土地成交价格

2009 年至 2011 年运城土地成交价格

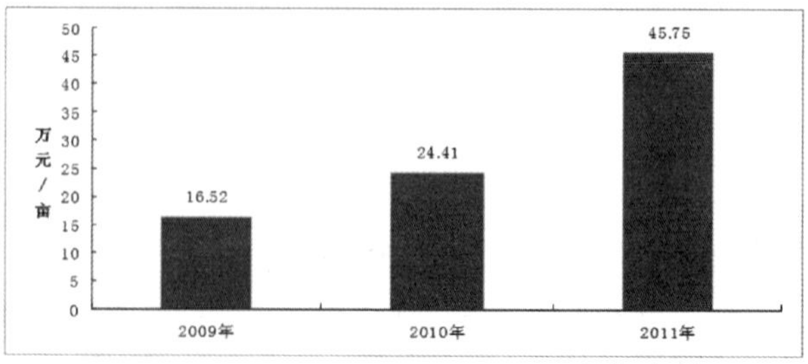

数据来源：CRIC

2011 年，运城市土地每亩地价 45.75 万元，同比去年上涨 87.42%。运城土地价格价格尚处于较低水平，但从近年来成交价格可以看出，随着城市建设的开展，城市配套的不断完善，土地价值正在不断增长，呈现出逐年上涨的趋势。随着城市的承载量的不断扩大，城镇化建设的加快以及生活环境的不断优化，预计未来运城市土地成交价格将稳步上涨。

九、项目活动

2011年，运城市房地产共进行87次项目营销活动，活动内容主要围绕传统节假日、价格优惠、开盘等主题进行。从活动整体来看，呈现主题较为单一、频率较少、效果较差等特点，营销活动的水平有待进一步提高，建议开发商多学习一二线城市或大型知名开发商在组织房地产营销活动方面的经验。

项目营销活动就是连接市场需要和住宅产品开发建设的中间环节，是开发商将潜在市场机会转化为现实市场机会，从而实现企业自我发展的有效手段，从某种意义上说，项目营销活动也是房地产开发成败的关键因素之一。运城市现有营销活动总体水平还较低，2011年恒大等大型知名开发商的进驻为运城房地产的发展带来了新鲜血液，它们较为先进的营销活动方式引领着运城房地产的发展，刺激着运城房地产市场向更好更快的方向发展。预计未来运城市房地产营销活动将更加多元化、成熟化。

十、报广投放监测

2011年，运城市报广主要集中在《运城日报》和《黄河晨报》上。

报广投放最多的报纸为《黄河晨报》，占总投放量的68.75%；《运城日报》上的报广相对较少，占比达到总投放量的31.25%。

全年全市投放广告的项目共计12个。项目投放最多的报纸为《黄河晨报》，投放广告的项目达到10个；《运城日报》只有6个项目。

从统计数据来看，运城市平面媒体广告投放主要集中在《黄河晨报》，我们认为其中主要原因是《黄河晨报》发行量大，覆盖范围广，是大众获取信息的重要途径。

十一、总结及展望

在国家持续实施宏观调控政策的大环境下，我们分析，运城房地产市场将呈现以下四方面的特点。

一、房产投资将持续增长。受到国家调控和房产投资向二三线城市的转移等的影响，运城市呈现出房地产开发投资持续保持高速增长的态势。据市统计局数据，2011年1—10月份，全市累计完成房地产开发投资41.3亿元，比上年同期增长69.9%。但统计数据也显示待售房增多的趋势，需要开发商引起足够关注，防止资金链断裂，采取积极的措施规避短期风险。从中、长期来看，在国家维持相应的经济增长速度的前提下，在我市打造向东向西桥头堡、大通道的战略追求中，在城市化进程的推动下，我市房地产业将会实现持续增长。

二、房产消费将持续升级。随着城市化进程的推进，随着运城新一轮城市建设和旧城区改造力度的加大，首次刚性置业以及改善型置业的比例必然会随之增加，尤其是周边各县市对中心城区的住房需求，已成为运城地产市场很重要的一支购买力量。纵观运城楼市未来的发展趋势，其消费结构将进一步升级。购房者从过去看重房子的面积、户型等到现在重视房子所在的区域、小区建设、物业服务等；从单一关注交通、配套、医疗、教育等使用价值，变为以发展的、综合的视角，关注城市的成长与进步为住宅带来的潜在价值、长续价值和综合价值，关注其交换价值攀升空间。这种在自住消费的基础上同时注重投资价值的消费倾向，在房屋置业上表现得越来越明显，是消费心理更加成熟的表现，为未来二手房屋交易市场和改善型消费更加活跃提供了空间，这一点，将要求企业在房产开发设计上的某种超前性和房产建筑上的高质量耐用性上多下功夫。房屋将步入高楼层、高容积率、高品质、高文化含量、注重生态化的时代。

三、房产价格将长期向上。从长期来看，房产价格的趋势将是向上攀升的（保持这种长期趋势的前提条件应是房价与收入的一定比例区间的同步增长）。首先，由于我市不具备投机性市场的特质，整体住宅市场以自用型为主力，泡沫很小或基本没有泡沫，所以，在二三线城市作为房产业新的增长点的大环境下，我市住宅市场的销售价格还有相应的上涨空间。其次，我市建设全省向东向西发展的桥头堡和大通道，刚性需求强劲（另，不排除投资需求对价格的拉动，要防止过度投机产生房价泡沫，其伤害的将是整个房产业以及整体经济的发展），其住宅价格保持适度上涨是基本合理的，与城市的战略发展步调一致。另，改善型需求的增长也可以拉动价格增长。最后，随着城市化进程的加快，市区人口规模的膨胀，建筑原材料及其人工费用的增长，地价的升值等，会导致房产开发成本的攀升，形成供给方对价格的推动。

四、房产业竞争将持续增强。严厉的房产政策调控，对运城开发企业投资信心影响不大。一线城市房企在二、三线城市进行布局，攻城掠地，却会使我市房企面临极大的竞争压力。在下一轮楼市的激烈竞争中，中、小房企的重新洗牌，将为楼市一大新的发展特点。我市房企应做好准备，要敢于应对挑战，在竞争（也包括合作）中发展壮大。

附件篇

2011年运城市土地成交明细

宗地位置	土地面积（平方米）	用　途	土地来源	开发程度	出让年限	容积率	供地方式	受让人	成交价（万元）
运城市空港区通达北路一号	22267	住宅；	——	——	70年	2.94	——	陕西兴鑫房地产开发有限公司	——
运城市空港新区关公西街（空港医院对面）	40000	住宅；	——	——	70年	1.3	——	运城市天兆房地产开发有限公司	——
运城市盐湖区工业园开元大道与涑水水大道交汇处	33333	住宅；	——	——	70年	1.35	——	鑫泉地产公司	——
运城市空港南区东花园入口	119999	住宅；	——	——	70年	2.16	——	运城市隆港房地产开发有限公司	——
运城市北部新区国粮街中段南侧	40000	住宅；	——	——	70年	2.5	——	山西星河房地产开发有限公司	——
运城市空港区通达北路中段	43440	住宅；	——	——	70年	3.78	——	山西金宝圣房地产开发有限公司	——
运城市盐湖区北相镇南相村	968	工业用地	新增建设用地	——	50年	>=1	挂牌出让	运城市盐湖区北相新城机械厂	18.6
安东路以西，红旗东街以南	5324	其他商服用地	新增建设用地	四级	40年	<=0.8	挂牌出让	山西民生天然气有限公司	527.35
铺安街以北，支路以西	8533	其他商服用地	新增建设用地	四级	40年	1-4.8	挂牌出让	运城市金城房地产开发有限公司	1677
河东东街以南，周中路以东，红旗东街以北	76082	其他普通商品住房用地	现有建设用地	一级	70	1-4	挂牌出让	运城市盛世广厦房地产开发有限公司	9471.6
河东东街以南，韩信路以西，红旗东街以北	108754	其他普通商品住房用地	现有建设用地	一级	70	1-4	挂牌出让	运城市盛世广厦房地产开发有限公司	13539.4
东临安中路，西临樊村水库	126669	其他普通商品住房用地	现有建设用地	四级	70	1-3.5	挂牌出让	山西长江源房地产开发有限公司	5850
东临安中路	125565	其他普通商品住房用地	现有建设用地	四级	70	1-3.5	挂牌出让	山西长江源房地产开发有限公司	5825
运城市南环路以南，银湖路以北，圣惠路以东，复兴路以西	63235	公共设施用地	新增建设用地	四级	——	——	划拨	市住房城乡建设局	——
人民路以东，棉北街以北，运城市新瑞房地产开发有限公司以西	5827	机关团体用地	新增建设用地	四级	——	1-1.8	划拨	运城市盐湖区环保局	——
圣惠路以东，复兴路以西	214975	经济适用住房用地	新增建设用地	五级	——	1-3	划拨	运城市房地产开发有限公司	——
学苑路与条山街交叉口东南角	48652	其他普通商品住房用地	新增建设用地	四级	70	1-3	挂牌出让	运城市泰森房地产开发有限公司	8538.78

人民路与国粮街交叉口西北角	120129	其他普通商品住房用地	新增建设用地	四级	其他商服用地40年；其他普通商品住房用地70	1-3.5	挂牌出让	运城市金鑫房地产开发有限公司	25585.84
岳南街与槐东路十字交叉口西南角	38285	其他普通商品住房用地	新增建设用地	四级	其他商服用地40年；其他普通商品住房用地70	1-3.5	挂牌出让	山西星河房地产开发有限公司	8665.48
中银大道与岳南街交叉口东北角	32139	其他普通商品住房用地	新增建设用地	五级	其他普通商品住房用地70年；其他商服用地40	1-3.5	挂牌出让	运城市国科房地产开发有限公司	7420.56
运城市工农西街南侧	53086	其他普通商品住房用地	现有建设用地	一级	其他普通商品住房用地70年；其他商服用地40	1-2.5	协议出让	运城市盛世广厦房地产开发有限公司	841.69
魏南大街以南，支路以东	13125	机关团体用地	新增建设用地	二级	——	1-2.5	划拨	运城市人民防空办公室	430.896
东临安中路，西临樊村水库，南临长江源实业有限责任公司	66667	经济适用住房用地	现有建设用地	——	——	1-3.5	划拨	山西长江源房地产开发有限公司	1880
运城市兴棉路42号	6286	其他普通商品住房用地	现有建设用地	四级	70	1-2.5	协议出让	运城市柄全房地产开发有限公司	234.81
中银大道以东，条山街以南，棉北街以北	27103	其他普通商品住房用地	新增建设用地	五级	70	1-3.5	挂牌出让	运城市广鑫房地产开发有限公司	4482.84
铺安街与禹西路十字交叉口东北角	20736	其他普通商品住房用地	新增建设用地	三级	70	1-3.5	挂牌出让	山西锦佳房地产开发有限公司	4765
铺安街与禹西路十字交叉口东北角	18656	住宿餐饮用地	新增建设用地	三级	40	1-2	挂牌出让	山西锦佳房地产开发有限公司	4576.8
魏南大街以南，支路以西	6681	商务金融用地	新增建设用地	五级	40	<=2	挂牌出让	中国人民财产保险股份有限公司运城市分公司	1092.1
棉西路与条山街交叉口西南角	20050	公园与绿地	新增建设用地	五级	——	——	划拨	运城市园林绿化管理局	——
府东街与城墙路交叉口西南角	4438	公园与绿地	新增建设用地	四级	——	——	划拨	运城市园林绿化管理局	——
运城市解放北路	23025	其他普通商品住房用地	现有建设用地	三级	其他商服用地40年；其他普通商品住房用地70	1.5-2.5	协议出让	运城市供销合作社联合社	1375.68
运城市工农西街169号	32493	其他普通商品住房用地	现有建设用地	三级	70	0-2.5	协议出让	中国石油化工股份有限公司山西运城石油分公司	1352.0476

小区支路以东，山西曙光煤气焦集团有限公司以北，中银大道以西，桑梓路以南。	51278	经济适用住房用地	新增建设用地	五级		0-1.8	划拨	运城市金鑫房地产有限公司	1619.59

政策法规

ZHENGCEFAGUI

中华人民共和国国务院令

第 590 号

《国有土地上房屋征收与补偿条例》已经 2011 年 1 月 19 日国务院第 141 次常务会议通过，现予公布，自公布之日起施行。

总理 温家宝

二〇一一年一月二十一日

国有土地上房屋征收与补偿条例

第一章 总则

第一条 为了规范国有土地上房屋征收与补偿活动，维护公共利益，保障被征收房屋所有权人的合法权益，制定本条例。

第二条 为了公共利益的需要，征收国有土地上单位、个人的房屋，应当对被征收房屋所有权人（以下称被征收人）给予公平补偿。

第三条 房屋征收与补偿应当遵循决策民主、程序正当、结果公开的原则。

第四条 市、县级人民政府负责本行政区域的房屋征收与补偿工作。

市、县级人民政府确定的房屋征收部门（以下称房屋征收部门）组织实施本行政区域的房屋征收与补偿工作。

市、县级人民政府有关部门应当依照本条例的规定和本级人民政府规定的职责分工，互相配合，保障房屋征收与补偿工作的顺利进行。

第五条 房屋征收部门可以委托房屋征收实施单位，承担房屋征收与补偿的具体工作。房屋征收实施单位不得以营利为目的。

房屋征收部门对房屋征收实施单位在委托范围内实施的房屋征收与补偿行为负责监督，并对其行为后果承担法律责任。

第六条 上级人民政府应当加强对下级人民政府房屋征收与补偿工作的监督。

国务院住房城乡建设主管部门和省、自治区、直辖市人民政府住房城乡建设主管部门应当会同同级财政、国土资源、发展改革等有关部门，加强对房屋征收与补偿实施工作的指导。

第七条 任何组织和个人对违反本条例规定的行为，都有权向有关人民政府、房屋征收部门和其他有关部门举报。接到举报的有关人民政府、房屋征收部门和其他有关部门对举报应当及时核实、处理。

监察机关应当加强对参与房屋征收与补偿工作的政府和有关部门或者单位及其工作人员的监察。

第二章 征收决定

第八条 为了保障国家安全、促进国民经济和社会发展等公共利益的需要，有下列情形之一，确需征收房屋的，由市、县级人民政府作出房屋征收决定：

（一）国防和外交的需要；

（二）由政府组织实施的能源、交通、水利等基础设施建设的需要；

（三）由政府组织实施的科技、教育、文化、卫生、体育、环境和资源保护、防灾减灾、文物保护、社会福利、市政公用等公共事业的需要；

（四）由政府组织实施的保障性安居工程建设的需要；

（五）由政府依照城乡规划法有关规定组织实施的对危房集中、基础设施落后等地段进行旧城区改建的需要；

（六）法律、行政法规规定的其他公共利益的需要。

第九条 依照本条例第八条规定，确需征收房屋的各项建设活动，应当符合国民经济和社会发展规划、土地利用总体规划、城乡规划和专项规划。保障性安居工程建设、旧城区改建，应当纳入市、县级国民经济和社会发展年度计划。

制定国民经济和社会发展规划、土地利用总体规划、城乡规划和专项规划，应当广泛征求社会公众意见，经过科学论证。

第十条 房屋征收部门拟定征收补偿方案，报市、县级人民政府。

市、县级人民政府应当组织有关部门对征收补偿方案进行论证并予以公布，征求公众意见。征求意见期限不得少于30日。

第十一条 市、县级人民政府应当将征求意见情况和根据公众意见修改的情况及时公布。

因旧城区改建需要征收房屋，多数被征收人认为征收补偿方案不符合本条例规定的，市、县级人民政府应当组织由被征收人和公众代表参加的听证会，并根据听证会情况修改方案。

第十二条 市、县级人民政府作出房屋征收决定前，应当按照有关规定进行社会稳定风险评估；房屋征收决定涉及被征收人数量较多的，应当经政府常务会议讨论决定。

作出房屋征收决定前，征收补偿费用应当足额到位、专户存储、专款专用。

第十三条 市、县级人民政府作出房屋征收决定后应当及时公告。公告应当载明征收补偿方案和行政复议、行政诉讼权利等事项。

市、县级人民政府及房屋征收部门应当做好房屋征收与补偿的宣传、解释工作。

房屋被依法征收的，国有土地使用权同时收回。

第十四条 被征收人对市、县级人民政府作出的房屋征收决定不服的，可以依法申请行政复议，也可以依法提起行政诉讼。

第十五条 房屋征收部门应当对房屋征收范围内房屋的权属、区位、用途、建筑面积等情况组织调查登记，被征收人应当予以配合。调查结果应当在房屋征收范围内向被征收人公布。

第十六条 房屋征收范围确定后，不得在房屋征收范围内实施新建、扩建、改建房屋和改变房屋用途等不当增加补偿费用的行为；违反规定实施的，不予补偿。

房屋征收部门应当将前款所列事项书面通知有关部门暂停办理相关手续。暂停办理相关手续的书面通知应当载明暂停期限。暂停期限最长不得超过1年。

第三章 补偿

第十七条 作出房屋征收决定的市、县级人民政府对被征收人给予的补偿包括：

（一）被征收房屋价值的补偿；

（二）因征收房屋造成的搬迁、临时安置的补偿；

（三）因征收房屋造成的停产停业损失的补偿。

市、县级人民政府应当制定补助和奖励办法，对被征收人给予补助和奖励。

第十八条 征收个人住宅，被征收人符合住房保障条件的，作出房屋征收决定的市、县级人民政府应当优先给予住房保障。具体办法由省、自治区、直辖市制定。

第十九条 对被征收房屋价值的补偿，不得低于房屋征收决定公告之日被征收房屋类似房地产的市场价格。被征收房屋的价值，由具有相应资质的房地产价格评估机构按照房屋征收评估办法评估确定。

对评估确定的被征收房屋价值有异议的，可以向房地产价格评估机构申请复核评估。对复核结果有异议的，可以向房地产价格评估专家委员会申请鉴定。

房屋征收评估办法由国务院住房城乡建设主管部门制定，制定过程中，应当向社会公开征求意见。

第二十条 房地产价格评估机构由被征收人协商选定；协商不成的，通过多数决定、随机选定等方式确定，具体办法由省、自治区、直辖市制定。

房地产价格评估机构应当独立、客观、公正地开展房屋征收评估工作，任何单位和个人不得干预。

第二十一条 被征收人可以选择货币补偿，也可以选择房屋产权调换。

被征收人选择房屋产权调换的，市、县级人民政府应当提供用于产权调换的房屋，并与被征收人计算、结清被征收房屋价值与用于产权调换房屋价值的差价。

因旧城区改建征收个人住宅，被征收人选择在改建地段进行房屋产权调换的，作出房屋征收决定的市、县级人民政府应当提供改建地段或者就近地段的房屋。

第二十二条 因征收房屋造成搬迁的，房屋征收部门应当向被征收人支付搬迁费；选择房屋产权调换的，产权调换房屋交付前，房屋征收部门应当向被征收人支付临时安置费或者提供周转用房。

第二十三条 对因征收房屋造成停产停业损失的补偿，根据房屋被征收前的效益、停产停业期限等因素确定。具体办法由省、自治区、直辖市制定。

第二十四条 市、县级人民政府及其有关部门应当依法加强对建设活动的监督管理，对违反城乡规划进行建设的，依法予以处理。

市、县级人民政府作出房屋征收决定前，应当组织有关部门依法对征收范围内未经登记的建筑进行调查、认定和处理。对认定为合法建筑和未超过批准期限的临时建筑的，应当给予补偿；对认定为违法建筑和超过批准期限的临时建筑的，不予补偿。

第二十五条 房屋征收部门与被征收人依照本条例的规定，就补偿方式、补偿金额和支付期限、用于产权调换房屋的地点和面积、搬迁费、临时安置费或者周转用房、停产停业损失、搬迁期限、过渡方式和过渡期限等事项，订立补偿协议。

补偿协议订立后，一方当事人不履行补偿协议约定的义务的，另一方当事人可以依法提起诉讼。

第二十六条 房屋征收部门与被征收人在征收补偿方案确定的签约期限内达不成补偿协议，或者被征收房屋所有权人不明确的，由房屋征收部门报请作出房屋征收决定的市、县级人民政府依照本条例的规定，按照征收补偿方案作出补偿决定，并在房屋征收范围内予以公告。

补偿决定应当公平，包括本条例第二十五条第一款规定的有关补偿协议的事项。

被征收人对补偿决定不服的，可以依法申请行政复议，也可以依法提起行政诉讼。

第二十七条 实施房屋征收应当先补偿、后搬迁。

作出房屋征收决定的市、县级人民政府对被征收人给予补偿后，被征收人应当在补偿协议约定或者补偿决定确定的搬迁期限内完成搬迁。

任何单位和个人不得采取暴力、威胁或者违反规定中断供水、供热、供气、供电和道路通行等非法方式迫使被征收人搬迁。禁止建设单位参与搬迁活动。

第二十八条 被征收人在法定期限内不申请行政复议或者不提起行政诉讼，在补偿决定规定的期限内又不搬迁的，由作出房屋征收决定的市、县级人民政府依法申请人民法院强制执行。

强制执行申请书应当附具补偿金额和专户存储账号、产权调换房屋和周转用房的地点和面积等材料。

第二十九条 房屋征收部门应当依法建立房屋征收补偿档案，并将分户补偿情况在房屋征收范围内向被征收人公布。

审计机关应当加强对征收补偿费用管理和使用情况的监督，并公布审计结果。

第四章 法律责任

第三十条 市、县级人民政府及房屋征收部门的工作人员在房屋征收与补偿工作中不履行本条例规定的职责，或者滥用职权、玩忽职守、徇私舞弊的，由上级人民政府或者本级人民政府责令改正，通报批评；造成损失的，依法承担赔偿责任；对直接负责的主管人员和其他直接责任人员，依法给予处分；构成犯罪的，依法追究刑事责任。

第三十一条 采取暴力、威胁或者违反规定中断供水、供热、供气、供电和道路通行等非法方式迫使被征收人搬迁，造成损失的，依法承担赔偿责任；对直接负责的主管人员和其他直接责任人员，构成犯罪的，依法追究刑事责任；尚不构成犯罪的，依法给予处分；构成违反治安管理行为的，依法给予治安管理处罚。

第三十二条 采取暴力、威胁等方法阻碍依法进行的房屋征收与补偿工作，构成犯罪的，依法追究刑事责任；构成违反治安管理行为的，依法给予治安管理处罚。

第三十三条 贪污、挪用、私分、截留、拖欠征收补偿费用的，责令改正，追回有关款项，限期退还违法所得，对有关责任单位通报批评、给予警告；造成损失的，依法承担赔偿责任；对直接负责的主管人员和其他直接责任人员，构成犯罪的，依法追究刑事责任；尚不构成犯罪的，依法给予处分。

第三十四条 房地产价格评估机构或者房地产估价师出具虚假或者有重大差错的评估报告的，由发证机关责令限期改正，给予警告，对房地产价格评估机构并处5万元以上20万元以下罚款，对房地产估价师并处1万元以上3万元以下罚款，并记入信用档案；情节严重的，吊销资质证书、注册证书；造成损失的，依法承担赔偿责任；构成犯罪的，依法追究刑事责任。

第五章 附则

第三十五条 本条例自公布之日起施行。2001年6月13日国务院公布的《城市房屋拆迁管理条例》同时废止。本条例施行前已依法取得房屋拆迁许可证的项目，继续沿用原有的规定办理，但政府不得责成有关部门强制拆迁。

国务院办公厅
关于进一步做好房地产市场调控工作有关问题的通知

国办发〔2011〕1号

各省、自治区、直辖市人民政府，国务院各部委、各直属机构：

《国务院关于坚决遏制部分城市房价过快上涨的通知》(国发〔2010〕10号，以下简称国发10号文件)印发后，房地产市场出现了积极的变化，房价过快上涨的势头得到初步遏制。为巩固和扩大调控成果，进一步做好房地产市场调控工作，逐步解决城镇居民住房问题，促进房地产市场平稳健康发展，经国务院同意，现就有关问题通知如下：

一、进一步落实地方政府责任

地方政府要切实承担起促进房地产市场平稳健康发展的责任，严格执行国发10号文件及其相关配套政策，切实将房价控制在合理水平。2011年各城市人民政府要根据当地经济发展目标、人均可支配收入增长速度和居民住房支付能力，合理确定本地区年度新建住房价格控制目标，并于一季度向社会公布。各地要继续增加土地有效供应，进一步加大普通住房建设力度；继续完善严格的差别化住房信贷和税收政策，进一步有效遏制投机投资性购房；加快个人住房信息系统建设，逐步完善房地产统计基础数据；继续做好住房保障工作，全面落实好年内开工建设保障性住房和棚户区改造住房的目标任务。

二、加大保障性安居工程建设力度

2011年，全国建设保障性住房和棚户区改造住房1000万套。各地要通过新建、改建、购买、长期租赁等方式，多渠道筹集保障性住房房源，逐步扩大住房保障制度覆盖面。中央将加大对保障性安居工程建设的支持力度。地方人民政府要切实落实土地供应、资金投入和税费优惠等政策，引导房地产开发企业积极参与保障性住房建设和棚户区改造，确保完成计划任务。加强保障性住房管理，健全准入退出机制，切实做到公开、公平、公正。有条件的地区，可以把建制镇纳入住房保障工作范围。

要努力增加公共租赁住房供应。各地要在加大政府投入的同时，完善体制机制，运用土地供应、投资补助、财政贴息或注入资本金、税费优惠等政策措施，合理确定租金水平，吸引机构投资者参与公共租赁住房建设和运营。鼓励金融机构发放公共租赁住房建设和运营中长期贷款。要研究制定优惠政策，鼓励房地产开发企业在普通商品住房建设项目中配建一定比例的公共租赁住房，并持有、经营，或由政府回购。

三、调整完善相关税收政策，加强税收征管

调整个人转让住房营业税政策，对个人购买住房不足5年转手交易的，统一按其销售收入全额征税。税务部门要进一步采取措施，确保政策执行到位。加强对土地增值税征管情况的监督和检查，重点对定价明显超过周边房价水平的房地产开发项目，进行土地增值税清算和稽查。加大应用房地产价格评估技术加强存量房交易税收征管工作的试点和推广力度，坚决堵塞"阴阳合同"产生的税收漏洞。严格执行个人转让房地产所得税征收政策。

四、强化差别化住房信贷政策

对贷款购买第二套住房的家庭，首付款比例不低于60%，贷款利率不低于基准利率的1.1倍。人民银行各分支机构可根据当地人民政府新建住房价格控制目标和政策要求，在国家统一信贷政策的基础上，提高第二套住房贷款的首付款比例和利率。银行业监管部门要加强对商业银行执行差别化住房信贷政策情况的监督检查，对违规行为要严肃处理。

五、严格住房用地供应管理

各地要增加土地有效供应，认真落实保障性住房、棚户区改造住房和中小套型普通商品住房用地不低于住房建设用地供应总量的70%的要求。在新增建设用地

年度计划中，要单列保障性住房用地，做到应保尽保。今年的商品住房用地供应计划总量原则上不得低于前两年年均实际供应量。进一步完善土地出让方式，大力推广“限房价、竞地价”方式供应中低价位普通商品住房用地。房价高的城市要增加限价商品住房用地计划供应量。

加强对企业土地市场准入资格和资金来源的审查。参加土地竞买的单位或个人，必须说明资金来源并提供相应证明。对擅自改变保障性住房用地性质的，要坚决纠正和严肃查处。对已供房地产用地，超过两年没有取得施工许可证进行开工建设的，必须及时收回土地使用权，并处以闲置一年以上罚款。要依法查处非法转让土地使用权的行为，对房地产开发建设投资达不到２５％以上的（不含土地价款），不得以任何方式转让土地及合同约定的土地开发项目。

六、合理引导住房需求

各直辖市、计划单列市、省会城市和房价过高、上涨过快的城市，在一定时期内，要从严制定和执行住房限购措施。原则上对已拥有1套住房的当地户籍居民家庭、能够提供当地一定年限纳税证明或社会保险缴纳证明的非当地户籍居民家庭，限购1套住房（含新建商品住房和二手住房）；对已拥有2套及以上住房的当地户籍居民家庭、拥有1套及以上住房的非当地户籍居民家庭、无法提供一定年限当地纳税证明或社会保险缴纳证明的非当地户籍居民家庭，要暂停在本行政区域内向其售房。

已采取住房限购措施的城市，凡与本通知要求不符的，要立即调整完善相关实施细则，并加强对购房人资格的审核工作，确保政策落实到位。尚未采取住房限购措施的直辖市、计划单列市、省会城市和房价过高、上涨过快的城市，要在2月中旬之前，出台住房限购实施细则。其他城市也要根据本地房地产市场出现的新情况，适时出台住房限购措施。

七、落实住房保障和稳定房价工作的约谈问责机制

国务院有关部门要加强对城市人民政府住房保障和稳定房价工作的监督和检查。对于新建住房价格出现过快上涨势头、土地出让中连续出现楼面地价超过同类地块历史最高价，以及保障性安居工程建设进度缓慢、租售管理和后期使用监管不力的，住房城乡建设部、国土资源部、监察部要会同有关部门，约谈省级及有关城市人民政府负责人。对未如期确定并公布本地区年度新建住房价格控制目标、新建住房价格上涨幅度超过年度控制目标、没有完成保障性安居工程目标任务的，相关省（区）、市人民政府要向国务院作出报告。监察部、住房城乡建设部等部门要视情况，根据有关规定对相关负责人进行问责。对于执行差别化住房信贷、税收政策不到位，房地产相关税收征管不力，以及个人住房信息系统建设滞后等问题，也要纳入约谈和问责范围。

省级人民政府及其有关部门，要参照上述规定，建立健全对辖区内城市落实住房保障和稳定房价工作的约谈问责机制。

八、坚持和强化舆论引导

新闻媒体要对各地稳定房价和住房保障工作好的做法和经验加大宣传力度，深入解读政策措施，引导居民从国情出发理性消费，为促进房地产市场平稳健康发展和加快推进住房保障体系建设提供有力的舆论支持，防止虚假信息或不负责任的猜测、评论误导消费预期。对制造、散布虚假消息的，要追究有关当事人的责任。

国务院办公厅

二〇一一年一月二十六日

国务院办公厅
关于保障性安居工程建设和管理的指导意见

国办发〔2011〕45号

各省、自治区、直辖市人民政府，国务院各部委、各直属机构：

大规模推进保障性安居工程建设，是党中央、国务院为推动科学发展、加快转变经济发展方式、保障和改善民生采取的重大举措。为贯彻落实党中央、国务院的决策部署，全面推进保障性安居工程建设，进一步加强和规范保障性住房管理，加快解决中低收入家庭住房困难，促进实现住有所居目标，经国务院同意，现提出如下意见：

一、总体要求和基本原则

（一）总体要求。适应工业化、城镇化快速发展的要求，深入贯彻落实科学发展观，把住房保障作为政府公共服务的重要内容，建立健全中国特色的城镇住房保障体系，合理确定住房保障范围、保障方式和保障标准，完善住房保障支持政策，逐步形成可持续的保障性安居工程投资、建设、运营和管理机制。到"十二五"期末，全国保障性住房覆盖面达到20%左右，力争使城镇中等偏下和低收入家庭住房困难问题得到基本解决，新就业职工住房困难问题得到有效缓解，外来务工人员居住条件得到明显改善。

（二）基本原则。住房保障工作要坚持从我国国情出发，满足基本住房需要；坚持政府主导、政策扶持，引导社会参与；坚持加大公共财政的投入，同时发挥市场机制的作用；坚持经济、适用、环保，确保质量安全；坚持分配过程公开透明，分配结果公平公正；坚持规范管理，不断完善住房保障制度。

二、大力推进以公共租赁住房为重点的保障性安居工程建设

（一）重点发展公共租赁住房。公共租赁住房面向城镇中等偏下收入住房困难家庭、新就业无房职工和在城镇稳定就业的外来务工人员供应，单套建筑面积以40平方米左右的小户型为主，满足基本居住需要。租金标准由市县人民政府结合当地实际，按照略低于市场租金的原则合理确定。发展公共租赁住房，对于完善住房供应和保障体系、引导合理住房消费、缓解群众住房困难，实现人才和劳动力有序流动、促进城镇化健康发展具有十分重要的意义。各地要根据实际情况适当增加公共租赁住房供应，人口净流入量大的大中城市要提高公共租赁住房建设的比重。

要加大政府投资建设力度，综合运用土地供应、资本金注入、投资补助、财政贴息、税费优惠等政策措施，吸引企业和其他机构参与公共租赁住房建设和运营，多渠道增加公共租赁住房供应。政府投资的公共租赁住房项目可以委托企业代建，市县人民政府逐年回购。公共租赁住房项目采取划拨、出让等方式供应土地，事先要规定建设要求、套型结构等，作为土地供应的前置条件。同时，公共租赁住房项目可以规划建设配套商业服务设施，统一管理经营，以实现资金平衡。新建普通商品住房项目，应当规划配建一定比例的公共租赁住房，具体配建比例和管理方式由市县人民政府确定。外来务工人员集中的开发区、产业园区，应当按照集约用地的原则，统筹规划，集中建设单元型或宿舍型公共租赁住房，面向用工单位或园区就业人员出租。坚持谁投资、谁所有的原则，积极探索公共租赁住房投资回收机制。各地要及时制定公共租赁住房管理办法。

城镇低收入住房困难家庭较多、小户型租赁住房房源不足的地区，要加快建设廉租住房，提高实物配租比例。逐步实现廉租住房与公共租赁住房统筹建设、并轨运行。

（二）根据实际情况继续安排经济适用住房和限价商品住房建设。规范发展经济适用住房，严格执行建设标准，单套建筑面积控制在60平方米以内。房价较高的城市，要适当增加经济适用住房、限价商品住房供应。

（三）加快实施各类棚户区改造。棚户区（危旧房）改造要坚持政府主导、市场运作，发挥多方面积极性，改造资金由政府适当补助，住户合理负担。国有林区、垦区和工矿（含煤矿）棚户区改造，企业也要安排一定的资金。棚户区改造要尊重群众意愿，扩大群众参与，切实维护群众合法权益。

（四）加大农村危房改造力度。抓紧编制农村危房改造规划，逐步扩大中央补助地区范围，加大地方政府补助力度。按照统一要求建立和完善农村危房改造农户档案管理信息系统，提高规划设计水平，加强资金和质

量监管。

三、落实各项支持政策

（一）确保用地供应。市县人民政府应当依据住房保障规划和保障性安居工程年度建设任务，科学编制土地供应计划，涉及新增建设用地的要在年度土地利用计划中优先安排、单列指标，做到应保尽保。要提前做好项目储备并落实到具体地块，努力挖潜，充分利用存量建设用地。涉及新增建设用地的，要提前确定地块，开展土地征收等前期工作，确保及时供地。储备土地和收回使用权的国有土地，优先安排用于保障性住房建设。严禁改变保障性住房建设用地用途，擅自改变用途的，要依法从严处理。

（二）增加政府投入。中央继续加大资金补助力度。地方各级人民政府要在财政预算安排中将保障性安居工程放在优先位置，加大财政性资金投入力度。按照“省级负总责、市县抓落实”的原则，加大省级政府统筹力度，确保项目资本金足额及时到位。住房公积金增值收益在提取贷款风险准备金和管理费用后，全部用于廉租住房和公共租赁住房建设。土地出让收益用于保障性住房建设和棚户区改造的比例不低于10%。中央代发的地方政府债券资金要优先安排用于公共租赁住房等保障性安居工程建设。公共预算支出安排不足的地区，要提高土地出让收益和地方政府债券资金安排比重。完不成保障性安居工程建设任务的城市，一律不得兴建和购置政府办公用房。

（三）规范利用企业债券融资。符合规定的地方政府融资平台公司可发行企业债券或中期票据，专项用于公共租赁住房等保障性安居工程建设。地方政府融资平台公司发行企业债券，要优先满足保障性安居工程建设融资需要。承担保障性安居工程建设项目的其他企业，也可以在政府核定的保障性安居工程建设投资额度内，通过发行企业债券进行项目融资。对发行企业债券用于保障性安居工程建设的，优先办理核准手续。

（四）加大信贷支持。在加强管理、防范风险的基础上，银行业金融机构可以向实行公司化运作并符合信贷条件的公共租赁住房项目直接发放贷款。对于政府投资建设的公共租赁住房项目，银行业金融机构可向经过清理整顿符合条件的直辖市、计划单列市及省会城市政府融资平台公司发放贷款，融资平台公司贷款偿付能力不足的，由本级政府统筹安排还款；银行业金融机构也可向经过清理整顿符合条件且经总行评估认可、自身能够确保偿还公共租赁住房项目贷款的地级城市政府融资平台公司发放贷款。其他市县政府投资建设的公共租赁住房项目，可在省级政府对还款来源作出统筹安排后，由省级政府指定一家省级融资平台公司按规定统一借款。借款人和当地政府要确保按期还贷，防范金融风险和债务风险。公共租赁住房建设贷款利率下浮时其下限为基准利率的0.9倍，贷款期限原则上不超过15年。扩大利用住房公积金贷款支持保障性住房建设试点城市的范围，重点支持公共租赁住房建设。

（五）落实税费减免政策。对廉租住房、公共租赁住房、经济适用住房和棚户区改造安置住房，要切实落实现行建设、买卖、经营等环节税收优惠政策，免收城市基础设施配套费等各种行政事业性收费和政府性基金。

四、提高规划建设和工程质量水平

（一）优化规划布局和户型设计。要把保障性住房建设作为城乡规划和土地利用总体规划的重要内容，提出明确要求，合理安排布局，严格执行抗震设防和建筑节能等强制性标准。保障性住房实行分散配建和集中建设相结合。集中建设保障性住房，应当充分考虑居民就业、就医、就学、出行等需要，加快完善公共交通系统，同步配套建设生活服务设施。保障性住房户型设计要坚持户型小、功能齐、配套好、质量高、安全可靠的要求，合理布局，科学利用空间，有效满足各项基本居住功能，鼓励通过公开招标、评比等方式优选户型设计方案。廉租住房、公共租赁住房应当提供简约、环保的基本装修，具备入住条件。

同时，在保障性住房规划设计中，要贯彻省地、节能、环保的原则，落实节约集约用地和节能减排各项措施，全面推广采用节水型器具，配套建设污水处理和生活垃圾分类收集设施。农村危房改造要重视自然采光和通风，大力推广建筑节能技术。

（二）落实工程质量责任。保障性安居工程建设，要严格履行法定的项目建设程序，规范招投标行为，落实项目法人责任制、合同管理制、工程监理制。严格建筑材料验核制度。项目法人对住房建设质量负永久责任，其他参建单位按照工程质量管理规定负相应责任。实行勘察、设计、施工、监理单位负责人和项目负责人责任终身制。推广在住房建筑上设置质量责任永久性标识制度，接受社会监督。

（三）强化工程质量监督。保障性安居工程参建各方要建立健全质量管理体系，切实把加强质量监管贯穿于建设全过程。严格按照法律法规和强制性标准规定进行勘察、设计、施工、监理和验收，加大对工程质量和施工安全的监督检查力度。对存在违法违规行为和工程质量不符合强制性标准的工程项目，要责令整改。

五、建立健全分配和运营监管机制

（一）规范准入审核。市县人民政府要根据当地经济社会发展水平、居民收入、住房状况，合理确定保障对象住房困难、家庭收入（财产）的具体标准，定期调整，并向社会公布。完善住房保障申请、审核、公示、轮候、复核制度。健全住房城乡建设、民政、公安、税务、金融等部门及街道、社区协作配合的家庭住房和经济状况审核机制。保障性住房申请人应当如实申报家庭住房、收入和财产状况，声明同意审核机关调查核实其家庭住房和资产等情况。审核机关调查核实申请人住房、金融资产、车辆等财产的，有关机构应当依法提供便利。严禁以任何形式向不符合住房困难标准的家庭供应保障性住房。切实防范并严厉查处骗租骗购保障性住房、变相福利分房和以权谋私行为。对以虚假资料骗购、骗租保障性住房的，一经查实应立即纠正，并取消其在5年内再次申请购买或租赁保障性住房的资格。建立住房保障诚信档案，完善失信惩戒制度。

（二）严格租售管理。经审核符合条件的家庭，市县人民政府应当在合理的轮候期内安排保障性住房。具体轮候期限由市县人民政府确定并公布。廉租住房租赁补贴应当按月或季度及时发放，确保当年12月25日前全部发放到位。廉租住房、公共租赁住房的租赁合同，应当载明租金、租期以及使用要求。公共租赁住房租赁合同期限一般为3至5年。租赁合同期满后承租人仍符合规定条件的，可以申请续租。经济适用住房和限价商品住房购买不满5年的，不得上市交易。经济适用住房配售时，要明确界定政府与购买人的资产份额，并按照政府回购、适当兼顾保障对象合法权益的原则，确定经济适用住房出售所得价款的分配比例。限价商品住房的上市交易收益调节办法，由市县人民政府制定。

（三）加强使用管理。市县人民政府应当建立住房保障管理信息系统，完善保障性住房和保障对象档案，动态监测住房保障对象家庭人口、住房和经济状况变化情况。建立公众监督机制，落实信息公开，充分发挥社会监督作用。定期检查保障性住房使用情况，对违反规定将保障性住房出售、转借、出租（转租）、闲置、改变用途且拒不整改的，应当按照有关规定或者合同约定收回。对中介机构违规代理出售、出租保障性住房的，应当依法给予处罚。保障性住房的使用人要按有关规定和合同约定使用住房，不得擅自改变房屋结构，影响房屋质量安全和使用功能。保障性住房小区可以实行住户自我管理、自我服务，也可以聘请专业机构提供物业服务。

（四）健全退出机制。廉租住房、公共租赁住房承租人经济状况改善，或通过购置、继承、受赠等方式取得其他住房，不再符合相应的住房保障条件的，应当在规定期限内腾退；逾期不腾退的，应当按市场价格交纳租金。经济适用住房购房人通过购置、继承、受赠等方式取得其他住房，不再符合经济适用住房保障条件的，应当退出经济适用住房，或者通过补交土地收益等价款取得完全产权。对拒不服从退出管理的，可以依照规定或合同约定申请人民法院强制执行。

六、加强组织领导，进一步落实地方政府责任

（一）建立目标责任制。省级人民政府对本地区保障性安居工程工作负总责；市县人民政府具体实施，负责落实项目前期工作、建设资金、土地供应、工程质量监督、保障性住房租售管理和使用监管等。省级人民政府要指导市县人民政府，加强住房保障管理机构和具体实施机构建设，充实工作人员，落实工作经费。要加强组织领导和督促检查，周密部署，精心落实，注意总结经验，优化审批程序，简化办事手续，把保障性安居工程建成廉洁工程、平安工程、放心工程。

（二）统筹安排年度建设任务。要因地制宜，科学编制建设规划，统筹安排年度建设任务，不搞“一刀切”。“十二五”时期全国保障性安居工程建设目标是经济和社会发展的约束性指标。各省、自治区、直辖市要按照目标任务，按需申报，自下而上，编制本地区保障性住房建设规划，将任务分解到年度。要尽快明确2012年保障性安居工程建设任务、投资计划、用地计划、资金来源渠道等。市县人民政府要按照规划编制年度实施计划，并落实到项目，尽早开展前期工作，以便落实资金和土地，确保建设任务按计划顺利实施。市县人民政府要向社会公布年度保障性安居工程建设计划、项目开工和竣工情况，以及项目名称、建设地址、建设方式和建设总套数等。

（三）建立考核问责机制。各地区、各有关部门要加强对保障性安居工程建设的监督检查，全面落实工作任务和各项政策措施。住房城乡建设部等有关部门要制定具体考核办法。住房城乡建设部、监察部等有关部门要建立约谈和问责机制，对项目资金土地不落实、政策措施不到位、建设进度缓慢地区的政府负责人进行约谈。对没有完成年度目标任务的地区，监察部、住房城乡建设部等部门要视情况对其政府负责人进行问责。要严格规范保障性安居工程建设程序，加强资金监管。对在保障性安居工程建设、分配和管理过程中滥用职权、玩忽职守、徇私舞弊、失职渎职的政府及其相关职能部门工作人员，要依法依纪追究责任；涉嫌犯罪的，移送司法机关处理。

国务院办公厅

二〇一一年九月二十八日

中共中央纪委办公厅
监察部办公厅
关于加强监督检查进一步规范征地拆迁行为的通知

中纪办〔2011〕8号

各省、自治区、直辖市和新疆生产建设兵团纪委、监察厅（局）：

近年来，各地认真贯彻落实党中央、国务院的决策部署，严格执行农村集体土地征收和城市房屋拆迁法律法规和政策规定，不断完善征地拆迁补偿机制，努力做好群众工作，征地拆迁状况总体是好的。但随着城市化进程推进，征地拆迁规模不断扩大，一些地方仍然存在违法违规强制征地拆迁问题，个别地方甚至发生因违法违规强制征地拆迁致人伤亡事件，造成了恶劣的社会影响，严重危害群众利益，损害党和政府形象。各级纪检监察机关要按照十七届中央纪委第六次全会的部署，切实加强对征地拆迁政策规定执行情况的监督检查，坚决制止和纠正违法违规强制征地拆迁行为，维护群众利益，促进科学发展和社会和谐稳定。现通知如下。

一、加强监督检查，保证《国有土地上房屋征收与补偿条例》的贯彻执行

2011年1月21日国务院颁布的《国有土地上房屋征收与补偿条例》（以下简称《条例》），是规范国有土地上房屋征收与补偿的基础性法规。《条例》规定，取消行政强制拆迁，申请司法强制执行；先补偿后搬迁，禁止采取暴力威胁迫使搬迁；明确征收补偿标准和公共利益范围；被征收人有权请求行政救济和司法救济等，为保障被征收人的合法权益提供了依据。各级纪检监察机关要加强《条例》贯彻执行情况的监督检查，督促各地及有关部门认真学习宣传、贯彻执行《条例》精神，按照规定的征收范围、补偿标准和征收程序，依法征收、公平补偿。督促地方政府及有关部门认真清理现行规章制度和规范性文件，该废止的予以废止，该修订的抓紧修订，该项配套完善的尽快配套完善。对《条例》颁布前已经作出行政强制拆迁决定但尚未组织实施的项目，不得再组织实施，要重新组织论证，由人民法院裁定是否强制执行。

二、推动完善政策，切实维护被征地拆迁农民的合法权益

要督促有关地方政府和部门严格按照《国务院办公厅关于进一步严格征地拆迁管理工作切实维护群众合法权益的紧急通知》（国办发明电（2010）15号要求，进一步建立健全有关政策规定，认真做好农村集体土地征收和房屋拆迁工作，确保被征地拆迁农民原有生活水平不降低，长远生计有保障。要督促认真落实补偿安置政策规定，做到先安置后拆迁，住房安置要充分考虑农民的生活习惯和生产需要，妥善解决好被征地拆迁农民的居住问题；房屋拆迁要按照建筑重置成本补偿，宅基地征收按当地规定的征地标准补偿，被征地拆迁农户所得拆迁补偿以及政府补贴，能够保障其选购合理居住水平的房屋。要督促建立与当地经济发展水平相适应、收入增长幅度相协调的补偿标准动态调整机制，并认真加以执行。在《土地管理法》等法律法规作出修订之前，集体土地上房屋拆迁，要参照新颁布的《国有土地上房屋征收与补偿条例》的精神执行。

三、强化责任落实，督促地方政府和有关部门依法履行职责

要督促地方政府及有关部门深入贯彻落实以人为本、执政为民的要求，加强和改进群众工作，畅通被征地拆迁群众反映问题、表达诉求的渠道，广泛听取群众意见，妥善解决群众的合理诉求，紧紧依靠群众的支持和参与开展征地拆迁。要对有关地方政府履行征地拆迁主体责任任情况进行监督检查，督促严格审批征地拆迁项目，认真履行公告、告知、听证等程序，加强管理监督，依法依规进行征地拆迁。要对有关部门履行职责情况进行监督检查，督促住房城乡建设部门严格拆迁许可证的

审批管理，加强对国有土地上房屋征收与补偿工作的监管；督促国土资源部门严把新上项目用地预审关，加强对农村集体土地征收和房屋拆迁工作的监管；督促农业部门严格农村集体土地征地补偿费分配使用情况的监管。要建立健全矛盾纠纷排查调处机制，及时解决苗头性、倾向性问题，防止矛盾纠纷积累激化。

四、严肃查办案件，严格追究有关责任人的责任

加大查办违法违规强制征地拆迁案件的力度，重点查处采取中断供水、供热、供电和道路通行等非法方式迫使搬迁行为，采取暴力、威胁手段或突击、“株连”等方式强制征地拆迁行为，以及《国有土地上房屋征收与补偿条例》颁布后仍然组织实施行政强制拆迁等问题。对有令不行、有禁不止的，违规动用警力参与征地拆迁的，因工作不力、简单粗暴、失职渎职引发恶性事件和群体性事件的，对违法违规征地拆迁行为不制止、隐瞒不报、压案不查的，要严肃追究有关领导人员的责任。涉嫌犯罪的，移送司法机关依法追究刑事责任。对征地拆迁中官商勾结、权钱交易的，要发现一起、查处一起，绝不姑息。

五、加大宣传力度，正确引导社会舆论

要加大对《条例》等有关法律法规和政策规定的宣传力度，注意加强对征地拆迁社会舆情的分析研判，建立快速的应对机制。要及时总结依法拆迁、“阳光”拆迁、和谐拆迁的好经验、好做法，组织力量进行宣传报道，加强对社会舆论的正确引导。对社会广泛关注的违法违规强制征地拆迁典型案件，及时公布查处结果。对群众反映强烈的突出问题和突发性事件，依法妥善处置，及时回应社会关切，避免出现过度炒作等不利局面。

中共中央纪委办公厅
监察部办公厅
二〇一一年三月十七日

住房和城乡建设部 财政部 中国人民银行 中国银行业监督管理委员会 关于加强和改进住房公积金服务工作的通知

建金〔2011〕9号

各省、自治区住房和城乡建设厅、财政厅，中国人民银行上海总部，各分行、营业管理部，各省会（首府）城市中心支行、副省级城市中心支行，银监会各监管局，直辖市、新疆生产建设兵团住房公积金管理委员会：

近年来，各地按照《住房公积金管理条例》规定，规范业务管理，加强风险防范，加大监督力度，住房公积金各项业务快速发展，对提高个人住房支付能力、改善职工居住条件发挥了重要作用。但仍有部分地区服务工作滞后，服务水平较低，存在业务管理不规范、审批环节多、办理时限长等问题，损害缴存职工合法权益，影响住房公积金制度健康持续发展。为加强和改进住房公积金服务工作，维护缴存职工合法权益，充分发挥住房公积金制度作用，现就有关问题通知如下。

一、优化业务流程，健全服务制度

（一）优化业务流程。各地住房公积金管理中心（以下简称管理中心）要以为缴存职工提供高效便捷服务为出发点，在加强风险防范的基础上，优化缴存、提取、贷款、查询等业务流程，全面推进业务管理信息化建设，减少审批环节，缩短办理时限，提高服务效率。

（二）健全服务制度。全面推行服务承诺、首问负责、一次告知、限时办结等服务制度。管理中心要通过报纸、电视、广播、网络等多种形式，公布住房公积金业务流程、服务标准、办理时限和服务承诺等内容，方便缴存职工办理业务，接受社会和群众监督。

（三）实施“一站式”业务办理。各地管理中心要加强与受托银行、房地产管理等机构协商，联合建立综合性住房公积金业务服务网点，实施“一站式”业务办理，为缴存职工提供“一条龙”服务。

（四）开展预约和上门服务。对住房公积金业务集中、办理批次多的服务项目，或到服务网点办理业务确有困难的缴存职工，管理中心要积极创造条件，开展预约和上门服务。

二、完善服务设施，改善服务环境

（五）合理设置服务网点。管理中心要根据当地住房公积金业务发展需要，按照节俭、实用和便捷的原则，合理设置住房公积金业务服务网点，方便缴存职工就近办理业务。

（六）完善业务服务设施。业务服务网点应科学设置业务办理柜台，配备必要的监控和消防设施。对业务量大的服务网点，要设置自助查询终端和自动叫号系统，合理分流业务，缩短缴存职工等待时间。

（七）营造良好服务环境。业务服务网点要配备休息座椅、饮水机、书写台和意见箱等服务设施，张贴和放置住房公积金政策规定、业务流程、服务热线等宣传和服务资料，营造整洁美观、秩序良好的服务环境。

三、加快信息化建设，创新服务方式

（八）加快信息化建设。管理中心要抓紧建立住房公积金业务服务网站，开展网上政策咨询、个人查询和投诉举报等业务。有条件的地区要积极探索网上缴存、贷款申请、贷款偿还等业务。

（九）开通住房公积金服务热线。各地要加强与信息产业部门协调，抓紧开通住房公积金服务热线，管理中心要设立专门机构，指定专人负责服务热线的接听、处理和答复工作。推行通过手机短信提示缴存和还贷业务。

（十）建立信息共享机制。各地要积极与房地产管理、人民银行、工商、公安等部门协商，尽快和房地产交易系统、人民银行征信系统、工商登记系统、个人身份核查系统联网，提高业务办理效率。

四、强化人员素质，提升服务质量

（十一）合理配置服务人员。管理中心要将工作重心和收入待遇向一线服务网点倾斜，将业务能力强、作风素质好的人员安排到服务网点工作，保证网点服务人员数量与业务量相匹配。

（十二）规范网点服务行为。管理中心要定期对网点服务人员进行培训，增强服务意识，规范服务行为。网点服务人员应挂牌上岗，着装整齐，仪表整洁，服务热情。

（十三）建立服务激励机制。各地要加强对受托银行服务质量的管理和考核，并将考核结果与委托手续费挂钩。管理中心要将服务工作纳入精神文明创建活动，定期开展文明服务窗口和文明服务个人考核，对先进单位和个人给予表彰。

五、加强监督检查，确保取得实效

（十四）定期开展监督检查。各省、自治区住房城乡建设部门要将管理中心服务工作纳入监管范围，每年定期进行检查和抽查，并将检查和抽查结果作为管理中心年度考核的重要内容。

（十五）加强社会和群众监督。各地要高度重视报纸、电视、广播、网络等新闻媒体监督作用，及时收集和汇总有关住房公积金的意见和建议，及时受理和查处群众投诉举报，维护缴存职工合法权益。

我们在总结各地经验的基础上，制定了《住房公积金服务指引（试行）》（见附件），各地管理中心要根据本通知精神和《住房公积金服务指引（试行）》要求，结合当地实际情况，制定具体实施办法和《住房公积金服务指南》，报省、自治区住房城乡建设、财政、人民银行、银监等部门备案。直辖市和新疆生产建设兵团住房公积金管理中心报住房城乡建设部、财政部、人民银行、银监会备案。

附件：住房公积金服务指引（试行）

中华人民共和国住房和城乡建设部
中华人民共和国财政部
中国人民银行
中国银行业监督管理委员会
二〇一一年一月十九日

附件：

住房公积金服务指引（试行）

为推动住房公积金管理中心（以下简称管理中心）服务工作规范化、标准化，促进政务公开，增强服务意识，提高服务效能，方便缴存单位和职工办理住房公积金业务，制定本服务指引。

一、缴存服务

（一）缴存登记

新设立的单位，应自设立之日起30日内办理住房公积金缴存登记。

办理场所：管理中心指定的窗口

办理要件：

1、单位住房公积金缴存登记表；

2、组织机构代码证副本原件及复印件；

3、党政机关、事业单位、社会团体或民办非企业单位出具单位设立批准文件或法人证书副本原件及复印件；企业出具营业执照副本原件及复印件；

4、管理中心要求提供的其他材料。

办理流程：单位提供要件材料－管理中心审核－办理缴存登记

办理时限：手续齐全情况下，不超过5个工作日。

（二）个人账户设立

单位设立或新录用职工，应自办理缴存登记之日起20日内办理职工账户设立手续。

办理场所：管理中心和受委托银行指定的窗口

办理要件：

1、个人住房公积金明细账户设立登记表；

2、设立住房公积金账户的职工身份证复印件；

3、管理中心要求提供的其他材料。

办理流程：单位提供要件材料－管理中心审核－去受委托银行开立个人账户

办理时限：手续齐全情况下，不超过3个工作日。

（三）变更登记

单位或职工个人基本信息发生变动，应提供相关证明，自发生变更之日起30日内到管理中心办理变更登记。

办理场所：管理中心指定的窗口

办理要件：

单位办理信息变更登记所需材料：

1、单位住房公积金缴存信息变更登记表；

2、单位缴存登记事项变更的证明资料及复印件；

3、管理中心要求提供的其他材料。

职工办理信息变更登记所需材料：

1、职工住房公积金缴存信息变更登记表；

2、职工身份证原件及复印件；

3、管理中心要求提供的其他材料。

办理流程：单位或职工提供要件材料－管理中心审核－办理变更登记

办理时限：手续齐全情况下，当场办理。

（四）注销登记

单位因合并、分立、撤销、破产或者解散而终止的，应自发生之日起30日内办理注销登记。

办理场所：管理中心指定的窗口

办理要件：

1、单位注销住房公积金缴存登记申请表；

2、上级单位或主管部门批准撤销、解散或破产的文件，人民法院裁定破产清算的文件，工商部门责令关闭的文件和注销工商登记等文件及复印件；

3、管理中心要求提供的其他材料。

办理流程：单位提供要件材料－管理中心审核－办理注销登记

办理时限：手续齐全情况下，当场办理。

（五）账户转移

单位调整或职工工作发生变动，单位应为职工办理住房公积金转移手续。转移包括同城转移和异地转移。

办理场所：管理中心和受委托银行指定的窗口

办理要件：

1、住房公积金转移申请书或异地转移申请书；

2、管理中心要求提供的其他材料。

办理流程：

1、同城转移：单位或职工提供要件材料－管理中心审核－受委托银行办理同城转移手续。

2、异地转移：职工提供要件材料－转入地向转出地管理中心出具新账户证明及异地转移联系函－转出地管理中心转账或电汇－转入地管理中心登记个人明细账

办理时限：手续齐全情况下，同城转移不超过3个工作日，异地转移不超过15个工作日。

（六）账户封存与启封

单位破产、撤销或解散；职工与单位终止劳动关系，或与单位保留劳动关系但停止或暂停发放工资，暂时中断缴存住房公积金，且不符合销户提取条件的，单位应到管理中心和受委托银行为职工办理住房公积金封存手续；与原单位终止劳动关系，且无接收单位的职工，其住房公积金明细账户应实行集中封存管理。职工需要恢复缴存住房公积金时，应办理住房公积金启封手续。

办理场所：管理中心和受委托银行指定的窗口

办理要件：

1、住房公积金汇缴变更清册；

2、管理中心要求提供的其他材料。

办理流程：单位提供要件材料－管理中心审核－受委托银行办理封存或启封手续

办理时限：手续齐全情况下，不超过3个工作日。

（七）汇、补缴

单位应于每月发放工资之日起5个工作日内或按与管理中心约定的日期，办理住房公积金汇缴手续。单位欠缴住房公积金的，或缓缴住房公积金到期的，应及时补缴住房公积金。

办理场所：管理中心或受委托银行指定的窗口，或者委托受委托银行从单位账户扣划汇缴

办理要件：

1、住房公积金汇补缴书；

2、付款票据（支票、进账单或汇票等）；

3、管理中心要求提供的其他材料。

办理流程：

1、到服务网点窗口汇（补）缴：单位提供要件材料－管理中心或受委托银行审核－到受委托银行办理缴款手续－管理中心登记个人明细账

2、委托银行扣划汇缴：单位提供要件材料－与管理中心、单位开户银行签订委托扣划协议－受委托银行于约定划款日划款－管理中心登记个人明细账

办理时限：手续齐全情况下，不超过5个工作日。

（八）缴存基数调整

住房公积金缴存基数按照职工本人上一年度月平均工资每年调整一次，缴存基数原则上不应超过职工工作地所在设区城市统计部门公布的上一年度职工月平均工资的2倍或3倍。每年调整时间由管理中心提前对外公告。

办理场所：管理中心指定的窗口，有条件的也可通过网络上传资料办理缴存基数调整业务

办理要件：

1、住房公积金调整清册；

2、调整住房公积金缴存比例申请表；

3、管理中心要求提供的其他材料。

办理流程：单位提供要件材料－管理中心审核－办理缴存基数调整手续

办理时限：手续齐全情况下，不超过5个工作日。

（九）降低缴存比例和缓缴

缴存住房公积金确有困难的单位，经本单位职工代表大会或者工会讨论通过，并经管理中心审核，报住房公积金管理委员会批准后，可以降低缴存比例或者缓缴。待单位经济效益好转后，再提高缴存比例或补缴缓缴。

办理场所：管理中心指定的窗口

办理要件：

1、经单位职工代表大会、工会或全体职工讨论通过的单位降低住房公积金缴存比例（或缓缴住房公积金）审批表；

2、缴存住房公积金确有困难的证明资料；

3、管理中心要求提供的其他材料。

办理流程：单位提供要件材料－管理中心审核－管委会审批或由管委会授权管理中心审批－管理中心办理降低缴存比例或缓缴手续－通知单位执行

办理时限：手续齐全情况下，有管委会授权的，不超过15个工作日；没有管委会授权的，为管委会批准后5个工作日。

二、提取服务

职工有下列情形之一的，可申请提取住房公积金。

1、购买、建造、翻建、大修自住住房的；

2、偿还购建自住住房贷款本息的；

3、租赁自住住房，房租超出家庭工资收入一定比例的；

4、离休、退休的；

5、出境定居的；

6、职工死亡、被宣告死亡的；

7、享受城镇最低生活保障的；

8、完全或部分丧失劳动能力，并与单位终止劳动关系的；

9、管委会依据相关法规规定的其他情形。

办理场所：管理中心或受委托银行指定的窗口，有条件的，经审核可直接转入职工的住房公积金联名卡或银行存折

办理要件：职工符合规定提取条件的，应提供本人身份证、相应证明材料及复印件等。由代办人办理的，提供委托书及代办人身份证。相应的证明材料应包括：

1、购买新建商品住房的，提供房屋所有权证或经房地产行政主管部门备案的购房合同和付款凭证；

2、购买二手房的，提供经房地产行政主管部门备案的购房协议或房屋所有权证、契税完税凭证；

3、建造、翻建住房的，提供规划部门建房、翻建批准文件、支付费用凭证；

4、大修自住住房的，提供有资质机构出具的房屋安全鉴定证明、房屋权属证明、工程预决算及支付费用凭证；

5、偿还住房贷款本息的，提供经房地产行政主管部门备案的购房合同、借款合同、银行出具的还款证明；

6、租赁自住住房的，提供经房管部门登记备案的房屋租赁合同、房租发票、家庭收入证明；

7、离休、退休的，提供本人离、退休证明或劳动人事部门出具的相关证明；

8、出境定居的，提供户籍注销证明或出境定居的证明；

9、死亡、被宣告死亡的，由其合法继承人或受遗赠人提供缴存人死亡证明或被宣告死亡证明、继承人或受遗赠人身份证、继承权或受遗赠权证明、公证书；

10、享受最低生活保障的，提供民政部门发放的最低生活保障证明；

11、完全或部分丧失劳动能力，并与单位终止劳动关系的，提供人力资源和社会保障部门出具的劳动能力鉴定证明、单位解除劳动合同证明或失业证明；

12、管委会依据相关法规规定的其他情形和材料。

办理流程：职工提供要件材料－管理中心审核－受委托银行支付住房公积金

办理时限：手续齐全情况下，当场办理。需核查事项，自受理提取申请之日起3个工作日内告知结果。提取申请人对管理中心审核意见有异议的，可申请复核。复核申请在5个工作日内给予答复。

三、贷款服务

（一）贷款办理

职工在购买、建造、翻建、大修自住住房时，可申请个人住房公积金贷款。

办理场所：管理中心和受委托银行指定的窗口

办理要件：

1、个人住房公积金借款申请表；

2、身份证、军官证等有效身份证明和户口薄、暂住证等有效居留证明；

3、婚姻状况证明；

4、经房地产行政主管部门备案的购买自住住房的合同（协议）；建造、翻建自住住房的规划部门批准文件、工程概预算；大修自住住房的房屋权属证明、房屋安全鉴定证明、工程概预算；

5、已支付总价款规定比例的首付款凭证或者契税完税凭证和二手房估价报告；

6、管理中心要求提供的其他证明或材料。

办理流程：职工提供要件材料—管理中心审核—签订合同—办理贷款担保抵押—受委托银行发放贷款

办理时限：贷款申请资料齐全，审核时限不超过10个工作日；符合贷款发放条件的，抵押登记后放款时限不超过5个工作日。

（二）提前还贷

借款人可提前归还个人住房公积金贷款。提前还款可采取提前一次性归还全部贷款本息或提前归还部分贷款本金的方式。

办理场所：管理中心或受委托银行指定的窗口

办理要件：

1、提前还贷申请表；

2、借款人身份证件；

3、管理中心要求提供的其他材料。

办理流程：

1、一次性归还本息：借款人提供要件材料－管理中心或受委托银行审批－到管理中心或受委托银行办理结清手续

2、提前部分还贷：借款人提供要件材料－确定提前还贷金额、剩余贷款的还款计算方式、提前还款日－管理中心审批－与管理中心或受委托银行签订变更合同－办理还款手续

办理时限：不超过5个工作日。

四、信息查询

查询渠道：办理场所的柜台、客户服务热线（号码）、网上客户服务中心（域名）、自助查询终端等。柜台和自动查询终端查询服务应提供近三年的职工或单位的明细账信息，电话及网络查询服务应提供当年缴存、提取、结息及余额信息。

查询内容：单位和职工可查询住房公积金账户信息及缴存、提取、贷款明细。

查询所需要件：

1、通过柜台查询的，职工应出示身份证或住房公积金缴存凭证；单位经办人员应出示住房公积金缴存登记证和本人身份证等证件。

2、通过电话、自助查询终端或网络查询的，职工应输入本人身份证号或本人住房公积金明细账号及密码，单位经办人员应输入单位缴存登记号及密码。

查询时限：通过柜台、电话、自助查询终端申请查询的，应当场予以答复；通过网络查询的，应在5个工作日内予以答复；申请查询超过三年以上住房公积金信息的，应在受理申请后10个工作日内予以答复。单位或职工对查询结果有异议的，可向管理中心申请复核，复核结果应在15个工作日内反馈申请人。

五、政策咨询

咨询渠道：办理场所的柜台或咨询台、客户服务热线（号码）、网上客户服务中心（域名）等。

答复时限：柜台、咨询台及电话咨询当即答复，疑难问题或网上回复时限不超过5个工作日。

六、投诉建议

投诉渠道：办理场所的柜台、意见箱和意见簿、投诉热线（号码）、网上客户服务中心（域名）等。

反馈时限：管理中心收到投诉建议后，在第一时间与投诉人沟通，15个工作日内将办理结果反馈投诉人。

有关要求：

指引中下划线部分由各管理中心依据本地现行的政策文件，对相应内容作具体规定。

文中办理时限为最低标准要求，各地应采取有效措施，积极缩短办理时限。

各地在公布服务指南的同时，应一并公布如下内容：

1、当地住房公积金服务热线号码、服务时间；

2、当地管理中心、分中心、管理部服务网点地址、服务时间、联系电话；

3、受委托银行服务网点地址、服务时间、联系电话；

4、管理中心投诉电话、受理时间；

5、管理中心的服务项目均不收费。其他与住房公积金业务相关的收费项目，应公布收费标准、收费依据和收费单位。

住房和城乡建设部 国家发展和改革委员会 人力资源和社会保障部 令第8号

《房地产经纪管理办法》已经2010年10月27日住房和城乡建设部第65次部常务会议审议通过，并经国家发展和改革委员会、人力资源和社会保障部同意，现予发布，自2011年4月1日起施行。

住房和城乡建设部部长　　姜伟新
国家发展和改革委员会主任　　张　平
人力资源和社会保障部部长　　尹蔚民
二〇一一年一月二十日

房地产经纪管理办法

第一章　总　　则

第一条　为了规范房地产经纪活动，保护房地产交易及经纪活动当事人的合法权益，促进房地产市场健康发展，根据《中华人民共和国城市房地产管理法》、《中华人民共和国合同法》等法律法规，制定本办法。

第二条　在中华人民共和国境内从事房地产经纪活动，应当遵守本办法。

第三条　本办法所称房地产经纪，是指房地产经纪机构和房地产经纪人员为促成房地产交易，向委托人提供房地产居间、代理等服务并收取佣金的行为。

第四条　从事房地产经纪活动应当遵循自愿、平等、公平和诚实信用的原则，遵守职业规范，恪守职业道德。

第五条　县级以上人民政府建设（房地产）主管部门、价格主管部门、人力资源和社会保障主管部门应当按照职责分工，分别负责房地产经纪活动的监督和管理。

第六条　房地产经纪行业组织应当按照章程实行自律管理，向有关部门反映行业发展的意见和建议，促进房地产经纪行业发展和人员素质提高。

第二章　房地产经纪机构和人员

第七条　本办法所称房地产经纪机构，是指依法设立，从事房地产经纪活动的中介服务机构。

房地产经纪机构可以设立分支机构。

第八条　设立房地产经纪机构和分支机构，应当具有足够数量的房地产经纪人员。

本办法所称房地产经纪人员，是指从事房地产经纪活动的房地产经纪人和房地产经纪人协理。

房地产经纪机构和分支机构与其招用的房地产经纪人员，应当按照《中华人民共和国劳动合同法》的规定签订劳动合同。

第九条　国家对房地产经纪人员实行职业资格制度，纳入全国专业技术人员职业资格制度统一规划和管理。

第十条　房地产经纪人实行全国统一大纲、统一命题、统一组织的考试制度，由国务院住房和城乡建设主管部门、人力资源和社会保障主管部门共同组织实施，原则上每年举行一次。

房地产经纪人协理实行全国统一大纲，由各省、自治区、直辖市人民政府建设（房地产）主管部门、人力资源和社会保障主管部门命题并组织考试的制度，每年的考试次数根据行业发展需要确定。

第十一条　房地产经纪机构及其分支机构应当自领取营业执照之日起30日内，到所在直辖市、市、县人民政府建设（房地产）主管部门备案。

第十二条　直辖市、市、县人民政府建设（房地产）主管部门应当将房地产经纪机构及其分支机构的名称、住所、法定代表人（执行合伙人）或者负责人、注册资本、房地产经纪人员等备案信息向社会公示。

第十三条 房地产经纪机构及其分支机构变更或者终止的，应当自变更或者终止之日起30日内，办理备案变更或者注销手续。

第三章 房地产经纪活动

第十四条 房地产经纪业务应当由房地产经纪机构统一承接，服务报酬由房地产经纪机构统一收取。分支机构应当以设立该分支机构的房地产经纪机构名义承揽业务。

房地产经纪人员不得以个人名义承接房地产经纪业务和收取费用。

第十五条 房地产经纪机构及其分支机构应当在其经营场所醒目位置公示下列内容：

（一）营业执照和备案证明文件；

（二）服务项目、内容、标准；

（三）业务流程；

（四）收费项目、依据、标准；

（五）交易资金监管方式；

（六）信用档案查询方式、投诉电话及12358价格举报电话；

（七）政府主管部门或者行业组织制定的房地产经纪服务合同、房屋买卖合同、房屋租赁合同示范文本；

（八）法律、法规、规章规定的其他事项。

分支机构还应当公示设立该分支机构的房地产经纪机构的经营地址及联系方式。

房地产经纪机构代理销售商品房项目的，还应当在销售现场明显位置明示商品房销售委托书和批准销售商品房的有关证明文件。

第十六条 房地产经纪机构接受委托提供房地产信息、实地看房、代拟合同等房地产经纪服务的，应当与委托人签订书面房地产经纪服务合同。

房地产经纪服务合同应当包含下列内容：

（一）房地产经纪服务双方当事人的姓名（名称）、住所等情况和从事业务的房地产经纪人员情况；

（二）房地产经纪服务的项目、内容、要求以及完成的标准；

（三）服务费用及其支付方式；

（四）合同当事人的权利和义务；

（五）违约责任和纠纷解决方式。

建设（房地产）主管部门或者房地产经纪行业组织可以制定房地产经纪服务合同示范文本，供当事人选用。

第十七条 房地产经纪机构提供代办贷款、代办房地产登记等其他服务的，应当向委托人说明服务内容、收费标准等情况，经委托人同意后，另行签订合同。

第十八条 房地产经纪服务实行明码标价制度。房地产经纪机构应当遵守价格法律、法规和规章规定，在经营场所醒目位置标明房地产经纪服务项目、服务内容、收费标准以及相关房地产价格和信息。

房地产经纪机构不得收取任何未予标明的费用；不得利用虚假或者使人误解的标价内容和标价方式进行价格欺诈；一项服务可以分解为多个项目和标准的，应当明确标示每一个项目和标准，不得混合标价、捆绑标价。

第十九条 房地产经纪机构未完成房地产经纪服务合同约定事项，或者服务未达到房地产经纪服务合同约定标准的，不得收取佣金。

两家或者两家以上房地产经纪机构合作开展同一宗房地产经纪业务的，只能按照一宗业务收取佣金，不得向委托人增加收费。

第二十条 房地产经纪机构签订的房地产经纪服务合同，应当加盖房地产经纪机构印章，并由从事该业务的一名房地产经纪人或者两名房地产经纪人协理签名。

第二十一条 房地产经纪机构签订房地产经纪服务合同前，应当向委托人说明房地产经纪服务合同和房屋买卖合同或者房屋租赁合同的相关内容，并书面告知下列事项：

（一）是否与委托房屋有利害关系；

（二）应当由委托人协助的事宜、提供的资料；

（三）委托房屋的市场参考价格；

（四）房屋交易的一般程序及可能存在的风险；

（五）房屋交易涉及的税费；

（六）经纪服务的内容及完成标准；

（七）经纪服务收费标准和支付时间；

（八）其他需要告知的事项。

房地产经纪机构根据交易当事人需要提供房地产经纪服务以外的其他服务的，应当事先经当事人书面同意并告知服务内容及收费标准。书面告知材料应当经委托人签名（盖章）确认。

第二十二条 房地产经纪机构与委托人签订房屋出售、出租经纪服务合同，应当查看委托出售、出租的房屋及房屋权属证书，委托人的身份证明等有关资料，并应当编制房屋状况说明书。经委托人书面同意后，方可以对外发布相应的房源信息。

房地产经纪机构与委托人签订房屋承购、承租经纪服务合同，应当查看委托人身份证明等有关资料。

第二十三条 委托人与房地产经纪机构签订房地产经纪服务合同，应当向房地产经纪机构提供真实有效的身份证明。委托出售、出租房屋的，还应当向房地产经纪机构提供真实有效的房屋权属证书。委托人未提供规定资料或者提供资料与实际不符的，房地产经纪机构应当拒绝接受委托。

第二十四条 房地产交易当事人约定由房地产经纪机构代收代付交易资金的，应当通过房地产经纪机构在银行开设的客户交易结算资金专用存款账户划转交易资金。

交易资金的划转应当经过房地产交易资金支付方和房地产经纪机构的签字和盖章。

第二十五条 房地产经纪机构和房地产经纪人员不得有下列行为：

（一）捏造散布涨价信息，或者与房地产开发经营单位串通捂盘惜售、炒卖房号，操纵市场价格；

（二）对交易当事人隐瞒真实的房屋交易信息，低价收进高价卖（租）出房屋赚取差价；

（三）以隐瞒、欺诈、胁迫、贿赂等不正当手段招揽业务，诱骗消费者交易或者强制交易；

（四）泄露或者不当使用委托人的个人信息或者商业秘密，谋取不正当利益；

（五）为交易当事人规避房屋交易税费等非法目的，就同一房屋签订不同交易价款的合同提供便利；

（六）改变房屋内部结构分割出租；

（七）侵占、挪用房地产交易资金；

（九）为不符合交易条件的保障性住房和禁止交易的房屋提供经纪服务；

（十）法律、法规禁止的其他行为。

第二十六条 房地产经纪机构应当建立业务记录制度，如实记录业务情况。

房地产经纪机构应当保存房地产经纪服务合同，保存期不少于5年。

第二十七条 房地产经纪行业组织应当制定房地产经纪从业规程，逐步建立并完善资信评价体系和房地产经纪房源、客源信息共享系统。

第四章 监督管理

第二十八条 建设（房地产）主管部门、价格主管部门应当通过现场巡查、合同抽查、投诉受理等方式，采取约谈、记入信用档案、媒体曝光等措施，对房地产经纪机构和房地产经纪人员进行监督。

房地产经纪机构违反人力资源和社会保障法律法规的行为，由人力资源和社会保障主管部门依法予以查处。

被检查的房地产经纪机构和房地产经纪人员应当予以配合，并根据要求提供检查所需的资料。

第二十九条 建设（房地产）主管部门、价格主管部门、人力资源和社会保障主管部门应当建立房地产经纪机构和房地产经纪人员信息共享制度。建设（房地产）主管部门应当定期将备案的房地产经纪机构情况通报同级价格主管部门、人力资源和社会保障主管部门。

第三十条 直辖市、市、县人民政府建设（房地产）主管部门应当构建统一的房地产经纪网上管理和服务平台，为备案的房地产经纪机构提供下列服务：

（一）房地产经纪机构备案信息公示；

（二）房地产交易与登记信息查询；

（三）房地产交易合同网上签订；

（四）房地产经纪信用档案公示；

（五）法律、法规和规章规定的其他事项。

经备案的房地产经纪机构可以取得网上签约资格。

第三十一条 县级以上人民政府建设（房地产）主管部门应当建立房地产经纪信用档案，并向社会公示。

县级以上人民政府建设（房地产）主管部门应当将在日常监督检查中发现的房地产经纪机构和房地产经纪人员的违法违规行为、经查证属实的被投诉举报记录等情况，作为不良信用记录记入其信用档案。

第三十二条 房地产经纪机构和房地产经纪人员应当按照规定提供真实、完整的信用档案信息。

第五章 法律责任

第三十三条 违反本办法，有下列行为之一的，由县级以上地方人民政府建设（房地产）主管部门责令限期改正，记入信用档案；对房地产经纪人员处以1万元罚款；对房地产经纪机构处以1万元以上3万元以下罚款：

（一）房地产经纪人员以个人名义承接房地产经纪业务和收取费用的；

（二）房地产经纪机构提供代办贷款、代办房地产登记等其他服务，未向委托人说明服务内容、收费标准等情况，并未经委托人同意的；

（三）房地产经纪服务合同未由从事该业务的一名房地产经纪人或者两名房地产经纪人协理签名的；

（四）房地产经纪机构签订房地产经纪服务合同前，不向交易当事人说明和书面告知规定事项的；

（五）房地产经纪机构未按照规定如实记录业务情况或者保存房地产经纪服务合同的。

第三十四条 违反本办法第十八条、第十九条、第二十五条第（一）项、第（二）项，构成价格违法行为的，由县级以上人民政府价格主管部门按照价格法律、法规和规章的规定，责令改正、没收违法所得、依法处以罚款；情节严重的，依法给予停业整顿等行政处罚。

第三十五条 违反本办法第二十二条，房地产经纪机构擅自对外发布房源信息的，由县级以上地方人民政府建设（房地产）主管部门责令限期改正，记入信用档案，取消网上签约资格，并处以1万元以上3万元以下罚款。

第三十六条 违反本办法第二十四条，房地产经纪机构擅自划转客户交易结算资金的，由县级以上地方人民政府建设（房地产）主管部门责令限期改正，取消网上签约资格，处以3万元罚款。

第三十七条 违反本办法第二十五条第（三）项、第（四）项、第（五）项、第（六）项、第（七）项、第（八）项、第（九）项、第（十）项的，由县级以上地方人民政府建设（房地产）主管部门责令限期改正，记入信用档案；对房地产经纪人员处以1万元罚款；对房地产经纪机构，取消网上签约资格，处以3万元罚款。

第三十八条 县级以上人民政府建设（房地产）主管部门、价格主管部门、人力资源和社会保障主管部门的工作人员在房地产经纪监督管理工作中，玩忽职守、徇私舞弊、滥用职权的，依法给予处分；构成犯罪的，依法追究刑事责任。

第六章　附　　则

第三十九条 各地可以依据本办法制定实施细则。

第四十条 本办法自2011年4月1日起施行。

住房和城乡建设部 国家发展和改革委员会 财政部 关于做好2011年扩大农村危房改造试点工作的通知

建村〔2011〕62号

各有关省、自治区、直辖市住房城乡建设厅（建委）、发展改革委、财政厅（局）：

为贯彻落实党中央、国务院关于加快农村危房改造和扩大试点的要求，切实做好2011年扩大农村危房改造试点工作，现就有关事项通知如下：

一、试点范围与改造任务

2011年中央扩大农村危房改造试点实施范围是中西部地区全部县（市、区、旗）。任务是支持完成265万农村贫困户危房改造，其中：优先完成陆地边境县边境一线20万贫困农户危房改造，支持东北、西北、华北等“三北”地区和西藏自治区试点范围内9万农户结合危房改造开展建筑节能示范。各省（区、市）危房改造任务由住房城乡建设部会同国家发展改革委、财政部确定。

二、补助对象与补助标准

中央扩大农村危房改造试点补助对象重点是居住在危房中的农村分散供养五保户、低保户、贫困残疾人家庭和其他贫困户。各地要按照优先帮助住房最危险、经济最贫困农户解决最基本安全住房的要求，合理确定补助对象。要坚持公开、公平、公正原则，规范补助对象的审核、审批程序，实行农户自愿申请、村民会议或村民代表会议民主评议、乡（镇）审核、县级审批。同时，要建立健全公示制度，补助对象基本信息和各审查环节的结果要在村务公开栏公示。县级政府要组织做好与经批准的危房改造农户签订合同或协议工作。

2011年中央补助标准为每户平均6000元，在此基础上对陆地边境县边境一线贫困农户、建筑节能示范户每户再增加2000元补助。各省（区、市）要在确保完成危房改造任务的前提下，依据农村危房改造方式、建设标准、成本需求和补助对象自筹资金能力等不同情况，合理确定不同地区、不同类型、不同档次的分类补助标准。

三、资金筹集和使用管理

2011年中央安排扩大农村危房改造试点补助资金166亿元（含中央预算内投资25亿元），由财政部会同国家发展改革委、住房城乡建设部联合下达。中央补助资金根据试点地区农户数、危房数、地区财力差别、上年地方补助资金落实情况、试点工作绩效等因素进行分配。各地要采取积极措施，整合相关项目和资金，将抗震安居、游牧民定居、自然灾害倒损农房恢复重建、贫困残疾人危房改造、扶贫安居等资金与农村危房改造资金有机衔接，通过政府补助、银行信贷、社会捐助、农民自筹等多渠道筹措扩大农村危房改造试点资金。地方各级财政要将扩大农村危房改造试点地方补助资金和项目管理等工作经费纳入财政预算，省级财政要切实加大资金投入力度。

各地要按照有关规定加强扩大农村危房改造试点补助资金的使用管理。补助资金要实行专项管理、专账核算、专款专用，并按有关资金管理制度的规定严格使用，健全内控制度，执行规定标准，严禁截留、挤占和挪用。各级财政部门要会同发展改革、住房城乡建设部门加强资金使用的监督管理，及时下达资金，加快预算执行进度，并积极配合有关部门做好审计、稽查等工作。要定期对资金的管理和使用情况进行监督检查，发现问题，及时纠正，严肃处理。问题严重的要公开曝光，并追究有关责任人员的责任，涉嫌犯罪的，移交司法机关处理。财政部驻各地财政监察专员办事处和发改稽察机构将对各地扩大农村危房改造试点资金使用管理等情况进行检查。

四、科学制定试点实施方案

各省级住房城乡建设、发展改革、财政等部门要认真组织编制2011年扩大农村危房改造试点实施方案，按照优先支持陆地边境地区、贫困地区、少数民族地区和革命老区的原则，在综合考虑实际需求、管理能力、用工量、建材供应与运输等因素的基础上，将改造任务分配到各试点县，并于今年7月初将分县试点方案、任务分配、资金安排、监管措施等情况联合上报三部委。各试点县要细化落实措施，合理安排各乡（镇）、村改造户数。

五、落实危房改造建设基本要求

拟改造农村危房属整栋危房（D级）的应拆除重建，属局部危险（C级）的应修缮加固。重建房屋原则上以农户自建为主，农户自建确有困难且有统建意愿的，地方政府要发挥组织、协调作用，帮助农户选择有资质的施工队伍统建。坚持以分散分户改造为主，在同等条件下，优先安排危房集中村庄的危房改造，积极编制村庄规划，统筹协调道路、供水、沼气、环保等设施建设，整体改善村庄人居环境。陆地边境一线农村危房改造重建以原址翻建为主，确需异址新建的，应靠紧边境、不得后移。

要严格控制危房改造建筑面积和总造价。翻建新建或修缮加固住房建筑面积原则上控制在40至60平方米以内。农房设计建设要符合农民生产生活习惯、体现民族和地方建筑风格、传承和改进传统建造工法，推进农房建设技术进步。各地要组织技术力量编制可分步建设的农房设计方案并出台相关配套措施，引导农户先建40到60平方米的基本安全房，同时又便于农民富裕后向两边扩建或者向上加盖。地方政府要积极引导，防止出现群众盲目攀比超标准建房的问题。各地要加强地方建筑材料利用研究，探索符合标准的就地取材建房技术方案。要结合建材下乡，组织协调主要建筑材料的生产、采购与运输，并免费为农民提供建筑材料质量检测服务。

六、强化工程质量安全管理

各地要建立农村危房改造质量安全管理制度，确保危房改造的工程质量。地方各级尤其是县级住房城乡建设部门要组织技术力量，对危房改造施工现场开展质量安全巡查与指导监督，及时发现和纠正主要结构和部件施工中存在的问题；加强农村危房改造竣工质量安全检查，对检查不合格的限期整改；开设危房改造咨询窗口，面向农民提供危房改造技术服务和工程纠纷调解服务。健全和加强乡镇建设管理机构，提高服务和管理农村危房改造的能力。

农村危房改造要严格执行农房抗震安全基本要求。承担施工任务的农村建筑工匠要对新建农房的抗震设计或旧房的修缮加固方案进行技术把关，对农户自购建筑材料给予建议。乡镇建设管理员要加强农房设计图纸审查，并对施工过程进行逐户现场检查。县级住房城乡建设部门要加强对乡镇建设管理员和农村建筑工匠的培训与管理，提高其农房建设抗震设防技术知识水平和业务素质；编印和发放农房抗震设防手册或挂图，向广大农民宣传和普及抗震设防常识。

七、完善农户档案管理

各地要按照《关于建设全国扩大农村危房改造试点农户档案管理信息系统的通知》（建村函〔2009〕168号）要求，完善危房改造农户纸质档案，实行一户一档，批准一户、建档一户，规范有关信息管理。农户纸质档案必须包括档案表、农户申请、审核审批、公示、协议等材料，其中档案表必须按照信息系统公布的最新样表制作。在此基础上，建立健全农户纸质档案表信息化录入制度，确保农户档案及时、全面、真实、完整、准确录入系统。今后各地工程进度等情况将以录入信息系统中的数据为准。改造后农户住房产权归农户所有，并根据实际做好产权登记。

八、推进建筑节能示范

加快推进“三北”地区和西藏自治区农村危房改造试点建筑节能示范工作，各试点县要安排不少于五个相对集中的示范点（村），有条件的县每个乡镇要安排一个示范点（村）。建筑节能示范要严格执行《严寒和寒冷地区农村住房节能技术导则（试行）》，加强专家组对口指导，实行逐户验收。建筑节能示范户录入信息系统的“改造中照片”必须反映主要建筑节能措施施工现场。要组织农村建筑工匠和农民学习节能技术和建造管理，做好宣传推广。

九、健全信息报告制度

省级住房城乡建设部门要严格执行月报制度，于每月5日前将上月危房改造进度情况报住房城乡建设部。省级发展改革、财政部门要按照有关要求，及时汇总并上报有关农村危房改造计划落实、资金筹集、监督管理等情况。各地要组织编印农村危房改造工作信息，将建设成效、经验做法、存在问题和工作建议等以简报、通报等形式，定期或不定期上报。省级住房城乡建设部门要会同发展改革、财政部门及时组织对年度危房改造实施情况进行检查，于2012年1月底前将2011年任务落实检查情况和年度总结报告报三部委。

十、完善监督检查制度

各地要认真贯彻落实本通知要求和其它有关规定，

主动接受纪检监察、审计和社会监督。地方各级住房城乡建设部门要通过多种方式，积极宣传农村危房改造政策，认真听取群众意见建议，及时研究和解决群众反映的困难和问题。地方各级住房城乡建设部门要会同有关部门，充分利用农户档案管理信息系统，对农村危房改造政策执行情况进行监督检查。住房城乡建设部将会同国家发展改革委、财政部等部门对试点地区进行抽查。

十一、加强组织领导与部门协作

各地要加强对扩大农村危房改造试点工作的领导，建立健全协调机制，明确分工，密切配合。各地住房城乡建设、发展改革和财政部门要在当地政府领导下，会同民政、民族事务、国土资源、扶贫、残联、环保、交通运输、水利、农业、卫生等有关部门，共同推进扩大农村危房改造试点工作。

中华人民共和国住房和城乡建设部
中华人民共和国国家发展和改革委员会
中华人民共和国财政部
二〇一一年五月十七日

住房和城乡建设部
国家发展和改革委员会
关于加强房地产经纪管理进一步规范房地产交易秩序的通知

建房〔2011〕68号

各省、自治区住房和城乡建设厅、发展改革委（物价局），直辖市建委（房地局）、发展改革委（物价局）：

为全面落实《国务院办公厅关于进一步做好房地产市场调控工作有关问题的通知》（国办发〔2011〕1号），巩固和扩大调控成果，坚决制止和查处房地产经纪违法违规行为，维护群众合法权益，结合近期实施的《房地产经纪管理办法》、《商品房屋租赁管理办法》等规定，现就有关问题通知如下：

一、加强房地产经纪机构管理。各地要以贯彻落实《房地产经纪管理办法》为契机，依法严肃查处未经备案从事房地产经纪业务、提供或者代办虚假证明材料、协助当事人签订"阴阳合同"、不履行必要告知说明义务，以及不实行明码标价、违规分解收费项目、变相提高收费标准等违法违规行为。对投诉率高、整改不力的房地产经纪机构，要通过限制网签资格、注销备案、公开曝光、记入信用档案等手段进行惩处，并将有关情况通报税收、金融、工商等部门。

二、加强房地产经纪人员管理。房地产经纪服务合同应当加盖房地产经纪机构印章，并由房地产经纪人员签名。通过房地产经纪机构成交的房地产交易，办理交易过户时要提交房地产经纪人员签名的房地产经纪服务合同。未取得房地产经纪人员职业资格的，不得在房地产经纪服务合同上签字；从事辅助工作的人员，要建立实名登记和工作卡制度，挂牌上岗。加大对房地产经纪人员出借证书、虚假注册等违法违规行为的查处力度，建立注册执业人员的诚信记录，并将注册执业人员参加相关培训的情况记入个人执业记录。

三、加强商品房预（销）售行为监管。房地产开发企业和房地产经纪机构要严格按照商品房预（销）售方案和申报价格对外销售。各地对无证售房、捂盘惜售、哄抬房价、发布虚假信息和广告、规避限购政策、违法返本销售和售后包租，以及不按规定明码标价、价外乱收费、价格欺诈等违法违规行为，要依法依规严肃处理；对不按要求公示价格信息、隐瞒真实情况以及群众投诉较多的房地产项目，要及时进行核实处理，情况查实的责令其限期整改，整改期间可暂停网签资格。要加大现场巡查力度，及时发现违法违规和不规范行为，并通过公开曝光、暂缓预售许可等手段加大惩处和监督力度，惩处情况及时通报国土、工商、金融等部门。

四、加强住房租赁市场监管。各地要结合住房租赁行为监管，依法严肃查处房地产经纪机构进行虚假宣传、提供虚假租赁房源、改变房屋内部结构分割出租、隐瞒真实房屋租赁信息，以及为不符合安全、防灾等强制性标准或属于违法建筑的房屋提供租赁经纪服务等违法违规行为。要加大政策宣传和落实力度，采取多种措施控制住房租金过快上涨，维护租赁关系的稳定。

五、建立规范化的日常动态监督管理机制。各地要坚持整顿规范和制度建设并重、专项整治和日常监督并重、加强管理和改善服务并重、受理投诉和主动监管并重，逐步建立规范化的日常动态监督管理机制。在监管理念上，要进一步加强过程监管、行为监管和动态监管；在监管方式上，要进一步加大重点稽查和日常巡查的力度，强化多部门联动，形成监管合力，加大对典型案例及检查结果的曝光力度。要充分发挥举报投诉机制的作用，通过设立举报电话、开通举报信箱等多种方式，提供快速便捷的举报、投诉渠道，及时发现违法违规行为线索。对群众的举报和投诉，要认真接收、快速处理、及时反馈。

六、严格落实监督检查责任。各级房地产、价格主管部门今年5月至11月要集中开展一次专项整治，认真排查房地产经纪违法违规行为，做到"发现一起、查处一起"。各市、县认真制定整治工作方案，明确时间要求，细化工作任务，落实工作责任。省级房地产主管部门、价格主管部门要加强对市、县整治工作的指导和检查。市、县房地产主管部门、价格主管部门要加强协作、沟通和配合，建立健全信息共享、情况通报以及对违法违规行为联合查处机制。

各省、自治区、直辖市建设（房地产）、价格部门要于今年11月底前，将开展专项整治工作的有关情况以及典型案例上报住房城乡建设部、国家发展改革委。

中华人民共和国住房和城乡建设部
中华人民共和国国家发展和改革委员会
二〇一一年五月十一日

住房和城乡建设部
关于加强保障性安居工程质量管理的通知

建保〔2011〕69号

各省、自治区住房城乡建设厅，直辖市住房城乡建设委、规划委（局）、房地局，新疆生产建设兵团建设局：

保障性安居工程是"十二五"时期一项标志性民生工程。为加快保障性安居工程建设，加强质量管理，确保工程质量，现通知如下：

一、充分认识保障性安居工程质量的重要性

大规模实施保障性安居工程，是党中央、国务院作出的重要战略部署，是转方式、调结构、惠民生的重大举措。保障性安居工程质量，直接关系人民群众生命财产安全和住房困难家庭居住条件的改善，关系经济发展与社会和谐稳定的大局，涉及面广、公益性强、社会影响大。各地要进一步提高保障性安居工程质量重要性的认识，把加强质量管理摆在实施保障性安居工程的首位，把"质量第一"的原则贯穿到勘察、设计、施工、监理和竣工验收工作的全过程，增强使命感、责任感和紧迫感，强化工程质量管理，切实把保障性安居工程建成质量过硬、人民群众满意、经得起历史检验的德政工程。

二、努力提高保障性安居工程建设管理效能

"十二五"时期全国城镇保障性安居工程建设任务3600万套，是《国民经济和社会发展第十二个五年规划纲要》明确的约束性指标。保障性安居工程建设规模大、分布广、项目多、工期紧，工程质量要求高、管理任务重。创新保障性安居工程建设管理思路和工作方法，提高管理效能，是全面提升工程质量和品质的重要保证，是保质保量完成目标任务的重要措施。各地建设、规划、住房保障等部门要牢牢把握保障性安居工程的建设特点，结合当地实际，建立工程项目审批"绿色通道"，加快办理相关手续，千方百计提高行政审批效率。要统筹安排工程开工建设，科学把握工程建设进度，保证工程建设的合理周期和造价。保障性安居工程参建各方要加大技术革新力度，创新管理措施和工作方式，提高工作效率。要精心规划设计，科学组织施工，严把建筑原材料和部件质量关，严格执行建筑节能强制性标准，抓好工程实施阶段的质量管理，把保障性安居工程建成节能省地环保型工程。

三、切实履行保障性安居工程基本建设程序

保障性安居工程建设，必须严格按照法定程序报批建设，不得擅自变更批准的项目规模和用途。严格执行工程招标投标、施工图审查、施工许可、质量监督、工程监理、竣工验收备案等建设程序，落实项目法人制、招标投标制、工程监理制、合同管理制等规定，依法取得土地使用、规划、施工等许可文件。严格执行施工公示牌制度和永久性标牌制度，主动接受社会监督。全面实行住宅工程质量分户验收制度，未进行分户验收或分户验收不达标的，建设单位不得组织工程竣工验收。建设单位和施工单位要严格按照有关规定，对保障性安居工程质量实施保修。

四、严格执行工程质量管理的法律法规

依法加强质量管理，是保质保量完成保障性安居工程任务的法制保障。保障性安居工程质量管理要严格执行《建筑法》、《建设工程质量管理条例》、《建设工程勘察设计管理条例》、《民用建筑节能条例》等法律法规，全面落实住房城乡建设部《关于进一步强化住宅工程质量管理和责任的通知》（建市〔2010〕68号）和《关于做好住宅工程质量分户验收工作的通知》（建质〔2009〕291号）等各项规定。工程参建各方要建立健全质量管理体系，切实把加强质量管理贯穿于保障性安居工程建设的全过程。要严格按照工程建设强制性标准的规定进行勘察、设计、施工、监理、验收，确保保障性安居工程符合有关标准规范。各地建设主管部门要把保障性安

居工程作为质量监管重点，调整充实监督力量，强化参建各方建设行为和工程质量的监督检查，对存在违法违规行为和工程质量不符合强制性标准的，要责令整改。要积极组织开展保障性安居工程质量通病专项治理，消除质量缺陷，保证使用功能。

五、全面落实保障性安居工程质量责任

要严格落实工程建设各方主体质量责任。建设单位要对保障性安居工程质量全面负责，勘察单位要按照工程建设强制性标准进行勘察，设计单位要根据保障性住房特点精心设计，施工单位要强化质量控制确保施工质量，监理单位要按照监理规范和规定程序履行监理职责，工程质量检测机构要确保各项检测数据真实准确。建设、勘察、设计、施工、监理等单位的法定代表人、工程项目负责人、工程技术负责人、注册执业人员要按照各自职责，对所承担的工程项目在设计使用年限内的质量负终身责任。

各地保障性安居工程领导协调机构和相关主管部门要根据职责分工，切实履行工程质量监督管理职责，把工程质量管理纳入住房保障工作考核、约谈和问责范围。各地住房城乡建设部门要加大监督检查和工程质量责任追究力度，依法严肃查处保障性安居工程建设过程中各种违法违规行为。要建立保障性安居工程质量投诉举报制度，公开举报电话，做好工程质量投诉处理工作，主动接受社会监督。

中华人民共和国住房和城乡建设部
二〇一一年五月十八日

住房和城乡建设部
关于印发《国有土地上房屋征收评估办法》的通知

建房〔2011〕77号

各省、自治区住房城乡建设厅，直辖市住房城乡建设委员会（房地局），新疆生产建设兵团建设局：

根据《国有土地上房屋征收与补偿条例》，我部制定了《国有土地上房屋征收评估办法》。现印发给你们，请遵照执行。

附件：国有土地上房屋征收评估办法

中华人民共和国住房和城乡建设部

二〇一一年六月三日

附件：

国有土地上房屋征收评估办法

第一条 为规范国有土地上房屋征收评估活动，保证房屋征收评估结果客观公平，根据《国有土地上房屋征收与补偿条例》，制定本办法。

第二条 评估国有土地上被征收房屋和用于产权调换房屋的价值，测算被征收房屋类似房地产的市场价格，以及对相关评估结果进行复核评估和鉴定，适用本办法。

第三条 房地产价格评估机构、房地产估价师、房地产价格评估专家委员会（以下称评估专家委员会）成员应当独立、客观、公正地开展房屋征收评估、鉴定工作，并对出具的评估、鉴定意见负责。

任何单位和个人不得干预房屋征收评估、鉴定活动。与房屋征收当事人有利害关系的，应当回避。

第四条 房地产价格评估机构由被征收人在规定时间内协商选定；在规定时间内协商不成的，由房屋征收部门通过组织被征收人按照少数服从多数的原则投票决定，或者采取摇号、抽签等随机方式确定。具体办法由省、自治区、直辖市制定。

房地产价格评估机构不得采取迎合征收当事人不当要求、虚假宣传、恶意低收费等不正当手段承揽房屋征收评估业务。

第五条 同一征收项目的房屋征收评估工作，原则上由一家房地产价格评估机构承担。房屋征收范围较大的，可以由两家以上房地产价格评估机构共同承担。

两家以上房地产价格评估机构承担的，应当共同协商确定一家房地产价格评估机构为牵头单位；牵头单位应当组织相关房地产价格评估机构就评估对象、评估时点、价值内涵、评估依据、评估假设、评估原则、评估技术路线、评估方法、重要参数选取、评估结果确定方式等进行沟通，统一标准。

第六条 房地产价格评估机构选定或者确定后，一般由房屋征收部门作为委托人，向房地产价格评估机构出具房屋征收评估委托书，并与其签订房屋征收评估委托合同。

房屋征收评估委托书应当载明委托人的名称、委托的房地产价格评估机构的名称、评估目的、评估对象范围、评估要求以及委托日期等内容。

房屋征收评估委托合同应当载明下列事项：

（一）委托人和房地产价格评估机构的基本情况；

（二）负责本评估项目的注册房地产估价师；

（三）评估目的、评估对象、评估时点等评估基本事项；

（四）委托人应提供的评估所需资料；

（五）评估过程中双方的权利和义务；

（六）评估费用及收取方式；

（七）评估报告交付时间、方式；

（八）违约责任；

（九）解决争议的方法；

（十）其他需要载明的事项。

第七条 房地产价格评估机构应当指派与房屋征收评估项目工作量相适应的足够数量的注册房地产估价师开展评估工作。

房地产价格评估机构不得转让或者变相转让受托的房屋征收评估业务。

第八条 被征收房屋价值评估目的应当表述为“为房屋征收部门与被征收人确定被征收房屋价值的补偿提供依据，评估被征收房屋的价值”。

用于产权调换房屋价值评估目的应当表述为“为房屋征收部门与被征收人计算被征收房屋价值与用于产权调换房屋价值的差价提供依据，评估用于产权调换房屋的价值”。

第九条 房屋征收评估前，房屋征收部门应当组织有关单位对被征收房屋情况进行调查，明确评估对象。评估对象应当全面、客观，不得遗漏、虚构。

房屋征收部门应当向受托的房地产价格评估机构提供征收范围内房屋情况，包括已经登记的房屋情况和未经登记建筑的认定、处理结果情况。调查结果应当在房屋征收范围内向被征收人公布。

对于已经登记的房屋，其性质、用途和建筑面积，一般以房屋权属证书和房屋登记簿的记载为准；房屋权属证书与房屋登记簿的记载不一致的，除有证据证明房屋登记簿确有错误外，以房屋登记簿为准。对于未经登记的建筑，应当按照市、县级人民政府的认定、处理结果进行评估。

第十条 被征收房屋价值评估时点为房屋征收决定公告之日。

用于产权调换房屋价值评估时点应当与被征收房屋价值评估时点一致。

第十一条 被征收房屋价值是指被征收房屋及其占用范围内的土地使用权在正常交易情况下，由熟悉情况的交易双方以公平交易方式在评估时点自愿进行交易的金额，但不考虑被征收房屋租赁、抵押、查封等因素的影响。

前款所述不考虑租赁因素的影响，是指评估被征收房屋无租约限制的价值；不考虑抵押、查封因素的影响，是指评估价值中不扣除被征收房屋已抵押担保的债权数额、拖欠的建设工程价款和其他法定优先受偿款。

第十二条 房地产价格评估机构应当安排注册房地产估价师对被征收房屋进行实地查勘，调查被征收房屋状况，拍摄反映被征收房屋内外部状况的照片等影像资料，做好实地查勘记录，并妥善保管。

被征收人应当协助注册房地产估价师对被征收房屋进行实地查勘，提供或者协助搜集被征收房屋价值评估所必需的情况和资料。

房屋征收部门、被征收人和注册房地产估价师应当在实地查勘记录上签字或者盖章确认。被征收人拒绝在实地查勘记录上签字或者盖章的，应当由房屋征收部门、注册房地产估价师和无利害关系的第三人见证，有关情况应当在评估报告中说明。

第十三条 注册房地产估价师应当根据评估对象和当地房地产市场状况，对市场法、收益法、成本法、假设开发法等评估方法进行适用性分析后，选用其中一种或者多种方法对被征收房屋价值进行评估。

被征收房屋的类似房地产有交易的，应当选用市场法评估；被征收房屋或者其类似房地产有经济收益的，应当选用收益法评估；被征收房屋是在建工程的，应当选用假设开发法评估。

可以同时选用两种以上评估方法评估的，应当选用两种以上评估方法评估，并对各种评估方法的测算结果进行校核和比较分析后，合理确定评估结果。

第十四条 被征收房屋价值评估应当考虑被征收房屋的区位、用途、建筑结构、新旧程度、建筑面积以及占地面积、土地使用权等影响被征收房屋价值的因素。

被征收房屋室内装饰装修价值，机器设备、物资等搬迁费用，以及停产停业损失等补偿，由征收当事人协商确定；协商不成的，可以委托房地产价格评估机构通过评估确定。

第十五条 房屋征收评估价值应当以人民币为计价的货币单位，精确到元。

第十六条 房地产价格评估机构应当按照房屋征收评估委托书或者委托合同的约定，向房屋征收部门提供分户的初步评估结果。分户的初步评估结果应当包括评估对象的构成及其基本情况和评估价值。房屋征收部门应当将分户的初步评估结果在征收范围内向被征收人公示。

公示期间，房地产价格评估机构应当安排注册房地产估价师对分户的初步评估结果进行现场说明解释。存在错误的，房地产价格评估机构应当修正。

第十七条 分户初步评估结果公示期满后，房地产价格评估机构应当向房屋征收部门提供委托评估范围内被征收房屋的整体评估报告和分户评估报告。房屋征收部门应当向被征收人转交分户评估报告。

整体评估报告和分户评估报告应当由负责房屋征收评估项目的两名以上注册房地产估价师签字，并加盖房地产价格评估机构公章。不得以印章代替签字。

第十八条 房屋征收评估业务完成后，房地产价格评估机构应当将评估报告及相关资料立卷、归档保管。

第十九条 被征收人或者房屋征收部门对评估报告有疑问的，出具评估报告的房地产价格评估机构应当向其作出解释和说明。

第二十条 被征收人或者房屋征收部门对评估结果有异议的，应当自收到评估报告之日起10日内，向房地产价格评估机构申请复核评估。

申请复核评估的，应当向原房地产价格评估机构提出书面复核评估申请，并指出评估报告存在的问题。

第二十一条 原房地产价格评估机构应当自收到书面复核评估申请之日起10日内对评估结果进行复核。复核后，改变原评估结果的，应当重新出具评估报告；评估结果没有改变的，应当书面告知复核评估申请人。

第二十二条 被征收人或者房屋征收部门对原房地产价格评估机构的复核结果有异议的，应当自收到复核结果之日起10日内，向被征收房屋所在地评估专家委员会申请鉴定。被征收人对补偿仍有异议的，按照《国有土地上房屋征收与补偿条例》第二十六条规定处理。

第二十三条 各省、自治区住房城乡建设主管部门和设区城市的房地产管理部门应当组织成立评估专家委员会，对房地产价格评估机构做出的复核结果进行鉴定。

评估专家委员会由房地产估价师以及价格、房地产、土地、城市规划、法律等方面的专家组成。

第二十四条 评估专家委员会应当选派成员组成专家组，对复核结果进行鉴定。专家组成员为3人以上单数，其中房地产估价师不得少于二分之一。

第二十五条 评估专家委员会应当自收到鉴定申请之日起10日内，对申请鉴定评估报告的评估程序、评估依据、评估假设、评估技术路线、评估方法选用、参数选取、评估结果确定方式等评估技术问题进行审核，出具书面鉴定意见。

经评估专家委员会鉴定，评估报告不存在技术问题的，应当维持评估报告；评估报告存在技术问题的，出具评估报告的房地产价格评估机构应当改正错误，重新出具评估报告。

第二十六条 房屋征收评估鉴定过程中，房地产价格评估机构应当按照评估专家委员会要求，就鉴定涉及的评估相关事宜进行说明。需要对被征收房屋进行实地查勘和调查的，有关单位和个人应当协助。

第二十七条 因房屋征收评估、复核评估、鉴定工作需要查询被征收房屋和用于产权调换房屋权属以及相关房地产交易信息的，房地产管理部门及其他相关部门应当提供便利。

第二十八条 在房屋征收评估过程中，房屋征收部门或者被征收人不配合、不提供相关资料的，房地产价格评估机构应当在评估报告中说明有关情况。

第二十九条 除政府对用于产权调换房屋价格有特别规定外，应当以评估方式确定用于产权调换房屋的市场价值。

第三十条 被征收房屋的类似房地产是指与被征收房屋的区位、用途、权利性质、档次、新旧程度、规模、建筑结构等相同或者相似的房地产。

被征收房屋类似房地产的市场价格是指被征收房屋的类似房地产在评估时点的平均交易价格。确定被征收房屋类似房地产的市场价格，应当剔除偶然的和不正常的因素。

第三十一条 房屋征收评估、鉴定费用由委托人承担。但鉴定改变原评估结果的，鉴定费用由原房地产价格评估机构承担。复核评估费用由原房地产价格评估机构承担。房屋征收评估、鉴定费用按照政府价格主管部门规定的收费标准执行。

第三十二条 在房屋征收评估活动中，房地产价格评估机构和房地产估价师的违法违规行为，按照《国有土地上房屋征收与补偿条例》、《房地产估价机构管理办法》、《注册房地产估价师管理办法》等规定处罚。违反规定收费的，由政府价格主管部门依照《中华人民共和国价格法》规定处罚。

第三十三条 本办法自公布之日起施行。2003年12月1日原建设部发布的《城市房屋拆迁估价指导意见》同时废止。但《国有土地上房屋征收与补偿条例》施行前已依法取得房屋拆迁许可证的项目，继续沿用原有规定。

住房和城乡建设部 监察部 关于开展保障性安居工程建设政策落实情况监督检查工作的通知

建保〔2011〕83号

各省、自治区住房城乡建设厅、监察厅，各直辖市住房城乡建设委、房地局、监察局，新疆生产建设兵团建设局、监察局：

根据中央纪委、中央加快转变经济发展方式监督检查工作领导小组《关于开展加快转变经济发展方式监督检查的意见》（中纪发〔2011〕21号）和加快转变经济发展方式监督检查工作电视电话会议精神，住房城乡建设部、监察部会同有关部门制定了《保障性安居工程建设政策落实情况监督检查工作方案》，现印发给你们，请结合实际，认真组织开展监督检查工作。

一、各地要深入贯彻落实中央加快转变经济发展方式、开展保障性安居工程建设政策落实情况监督检查工作的决策部署，按照《保障性安居工程建设政策落实情况监督检查工作方案》要求，提出本地区监督检查工作方案和年度检查计划，报省级加快转变经济发展方式监督检查工作领导小组审定后实施。

二、省级住房城乡建设部门、监察机关要切实负起监督检查牵头责任，落实各项工作措施，在2011年7月集中组织开展保障性安居工程建设政策落实情况监督检查，并于2011年7月31日前将监督检查工作情况报住房城乡建设部、监察部。2011年9月，住房城乡建设部、监察部将会同有关部门对部分地区进行督促检查。省级住房城乡建设部门要组织开展保障性安居工程专项巡查，加强日常监督检查。

三、各地要加快建立住房保障管理信息系统，完善保障性安居工程建设项目信息库；市县住房城乡建设部门要按规定公开保障性安居工程建设信息，主动接受社会监督。

四、各地要加强舆论引导，正确解读政策措施，宣传保障性安居工程进展情况和工作成效，自觉接受媒体监督，积极营造保障性安居工程建设的良好氛围。

附件：保障性安居工程建设政策落实情况监督检查工作方案

中华人民共和国住房和城乡建设部
中华人民共和国监察部
二〇一一年六月十日

附件：

保障性安居工程建设政策落实情况监督检查工作方案

按照中央加快转变经济发展方式监督检查工作领导小组部署要求，今明两年组织开展保障性安居工程建设政策落实情况监督检查。监督检查工作方案如下：

一、目标任务

通过对保障性安居工程建设政策落实情况的监督检查，督促地方政府切实落实住房保障工作责任，加快保障性安居工程建设，及时发现各地在政策执行过程中存在的主要问题并督促整改，确保中央保障性安居工程建设政策措施落到实处，确保全面完成住房保障工作年度目标任务。

二、责任分工

（一）保障性安居工程建设政策落实情况监督检查工作由住房城乡建设部负责，会同监察部、发展改革委、财政部、国土资源部、农业部、人民银行、审计署、林业局等部门，提出监督检查工作方案、年度检查计划，开展监督检查。各地要建立保障性安居工程建设政策落实情况监督检查工作机制，明确部门职责分工，组织监督检查工作。

（二）根据国务院批准的保障性安居工程协调小组组建方案，各部门主要职责是：住房城乡建设部监督检查住房保障目标任务执行情况。组织保障性住房建设、城市和国有工矿棚户区改造，监管建设工程质量，会同有关部门指导地方加强住房保障规范化管理。发展改革委会同有关部门确定中央预算内投资补助标准和规模，编制和下达中央预算内投资计划；配合有关部门提出煤矿棚户区改造规划和年度工作计划，并负责组织实施。财政部会同有关部门确定中央补助资金规模和相关支持政策，编制中央财政专项补助资金分配方案并下达补助资金，审核下达中央投资预算并按规定办理资金拨付，加强对中央财政补助资金的监管。国土资源部拟定保障性住房、棚户区改造的土地供应政策，监督落实保障性安居工程用地计划，加强项目用地审批与开发利用管理。监察部会同有关部门监督检查保障性安居工程建设情况，查处政府部门及其工作人员的违纪违法行为。农业部配合有关部门提出垦区棚户区改造规划和年度工作计划，并负责组织实施。人民银行负责制定和实施保障性安居工程项目宏观信贷指导政策，推动银行间债券市场金融产品创新，拓宽保障性安居工程项目融资渠道。审计署负责对保障性安居工程资金筹集、管理、使用和安全运行的审计监督。林业局配合有关部门提出林区棚户区改造规划和年度工作计划，并负责组织实施。

三、监督检查方式

（一）监督检查工作实行全面监督检查和重点抽查相结合。各省、自治区、直辖市的监督检查工作，根据情况分成若干检查组，由政府相关部门厅局级领导任组长，其他有关部门参加，对本地区保障性安居工程进行全面监督检查。全国的监督检查工作，根据情况分成若干检查组，由国务院相关部门部级领导任组长，其他有关部门参加，对部分地区进行重点监督检查。

（二）监督检查工作采取听取汇报、查阅资料、现场检查、座谈交流等方式进行。监督检查组应将监督检查中发现的问题及相应整改建议，向当地人民政府及有关部门反馈。在现场监督检查发现的具体问题，可当场提出整改意见。

四、监督检查内容

监督检查的内容，包括住房城乡建设部代表保障性安居工程协调小组与各地签订住房保障工作目标责任书的目标任务、保障措施落实情况，监督检查的重点是保障性住房和各类棚户区改造住房建设政策落实情况。

（一）工作任务是否得到全面落实，包括任务分解、项目前期准备、项目开工、完成投资、竣工及项目信息公开、项目客观真实性等情况。

（二）政府资金是否及时到位，包括中央补助资金分配、使用、管理情况，地方政府财政预算安排、土地出让收入和住房公积金增值收益安排、地方债券优先用于保障性安居工程建设项目等情况。

（三）建设项目用地是否优先保障供应，包括增加土地有效供应情况；在住房用地供应计划中，单列保障性住房用地情况；项目地块落实等情况。

（四）税费政策是否全面落实，包括税收优惠政策执行情况，各种行政事业性收费和政府性基金等费用减免情况，不应收取税费的免收情况。

（五）基本建设程序和强制性标准是否得到严格执行，包括工程项目前期手续、建设程序是否合法，建设主体、套型标准、配套设施、工程质量是否符合规定和强制性标准，工程建设进度、资料文档是否符合要求等。

（六）保障性住房管理是否公开公平公正，包括准入审核、分配、使用和监管情况，建立健全住房保障机构，以及管理人员、工作经费落实到位等情况。

五、主要措施

（一）认真传达学习中央加快转变经济发展方式监督检查工作领导小组会议和文件精神，贯彻落实中央对加快转变经济发展方式开展监督检查的部署要求，贯彻执行中央加强保障性安居工程建设决策部署和政策措施。

（二）住房城乡建设部会同监察部、发展改革委、财政部、国土资源部、农业部、人民银行、审计署、林业局等部门，共同研究提出监督检查具体方案、工作计划。各省级住房城乡建设部门会同监察机关等有关部门研究提出本地区监督检查具体方案、工作计划。

（三）今明两年围绕加快转变经济发展方式的主题，以中央监督检查组名义，每年组织开展一次对保障性安居工程政策落实情况的监督检查；各地以省级监督检查组名义，每年组织开展保障性安居工程政策落实情况的全面监督检查。同时，各相关部门根据各自职责，结合工作实际，加强日常监督检查。

（四）住房城乡建设部成立保障性安居工程专项巡查工作组，向各地派出专项巡查联络员，协助省级住房城乡建设部门核查保障性安居工程建设进展情况，及时发现问题，督促落实整改。省级住房城乡建设部门要组织开展保障性安居工程专项巡查工作，加强日常监督检查。市县住房城乡建设部门要按规定公开保障性安居工程建设信息，主动接受社会监督。

六、方法步骤

（一）今明两年每年上半年制定年度检查计划，报请加快转变经济发展方式监督检查工作领导小组审定后组织实施。

（二）年度检查正式开始前，对检查人员进行集中动员培训，请有关部门负责同志对检查工作进行动员部署，对有关政策文件进行解读，介绍相关情况，提出督查要求。各监督检查组细化督查方案，确定日程安排，进行任务分工，并与各地协商行程等具体事项。

（三）各检查组对检查过程中掌握的情况、发现的问题及提出的意见建议进行整理汇总，在实地检查结束后7日内形成检查报告。适时召开保障性安居工程政策落实情况监督检查工作会议，听取各组检查情况，向领导小组报告有关检查情况。

（四）检查组对检查中发现的问题，要及时向当地政府及有关部门反馈，提出整改要求，限期整改。对检查中发现的案件线索，要报告检查工作领导小组，并及时移交纪检监察机关，涉嫌犯罪的移交司法机关。检查中发现政策落实不到位、建设进度缓慢的地区，要提请住房城乡建设部门、监察机关会同有关部门，约谈相关政府负责人。

住房和城乡建设部
关于调整住房公积金存贷款利率的通知

建金〔2011〕94号

各省、自治区住房和城乡建设厅，直辖市、新疆生产建设兵团住房公积金管理委员会、住房公积金管理中心：

根据《中国人民银行关于上调金融机构人民币存贷款基准利率的通知》（银发〔2011〕169号），现就住房公积金存贷款利率调整有关事项通知如下：

一、从2011年7月7日起，上年结转的个人住房公积金存款利率上调0.25个百分点，由2.85%上调至3.10%；当年归集的个人住房公积金存款利率保持不变。

二、从2011年7月7日起，上调个人住房公积金贷款利率。五年期以上个人住房公积金贷款利率上调0.20个百分点，由4.70%上调至4.90%；五年期以下（含五年）个人住房公积金贷款利率上调0.25个百分点，由4.20%上调至4.45%。

三、从2011年7月7日起，开展利用住房公积金贷款支持保障性住房建设试点工作的城市，贷款利率按照五年期以上个人住房公积金贷款利率上浮10%执行。

请各省、自治区住房和城乡建设厅立即将本通知转发相关住房公积金管理委员会、住房公积金管理中心执行。对利率调整后出现的新情况、新问题要及时处理并报我部。

附表：住房公积金存贷款利率调整表

中华人民共和国住房和城乡建设部

二〇一一年七月六日

附表

住房公积金存贷款利率调整表

单位：年利率%

项　目	调整前利率	调整后利率
一、个人住房公积金存款		
当年缴存	0.50	0.50
上年结转	2.85	3.10
二、个人住房公积金贷款		
五年以下（含五年）	4.20	4.45
五年以上	4.70	4.90
三、试点项目贷款	按五年以上个人住房公积金贷款利率上浮10%	同前

住房城乡建设部 关于《房地产开发企业资质管理规定（修订征求意见稿）》公开征求意见的通知

为了加强房地产开发企业资质管理，规范房地产开发企业的经营行为，我部拟修订《房地产开发企业资质管理规定》（建设部令第77号）。现将《房地产开发企业资质管理规定（修订征求意见稿）》公开征求意见，请于2011年9月10日前将意见函告我部法规司。

登陆“中国政府法制信息网”，网址：http://www.chinalaw.gov.cn，在网站首页左侧的“法规规章草案意见征集系统”，对征求意见稿提出意见。

通信地址：北京市三里河路9号住房和城乡建设部

邮编：100835 电子邮箱：mohurdregulations@126.com

中华人民共和国住房和城乡建设部
二〇一一年八月九日

房地产开发企业资质管理规定（征求意见稿）

第一章 总则

第一条（立法目的）为了加强房地产开发企业资质管理，规范房地产开发企业经营行为，根据《中华人民共和国城市房地产管理法》、《城市房地产开发经营管理条例》等法律法规，制定本规定。

第二条（主体定义）本规定所称房地产开发企业是指依法设立、具有企业法人资格，从事房地产开发经营的经济组织。

第三条（资质功用）房地产开发企业应当按照本规定申请核定房地产开发企业资质等级。

第四条（管理机构）国务院住房和城乡建设主管部门负责全国房地产开发企业的资质管理工作；

县级以上地方人民政府房地产开发主管部门负责本行政区域内房地产开发企业的资质管理工作。

第二章 一般规定

第五条（资质功用）未取得房地产开发企业资质证书（以下简称“资质证书”）的，不得从事房地产开发经营业务。

房地产开发企业名称应当体现房地产开发经营行业特征，不得使用容易引起歧义的用语。

第六条（资质级别）房地产开发企业资质等级分为一级、二级、三级、四级四个资质等级。

新设立的房地产开发企业（含新增设房地产开发经营业务）应当申请暂定资质。

第七条（分级审批）房地产开发企业资质等级实行分级审批。

一级资质由省级人民政府住房和城乡建设主管部门初审，报国务院住房和城乡建设行政主管部门审批。

其余资质等级企业的审批办法由省级人民政府住房和城乡建设主管部门制定。

第八条（开发范围）一级资质房地产开发企业承担房地产开发项目的建设规模不受限制。

二级资质及二级资质以下的房地产开发企业可以承担建筑面积30万平方米以下的开发建设项目，承担业务的具体范围由省级人民政府住房和城乡建设主管部门确定。

第九条（异地开发）以本企业名义从事跨地区开发经营的，应当在项目开发地县级以上房地产开发主管部门办理资质备案手续，并将异地开发项目和异地工作的主要负责人员情况报企业注册地县级以上房地产开发主管部门备案。

第三章 资质条件

第十条（资质条件）申请房地产开发企业资质的企业，应当满足以下基本条件：

（一）具有经房地产开发主管部门备案的房地产开发项目手册；

（二）具有完善的质量保证体系，商品住宅销售中实行了《住宅质量保证书》和《住宅使用说明书》制度；

（三）未发生过重大工程质量事故；

（四）近3年内无以下违法违规行为：

1. 超越资质等级从事房地产开发经营，情节严重的；

2. 发生囤积土地、擅自变更容积率、捂盘惜售、哄抬房价及其他违法开发行为，情节严重，经有关行政主管部门查实的；

3. 在开发经营过程中引发影响社会稳定的群体投诉并经核实负有主要责任的；

4. 其他应被追究法律责任的严重违法开发行为。

第十一条（一级资质）一级资质等级条件如下：

（一）以货币形式实缴注册资本不低于2亿元；

（二）开发过3个以上房地产开发项目，获得二级资质3年以上；

（三）近3年房屋建筑面积累计竣工60万平方米以上；

（四）连续5年建筑工程质量合格率达100%；

（五）在建房屋建筑施工面积30万平方米以上；

（六）有职称的建筑、结构、财务、房地产及有关经济类的专业管理人员不少于40人，其中具有中级以上职称的管理人员不少于20人，持有资格证书的专职会计人员不少于4人；

（七）工程技术、财务、统计等业务负责人具有相应专业中级以上职称。

第十二条（二级资质）二级资质等级条件如下：

（一）以货币形式实缴注册资本不低于1亿元；

（二）开发过两个以上房地产开发项目，获得三级资质2年以上；

（三）近3年房屋建筑面积累计竣工20万平方米以上；

（四）连续3年建筑工程质量合格率达100%；

（五）在建房屋建筑施工面积10万平方米以上；

（六）有职称的建筑、结构、财务、房地产及有关经济类的专业管理人员不少于20人，其中具有中级以上职称的管理人员不少于10人，持有资格证书的专职会计人员不少于3人；

（七）工程技术、财务、统计等业务负责人具有相应专业中级以上职称。

第十三条（三级资质）三级资质等级条件如下：

（一）以货币形式实缴注册资本不低于5000万元；

（二）从事房地产开发经营2年以上；

（三）近3年房屋建筑面积累计竣工10万平方米以上；

（四）近3年已竣工的建筑工程质量合格率达100%；

（五）有职称的建筑、结构、财务、房地产及有关经济类的专业管理人员不少于10人，其中具有中级以上职称的管理人员不少于5人，持有资格证书的专职会计人员不少于2人；

（六）工程技术、财务等业务负责人具有相应专业中级以上职称，统计等其他业务负责人具有相应专业初级以上职称。

第十四条（四级资质）四级资质等级条件如下：

（一）以货币形式实缴注册资本不低于100万元；

（二）从事房地产开发经营1年以上；

（三）近3年房屋建筑面积累计竣工2万平方米以上；

（四）已竣工的建筑工程质量合格率达100%；

（五）有职称的建筑、结构、财务、房地产及有关经济类的专业管理人员不少于5人，持有资格证书的专职会计人员不少于2人；

（六）工程技术负责人具有相应专业中级以上职称，财务负责人具有相应专业初级以上职称，配有专业统计人员。

第十五条（暂定资质）申请暂定资质的企业应当以项目存在为原则，以货币形式实缴的注册资本、管理和技术人员等条件应当与所承担的开发项目规模相适应，且不得低于四级资质企业的相应条件。

新增房地产开发业务的企业，其净资产应符合本规定相应资质等级的注册资本要求。

第十六条（业绩认定）房地产开发企业申请评定资质等级时，申报的业绩事项应当与房地产开发项目手册记载的事项一致。

母公司控股超过50%之后子公司开发的项目，其业绩可以按照母公司控股比例计入母公司业绩。发生在控股行为之前的子公司业绩不得计入。该子公司在核定资质时，已计入母公司的业绩不再重复计算。

临时聘用或者兼职的管理、技术人员不得计入企业管理、技术人员总数。

第十七条（鼓励条款）国家鼓励房地产开发企业积极参与保障性住房建设、开发省地节能环保型住宅。企业承担的保障性住房及省地节能环保型住宅建设项目的业绩认定办法，由国务院住房和城乡建设主管部门另行规定。

第十八条省级人民政府住房和城乡建设主管部门可以根据本地实际情况，对二级资质及二级以下资质的房地产开发企业资质审查标准中的注册资本、管理和技术人员的条件作出高于前述条款的规定。

第四章 资质申请和受理

第十九条（暂定资质申请）新设立的房地产开发企业应当自领取营业执照之日起30日内，持下列文件到房地产开发主管部门备案并申请暂定资质：

（一）企业法人营业执照复印件；

（二）企业章程；

（三）验资证明；

（四）企业法定代表人的身份证明；

（五）企业董事、监事、经理及其高级管理人员的身份证明；

（六）企业控股股东或实际控制人的身份证明；

（七）专业技术人员的职称资格证书、身份证明、劳动合同或社会保险缴纳凭证；

（八）法律法规规章要求的其他文件。

新增房地产开发业务的企业除前款规定要求提交文件外，还应当提交上一年度财务审计报告。

第二十条（异地备案）增设分公司的，应当持分公司营业执照、税务登记、资质证书副本等资料向项目所在地房地产主管部门办理备案手续，申领房地产开发项目手册。

第二十一条（资质等级申请）申请核定资质等级的房地产开发企业，应当提交下列证明文件：

（一）企业资质等级申报表；

（二）房地产开发企业资质证书（正、副本）；

（三）企业法人营业执照副本；

（四）企业章程；

（五）企业验资报告和上年度财务报告（附审计报告）；

（六）企业法定代表人、高级管理人员的任职文件和身份证明，企业工程技术、财务、统计等业务负责人的任职文件、职称证书、身份证明，符合规定数量的建筑、结构、财务、房地产及有关经济类的专业管理人员的职称证书（执业资格证书）、身份证明、劳动合同或社会保险缴纳凭证；

（七）近3年房地产开发统计年报基层表、房地产开发项目资料等已开发经营项目的有关证明材料；

（八）房地产开发项目手册，《住宅质量保证书》和《住宅使用说明书》执行情况报告；

（九）其他有关文件、证明。

第二十二条（提交申请文件责任）房地产开发企业应对其提交的申请文件的真实性、合法性与有效性负责。

第二十三条（受理期限）房地产开发企业资质审批部门应当自收到申请文件之日起20日内核定资质等级。

第二十四条（公示公布）资质核定结果应当向社会公示。公示期不少于7日，公示时间不计算在前条规定的期限内。

公示期如有举报，经核实确属在资质申报中弄虚作假或存在重大问题的企业，不予核定，并根据本规定实施处罚。经资质审查合格，公示期满无异议或经核实异议不成立的企业，由资质审批部门核发相应等级的资质证书并予以公布。

第二十五条（资质证书）资质证书由国务院住房和城乡建设主管部门统一监制。资质证书分为正本和副本，正、副本具有同等法律效力。

第二十六条（资质有效期）房地产开发企业一级资质证书有效期为5年。二级及二级以下资质等级证书有效期限由省级住房和城乡建设主管部门规定。

暂定资质有效期1年。房地产开发主管部门可以视企业经营情况延长暂定资质有效期，但延长期限不得超过2年。

第五章 资质延续、变更、重新核定和注销

第二十七条（资质延续）房地产开发企业需要延续资质证书有效期的，应当在资质证书有效期届满60日前，向原资质审批部门提出延续申请并符合受理条件。需要初审的，初审部门应于该资质证书有效期届满60日前完成初审。

房地产开发企业申请延续资质证书有效期，应按原资质证书审批程序提交该企业及原资质等级评定时计入业绩的子公司的相关证明文件。对符合第十一条规定，且基本符合对应资质等级人员、业绩等条件的，应予以延续。不予延续的，应按照分级审批原则，由有相应审批权的房地产开发主管部门重新核定相应的资质等级。

房地产开发企业资质证书有效期届满未延续的，自动失效，由原资质证书审批机关予以注销，并按照分级审批原则，由有相应审批权的房地产开发主管部门重新核定相应的资质等级。

第二十八条（资质变更）企业变更名称、注册资本、法定代表人等，应当在变更后30日内，持以下材料向原资质审批部门办理变更手续：

（一）资质证书变更申请；

（二）企业法人营业执照复印件；

（三）房地产开发企业资质证书正、副本原件；

（四）与资质变更事项有关的证明材料。

企业主要股东发生变化、主要管理人员、技术负责人发生变化的，应持相关证明材料到原资质审批部门备案。

由国务院住房和城乡建设主管部门颁发的房地产开发企业资质证书，涉及企业名称、注册资本、法定代表人变更的，应当向企业工商注册所在地省级人民政府住房和城乡建设行政主管部门提出变更申请，省级人民政府住房和城乡建设行政主管部门应当自受理申请之日起15日内将有关变更证明材料报国务院住房和城乡建设主管部门，由国务院住房和城乡建设行政主管部门在15日内办理变更手续。

涉及前款规定以外的资质证书内容变更手续，由企业工商注册所在地的省级人民政府住房和城乡建设主管部门负责办理。省级人民政府住房和城乡建设主管部门应当自受理申请之日起15日内办理变更手续，并在变更后15日内将变更结果报国务院住房和城乡建设主管部门备案。

第二十九条（资质重新核定）企业发生分立、合并的，应当在向工商行政管理部门办理变更手续后的30日内，到原资质审批部门申请办理资质证书注销手续，并重新申请资质等级。

国有房地产开发企业改制的，除提供第二十七条规定资料外，还应当提供改制重组方案、上级资产管理部门或者股东大会的批准决定、企业职工代表大会同意改制重组的决议。

第三十条（资质注销）有下列情形之一的，资质审批部门应当依法注销房地产开发企业资质，房地产开发企业应当及时将资质证书交回资质审批部门：

（一）资质证书有效期届满，未依法申请延续的；

（二）房地产开发企业依法终止的；

（三）房地产开发企业资质依法被撤销、撤回或吊销的；

（四）自领取《暂定资质证书》1年内无开发项目的；

（五）法律、法规与本规章规定的应当注销资质的其他情形。

第三十一条（遗留项目）房地产开发企业出现应被吊销资质证书的情形，或者暂定资质不再延长，但项目开发尚未结束的，可由原资质审批部门核发《暂定资质证书》，并注明仅用于解决未结束项目的遗留问题。该《暂定资质证书》每年核定一次，直至该项目开发结束。

第六章 监督管理

第三十二条（资质证书管理）任何单位和个人不得涂改、倒卖、出租、出借、或者以其他形式非法转让资质证书。

企业遗失资质证书，必须在新闻媒体上声明作废后，方可补领。

第三十三条（动态管理）房地产开发主管部门应当在房地产开发企业资质有效期内结合房地产开发项目手册、企业信用等实际情况对相关许可条件及开发经营活动进行定期、不定期或临时检查，实施资质动态管理。

房地产开发企业应当按照房地产开发主管部门的要求报送房地产开发项目手册、企业信用档案信息等相关资料，并作为企业升级和延续的主要依据。

第三十四条（人员管理）在房地产企业开发经营过程中，企业法定代表人、控股股东、企业的董事、监事、经理等高级管理人员应当遵守业务规则和行业规范，诚实守信，履行房地产项目开发中的相关职责。

第三十五条（资质检查）房地产开发主管部门履行监督检查职责时，有权采取下列措施：

（一）要求被检查单位提供营业执照、资质证书、企业章程、验资报告、相关业绩、质量管理、档案管理、财务管理等房地产开发经营相关材料；

（二）要求被检查单位提供主要负责人员及技术管理人员的任职文件、职称证明、资格证书、参加社会保险情况等证明材料；

（三）进入被检查单位及其项目现场进行检查，查阅相关资料；

（四）纠正违反有关法律、法规和本规定及有关规范和标准的行为。

房地产开发主管部门依法对房地产开发企业从事房地产开发经营活动进行监督检查时，应当将监督检查情况和处理结果予以记录，由监督检查人员签字后归档。

第三十六条（网上管理）有条件的地区应当运用计算机和网络技术，积极推行资质审批和房地产开发项目手册、信用档案、从业人员管理等电子政务工作。

第三十七条（资质处罚）企业取得房地产开发企业资质后不再符合相应资质条件的，房地产开发主管部门根据利害关系人的请求或者依据职权，可以责令其限期改正；逾期不改的，原资质审批部门可以撤回其资质。被撤回房地产开发企业资质的企业，可以根据企业实际达到的资质标准，申请重新核定资质。

第三十八条（资质撤销）有下列情形之一的，原资质审批部门根据利害关系人的请求或者依据职权，可以撤销房地产开发企业资质：

（一）资质审批部门工作人员滥用职权、玩忽职守作出准予房地产开发企业资质许可的；

（二）超越法定职权作出准予房地产开发企业资质许可的；

（三）违反法定程序作出准予房地产开发企业资质许可的；

（四）对不符合许可条件的申请人作出准予房地产开发企业资质许可的；

（五）依法可以撤销资质证书的其他情形。

以欺骗、贿赂等不正当手段取得房地产开发企业资质证书的，应当予以撤销。

第七章 法律责任

第三十九条（材料虚假）申请人隐瞒有关情况或者提供虚假材料申请房地产开发企业资质的，不予受理或者不予行政许可，并给予警告，申请人在1年内不得再次申请房地产开发企业资质。

第四十条（转让资质）涂改、倒卖、出租、出借或者以其他形式非法转让资质证书的，由县级以上地方人民政府原资质审批部门吊销资质证书，并依法处以2万元以上3万元以下罚款，该企业3年内不得再次申请房地产开发企业资质。

第四十一条（无资质开发）企业违反本办法第六条规定未取得资质证书从事房地产开发经营的，由县级以上地方人民政府房地产开发主管部门责令限期改正，处5万元以上10万元以下的罚款；逾期不改正的，由县级以上地方人民政府房地产开发主管部门提请工商行政管理部门吊销营业执照。

第四十二条（超资质开发）企业超越资质等级从事房地产开发经营的，由县级以上地方人民政府房地产开发主管部门责令限期改正，处5万元以上10万元以下的罚款；逾期不改正的，由原资质审批部门吊销资质证书，并提请工商行政管理部门吊销营业执照。

第四十三条（处罚行为）房地产开发企业在开发经营过程中出现下列情形之一的，有权限的县级以上房地产开发主管部门可视情节轻重作出警告、责令限期改正、暂扣资质证书、降低资质等级处理，并可处以1万元以上3万元以下的罚款：

（一）未按照本规定办理备案手续的；

（二）未按照本规定办理资质变更手续的；

（三）向工商行政管理部门办理注销营业执照后，未在规定的期限内到原资质审批部门注销资质证书的；

（四）未按规定报送房地产开发项目手册及企业信用有关文件，或在报送上述材料过程中隐瞒有关情况或者提供虚假材料的；

（五）未按照规定提供《住宅质量保证书》和《住宅使用说明书》的；

（六）因存在严重不良行为应被追究法律责任的其他情形。

第四十四条（开发经营行为处罚）房地产开发企业在开发经营过程中出现下列情形之一的，有权限的县级以上房地产开发主管部门可视情节轻重作出降低资质等级或吊销资质证书处理，并可处以1万元以上3万元以下的罚款：

（一）发生囤积土地、擅自变更容积率、捂盘惜售、哄抬房价及其他严重违法开发行为，经有关行政主管部门查实的；

（二）开发建设的项目工程质量低劣，出现重大工程质量安全事故的；

（三）在开发经营过程中引发影响社会稳定的群体投诉并经核实负有主要责任的；

（四）因存在严重违法开发行为应被追究法律责任的其他情形。

第四十五条（行政主管部门人员责任）各级房地产开发主管部门工作人员在资质审批和管理中玩忽职守、滥用职权、徇私舞弊的，由其所在单位或者上级主管部门给予行政处分；构成犯罪的，由司法机关依法追究刑事责任。

第八章 附则

第四十六条（实施细则的规定）各地可以根据本规定制定实施细则。

第四十七条本规定自　　年　　月　　日起施行。2000年3月29日建设部发布的《房地产开发企业资质管理规定》（建设部令第77号）同时废止。

国家发展和改革委员会关于降低部分建设项目收费标准规范收费行为等有关问题的通知

发改价格〔2011〕534号

住房城乡建设部、环境保护部，各省、自治区、直辖市发展改革委、物价局：

为贯彻落实国务院领导重要批示和全国纠风工作会议精神，进一步优化企业发展环境，减轻企业和群众负担，决定适当降低部分建设项目收费标准，规范收费行为。现将有关事项通知如下：

一、降低保障性住房转让手续费，减免保障性住房租赁手续费。经批准设立的各房屋交易登记机构在办理房屋交易手续时，限价商品住房、棚户区改造安置住房等保障性住房转让手续费应在原国家计委、建设部《关于规范住房交易手续费有关问题的通知》（计价格〔2002〕121号）规定收费标准的基础上减半收取，即执行与经济适用住房相同的收费标准；因继承、遗赠、婚姻关系共有发生的住房转让免收住房转让手续费；依法进行的廉租住房、公共租赁住房等保障性住房租赁行为免收租赁手续费；住房抵押不得收取抵押手续费。

二、规范并降低施工图设计文件审查费。各地应加强施工图设计审查收费管理，经认定设立的施工图审查机构，承接房屋建筑、市政基础设施工程施工图审查业务收取施工图设计文件审查费，以工程勘察设计收费为基准计费的，其收费标准应不高于工程勘察设计收费标准的6.5%；以工程概（预）算投资额比率计费的，其收费标准应不高于工程概（预）算投资额的2‰；按照建筑面积计费的，其收费标准应不高于2元/平方米。具体收费标准由各省、自治区、直辖市价格主管部门结合当地实际情况，在不高于上述上限的范围内确定。各地现行收费标准低于收费上限的，一律不得提高标准。

三、降低部分行业建设项目环境影响咨询收费标准。各环境影响评价机构对估算投资额100亿元以下的农业、林业、渔业、水利、建材、市政（不含垃圾及危险废物集中处置）、房地产、仓储（涉及有毒、有害及危险品的除外）、烟草、邮电、广播电视、电子配件组装、社会事业与服务建设项目的环境影响评价（编制环境影响报告书、报告表）收费，应在原国家计委、国家环保总局《关于规范环境影响咨询收费有关问题的通知》（计价格〔2002〕125号）规定的收费标准基础上下调20%收取；上述行业以外的化工、冶金、有色等其他建设项目的环境影响评价收费维持现行标准不变。环境影响评价收费标准中不包括获取相关经济、社会、水文、气象、环境现状等基础数据的费用。

四、降低中标金额在5亿元以上招标代理服务收费标准，并设置收费上限。货物、服务、工程招标代理服务收费差额费率：中标金额在5—10亿元的为0.035%；10—50亿元的为0.008%；50—100亿元为0.006%；100亿元以上为0.004%。货物、服务、工程一次招标（完成一次招标投标全流程）代理服务费最高限额分别为350万元、300万元和450万元，并按各标段中标金额比例计算各标段招标代理服务费。

中标金额在5亿元以下的招标代理服务收费基准价仍按原国家计委《招标代理服务收费管理暂行办法》（〔2002〕1980号，（以下简称《办法》）附件规定执行。按《办法》附件规定计算的收费额为招标代理服务全过程的收费基准价格，但不含工程量清单、工程标底或工程招标控制价的编制费用。

五、适当扩大工程勘察设计和工程监理收费的市场调节价范围。工程勘察和工程设计收费，总投资估算额在1000万元以下的建设项目实行市场调节价；1000万元及以上的建设项目实行政府指导价，收费标准仍按原国家计委、建设部《关于发布〈工程勘察设计收费管理规定〉的通知》（计价格〔2002〕10号）规定执行。

工程监理收费，对依法必须实行监理的计费额在1000万元及以上的建设工程施工阶段的收费实行政府指导价，收费标准按国家发展改革委、建设部《关于印发〈建设工程监理与相关服务收费管理规定〉的通知》（发改价格〔2007〕670号）规定执行；其他工程施工阶段的监理收费和其他阶段的监理与相关服务收费实行市场调节价。

六、各地应进一步加大对建设项目及各类涉房收费项目的清理规范力度。要严禁行政机关在履行行政职责过程中，擅自或变相收取相关审查费、服务费，对自愿或依法必须进行的技术服务，应由项目开发经营单位自主选择服务机构，相关机构不得利用行政权力强制或变相强制项目开发经营单位接受指定服务并强制收取费用。

本通知自2011年5月1日起执行。现行有关规定与本通知不符的，按本通知规定执行。

中华人民共和国国家发展和改革委员会

二〇一一年三月十六日

国家发展和改革委员会
关于发布《商品房销售明码标价规定》的通知

发改价格〔2011〕548 号

各省、自治区、直辖市及计划单列市、副省级省会城市、新疆生产建设兵团发展改革委、物价局，深圳市市场监督管理局：

为了深入贯彻党中央、国务院关于保持价格总水平基本稳定的要求，落实《国务院关于坚决遏制部分城市房价过快上涨的通知》（国发〔2010〕10 号）、《国务院办公厅关于促进房地产市场平稳健康发展的通知》（国办发〔2010〕4 号）、《国务院办公厅关于进一步做好房地产市场调控工作有关问题的通知》（国办发〔2011〕1 号）精神，切实加强房地产市场价格监管，着力解决商品房销售中存在的标价混乱、信息不透明、价格欺诈等问题，我委在征求各方面意见基础上，制定了《商品房销售明码标价规定》，现印发你们，请按照执行。执行过程中发现新情况、新问题，请及时报告我委（价格监督检查司）。

中华人民共和国国家发展和改革委员会

二〇一一年三月十六日

附件：

商品房销售明码标价规定

第一条　为了规范商品房销售价格行为，建立和维护公开、公正、透明的市场价格秩序，保护消费者和经营者合法权益，根据《中华人民共和国价格法》、原国家发展计划委员会《关于商品和服务实行明码标价的规定》，制定本规定。

第二条　中华人民共和国境内的房地产开发企业和中介服务机构（以下统称商品房经营者）销售新建商品房，应当按照本规定实行明码标价。

中介服务机构销售二手房的明码标价参照本规定执行。

第三条　本规定所称明码标价，是指商品房经营者在销售商品房时按照本规定的要求公开标示商品房价格、相关收费以及影响商品房价格的其他因素。

第四条　各级政府价格主管部门是商品房明码标价的管理机关，依法对商品房经营者执行明码标价和收费公示规定的情况进行监督检查。

第五条　已取得预售许可和销售现房的房地产经营者，要在公开房源时，按照本规定实行明码标价。

第六条　商品房经营者应当在商品房交易场所的醒目位置放置标价牌、价目表或者价格手册，有条件的可同时采取电子信息屏、多媒体终端或电脑查询等方式。采取上述多种方式明码标价的，标价内容应当保持一致。

第七条　商品房销售明码标价应当做到价目齐全，标价内容真实明确、字迹清晰、标示醒目，并标示价格主管部门投诉举报电话。

第八条　商品房销售明码标价实行一套一标。商品房经营者应当对每套商品房进行明码标价。按照建筑面积或者套内建筑面积计价的，还应当标示建筑面积单价或者套内建筑面积单价。

第九条　对取得预售许可或者办理现房销售备案的房地产开发项目，商品房经营者要在规定时间内一次性公开全部销售房源，并严格按照申报价格明码标价对外销售。

第十条 商品房经营者应当明确标示以下与商品房价格密切相关的因素：

（一）开发企业名称、预售许可证、土地性质、土地使用起止年限、楼盘名称、坐落位置、容积率、绿化率、车位配比率。

（二）楼盘的建筑结构、装修状况以及水、电、燃气、供暖、通讯等基础设施配套情况。

（三）当期销售的房源情况以及每套商品房的销售状态、房号、楼层、户型、层高、建筑面积、套内建筑面积和分摊的共有建筑面积。

（四）优惠折扣及享受优惠折扣的条件。

（五）商品房所在地省级价格主管部门规定的其他内容。

第十一条 商品房销售应当公示以下收费：

（一）商品房交易及产权转移等代收代办的收费项目、收费标准。代收代办收费应当标明由消费者自愿选择。

（二）商品房销售时选聘了物业管理企业的，商品房经营者应当同时公示前期物业服务内容、服务标准及收费依据、收费标准。

（三）商品房所在地省级价格主管部门规定的其他内容。

第十二条 对已销售的房源，商品房经营者应当予以明确标示。如果同时标示价格的，应当标示所有已销售房源的实际成交价格。

第十三条 商品房经营者不得在标价之外加价销售商品房，不得收取任何未予标明的费用。

第十四条 商品房经营者在广告宣传中涉及的价格信息，必须真实、准确、严谨。

第十五条 商品房经营者不得使用虚假或者不规范的价格标示误导购房者，不得利用虚假或者使人误解的标价方式进行价格欺诈。

第十六条 商品房经营者不按照本规定明码标价和公示收费，或者利用标价形式和价格手段进行价格欺诈的，由县级以上各级人民政府价格主管部门依据《中华人民共和国价格法》、《价格违法行为行政处罚规定》、《关于商品和服务实行明码标价的规定》、《禁止价格欺诈行为的规定》等法律、法规和规章实施行政处罚。

第十七条 价格主管部门发现商品房经营者明码标价的内容不符合国家相关政策的，要及时移送相关部门处理。

第十八条 省、自治区、直辖市价格主管部门可根据本规定制定商品房销售明码标价实施细则。

第十九条 本规定自 2011 年 5 月 1 日起施行。

国家发展和改革委员会关于贯彻实施《商品房销售明码标价规定》有关问题的通知

发改价检〔2011〕658号

各省、自治区、直辖市及计划单列市、副省级省会城市、新疆生产建设兵团发展改革委、物价局，深圳市市场监督管理局：

我委发布的《商品房销售明码标价规定》（发改价检〔2011〕548号），将于5月1日起施行。现就贯彻实施过程中的有关问题通知如下：

一、充分认识重要意义

发布《商品房销售明码标价规定》，是落实《国务院关于坚持遏制部分城市房价过快上涨的通知》（国发〔2010〕10号）、《国务院办公厅关于促进房地产市场平稳健康发展的通知》（国办发〔2010〕4号）、《国务院办公厅关于进一步做好房地产市场调控工作有关问题的通知》（国办发〔2011〕1号）精神，加强房地产价格监管的重要举措。对于规范商品房销售价格行为，解决广大人民群众普遍关心的商品房销售不标价、乱标价、信息不透明、价格欺诈等问题，建立和维护公开、公正、透明的房地产市场价格秩序，保护消费者和经营者合法权益，具有重要意义。各级价格主管部门务必高度重视，采取有力措施，做好《商品房销售明码标价规定》的贯彻实施工作。

二、抓紧制定实施细则

各省、自治区、直辖市价格主管部门要按照要求，抓紧制定本地商品房销售明码标价实施细则。要主动与住房和城乡建设部门，房地产管理部门、土地管理部门等相关部门沟通协商，充分消费者代表、房地产经营者和社会各界的意见，制定的实施细则一定要符合当地情况、切实可行、易于操作。特别是结合当地实际需要酌情增补的标价内容和标价形式，需要着重强调的标价要求，以及中介服务机构销售二手房的明码标价管理办法等，应作出明确规范。各地此前发布的相关规定，与我委《商品房销售明码标价规定》不一致的，要依照程序及时修改或者废止。

三、主动做好协调工作

各级价格主管部门可以借鉴推广江苏、安徽、附件、广东等地的经验，尝试建立商品房销售价格备案制度、商品房销售“一价清”制度、成本申报制度等、事先约谈提醒告诫制度等，探索积极有效地管理办法。同时，配合房地产管理部门采取相应措施解决群众普遍关心的申报价格虚高、价格变动过于频繁等问题。

四、进行相关政策培训

各省、自治区、直辖市借个主管部门要认真学习《商品房销售明码标价规定》，准确把握精神实质，结合当地工作实际制定培训计划，采取专家辅导、个人自学、知识竞赛等多种方式，组织开展《商品房销售明码标价规定》的学习培训。4月30日前，对本省、自治区、直辖市相关价格行政执法人员集中培训一遍，使他们准确掌握《商品房销售明码标价规定》的执法尺度，确保《商品房销售明码标价规定》顺利贯彻实施。

五、积极进行广泛宣传

各级价格主管部门要通过电视、广播、报刊、互联网等大众传媒，积极采用多种方式，宣传《商品房销售明码标价规定》发布的意义和作用、《商品房销售明码标价规定》的内容和要求，消费者购买商品房应当享有的合法价格权益、经营者销售商品房应当履行的法定义务，组织好答疑解惑工作。也可以通过约请当地主要房地产经营企业进行座谈等适当形式，宣传政策规定，听取意见和建议。通过广泛宣传，赢得消费者、经营者和社会各界的认可、支持，为《商品房销售明码标价规定》顺利贯彻实施创造良好条件。

六、切实加强监督检查

各级借个主管部门要加强对商品房销售明码标价的执法检查，特别要对当地知名房地产开发企业销售商品的明码标价情况组织专项检查。重点查处经营者销售商品房不明码标价、标价信息不全、不按规定内容明码标价和公示相关收费行为；在标价和公示的收费之外加价、收取未予以标明费用的行为；将应在商品房销售价格内包含的成本（费用）在价外另行收取的行为；虚构原价、虚假折扣、虚假优惠，利用虚假信息、模糊语言或者使人误解的标价方式或价格手段进行价格欺诈的行为；违反公平、公开和自愿选择原则，强制或串通其他部门、中介服务机构，强制或变相强制收费的行为。对房地产经营者的价格违法行为，要发现一起，查处一起，按照《价格违法行为行政处罚规定》等价格法律法规，严厉制裁违法的房地产经营者，公布典型案件，曝光违法行为。还要发挥群众投诉举报、新闻媒体监督的作用，形成良好氛围，遏制商品房销售过程中的价格违法行为发生，维护房地产市场价格秩序，保障消费者合法权益。

各地贯彻实施《商品房销售明码标价规定》中的经验做法、重要情况和发现的问题，请及时报告我委（价格监督检查司）。

中华人民共和国国家发展和改革委员会

二〇一一年三月二十八日

国家发展和改革委员会办公厅
关于开展商品房销售明码标价专项检查的通知

发改办价检〔2011〕1050号

各省、自治区、直辖市及计划单列市、副省级省会城市、新疆生产建设兵团发展改革委、物价局、深圳市市场监督管理局：

3月16日，我委发布了《商品房销售明码标价规定》（发改价检〔2011〕548号），随即印发了《关于贯彻实施〈商品房销售明码标价规定〉有关问题的通知》（发改价检〔2011〕658号）。《商品房销售明码标价规定》从5月1日起已经施行，为了确保该项《规定》得到切实贯彻执行，各地要立即组织开展专项检查。现就有关事项通知如下：

一、进行提醒告诫

各级价格主管部门要组织本辖区内所有房地产开发企业，集中学习解读《价格法》、《价格违法行为行政处罚规定》和《商品房销售明码标价规定》等相关法律、法规、规章和规范性文件，事先提醒告诫，防范销售商品房不明码标价、不按规定明码标价和价格欺诈等违法行为发生。

二、加强工作指导

各级价格主管部门要加强对房地产开发企业的指导，包括销售商品房明码标价应当标示的内容，申报价格和“一套一标”的办法，采用标价牌、价目表、价格手册或者电子信息屏、多媒体终端、电脑查询标示的注意事项等。深入细致地引领、帮助房地产开发企业做好商品房销售明码标价各项工作，让消费者看得明白买得放心。

三、逐一进行检查

各级价格主管部门近期要集中人力和时间，迅速组织开展商品房销售明码标价执行情况专项检查，对本地所有房地产开发企业正在销售的商品房，实行拉网式排查，确保每个新开发的居民住宅小区、每个正对外公开发售的楼盘、每套出售的新建商品房都检查到位，无一遗漏，不留空白。

四、明确检查重点

各级价格主管部门组织开展商品房销售明码标价执行情况专项检查，要重点查处房地产开发企业下列行为：

（一）销售商品房不明码标价；

（二）未在交易场所醒目位置明码标价；

（三）未按规定实行“一套一标”；

（四）未一次性公开全部预售房源；

（五）标示信息不全，没有按照规定内容明码标价、公示相关收费；

（六）在标价和公示的收费之外加价、另行收取未予以标明的费用；

（七）违反公平、公开、自愿选择原则，单独或者串通其他部门、中介机构强制或变相强制收费；

（八）虚假折扣、虚假优惠，或者利用虚假信息、模糊语言、容易使人误解的标价方式进行价格欺诈；

（九）其他违反明码标价规定销售商品房的行为。

五、工作方式方法

各级价格主管部门开展商品房销售明码标价执行情况专项检查，可以采取直接检查、下查一级、交叉检查，依靠群众举报提供线索、从售楼广告寻找线索和主动检查发现线索相结合，明查与暗访相结合，集中统一行动与分散编组检查相结合，约请新闻媒体全程跟踪报道等灵活多样的方式方法，确保专项检查取得实效。

六、依法严厉处罚

各级价格主管部门开展商品房销售明码标价执行情况专项检查，对违反相关规定的要发现一起，查处一起，并依法严惩和公开曝光。房地产开发企业违反明码标价规定未实行“一套一标”，按《价格法》和《价格违法行为行政处罚规定》，每套处5000元罚款。构成价格欺诈的，责令改正，没收违法所得，并处违法所得5倍以下罚款；没有违法所得，处5万元以上50万元以下罚款；情节严重的，要责令停业整顿，或者由工商行政管理机关吊销营业执照。通过严厉惩处，切实保障《商品房销售明码标价规定》贯彻执行。

各地贯彻《商品房销售明码标价规定》取得的经验和发现的问题，请及时报告我委（价检司）。

国家发展和改革委员会办公厅
二○一一年五月十一日

国家发展和改革委员会办公厅关于利用债券融资支持保障性住房建设有关问题的通知

发改办财金〔2011〕1388 号

各省、自治区、直辖市及计划单列市、新疆生产建设兵团发展改革委：

加快建设保障性住房，是党中央、国务院作出的重大决策，是我国“十二五”时期改善民生的重点工程，也是当前和今后一个时期政府工作的一项重要任务。为如期完成“十二五”规划纲要提出的建设3600万套保障性住房的任务，现就充分发挥企业债券融资对保障性住房建设的支持作用，引导更多社会资金参与保障性住房建设的有关问题通知如下：

一、地方政府投融资平台公司发行企业债券应优先用于保障性住房建设

企业债券具有期限长、利率低的优势，是保障性住房项目市场融资的较好工具。为完成“十二五”规划提出的保障性住房建设任务，各地按《国务院关于加强地方政府融资平台公司管理有关问题的通知》(国发〔2010〕19号）进行规范后继续保留的投融资平台公司申请发行企业债券，募集资金应优先用于各地保障性住房建设。只有在满足当地保障性住房建设融资需求后，投融资平台公司才能发行企业债券用于当地其它项目的建设。

二、支持符合条件的地方政府投融资平台公司和其他企业，通过发行企业债券进行保障性住房项目融资

地方政府投融资平台公司从事包括公租房、廉租房、经济适用房、限价房、棚户区改造等保障性住房项目建设的，如果符合国发〔2010〕19号文要求，以及投融资平台公司发债的各项条件，可申请通过发行企业债券的方式进行保障性住房建设项目的融资。从事或承担公租房、廉租房、经济适用房、限价房、棚户区改造等保障性住房建设项目的其他企业，也可在政府核定的保障性住房建设投资额度内，通过发行企业债券进行项目融资。各地发展改革部门应根据本地实际，优先做好募集资金用于保障性住房项目的企业债券发行申请材料的转报工作，提高工作效率。

三、企业债券募集资金用于保障性住房建设的，优先办理核准手续

为了及时满足保障性住房项目的融资需求，对符合条件的地方政府投融资平台公司和其他企业发行企业债券，用于公租房等保障性住房建设的，发行人可在正式报送发债申请材料前，将保障性住房项目的有关材料先行报我委预审。发行人正式申请材料上报后，我委将优先办理核准手续，简化审核环节并缩短核准周期。

四、强化中介机构服务，加强信息披露和募集资金用途监管，切实防范风险

为了防范政府性债务风险，承担保障性住房建设任务的投融资平台公司应按照国发〔2010〕19号文进行规范，并符合《国家发展改革委办公厅关于进一步规范地方政府投融资平台公司发行债券行为有关问题的通知》（发改办财金〔2010〕2881号）的有关要求，满足现行法律法规规定的公开发行企业债券的相关条件。

进一步强化中介机构独立、公正、客观、诚信的市场服务功能。承销机构、评级机构、会计师事务所、律师事务所等中介机构应当勤勉尽责，对债券发行人所提供的文件资料内容进行严格核查和验证，保证出具文件的真实性、准确性和完整性，并在债券发行后加强对发行人和投资者的后续服务与管理。

各地发展改革委应加强对发行人募集资金使用方向的引导、监督，保障募集资金的专款专用。要督促发行人落实偿债计划及保障措施，按计划提取偿债基金，进

行专户管理，提高资金使用效益，有效防范偿债风险。要督促发行人进一步加强信息披露工作，按照债券交易场所的规定，及时、准确地披露财务报告及有关重大事项。

国家发展和改革委员会办公厅
二〇一一年六月九日

国土资源部
关于切实做好2011年城市住房用地管理和调控重点工作的通知

国土资发〔2011〕2号

各省、自治区、直辖市国土资源厅（国土环境资源厅、国土资源局、国土资源和房屋管理局、规划和国土资源管理局），副省级城市国土资源行政主管部门，新疆生产建设兵团国土资源局，各派驻地方的国家土地督察局：

为贯彻落实《国务院办公厅关于进一步做好房地产市场调控工作有关问题的通知》（国办发〔2011〕1号，以下简称“国办发1号文件”）和全国保障性安居工程工作会议精神，按照国土资源部重点工作安排，现将城市住房用地有关问题通知如下：

一、明确2011年重点任务和基本要求

党中央国务院高度重视房地产市场宏观调控工作，国办发1号文件和全国保障性安居工程工作会议已有总体部署，全国国土资源管理工作会议提出了具体要求，目标明确，任务艰巨，责任重大。各级国土资源主管部门要深入学习领会，统一思想，明确责任，主动作为，切实做好2011年城市住房用地管理和调控工作。

今年的重点任务和基本要求是：“稳供应、保民生”，以保障性安居工程建设所需用地为重点，及时编制公布城市住房用地供应计划并认真实施，确保2011年1000万套保障性安居工程建设任务落地，确保保障性住房、棚户区改造和中小套型商品房用地不低于住房建设用地总量的70%，确保城市住房用地供应计划总量不低于前2年年均实际供应总量；“控价格、防‘地王’”，坚持招标拍卖挂牌出让制度，进一步完善供地政策，充分发挥土地政策惠民生、稳预期、注重社会效应最大化的管控作用，严防出现高价地，坚决杜绝土地出让中出现楼面地价超过同类地价历史最高价的情况，增加公共租赁住房和中小套型限价商品住房供地，促进房价合理回归；“严监管、促开发”，加强住房建设用地全程监管，实时跟踪土地开发利用情况，加大清理查处违法违规违约行为力度，严厉打击囤地炒地，确保闲置土地及时依法依规处置到位，促进住房用地按期依规开发利用。

二、做好2011年住房用地供应计划编制公布和实施工作

各地要认真总结分析2010年住房用地计划编制实施工作中存在的问题和原因，抓紧编制2011年住房用地供应计划，进一步优化布局，落到拟供地块。3月底前，市县住房用地供应计划（见附件1）要向社会公布，并于4月5日前通过土地市场动态监测与监管系统在线报部，同时抄送各派驻地方国家土地督察局。7月上旬，向社会公布上半年住房用地计划落实情况。2012年1月，向社会公布全年住房用地计划落实情况。各省级国土资源主管部门应分别在4月上旬、7月上旬和明年1月上旬，汇总各地情况及时上报。部将分3次向社会公布各省（区、市）供地计划及落实情况。

2011年住房用地供应计划编制中，要主动与住房建设、规划部门沟通协调，依据下达的安居工程任务、合理住房需求和房价状况，合理确定供地总量，落实规定的各类住房用地和供地政策。房价高的城市要在落实国家下达建设任务所需用地基础上，增加限价商品住房用地和公共租赁住房用地计划供应量。严格控制大户型商品住房供地，严禁向别墅供地。国土资源行政主管部门要会同住房城乡建设（房地产、规划）主管部门共同建立住房建设项目行政审批快速通道，提高行政办事效率，密切跟踪市场形势变化，切实把握好供地时序和节奏，稳步推进计划实施，提高计划完成率。

三、切实保证保障性安居工程用地的供应

部决定今年对保障性安居工程建设用地总量、各类房用地供应计划和新增建设用地指标在住房用地供应计划中实行单列。国家1000万套保障性安居工程建设任务

分解下达后，各省级国土资源主管部门要及时与住房城乡建设（房地产、规划、住房保障）主管部门沟通协调，按照其中各类住房的建设套数任务、各类住房平均套型建筑面积以及规划部门提供的平均容积率等规划建设控制指标，认真测算各市县所需总用地面积和各类房用地面积，对其中需使用新增建设用地面积和指标的，在下达各省指标中确保解决。4月上旬前按附表要求报部并抄送各派驻地方国家土地督察局（见附件1、2）。

根据全国保障性安居工程工作会议精神和要求，部决定今年对落实国家1000万套保障性安居工程建设用地实行责任制，由地方各级国土资源主管部门主要领导人负全责，责任制具体实施和考核办法由各省级国土资源主管部门结合本地实际制定，报部备查，部将各省4月上旬汇总上报的保障性安居工程用地供应计划连同责任人名单一并向全国公示，并采取措施加强检查督促落实。各地应按照已签定分解的保障性安居工程建设任务，尽快协调明确廉租住房、经济适用住房、公共租赁住房、限价商品房和各类棚户区改造住房等五类住房的用地计划并落实到具体地块，要优先安排收回的国有土地和储备土地用于保障性安居工程建设。及时检查用地落实和开发利用情况，主动协调相关部门，共同解决宗地规划建设条件不具备或资金不落实等影响供地的问题。6月底前，各省级国土资源行政主管部门要开展一次检查，督促加快进度，检查情况和发现的问题要及时报部。12月底前总结考核各地落实情况，对未完成国家下达任务的市县要向社会公示，追究责任。

四、坚持完善招拍挂供地政策

各地要进一步统一思想，明确要坚持招标拍卖挂牌制度和公开公平公正竞争原则，要根据中央调控政策要求，进一步完善供地政策，遏制非理性竞争推动地价上涨，促进房价地价合理调整。市县国土资源行政主管部门在供应商品住房用地前，要按照本地区向社会公布的年度新建住房价格控制目标，以及拟供宗地所在区域的房价地价水平，合理确定出让底价的控制区间。认真贯彻落实国办发1号文精神，认真实行“限房价竞地价”、“商品住房用地中配建保障性安居住房”等多种招拍挂供地政策。限价商品住房的建筑套型面积应严格控制在中小套型，供应结果向社会公开，接受社会监督。城市和国有工矿棚户区改造原则上应实行原址改造，尽量安排使用存量建设用地，对其中确属保障性住房建设所需的用地，应以划拨方式供应。对符合国家规定建筑套型面积和保障性租金标准的公共租赁住房用地，可以划拨方式供地；以出让方式供地建公租房的，应实行“定套型面积、竞租金标准、竞地价”的供地政策。

省级国土资源部门要密切关注商品住房用地出让地价变化情况，防范高价地现象向二三线城市转移，对招拍挂出让中出现溢价率超过50%、成交总价或单价创历史新高的地块，督促市县按要求及时上报《房地产用地交易异常情况一览表》，认真分析原因并在“备注”栏中填写，由省级国土资源主管部门进行约谈，部将视情况派人实地调查并会同相关部门约谈问责。

五、加强对囤地炒地、闲置土地的监测和查处

各级国土资源主管部门要尽快完善土地市场监测监管网络系统，配备专人负责，制订落实加强监管工作制度，落实项目开竣工申报制度，及时实施网上排查和实地核查，对发现的囤地炒地、闲置土地及其它违法违规用地行为，坚决依法依规严肃查处，实现监测监管查处常态化。

各地要严格执行商品住房用地单宗出让面积规定，不得将两宗以上地块捆绑出让，不得“毛地”出让，不得出让容积率小于1的住宅用地；对转让土地及合同约定的土地开发项目时，房地产开发建设投资未达到25%以上的（不含土地价款），不得办理相关土地手续。省级国土资源主管部门要建立土地出让公告审核制度，主管负责人是及时制止违规出让行为的第一责任人，明确专门部门、专人加强对市县出让公告的审查，及时掌握拟出让宗地的具体情况，对发现的违规供地，应立即责令宗地所在市县撤销公告，重新调整出让方案。已出让的要中止合同，并追究责任。对一年内连续出现两次及以上违规出让的，要追究责任。

为确保今年保障性安居工程建设任务落实，供地政策贯彻执行到位，今年各地要重点加强对保障性安居工程住房用地开发利用的监督管理，严禁改变保障性安居工程住房用地的土地用途或性质，凡以划拨方式取得土地后申请改变用途的，任何部门不得批准，必须收回其土地使用权；擅自改变土地用途的，要依法从严处理。对保障性安居工程住房建成后申请改变住房性质的，在纪检监察机关依法依纪追究相关部门和人员责任前，国土资源主管部门不得为其办理任何土地手续；对擅自改变保障性安居工程住房性质以商品住房销售的，应从严从重处罚，并禁止企业、企业控股股东及控股股东新设立企业参加新的土地购置活动。

各级国土资源主管部门要切实落实责任，采取有效措施，确保国务院和部今年各项调控政策和规定贯彻落实到位。加强与相关部门的沟通协调，共同落实好今年国家提出的新任务和新要求。加强研究分析，敏锐应对

地产市场出现的苗头性、倾向性问题，密切关注舆情，加强舆论引导，掌握工作主动权。

中华人民共和国国土资源部
二〇一一年二月五日

国土资源部
关于加强地价监管确保不出现住房高价地的紧急通知

国土资电发〔2011〕12号

各省、自治区、直辖市国土资源厅（国土环境监察厅、国土资源局、国土资源和房屋管理局、规划和国土资源管理局），副省级城市国土资源行政主管部门，解放军土地管理局，新疆生产建设兵团国土资源局：

1月26日，国务院常务会议提出了房地产市场宏观调控八项新措施，各级国土资源管理部门要认真学习领会，提高认识，统一思想，增强责任感使命感，勇担责任，主动作为，进一步加强房地产用地管理和调控工作，切实维护好地产市场的稳定现就近期有关工作通知如下：

严防出现高价地影响市场预期

近几年来，部分城市商品住房建设供地中，出现少数高价地块，引发社会热议。地价不是决定房价的主要原因，但高价地影响社会预期。为贯彻落实国务院新的调控政策和要求，各地要密切跟踪房地产市场运行情况，认真分析检测房价地价变化情况，研判土地供需和地价变化态势，切实把握好房地产用地出让节奏和时序，严防出现各类商品住房高价地扰乱市场预期，破坏市场稳定。市县国土资源管理部门要加强对拟供应地块的评估，结合政府确定的合理房价和责任考核目标，对可能在公开出让中成交总价或单价创历史新高，成交楼面地价超过周边地价的，一律暂停出让，已公告的要立即撤销公告，重新调整出让方案，研究确定合理竞地价上限，采用竞争达到合理地价上限后改竞配建公共租赁房面积或“限房价、限套型、竞地价、竞配建”等方式确定受让人，把地价降下来。在3月底前，凡未按时发布住房用地供应计划的市县，一律不得向保障性住房、棚户区改造住房和中小套型普通商品住房以外的商品住房供地。商服与住宅混建的地块，在土地出让公告中，应划清建筑面积，原则应建限价房、保障性住房或公租房，避免出现住房用地的高价地，也有利于抑制高房价和投机投资。各省（区、市）国土资源管理部门要采取得力措施，加强对市县出让公告的审查，及时掌握拟出让宗地的具体情况，确保不出现高价地。

加快2011年住房用地供应计划编制公布工作

市县国土资源管理部门要加快2011年住房用地供应计划编制工作，在3月底前向社会公布，接受社会监督。2011年住房用地供应计划必须对保障性住房建设所需用地“应保尽保”，住房用地计划总量原则上不得低于前2年年均实际供应量，保障性佳．房棚户区改造住房和中小套型普通商品住房用地不得低于住房甩地供应计划总量的70%的要求。要认真总站2010年住房用地供应计划编制和实施工作，加大调研和协调力度，进一步提高今年计划编制工作的科学性和针对性，提前考虑全年计划编制与实施的衔接，准备好预案，避免出现年底计划完成率偏低等情况。

认真做好房地产用地管理相关问题的研究

为更有效地贯彻落实好国务院关于加强房地产市场调控的一系列政策，针对当前房地产市场运行中存在的认识不统一、影响因素多、调控任务重的实际，部要求各省级国土资源管理部门，以省会城市并再找一个住房价格较高的二、三线城市为单元。就住房用地供应总量分析、地价与房价关系、土地收入构成、确保保障性住房建设用地为主要内容，调查研究、征求意见，实事求是的分析两个城市的现状，于2月底钱形成分析报告报部利用司。报告要以数据和事例为支撑，分析要深入浅出、观点鲜明，对存在的问题要有解决的意见或建议。部也将组织研究小组，及时开展相关工作。

各省级国土资源主管部门要迅速将本通知精神向政府主管领导同志汇报，结合本省（区、市）实际，做出统一的贯彻落实工作部署，及时传达到各市县，要提高敏锐性，密切关注土地市场动向，及时采取措施应对新情况新问题，维护土地市场平稳运行。

中华人民共和国国土资源部

二〇一一年一月二十八日

国土资源部
关于加强保障性安居工程用地管理有关问题的通知

国土资电发〔2011〕53号

各省、自治区、直辖市国土资源厅（国士环境资源厅、国土资局、国土资源和房屋管理局、规划和国土资源管理局），各派驻地方的国家土地督察局：

近年来，各级国土资源管理部门围绕落实党中央、国务院确定的房地产调控和保障性住房建设目标任务，采取积极有效的政策措施，调整优化土地供应和利用结构，千方百计增加住房用地供应总量，优先满足保障性住房用地供应，对于加大保障性住房和普通商品住房有效供给，稳定房地产市场预期，促进房地产市场和土地市场规范发展等，发挥了积极作用。但是，目前一些地方在落实2011年保障性安居工程建设和房地产市场调控任务时，为缓解土地供求矛盾，多渠道、多位置布置保障性安居工程，出现了擅自利用农村集体土地和企业自用土地建设公共租赁住房以及建设销售“小产权房”等倾向性问题。为认真贯彻落实《国务院办公厅关于进一步做好房地产市场调控工作有关问题的通知》（国办发〔2011〕1号），进一步加强保障性安居工程用地管理，依法依规确保保障性安居工程用地的供应，现就有关问题通知如下：

一、采取得力措施，确保保障性安居工程用地及时供应

各级国土资源管理部门要进一步加大工作力度，切实做到保障性安居工程用地应保尽保、及时供应。市县国土资源管理部门要全力抓好保障性安居工程用地计划的实施管理，主动加强与相关部门的协调配合，保证项目及时落地。要优先安排收回的国有土地和储备土地用于保障性安居工程建设；对涉及使用新增建设用地的，要提前做好土地征收、补偿安置等前期工作，确保保障性安居工程项目及时供地、及时开工建设。省级国土资源管理部门要建立健全保障性安居工程用地审核绿色通道，简化程序，缩短审核报批周期，提高报批效率。

省级国土资源管理部门要加强对市县保障性安居工程用地计划实施工作的指导和监管，建立定期检查、责任考核追究制度，督促市县建立健全分工负责和绩效考核制度，及时发现和帮助解决影响保障性安居工程用地供应与管理方面出现的各种问题。对于保障性安居工程用地落实不到位的，要追究责任。

二、规范土地供应管理，严格控制保障性安居工程建设标准

规范用地合同管理，严格控制住房套型面积标准，以有限的土地资源增加住房有效供应。市、县国土资源管理部门要会同有关部门严把保障性安居工程各类房型建设标准。公共租赁住房套型建筑面积应控制在60平方米以内，以40平方米为主。套型建筑面积标准、廉租住房、公共租赁住房只租不售及违约处罚条款等必须在《国有建设用地使用权出让合同》或《国有建设用地划拨决定书》中明确约定，强化履约监管。

三、严禁擅自利用农村集体土地兴建公共租赁住房

各地要严格执行国务院《关于严格执行有关农村集体建设用地法律和政策的通知》（国办发〔2007〕71号），坚决制止乱占滥用耕地的建设行为，严禁擅自利用农村集体建设用地兴建公共租赁住房。对于商品住房价格较高、建设用地紧缺的个别直辖市，确需利用农村集体建设用地进行公共租赁住房建设试点的，城市人民政府必须按照控制规模、优化布局、集体自建、只租不售、土地所有权和使用权不得流转的原则，制订试点方案，由省级人民政府审核同意，报国土资源部审核批准后方可试点。未经批准，一律不得利用农村集体建设用地建设公共租赁房。

四、严格规范企业利用自用土地兴建保障性住房行为

严格执行企业利用自有土地兴建住房的政策规定，距离城区较远住房困难职工较多的独立工矿企业，为解

决内部员工住房困难，在符合城市规划前提下利用自有土地建设保障性住房的，应向国土资源管理部门申报，经城市人民政府批准后，纳入市、县住房用地供应计划。未履行申报程序的，市、县国土资源管理部门不得批准其用地，也不得进行土地用途的变更登记。利用自有土地建设保障性住房的，其建设标准和供应对象等，必须按照国务院《关于解决城市低收入家庭经房困难的若干意见》（国发〔2007〕24号）的规定，纳入城市保障性住房管理。对符合国发〔2007〕24号文件规定条件的企业建设公共租赁住房已纳入当地公共租赁住房规划、计划的，国土资源管理部门应按照法律规定办理相关手续。

五、坚决制止和严肃查处“小产权房”等违法违规行为

各级国土资源管理部门要严格执行有关农村集体建设用地法律和政策，切实加大土地执法力度，主动会同关部门，及时调查发现和查处利用集体土地建设“小产权房”行为；对于已建、已售“小产权房”用地不得受理其土地登记，不得以任何方式补办土地审批手续。已查清是违法占用农村集体土地建设“小产权房”的，应一律停建停售，依法依规分类调查处理。各地要进一步强化土地执法监管措施，有效预防和杜绝借新农村建设、保障性安居工程建设等违法占用农村集体土地建设“小产权”房的行为。

各省、自治区、直辖市国土资源主管部门要深入实际、采取有效措施，既要确保住房用地供应、管理和调控政策落实到位，又要严格依法依规使用土地，维护正常的土地市场秩序。

中华人民共和国国土资源部

二〇一一年四月二十九日

国土资源部 财政部 农业部 关于加快推进农村集体土地确权登记发证工作的通知

国土资发〔2011〕60号

各省、自治区、直辖市国土资源厅（国土环境资源厅、国土资源局、国土资源和房屋管理局、规划和国土资源管理局）、财政厅（局）、农业（农牧、农村经济）厅（局、委、办），新疆生产建设兵团国土资源局、财务局、农业局：

为贯彻落实十七届三中全会精神和《中共中央国务院关于加大统筹城乡发展力度进一步夯实农业农村发展基础的若干意见》（中发〔2010〕1号，以下简称中央1号文件）有关要求，切实加快推进农村集体土地确权登记发证工作，现将有关事项通知如下：

一、充分认识加快农村集体土地确权登记发证的重要意义

《土地管理法》实施以来，各地按照国家法律法规和政策积极开展土地登记工作，取得了显著的成绩，对推进土地市场建设，维护土地权利人合法权益，促进经济社会发展发挥了重要作用。但是，受当时条件的限制，农村集体土地确权登记发证工作总体滞后，有的地区登记发证率还很低，已颁证的农村集体土地所有权大部分只确权登记到行政村农民集体一级，没有确认到每一个具有所有权的农民集体，这与中央的要求和农村经济社会发展的现实需求不相适应。明晰集体土地财产权，加快推进农村集体土地确权登记发证工作任务十分紧迫繁重。

（一）加快推进农村集体土地确权登记发证工作是维护农民权益、促进农村社会和谐稳定的现实需要。通过农村集体土地确权登记发证，有效解决农村集体土地权属纠纷，化解农村社会矛盾，依法确认农民土地权利，强化农民特别是全社会的土地物权意识，有助于在城镇化、工业化和农业现代化推进过程中，切实维护农民权益。

（二）加快推进农村集体土地确权登记发证工作是落实最严格的耕地保护制度和节约用地制度、提高土地管理和利用水平的客观需要。土地确权登记发证的过程，是进一步查清宗地的权属、面积、用途、空间位置，建立土地登记簿的过程，也是摸清土地利用情况的过程，从而改变农村土地管理基础薄弱的状况，夯实管理和改革的基础，确认农民集体、农民与土地长期稳定的产权关系，将农民与土地物权紧密联系起来，可以进一步激发农民保护耕地、节约集约用地的积极性。

（三）加快推进农村集体土地确权登记发证工作是夯实农业农村发展基础、促进城乡统筹发展的迫切需要。加快农村集体土地确权登记发证，依法确认和保障农民的土地物权，进而通过深化改革，还权赋能，最终形成产权明晰、权能明确、权益保障、流转顺畅、分配合理的农村集体土地产权制度，是建设城乡统一的土地市场的前提，是促进农村经济社会发展、实现城乡统筹的动力源泉。

二、切实加快农村集体土地确权登记发证工作，强化成果应用

各地要认真落实中央1号文件精神，加快农村集体土地所有权、宅基地使用权、集体建设用地使用权等确权登记发证工作，力争到2012年底把全国范围内的农村集体土地所有权证确认到每个具有所有权的集体经济组织，做到农村集体土地确权登记发证全覆盖。要按照土地总登记模式，集中人员、时间和地点开展工作，坚持依法依规、便民高效、因地制宜、急需优先和全面覆盖的原则，注重解决难点问题。

（一）完善相关政策。认真总结在农村集体土地确权登记发证工作方面的经验，围绕地籍调查、土地确权、争议调处、登记发证工作中存在的问题，深入研究，创新办法，细化和完善加快农村集体土地确权登记发证的政策。严禁通过土地登记将违法违规用地合法化。

（二）加快地籍调查。地籍调查是土地登记发证的前提，各地要加快地籍调查，严格按照地籍调查有关规程规范的要求，开展农村集体土地所有权、宅基地使用权、集体建设用地使用权调查工作，查清农村每一宗土地的

权属、界址、面积和用途等基本情况。有条件的地方要制作农村集体土地所有权地籍图，以大比例尺地籍调查为基础，制作农村集体土地使用权，特别是建设用地使用权、宅基地使用权地籍图。县级以上城镇以及有条件的一般建制镇、村庄，要建立地籍信息系统，将地籍调查成果上图入库，纳入规范化管理，在此基础上，开展土地总登记及初始登记和变更登记。建立地籍成果动态更新机制，以土地登记为切入点，动态更新地籍调查成果资料，保持调查成果的现势性，确保土地登记结果的准确性。

（三）加强争议调处。要及时调处土地权属争议，建立土地权属争议调处信息库，及时掌握集体土地所有权、宅基地使用权和集体建设用地使用权权属争议动态，有效化解争议，为确权创造条件。

（四）规范已有成果。结合全国土地登记规范化和土地权属争议调处检查工作，凡是农村集体土地所有权证没有确认到具有所有权的农民集体经济组织的，应当确认到具有所有权的农民集体经济组织；已经登记发证的宗地缺失档案资料以及不规范的，尽快补正完善；已经登记的宗地测量精度不够的，及时进行修补测；对于发现登记错误的，及时予以更正。

（五）加强信息化建设。把农村集体土地确权登记发证同地籍信息化建设结合起来，在应用现代信息技术加快确权登记发证的同时，一并将地籍档案数字化，实现确权登记发证成果的信息化管理。建设全国土地登记信息动态监管查询系统，逐步实现土地登记资料网上实时更新，动态管理，建立共享机制，全面提高地籍管理水平，大幅度提高地籍工作的社会化服务程度。

（六）强化证书应用。实行凭证管地用地制度。土地权利证书要发放到权利人手中，严禁以统一保管等名义扣留、延缓发放土地权利证书。各地根据当地实际，可以要求凡被征收的农村集体所有土地，在办理征地手续之前，必须完成农村集体土地确权登记发证，在征地拆迁时，要依据农村集体土地所有证和农村集体土地使用证进行补偿；凡是依法进入市场流转的经营性集体建设用地使用权，必须经过确权登记，做到产权明晰、四至清楚、没有纠纷，没有经过确权登记的集体建设用地使用权一律禁止流转；农用地流转需与集体土地所有权确权登记工作做好衔接，确保承包地流转前后的集体所有性质不改变，土地用途不改变，农民土地承包权益不受损害；对新农村建设和农村建设用地整治涉及宅基地调整的，必须以确权登记发证为前提。

充分发挥农村土地确权登记发证工作成果在规划、耕保、利用、执法等国土资源管理各个环节的基础作用。农村集体土地登记发证与集体建设用地流转、城乡建设用地增减挂钩、农用地流转、土地征收等各项重点工作挂钩。凡是到2012年底未按时完成农村集体土地所有权登记发证工作的，农转用、土地征收审批暂停，农村土地整治项目不予立项。

三、加强组织领导，强化督促落实

（一）加强组织领导。国土资源部会同财政部、农业部成立全国加快推进农村集体土地确权登记发证工作领导小组，办公室设在国土资源部地籍管理司，由成员单位有关方面负责人、联络员及工作人员组成，具体负责推进农村集体土地确权登记发证的日常工作。省级人民政府国土资源部门要牵头成立相应的领导小组，负责本地区工作的组织和实施。市（县）政府是农村集体土地登记的法定主体，市（县）成立以政府领导为组长的工作领导小组，国土资源部门承担领导小组的日常工作，负责编制实施方案，分解任务，落实责任，明确进度，定期检查，抓好落实。农村集体土地所有权确权登记发证应当覆盖到本行政区内全部集体土地。

（二）周密部署安排。各省要抓紧摸清本地区集体土地确权登记发证现状，研究制定具体工作方案，明确年度工作目标和任务，加强人员培训，落实责任制，加快农村集体土地所有权、宅基地使用权、集体建设用地使用权等确权登记颁证工作，2012年底基本完成把农村集体土地所有权证确认到每个具有所有权的农民集体经济组织的任务。

建立全国农村集体土地确权登记发证工作进度汇总统计分析和通报制度。请省级领导小组办公室于2011年6月底将本地区农村集体土地确权登记发证工作进展情况报办公室，此后按季度定期上报工作进度情况，并逐步建立网上动态上报机制，办公室将采取多种方式加强督促检查。

（三）切实保障经费。相关地方政府要按照中央1号文件要求，统筹安排，将农村集体土地确权登记发证有关工作经费足额纳入财政预算，保障工作开展。

（四）加强土地登记代理机构队伍建设。借助土地登记代理机构等专业力量，提高确权登记发证的效率和规范化程度。

（五）宣传动员群众。各地要通过报纸、电视、广播、网络等媒体，大力宣传农村集体土地确权登记发证的重要意义、工作目标和法律政策，创造良好的舆论环境和工作氛围。争取广大农民群众和社会各界的理解支持，充分发挥农村基层组织在登记申报、土地确权、纠纷调处等工作中的重要作用，调动广大农民群众参与的积极性。国土资源部将适时召开加快推进农村集体土地确权登记发证工作现场会，总结、推广、宣传典型经验，为全国提供示范典型。

中华人民共和国国土资源部
中华人民共和国财政部
中华人民共和国农业部
二〇一一年五月六日

国土资源部
关于坚持和完善土地招标拍卖挂牌出让制度的意见

国土资发〔2011〕63号

各省、自治区、直辖市国土资源厅（国土环境资源厅、国土资源局、国土资源和房屋管理局、规划和国土资源管理局），副省级城市国土资源主管部门，新疆生产建设兵团国土资源局：

去年以来，各地按照中央和部关于房地产市场调控政策要求，在坚持土地招标拍卖挂牌（以下简称招拍挂）制度基础上，积极探索创新城市住房用地出让政策，促进地价房价合理调整，取得了积极成效。为进一步落实《国务院办公厅关于进一步做好房地产市场调控工作有关问题的通知》（国办发〔2011〕1号）的要求，完善招拍挂的供地政策，加强土地出让政策在房地产市场调控中的积极作用，现提出以下意见。

一、正确把握土地招拍挂出让政策的调控作用

国有土地使用权招拍挂出让制度是市场配置国有经营性建设用地的基本制度。它充分体现了公开公平公正竞争和诚实信用的市场基本原则，建立了反映市场供求关系、资源稀缺程度、环境损害成本的价格形成机制，完全符合社会主义市场经济体制的基本方向。坚持国有经营性建设用地招拍挂出让制度和在房地产市场运行正常条件下按“价高者得”原则取得土地，符合市场优化配置土地资源的基本原则，符合法律政策要求，同时在抑制行政权力干预市场，从源头上防治土地出让领域腐败中发挥了重要作用。

当前，部分城市商品住房价格居高不下，户型结构和保障性安居工程用地布局不合理，少数规划的商品住房优质地块和二三线城市商品住房土地出让存在着地价非理性上涨的可能。为进一步落实中央关于房地产市场调控各项政策和工作要求，积极主动发挥招拍挂出让土地政策的稳定市场、优化结构、促进地价房价合理调整、保障住房用地的作用，当前和今后一个时期，各级国土资源主管部门必须从完善土地市场机制、健全土地宏观调控体系、实施节约优先战略的基本要求出发，以“保民生、促稳定”为重点，坚持土地招拍挂出让基本制度，创新和完善有效实现中央调控政策要求的土地出让政策和措施，主动解决商品住房建设项目供地、开发利用和监管中出现的新情况、新问题，实现土地经济效益与社会综合效益的统一、市场配置与宏观调控的统一，促进城市房地产市场健康发展。

二、完善住房用地招拍挂计划公示制度

市、县在向社会公布年度住房用地出让计划的基础上，建立计划出让地块开发建设的宗地条件公布机制，根据出让进度安排，进一步细化拟出让地块、地段的规划和土地使用条件，定期向社会发布细化的商品住房和保障性安居工程各类房屋建设用地信息，同时明确意向用地者申请用地的途径和方式，公开接受用地申请。单位和个人对列入出让计划的具体地块有使用意向并提出符合规定的申请后，应及时组织实施土地招拍挂出让。公示保障性安居工程项目划拨用地时，一并向社会公示申请用地单位，接受社会监督。

三、调整完善土地招拍挂出让政策

各地要根据当地土地市场、住房建设发展阶段，对需要出让的宗地，选择恰当的土地出让方式和政策，落实政府促进土地合理布局，节约集约利用，有效合理调整地价房价，保障民生，稳定市场预期的目标。

（一）限定房价或地价，以挂牌或拍卖方式出让政策性住房用地。

以“限房价、竞地价”方式出让土地使用权的，市、县国土资源主管部门应在土地出让前，会同住房建设、物价、规划行政主管部门，按相关政策规定确定住房销售条件，根据拟出让宗地所在区域商品住房销售价格水平，合理确定拟出让宗地的控制性房屋销售价格上限和住房套型面积标准，以此作为土地使用权转让的约束性条件，一并纳入土地出让方案，报经政府批准后，以挂牌、拍卖方式公开出让土地使用权，符合条件、承诺地

价最高且不低于底价的为土地使用权竞得人。出让成交后，竞得人接受的宗地控制性房屋销售价格、成交地价、土地使用权转让条件及违约处罚条款等，均应在成交确认书和出让合同中明确。

以“限地价、竞房价”方式出让土地使用权的，市、县国土资源主管部门应在土地出让前，根据拟出让宗地的征地拆迁安置补偿费、土地前期开发成本、同一区域基准地价和市场地价水平、土地使用权转让条件、房屋销售价格和政府确定的房价控制目标等因素，综合确定拟出让宗地的出让价格，同时应确定房价的最高控制价（应低于同区域、同条件商品住房市场价），一并纳入土地出让方案，报经政府批准后，以挂牌、拍卖方式公开出让土地使用权，按照承诺销售房价最低者（开发商售房时的最高售价）确定为土地竞得人。招拍挂成交后，竞得人承诺的销售房价、成交地价、土地使用权转让条件及违约处罚条款等，均应在成交确认书和出让合同中明确。

（二）限定配建保障性住房建设面积，以挂牌或拍卖方式出让商品住房用地。

以“商品住房用地中配建保障性住房”方式出让土地使用权的，市、县国土资源主管部门应会同住房建设、规划、房屋管理和住房保障等部门确定拟出让宗地配建廉租房、经济适用房等保障性住房的面积、套数、建设进度、政府收回条件、回购价格及土地面积分摊办法等，纳入出让方案，经政府批准后，写入出让公告及文件，组织实施挂牌、拍卖。土地出让成交后，成交价款和竞得人承诺配建的保障性住房事项一并写入成交确认书和出让合同。

（三）对土地开发利用条件和出让地价进行综合评定，以招标方式确定土地使用权人。

以“土地利用综合条件最佳”为标准出让土地使用权，市、县国土资源主管部门应依据规划条件和土地使用标准按照宗地所在区域条件、政府对开发建设的要求，制定土地出让方案和评标标准，在依法确定土地出让底价的基础上，将土地价款及交付时间、开发建设周期、建设要求、土地节约集约程度、企业以往出让合同履行情况等影响土地开发利用的因素作为评标条件，合理确定各因素权重，会同有关部门制定标书，依法依纪，发布公告，组织招投标。经综合评标，以土地利用综合条件最佳确定土地使用者。确定中标人后，应向社会公示并将上述土地开发利用条件写入中标通知书和出让合同。

四、大力推进土地使用权出让网上运行

出让国有建设用地使用权涉及的出让公告、出让文件、竞买人资格、成交结果等，都应在部门户网站和各地国土资源主管部门的网上公开发布。积极推行国有经营性建设用地网上挂牌出让方式。市、县国土资源主管部门可以通过网上发布出让公告信息，明确土地开发利用、竞买人资格和违约处罚等条件，组织网上报价竞价并确定竞得人。网上挂牌出让成交后，市、县国土资源主管部门要按照国有土地招拍挂出让规范，及时与竞得人签订纸质件的成交确认书和出让合同。对竞得人需要进行相关资料审查的，建立网上成交后的审查制度，发现受让人存在违法违规行为或不具有竞买资格时，挂牌出让不成交，应重新组织出让，并对违规者进行处罚。

五、完善土地招拍挂出让合同

市、县国土资源主管部门要依据现行土地管理法律政策，对附加各类开发建设销售条件的政策性商品住房用地的出让，增加出让合同条款，完善出让合同内容，严格供后监管。政策性商品住房用地出让成交后，竞得人或中标人应当按照成交确认书或中标通知书的要求，按时与国土资源主管部门签订出让合同。建房套数、套型、面积比例、容积率、项目开竣工时间、销售对象条件、房屋销售价格上限、受让人承诺的销售房价、土地转让条件、配建要求等规划、建设、土地使用条件以及相应的违约责任，应当在土地出让合同或住房建设和销售合同中明确。

为保证政策性商品住房用地及时开发利用，市、县国土资源主管部门可以在出让合同中明确约定不得改变土地用途和性质、不得擅自提高或降低规定的建设标准、保障性住房先行建设和先行交付、不得违规转让土地使用权等内容，对违反规定或约定的，可在出让合同中增加“收回土地使用权并依法追究责任”等相关内容。

各地应当加强对政策性商品住房用地出让合同履行情况的监督检查，对违反合同约定的，应会同有关部门依法处罚，追究违约责任。

各省级国土资源主管部门要切实加强对市、县住房供地政策制度和组织实施工作的指导和监管，及时发现和解决出现的问题。也可按照本意见，探索其他用途土地出让方式和土地出让各环节的制度创新，进一步完善国有土地使用权招拍挂出让制度，保障和促进中央关于房地产市场调控政策的落实。

中华人民共和国国土资源部

二〇一一年五月十一日

国土资源部办公厅
关于切实做好征地拆迁管理工作的紧急通知

国土资电发〔2011〕72号

各省、自治区、直辖市国土资源厅(国土环境资源厅、国土资源局、国土资源和房屋管理局、规划和国土资源管理局),新疆生产建设兵团国土资源局:

近期,各地在加快工业化、城镇化建设中,一些地方因征地拆迁引发的恶性事件时有发生,社会反响强烈。为严格规范征地拆迁管理、坚决防范查处强征强拆等违法行为,切实维护群众合法权益,现就有关事项紧急通知如下:

一、进一步提高认识,认真贯彻落实中央有关规定要求

做好征地拆迁补偿安置工作,关系国家经济建设发展、农民群众切身利益和社会和谐稳定,党中央、国务院对此高度重视。2010年5月,国务院办公厅下发《关于进一步严格征地拆迁管理工作切实维护群众合法权益的紧急通知》(国办发明电〔2010〕15号),强调征地拆迁要严格执行有关规定,坚决纠正违法违规征地拆迁行为。2011年3月,中纪委办公厅下发《关于加强监督检查进一步规范征地拆迁行为的通知》(中纪办发〔2011〕8号),要求加强对征地拆迁政策规定执行情况的监督检查。特别是国务院颁发《国有土地上房屋征收与补偿条例》以来,进一步增强了广大干部群众依法依规做好农村集体土地征收拆迁的自觉性。但是,各地在加快发展中,用地需求猛增,土地征收拆迁任务加重,因各种原因引发的违法违规土地征收拆迁行为,有增加趋势。各级国土资源部门要从切实维护人民群众利益、构建和谐社会的高度,认真领会并贯彻落实好中央一系列规定要求,一把手亲自抓。要配合政府和有关部门,从本省(区、市)实际情况出发,完善征地拆迁补偿安置的政策措施;督促市、县政府切实履行"对征地拆迁管理工作负总责"的责任,加强对各地征地拆迁工作的指导监督,切实做好征地拆迁补偿安置工作。

二、严格征地拆迁管理,维护被征农民利益

《关于进一步做好征地管理工作的通知》(国土资发〔2010〕96号)中对提高征地补偿标准、采取多元安置途径、做好农民房屋拆迁补偿安置工作、规范征地程序等提出了明确要求,各级国土资源部门在征地拆迁中要认真执行,加强管理。实施征地拆迁,必须在政府的统一组织领导下依法规范进行。征地中拆迁农民房屋要给予合理补偿,并因地制宜采取迁建安置、货币安置或实物补偿等多种安置方式,妥善解决好农户生产生活用房问题。要严格履行规定程序,征地前及时组织征地公告,并就征地补偿安置标准和政策征求群众意见。群众有意见的,要认真反复做好政策宣传解释和群众思想疏导工作,得到群众的理解和支持,不得强行实施征地拆迁;对于群众提出的合理要求,必须妥善予以解决。征地经依法批准后,要依法规范实施,确保征地补偿费用及时足额支付到位,防止出现拖欠、截留、挪用问题。

三、及时化解矛盾纠纷,妥善处理征地拆迁突发事件

各级国土资源部门要建立健全征地拆迁矛盾纠纷排查调处机制,认真做好征地拆迁中矛盾纠纷化解工作。在征地拆迁前,要分析评估易引发不稳定风险的环节和因素,提出预防和化解不稳定风险的对策措施。征地拆迁实施中要加强监管,及时发现出现的苗头性、倾向性问题,做好有关沟通协调工作,做到早发现、早处理,避免矛盾积累激化。要建立应急预案,对征地拆迁突发事件,要及时分析原因,主动向政府报告,积极采取措施妥善解决,防止简单粗暴压制群众,引发恶性和群体性事件。要积极探索创新土地征收拆迁中做好宣传引导、化解不同意见及组织实施的有效途径和办法,认真做好征地拆迁群众信访工作,深入到问题反映较多的地方去接访、下访,主动倾听群众诉求,及时改进工作,把问题解决在初始阶段。

四、开展全面检查，坚决纠正违法违规征地拆迁行为

省级国土资源主管部门要迅速组织，对本省（区、市）内各项建设正在实施的征地拆迁开展一次全面自查自纠，重点检查征地拆迁程序是否严格规范、补偿标准是否符合规定要求、安置是否落实，是否存在违法违规强制征地拆迁行为等。对发现存在程序不合法、补偿不到位、被拆迁人居住条件未得到保障或违法违规强制征地拆迁等行为的，必须立即予以制止，并采取有力措施进行整改，整改到位前，不得继续实施征地拆迁。对发现的违法违规征地拆迁行为，要依法依规严肃查处。

各省（区、市）要认真按照本通知规定要求，在全面梳理的基础上抓紧完善和落实征地拆迁相关制度规定，有关完善落实情况连同全面检查整改结果汇总形成报告，于2011年7月底前报部。

国土资源部办公厅

二○一一年五月十三日

国土资源部
中央农村工作领导小组办公室
财政部 农业部
关于农村集体土地确权登记发证的若干意见

国土资发〔2011〕178号

各省、自治区、直辖市及副省级城市国土资源主管部门、农办（农工部、农委、农工委、农牧办）、财政厅（局）、农业（农牧、农村经济）厅（局、委、办），新疆生产建设兵团国土资源局、财务局、农业局，解放军土地管理局：

为切实落实《中共中央 国务院关于加大统筹城乡发展力度进一步夯实农业农村发展基础的若干意见》（中发〔2010〕1号），国土资源部、财政部、农业部联合下发了《关于加快推进农村集体土地确权登记发证工作的通知》（国土资发〔2011〕60号），进一步规范和加快推进农村集体土地确权登记发证工作，现提出以下意见：

一、明确农村集体土地确权登记发证的范围

农村集体土地确权登记发证是对农村集体土地所有权和集体土地使用权等土地权利的确权登记发证。农村集体土地使用权包括宅基地使用权、集体建设用地使用权等。农村集体土地所有权确权登记发证要覆盖到全部农村范围内的集体土地，包括属于农民集体所有的建设用地、农用地和未利用地，不得遗漏。

二、依法依规开展农村集体土地确权登记发证工作

按照《中华人民共和国物权法》、《中华人民共和国土地管理法》、《土地登记办法》、《土地权属争议调查处理办法》、《确定土地所有权和使用权的若干规定》等有关法律政策文件以及地方性法规、规章的规定，本着尊重历史、注重现实、有利生产生活、促进社会和谐稳定的原则，在全国土地调查成果以及年度土地利用变更调查成果基础上，依法有序开展确权登记发证工作。

农村集体土地确权登记依据的文件资料包括：人民政府或者有关行政主管部门的批准文件、处理决定；县级以上人民政府国土资源行政主管部门的调解书；人民法院生效的判决、裁定或者调解书；当事人之间依法达成的协议；履行指界程序形成的地籍调查表、土地权属界线协议书等地籍调查成果；法律、法规等规定的其他文件等。

三、加快农村地籍调查工作

各地应以“权属合法、界址清楚、面积准确”为原则，依据《土地利用现状分类》（GB/T 21010-2007）、《集体土地所有权调查技术规定》、《城镇地籍调查规程》等相关技术规定和标准，充分利用全国土地调查等已有成果，以大比例尺地籍调查成果为基础，查清农村每一宗土地的权属、界址、面积和用途（地类）等，按照统一的宗地编码模式，形成完善的地籍调查成果，为农村集体土地确权登记发证提供依据。同时，要注意做好变更地籍调查及变更登记，保持地籍成果的现势性。

凡有条件的地区，农村集体土地所有权宗地地籍调查应采用解析法实测界址点坐标并计算宗地面积；条件不具备的地区，可以全国土地调查成果为基础，核实并确定权属界线，对界址走向进行详细描述，采用图上量算或数据库计算的方法计算宗地面积。农村集体土地所有权宗地图和地籍图比例尺不小于1：10000。牧区等特殊地区在报经省级国土资源主管部门同意后，地籍图比例尺可以放宽至1:50000。

宅基地使用权、集体建设用地使用权宗地地籍调查，应采用解析法实测界址点坐标和计算宗地面积，宗地图和地籍图比例尺不小于1：2000。使用勘丈法等其他方

法已发证的宅基地、集体建设用地，在变更登记时，应采用解析法重新测量并计算宗地面积。

四、把农村集体土地所有权确认到每个具有所有权的农民集体

确定农村集体土地所有权主体遵循“主体平等”和“村民自治”的原则，按照乡（镇）、村和村民小组农民集体三类所有权主体，将农村集体土地所有权确认到每个具有所有权的农民集体。凡是村民小组（原生产队）土地权属界线存在的，土地应确认给村民小组农民集体所有，发证到村民小组农民集体；对于村民小组（原生产队）土地权属界线不存在、并得到绝大多数村民认可的，应本着尊重历史、承认现实的原则，对这部分土地承认现状，明确由村农民集体所有；属于乡（镇）农民集体所有的，土地所有权应依法确认给乡（镇）农民集体。

属于村民小组集体所有的土地应当由其集体经济组织或村民小组依法申请登记并持有土地权利证书。对于村民小组组织机构不健全的，可以由村民委员会代为申请登记、保管土地权利证书。

涉及依法“合村并组”的，“合村并组”后土地所有权主体保持不变的，所有权仍然确权给原农民集体；“合村并组”后土地所有权主体发生变化、并得到绝大多数村民认可的，履行集体土地所有权变更的法定程序后，按照变化后的主体确定集体土地所有权，并在土地登记簿和土地证书上备注各原农民集体的土地面积。

涉及依法开展城乡建设用地增减挂钩试点和农村土地整治的，原则上应维持原有土地权属不变；依法调整土地的，按照调整协议确定集体土地权利归属，并依法及时办理土地变更登记手续。

对于“撤村建居”后，未征收的原集体土地，只调查统计，不登记发证。调查统计时在新建单位名称后载明原农民集体名称。

在土地登记簿的“权利人”和土地证书的“土地所有权人”一栏，集体土地所有权主体按“ｘｘ组（村、乡）农民集体”填写。

五、依法明确农村集体土地所有权主体代表

属于村农民集体所有的，由村集体经济组织或者村民委员会受本农民集体成员的委托行使所有权；分别属于村内两个以上农民集体所有的，由村内各该集体经济组织或者村民小组代表集体行使所有权；属于乡镇农民集体所有的，由乡镇集体经济组织代表集体行使所有权；没有乡（镇）农民集体经济组织的，乡（镇）集体土地所有权由乡（镇）政府代管。在办理土地确权登记手续时，由农民集体所有权主体代表申请办理。

集体经济组织的具体要求和形式，可以由各省（区、市）根据本地有关规定和实际情况依法确定。

六、严格规范确认宅基地使用权主体

宅基地使用权应该按照当地省级人民政府规定的面积标准，依法确认给本农民集体成员。非本农民集体的农民，因地质灾害防治、新农村建设、移民安置等集中迁建，在符合当地规划的前提下，经本农民集体大多数成员同意并经有权机关批准异地建房的，可按规定确权登记发证。已拥有一处宅基地的本农民集体成员、非本农民集体成员的农村或城镇居民，因继承房屋占用农村宅基地的，可按规定登记发证，在《集体土地使用证》记事栏应注记“该权利人为本农民集体原成员住宅的合法继承人”。非农业户口居民（含华侨）原在农村合法取得的宅基地及房屋，房屋产权没有变化的，经该农民集体出具证明并公告无异议的，可依法办理土地登记，在《集体土地使用证》记事栏应注记“该权利人为非本农民集体成员”。

对于没有权属来源证明的宅基地，应当查明土地历史使用情况和现状，由村委会出具证明并公告 30 天无异议，经乡（镇）人民政府审核，报县级人民政府审定，属于合法使用的，确定宅基地使用权。

七、按照不同的历史阶段对超面积的宅基地进行确权登记发证

1982 年《村镇建房用地管理条例》实施前，农村村民建房占用的宅基地，在《村镇建房用地管理条例》实施后至今未扩大用地面积的，可以按现有实际使用面积进行确权登记；1982 年《村镇建房用地管理条例》实施起至 1987 年《土地管理法》实施时止，农村村民建房占用的宅基地，超过当地规定的面积标准的，超过部分按当时国家和地方有关规定处理后，可以按实际使用面积进行确权登记；1987 年《土地管理法》实施后，农村村民建房占用的宅基地，超过当地规定的面积标准的，按照实际批准面积进行确权登记。其面积超过各地规定标准的，可在土地登记簿和土地权利证书记事栏内注明超过标准的面积，待以后分户建房或现有房屋拆迁、改建、翻建、政府依法实施规划重新建设时，按有关规定作出处理，并按照各地规定的面积标准重新进行确权登记。

八、认真做好集体建设用地的确权登记发证工作

村委会办公室、医疗教育卫生等公益事业和公共设施用地、乡镇企业用地及其他经依法批准用于非住宅建设的集体土地，应当依法进行确权登记发证，确认集体建设用地使用权。将集体土地使用权依法确认到每个权利主体。凡依法使用集体建设用地的单位或个人应申请确权登记。

对于没有权属来源证明的集体建设用地，应查明土地历史使用情况和现状，认定合法使用的，由村委会出具证明并公告30天无异议的，经乡（镇）人民政府审核，报县级人民政府审批，确权登记发证。

九、妥善处理农村违法宅基地和集体建设用地问题

违法宅基地和集体建设用地必须依法依规处理后方可登记。对于违法宅基地和集体建设用地，应当查明土地历史使用情况和现状，对符合土地利用总体规划与村镇规划以及有关用地政策的，依法补办用地批准手续后，进行登记发证。

十、严格规范农村集体土地确权登记发证行为

结合全国土地登记规范化检查工作，全面加强土地登记规范化建设。严格禁止搞虚假土地登记，严格禁止对违法用地未经依法处理就登记发证。对于借户籍管理制度改革或者擅自通过“村改居”等方式非经法定征收程序将农民集体所有土地转为国有土地、农村集体经济组织非法出让或出租集体土地用于非农业建设、城镇居民在农村购置宅基地、农民住宅或“小产权房”等违法用地，不得登记发证。对于不依法依规进行土地确权登记发证或登记不规范造成严重后果的，严肃追究有关人员责任。

十一、加强土地权属争议调处

各地要从机构建设、队伍建设、经费保障、规范程序等各方面，切实采取有力措施，建立健全土地权属争议调处机制，妥善处理农村集体土地权属争议。

十二、规范完善已有土地登记资料

严格按照有关法律、法规和政策规定，全面核查整理和完善已有土地登记资料。凡是已经登记发证的宗地缺失资料以及不规范的，尽快补正完善；对于发现登记错误的，及时予以更正。各地要做好农村集体土地登记资料的收集整理工作，保证登记资料的全面、完整和规范。各地要进一步建立健全有关制度和标准，统一规范管理土地登记资料。

十三、推进农村集体土地登记信息化

要参照《城镇地籍数据库标准》（TD/T 1015—2007）等技术标准，积极推进农村集体土地登记数据库建设，进一步完善地籍信息系统。在此基础上，稳步推进全国土地登记信息动态监管查询系统建设，提升土地监管能力和社会化服务水平，为参与宏观调控提供支撑，有效发挥土地登记成果资料服务经济社会发展的积极作用。

各省（区、市）可根据当地实际情况，细化制定农村集体土地确权登记的具体工作程序和政策。

中华人民共和国国土资源部
中央农村工作领导小组办公室
中华人民共和国财政部
中华人民共和国农业部
二〇一一年十一月十日

国土资源部
关于严格规范城乡建设用地增减挂钩试点工作的通知

国土资发〔2011〕224号

各省、自治区、直辖市及计划单列市国土资源主管部门，新疆生产建设兵团国土资源局，各派驻地方的国家土地督察局，部机关各司局及有关直属事业单位：

为了全面贯彻落实《国务院关于严格规范城乡建设用地增减挂钩试点切实做好农村土地整治工作的通知》（国发〔2010〕47号）精神，完善城乡建设用地增减挂钩（以下简称增减挂钩）制度政策，正确引导、严格规范增减挂钩试点工作，统筹促进城乡发展和新农村建设，现将有关事项通知如下：

一、充分认识严格规范增减挂钩试点工作的重要性

2006年以来，部根据《国务院关于深化改革严格土地管理的决定》（国发〔2004〕28号）提出的“鼓励农村建设用地整理，城镇建设用地增加要与农村建设用地减少相挂钩”的要求，组织开展了增减挂钩试点工作。几年来，试点地区在推进社会主义新农村建设中，结合农村新居建设和危旧房改造等，依据现阶段土地管理要求和城乡发展的实际，积极开展增减挂钩试点，探索统筹城乡建设用地整治和合理调整使用，有效促进了耕地保护和节约集约用地，有力推动了农业现代化和城乡统筹发展。

进一步认识增减挂钩试点的重大意义。根据土地利用总体规划、城乡规划并和新农村及各项建设规划相衔接，积极主动、严格规范地开展增减挂钩试点，是有效推进“三农”发展和城镇化的现实可靠的载体和抓手；是落实中央以城带乡、以工促农方针，统筹城乡发展的重要平台；是引导资源、技术和项目向农村流动，加快社会主义新农村建设的重要途径；是在保障工业化、城镇化、新农村发展中，优化城乡建设用地布局、推进节约集约用地、促进科学发展的重大举措；是严格保护耕地和提高耕地质量、促进耕地集约经营和发展现代农业的有效手段；是坚持家庭承包政策为基础，促进农民分工就业和增加收入的政策创新。各地必须高度重视，积极宣传，正确引导，努力创造保障和促进开展增减挂钩试点的良好社会氛围。

正确把握基本要求。各地必须坚持以统筹城乡发展为导向，以促进耕地保护和农业现代化建设、促进农村小城镇和中心村及各业经济发展、促进农村生产生活条件改善和环境保护为目标，以切实维护农民权益、促进农民增收致富为出发点和落脚点，落实最严格的耕地保护和节约用地制度，坚持依法推动、规范运作、民主公开、量力而行。要坚决防止片面追求增加城镇建设用地指标的倾向，坚决防止擅自扩大增减挂钩试点规模，坚决防止侵害农民权益，确保增减挂钩试点健康有序推进。

二、统筹安排增减挂钩试点

统筹规划，有序推进。开展增减挂钩试点，要以土地利用总体规划确定的城镇建设用地范围内的城郊结合部新城区建设、近郊有条件乡村的小城镇和中心村建设、远郊有条件的集中民居新村建设为重点，统筹安排，确定增减挂钩试点的规模、布局、时序和项目，做好与城乡建设、基础设施布局、环境保护、产业发展等相关规划的协调衔接，以保障和促进农业增产、农民增收和农村发展。省级要编制好增减挂钩专项规划，并报部批准实施；市、县要编制好增减挂钩项目区实施方案，逐级上报省（区、市）审批，报部备案。今后，部批准增减挂钩试点，包括土地整治示范建设中的增减挂钩项目在内，将以地方增减挂钩规划、项目区实施方案编制和实施情况作为重要依据。

因地制宜，量力而行。开展增减挂钩试点，要与当地经济社会发展条件和水平相适应，与同步推进城镇化、工业化和农业现代化相协调，与新农村建设、社区管理、基础设施和产业布局等相配套。要以农民自愿且不额外增加农民负担为前提，通过用地结构调整和布局优化平衡项目区建设资金，支持小城镇和中心村新建新区发展经济，切实改善和提高农民生产生活条件。要选择基层组织凝聚力强、国土资源管理严格规范、各项基础业务扎实的地区开展试点工作。

三、严格把握增减挂钩试点条件

坚持严格审批、严控范围。开展增减挂钩试点，必须在符合土地利用总体规划和土地整治规划、纳入土地利用年度计划的前提下，经部批准。未经批准，不得以各种名义擅自开展增减挂钩和建设用地置换活动。农村内部乡村、村村挂钩推进小城镇和中心村建设的试点项目，也必须经省级人民政府批准，并控制在国家下达的增减挂钩指标内，纳入试点管理。

坚持严格标准、从严管理。已经开展增减挂钩试点的地区，要抓紧按照国发〔2010〕47号文件、《城乡建设用地增减挂钩试点和农村土地整治有关问题的处理意见》（国土资发〔2011〕80号）以及本通知的有关规定，在认真严肃整改存在问题的基础上，将试点项目上图入库，报部审定。对在国家下达增减挂钩指标外，自行开展增减挂钩或建设用地置换的，经严肃整改符合增减挂钩试点规范要求的，作出分年度核销指标的计划安排，报部审定后，逐年纳入增减挂钩试点管理。凡不符合试点规范要求且未开工的项目应一律撤销。

坚持项目管理、封闭运行。试点市、县国土资源部门要按照建新与拆旧相对应的原则设置项目区，合理确定拆旧建新规模和比例。严禁跨县级行政区域设置挂钩项目区。各地开展增减挂钩试点的范围和规模，必须严格控制在部下达的年度增减挂钩指标规模之内，严禁擅自扩大增减挂钩指标规模或循环使用计划指标。

四、切实维护农民土地合法权益

充分尊重农民主体地位。开展增减挂钩试点，必须充分尊重农民意愿，维护农村集体组织和农民的主体地位。确定增减挂钩项目，必须严格按照有关规定履行农村重大事项议事制度，依法听证、公示，凡涉及土地所有权、使用权、土地承包经营权等权属调整和利用分配的，必须先行确权登记；在土地互换和开发经营方式、旧房拆迁、新居建设等方面要提供多种选择；项目报批时，必须附具征求集体组织和农民意见情况、听证和公示相关材料，做到整治前农民愿意、整治中农民参与、整治后农民满意。凡集体组织和农民不同意的，不得强行开展。严禁强拆强建，严禁强迫农民住高楼。

确保收益返还农村。使用增减挂钩指标的土地出让净收益要及时全部返还用于改善农民生活条件和支持农村集体发展生产。农民新居和新村基础设施、公益事业建设所需资金，不得增加农民负担，主要应由增减挂钩指标调剂使用的收益平衡，让农民真正享受到增减挂钩试点带来的实惠。各省（区、市）要研究制定增减挂钩指标使用的土地出让收益管理办法，确定收益的来源、构成和分配，明确受益主体，规范收益分配和用途；要建立地价评估、资产审计机制，实行公示制度，确保收益返还和使用管理的公开、公平和公正。

加强农村集体土地权属管理。开展增减挂钩试点，必须按照明晰产权、维护权益的原则，做好土地确权登记。要按照确权在先的要求，对土地利用现状和权属状况进行调查、核实，做到地类和面积准确，界址和权属清楚。增减挂钩试点涉及的土地，原则上应维持原有土地权属不变；对土地互换的，要引导相关权利人本着互利互惠的原则，平等协商解决，有争议的要依法做好调处工作。对权属有争议又调处不能达成一致意见的，不得开展增减挂钩试点。增减挂钩试点实施后，要依法及时办理土地变更登记手续，发放土地权利证书及农村土地承包经营权证等，依法保障农民土地的用益物权。

五、规范增减挂钩试点管理

优先保障“三农”建设。增减挂钩拆旧腾出的农村建设用地，首先要复垦为耕地，并尽可能与周边耕地集中连片，实施水、路、林配套建设，确保复垦的耕地不低于建新占用的耕地数量质量，有条件的，应积极建设高标准基本农田。规划为建设用地的，要优先保证农民旧房改造、新居建设、环境建设、农村基础设施和公共服务配套设施建设以及农村非农产业发展用地。项目建新地块建设用地必须严格控制在批准下达的增减挂钩指标规模内。

严格增减挂钩项目考核。增减挂钩试点以项目区为主体组织实施，确保项目区实施后建设用地面积不扩大，耕地数量有增加、质量有提高。要加强复垦耕地的后期管护，确保复垦耕地有效利用。试点市、县要对增减挂钩指标的使用、拆旧复垦等情况负责，试点省级国土资源部门每年年底要对增减挂钩试点项目实施情况进行考核，考核结果作为安排下一年度增减挂钩指标的依据，考核不合格的必须限期整改，整改合格前，不得向项目所在市、县下达新的增减挂钩指标，不得安排新的增减挂钩项目。

强化增减挂钩试点全程管理。各试点地区要对增减挂钩指标的下达、使用和核销实行全程监管。各级国土资源主管部门要结合国土资源遥感监测“一张图”和综合监管平台建设，加强增减挂钩试点项目管理信息化建设；完善增减挂钩试点项目在线备案制度，对项目的批准和实施情况，要实时上图入库，并实行网络直报备案，向社会公示，自觉接受社会公众监督。

地方各级国土资源部门要切实加强对增减挂钩试点的组织管理，形成地方政府主导，国土资源主管部门搭建平台，相关部门积极参与、各司其职的责任机制，共同推进增减挂钩试点工作。试点地区国土资源主管部门要主动加强增减挂钩试点研究，注意总结土地制度创新和促进农村经济社会健康持续发展的典型经验和成功做法，探索新机制、新方法。各派驻地方的国家土地督察机构要加强监督检查。部将进一步加强政策调研和工作指导，及时研究解决工作中的问题，适时组织现场观摩，加强宣传引导，不断完善制度措施，保障增减挂钩试点健康有序推进。

此文件有效期为6年。

中华人民共和国国土资源部

二〇一一年十二月二十六日

国土资源部 关于《闲置土地处置办法（修订草案）》公开征求意见的通知

为加大闲置土地处置力度，促进土地节约集约利用，国土资源部起草了《闲置土地处置办法（修订草案）》（征求意见稿）。为提高规章质量，现将全文公布，征求社会各界意见。该规章同时在“中国政府法制信息网”上进行公布。

有关单位和社会各界人士可以在2012年1月15日前，通过三种方式提出意见：

一是登陆中国法制信息网（网址：http://www.chinalaw.gov.cn），进入首页左侧的“部门规章草案意见征集系统”提出意见。

二是通过信函方式将意见寄至：北京市西城区阜内大街64号国土资源部政策法规司（邮编100812），并在信封上注明“闲置土地处置办法征求意见”字样。

三是通过电子邮件方式将意见发送至：ytang@mail.mlr.gov.cn

二○一一年十二月二十一日

闲置土地处置办法（修订草案）（征求意见稿）

第一章　总　则

第一条　为有效处置和充分利用闲置土地，规范土地市场行为，促进节约集约用地，根据《中华人民共和国土地管理法》、《中华人民共和国城市房地产管理法》及有关法律、行政法规，制定本办法。

第二条　本办法所称闲置土地，是指土地使用者依法取得国有建设用地使用权后，未经原批准用地的人民政府批准，超过约定、规定的期限未动工开发建设的国有建设用地。

具有下列情形之一的，也可以认定为闲置土地：

（一）国有建设用地有偿使用合同或者划拨决定书未约定、规定动工开发建设日期，自国有建设用地有偿使用合同生效或者划拨决定书核发之日起满1年未动工开发建设的；

（二）已动工开发建设但开发建设面积占应动工开发建设总面积不足1/3或者已投资额占总投资额不足25%，且未经原批准用地的人民政府批准，中止开发建设连续满1年的；

（三）法律、行政法规规定的其他情形。

第三条　闲置土地处置应当符合土地利用总体规划和城乡规划，遵循盘活存量、以用为先、依法处置、信息公开的原则。

第四条 县级以上地方国土资源主管部门在本级人民政府的领导下，负责本辖区内闲置土地的调查认定和处置工作的组织实施。

第五条 县级以上地方国土资源主管部门应当建立闲置土地监督检查制度，及时发现和预防闲置土地，跟踪监管闲置土地处置利用情况。

单位和个人可以对闲置土地进行举报和反映情况，了解闲置土地处置进展。

第二章 调查和认定

第六条 县级以上地方国土资源主管部门在监督检查中发现单位或者个人涉嫌闲置土地的，应当及时调查核实。必要时，可以采取下列调查措施：

（一）询问当事人及其他证人；

（二）现场勘测、拍照、摄像；

（三）查阅、复制被调查单位或者个人的有关用地审批文件、土地权利文件和资料；

（四）要求被调查单位或者个人就有关土地权利的问题作出说明。

第七条 土地使用者应当配合调查，按要求提供土地开发利用情况、闲置原因以及相关说明等材料。

第八条 经调查核实，土地使用者的行为符合本办法第二条规定，构成闲置土地的，县级以上地方国土资源主管部门应当下达《责令限期动工通知书》，督促土地使用者及时纠正。土地使用者在接到《责令限期动工通知书》后，应当在3个月内动工开发建设。

第九条 《责令限期动工通知书》应当载明下列事项：

（一）土地使用者的姓名或者名称、地址；

（二）相关土地的基本情况；

（三）构成土地闲置的事实、依据和责任；

（四）限期动工时间；

（五）其他要求纠正事项。

第十条 有下列情形之一，属于因政府、政府有关部门的行为造成动工延迟的，土地使用者应当在接到《责令限期动工通知书》15日内，向土地所在地市、县国土资源主管部门提出申请。经审查属实的，市、县国土资源主管部门应当在30日内向土地使用者出具书面证明材料。

（一）因政府调整城乡规划，造成土地使用者不能按国有建设用地有偿合同和划拨决定书约定的用途、规划和建设条件开发的；

（二）因政府未按国有建设用地有偿使用合同和划拨决定书约定的期限、条件将出让宗地交付给受让人，致使项目不具备动工开发建设条件的；

（三）因政府供应土地存在权利不清，致使土地使用者无法动工开发建设的；

（四）因国家政策要求，需对约定的规划和建设条件进行修改，致使土地使用者动工开发延迟的；

（五）因政府、政府有关部门提出停止动工的，但因土地使用者违法行为导致的除外；

（六）因政府、政府有关部门其他行为，致使土地使用者动工开发延迟的。

第十一条 因不可抗力、司法查封、诉讼、仲裁或者军事管制、文物保护等原因导致无法按原来约定、规定的期限动工开发建设的，依照本办法第十条规定办理。

第十二条 土地使用者在接到《责令限期动工通知书》后，未在规定期限内动工纠正和提出证明材料的，县级以上地方国土资源主管部门应当向土地使用者下达《闲置土地认定通知书》。

第十三条 《闲置土地认定通知书》应当载明下列事项：

（一）土地使用者的姓名或者名称、地址；

（二）相关土地的基本情况；

（三）认定土地闲置的事实、依据及原因；

（四）其他需要说明的事项。

第十四条 《闲置土地认定通知书》下达后，县级以上地方国土资源主管部门应当通过门户网站等形式向社会公开闲置土地的位置、土地使用者名称、闲置时间等信息；属于政府或者政府有关部门的行为导致的，应当书面告知有关政府或者政府部门，并同时公开闲置原因。

闲置土地在没有合理利用或者依法收回前，相关信息应当长期公示。省级以上国土资源主管部门应当及时汇总地方闲置土地信息，并在门户网站上公示。

第三章 处置和利用

第十五条 《闲置土地认定通知书》下达后，县级以上地方国土资源主管部门应当与土地使用者协商，共同拟订闲置土地处置方案，报本级人民政府批准后组织实施。

闲置土地设有抵押权或者被司法机关采取查封等限制土地权利措施的，县级以上地方国土资源主管部门应当书面通知相关抵押权人参与闲置土地处置方案的拟订工作，并征求有关司法机关的意见。

第十六条 闲置土地处置方案可以选择下列方式：

（一）延长动工开发建设期限。签订补充协议，重新按规定约定动工、竣工期限和违约责任。延长动工期限最长不得超过1年；

（二）改变土地用途。按新用途重新办理相关用地手续，并按新用途核算、收缴或者退还土地价款。改变用途后的土地利用必须符合土地利用总体规划和城乡规划；

（三）安排临时使用。待原项目具备开发建设条件，土地使用者重新开发建设。临时使用期限最长不得超过2年；

（四）协议有偿收回国有建设用地使用权；

（五）置换土地。对已缴清土地价款、落实项目资金，且因规划调整造成闲置的，可以为土地使用者置换其他价值相当、用途相同的国有建设用地进行开发建设。涉及出让土地的，应当重新签订土地出让合同，并在合同中注明为置换土地。置换土地可以按规定采取协议方式出让。

第十七条 县级以上地方国土资源主管部门与土地使用者协商未能就处置方式达成一致的，按照下列方式处理：

（一）土地闲置满1年的，由县级以上地方国土资源主管部门报经本级人民政府批准后，向土地使用者下达《征缴土地闲置费决定书》，按土地出让或者划拨土地价款的20%征缴土地闲置费；

（二）未动工开发建设，土地闲置满2年的，由县级以上地方国土资源主管部门按照《土地管理法》第37条和《城市房地产管理法》第26条的规定，报经有批准权的人民政府批准后，向土地使用者下达《收回国有建设用地使用权决定书》，无偿收回土地使用权。闲置土地设有抵押权的，同时抄送相关土地抵押权人。

第十八条 对因本办法第十条、第十一条规定情形造成的闲置土地，县级以上地方国土资源主管部门应当与土地使用者协商达成一致后，按本办法第十五条规定程序处置。处置方式可以采取本办法第十六条规定的方式。省、自治区、直辖市还可以根据地方实际规定其他处置方式。

第十九条 县级以上地方国土资源主管部门在按照本办法第十七条规定作出征缴土地闲置费、收回国有建设用地使用权决定前，应当书面告知土地使用者有申请听证的权利。土地使用者要求举行听证的，应当按照《国土资源听证规定》的规定依法组织听证。

第二十条 《征缴土地闲置费决定书》和《收回国有建设用地使用权决定书》应当包括以下内容：

（一）土地使用者的姓名或者名称、地址；

（二）违反法律、法规或者规章的事实和证据；

（三）决定的种类和依据；

（四）决定的履行方式和期限；

（五）申请行政复议或者提起行政诉讼的途径和期限；

（六）作出决定的行政机关名称和作出决定的日期。

《征缴土地闲置费决定书》和《收回国有建设用地使用权决定书》必须盖有批准权人民政府的印章。

第二十一条 土地使用者应当自《征缴土地闲置费决定书》送达之日起15日内，按规定缴纳土地闲置费；自《收回国有建设用地使用权决定书》送达之日起30日内，到县级以上地方国土资源主管部门办理土地使用权注销登记，交回土地证书。土地使用者不服的，可以依法申请行政复议或者提起行政诉讼。

第二十二条 土地使用者逾期不申请行政复议、不提起行政诉讼，也不履行相关义务的，县级以上地方国土资源主管部门可以采取下列措施：

（一）逾期不办理土地使用权注销登记，不交回土地证书的，直接公告注销土地使用权登记和土地证书；

（二）申请人民法院强制执行。

第二十三条 县级以上地方国土资源主管部门在制定土地利用总体规划、安排土地利用年度计划、国有建设用地供应计划时，应当根据本行政区域内闲置土地的状况以及各项建设对土地的需求，优先安排闲置土地。

用地单位或者个人能够使用闲置土地的，应当优先使用闲置土地。

第二十四条 对依法收回的闲置土地，可以采取以下方式利用：

（一）依据国家土地供应政策，确定新的土地使用者开发利用；

（二）纳入政府土地储备；

（三）对耕作条件未被破坏且近期无法安排建设项目的，由县级以上地方国土资源主管部门委托有关单位组织恢复耕种。

第二十五条 闲置土地依法处置后土地权属和土地用途发生变化的，应当依照有关规定办理土地变更登记。

第四章 预防和监管

第二十六条 县级以上地方国土资源主管部门申请农用地转用批准后，必须在2年内实施具体征地或者用地行为；已经实施征地的，必须在2年内供地。

在土地利用总体规划确定的城市建设用地范围内供应土地，必须依法履行完成农村集体土地征收、国有土地使用权收回及国有土地上房屋征收手续，安置补偿义务履行到位，他项权利依法解除，具备动工开发所必需的基本条件。

对没有明确的地块位置、土地用途、容积率、建筑密度等规划条件的，国有土地使用权不得出让。

第二十七条 国有建设用地使用权有偿使用合同和划拨决定书应当就项目开工、竣工时间和违约责任等作出明确约定。土地使用者应当按照要求向县级以上地方国土资源主管部门申报项目开工、开发进度、竣工等情况，在现场上牌公示项目开工、竣工时间和土地开发利用标准。

政府或者政府有关部门因未履行国有建设用地有偿使用合同和划拨决定书约定、规定的义务或者违法行政行为造成项目动工迟延的，应当依法承担违约责任。

第二十八条 县级以上国土资源主管部门应当将土地使用者闲置土地的信息抄送金融等部门，纳入相关部门的信用信息基础数据库。

在闲置土地处置完毕前，县级以上国土资源主管部门不得受理该土地使用者新的用地申请和被认定为闲置土地的转让、出租、抵押登记申请。

第二十九条 省、自治区、直辖市国土资源主管部门可以根据情况，对闲置土地情况严重、闲置土地利用未达到规定标准的地区，适度核减新增建设用地计划指标，暂停新增建设用地农转用审批。

第五章 法律责任

第三十条 县级以上国土资源主管部门及其工作人员违反本办法规定，有下列情形之一的，依法给予处分；构成犯罪的，依法追究刑事责任：

（一）农用地转用批准后，在2年内未实施具体征地或者用地行为；已实施征地，满2年未供地的；

（二）在土地权利不清、手续不齐、安置补偿义务履行不到位、他项权利未依法解除的情况下违规供应土地的；

（三）擅自同意改变国有建设用地使用权有偿使用合同和划拨决定书约定、规定的土地使用条件的；

（四）擅自办理闲置土地使用者新的用地申请和闲置土地的转让、出租、抵押登记手续的。

第三十一条 县级以上国土资源主管部门及其工作人员在闲置土地调查、认定和处置工作中，存在超越、滥用法定职权、事实调查认定不清楚、法律依据错误、行政裁量明显不当、徇私枉法、收受贿赂、违反法定程序等情形的，应当依法给予处分；构成犯罪的，依法追究刑事责任。

第六章 附则

第三十二条 本办法中有关用语的含义：

未动工：是指依据已批准的施工图建筑基础未达到±0.00标高的情形下停止开发建设的行为。

应动工开发建设总面积：是指土地使用者依照土地有偿使用合同或者划拨决定书的约定和规划设计条件，应当在规定时间内完成开发建设的建筑面积，不包括绿地面积。

已投资额、总投资额：均不含土地使用权出让价款和向国家缴纳的相关税费。

第三十三条 闲置集体建设用地的调查、认定和处置，参照本办法有关规定执行。县级以上地方国土资源主管部门在拟定处置方案时，应当会同集体建设用地所在地的集体经济组织，与土地使用者协商。收回的集体建设用地，交由集体建设用地所在地的集体经济组织处置。

第三十四条 本办法自发布之日起施行。1999年4月28日国土资源部公布的《闲置土地处置办法》同时废止。本办法施行前已进入处置程序的闲置土地，继续沿用原有规定。

国家统计局
住宅销售价格统计调查方案

一、调查目的

全面了解和掌握相关城市新建住宅和二手住宅销售价格及其变动情况，为做好国民经济核算和房地产市场调控工作、满足社会公众需要提供基础统计信息。

二、调查任务

按月调查和收集相关城市新建住宅和二手住宅销售价格、面积、金额等相关基础资料并计算价格指数。

三、调查城市及范围

（一）调查城市。

调查城市包括直辖市、省会城市、自治区首府城市（不含拉萨市）和计划单列市（共35个），以及唐山、秦皇岛、包头、丹东、锦州、吉林、牡丹江、无锡、扬州、徐州、温州、金华、蚌埠、安庆、泉州 、九江、赣州、烟台、济宁、洛阳、平顶山、宜昌、襄樊、岳阳、常德、惠州、湛江、韶关、桂林、北海、三亚、泸州、南充、遵义、大理等城市（以下简称“其他35个城市”）。

（二）调查范围。

调查范围为70个大中城市的市辖区，不包括县。

四、调查方法与调查内容

（一）新建住宅销售价格的调查方法与内容。

1.直辖市、省会城市、自治区首府城市（不含拉萨市）、计划单列市等35个城市新建住宅销售价格、面积、金额等资料直接采用当地房地产管理部门的网签数据，不再另作调查。

新建住宅交易的网签数据内容，主要包括：住宅所在项目（楼盘）名称、项目地址、幢号、总层数、所在层数、住宅结构、建筑面积、成交总价（合同金额）、签约时间等。

2.暂时不能取得网签数据的其他35个城市，新建住宅销售价格根据统计系统房地产开发统计报表中各个项目的分类销售面积和金额数据计算，不再另作调查。

（二）二手住宅销售价格的调查方法与内容。

1.二手住宅销售价格的调查方法。

二手住宅销售价格调查为非全面调查，采用重点调查与典型调查相结合的方法，按照房地产经纪机构上报、房地产管理部门提供与调查员实地采价相结合的方式收集基础数据。

为保证二手住宅价格调查的科学性和可靠性，在选取房地产经纪机构和住宅样本时遵循以下原则：

⑴选取房地产经纪机构要注重代表性。为保证调查资料的可靠性和连续性，要统筹考虑各种因素，选择规模大、实力强、营业额占当地总营业额比重较大、经营状况比较稳定的房地产经纪机构，并尽量兼顾内资、港澳台商投资、外商投资等不同注册登记类型。选取的房地产经纪机构的总营业额一般应占当地二手住宅总营业额的75%以上。房地产经纪机构应按规定内容和要求填报调查表。

⑵选取住宅样本要兼顾不同地理位置。综合考虑住宅类型、区域、地段、结构等统计口径的一致性，保证上月、本月价格同质可比。由于存在级差地租，不同地理位置的住宅单位面积价格差异较大。在选取住宅样本时，要分区域（辖区）、分类型从上月及本月销售的住宅中分别选取销售量（套数）所占比重最（较）大、同质可比性和代表性强且交易时间最接近每月15日的一套住宅。如每月15日前、后两日均有同质可比住宅时，选取后者作为样本住宅。

2.二手住宅销售价格的调查内容。

成交住宅所在小区或社区名称、位置、住宅类型、住宅所在区域、住宅所在地段、本月销售面积、本月销售金额、样本住宅上月销售单价、样本住宅本月销售单价等。

五、指标设置

（一）新建住宅。

设置保障性住房和商品住宅两个类别。保障性住房，是指享受国家相关优惠政策、出售给城镇中低收入居民家庭的新建住房，包括经济适用住房、限价商品住房等保障性、政策性住房。

商品住宅类下设 90 平方米及以下、90-144 平方米、144 平方米以上三个基本分类。

（二）二手住宅。

设置 90 平方米及以下、90-144 平方米、144 平方米以上三个基本分类。

六、价格指数的计算方法

（一）新建住宅销售价格指数的计算方法。

1.各城市基本分类月环比价格指数。

计算步骤与方法：第一，计算某一新建住宅项目 90 平方米及以下、90-144 平方米、144 平方米以上三个基本分类的环比指数；第二，采用双加权计算全市三个基本分类的环比指数，即分别利用本月销售面积和金额作为权数计算价格指数，然后将两个价格指数再简单平均计算；第三，计算保障性住房环比价格指数，计算方法与商品住宅基本分类计算方法一致。

具体计算过程为：

⑴计算各项目各基本分类（90 平方米及以下、90-144 平方米、144 平方米以上商品住宅和保障性住房）本月及上月平均价格。

本月及上月平均价格计算公式为：

$$p_t^{i,j}=\frac{Y_t^{i,j}}{Q_t^{i,j}} \quad 和 \quad p_{t-1}^{i,j}=\frac{Y_{t-1}^{i,j}}{Q_{t-1}^{i,j}} \qquad (1-1)$$

其中：$Y_t^{i,j}$、$Y_{t-1}^{i,j}$ 为第 i 个项目第 j 基本分类 t 期（本月）、t-1 期（上月）销售金额，$Q_t^{i,j}$、$Q_{t-1}^{i,j}$ 第 i 个项目第 j 基本分类 t 期（本月）、t-1 期（上月）销售面积。

⑵计算各项目各基本分类（含保障性住房）月环比价格指数。

①连续性销售项目和新开项目环比价格指数的计算。

连续性销售项目是指，该项目本月和上月对应分类都有成交记录；新开项目是指，该项目本月第一次进入市场销售（本方案中连续四个月没有成交记录的在售项目也视为新开项目）。

对于新开项目，需对上月该项目各分类平均价格进行评估，具体评估方法如下：如果新开项目附近区域存在可比在售项目，则按照该可比项目对应分类成交价格评估新开项目上月价格；如果没有，则根据区域、地段、价格同质可比原则，选取与该项目位置属同一级别区域的相似项目，按照其对应分类成交价格评估新开项目上月价格；如果上述项目都不存在，则根据该项目附近区域内本月二手住宅交易价格变动幅度或有关价格数据变动幅度进行评估。

连续性销售项目和新开项目基本分类环比指数计算公式为：

$$H_{i,j}=\frac{p_t^{i,j}}{p_{t-1}^{i,j}} \qquad (1-2)$$

其中：$p_{t-1}^{i,j}$为第 i 个项目第 j 基本分类 t-1 期（上月）平均价格（对于新开项目则为评估的平均价格），$P_t^{i,j}$ 为 t 期（本月）平均价格。

② 间断性销售项目环比价格指数的计算。

间断性销售项目是指，由于市场供求变化等原因导致该项目当月有交易，对应分类上月没有交易，而在上月之前的两个月内曾经有交易的项目。

对于该类项目，依据项目上月之前两个月内离本月最近的各分类成交数据计算各分类平均价格，再利用下列计算公式计算基本分类环比价格指数：

$$H_{i,j}=\sqrt[n]{\frac{P_t^{i,j}}{P_0^{i,j}}} \qquad (1-3)$$

其中：$P_0^{i,j}$ 表示第 i 个项目第 j 基本分类 t 期（本月）平均价格，　表示距离本月最近的对应基本分类平均价格，n 为距离本月的月份个数。

⑶计算全市基本分类（含保障性住房）月环比价格指数。

计算公式为：$$R^j_{t,t-1}=\frac{\sum_{i=1}^{n}H_{i,j}w_t^{i,j}}{\sum_{i=1}^{n}w_t^{i,j}} \qquad (1-4)$$

其中：$H_{i,j}$　为第 i 个项目第 j 基本分类环比价格指数，$w_t^{i,j}$ 为第 i 个项目第 j 基本分类 t 期（本月）销售面积（金额），n 为该基本分类中包含项目的个数。将分别利用销售面积和金额加权计算得到的两个指数再简单平均计算。

2.各城市基本分类以上类别价格指数。

⑴定基价格指数的计算公式（注：以 2010 年为基期，即以 2010 年平均价格为基期价格、2010 年销售面积为基期销售面积）。

$$L_t=L_{t-1}\times\frac{\sum P_tQ_{2010}}{\sum P_{t-1}Q_{2010}} \qquad (1-5)$$

其中：P_t 表示当月各分类平均价格，Q_{2010} 表示 2010 年各分类销售面积，L_t、L_{t-1} 分别为本月和上月定基价格指数，$\frac{\sum P_tQ_{2010}}{\sum P_{t-1}Q_{2010}}$ 为环比指数。

⑵月环比价格指数的计算公式。

$$本月同比价格指数=\frac{L_t}{L_{t-12}}=\frac{本月定基价格指数}{上年同月定基价格指数}\times100 \qquad (1-6)$$

⑶月同比价格指数的计算公式。

$$本月环比价格指数=\frac{L_t}{L_{t-1}}=\frac{本月定基价格指数}{上月定基价格指数}\times100 \qquad (1-7)$$

（二）二手住宅销售价格指数的计算方法。

1.各城市基本分类月环比价格指数。

⑴ 计算各基本分类中选中的二手住宅的环比指数。

计算公式为：

$$H_{i,j}=\frac{p_t^{i,j}}{p_{t-1}^{i,j}} \qquad (2-1)$$

其中：$p_t^{i,j}$ 为第 j 基本分类中第 i 个样本住宅 t 期（本月）价格，$p_{t-1}^{i,j}$ 为 t-1 期（上月）价格。

(2) 计算全市基本分类环比价格指数。

采用双加权计算全市各基本分类的环比指数，即分别利用本月销售面积和金额作为权数计算价格指数，然后将两个价格指数再简单平均计算。

计算公式为：

$$R^j_{t,t-1}=\frac{\sum_{i=1}^{n}H_{i,j}w_t^{i,j}}{\sum_{i=1}^{n}w_t^{i,j}} \qquad (2-2)$$

其中：$H_{i,j}$ 为第 j 基本分类中第 i 个样本住宅环比价格指数，$w_t^{i,j}$ 为第 j 基本分类中第 i 个样本住宅所代表住宅类型的 t 期（本月）销售面积（金额），n 为该基本分类中包含样本住宅的个数。

2.各城市二手住宅销售价格指数的计算方法同各城市新建住宅价格指数。

七、数据资料的报送规定

（一）网签数据。

直辖市、省会城市、自治区首府城市（不含拉萨市）、计划单列市等 35 个城市房地产管理部门要按照《关于加强协作共同做好房地产价格统计工作的通知》（国统字〔2010〕93 号）规定的内容与时间向当地国家统计局调查总队或调查队提供自然月度基础数据。相关调查总队、调查队将当地房地产管理部门提供的上个自然月新建住宅交易网签数据用专用存储设备拷贝，并按照统一规则进行标识。

（二）二手住宅报表数据。

各有关城市房地产管理部门、房地产经纪机构等要按照国家统计局规定的内容与时间向当地国家统计局调查总队或调查队提供自然月度基础数据。

（三）资料上报时间和上报方式。

国家统计局各调查总队在对相关城市的原始数据和汇总数据进行审核评估后，于每月 8 日前按照规定的数据传输方式与要求上报国家统计局。

八、数据发布时间与内容

（一）发布时间。

每月 18 日，节假日顺延。

（二）发布内容。

主要包括分城市的新建住宅（含保障性住房、商品住宅以及各基本分类）和二手住宅环比、同比、定基价格指数。

财政部 国家税务总局
关于调整个人住房转让营业税政策的通知

财税〔2011〕12号

各省、自治区、直辖市、计划单列市财政厅（局）、地方税务局，西藏、宁夏、青海省（自治区）国家税务局，新疆生产建设兵团财务局：

为了促进房地产市场健康发展，经国务院批准，现将个人住房转让营业税政策通知如下：

一、个人将购买不足5年的住房对外销售的，全额征收营业税；个人将购买超过5年（含5年）的非普通住房对外销售的，按照其销售收入减去购买房屋的价款后的差额征收营业税；个人将购买超过5年（含5年）的普通住房对外销售的，免征营业税。

二、上述普通住房和非普通住房的标准、办理免税的具体程序、购买房屋的时间、开具发票、差额征税扣除凭证、非购买形式取得住房行为及其他相关税收管理规定，按照《国务院办公厅转发建设部等部门关于做好稳定住房价格工作意见的通知》（国办发〔2005〕26号）、《国家税务总局 财政部 建设部关于加强房地产税收管理的通知》（国税发〔2005〕89号）和《国家税务总局关于房地产税收政策执行中几个具体问题的通知》（国税发〔2005〕172号）的有关规定执行。

三、本通知自发文次日起执行，《财政部 国家税务总局关于调整个人住房转让营业税政策的通知》（财税〔2009〕157号）同时废止。

中华人民共和国财政部
中华人民共和国国家税务总局
二〇一一年一月二十七日

财政部 国家税务总局
关于购房人办理退房有关契税问题的通知

财税〔2011〕32号

各省、自治区、直辖市、计划单列市财政厅（局）、地方税务局，新疆生产建设兵团财务局：

根据《中华人民共和国契税暂行条例》（国务院令第224号）及其细则的规定，现对购房单位和个人办理退房有关契税问题明确如下：

对已缴纳契税的购房单位和个人，在未办理房屋权属变更登记前退房的，退还已纳契税；在办理房屋权属变更登记后退房的，不予退还已纳契税。

请遵照执行。

中华人民共和国财政部
中华人民共和国国家税务总局
二〇一一年四月二十六日

财政部 住房和城乡建设部 关于切实落实保障性安居工程资金加快预算执行进度的通知

财综〔2011〕41号

各省、自治区、直辖市、计划单列市财政厅（局）、住房城乡建设厅（局），新疆生产建设兵团财务局、建设局：

按照《国务院办公厅关于进一步做好房地产市场调控工作有关问题的通知》（国办发〔2011〕1号）要求，为确保完成2011年全国保障性安居工程建设任务，落实保障性安居工程资金，加快保障性安居工程资金预算执行进度，现就有关事项通知如下：

一、切实加大地方公共预算用于保障性安居工程资金规模。

保障性安居工程是一项重大民生工程，地方各级财政部门在安排公共预算时，要根据本地区任务，认真测算审核应当由地方政府安排的各类保障性安居工程资金需求，并将其作为重点项目予以保障，不得留有资金缺口。市县财政部门要切实加大公共预算安排用于保障性安居工程资金规模，力争比上年实际安排的资金规模有较大幅度增加。省级财政部门要进一步加大对本地区财政困难市县保障性安居工程资金的支持力度，年度安排的省级保障性安居工程专项补助资金也要比上年明显增加。地方各级财政部门要认真贯彻落实《财政部关于做好发行2011年地方政府债券有关工作的通知》（财预〔2011〕29号）规定，将2011年地方政府债券资金优先用于保障性安居工程，要进一步明确和细化地方政府债券资金安排用于公共租赁住房等保障性安居工程的具体资金数额，加大对保障性安居工程的投入力度。

二、确保住房公积金增值收益按规定用于保障性安居工程。

各地要严格执行《住房公积金管理条例》（国务院第350号令）、财政部印发的《住房公积金财务管理办法》（财综字〔1999〕59号）和财政部、国家发展改革委、住房城乡建设部联合印发的《关于保障性安居工程资金使用管理有关问题的通知》（财综〔2010〕95号），经住房公积金管理委员会批准，将计提贷款风险准备金和管理费用后的住房公积金增值收益上缴本级财政部门，由财政部门按规定拨付给住房城乡建设（住房保障）部门，专项用于廉租住房和公共租赁住房建设，着力提高住房公积金增值收益使用效率，充分发挥住房公积金增值收益改善城镇低收入家庭住房困难的作用。

三、进一步明确土地出让收益用于保障性安居工程的具体口径。

为确保土地出让收益更多地向保障性安居工程倾斜，市县财政部门应当按照当年实际缴入地方国库的招标、拍卖、挂牌和协议出让国有土地使用权取得的土地出让收入，扣除当年从地方国库中实际支付的征地和拆迁补偿支出、土地出让前期开发支出、计提农业土地开发资金支出、补助被征地农民社会保障支出、保持被征地农民原有生活水平补贴支出、支付破产或改制企业职工安置费支出、支付土地出让业务费支出、缴纳新增建设用地土地有偿使用费等相关项目后，作为计提保障性安居工程资金的土地出让收益口径，严格按照不低于10%的比例安排资金，统筹用于廉租住房、公共租赁住房、城市和国有工矿棚户区改造等保障性安居工程。土地出让收益较多、保障性安居工程资金需求较大、公共预算难以满足相关资金需要的市县，可以根据当地实际情况，进一步提高土地出让收益用于保障性安居工程的比例。

四、全面落实保障性安居工程建设和运营涉及的各项税费优惠政策。

市县财政部门要督促相关部门和单位，严格按照国家有关规定，全面落实对保障性安居工程建设免收各项行政事业性收费和政府性基金。廉租住房、城市棚户区改造中的安置住房、经济适用住房以及面向经济适用住房对象供应的公共租赁住房建设用地，要严格按照规定实行行政划拨方式供应，除依法支付土地补偿费、拆迁补偿费外，一律免缴土地出让收入。同时，要继续落实廉租住房、经济适用住房、公共租赁住房以及棚户区改造涉及的营业税、房产税、城镇土地使用税、土地增值税、印花税、契税等税收优惠政策，努力降低保障性安居工程建设和运营成本，切实减轻保障性安居工程建设和运营过程中的经济负担。

五、创新财政支持公共租赁住房建设和运营方式。

在2011年全国保障性安居工程建设任务中，公共租赁住房建设任务相对较重，完全依靠各级财政资金投入，难以确保公共租赁住房建设和运营的可持续性。为此，各地要积极创新财政资金支持方式，充分发挥财政资金“四两拨千斤”的作用，放大财政政策效能。市县财政部门要积极运用投资补助、贷款贴息、注入资本金、税费优惠等政策措施，鼓励相关企业参与公共租赁住房建设和运营试点。进一步细化操作方案，明确投资补助、注入资本金资金数额、税费优惠项目以及贷款贴息幅度、贴息年限等政策，探索建立公共租赁住房建设和运营的长效机制。

六、加快各类保障性安居工程资金预算执行进度。

2011年中央补助保障性安居工程专项资金已按规定下达各省、自治区、直辖市、计划单列市，各省、自治区、直辖市、计划单列市要严格按照规定于今年5月31日前将中央补助保障性安居工程专项资金，连同省级安排的各类保障性安居工程补助资金一并下达到市县，不得滞留、挤占和挪用。各省、自治区、直辖市、计划单列市财政部门要按月了解和通报本地区各市县保障性安居工程资金预算执行进度。对于预算执行进度较慢的市县，要采取措施督促加快预算执行进度。市县财政部门要积极配合住房城乡建设等部门主动开展工作，廉租住房租赁补贴要争取做到按季或按月发放，确保当年12月25日之前全部发放到位；要督促相关部门加快保障性安居工程项目审批，切实落实保障性安居工程项目建设用地，做好保障性安居工程项目前期准备和项目组织实施工作，根据项目工程进度及时拨付保障性安居工程建设资金；要按月加强对保障性安居工程建设项目进度和资金使用情况的监督管理，提高建设项目投资完成率，推动本地区按期完成当年保障性安居工程建设任务。

七、定期报送保障性安居工程工作进展情况。

为及时掌握各地保障性安居工程进度，以及保障性安居工程资金拨付和使用情况，各级财政部门要会同住房城乡建设等部门，严格按照本通知要求，认真填报《保障性安居工程预算资金安排和支出情况表》（附件1）、《中央补助保障性安居工程资金收支情况表》（附件2）、《廉租住房和公共租赁住房保障实施情况表》（附件3）、《经济适用住房和限价商品住房保障实施情况表》（附件4）、《棚户区改造实施情况表》（附件5），并按规定时间于每季度结束后20个工作日内，报送财政部、住房城乡建设部（同时报送电子版），计划单列市有关数据由省级部门汇总报送。

中华人民共和国财政部
中华人民共和国住房和城乡建设部
二〇一一年五月二十四日

财政部 住房和城乡建设部 关于多渠道筹措资金确保公共租赁住房项目资本金足额到位的通知

财综〔2011〕47号

各省、自治区、直辖市、计划单列市财政厅（局）、住房城乡建设厅（局），新疆生产建设兵团财务局、建设局：

为顺利完成2011年公共租赁住房建设任务，确保各地不因项目资本金不到位而影响公共租赁住房建设融资，现就有关事项通知如下：

一、尽快将公共租赁住房建设任务分解落实到具体项目，确定投资模式并测算项目资本金需求。

2011年公共租赁住房建设任务重、时间紧，各地要按照签订的保障性安居工程目标责任书，积极开展各项工作，尽快将公共租赁住房建设任务分解落实到具体项目和地块。同时，对于不同的公共租赁住房项目，要尽快确定具体的投资模式和投资主体。按照《国务院关于调整固定资产投资项目资本金比例的通知》（国发〔2009〕27号）的规定，“保障性住房和普通商品住房项目的最低资本金比例为20%”。为此，各地可按照20%比例，测算公共租赁住房项目资本金需求。

二、按照公共租赁住房投资主体，分别由企业和政府解决项目资本金。

按照现行政策规定，公共租赁住房投资可以有多种模式，包括政府直接投资建设、政府组建专门投资公司或利用已有国有房地产开发企业投资建设、在房地产开发项目中配建公共租赁住房由政府回购或无偿收回、政府通过优惠政策引导企业投资建设等。其中，在房地产开发项目中配建以及由企业投资建设的公共租赁住房，其项目资本金由企业按照国家现行政策规定由相关企业自行解决，政府可以通过投资补助、贷款贴息等优惠政策予以支持。政府直接投资和政府组建投资公司建设的公共租赁住房，应当由政府注入项目资本金，其项目资本金资金来源可从中央补助资金、省级补助资金、市县政府公共预算安排的资金、土地出让收益安排的资金、住房公积金增值收益安排的资金，以及地方政府债券资金等渠道筹集。

三、加大政府筹资力度，确保公共租赁住房项目资本金及时足额到位。

各地要把公共租赁住房建设摆在优先突出位置，尽最大努力筹集资金，解决好应由政府投资的公共租赁住房项目资本金问题。按照《国务院关于解决城市低收入家庭住房困难的若干意见》（国发〔2007〕24号）确定的“省级负总责，市县抓落实”原则，县级筹资存在困难的，市级要帮助解决（其中，已实施省管县财政管理方式改革地区，由省级帮助解决）；市级筹资存在困难的，省级要帮助解决。各地解决公共租赁住房项目资本金的资金来源，首先要立足于政府预算（包括公共预算、政府性基金预算）安排资金，特别是地方政府债券资金要优先用于公共租赁住房等保障性安居工程。对于公共租赁住房项目资本金仍有缺口的地区，在按规定程序使用年度超收收入时，要相应增加资金投入。市县财政部门要会同住房城乡建设部门，按规定程序将政府预算安排用于公共租赁住房的资金，尽快分解落实到具体建设项目。在确保公共租赁住房项目资本金及时足额到位的前提下，各商业银行应严格按照国务院有关政策规定，加大金融支持力度，对符合条件的公共租赁住房建设项目及时发放贷款。

四、按照工程进度支付建设资金，保

障建设资金专款专用。

市县财政部门、住房城乡建设部门要督促相关部门加快公共租赁住房项目审批，切实落实项目建设用地，做好项目前期准备和项目组织实施工作，确保按期开工建设。市县财政部门要根据项目工程进度及时支付由政府投资建设的公共租赁住房建设资金。同时，要加强对公共租赁住房建设资金使用情况的监督检查，按月检查项目工程进度，按月监控公共预算和政府性基金预算安排用于公共租赁住房的资金支出进度，保障建设资金专款专用，严禁挤占和挪作他用，确保顺利完成全年公共租赁住房建设目标任务。

中华人民共和国财政部
中华人民共和国住房和城乡建设部
二〇一一年七月一日

财政部 国家税务总局
关于房屋土地权属由夫妻一方所有变更为夫妻双方共有契税政策的通知

财税〔2011〕82号

各省、自治区、直辖市、计划单列市财政厅（局）、地方税务局，新疆生产建设兵团财务局：

现就房屋、土地权属由夫妻一方所有变更为夫妻双方共有的契税政策通知如下：

婚姻关系存续期间，房屋、土地权属原归夫妻一方所有，变更为夫妻双方共有的，免征契税。

本通知自印发之日起执行。

中华人民共和国财政部

中华人民共和国国家税务总局

二〇一一年八月三十一日

财政部
国家发展和改革委员会
住房和城乡建设部
关于印发《中央农村危房改造补助资金管理暂行办法》的通知

财社〔2011〕88 号

各省、自治区、直辖市财政厅（局）、发展和改革委员会、住房和城乡建设厅（局），新疆生产建设兵团财务局、发展和改革委员会、建设局：

为规范和加强中央农村危房改造补助资金管理，切实提高农村危房改造补助资金使用效益，特制定《中央农村危房改造补助资金管理暂行办法》。现印发给你们，请遵照执行。执行中如有问题，请及时反馈。

附件：中央农村危房改造补助资金管理暂行办法

中华人民共和国财政部
中华人民共和国国家发展和改革委员会
中华人民共和国住房和城乡建设部
二〇一一年六月二十二日

附件：

中央农村危房改造补助资金管理暂行办法

第一章　总 则

第一条　为规范和加强中央农村危房改造补助资金管理，提高农村危房改造补助资金使用效益，根据国家关于农村危房改造的相关政策、财政部专项补助资金管理和国家发展改革委中央预算内投资管理有关规定，制定本暂行办法。

第二条　本办法所称中央农村危房改造补助资金是指中央设立的用于支持地方开展农村危房改造的专项资金，包括中央财政补助资金和中央预算内投资补助资金两部分。

第三条　中央农村危房改造补助资金分配使用遵循以下原则：

（一）科学合理，公正客观。公平、合理地分配补助资金，避免产生盲目性和随意性。

（二）突出重点，统筹兼顾。在优先支持贫困农户、并向财政困难地区倾斜的同时，整体推进全国农村危房改造。

（三）绩效评价，规范管理。建立绩效评价制度，创新项目实施和资金管理机制。

第四条　地方各级财政、发展改革、住房城乡建设部门要切实落实农村危房改造地方补助资金，加快推进农村危房改造工作。同时，不断创新农村危房改造投入机制，积极引导信贷资金、民间资本等社会各方面资金投入。

第二章　资金申请与资金分配

第五条　省级住房城乡建设、发展改革和财政部门根据各地实际需要，按规定时间提出下一年度危房改造任务和补助资金申请及实施方案，并以正式文件联合上报住房城乡建设部、国家发展改革委和财政部。

第六条 住房城乡建设部、国家发展改革委、财政部根据当年全国农村危房改造规划、中央补助资金预算安排情况以及省级有关部门申报危房改造任务和补助资金情况，统筹考虑各地农村危房户数、农户数、改造成本、改造效果、财力情况等因素，确定各地危房改造任务。

第七条 财政部会同国家发展改革委、住房城乡建设部根据改造任务和补助标准，分配下达中央农村危房改造补助资金。

第八条 省级财政部门会同发展改革、住房城乡建设部门，在接到中央补助资金文件后30天内，根据辖区危房改造任务分配情况，将中央补助资金和本级政府安排的农村危房改造资金，拨付到下级财政部门。市、县级财政部门也要积极安排农村危房改造补助资金，并及时将上级和本级政府安排的补助资金于30日内及时拨付到位。

第九条 县级财政部门、发展改革、住房城乡建设等部门具体负责本地区农村危房改造补助资金的支付、管理以及日常监督检查工作，严格按照规定安排和支付农村危房改造补助资金。

第三章 资金使用管理

第十条 中央农村危房改造补助资金支持对象为，居住在危房中的农村贫困户，优先支持农村分散供养五保户、低保户、贫困残疾人家庭等贫困户危房改造。

第十一条 中央农村危房改造补助资金用途为，符合《住房城乡建设部关于印发<农村危险房屋鉴定技术导则（试行）>的通知》（建村函〔2009〕69号）等有关文件规定的农村危房翻建、新建和修缮加固等支出，以及农村危房改造建筑节能示范户节能建筑材料购置、节能技术使用、取暖方式改进以及可再生能源利用等方面的支出。

第十二条 中央农村危房改造补助资金实行专项管理、专款专用，不得用于车辆、通讯设备购置及生活补贴等与农村危房改造无关的支出。

第十三条 各地不得在中央补助资金中提取工作经费。地方财政可根据农村危房改造管理工作情况，安排必要的管理工作经费。

第四章 绩效考评

第十四条 中央建立农村危房改造补助资金绩效考评制度，对中央安排的农村危房改造补助资金绩效目标实现程度进行综合性的考核和评价。省级有关部门负责对辖区内农村危房改造项目进行绩效考评。

第十五条 农村危房改造补助资金管理绩效考评的内容包括：

（一）地方资金安排：主要考核省级及以下地方政府安排农村危房改造资金规模以及资金到位情况。

（二）项目资金管理：主要考核有关资金管理制度建设、管理措施等情况。

（三）项目实施效果：主要考核危房改造任务完成和改造质量等情况。

（四）违规违纪行为：主要是被审计、财政监督机构、发改委稽察等部门查出或被新闻媒体曝光并经查实的违纪行为。

绩效考评结果是对各地农村危房改造补助资金管理工作的综合评价，上一年度绩效考评结果将作为下一年度中央补助资金安排的参考因素。

第十六条 省级住房城乡建设、发展改革、财政部门要在每年2月底前联合上报本省（自治区、直辖市）上年度农村危房改造进展情况、绩效考评情况以及中央补助资金使用管理情况。

第五章 监督检查

第十七条 地方各级住房城乡建设部门应会同财政、发展改革部门，建立健全农村危房改造工作监管机制。对农村危房改造补助对象的申请、评议、审核、审批意见和实际补助水平等情况，要实行公示公告制度。

第十八条 各级财政和发展改革部门要建立健全农村危房改造资金违规使用的责任追究制度。对于不按照规定使用和管理农村危房改造资金的，要严格按照《财政违法行为处罚处分条例》（国务院令第427号）和《中央预算内投资补助和贴息项目管理暂行办法》（国家发展改革委令第31号）等有关规定进行处理，并依法追究有关责任人员的行政责任。涉嫌犯罪的，依法追究刑事责任。

第十九条 各级财政、发展改革、住房城乡建设部门要自觉接受社会各界的监督，积极配合有关部门做好审计、稽查等工作。财政部驻各地财政监察专员办事处和各级发改稽察机构将对各地农村危房改造资金管理使用等情况不定期进行抽查。

第六章 附 则

第二十条 各省级财政、发展改革、住房城乡建设部门可以根据本办法，结合各地实际，制定农村危房改造实施和资金管理细则。

第二十一条 本办法自下发之日起实施。

财政部 中国人民银行 国土资源部 关于新增建设用地土地有偿使用费缴纳凭证有关问题的通知

财库〔2011〕122号

各省、自治区、直辖市、计划单列市财政厅（局）、国土资源厅（国土环境资源厅、国土资源局、国土资源和房屋管理局、房屋土地资源管理局），中国人民银行上海总部、各分行、营业管理部，省会（首府）城市中心支行，大连、青岛、宁波、厦门、深圳市中心支行：

为规范新增建设用地土地有偿使用费收缴管理，根据政府收支分类科目和《财政部中国人民银行国家税务总局海关总署关于启用更正（调库）通知书的通知》（财库〔2011〕112号）等有关规定，现将新增建设用地土地有偿使用费缴纳凭证等有关事项通知如下：

一、新增建设用地土地有偿使用费统一由市、县财政部门通过国家金库（以下简称国库）进行调库处理。

二、市、县财政部门办理新增建设用地土地有偿使用费缴纳手续时，填写一份“更正（调库）通知书”（一式六联），第一联由市县财政部门留存备查，第二至六联送同级国库。“更正（调库）通知书”中，“原列事项”预算科目为“103014898 缴纳新增建设用地土地有偿使用费”，级次为市级或县级；“现列事项”预算科目为“1030133 新增建设用地土地有偿使用费收入”，级次为共享（中央30%，省级70%）。

三、国库办理调库手续后，将加盖国库业务转讫章的第四、五、六联“更正（调库）通知书”退同级财政部门。

四、市、县财政部门将收到的第四联“更正（调库）通知书”送财政部驻当地财政监察专员办事处；第五联送国土资源部或省级国土资源行政主管部门；第六联留存本单位作为记账凭证。

五、国土资源部、省级国土资源行政主管部门应当在收到市、县人民政府已足额缴纳新增建设用地土地有偿使用费的有效凭证（更正（调库）通知书）后，依法办理用地批准文件。

六、本通知自发布之日起施行。《财政部国土资源部中国人民银行关于调整新增建设用地土地有偿使用费政策问题的通知》（财综〔2006〕48号）中所规定的缴纳方式等事项与本通知有不一致之处，按本通知规定执行。2011年已通过其他方式缴纳新增建设用地土地有偿使用费的，请相关财政部门和人民银行分支机构按照本通知要求对账务进行调整。

中华人民共和国财政部
中国人民银行
中华人民共和国国土资源部
二〇一一年十月十七日

财政部 住房和城乡建设部 关于进一步推进公共建筑节能工作的通知

财建〔2011〕207号

各省、自治区、直辖市、计划单列市财政厅（局）、住房城乡建设厅（委），新疆生产建设兵团财务局、建设局:

近年来，按照国务院节能减排综合性工作方案的统一部署，财政部、住房城乡建设部在全国范围内开展国家机关办公建筑和大型公共建筑的能耗统计、能源审计、能效公示工作，在部分省市开展公共建筑能耗动态监测平台建设试点，取得了良好效果，为节能量审核、制定能耗定额、建立能效交易机制提供有力支撑，充分激发了节能改造市场需求。但当前还存在大型公共建筑能耗水平高、增长势头猛、节能改造进展缓慢等突出问题。为切实加大组织实施力度，充分挖掘公共建筑节能潜力，促进能效交易、合同能源管理等节能服务机制在建筑节能领域应用，财政部、住房城乡建设部将进一步开展公共建筑节能工作，现就有关事项通知如下。

一、明确"十二五"期间公共建筑节能工作目标

建立健全针对公共建筑特别是大型公共建筑的节能监管体系建设，通过能耗统计、能源审计及能耗动态监测等手段，实现公共建筑能耗的可计量、可监测。确定各类型公共建筑的能耗基线，识别重点用能建筑和高能耗建筑，并逐步推进高能耗公共建筑的节能改造，争取在"十二五"期间，实现公共建筑单位面积能耗下降10%，其中大型公共建筑能耗降低15%。

二、加强新建公共建筑节能管理

（一）严格执行节能标准。新建公共建筑应按照节能省地及绿色生态的要求指导工程建设全过程，要严格执行工程建设节能强制性标准，把能耗标准作为建筑项目核准和备案的强制性门槛，遏制高耗能建筑的建设。新建公共建筑要大力推广绿色设计、绿色施工，广泛采用自然通风、遮阳等被动节能技术。

（二）实行建筑能耗指标控制。要强化公共建筑特别是大型公共建筑建设过程的能耗指标控制，应根据建筑形式、规模及使用功能，在规划、设计阶段引入分项能耗指标，约束建筑体型系数、采暖空调、通风、照明、生活热水等用能系统的设计参数及系统配置，避免建筑外形片面追求"新、奇、特"，用能系统设计指标过大，造成浪费。新建大型公共建筑建成后必须经建筑能效专项测评，凡达不到工程建设节能强制性标准的，有关部门不得办理竣工验收备案手续。

三、深入开展公共建筑节能监管体系建设

各省（区、市）应以大型公共建筑为重点，深入推进公共建筑节能监管体系建设。

（一）推进能耗统计、审计及公示工作。各省（区、市）应对本地区地级及以上城市大型公共建筑进行全口径统计，将单位面积能耗高于平均水平和年总能耗高于1000吨标煤的建筑确定为重点用能建筑，并对50%以上的重点用能建筑进行能源审计。应对单位面积能耗排名在前50%的高能耗建筑，以及具有标杆作用的低能耗建筑进行能效公示。

（二）加强节能监管体系建设。中央财政支持有条件的地方建设公共建筑能耗监测平台，对重点建筑实行分项计量与动态监测，并建立能耗限额标准，强化公共建筑节能运行管理，争取用3年左右完成覆盖不同气候区、不同类型公共建筑的能耗监测系统。要重点加强高校节能监管，提高节能监管体系管理水平。示范省市及高校节能监管体系补助按照《财政部关于印发国家机关办公建筑和大型公共建筑节能专项资金管理暂行办法的通知》（财建〔2007〕558号）的有关规定执行。2011年度补助资金申请截止时间为6月20日。

（三）实施能耗限额管理。各省（区、市）应在能耗统计、能源审计、能耗动态监测工作基础上，研究制定各类型公共建筑的能耗限额标准，并对公共建筑实行用能限额管理，对超限额用能建筑，采取增加用能成本或强制改造措施。

四、积极推动公共建筑节能改造工作

“十二五”期间，财政部、住房城乡建设部将切实加大支持力度，积极推动重点用能建筑节能改造工作，有效改变公共建筑能耗较高的局面。

（一）实施重点城市公共建筑节能改造。各地应高度重视公共建筑的节能改造工作。为突出改造效果及政策整体效益，财政部、住房城乡建设部将选择在公共建筑节能监管体系建立健全、节能改造任务明确的地区，启动一批公共建筑节能改造重点城市。到2015年，重点城市公共建筑单位面积能耗下降20%以上，其中大型公共建筑单位建筑面积能耗下降30%以上。改造重点城市在批准后两年内应完成改造建筑面积不少于400万平方米。对改造重点城市，中央财政将给予财政资金补助，补助标准原则上为20元／平方米，并综合考虑节能改造工作量、改造内容及节能效果等因素确定。重点城市节能改造补助额度，根据补助标准与节能改造面积核定，当年拨付补助资金总额的60%，待完成竣工验收，财政部、住房城乡建设部对实际工作量及节能效果审核确认后，拨付后续补助资金。财建〔2007〕558号文件规定的建筑节能改造贴息政策停止执行。申请公共建筑节能改造重点城市，要制定实施方案（编制大纲见附件1）与资金申请表（附件2）。2011年申报截止日期为6月20日。

（二）推动高校等重点公共建筑节能改造。要充分发挥高校技术、人才、管理优势，积极推动高等学校节能改造示范，高校建筑节能改造示范应不低于20万平方米，单位面积能耗应下降20%以上。申请高校建筑节能改造示范，要编制实施方案（附件3）与资金申请表（附件4），由财政部、住房城乡建设部组织论证后确定。补助标准及资金拨付，按照上述重点城市公共建筑节能改造办法执行。2011年申报截止日期为6月20日。

（三）积极推进中央本级办公建筑节能改造。财政部、住房城乡建设部将会同国务院机关事务管理局等部门共同组织中央本级办公建筑节能改造工作，并给予资金补助，具体补助标准根据改造工作量、节能效果、改造成本等因素核定。

五、大力推进能效交易、合同能源管理等节能机制创新

公共建筑节能工作要充分利用市场机制，大力推进体制机制创新，形成政府推动、社会力量广泛参与的工作局面。

（一）积极发展能耗限额下的能效交易机制。各地应建立基于能耗限额的用能约束机制，同时搭建公共建筑节能量交易平台，使公共建筑特别是重点用能建筑通过节能改造或购买节能量的方式实现能耗降低目标，将能耗控制在限额内，从而激发节能改造需求，培育发展节能服务市场。对能效交易机制已经建立和完善的城市，财政部、住房城乡建设部将在确定公共建筑节能改造重点城市时，向实行能效交易的地区倾斜。

（二）加强建筑节能服务能力建设。各地要在公共建筑节能改造中大力推广运用合同能源管理的方式，要加强第三方的节能量审核评价及建筑能效测评机构能力建设，充分运用现有的节能监管及建筑能效测评体系，客观审核与评估节能量。要加强建筑节能服务市场监管，制定建筑节能服务市场监督管理办法、服务质量评价标准以及公共建筑合同能源管理合同范本。要将重点城市节能改造补助与合同能源管理机制相结合，对投资回收期较长的基础改造及难以有效实现节能收益分享的领域，主要通过财政资金补助的方式推进改造工作。在节能改造效果明显的领域，鼓励采用合同能源管理的方式进行节能改造，并按照《财政部国家发展改革委关于印发合同能源管理项目财政奖励资金管理暂行办法的通知》（财建〔2010〕249号）的规定执行。

六、加强公共建筑节能组织管理

各地要加强对公共建筑节能工作的组织领导，建立住房城乡建设、财政、发改、商务、教育、机关事务等主管部门（机构）参加的议事协调机制，统一研究部署节能工作中的重大问题。省级住房城乡建设部门要抓紧制定公共建筑节能运行管理、节能改造等方面的技术标准、导则。各地应在公共建筑节能改造中大力推广应用新型节能技术、材料、产品，带动相关产业发展。要加强对公共建筑节能监管体系建设及节能改造全过程的质量安全监管，在用电分项计量改造、用能设备改造、围护结构节能改造工程中，加强安全控制，强化对计量器具、关键设备、保温材料、门窗等关键材料产品的质量管理，确保工程质量。

附件：

1. 公共建筑节能改造重点城市实施方案大纲
2. 公共建筑节能改造重点城市资金申请表
3. 建筑节能改造示范高校实施方案大纲
4. 建筑节能改造示范高校节能改造申请表

中华人民共和国财政部
中华人民共和国住房和城乡建设部
二〇一一年五月四日

附件 1

公共建筑节能改造重点城市实施方案大纲

为了规范、指导公共建筑节能改造重点城市实施方案的编写，特制定本提纲。实施方案应包括以下内容：

一、基本情况介绍。包括本地区建筑总体概况（建筑总面积、建筑类型等）；国家机关办公建筑和大型公共建筑基本情况（建筑、能耗情况、能耗基线等）。

二、前期工作进展介绍。已完成的国家机关办公建筑和大型公共建筑能耗统计、能源审计情况；建筑分项计量装置安装情况；能耗数据监测中心建设情况；

监测平台运行管理情况；配套能力建设情况（组织模式、技术支撑、制度建设等）；能耗动态监测及相关制度建设情况；监测平台建设资金使用情况。

三、技术方案。公共建筑节能改造采用的技术类型；预计产生的节能量；节能效益、环境效益、社会效益及经济效益等。

四、资金筹措情况。公共建筑节能改造资金需求总额及分项预算；申请中央奖励资金总额；资金筹措情况，包括地方财政准备补助的资金额度、市场融资情况等。

五、配套措施。包括配套政策、技术标准、技术研发等。

附件 2

公共建筑节能改造重点城市资金申请表

省　　市：									
是否已对所有大型公共建筑和政府办公建筑进行能耗统计（是□，否□）									
是否已对 50% 以上的大型公共建筑和政府办公建筑进行能源审计（是□，否□）									
是否已建立大型公建能效监测平台（是□，否□）									
公共建筑总面积		m2	公共建筑总栋数	栋	公共建筑能耗基线				
政府办公建筑总面积		m2	政府办公建筑总栋数	栋	政府办公建筑能耗基线				
节能改造项目信息									
序号	项目名称	建筑类型	节能改造面积（m2）	采用的节能改造技术	年节能量（吨标准煤）	总投资额（万元）	项目资金方式（自筹或合同能源管理）	申请中央财政资金（万元）	项目实施起止时间
	总计								

附件 3

建筑节能改造示范高校实施方案大纲

为规范、指导高等院校节能改造实施方案的编写，特制定本提纲。实施方案应包括以下内容：

一、学校基本信息。在校生、教职工数、学科设置、科研经费等。学校校区分布、占地面积、各类建筑面积、建筑年代、近期建设规划等。

二、学校能耗水耗概况。包括近三年电耗、水耗、燃气量（天然气或城市煤气）、燃油量、集中供冷供热量等分类能耗、中水雨水利用、单位生均能耗水耗等。

三、已有工作基础和工作条件。学校在节能节水、节约型校园建设、能源统计审计公示建筑栋数、节约型校园建设规划、能耗水耗监测平台、相关的法律规章制度、组织机构等。

四、实施方案。建筑节能高等院校示范校园建设总体目标，单位生均能耗水耗降低目标。建筑节能高等院校示范校园节能改造总体实施规划、改造技术方案、计划节能量等。节约型校园建设各项资金预算、资金筹集(国家补贴、地方财政、学校自筹等）、资金使用计划、资金管理措施等。包括组织机构、配套规章制度、技术支撑、宣传教育等。

五、经济、社会、环境效益分析。

附件 4

建筑节能改造示范高校节能改造申请表

学校名称								
是否已建立能耗水耗监测平台（是□，否□） 是否已进行能耗统计、能源审计工作（是□，否□）								
校园总面积		m2	校园总栋数		栋	能耗基线		
节能改造项目信息								
序号	项目名称	建筑类型	节能改造面积（m2）	采用的节能改造技术	年节能量(吨标准煤）	总投资额（万元）	项目资金方式（自筹资金或合同能源管理）	申请中央财政资金（万元）	项目实施起止时间
总计									

中国银行业监督管理委员会
中国人民银行
国家改革和发展委员会
关于银行业金融机构免除部分服务收费的通知

银监发〔2011〕22号

各银监局，中国人民银行上海总部，各分行、营业管理部，省会（首府）城市中心支行，各省、自治区、直辖市、计划单列市发展改革委、物价局，各国有商业银行、股份制商业银行、邮政储蓄银行：

为提高银行业金融机构服务效率，提升服务水平，在坚持市场化原则的同时，进一步履行社会责任，决定免除部分服务收费。现就有关事项通知如下：

一、从2011年7月1日起，银行业金融机构免除人民币个人账户的以下服务收费：

（一）本行个人储蓄账户的开户手续费和销户手续费；

（二）本行个人银行结算账户的开户手续费和销户手续费；

（三）同城本行存款、取款和转账手续费（贷记卡账户除外）；

“同城”范围不应小于地级市行政区划，同一直辖市、省会城市、计划单列市列入同城范畴。

（四）密码修改手续费和密码重置手续费；

（五）通过本行柜台、ATM机具、电子银行等提供的境内本行查询服务收费；

（六）存折开户工本费、存折销户工本费、存折更换工本费；

（七）已签约开立的代发工资账户、退休金账户、低保账户、医保账户、失业保险账户、住房公积金账户的年费和账户管理费（含小额账户管理费）；

（八）向救灾专用账户捐款的跨行转账手续费、电子汇划费、邮费和电报费；

（九）以电子方式提供12个月内（含）本行对账单的收费；

（十）以纸质方式提供本行当月对账单的收费（至少每月一次），部分金融消费者单独定制的特定对账单除外；

（十一）以纸质方式提供12个月内（含）本行对账单的收费（至少每年一次），部分金融消费者单独定制的特定对账单除外。

二、银行业金融机构未经客户以书面、客户服务中心电话录音或电子签名方式单独授权，不得对客户强制收取短信服务费。

三、银行业金融机构代理国家有关部门或者其他机构的收费，应在办理业务前，明确告知客户，尊重客户对相关服务的自主选择权。

四、各银行业金融机构应根据自身业务发展实际情况，主动承担社会责任，不断加强内部管理，提高服务质量和水平。

五、各银行业金融机构要做出统一部署，抓紧开展相关制度、流程、业务系统、账务系统和账户标记的调整和调试工作，做好应急预案和柜台人员解释口径的准备工作，保障各项业务安全、稳定和持续运行。

请各银监局将本通知转发至辖内银监分局和银行业金融机构，督促辖内银行业金融机构执行各项规定。各地银监局、人民银行分支机构、政府价格主管部门应加强信息共享，遇特殊情况及时向银监会、人民银行和发展改革委报告。

中国银行业监督管理委员会
中国人民银行
中华人民共和国国家发展和改革委员会
二〇一一年三月九日

中国银监会办公厅
关于做好住房金融服务加强风险管理的通知

银监办发〔2011〕55号

各银监局，各国有商业银行、股份制商业银行，中国邮政储蓄银行：

为依法妥善处理个人住房贷款中出现的问题，保护消费者合法权益，加强风险管理、规范业务发展，特提出如下要求：

一、银行业金融机构已与借款人签订不可撤销的书面合同，且该合同已发生法律效力的，必须按照合同约定及时发放个人住房贷款。

二、银行业金融机构已受理并同意借款人的贷款申请，且在个人住房贷款合同面签过程中，借款人已单方在贷款合同上签字的，银行业金融机构在确认贷款合同没有法律瑕疵、收益能够覆盖风险、符合贷款条件的前提下，原则上应继续签订合同并按合同约定执行。

三、委托中介机构与借款人签订贷款合同或代收贷款合同是严重违规行为，银行业金融机构要认真开展自查，并严肃追究相关人员责任，妥善处理由此产生的法律后果。

四、在《国务院办公厅关于进一步做好房地产市场调控工作有关问题的通知》（国办发〔2011〕1号）印发前受理的个人住房贷款业务，银行业金融机构要严格按照国发〔2010〕10号文、《中国人民银行　中国银行业监督管理委员会关于完善差别化住房信贷政策有关问题的通知》（银发〔2010〕275号）等规定的差别化住房信贷政策以及当地行政限购规定办理业务，并根据风险状况合理确定首付比例、贷款利率等。

五、国办发〔2011〕1号文件印发后受理的个人住房贷款业务，银行业金融机构要严格执行“对贷款购买第二套住房的家庭，首付款比例不低于60%，贷款利率不低于基准利率的1.1倍”的规定，积极配合有关部门严格执行当地政府的限购政策并做好沟通解释工作。

六、银行业金融机构办理个人住房贷款业务要坚持面谈、面签和必要的居访，保证贷款条件公正透明，严格履行告知义务并尊重客户自愿选择，严禁虚假承诺、捆绑销售、委托中介机构代签代收贷款合同、乱收费等违规行为。

各银行业金融机构要坚决贯彻落实国家房地产宏观调控政策，继续做好住房金融服务。要从维护自身声誉、履行法律责任和社会责任的高度出发，妥善处理个人住房贷款中出现的问题和纠纷。各银监局要加大对辖内银行业金融机构个人住房贷款合规情况的检查力度，严肃查处各类违法违规行为。

请各银监局将本通知转发至辖内银监分局、各城市商业银行、外资银行（含外国银行分行）、农村商业银行、农村合作银行以及城市信用社、农村信用社等法人机构。

中国银行业监督管理委员会办公厅
二〇一一年三月八日

中国银行业监督管理委员会
中国人民银行
关于认真做好公共租赁住房等保障性安居工程金融服务工作的通知

银发〔2011〕193号

中国人民银行上海总部，各分行、营业管理部、省会（首府）城市中心支行、副省级城市中心支行，各银监局，国家开发银行，各政策性银行、国有商业银行、股份制商业银行，中国邮政储蓄银行：

为贯彻落实《国务院办公厅关于进一步做好房地产市场调控工作有关问题的通知》（国办发〔2011〕1号）精神，发挥好金融对公共租赁住房等保障性安居工程建设的支持作用，现就有关问题通知如下：

一、对于政府投资建设的公共租赁住房项目，凡是实行公司化管理、商业化运作、项目资本金足额到位、项目自身现金流能够满足贷款本息偿还要求的，各银行业金融机构应按照信贷风险管理的有关要求，直接发放贷款给予支持。

二、对于不符合本通知第一条要求的，各银行业金融机构可按下列要求予以支持：

（一）直辖市、计划单列市、省会（首府）城市政府投资建设的公共租赁住房项目，各银行业金融机构可在符合《国务院关于加强地方政府融资平台公司管理有关问题的通知》（国发〔2010〕19号）规定的前提下，向资本金充足、治理结构完善、运作规范、自身经营性收入能够覆盖贷款本息的政府融资平台公司发放贷款。融资平台公司公共租赁住房贷款偿付能力不足的，由本级政府统筹安排还款。在同一个城市只能有一家融资平台公司承贷公共租赁住房贷款。

（二）地级市政府投资建设的公共租赁住房项目，各银行业金融机构可向符合上述条件且经银行业金融机构总行评估后认可、自身能够确保偿还公共租赁住房项目贷款的地级市政府融资平台发放贷款。其他市县政府投资建设的公共租赁住房项目，可在省级政府对还款来源作出统筹安排后，由省级政府指定一家省级融资平台公司按规定统一借款。

三、政府投资建设的公共租赁住房项目须符合国家关于最低资本金比例的政策规定，贷款利率按中国人民银行利率政策执行，利率下浮时其下限为基准利率的0.9倍，贷款期限原则上不超过15年，具体由借贷双方协商确定。项目建成后，贷款一年两次还本，利随本清。鼓励银行业金融机构以银团贷款形式发放贷款。

四、政府以外的其他机构投资建设并持有且纳入政府总体规划的公共租赁住房项目，各银行业金融机构可按照商业原则发放贷款。

五、公共租赁住房项目若改变租赁关系，所获得的资金应首先用于归还公共租赁住房贷款。

六、经济适用住房、廉租住房、棚户区改造等其他保障性安居工程贷款，按照人民银行、银监会联合发布的《经济适用住房开发贷款管理办法》（银发〔2008〕13号文印发）、《廉租住房建设贷款管理办法》（银发〔2008〕355号文印发）和《中国人民银行 中国银行业监督管理委员会关于做好城市和国有工矿棚户区改造金融服务工作的通知》（银发〔2010〕37号）等现行政策执行，各银行业金融机构应在加强风险管理的基础上加大支持力度。

七、各银行业金融机构要制定和完善公共租赁住房等保障性安居工程贷款管理办法，加强贷款管理，对负责公共租赁住房建设的地方政府融资平台公司实行名单制管理，自主决策、自担风险，并采取切实措施确保贷款资金用于保障性安居工程项目。

八、各银行业金融机构要完善公共租赁住房等保障性安居工程贷款统计制度，全面掌握贷款项目的立项、审批、开工、资本金到位、项目施工、信贷资金流向等情况，加强动态监测。对因贷款条件不落实而不能支持的项目，要逐个分析具体原因，提出可行的解决办法，相关信息应按月向当地人民银行分支机构和银监局报送。

九、人民银行分支机构、银监局要密切关注当地公共租赁住房等保障性安居工程实施进展，将当年在建、新开工项目清单以适当方式向辖区内银行业金融机构发布；要动态监测公共租赁住房等保障性安居工程贷款发放情况，及时将银行业金融机构遇到的具体问题向相关部门反映。

请人民银行上海总部，各分行、营业管理部、省会（首府）城市中心支行、副省级城市中心支行及各银监局将本通知联合转发至辖区内城市商业银行、农村商业银行、农村合作银行、城乡信用社及外资银行。

中国银行业监督管理委员会

中国人民银行

二〇一一年八月四日

合同编号:

商品房现房买卖合同

（示范文本）

出卖人：____________________________

买受人：____________________________

中华人民共和国住房和城乡建设部
中华人民共和国国家工商行政管理总局
二〇一一年三月修订

索　　引

说　　明

1 、本合同文本为示范文本，由中华人民共和国住房和城乡建设部、中华人民共和国国家工商行政管理总局共同制订。各地在有关房地产法律法规规定的范围内，结合实际情况调整合同相应内容。

2 、商品房现售，是指房地产开发企业将竣工验收合格并完成初始登记的商品房出售给买受人，并由买受人支付房价款的行为。

3 、签订本合同前，出卖人应当向买受人出示有关权属证书和证明文件。

4 、双方当事人应当按照自愿、公平及诚实信用的原则订立合同，任何一方不得将自己的意志强加给另一方。双方当事人可以对文本条款的内容进行修改、增补或删减。合同生效后，未被修改的文字视为双方当事人同意内容。

5 、签订本合同前，买受人应当仔细阅读合同条款，特别是审阅其中具有选择性、补充性、填充性、修改性的内容。

6 、本合同文本中相关条款后留有空白行，供双方当事人自行约定或补充约定。出卖人与买受人可以针对合同中未约定或约定不详的内容，根据所售项目的具体情况签订公平合理的补充协议，也可以在相关条款后的空白行中进行补充约定。

7 、本合同文本【 】中选择内容、空格部位填写及其他需要删除或添加的内容，双方当事人应当协商确定。【 】中选择内容，以划 √ 方式选定；对于实际情况未发生或双方当事人不作约定时，应当在空格部位打 × ，以示删除。

8、双方当事人可以根据实际情况决定本合同原件的份数，并在签订合同时认真核对，以确保各份合同内容一致；在任何情况下，买受人都应当至少持有一份合同原件。

9、根据合同法的规定，当事人可以约定一方违约时应当根据违约情况向对方支付一定数额的违约金，也可以约定因违约产生的损失赔偿额的计算方法。约定的违约金低于造成的损失的，当事人可以请求人民法院或者仲裁机构予以增加；约定的违约金过分高于造成的损失的，当事人可以请求人民法院或者仲裁机构予以适当减少。

商品房现房买卖合同

第一章 合同当事人

出卖人：____________________

通讯地址：____________________

邮政编码：____________________

营业执照注册号：____________________

企业资质证书号：____________________

法定代表人：____________ 联系电话：____________

委托代理人：____________ 联系电话：____________

委托销售代理机构：____________________

通讯地址：____________________

邮政编码：____________________

营业执照注册号：____________________

买受人：____________________

【法定代表人】【负责人】：____________ 国籍【地区】：________

【身份证】【护照】【营业执照注册号】【 】：____________

出生日期：______ 年 ______ 月 ______ 日，性别：________

通讯地址：____________________

邮政编码：____________ 联系电话：____________

【法定代理人】【委托代理人】 ：____________ 国籍【地区】：________

【身份证】【护照】【 】：____________

出生日期：______ 年 ______ 月 ______ 日，性别：________

通讯地址：____________________

邮政编码：____________ 联系电话：____________

（买受人为多个时，各地在示范文本中可以增加以上买受人信息）

根据《中华人民共和国合同法》、《中华人民共和国城市房地产管理法》、《中华人民共和国物权法》及其他有关法律、法规的规定，出卖人和买受人在平等、自愿、公平、协商一致的基础上就商品房销售事宜达成如下协议：

第二章 商品房基本状况

第一条 项目建设依据

1、出卖人以【出让】【转让】【划拨】方式取得坐落于 ________ 地块的国有土地使用权。该地块【国有土地使用证号】【 】为：____________，土地使用权面积为：________，买受人购买的商品房（以下简称该商品房）所在土地用途为：________，土地使用年限自 ______ 年 ______ 月 ______ 日至 ______ 年 ______ 月 ______ 日止。

2、出卖人经批准，在上述地块上建设的商品房【地名核准名称】【暂定名】为：________，建设工程规划许可证号为：________，建筑工程施工许可证号为：________。

第二条 销售依据

出卖人出售的商品房现已取得房屋所有权证，证号为：____________，登记机构为：____________。

第三条 基本情况

1、该商品房所在楼栋的主体建筑结构为：________，建筑层数为：________ 层，其中地上 ________ 层，

地下 __________ 层。

2、该商品房为第一条规定项目中的 ________ 【幢】【座】第 ________ 层 ________ 单元 __________ 号，该房号以房屋所有权登记的地址为准，该商品房的平面图及位置图见附件一。

3、该商品房的规划用途为【住宅】【办公】【商业】【 ________ 】。

4、出卖人委托实测该商品房面积的有资质的房产测绘机构是 __________ ，其实测建筑面积共 __________ 平方米，其中套内建筑面积 __________ 平方米，共用部位与共用房屋分摊建筑面积 __________ 平方米。该商品房共用部位及设施具体见附件二。

该商品房层高为：________ 米，有 ______ 个阳台，其中 ________ 个阳台为封闭式， ________ 个阳台为非封闭式。

第四条 抵押情况

与该商品房有关的抵押情况为：__________ 。

1、该商品房未设定抵押。

2、该商品房已经设定抵押，抵押权人为： __________ ，抵押登记机构为：____________________ ，抵押登记日期为： ____________ ，抵押期限为： 。

____ 。

抵押权人同意该商品房出售的证明及关于抵押的相关约定见附件三。

第五条 租赁情况

该商品房的租赁情况为：__________。

1、出卖人未将该商品房出租。

2、出卖人已将该商品房出租，【买受人为该商品房承租人】【承租人已放弃优先购买权】。

租赁期限至： 年 月 日。出卖人与买受人经协商一致，自本合同约定的交付日至出租期限届满期间的房屋收益归【出卖人】【买受人】所有。

____ 。

承租人放弃优先购买权的声明见附件三。

第六条 出卖人关于房屋权利状况的承诺

出卖人承诺：

1、该商品房没有权属纠纷和债权债务纠纷；

2、该商品房没有销售给除买受人以外的其他人；

3、该商品房没有司法查封或其他受到限制交易的情况；

4、____；

5、____；

6、____。

如因出卖人违反上述承诺，导致买受人不能办理房屋登记或发生债权债务纠纷的，买受人有权解除合同。买受人解除合同的，应当书面通知出卖人。出卖人应当自解除合同通知送达之日起 30 日内，将买受人已付房价款及利息（按银行同期贷款利率计算）退还给买受人，买受人有权要求出卖人支付不低于本合同总价款一倍的赔偿金。

____ 。

第三章 商品房价款的确定方式及总价款、付款方式、付款时间

第七条 计价方式与价款

出卖人与买受人约定按照下列第 种方式计算该商品房价款：

1、按照套内建筑面积计算，该商品房单价为每平方米 _____ （币） ____ 元，总价款为 _____ （币） ____ 佰 ____ 拾 ____ 亿 _____ 仟 ____ 佰 _____ 拾 _____ 万 _____ 仟 _____ 佰 _____ 拾 _____ 元整（大写）。

2、按照建筑面积计算，该商品房单价为每平方米 ____ （币）____ 元，总价款为 ____ （币） ____ 佰 ____ 拾 ____ 亿 _____ 仟 _____ 佰 _____ 拾 _____ 万 _____ 仟 _____ 佰 _____ 拾 _____ 元整（大写）。

3、按照套（单元）计算，该商品房总价款为_____（币）____佰____拾____亿______仟_____佰_____拾_____万_____仟_____佰_____拾_____元整（大写）。

4、按照____________________计算，该商品房总价款为______（币）_____佰_____拾_____亿______仟_____佰_____拾_____万_____仟_____佰_____拾_____元整（大写）。

第八条　付款方式及期限

买受人采取下列第____种方式付款。

1、一次性付款。买受人应当在____年____月____日前支付全部房价款。

2、分期付款。买受人应当在____年____月____日前分_____期支付部全部房价款，首期房价款金额（____币）元（大写：____亿____仟____佰____拾____万____仟____佰____拾____元整），应当于　年　月　日前支付。

3、贷款方式付款：【公积金贷款】【商业贷款】【　】。买受人可以首期支付全部房价款的_____%，其余价款可以向【____________】【住房公积金管理机构委托的商业银行】借款支付。

如因买受人的原因造成不能贷款的，__________________________

____。

4、其他方式：

____；

____。

该商品房价款的计价方式、总价款、付款方式及期限的具体约定见附件四。

第九条　逾期付款责任

买受人未按照约定的时间付款的，双方同意按照下列第______种方式处理：

1、按照逾期时间，分别处理（（1）和（2）不作累加）

（1）逾期在_____日之内，自约定的应付款期限届满之次日起至实际支付应付款之日止，买受人按日计算向出卖人支付逾期应付款万分之_____的违约金，并于实际支付应付款之日起_____日内向出卖人支付违约金，合同继续履行。

（2）逾期超过_____日（该日期应当与第（1）项中的日期相同）后，出卖人有权解除合同。出卖人解除合同的，应当书面通知买受人。买受人应当自解除合同通知送达之日起_____日内按照累计的逾期应付款的_____%向出卖人支付违约金，并由出卖人退还买受人全部已付款。买受人愿意继续履行合同的，经出卖人同意后，合同继续履行，自约定的应付款期限届满之次日起至实际支付应付款之日止，买受人按日计算向出卖人支付逾期应付款万分之_____（该比率应当不小于第（1）项中的比率）的违约金，并于实际支付应付款之日起_____日内向出卖人支付违约金。

本条所称逾期应付款是指依照第八条及附件四约定的到期应付款与该期实际已付款的差额；采取分期付款的，按照相应的分期应付款与该期的实际已付款的差额确定。

2、____。

第四章 商品房交付使用条件及日期、交接手续

第十条　交付时间和条件

（一）出卖人应当在____年____月____日前向买受人交付该商品房。

（二）该商品房交付时应当符合下列第 1、2、3、4 、　、　、　项所列条件：

1、该商品房已取得规划验收批准文件、建筑工程竣工合格证明文件；

2、有资质的房产测绘机构出具的该商品房面积实测技术报告书；

3、出卖人已取得了该商品房所在楼栋的房屋权属证明；

4、____；

5、____；

6、____。

该商品房为住宅的，出卖人还应当提供《住宅质量保证书》、《住宅使用说明书》以及《住宅工程分户验收表》。

第十一条　本项目内相关设施、设备的交付时间与使用条件

（一）城市基础设施

1、上水、下水：____ 年 ____ 月 ____ 日 达到 ________________ ；

2、供电：____ 年 ____ 月 ____ 日 达到 ______________________ ；

3、供暖：____ 年 ____ 月 ____ 日 达到 ______________________ ；

4、燃气：____ 年 ____ 月 ____ 日 达到 ______________________ ；

5、电话通信：交付时线路敷设到户；

6、有线电视：交付时线路敷设到户；

7、宽带网络：交付时线路敷设到户。

以上第5、6、7项需要买受人自行办理开通使用手续。

如果在约定期限内未达到交付使用条件，双方同意按照下列第 ____ 种方式处理：

（1）以上设施中第1、2、3、4项在约定期限内未达到交付条件的，出卖人按本合同约定承担逾期交付的违约责任；第5项未按时达到交付条件的，出卖人按日向买受人支付 _______ 元的违约金；第6项未按时达到交付条件的，出卖人按日向买受人支付 _______ 元的违约金；第7项未按时达到交付条件的，出卖人按日向买受人支付 _______ 元的违约金。

（2）出卖人向买受人一次性支付相当于房屋总价款　　　%的违约金，并采取措施保证相关设施于　　　日之内达到交付条件。届时仍不能达到交付条件的，买受人有权要求解除合同和给予赔偿，出卖人赔偿数额为　　　　　；

（3）　　　　　　　　　　　　　　　　　　　　　　　。

（二）公共服务及其他配套设施（包括但不限于建设工程规划许可证附件及附图中载明的公共服务设施配套建设指标）

1、公共绿地：______________________________________；

2、小区内非市政道路：______________________________；

3、物业管理用房：__________________________________；

4、医院：____；

5、幼儿园：_____ 年 ____ 月 ____ 日前竣工；

6、学校：_____ 年 ____ 月 ____ 日前竣工；

7、会所：_____ 年 ____ 月 ____ 日前竣工；

8、购物中心：____ 年 ____ 月 ____ 日前竣工；

9、　　　　　　　　　　　　　　　　　；

10、　　　　　　　　　　　　　　　　　。

以上设施如果在约定期限内未达到交付使用条件或者未竣工的，双方同意按照下列第 _____ 种方式处理：

（1）出卖人向买受人一次性支付相当于房屋总价款　　　%的违约金，并采取措施保证相关设施于　　　日之内达到交付条件。届时仍不能达到交付条件的，买受人有权要求解除合同和给予赔偿，出卖人赔偿数额为　　　　　；

（2）每逾期一项，出卖人按日支付　　　元违约金于买受人；

（3）　　　　　　　　　　　　　　　　　　　　　　　。

公共服务设施与其他配套设施，没有明确约定交付使用时间的，其竣工时间不迟于本项目最后一期竣工交付的时间。

关于本项目内相关设施、设备的具体约定见附件五。

第十二条　交接手续

（一）出卖人应当在交付日的　　　　日前，书面通知买受人办理交接手续的时间、地点以及应当携带的证件。买受人未收到交付通知书的，以本合同约定的交付日期届满之日为办理交接的时间，以该商品房所在地为交接手续办理地点。

双方进行验收交接时，出卖人应当出示满足第十条约定的证明文件。出卖人不出示证明文件或者出示的证明文件不齐全，不能满足第十条约定条件的，买受人有权拒绝接收，由此产生的逾期交房责任由出卖人承担，并按照第十三条处理。

（二）查验房屋

1、买受人应在收到书面通知后　　　　　日内，办理该商品房的交接手续。

2、双方办理交接手续前，买受人有权对所购买的该商品房进行查验，出卖人不得以缴纳相关税费或者签署物业管理文件作为买受人查验该商品房的前提条件。

3、查验该商品房时，买受人对以下除该商品房主体结构和地基基础外的房屋质量缺陷提出异议的，由出卖人按照国家和地方有关工程质量的规范和标准自查验该商品房之次日起 _____ 日内负责修复，并承担修复费用，修复完成后再行交付。因质量缺陷给买受人造成损失的，出卖人应当予以赔偿。

（1）屋面、墙面、地面渗漏；

（2）墙面、顶棚抹灰层脱落；

（3）地面空鼓开裂、大面积起砂；

（4）门窗翘裂、五金件损坏；

（5）管道堵塞；

（6）洁具开裂、漏水；

（7）灯具、电器开关失灵；

（8）防盗及对讲系统失灵；

（9）____；

（10）____；

（11）____；

（12）____。

房屋质量严重影响买受人对房屋的正常使用的，出卖人按照国家和本市有关工程质量的规范和标准自查验该商品房之次日起 _____ 日内负责修复，并承担修复费用，若由此产生的逾期交房责任由出卖人承担，并按照第十三条处理。修复后或经多次维修仍存在严重影响买受人正常居住使用的质量问题的，买受人有权解除合同。买受人解除合同的，应当书面通知出卖人，出卖人应当自解除合同通知送达之日起 ______ 日内退还全部已付款，并按照 ___________ 利率付给利息，给买受人造成损失的由出卖人承担赔偿责任。

____。

（三）查验该商品房后，买受人对出卖人所交付的商品房无异议，双方应当签署商品房交接单。由于买受人原因，未能按期交付的，双方同意按以下方式处理：

；

第十三条　逾期交付责任

除不可抗力外，出卖人未按照第十条约定的期限和条件将该商品房交付买受人的，按照下列第 ______ 种方式处理：

1、按照逾期时间，分别处理（（1）、（2）和（3）不作累加）

(1) 逾期在 _____ 日之内（该时限应当不小于第九条第 1（1）项中的时限），自第十条约定的交付期限届满之次日起至实际交付之日止，出卖人按日计算向买受人支付已交付房价款万分之 _____ 的违约金（该违约金比率应当不小于第九条第 1（1）项中的比率），并于该商品房实际交付之日起 _____ 日内向买受人支付违约金，合同继续履行。

(2) 逾期超过 _____ 日（该日期应当与本条第 1（1）项中的日期相同）后，买受人有权解除合同。买受人解除合同的，应当书面通知出卖人。出卖人应当自解除合同通知送达之日起 _____ 日内退还全部已付款，并按照买受人全部已付款的 _____% 向买受人支付违约金。买受人要求继续履行合同的，合同继续履行，自第十条约定的交付期限届满之次日起至实际交付之日止，出卖人按日计算向买受人支付全部已付款万分之 ______ （该比率应当不小于本条第 1（1）项中的比率）的违约金，并于该商品房实际交付之日起 _____ 日内向买受人支付违约金。

2、____。

第五章 商品房质量及保修责任

第十四条　商品房质量的约定

（一）主体结构

该商品房主体结构和地基基础合格。经检测不合格的，买受人有权解除合同。买受人选择解除合同的，应当书面通知出卖人，出卖人应当自解除合同通知送达之日起 ______ 日内退还全部已付款，并按照 ________ 利率付给利息，给买受人造成损失的由出卖人承担赔偿责任。因此发生的检测费用由出卖人承担。

（二）装饰装修及设备标准

交付的该商品房质量应当符合国家和本市颁布的工程质量规范、标准和施工图设计文件的要求，应使用合格的建筑材料、构配件和设备，装置、装修、装饰所用材料的产品质量必须符合国家的强制性标准及双方约定的标准。如不符合上述标准的，买受人有权要求出卖人按照下列第 ______、______、______、______、______ 方式处理：（可多选）

（1）及时更换、重作、修理；

（2）出卖人赔偿双倍的装饰、设备差价；

（3）房屋质量问题严重影响正常居住使用的，买受人有权解除合同。买受人选择解除合同的，应当书面通知出卖人，出卖人应当自解除合同通知送达之日起 ______ 日内退还全部已付款，并按照 ___________ 利率付给利息，给买受人造成损失的由出卖人承担赔偿责任。因此而发生的检测费用由出卖人承担；

（4）____；

（5）____。

具体装饰和设备标准的约定见附件六。

（三）室内空气质量、建筑隔声和民用建筑节能措施

1、该商品房室内空气质量符合国家标准。该商品房为住宅的，建筑隔声情况符合《民用建筑隔声设计规范》（GBJ118－88）、《建筑门窗空气声隔声性能分级及检测方法》（GB/T8485－2008）标准。该商品房室内空气质量经检测不符合国家标准的，买受人有权解除合同。

____。

2、商品房建筑隔声情况未达到标准的，出卖人应当按照规划设计的要求补做建筑施工隔声措施，并承担全部费用；因此给买受人造成损失的，出卖人应当承担赔偿责任。

____。

3、该商品房应当符合国家有关民用建筑节能强制性标准的要求。未达到标准的，出卖人应当按照相应标准要求补做节能措施，并承担全部费用；因此给买受人造成损失的，出卖人应当承担赔偿责任。

____。

第十五条 保修责任

（一）商品房实行保修制度。该商品房为住宅的，出卖人自该商品房交付之日起，按照《住宅质量保证书》承诺的内容承担相应的保修责任。该商品房为非住宅的，双方应当签订补充协议详细约定保修范围、保修期限和保修责任等内容。具体内容见附件七。

（二）下列情形，出卖人不承担保修与赔偿责任：

1、因人为破坏或严重自然灾害造成的房屋及其附属设施的损害；

2、不当使用，或者在装修房屋过程中，对房屋结构、水电气管线、防水层、保温层、粉刷层及部品零件造成的损害；

3、第三人因不当使用、装修房屋，对本商品房造成的损害。

（三）在保修期内，买受人发出书面保修通知书 ________ 日内，出卖人既不履行保修义务也不书面通知保修责任异议的，买受人可以自行或聘请他人进行维修，合理的维修费用由出卖人承担。

第六章 办理产权登记有关事宜

第十六条　房屋登记

（一）预告登记

1、买卖双方【同意】【不同意】共同申请办理该商品房的预告登记手续。买卖双方同意办理预告登记的，自本合同签订起 _______ 日内向 __________ 申请办理该商品房的预告登记手续。如果出卖人未按照双方约定申请办理预告登记的，买受人可以单方申请预告登记。

2、有关预告登记的具体约定如下：

____；

____。

（二）转移登记

1、商品房交付使用后，双方同意共同向房屋登记机构申请办理房屋所有权转移登记。

2、如因出卖人的责任，买受人未能在商品房交付之日起 ________ 日内办讫房屋所有权登记的，双方同意按照下列第 ______ 种方式处理：

（1）买受人有权解除合同。买受人解除合同的，应当书面通知出卖人，出卖人应当自解除合同通知送达之日起 ____ 日内退还买受人全部已付款，并按照 ____________ 利率付给利息。买受人不解除合同的，自买受人应当取得房屋所有权登记的期限届满之次日起至实际取得房屋所有权登记之日止，出卖人按日计算向买受人支付全部已付款万分之 _____ 的违约金。

（2）____ 。

3、如因买受人的责任造成买受人未能在商品房交付之日起 ___________ 个工作日内取得房屋所有权登记的，由买受人承担责任。

（三）关于房屋登记的相关约定见附件八。

第七章 物业服务

第十七条 物业服务

（一）该商品房的物业服务企业属于下列第 种：

1、出卖人已依法选聘具有相应资质的物业服务企业进行前期物业服务，并签订了书面的前期物业服务合同，合同期限为： 。物业服务企业为： ，资质证号为： 。

2、该商品房所在的物业管理区域已成立业主大会，业主大会已依法选聘具有相应资质的物业服务企业进行物业服务，并签订了书面的物业服务合同，合同期限为 。物业服务企业为： ，资质证号为： 。

（二）物业服务期间，物业服务收费价格为 __________/ 月·平方米（ 建筑面积 ）。价格构成包括物业区域内保洁费、公共秩序维护费、共用部位共用设施设备日常维护费、绿化养护费、综合管理费、_______________、________ 、 _________ 。

物业服务内容见附件九。买受人已详细阅读（前期）物业服务合同和（临时）管理规约，同意由该物业服务企业提供物业服务，遵守（临时）管理规约。

第八章 双方约定的其他事项

第十八条 共有权益的约定

买受人对其建筑物专有部分享有占有、使用、收益和处分的权利。行使权利不得危及建筑物的安全，不得损害其他买受人的合法权益。对建筑物专有部分以外的共有部分，享有权利，承担义务；不得以放弃权利不履行义务。双方对共有权益的约定如下：

1、该商品房所在楼栋的屋面使用权归本楼栋产权人共有；

2、该商品房所在楼栋的外墙面使用权归本楼栋产权人共有；

3、该商品房所在建筑区划内的道路(属于城镇公共道路的除外)、绿地(属于城镇公共绿地或者明示属于个人的除外)、占用全体产权人共有的道路或者其他场地用于停放汽车的车位、物业服务用房归全体产权人共有；

4、建筑物的基础、承重结构、外墙、屋顶等基本结构部分，通道、楼梯、大堂等公共通行部分，消防、公共照明等附属设施、设备，避难层、设备层或者设备间等结构部分归全体产权人共有；

5、会所：____ ；

6、运动休闲设施：____________________________________；

7、教育设施：_______________________________________；

8、____。

第十九条 税费

买卖双方应按照国家及本市的有关规定，向相应部门交纳因该商品房买卖发生的税、费。

第二十条 销售和使用承诺

1、出卖人承诺商品住宅不分割拆零销售；不采取返本销售或者变相返本销售的方式销售商品房。

2、出卖人承诺出售的商品房用途与规划用途一致，并按照规划用途办理房屋登记。双方签订合同后，涉及该商品房规划用途、面积、容积率及基础设施、公共服务设施、绿化率等规划许可内容变更的，出卖人应当及时将变更内容书面告知买受人，并应当取得规划行政主管部门的批准。买受人有权选择解除合同或要求出卖人赔偿损失。

3、买受人使用该商品房期间，不得擅自改变该商品房的用途、建筑主体结构和承重结构。除本合同、补充协议及其附件另有约定外，买受人在使用该商品房期间有权与其他权利人共同使用与该商品房有关的共用部位和设施，并按照共用部位与共用房屋分摊面积承担义务。

买受人不得擅自改变与该商品房有关的共用部位和设施的使用性质。

4、____。

5、____。

第二十一条　争议解决方式

本合同在履行过程中发生的争议，由双方当事人协商解决，也可请求消费者协会调解；协商不成的，按照下列第 ______ 种方式解决：

1、依法向房屋所在地人民法院起诉。

2、提交 ____________ 仲裁委员会仲裁。

第二十二条　本合同自双方签字（盖章）之日起生效。双方可以根据具体情况对本合同中未约定、约定不明或不适用的内容签订书面补充协议进行变更或补充（补充协议见附件十），但补充协议中含有不合理地减轻或免除本合同中约定应当由出卖人承担的责任或不合理地加重买受人责任、排除买受人主要权利内容的，仍以本合同为准。对本合同的解除，应当采用书面形式。本合同附件及补充协议与本合同具有同等法律效力。

第二十三条　本合同及附件共 ______ 页，一式 ______ 份，具有同等法律效力，其中出卖人 ______ 份，买受人 ______ 份， ______ 份， ______ 份。

出卖人（签章）：

买受人（签章）：

【法定代表人】：

【法定代表人】：

【委托代理人】（签章）：

【负责人】：

签订时间： _____ 年 ____ 月 ____ 日 签订时间： ____ 年 _____ 月 ____ 日

签订地点：

签订地点：

附件一　房屋平面图及位置图（应标明方位）

1、房屋平面图（应当标明详细尺寸，并约定误差范围）

2、该房屋在整个楼栋中的位置图

3、建设工程设计方案总平面图

附件二　本商品房共用部位及设施具体约定

1、共用部位与共用房屋分摊建筑面积构成说明

（1）被分摊的共用部位的名称、用途、所在位置、面积的约定；

（2）参与分摊公用建筑面积的商品房名称、用途、所在位置、面积、分摊系数等的约定；

（3）不分摊的共用部位的具体约定

2、关于其他设备、设施所在位置、用途等的约定

附件三　该商品房有关抵押关系及租赁关系的相关约定

（一）取得抵押权人同意销售的证明及抵押当事人的相关约定

1、该商品房取得抵押权人同意销售的证明

2、解除抵押的条件和时间

3、关于抵押的其他约定

（二）承租人放弃优先购买权的声明

附件四　计价方式与价款及付款方式和期限的具体约定

附件五　关于本项目内相关设施、设备的具体约定

1、相关设施的位置及用途

2、其他约定

附件六　装饰、设备标准的约定

（双方还应当具体约定主要材料和设备的品牌、产地、规格、数量等内容）

交付的商品房的装修部分达不到本附件约定的装修标准的，买房人有权要求出卖人就未达标准部分进行重新装修。对出卖人未经双方约定增加的装置、装修、装饰，视为无条件赠送给买受人。但买受人明确表示不接受这部分装置、装修、装饰的，出卖人有义务对其加以拆除，并赔偿买受人因此而遭受的直接损失。

1、外墙：【瓷砖】【涂料】【玻璃幕墙】【 】＿＿＿＿＿＿＿＿＿＿＿＿＿＿＿＿。

2、起居室：

（1）内墙：【涂料】【壁纸】【 】＿＿＿＿＿＿＿＿＿＿＿＿＿＿＿＿。

（2）顶棚：【石膏板吊顶】【涂料】【 】＿＿＿＿＿＿＿＿＿＿＿＿＿＿。

（3）室内地面：【大理石】【花岗岩】【水泥抹面】【实木地板】【 】＿＿＿＿。

3、厨房：

（1）地面：【水泥抹面】【瓷砖】【 】＿＿＿＿＿＿＿＿＿＿＿＿＿＿＿＿；

（2）墙面：【耐水腻子】【瓷砖】【 】＿＿＿＿＿＿＿＿＿＿＿＿＿＿＿＿；

（3）顶棚：【水泥抹面】【石膏吊顶】【 】＿＿＿＿＿＿＿＿＿＿＿＿＿＿；

（4）厨具：＿＿＿＿＿＿＿＿＿＿＿＿＿＿＿＿＿＿＿＿＿＿＿＿＿＿＿＿。

4、卫生间：

（1）地面：【水泥抹面】【瓷砖】【 】＿＿＿＿＿＿＿＿＿＿＿＿＿＿＿＿；

（2）墙面：【耐水腻子】【涂料】【瓷砖】【 】＿＿＿＿＿＿＿＿＿＿＿＿＿＿；

（3）顶棚：【水泥抹面】【石膏吊顶】【 】＿＿＿＿＿＿＿＿＿＿＿＿＿＿＿；

（4）卫生器具

5、阳台：【塑钢封闭】【铝合金封闭】【断桥铝合金封闭】【不封闭】【 】＿＿＿＿＿＿＿。

6、电梯：

（1）电梯品牌名称：＿＿＿＿＿＿＿＿＿＿＿＿＿＿＿＿＿＿＿＿＿＿＿；

（2）电梯速度：＿＿＿米 / 秒；

（3）电梯载重量：＿＿＿＿＿＿＿＿＿＿＿＿＿＿千克；删去

（4）＿＿＿＿＿＿＿＿＿＿＿＿＿＿＿＿＿＿＿＿＿＿＿＿＿＿＿＿＿＿。

7、其他

＿＿＿＿＿＿＿＿＿＿＿＿＿＿＿＿＿＿＿＿＿＿＿＿＿＿＿＿＿＿＿＿＿；

附件七　保修范围、保修期限和保修责任的约定

（该商品房为住宅的，出卖人应提供《住宅质量保证书》；该商品房为非住宅的，双方可参照《住宅质量保证书》中的内容对保修范围、保修期限和保修责任等进行约定）

该商品房的保修期自房屋交付买受人使用之日起计算，保修期限不应低于国家规定的期限。出卖人可以延长保修期。

在保修期限内，出卖人应设立相应机构和人员处理保修问题：

办公时间：__________________________________；

办公地点：__________________________________；

联系电话：______________________________ __。

（一）保修项目、期限及责任的约定

1、地基基础和主体结构：

保修期限为【国家标准：合理使用寿命年限】【】：____________；

保修期内，因设计或施工的原因，造成建筑物地基下陷、倾斜及主体结构构件开裂、变形、破损且超出国家设计规范的规定值的，无偿进行保修；

____。

2、屋面防水：

保修期限为【国家标准：5年】【】：____________；

保修期内，因设计、施工或所用防水材料的质量问题，造成天花板渗水、滴漏的，无偿进行保修；

____。

3、墙面、厨房和卫生间地面、地下室、管道：

保修期限为【国家标准：5年】【】：____________；

保修期内，因施工或所用材料的质量问题，造成外墙面、厨房、卫生间地面渗漏的，无偿进行保修；

____。

4、墙面、顶棚抹灰层

保修期限为【国家标准：2年】【】：____________；

保修期内，因施工质量问题，造成墙面、顶棚抹灰层脱落的，无偿进行保修；

____。

5、地面

保修期限为【国家标准：2年】【】________；

保修期内，因施工质量问题，造成地面空鼓开裂、大面积起砂的，无偿进行保修；

____。

6、门窗、五金件

保修期限为【国家标准：1年】【】：____________；

保修期内，因施工质量问题，造成门窗翘裂、五金件损坏的，无偿进行保修；

____。

7、管道

保修期限为【国家标准：2年】【】：____________；

保修期内，因施工质量问题或产品质量问题，造成管道堵塞的，无偿进行保修；

____。

8、卫生洁具

保修期限为【国家标准：1年】【】：____________；

保修期内，因施工质量问题或产品质量问题，造成卫生洁具开裂、漏水的，无偿进行保修；

____。

9、灯具、电器开关

保修期限为【国家标准：1年】【】：____________；

保修期内，如因施工质量问题，造成灯具、电器开关失灵的，无偿进行保修（不包括灯泡）；

______________________________________。

10、防盗及对讲系统

保修期限为【国家标准：1 年】【】：____________；

保修期内，因产品或施工质量问题，造成防盗及对讲系统失灵的，无偿进行保修；

______________________________________。

11、______________________________________；

12、______________________________________；

13、______________________________________；

14、______________________________________；

15、______________________________________。

（二）其他约定

附件八　关于房屋登记的相关约定

附件九　物业服务

一、（前期）物业服务合同

二、（临时）管理规约

三、其他约定

附件十　补充协议

合同编号:

商品房预售合同

（示范文本）

出卖人： ____________________________

买受人： ____________________________

中华人民共和国住房和城乡建设部

中华人民共和国国家工商行政管理总局

二〇一一年三月修订

索　引

说　明

1 、本合同文本为示范文本，由中华人民共和国住房和城乡建设部、中华人民共和国国家工商行政管理总局共同制订。各地在有关房地产法律法规规定的范围内，结合实际情况调整合同相应内容。

2 、商品房预售是指房地产开发企业将正在建设中的房屋预先出售给买受人，由买受人支付定金或房价款的行为。房地产开发企业应当取得商品房预售许可证后方可进行商品房预售。

3 、签订本合同前，出卖人应当向买受人出示《商品房预售许可证》及其他有关证书和证明文件。

4 、双方当事人应当按照自愿、公平及诚实信用的原则订立合同，任何一方不得将自己的意志强加给另一方。双方当事人可以对文本条款的内容进行修改、增补或删减。合同生效后，未被修改的文字视为双方当事人同意内容。

5 、签订本合同前，买受人应当仔细阅读合同条款，特别是审阅其中具有选择性、补充性、填充性、修改性的内容。

6 、本合同文本中相关条款后留有空白行，供双方当事人自行约定或补充约定。出卖人与买受人可以针对合同中未约定或约定不详的内容，根据所售项目的具体情况签订公平合理的补充协议，也可以在相关条款后的空白行中进行补充约定。

7 、本合同文本【 】中选择内容、空格部位填写及其他需要删除或添加的内容，双方当事人应当协商确定。【 】中选择内容，以划 √ 方式选定；对于实际情况未发生或双方当事人不作约定时，应当在空格部位打 × ，以示删除。

8 、双方当事人可以根据实际情况决定本合同原件的份数，并在签订合同时认真核对，以确保各份合同内容一致；在任何情况下，买受人都应当至少持有一份合同原件。

9、根据合同法的规定，当事人可以约定一方违约时应当根据违约情况向对方支付一定数额的违约金，也可以约定因违约产生的损失赔偿额的计算方法。约定的违约金低于造成的损失的，当事人可以请求人民法院或者仲裁机构予以增加；约定的违约金过分高于造成的损失的，当事人可以请求人民法院或者仲裁机构予以适当减少。

商品房预售合同

第一章　合同当事人

出卖人：____________________

通讯地址：____________________

邮政编码：____________________

营业执照注册号：____________________

企业资质证书号：____________________

法定代表人：____________　联系电话：____________

委托代理人：____________　联系电话：____________

委托销售代理机构：____________________

通讯地址：____________________

邮政编码：____________________

营业执照注册号：____________________

买受人：____________________

【法定代表人】【负责人】：____________　国籍【地区】：________

【身份证】【护照】【营业执照注册号】【　】：____________________

出生日期：______年______月______日，性别：__________

通讯地址：____________________

邮政编码：____________　联系电话：____________

【法定代理人】【委托代理人】：____________　国籍【地区】：________

【身份证】【护照】【　】：____________________

出生日期：______年______月______日，性别：__________

通讯地址：____________________

邮政编码：____________　联系电话：____________

（买受人为多个时，各地在示范文本中可以增加以上买受人信息）

根据《中华人民共和国合同法》、《中华人民共和国城市房地产管理法》、《中华人民共和国物权法》及其他有关法律、法规的规定，出卖人和买受人在平等、自愿、公平、协商一致的基础上就商品房预售事宜达成如下协议：

第二章　商品房基本状况

第一条 项目建设依据

1、出卖人以【出让】【转让】【划拨】方式取得坐落于________地块的国有土地使用权。该地块【国有土地使用证号】【　】为：____________，土地使用权面积为：__________，买受人购买的商品房（以下简称该商品房）所在土地用途为：__________，土地使用年限自______年______月______日至______年______月______日止。

2、出卖人经批准，在上述地块上建设的商品房项目【地名核准名称】【暂定名】为：________，建设工程规划许可证号为：__________，建筑工程施工许可证号为：________。

第二条 预售依据

该商品房已由__________批准预售，预售许可证号为：__________。

第三条 基本情况

1、 该商品房的规划用途为【住宅】【办公】【商业】【 ________ 】。

2、 该商品房所在楼栋的主体建筑结构为：____________ ，建筑层数为：

__________ 层，其中地上 __________ 层，地下 __________ 层。签订本合同时该商品房所在楼栋的建设工程进度状况为【基础挖槽】【正负零】【地下 _____ 层】【地上 _____ 层】【结构封顶】。

3、该商品房为第一条规定项目中的 ________ 【幢】【座】第 ________ 层 ________ 单元 __________ 号，房屋竣工后，如房号发生改变的，以房屋所有权证登记的地址为准。房号的变化不影响该商品房的特定位置。该商品房的平面图及位置图见附件一。

4、出卖人委托预测该商品房面积的房产测绘机构是 _________ ，其预测建筑面积共 __________ 平方米，其中套内建筑面积 __________ 平方米，共用部位与共用房屋分摊建筑面积 _________ 平方米。该商品房共用部位及设施具体见附件二。

该商品房层高为：_______ 米，有 _____ 个阳台，其中 _______ 个阳台为封闭式， _______ 个阳台为非封闭式。

第四条 抵押情况

与该商品房有关的抵押情况为：__________ 。（ 2 和 3 可以同时选择）

1、该商品房占用范围内的土地使用权及在建工程均未设定抵押。

2、该商品房占用范围内的土地使用权已经设定抵押，抵押权人为： __________ ，抵押登记部门为：____________________ ，抵押登记日期为： ____________ 。

3、该商品房在建工程已经设定抵押，抵押权人为：________________，抵押登记部门为：______________ ，抵押登记日期为：_______________ 。

抵押权人同意该商品房预售的证明及关于抵押的相关约定见附件三。

第五条 房屋权利状况

1、该商品房没有权属纠纷和债权债务纠纷；

2、该商品房没有销售给除本买受人以外的其他人；

3、该商品房没有司法查封或其他受到限制交易的情况；

4、____；

5、____；

6、____。

如该商品房权利状况与上述情况不符，导致买受人不能办理预售合同登记备案、房屋登记或发生债权债务纠纷的，买受人有权解除合同。买受人选择解除合同的，应当书面通知出卖人。出卖人应当自解除合同通知送达之日起 30 日内，将买受人已付房价款及利息（按银行同期贷款利率计算）退还给买受人，买受人有权要求出卖人支付不低于已付房价款一倍的赔偿金。

____ 。

第三章 商品房价款的确定方式及总价款、付款方式、付款时间

第六条 计价方式与价款

出卖人与买受人按照下列第 ________ 种方式计算该商品房价款：

1、按照套内建筑面积计算，该商品房单价为每平方米 _____ （币） ____ 元，总价款为： _____ （币） ____ 佰 ____ 拾 ____ 亿 _____ 仟 ____ 佰 _____ 拾 _____ 万 _____ 仟 _____ 佰 _____ 拾 _____ 元整（大写）。

2、按照建筑面积计算，该商品房单价为每平方米 ____ （币）____ 元，总价款为： ____ （币） ____ 佰 ____ 拾 ____ 亿 _____ 仟 _____ 佰 _____ 拾 _____ 万 _____ 仟 _____ 佰 _____ 拾 _____ 元整（大写）。

3、按照套（ 单元 ）计算，该商品房总价款为： _____ （币） ____ 佰 ____ 拾 ____ 亿 ______ 仟 _____ 佰 _____ 拾 _____ 万 _____ 仟 _____ 佰 _____ 拾 _____ 元整（大写）。

4、按照 ____________________ 计算，该商品房总价款为： ______ （币） _____ 佰 _____ 拾 _____ 亿 ______

仟 _____ 佰 _____ 拾 _____ 万 _____ 仟 _____ 佰 _____ 拾 _____ 元整（大写）。

第七条　付款方式及期限

买受人采取下列第 ____ 种方式付款。

1、一次性付款。买受人应当在 ____ 年 ____ 月 ____ 日前支付全部房价款。

2、分期付款。买受人应当在 ____ 年 ____ 月 ____ 日前分 _____ 期支付部全部房价款，首期房价款金额（____ 币）____ 元（大写：____ 亿 ____ 仟 ____ 佰 ____ 拾 ____ 万 ____ 仟 ____ 佰 ____ 拾 ____ 元整），应当于 ____ 年 ____ 月 ____ 日前支付。

3、贷款方式付款：【公积金贷款】【商业贷款】【 ____________ 】。买受人首期支付全部房价款的 _____ %，其余价款向【____________】借款支付。

如因买受人的原因造成不能贷款的，________________________________

____。

4、其他方式：

____；

____。

该商品房价款的计价方式、总价款、付款方式及期限的具体约定见附件四。

第八条　预售资金监管情况

出卖人承诺商品房预售资金，按法律法规的有关规定监管使用，用于有关的工程建设。

根据本地商品房预售款监管的具体办法规定，该商品房的预售资金监管机构：　　　　　　　　，预售资金监管账户名称为　　　　　　，账号为：　　　　　　　　。

第九条　逾期付款责任

买受人未按照约定时间付款的，双方同意按照下列第 ______ 种方式处理：

1、按照逾期时间，分别处理（（1）和（2）不作累加）

(1) 逾期在 _____ 日之内，买受人按日计算向出卖人支付逾期应付款万分之 _____ 的违约金，并于实际支付应付款之日起 _____ 日内向出卖人支付违约金，合同继续履行。

(2) 逾期超过 _____ 日（该日期应当与第（1）项中的日期相同）后，出卖人有权解除合同。出卖人解除合同的，应当书面通知买受人。买受人应当自解除合同通知送达之日起 _____ 日内按照累计的逾期应付款的 _____% 向出卖人支付违约金，并由出卖人退还买受人全部已付款。买受人愿意继续履行合同的，经出卖人同意后，合同继续履行，买受人按日计算向出卖人支付逾期应付款万分之 _____ （该比率应当不小于第（1）项中的比率）的违约金，并于实际支付应付款之日起 _____ 日内向出卖人支付违约金。

本条所称逾期应付款是指依照第七条及附件四约定的到期应付款与该期实际已付款的差额；采取分期付款的，按照相应的分期应付款与该期的实际已付款的差额确定。

2、____。

第四章　商品房交付使用条件及日期、交接手续

第十条　交付时间和条件

（一）出卖人应当在 ____ 年 ____ 月 ____ 日前向买受人交付该商品房。

（二）该商品房交付时应当符合下列第 1、2、　　、　　、　　、　　项所列条件：

1、该商品房已取得建筑工程竣工合格证明文件；

2、有资质的房产测绘机构出具的该商品房面积实测技术报告书；

3、____；

4、____；

5、____；

6、____；

该商品房为住宅的，出卖人还需提供《住宅质量保证书》、《住宅使用说明书》以及《住宅工程分户验收表》。

第十一条 本项目内相关设施、设备的交付时间与使用条件

（一）城市基础设施

1、上水、下水：____ 年 ____ 月 ____ 日 达到 ________________；

2、供电：____ 年 ____ 月 ____ 日 达到 ________________；

3、供暖：____ 年 ____ 月 ____ 日 达到 ________________；

4、燃气：____ 年 ____ 月 ____ 日 达到 ________________；

5、电话通信：交付时线路敷设到户；

6、有线电视：交付时线路敷设到户；

7、宽带网络：交付时线路敷设到户。

以上第4、5、6、7项需要买受人自行办理开通使用手续。

如果在约定期限内未达到交付使用条件，双方同意按照下列第 ____ 种方式处理：

（1）以上设施中第1、2、3、4项在约定期限内未达到交付条件的，出卖人按本合同约定承担逾期交付的违约责任；第5项未按时达到交付条件的，出卖人按日向买受人支付 _______ 元的违约金；第6项未按时达到交付条件的，出卖人按日向买受人支付 _______ 元的违约金；第7项未按时达到交付条件的，出卖人按日向买受人支付 _______ 元的违约金。

（2）出卖人向买受人一次性支付相当于房屋总价款 %的违约金，并采取措施保证相关设施于 日之内达到交付条件。届时仍不能达到交付条件的，买受人有权要求解除合同和给予赔偿，出卖人赔偿数额为 ；

（3） 。

（二）公共服务及其他配套设施（包括但不限于建设工程规划许可证附件及附图中载明的公共服务设施配套建设指标）

1、公共绿地：________________________________；

2、小区内非市政道路：________________________________；

3、物业管理用房：________________________________；

4、医院：________________________________；

5、幼儿园：_____ 年 ____ 月 ____ 日前竣工；

6、学校：_____ 年 ____ 月 ____ 日前竣工；

7、会所：_____ 年 ____ 月 ____ 日前竣工；

8、购物中心：____ 年 ____ 月 ____ 日前竣工；

9、 ；

10、 。

以上设施如果在约定期限内未达到交付使用条件或者未竣工的，双方同意按照下列第 种方式处理：

（1）出卖人向买受人一次性支付相当于房屋总价款 %的违约金，并采取措施保证相关设施于 日之内达到交付条件。届时仍不能达到交付条件的，买受人有权要求解除合同和给予赔偿，出卖人赔偿数额为 ；

（2）每逾期一项，出卖人按日支付 元违约金于买受人；

（3） 。

公共服务设施与其他配套设施，没有明确约定交付使用时间的，其竣工时间不迟于本项目最后一期竣工交付的时间。

关于本项目内相关设施、设备的具体约定见附件六。

第十二条 交接手续

（一）该商品房达到第十条约定的交付条件后，出卖人应当在交付日的

日前，书面通知买受人办理交接手续的时间、地点以及应当携带的证件。买受人未收到交付通知书的，以本合同约定的交付日期届满之日为办理交接的时间，以该商品房所在地为交接手续办理地点。

双方进行房屋交接时，出卖人应当出示满足第十条约定的证明文件。出卖人不出示证明文件或者出示的证明文件不齐全，不能满足第十条约定条件的，买受人有权拒绝接收，由此产生的逾期交付责任由出卖人承担，并按照第十三条处理。

（二）查验房屋

1、买受人应在收到书面通知后　　　　　　日内，办理该商品房的交接手续。

2、双方办理交接手续前，买受人有权对所购买的该商品房进行查验，出卖人不得以缴纳相关税费或者签署物业管理文件作为买受人查验该商品房的前提条件。

3、查验该商品房时，买受人对以下除该商品房主体结构和地基基础外的房屋质量缺陷提出异议的，由出卖人按照国家和地方有关工程质量的规范和标准自查验该商品房之次日起 ______ 日内负责修复，并承担修复费用，修复完成后再行交付。因质量缺陷给买受人造成损失的，出卖人应当予以赔偿。

（1）屋面、墙面、地面渗漏；

（2）墙面、顶棚抹灰层脱落；

（3）地面空鼓开裂、大面积起砂；

（4）门窗翘裂、五金件损坏；

（5）管道堵塞；

（6）洁具开裂、漏水；

（7）灯具、电器开关失灵；

（8）防盗及对讲系统失灵；

（9）____

（10）____

（11）____

（12）____。

房屋质量严重影响买受人对房屋的正常使用的，出卖人按照国家和本市有关工程质量的规范和标准自查验该商品房之次日起 ______ 日内负责修复，并承担修复费用，由此产生的逾期交房责任由出卖人承担，并按照本合同第三条处理。修复后或经多次维修仍存在严重影响买受人正常居住使用的质量问题，买受人有权解除合同。买受人选择解除合同的，应当书面通知出卖人，出卖人应当自解除合同通知送达之日起 ______ 日内退还全部已付款，并按照 ___________ 利率付给利息，给买受人造成损失的由出卖人承担赔偿责任。

____。

（三）查验该商品房后，买受人对出卖人所交付的商品房无异议，双方应当签署商品房交接单。由于买受人原因，未能按期交付的，双方同意按以下方式处理：

第十三条　逾期交付责任

除不可抗力外，出卖人未按照第十条约定的期限和条件将该商品房交付买受人的，按照下列第 ______ 种方式处理：

1、按照逾期时间，分别处理（（1）、（2）和（3）不作累加）

（1）逾期在 _____ 日之内（该期限应当不小于第九条第1（1）项中的期限），出卖人按日计算向买受人支付已交付房价款万分之 _____ 的违约金（该违约金比率应当不小于第九条第1（1）项中的比率），并于该商品房实际交付之日起 _____ 日内向买受人支付违约金，合同继续履行。

（2）逾期超过 _____ 日（该期限应当与本条的第1（1）项中的期限相同）后，买受人有权解除合同。买受人选择解除合同的，应当书面通知出卖人。出卖人应当自解除合同通知送达之日起 _____ 日内退还全部已付款，并按照买受人全部已付款的 _____% 向买受人支付违约金。买受人要求继续履行合同的，合同继续履行，出卖人按日计算向买受人支付全部已付款万分之 ______ （该比率应当不小于本条第1（1）项中的比率）的违约金，并于该商品房实际交付之日起 _____ 日内向买受人支付违约金。

2、____。

第五章　　面积差异处理方式

第十四条　面积差异处理

该商品房交付时，出卖人应当向买受人出示其委托的房产测绘机构出具的商品房面积实测技术报告书，并向买受人提供该商品房的面积实测数据（以下简称实测面积）。实测面积与第三条载明的预测面积发生误差的，双方同意按照第 ________ 种方式处理。

1、根据第六条按照套内建筑面积计价的约定，双方同意按照下列原则处理：

(1) 套内建筑面积误差比绝对值在 3% 以内（含 3%）的，据实结算房价款；

(2) 套内建筑面积误差比绝对值超出 3% 时，买受人有权解除合同。

买受人选择解除合同的，应当书面通知出卖人。出卖人应当自解除合同通知送达之日起 30 日内退还买受人已付房款，并按照 ____________ 利率付给利息。

买受人选择不解除合同的，实测套内建筑面积大于预测套内建筑面积时，套内建筑面积误差比在 3% 以内（含 3%）部分的房价款由买受人补足；超出 3% 部分的房价款由出卖人承担，产权归买受人所有。实测套内建筑面积小于预测套内建筑面积时，套内建筑面积误差比绝对值在 3% 以内（含 3%）部分的房价款由出卖人返还买受人；绝对值超出 3% 部分的房价款由出卖人双倍返还买受人。

$$套内建筑面积误差比=\frac{实测套内建筑面积 - 预测套内建筑面积}{预测套内建筑面积}\times 100\%$$

2、根据第六条按照建筑面积计价的约定，双方同意按照下列原则处理：

(1) 建筑面积、套内建筑面积误差比绝对值均在 3% 以内（含 3%）的，根据实测建筑面积结算房价款；

(2) 建筑面积、套内建筑面积误差比绝对值其中有一项超出 3% 时，买受人有权解除合同。

买受人选择解除合同的，应当书面通知出卖人，出卖人应当自解除合同通知送达之日起 30 日内退还买受人已付房款，并按照 ____________ 利率付给利息。

买受人选择不解除合同的，实测建筑面积大于预测建筑面积时，建筑面积误差比在 3% 以内（含 3%）部分的房价款由买受人补足；超出 3% 部分的房价款由出卖人承担，产权归买受人所有。实测建筑面积小于合同约定建筑面积时，建筑面积误差比绝对值在 3% 以内（含 3%）部分的房价款由出卖人返还买受人；绝对值超出 3% 部分的房价款由出卖人双倍返还买受人。

$$建筑面积误差比=\frac{实测建筑面积 - 预测建筑面积}{预测建筑面积}\times 100\%$$

(3) 因设计变更造成面积差异，双方不解除合同的，应当签署补充协议。

3、双方自行约定：

____；

____。

按套（单元）计价的，出卖人承诺在房屋平面图中标明详细尺寸，并约定误差范围。该房屋交付时，套型与设计图纸不一致或者相关尺寸超出约定的误差范围，双方约定如下：

第六章　规划设计变更

第十五条　规划变更的约定

出卖人应当按照规划行政主管部门核发的建设工程规划许可证规定的条件建设商品房，不得擅自变更。

双方签订合同后，涉及该商品房规划用途、面积、容积率及基础设施、公共服务设施、绿化率等规划许可内容经有关行政主管部门批准变更的，出卖人应当及时将变更内容书面告知买受人。

如规划变更，买受人选择解除合同的，应当书面通知出卖人。出卖人应当自解除合同通知送达之日起 ____ 日内退还买受人已付房款，并按照 ____________ 利率付给利息。

买受人选择不解除合同的，有权要求出卖人赔偿由此造成的损失，双方约定如下：

____。

____。

第十六条　设计变更的约定

（一）经规划行政主管部门认定的施工图审查机构批准，建筑工程施工图设计文件的下列设计变更影响到买受人所购商品房质量或使用功能的，出卖人应当在设计审查单位批准变更之日起 10 日内，书面通知买受人。

1、该商品房结构形式、户型、空间尺寸、朝向；

2、供热、采暖方式；

3、__________________________________；

4、__________________________________；

5、__________________________________。

出卖人未在规定时限内通知买受人的，买受人有权解除合同。

（二）买受人应当在通知送达之日起 15 日内做出是否解除合同的书面答复。买受人逾期未予以书面答复的，视同接受变更。

（三）买受人选择解除合同的，应当书面通知出卖人。出卖人应当自解除合同通知送达之日起 ____ 日内退还买受人已付房款，并按照 ________ 利率付给利息。

买受人选择不解除合同的，有权要求出卖人赔偿由此造成的损失，双方约定如下：____。

__________________________________。

第七章　商品房质量及保修责任

第十七条 商品房质量的约定

（一）主体结构

该商品房主体结构和地基基础合格。经检测不合格的，买受人有权解除合同。买受人选择解除合同的，应当书面通知出卖人，出卖人应当自解除合同通知送达之日起 _____ 日内退还全部已付款，并按照 ______ 利率付给利息，给买受人造成损失的由出卖人承担赔偿责任。因此发生的检测费用由出卖人承担。

（二）装饰装修及设备标准

交付的该商品房质量应当符合国家和本市颁布的工程质量规范、标准和施工图设计文件的要求，应使用合格的建筑材料、构配件和设备，装置、装修、装饰所用材料的产品质量必须符合国家的强制性标准及双方约定的标准。如不符合上述标准的，买受人有权要求出卖人按照下列第 ____、____、____、____、____ 方式处理：（可多选）

（1）及时更换、重作、修理；

（2）出卖人赔偿双倍的装饰、设备差价；

（3）房屋质量问题严重影响正常居住使用的，买受人有权解除合同。买受人选择解除合同的，应当书面通知出卖人，出卖人应当自解除合同通知送达之日起 _____ 日内退还全部已付款，并按照 _______ 利率付给利息，给买受人造成损失的由出卖人承担赔偿责任。因此而发生的检测费用由出卖人承担；

（4）__________________________________；

（5）__________________________________。

具体装饰和设备标准的约定见附件七。

（三）室内空气质量、建筑隔声和民用建筑节能措施

1、该商品房室内空气质量符合国家标准。该商品房为住宅的，建筑隔声情况符合《民用建筑隔声设计规范》（GBJ118－88）、《建筑门窗空气声隔声性能分级及检测方法》（GB/T8485－2008）标准。该商品房室内空气质量经检测不符合国家标准的，买受人有权解除合同。

__________________________________。

2、商品房建筑隔声情况未达到标准的，出卖人应当按照规划设计的要求补做建筑施工隔声措施，并承担全部费用；因此给买受人造成损失的，出卖人应当承担赔偿责任。

__________________________________。

3、该商品房应当符合国家有关民用建筑节能强制性标准的要求。未达到标准的，出卖人应当按照相应标准要求补

做节能措施，并承担全部费用；因此给买受人造成损失的，出卖人应当承担赔偿责任。

____。

具体节能信息见附件八。

第十八条　住宅保修责任

（一）商品房实行保修制度。该商品房为住宅的，出卖人自该商品房交付之日起，按照《住宅质量保证书》承诺的内容承担相应的保修责任。该商品房为非住宅的，双方应当签订补充协议详细约定保修范围、保修期限和保修责任等内容。具体内容见附件九。

（二）下列情形，出卖人不承担保修与赔偿责任：

1、因人为破坏或严重自然灾害造成的房屋及其附属设施的损害；

2、不当使用，或者在装修房屋过程中，对房屋结构、水电气管线、防水层、保温层、粉刷层及部品零件造成的损害；

3、第三人因不当使用、装修房屋，对本商品房造成的损害。

（三）在保修期内，买受人发出书面保修通知书 ______ 日内，出卖人既不履行保修义务也不书面通知保修责任异议的，买受人可以自行或聘请他人进行维修，合理的维修费用由出卖人承担。

第八章　　办理产权登记有关事宜

第十九条　房屋登记

（一）预售合同登记备案

出卖人与买受人在签订该合同后，应当进行商品房预售合同登记备案。

（二）预告登记

1、双方【同意】【不同意】共同申请办理该商品房的预告登记手续。双方同意办理预告登记的，自办理预售合同登记备案后 ______ 个工作日内申请办理该商品房的预告登记手续。如果出卖人未按照双方约定申请预告登记的，买受人可单方申请办理预告登记。

2、有关预告登记的具体约定如下：

____；

____。

（三）转移登记

1、商品房交付使用后，双方同意共同向房屋登记机构申请办理房屋所有权转移登记。

2、如因出卖人的责任，买受人未能在商品房交付之日起 ______ 日内办讫房屋所有权登记的，双方同意按照下列第 ______ 种方式处理：

（1）买受人有权解除合同。买受人选择解除合同的，应当书面通知出卖人，出卖人应当自解除合同通知送达之日起 ____ 日内退还买受人全部已付款，并按照 ________ 利率付给利息。买受人选择不解除合同的，自买受人应当取得房屋所有权登记的期限届满之次日起至实际取得房屋所有权登记之日止，出卖人按日计算向买受人支付全部已付款万分之 ____ 的违约金。

（2）________________________________。

3、如因买受人的责任造成买受人未能在商品房交付之日起 ________ 个工作日内取得房屋所有权登记的，由买受人承担责任。

（五）关于房屋登记的相关约定见附件十。

第九章　　前期物业管理

第二十条　前期物业服务

（一）出卖人依法选聘的物业服务企业为：________________，资质证号为：________。

（二）前期物业服务期间，物业收费方式为：【包干制】【酬金制】【　】：________。物业费价格为 ________/ 月·平方米（建筑面积）。价格构成包括物业区域内保洁费、公共秩序维护费、共用部位共用设施设备日常维护费、绿化养护费、综合管理费、____________、________、________。

物业服务内容（前期物业服务合同、临时管理规约）见附件十一。

买受人已详细阅读前期物业服务合同和临时管理规约，同意由出卖人依法选聘的物业服务企业提供前期物业服务，遵守临时管理规约。 业主委员会成立后，由业主大会决定选聘或续聘物业服务企业。

第十章　　双方约定的其他事项

第二十一条 共有权益的约定

买受人对其建筑物专有部分享有占有、使用、收益和处分的权利。行使权利不得危及建筑物的安全，不得损害其他买受人的合法权益。对建筑物专有部分以外的共有部分，享有权利，承担义务；不得以放弃权利不履行义务。双方对共有权益的约定如下：

1、该商品房所在楼栋的屋面使用权归本楼栋产权人共有；

2、该商品房所在楼栋的外墙面使用权归本楼栋产权人共有；

3、该商品房所在建筑区划内的道路（属于城镇公共道路的除外）、绿地（属于城镇公共绿地或者明示属于个人的除外）、占用全体产权人共有的道路或者其他场地用于停放汽车的车位、物业服务用房归全体产权人共有；

4、建筑物的基础、承重结构、外墙、屋顶等基本结构部分，通道、楼梯、大堂等公共通行部分，消防、公共照明等附属设施、设备，避难层、设备层或者设备间等结构部分归产权人共有；

5、会所：____；

6、运动休闲设施：____；

7、教育设施：____；

8、____。

第二十二条　税费

买卖双方应按照国家及本市的有关规定，向相应部门交纳因该商品房买卖发生的税、费。

第二十三条　销售和使用承诺

1、出卖人承诺商品住宅不分割拆零销售；不采取返本销售或者变相返本销售的方式销售商品房；不采取售后包租或者变相售后包租的方式销售未竣工商品房。

2、出卖人承诺按照规划用途进行建设和出售，不擅自改变该商品房使用性质，并按照规划用途办理房屋登记。

3、出卖人承诺已将遮挡或妨碍房屋正常使用的情况告知买受人。具体内容见附件十二。（如：该商品房公共管道检修口、柱子、变电箱等有遮挡或妨碍房屋正常使用的情况）

4、买受人使用该商品房期间，不得擅自改变该商品房的用途、建筑主体结构和承重结构。除本合同、补充协议及其附件另有约定外，买受人在使用该商品房期间有权与其他权利人共同使用与该商品房有关的共用部位和设施，并按照共用部位与共用房屋分摊面积承担义务。

出卖人不得擅自改变与该商品房有关的共用部位和设施的使用性质。

5、____。

6、____。

第二十四条 争议解决方式

本合同在履行过程中发生的争议，由双方当事人协商解决，也可请求消费者协会调解；协商不成的，按照下列第______种方式解决：

1、依法向房屋所在地人民法院起诉。

2、提交____________仲裁委员会仲裁。

第二十五条　本合同自双方签字（盖章）之日起生效。双方可以根据具体情况对本合同中未约定、约定不明或不适用的内容签订书面补充协议进行变更或补充（补充协议见附件十四），但补充协议中含有不合理地减轻或免除本合同中约定应当由出卖人承担的责任或不合理地加重买受人责任、排除买受人主要权利内容的，仍以本合同为准。对本合同的解除，应当采用书面形式。本合同附件及补充协议与本合同具有同等法律效力。

第二十六条　本合同及附件共______页，一式______份，具有同等法律效力，其中出卖人______份，买受人______份，______份，______份。

出卖人（签章）：
买受人（签章）：
【法定代表人】：
【法定代表人】：
【委托代理人】（签章）：
【负责人】：
签订时间：_____ 年 ____ 月 ____ 日 签订时间：____ 年 _____ 月 ____ 日

签订地点：
签订地点：

附件一 房屋平面图及位置图（应标明方位）

1、房屋平面图（应当标明详细尺寸，并约定误差范围）
2、该房屋在整个楼栋中的位置图
3、建设工程规划方案总平面图

附件二 该商品房共用部位及设施具体约定

1、共用部位与共用房屋分摊建筑面积构成说明
（1）被分摊的共用部位的名称、用途、所在位置、面积的约定；
（2）参与分摊公用建筑面积的商品房名称、用途、所在位置、面积、分摊系数等的约定；
（3）不分摊的共用部位的具体约定
2、关于其他设备、设施所在位置、用途等的约定

附件三 该商品房取得抵押权人同意销售的证明及抵押的相关约定

1、该商品房取得抵押权人同意销售的证明
2、解除抵押的条件和时间
3、关于抵押的其他约定

附件四 该商品房价款的计价方式、总价款、付款方式及期限的具体约定

附件五 与该商品房有关的预售款监管的具体约定

附件六 关于本项目内相关设施、设备的具体约定

1、相关设施的位置及用途
2、其他约定

附件七 装饰、设备标准的约定

（双方还应当具体约定主要材料和设备的品牌、产地、规格、数量等内容）

交付的商品房的装修部分达不到本附件约定的装修标准的，买房人有权要求出卖人就未达标准部分进行重新装修。对出卖人未经双方约定增加的装置、装修、装饰，视为无条件赠送给买受人。但买受人明确表示不接受这部分装置、装修、装饰的，出卖人有义务对其加以拆除，并赔偿买受人因此而遭受的直接损失。

1、外墙：【瓷砖】【涂料】【玻璃幕墙】【 】__________________________。
2、起居室：
（1）内墙：【涂料】【壁纸】【 】_____________________________。
（2）顶棚：【石膏板吊顶】【涂料】【 】__________________________。

（3）室内地面：【大理石】【花岗岩】【水泥抹面】【实木地板】【 】________。

3、厨房：

（1）地面：【水泥抹面】【瓷砖】【 】________________________________；

（2）墙面：【耐水腻子】【瓷砖】【 】________________________________；

（3）顶棚：【水泥抹面】【石膏吊顶】【 】____________________________；

（4）厨具：____。

4、卫生间：

（1）地面：【水泥抹面】【瓷砖】【 】________________________________；

（2）墙面：【耐水腻子】【涂料】【瓷砖】【 】___________________________；

（3）顶棚：【水泥抹面】【石膏吊顶】【 】_____________________________；

（4）卫生器具

5、阳台：【塑钢封闭】【铝合金封闭】【断桥铝合金封闭】【不封闭】

【 】______________。

6、电梯：

（1）电梯品牌名称：____；

（2）电梯速度：_____ 米 / 秒；

（3）电梯载重量：___________________________ 千克；删去

（4）____。

7、其他

____；

____。

附件八　民用建筑节能信息

一、围护结构保温（隔热）、遮阳设施

（一）墙体

1、保温形式 [ ] [A 外保温] [B 内保温] [C 夹芯保温] [D 其他]

2、保温材料名称 [ ] [A 挤塑聚苯乙烯发泡板] [B 模塑聚苯乙烯发泡板][C 聚氨酯发泡][D 岩棉][E 玻璃棉毡][F 保温浆料][G 其他]

3、保温材料性能：密度 [kg/m3]、燃烧性能 [h]、导热系数 [W/M .K]、保温材料层厚度 [mm]

4、墙体传热系数 [w/m2. k]

（二）屋面

1、保温（隔热）形式 [、] [A 坡屋顶] [B 平屋顶] [C 坡屋顶、平屋顶混合][D 有架空屋面板][E 保温层与防水层倒置][F 其他]

2、保温材料名称 [ ] [A 挤塑聚苯乙烯发泡板] [B 聚氨酯发泡][C 加气砼砌块][D 憎水珍珠岩] [F 其他]

3、保温材料性能：密度 [kg/m3]、导热系数 [W/M .K]、吸水率 [%]、保温材料层厚度 [mm]

4、屋顶传热系数 [w/m2. k]

（三）地面（楼面）

1、保温形式 [ ][ ] [A 采暖区不采暖地下室顶板保温] [B 采暖区过街楼面保温] [C 底层地面保温] [D 其他]

2、保温材料名称 [ ] [A 挤塑聚苯乙烯发泡板] [B 模塑聚苯乙烯发泡板][C 聚氨酯发泡] [G 其他]

3、保温材料性能：密度 [kg/m3]、导热系数 [W/M .K]、保温材料层厚度 [mm]

4、地面（楼面）传热系数 [w/m2. k]。

（四）外门窗（幕墙）

1、门窗类型 [、][、][、][、] [A 断热桥铝合金中空玻璃窗][B 断热桥铝合金 loe 中空玻璃窗][C 塑钢中空玻璃窗][D 塑钢 loe 中空玻璃窗][E 塑钢单层玻璃窗][F 其他]

2、外遮阳形式：[、] [A 水平百叶遮阳][B 水平挡板遮阳] [C 垂直百叶遮阳][E 垂直挡板遮阳] [F 垂直卷帘遮阳]

3、内遮阳材料 [ ][A 金属百叶][B 无纺布][C 绒布][D 纱] [F 竹帘] [G 其它]

4、门窗性能：传热系数 [w/m2.k]、遮阳系数 [%]、可见光透射比 [ ]、气密性能 [ ]

二、供热采暖系统及其节能设施

（1）供热方式：[ ][A 城市热力集中供热] [B 区域锅炉房集中供热] [C 分户独立热源供热] [D 热电厂余热供热]

（2）室内采暖方式：[ ][A 散热器供暖][B 地面辐射供暖][C 其他]

（3）室内采暖系统形式： [A 垂直双管系统][B 水平双管系统][C 带跨越管的垂直单管系统][D 带跨越管的水平单管系统] [E 地面辐射供暖系统] [F 其他系统]

（4）系统调节装置：[ ][A 静态水力平衡阀][B 自力式流量控制阀][C 自力式压差控制阀][散热器恒温阀] [E 其他]

（5）热量分摊（计量）方法 :[ ][A 户用热计量表法][B 热分配计法] [C 温度法][D 楼栋热量表法] [E 其他]

三、空调、通风、照明系统及其节能设施（公共建筑）

（1）空调风系统形式：[ ] [A 定风量全空气系统] [B 变风量全空气系统] [C 风机盘管加新风系统] [D 其他]

（2）有无新风热回收装置：[ ] [A 有] [B 无]

（3）空调水系统制式：[ ] [A 一次泵系统] [B 二次泵系统] [C 一次泵变流量系统] [D 其他]

（4）空调冷热源类型及供冷方式：[ ] [ ] [A 压缩式冷水（热泵）机组] [B 吸收式冷水机组] [C 分体式房间空调器] [D 多联机][E 其他] [F 区域集中供冷][G 独立冷热源集中供冷]

（5）系统调节装置：[ ][A 电动两通阀][B 电动两通调节阀] [C 动态电动两通阀] [D 动态电动两通调节阀] [E 压差控制装置] [F 对开式电动风量调节阀] [G 其他]

（6）送、排风系统形式：[ ][A 自然通风系统][B 机械送排风系统][C 机械排风、自然进风系统] [D 设有排风余热回收装置的机械送排风系统][E 其他]

（7）照明系统性能：照度值 [ ]、功率密度值 [ ]

（8）节能灯具类型：[A 普通荧光灯][B T8 级][C T5 级] [D LED][E 其他]

（9）照明系统有无分组控制控制方式：[A 有][B 无]

（10）生活热水系统的形式和热源：[A 集中式][B 分散式][C 电] [D 蒸汽][E 燃气] [F 太阳能] [G 其他]

四、可再生能源利用

（一）太阳能利用：[ ][A 太阳能生活热水供应][B 太阳能采暖][C 太阳能空调制冷] [D 太阳能光伏发电] [E 其他]

（二）地源热泵：[ ] [A 土壤源热泵][B 浅层地下水源热泵][C 地表水源热泵] [D 污水水源热泵]

（三）风能利用：[ ] [A 风能发电] [B 其他]

（四）余热利用：[ ] [A 利用余热制备生活热水采暖] [B 利用余热制备采暖热水][C 利用余热制备空调热水] [D 利用余热加热（冷却）新风]

五、建筑能耗与能源利用效率

（一）当地节能建筑单位建筑面积年度能源消耗量指标：采暖 [ ]w/m2，制冷 [ ] w/m2，

（二 ）本建筑单位建筑面积年度能源消耗量指标：采暖 [ ]w/m2、制冷 [ ]w/m2

（三）本建筑建筑物用能系统效率：热（冷）源效率 [%]、管网输送效率 [%]

（四）本建筑与建筑节能标准比较：[　　　　][A 优于标准规定][B 满足标准规定][C 不符合标准规定]

附件九　保修范围、保修期限和保修责任的约定

（该商品房为住宅的，出卖人应提供《住宅质量保证书》；该商品房为非住宅的，双方可参照《住宅质量保证书》中的内容对保修范围、保修期限和保修责任等进行约定）

该商品房的保修期自房屋交付买受人使用之日起计算，保修期限不应低于国家规定的期限。出卖人可以延长保修期。

在保修期限内，出卖人应设立相应机构和人员处理保修问题：

办公时间：____；

办公地点：____；

联系电话：____。

（一）保修项目、期限及责任的约定

1、地基基础和主体结构：

保修期限为【国家标准：合理使用寿命年限】【】：________________；

保修期内，因设计或施工的原因，造成建筑物地基下陷、倾斜及主体结构构件开裂、变形、破损且超出国家设计规范的规定值的，无偿进行保修；

____。

2、屋面防水：

保修期限为【国家标准：5 年】【】：________________；

保修期内，因设计、施工或所用防水材料的质量问题，造成天花板渗水、滴漏的，无偿进行保修；

____。

3、墙面、厨房和卫生间地面、地下室、管道：

保修期限为【国家标准：5 年】【】：________________；

保修期内，因施工或所用材料的质量问题，造成外墙面、厨房、卫生间地面渗漏的，无偿进行保修；

____。

4、墙面、顶棚抹灰层

保修期限为【国家标准：2 年】【】：________________；

保修期内，因施工质量问题，造成墙面、顶棚抹灰层脱落的，无偿进行保修；

____。

5、地面

保修期限为【国家标准：2 年】【】：________________；

保修期内，因施工质量问题，造成地面空鼓开裂、大面积起砂的，无偿进行保修；

____。

6、门窗、五金件

保修期限为【国家标准：1 年】【】：________________；

保修期内，因施工质量问题，造成门窗翘裂、五金件损坏的，无偿进行保修；

____。

7、管道

保修期限为【国家标准：2 年】【】：________________；

保修期内，因施工质量问题或产品质量问题，造成管道堵塞的，无偿进行保修；

____。

8、卫生洁具

保修期限为【国家标准：1 年】【】：________________；

保修期内，因施工质量问题或产品质量问题，造成卫生洁具开裂、漏水的，无偿进行保修；

____。

9、灯具、电器开关

保修期限为【国家标准：1年】【】：________________；

保修期内，如因施工质量问题，造成灯具、电器开关失灵的，无偿进行保修（不包括灯泡）；

____。

10、防盗及对讲系统

保修期限为【国家标准：1年】【】：________________；

保修期内，因产品或施工质量问题，造成防盗及对讲系统失灵的，无偿进行保修；

____。

11、____；

12、____；

13、____；

14、____；

15、____。

（二）其他约定

附件十　关于房屋登记的相关约定

附件十一　物业服务

一、前期物业服务合同

二、临时管理规约

三、其他约定

附件十二　买受人关于遮挡或妨碍房屋正常使用的情况的承诺

（如：该商品房公共管道检修口、柱子、变电箱等有遮挡或妨碍房屋正常使用的情况）

附件十三　补充协议

国务院国有资产监督管理委员会办公厅关于积极参与保障性住房开发建设有关事项的通知

国资厅发规划〔2011〕28号

各中央企业:

全面推进保障性住房建设，加快解决城镇中低收入家庭的住房困难问题，促进实现“住有所居”的目标，是党中央、国务院作出的重大决策。为贯彻落实国家关于保障性住房开发建设的有关部署，推动中央企业积极参与保障性住房开发建设，现将有关事项通知如下:

一、深刻认识保障性住房开发建设的重要意义

加快建设保障性住房是保障和改善民生、促进社会和谐稳定的必然要求，是调整住房供应结构、促进房地产市场健康发展的重要途径。《国民经济和社会发展第十二个五年规划纲要》明确提出，“十二五”时期要“建设城镇保障性住房和棚户区改造住房3600万套”。中央企业要深刻认识国家推进保障性住房开发建设的重要意义，把积极参与保障性住房开发建设作为企业履行社会责任的重要途径，进一步加大对保障性住房开发建设的投入力度，发挥中央企业的骨干和带头作用。

二、通过多种方式积极参与保障性住房开发建设

按照国务院的有关部署，地方政府是落实和推进保障性住房建设的主体。有关中央企业要及时收集掌握地方政府在保障性住房方面的规划、进度安排、项目资料和政策支持等信息，加强与地方政府有关部门的沟通，争取地方政府的支持，在地方政府的领导下，按照市场化运作方式，通过多种途径参与保障性住房开发建设。

勘察设计企业要充分发挥在人员、资质、经验等方面的优势，主动承接保障性住房的规划和设计。房地产开发企业要抓住各地在保障性住房土地供应、投资补助、财政贴息、融资、税费等方面出台优惠政策的机会，将保障性住房与商业性房地产开发有机结合起来。工程建设企业要利用企业在规模、质量、成本和信誉等方面的优势，积极承担保障性住房项目的建设任务。建材企业要努力保障各地对保障性住房建设所需建材的供应，提供质优价廉的材料，推广使用新型节能建材。矿区企业要利用有关优惠政策，争取将本企业棚户区改造工作纳入到当地保障性住房建设计划。

三、切实保证保障性住房的质量

在保障性住房开发建设中，要始终树立“质量第一”的意识，强化对开发建设各个环节的过程管理，控制工程造价，保证工期，切实防止质量安全事故的发生。在设计方面，要根据保障性住房的特点，合理优化设计方案，努力做到功能齐全、布局合理、节能环保、经济适用。在项目建设中，要严格按照相关设计文件和技术标准进行施工，使用合格建筑材料，健全质量保证体系。

有关中央企业要加强组织领导，结合本企业实际研究制订参与保障性住房开发建设的实施方案。在开发建设过程中，要注意总结经验、研究问题，并及时将有关情况向国资委报告。

国务院国有资产监督管理委员会办公厅

二〇一一年四月二日

山西省建筑工程质量和建筑安全生产管理条例

（1999年11月30日山西省第九届人民代表大会常务委员会第十三次会议通过
2011年3月30日山西省第十一届人民代表大会常务委员会第二十二次会议修订）

第一章 总则

第一条 为了加强建筑工程质量和建筑安全生产管理，保障人民生命和财产安全，根据建筑法、安全生产法等法律、法规，结合本省实际，制定本条例。

第二条 在本省行政区域内，从事房屋建筑工程和市政基础设施工程（以下简称建筑工程）的新建、扩建和改建等有关活动以及对其实施监督管理，适用本条例。

第三条 建筑工程质量和建筑安全生产管理实行政府监管、属地管理、行业自律、企业负责、群众监督的原则。

第四条 各级人民政府应当加强对建筑工程质量和建筑安全生产管理工作的领导，建立和完善协调机制，研究解决建筑工程质量和建筑安全生产监督管理中的重大问题。

第五条 县级以上人民政府住房和城乡建设行政主管部门负责本行政区域内建筑工程质量和建筑安全生产的监督管理。具体监督管理工作可以依法委托其所属的建筑工程质量、安全、稽查、施工图审查、工程担保、标准定额、城建档案等监督管理机构负责实施。

除本条例第二条规定之外的其他专业建筑工程的质量和建筑安全生产由开工批准机关负责监督管理。

第六条 建筑工程建设、勘察、设计、施工、工程监理单位及其他与建筑工程质量和建筑安全生产有关的单位和机构，应当建立健全建筑工程质量和建筑安全生产管理制度，依法承担相应的建筑工程质量和建筑安全生产责任。

第七条 提倡采用先进的管理方法和符合建筑工程质量、安全、环保、节能要求的新材料、新工艺、新设备、新技术。

第八条 县级以上人民政府及其有关行政主管部门应当建立优质工程和安全文明施工激励机制，对提高工程质量和安全生产水平作出突出贡献的单位和个人给予奖励。

第九条 任何单位或者个人对违反建筑工程质量和建筑安全生产法律、法规的行为，有权向住房和城乡建设行政主管部门和其他有关部门举报。

第二章 建设单位的责任

第十条 建设单位应当按照合同约定与勘察、设计、施工图审查、施工、工程监理、检测及其他与工程建设有关的单位和机构签订工程质量和安全生产责任书。

建设单位应当按照工程质量和安全生产责任书的约定，对勘察、设计、施工图审查、施工、工程监理、检测等单位和机构实施检查，并组织协调解决工程质量和安全生产管理中的有关重大问题。

建设单位应当依法向施工单位提供工程款支付担保，保证按期支付工程款。

第十一条 建设单位应当依法将建筑工程施工图设计文件委托具有相应资质的施工图审查机构进行审查；未经审查或者审查不合格的，不得使用。

任何单位或者个人不得擅自修改经审查合格的施工图。确需修改的，由原勘察设计单位进行修改，并由建设单位将修改后的施工图送原施工图审查机构审查。

第十二条 建设单位应当将安全防护文明施工措施费计入工程造价。安全防护文明施工措施费应当在开工前一次性足额支付施工单位，施工单位不得挪作他用。

建设单位不得随意改变工程造价或者合理工期。

第十三条 建设单位应当根据建筑工程的特点和技术要求，组织勘察、设计、施工、工程监理等与工程建设有关的单位和机构进行设计图纸会审；未经会审的，不得开工建设。

第十四条 投资额在三十万元以上或者建筑面积在三百平方米以上的建筑工程，建设单位应当在领取施工许可证前，向工程项目所在地设区的市或者县（市、区）住房和城乡建设行政主管部门提出建筑工程质量、安全生产监督申请，住房和城乡建设行政主管部门应当自受理之日起十日内办结建筑工程质量、安全监督手续。

建设单位办理建筑工程质量、安全监督手续，应当提交建筑工程质量监督注册申报书、建筑工程安全监督注册申报书，并提供注册申报书中所要求的相关资料。

第十五条 建设单位按照合同约定提供的建筑材料、

建筑构配件和设备应当符合技术标准、设计文件和合同要求，并依法承担相应的质量和安全责任。

第十六条 建设单位收到建筑工程竣工报告之日起二十日内，应当组织勘察、设计、施工、工程监理、工程担保等单位进行验收和安全生产总结。

建设单位应当在组织竣工验收前，向县级以上城建档案监督管理机构申请工程档案预验收；预验收合格的，由县级以上城建档案监督管理机构出具认可文件。

建筑工程经验收合格的，方可交付使用。

住宅工程在竣工验收前，建设单位应当组织施工、工程监理单位对其进行分户验收。

建设单位交付的住宅工程应当向购买人提供住宅使用说明书、住宅质量保证书和分户验收证明书。

第十七条 建设单位应当在建筑工程竣工验收合格之日起十五日内，依法办理竣工验收备案手续，并及时将竣工决算和结算情况报工程项目所在地设区的市住房和城乡建设行政主管部门备案。

第十八条 建设单位应当按照与县级以上城建档案监督管理机构签订的工程档案报送责任书，在建筑工程竣工验收合格之日起三个月内，向工程项目所在地城建档案监督管理机构报送工程档案。

第三章 勘察、设计、工程监理及其他单位的责任

第十九条 勘察单位应当按照法律、法规和工程建设强制性标准进行勘察，遵守操作规程，采取有效安全防范措施，保证各类管线、设施和周边建筑物、构筑物的安全，并对其勘察质量负责。

第二十条 设计单位应当按照法律、法规和工程建设强制性标准进行设计，达到抗震设防等要求，防止因设计不合理导致建筑工程质量和生产安全事故发生。

设计文件应当符合国家颁布的设计文件编制深度规定。

除有特殊要求的建筑材料、专用设备、工艺生产线等外，设计单位不得指定生产企业、供应商。

第二十一条 施工图审查机构应当依法按照相关技术标准和规定对施工图进行技术性审查，并将审查结果报工程项目所在地住房和城乡建设行政主管部门备案。

第二十二条 工程监理单位应当选派具备相应资格的总监理工程师和监理工程师进驻施工现场。总监理工程师的变更应当经建设单位同意，报工程项目所在地住房和城乡建设行政主管部门备案。

第二十三条工程监理单位和监理工程师应当按照法律、法规和工程建设强制性标准实施监理，并对建筑工程质量和建筑安全生产承担监理责任，履行下列职责：

（一）制定质量、安全监理规划和质量、安全监理实施细则；

（二）审查施工单位的安全生产许可证、质量和安全生产责任体系及预防控制体系；

（三）审查施工单位的主要负责人、项目负责人、专职工程质量管理人员、专职安全生产管理人员的考核合格证及特种作业人员的建筑施工特种作业操作资格证；

（四）审查施工单位的应急救援预案和安全防护文明施工措施费使用情况；

（五）督促施工单位对建筑工程质量和安全生产隐患进行整改；情况严重的，责令暂时停止施工，并及时通报建设单位；对拒不整改或者不停止施工的，及时报告有关行政主管部门；

（六）对建筑工程拟使用的建筑材料、构配件、设备验收认可，对建设单位拨付工程款审核签字；

（七）按照国家有关规定及时进行隐蔽工程验收和工程阶段性验收；

（八）监督审查施工档案管理情况，并将监理档案移交建设单位；

（九）法律、法规规定的其他职责。

第二十四条 工程质量检测机构应当依法取得资质证书，在资质许可范围内进行检测，保证检测报告和数据的全面、真实、准确、可靠。

工程质量检测机构应当建立检测结果不合格项目台帐，将检测结果不合格情况，及时报告工程项目所在地住房和城乡建设行政主管部门。

第四章 施工单位的责任

第二十五条 施工单位应当建立健全质量和安全生产责任体系、预防控制体系和档案管理体系，按照设计文件和技术标准组织施工，对建筑工程的施工质量和安全生产负责。

施工单位与建设单位签订施工合同，应当依法提供履约担保。

第二十六条 施工单位应当设立质量、安全生产管理机构，按照国家有关规定配备相应的专职质量、安全生产管理人员。

施工单位的工程项目部应当配备相应数量的专职工程质量检查员、专职安全生产管理人员和档案资料管理员。

施工单位主要负责人、项目负责人、专职工程质量管理人员、专职安全生产管理人员，应当取得考核合格证后方可任职，并在证书有效期延期前接受相关培训。

第二十七条 施工单位项目负责人对工程项目的质量和安全生产负责，项目负责人的变更应当经建设单位书

面同意，报工程项目所在地住房和城乡建设行政主管部门备案。

项目负责人不得同时承担二个以上的建筑工程项目，不得委托他人代行职责。

第二十八条 施工单位负责项目管理的技术人员在建筑工程施工前，对安全施工的有关技术要求、重大危险源和应急处置措施，应当向施工作业人员作出书面详细说明，双方签字确认。

第二十九条 施工单位应当按照国家和省有关规定，建立健全企业内部教育培训制度，对管理人员和作业人员每年进行不少于二次的工程质量和安全培训。

第三十条 施工单位应当按照工程设计要求、工程建设技术标准和合同约定，对进场的建筑材料、建筑构配件、设备、防护用品和预拌混凝土等进行检查验收；未经检查验收或者检查验收不合格的，不得使用。

施工单位应当建立健全施工质量检查评价制度，按照有关工程技术标准规范、程序，对隐蔽工程、分项分部工程进行检查、评价、报验。

工程设计、合同约定中明确由施工单位承担的检测内容，由施工单位委托有资质的检测机构进行检测。

第三十一条 安全防护用具、机械设备、施工机具及配件有下列情形之一的，施工单位不得使用：

（一）国家明令淘汰或者禁止使用的；

（二）超过制造厂家规定的使用年限的；

（三）经检验达不到安全技术标准规定的；

（四）没有完整安全技术档案的；

（五）没有齐全有效的安全保护装置的。

第三十二条 建筑起重机械和建筑施工现场专用机动车辆首次安装和使用前，产权单位应当到工商注册所在地设区的市住房和城乡建设行政主管部门备案。

施工现场内的建筑起重机械或者专用机动车辆的使用单位，应当自建筑起重机械安装验收合格和专用机动车辆验收合格之日起三十日内，到工程项目所在地住房和城乡建设行政主管部门办理使用登记。

第三十三条 下列建筑施工特种作业人员上岗作业，应当按照国家有关规定经过安全培训考核并取得资格证：

（一）建筑电工；

（二）建筑焊工；

（三）建筑施工现场内专用机动车辆司机；

（四）建筑架子工；

（五）建筑起重信号司索工；

（六）建筑起重机械司机；

（七）建筑起重机械安装拆卸工；

（八）高处作业吊篮安装拆卸工。

第三十四条 施工单位在工程竣工验收前，应当将工程档案移交建设单位。

施工单位向建设单位交付建筑工程，应当提供建筑工程使用说明书和质量保修书。质量保修书中应当明确建筑工程的保修范围、保修期限和保修责任等。保修期限和范围，不得低于国家标准。

第五章监督检查

第三十五条 县级以上人民政府住房和城乡建设行政主管部门在建筑工程质量和建筑安全生产管理工作中应当履行下列职责：

（一）监督检查国家、省有关建筑工程质量和建筑安全生产的法律、法规、技术标准、规范的执行情况；

（二）监督检查建筑工程各方责任主体的质量、安全行为和质量、安全生产保证体系；

（三）受理建筑工程质量、建筑安全生产方面的举报和投诉；

（四）查处违反建筑工程质量、建筑安全生产法律、法规、技术标准、规范的行为；

（五）法律、法规规定的其他职责。

第三十六条 县级以上人民政府住房和城乡建设行政主管部门履行监督检查职责，可以采取下列措施：

（一）进入施工现场进行检查；

（二）要求被检查单位提供建筑工程质量、建筑安全生产的文件和资料；

（三）纠正违反建筑工程质量和建筑安全生产规定的行为；

（四）责令被检查单位立即排除建筑工程质量、建筑安全生产事故隐患；隐患排除前或者排除过程中无法保证安全的，责令从危险区域内撤出作业人员或者暂停施工；

（五）法律、法规规定采取的其他措施。

第三十七条 工程基本完工、大型机具和作业人员撤场后，建设单位应当向工程项目所在地住房和城乡建设行政主管部门提出申请，由住房和城乡建设行政主管部门进行安全生产评价。

第三十八条 住房和城乡建设行政主管部门应当在收到建设单位竣工验收备案文件之日起十五日内予以审查，发现建设单位在竣工验收过程中有违反国家有关建筑工程质量管理规定行为的，责令停止使用，并重新组织竣工验收。

第六章 法律责任

第三十九条 本条例规定的行政处罚，由住房和城乡建设行政主管部门或者依法委托其所属的监督管理机构实施。

违反本条例规定，法律、行政法规已有处罚规定的，从其规定。

第四十条 县级以上人民政府住房和城乡建设行政主管部门及其所委托的监督管理机构工作人员，在建筑工程质量和建筑安全生产监督管理工作中，有下列行为之一的，依法给予处分；构成犯罪的，依法追究刑事责任：

（一）对不具备条件的单位和个人颁发资质、资格证书的；

（二）对企业未依法取得安全生产许可证从事生产活动，不依法处理的；

（三）对企业不再具备安全生产许可条件从事生产活动，不依法处理的；

（四）受理违反本条例规定行为的举报后，不及时处理的；

（五）索取、接受他人财物，或者谋取其他利益的；

（六）其他不依法履行监督管理职责的行为。

第四十一条 违反本条例规定，有下列行为之一的，对直接负责的主管人员和其他直接责任人员依法给予处分；构成犯罪的，依法追究刑事责任：

（一）施工单位、监理单位未向建设单位移交工程档案的；

（二）建筑工程竣工验收前，建设单位未向城建档案机构申请工程档案预验收的。

违反本条例规定，建设单位未按照规定报送工程档案的，处五万元以上十万元以下罚款；涂改、伪造工程档案，造成损失的，依法赔偿损失；构成犯罪的，依法追究刑事责任。

第四十二条 违反本条例规定，建设单位未将安全防护文明施工措施费在开工前一次性足额支付施工单位的，责令限期改正；逾期未改正的，责令停止施工，并处工程安全防护文明施工措施费三倍以上五倍以下罚款。

第四十三条 违反本条例规定，设计单位因设计不合理导致建筑工程质量和建筑安全生产事故发生的，责令限期改正，并处十万元以上三十万元以下罚款；造成损失的，依法承担赔偿责任；情节严重的，责令停业整顿，降低资质等级，直至吊销资质证书；构成犯罪的，依法追究刑事责任。

第四十四条 违反本条例规定，工程质量安全检测机构未依法取得资质或者超越资质范围进行检测的，或者出具虚假检测报告的，责令限期改正，并处五万元以上十万元以下罚款；造成损失的，依法承担赔偿责任；构成犯罪的，依法追究刑事责任。

第四十五条 违反本条例规定，施工单位有下列行为之一的，责令限期改正；逾期未改正的，处十万元以上二十万元以下罚款；造成损失的，依法承担赔偿责任；情节严重的，责令停业整顿，降低资质等级：

（一）未按照工程技术标准规范、程序对涉及结构安全的隐蔽工程、分项分部工程进行验收的；

（二）未按照建筑工程标准规范、设计及合同约定进行检测的；

（三）委托未取得检测资质的单位检测的。

第四十六条 违反本条例规定，施工单位特种作业人员未取得建筑施工特种作业操作资格上岗的，对施工单位责令限期改正；逾期未改正的，责令停止施工，并处二万元罚款；构成犯罪的，依法追究刑事责任。

第四十七条 违反本条例规定，施工单位未履行建筑工程质量保修义务，有下列行为之一的，责令限期改正；逾期未改正的，处十万元以上二十万元以下罚款：

（一）未提供建筑工程使用说明书的；

（二）未出具质量保修书或者保修范围、保修期限、保修责任不明确的；

（三）保修期限和范围低于国家标准的。

第七章 附则

第四十八条 军事建设工程、抢险救灾工程、农民自建低层住宅以及其他临时性建筑，不适用本条例。

第四十九条 本条例自2011年7月1日起施行。

山西省人民政府关于加快推进城镇化的意见

晋政发〔2011〕11号

各市、县人民政府，省人民政府各委、厅，各直属机构：

为深入贯彻落实党的十七大、十七届五中全会精神，促进经济发展方式转变，实现转型跨越发展，现就加快我省城镇化进程提出如下意见。

一、加快推进城镇化的重大意义

加快推进城镇化是扩大内需、促进经济发展方式转变、保持经济平稳较快发展的强大动力，是统筹城乡发展、解决“三农”问题、保障和改善民生的重要途径，是实现现代化和全面建设小康社会的必由之路，对于推动我省资源型经济转型发展和再造一个新山西具有十分重要的现实意义和长远意义。近年来，我省城镇化得到了稳步发展，2010年城镇化率达到48.05%。但同时，城镇化滞后于工业化，城镇化质量不高，特别是城镇群发展滞后、城镇规模偏小、城镇市政公用设施和公共设施不完善等问题十分突出，“十一五”时期城镇化速度低于周边和中部省份，加快推进城镇化势在必行。城镇化发展事关全省经济社会发展大局，事关山西转型跨越发展，必须作为一项重大战略抓紧抓好。

二、推进城镇化的总体要求

（一）总体思路。围绕“十二五”期间主要经济指标翻番、再造一个新山西的目标，把加快推进城镇化作为国家资源型经济转型综合配套改革试验区建设的重要内容，紧扣“提速、提质”主题，以太原都市区为核心、区域性中心城市为节点、大县城和中心镇为基础，构建“一核一圈三群”城镇体系框架；以城乡规划、土地利用总体规划、产业发展规划为引领，以经济开发区、高新技术产业园区、产业集聚区为支撑，以城镇旧区改造、棚户区改造、城中村改造为抓手，加快城镇化进程，促进山西经济社会又好又快发展。

（二）指导原则。坚持提速与提质并重，在发展中提质，在提质中发展；坚持统筹协调，以中心城市带动城镇群构建，以城镇为中心推进城乡一体化发展；坚持以人为本，完善城镇市政公用设施和公共设施，提高居民居住水平，促进民生改善；坚持低碳绿色，节约利用土地、水等自然资源，防治污染，保护生态环境；坚持解放思想，深化改革，先行先试，促进体制机制创新；坚持因地制宜，发挥自然资源优势，突出历史文化特色。

（三）主要目标。到2015年，全省城镇化率达到55%左右。城镇市政公用设施达到全国中等以上水平，公共设施进一步完善，居民居住水平有较大提高，环境质量明显提高，景观风貌得到改善，太原都市圈基本成型，在全国的地位有较大提升。到2020年，全省城镇化率达到63%左右，形成比较完善的市政公用设施和公共设施体系，城镇生态环境质量根本改善，历史与地域文化特色充分彰显，人居环境与生活质量显著提高；太原都市圈成为全国重要的城市群，其他三个城镇群形成雏形。

三、构建“一核一圈三群”城镇体系框架

结合我省自然地理环境、资源禀赋和城镇发展条件，按照“空间集聚、组群推进、城乡统筹、协调发展”的原则，引导人口、产业向发展条件较好的区域相对集中。加快发展太原都市区和都市圈，培育壮大晋北、晋南、晋东南城镇群，构建“一核一圈三群”城镇体系框架，为太原城市群的形成奠定基础。

“一核”即由太原市区、晋中市区、清徐县城、阳曲县城构成的太原都市区，是全省城镇体系的核心，经济转型发展的增长极核。2015年都市区城镇人口达到400万人，2020年达到500万人。

“一圈”即太原都市圈，是以太原都市区为核心，太原盆地城镇密集区为主体，辐射阳泉、忻定原、离柳中城镇组群的都市圈。包括太原、晋中、吕梁、阳泉、忻州5市的30个县（市、区）。该区域是省域经济与社会事业最为发达的核心区域和最为重要的城镇密集地区。2015年，城镇人口达到830万人；2020年，城镇人口达到1000万人。

“三群”即以大同、朔州为核心的晋北城镇群，以临汾、侯马、运城为核心的晋南城镇群，以长治、晋城为核心的晋东南城镇群。三个城镇群是区域经济发展的核心区域，省域经济持续增长的重要区域。

晋北城镇群，以大同盆地为主体，包括大同市、朔州市的10个县（区）。2015年，城镇人口达到240万人；2020年，城镇人口达到280万人。

晋南城镇群，以临汾、运城盆地为主体，包括运城市、临汾市的16个县（市、区）。2015年，城镇人口达到380万人；2020年，城镇人口达到460万人。

晋东南城镇群，以长治盆地和晋城中部地区为主体，包括长治市、晋城市的12个县（市、区）。2015年，城镇人口达到250万人；2020年，城镇人口达到290万人。

四、推进城镇化的路径

（一）加快构建太原都市圈。把太原都市圈构建作为全省推进城镇化的重中之重。以太原都市区为核心，太原盆地城镇密集区为主体，阳泉、忻定原、离柳中为外围组群，加快建设以高速公路和快速轨道交通为主的都市圈现代交通体系；优化产业结构与布局，积极发展现代物流和服务业；合理组织旅游资源，完善旅游服务体系；统筹协调经济发展与资源环境保护，加强生态建设，形成有机融合的交通圈、经济圈、旅游圈和生态圈。加强太原都市圈向北通过京原线与京津地区的联系，建设京昆大通道；依托青银综合通道强化向东与石家庄及山东半岛城市群、向西与陕北及西北地区的联系，提升都市圈的区域地位。“十二五”期间，都市圈城镇化率、经济增长速度明显高于全省和其他城镇群，经济总量占全省的比例明显提高，努力把太原都市圈打造成为具有全国意义的重点开发区域、中部崛起的重要核心区、全省城镇化快速发展的先行区和资源型经济转型发展的示范区。

（二）着力发展省域和区域性中心城市。全力支持太原率先发展，提升产业结构层次，增强综合承载能力和服务功能，提高城市品位，建设具有国际影响力的区域性现代化大都市。以太原晋中共建区为切入点，统一规划，协调功能，整合空间，对接基础设施，推进太原晋中同城化发展，共同构建辐射带动能力强大的省域中心，提升其在全国的地位。加快大同、朔州、忻州、阳泉、吕梁、长治、晋城、临汾、运城等区域性中心城市发展，科学确定城市发展定位与目标，积极发展高新技术产业和现代服务业，促进产业结构升级，加大市政公用设施和公共设施建设力度，增强综合承载能力，改善人居环境，为引进资金和项目提供条件。推进以中心城市为依托的城镇组群构建，合理组织城市功能，拓展发展空间，提升综合实力和服务能力，使其成为带动市域经济发展和城镇群构建的核心。统筹区域城镇和产业布局、基础设施建设和资源环境保护，积极培育以大同、朔州为中心的晋北城镇群，以临汾、侯马、运城为核心的晋南城镇群和以长治、晋城为核心的晋东南城镇群。

（三）积极实施“大县城”战略。把县城和县级市作为城镇化发展的重要环节，扩大规模、增强实力、完善功能、塑造特色。以产业集聚区为载体，引导产业向县城和县级市中心城区集中。煤矿沉陷区治理、工矿棚户区改造及新建煤矿的生活区要尽量在县城和县级市中心城区安排。普及中等职业教育，推进中小学校和以图书馆、文化馆为重点的县级公共文化服务设施建设和达标，提高县级综合医院的服务能力和水平。搞好环境综合整治，彻底改变“脏、乱、差”的形象，提升城镇品位，改善人居环境。通过“大县城”建设，培育一批新的中小城市，带动县域经济快速发展。“十二五”末，23个县城人口规模达到10万人以上，43个县城人口规模达到5-10万人；2020年绝大部分县城人口规模达到5万人以上。

（四）大力推进“百镇建设工程”。在全省选择100个基础条件较好、发展潜力较大的建制镇，予以重点扶持。以项目为依托建设城镇新区，按照市政标准建设和改造提升道路、供排水、供气、垃圾收集转运等设施和公园绿地，进一步完善中小学校、文体活动场所、卫生院、商贸服务等公共设施，对镇容镇貌进行综合整治，建设现代化新市镇，使其成为服务“三农”的中心、小城镇建设的样板。对于每个省级重点镇，由省、市、县三级财政给予2000万元的资金补助，用于基础设施建设；重点镇建设用地指标实行省级计划单列；省有关部门对重点镇的街巷硬化、供水、供电设施、文体活动场所、中小学、卫生院及绿化建设等在资金和项目上给予倾斜；对部分重点镇赋予一定的县级行政审批、执法、管理等权限和建立镇级财政，增强其自身发展能力。

（五）加大扶持产业园区发展力度。围绕资源型经济转型发展，科学规划，合理布局，加快经济开发区、高新技术产业开发区和产业集聚区等产业园区发展，为城镇化发展提供支撑。支持符合条件的省级开发区升级、具备条件的开发区扩区或者调整区位。按照“一县一业”发展规划，依托现有产业基础，整合和调整零星分散的工业企业，每个县（市）至少形成一个具有特色的产业集聚区。产业园区的布局要与城镇规划和土地利用总体规划相互衔接，做到选址合理，用地落实，实现工业化与城镇化互动发展；产业集聚区可以比照执行省级开发区政策，进入产业集聚区的企业，其原有用地复垦后可以置换。

（六）协调推进城乡统筹发展。按照城乡规划、产业发展、市场体系、基础设施、公共服务和管理体制"六个一体化"的模式，逐步推进城乡一体化发展；引导产业向园区集中、人口向城镇和农村新社区集中、土地向适度规模化经营集中、基础设施和公共服务向农村延伸。大中城市郊区要率先推进城乡一体化，建设城乡一体的市政公用设施和公共设施网络；整合农村居民点，建设新市镇和农村新社区；以农业产业化带动土地规模化经营，走集约、集聚式发展的城郊型城镇化道路。以县域为单元、县城为中心，依据县（市）域城镇体系规划，因地制宜推进城乡统筹发展。理顺村镇规划建设管理职责，规范村庄规划成果审查，提高规划编制水平与质量。以中心村和集镇为重点，集中扶贫移民搬迁、农村街巷硬化、饮水安全、路灯亮化、乡村绿化、沼气建设及农村改厕等农村建设的资金，每年重点搞好一批村庄和集镇的建设。结合新的"五个全覆盖"工程，合理规划建设文化体育场所和商业网点等公共设施，形成环境优美的综合性公共活动中心；在街巷硬化的同时，推进供水、排水、路灯等设施标准化建设；提高村庄绿化水平，综合整治村容村貌，建设设施完善、人居良好、富有特色、文明和谐的农村新社区。

五、建设生态宜居城镇

以城镇扩容提质为抓手，建设生态宜居城镇，推进城镇化提速提质和资源型经济转型发展。通过城镇新区开发建设和旧区综合整治，调整优化城镇空间布局，促进产业结构升级、城镇功能完善和人居环境改善。

（一）开展"城镇扩容提质大行动"。按照"一年起步、三年见效、五年大变样"的目标，开展"城镇扩容提质大行动"。通过3-5年的努力，使城镇面貌、人居环境得到根本性改变。按照"先规划、后建设、先地下、后地上、设施配套、一次到位"的原则实施城镇新区综合开发建设，搭建城镇发展框架，提供新的发展空间。"十二五"期间建成一批设施完善、环境优美、具有地域文化特色和时代气息的城镇新区。以城中村和棚户区改造为切入点，对城镇旧区进行综合整治，高标准规划设计，成街成坊推进；改造危旧房，完善市政公用设施和公共设施，增加公共绿地和活动空间，清理乱搭滥建，整治广告牌匾，整饰建筑外观，改善人居环境和景观形象；对城镇重要道路及商业中心、广场、主要出入口等进行重点治理，打造标志性地段和节点。结合城镇新区开发和旧区综合整治，完善城镇应急防灾体系，增强抗御自然灾害和应对突发事件的能力。城镇新区建设和旧区改造要突出城镇个性与特色，保护历史文化遗产和自然环境，彰显特色魅力。继续搞好太原西山、大同矿区、阳泉矿区等老工业地区的综合整治，为资源型城镇转型发展提供范例。

（二）完善城镇市政公用设施和公共设施。围绕"绿化山西、气化山西、净化山西、健康山西"目标，按照满足城镇化快速发展需要并适度超前的原则，加大城镇市政公用设施和公共设施建设力度，提升城镇的综合承载和服务能力。"十二五"要重点加强城镇道路、燃气、垃圾无害化处理、集中供热、供水等设施和绿化建设，实现"三个县县有"和"四个达标"，即县县有垃圾无害化处理场、集中供热设施和生态文体公园，城镇燃气、供水、污水处理和道路交通设施建设达到规划目标。在搞好高等院校、省市两级公共文化服务和体育设施建设的同时，以中小学校、幼儿园、社区文体活动场所、卫生机构等为重点，加强城镇教育、文化、卫生、体育等公共服务设施建设，合理配置商业服务网点，提升基本公共服务水平。

（三）推进资源节约型和环境友好型城镇建设。通过"节、减、治、创"等措施，推进资源节约和环境友好型城镇建设。优化土地资源配置，盘活用好城镇闲置和低效利用土地，鼓励开发利用地下空间，促进城镇紧凑集约发展。加快淘汰高能耗、高污染、低效益的产业，完成既有建筑供热计量与节能改造，新建建筑严格执行节能标准，实行供热计量收费，加大可再生能源建筑应用和节能型交通运输工具推广力度，优先发展城市公共交通。推广普及节水工艺、技术和器具，加快高耗水行业节水技术改造，降低城镇供水管网漏损率，鼓励雨水收集、中水回用和再生水利用。充分利用城镇既有建筑，推广应用高性能、低能耗、可再生循环利用的建筑材料。高度重视城镇生态环境保护与污染治理，加强城镇生态体系建设，积极利用清洁能源，整治或关闭污染严重的工业企业，有效降低污染物排放总量。保护城镇水源地，建设和完善城镇危险废物、医疗垃圾、废旧电池等收集和处理设施。深入开展生态宜居城镇、环保模范城市、环境优美乡镇、生态文明村创建活动，推进转型发展、绿色发展。

六、创新城镇化发展体制机制

（一）建立健全规划协调监督机制。以"一核一圈三群"为重点，编制和完善城乡规划、土地利用总体规划和产业发展规划。三个规划在规划目标和空间布局上要做到协调统一，各类专项规划要与城乡规划相互衔接，形成统一的空间框架。强化各级城乡规划委员会的职能，对同级政府审查和审批的各类规划及城乡规划建设的重大问题要经过规划委员会的审议和统筹协调，实现“规划一张图、建设一盘棋、管理一体化”。按照加快推进城镇化的要求，建立城乡一体的规划管理体制，强化对规划制订、修改和实施的监督检查，维护规划的法律权威性和严肃性。

（二）创新投融资体制机制。建立以财政为基础、政府融资平台为主渠道、土地增值收益为补充，引导民间投资、产业资本投入和企业履行社会责任参与城镇建设的投融资服务体系。市、县人民政府设立城镇化专项资金，重点用于城乡规划编制和融资平台的资本金；加大煤炭可持续发展基金、土地出让收益用于城镇市政公用设施投资的比例，增加地方政府债券规模。整合壮大省、市城镇化投融资主体，建立市、县级政府融资平台，实现城镇资源资产化、资产资本化；规范投融资管理，形成规范化的城镇化投融资平台。通过公私合作开发等方式，吸引民间资本参与市政公用设施和公共设施建设；引导大型企业集团参与城镇建设，支持外资投向城镇建设。加强与开发性金融机构合作，推动发行城镇投资建设债券、市政建设债券和股票；设立城镇化建设产业投资基金，充分利用各类社会资金，形成市场化、专业化的投融资模式。

（三）深化户籍制度改革。建立适应城镇化快速发展的户籍管理制度，引导农村人口向城镇集聚。以合法稳定就业和合法稳定住所（含租赁）为落户条件，解决进入城镇的大中专院校及技校毕业生、农民工及其配偶、未成年子女的城镇户籍；引进的人才，招商引资达到一定数额或者投资兴办实业达到一定规模的，农民工获得市级以上劳模、先进工作者荣誉称号或有其他突出贡献的，本人及其直系亲属可以在所在城镇落户。创新暂住人口服务和管理，逐步在全省实行按居住地登记的户籍管理制度。

（四）完善土地管理制度。优化土地利用结构，节约集约用地。通过市、县土地利用总体规划修编，为城镇群和城镇发展预留空间。适当集中国家下达的土地利用计划指标，优先保障“一核一圈三群”重点项目建设用地；以农村“田水路林村矿”综合整治和城乡建设用地增减挂钩试点为平台，解决中小城市和小城镇发展及新农村建设用地，节余的建设用地指标可进行调剂。实行城镇建设用地增加规模与吸纳农村人口进入城镇定居规模挂钩制度，为发展较快的城镇创造发展条件。逐步推进农村集体建设用地以转让、租赁、作价入股等方式进入土地市场流转。

（五）建立和完善社会保障制度。按照“广覆盖、保基本、多层次、可持续”的方针，统筹城乡社会发展，实施社会保障全覆盖工程。基本养老保险、基本医疗保险、最低生活保障三项制度覆盖城乡，实现人人老有所养、病有所医、基本生活有保障的目标。建立财政补贴和个人缴费相结合的城镇非就业居民养老保险制度，加快新农保覆盖步伐，逐步实现城镇企业职工和非就业居民养老保险与新农保之间、城镇基本医疗保险与新农合之间、城乡医疗救助制度之间的衔接，保证城乡各类人群社会保险关系转移接续的顺畅进行，促进农村人口向城镇的顺利转移。推进以社会保障“一卡通”建设为核心的信息化建设，力争2012年实现全省覆盖、全国联网、标准统一、功能兼容。以经济适用房、廉租房和公租房为重点，加大城镇保障性住房建设力度，实现住有所居。

（六）创新城中村和棚户区改造政策。加大财政对城中村、城市棚户区、工矿棚户区改造和煤矿沉陷区治理的支持力度，同时要创新政策，引入社会资金参与城中村和棚户区改造，加快改造进度。推进城中村综合转制，解决失地农民的就业和生活保障问题。

七、加快推进城镇化的措施

（一）加强领导，形成合力。省人民政府成立省城镇化推进工作领导组，统一领导全省城镇化工作，研究解决城镇化推进工作中的重大问题，组织协调“一核一圈三群”规划的编制与实施。领导组下设办公室，负责领导组的具体事务性工作。各地人民政府要按照省委、省人民政府的要求，把城镇化推进工作摆到重要位置，主要负责人要亲自负责，并建立相应的领导机构。有关部门要各负其责、各尽其职，密切配合、形成合力。

（二）严格考核，奖优罚劣。研究制定城镇化考核指标体系，并作为省年度目标责任考核的内容。评选城镇化工作先进单位和示范工程，由省人民政府给予表彰和奖励。

（三）强化培训，增强能力。加强对干部的培训工作，形成制度并长期坚持。把城镇化知识列入党校、行政学院的教学内容，通过多种方式组织各级领导干部系统学习党和国家有关城镇化的方针政策、城乡规划建设管理的理论知识以及国内外的先进经验，提高推进城镇化工作的能力和水平。

（四）搞好试点，以点带面。省里选择部分城镇组群、市、县及镇进行试点，省有关部门要加强对试点的指导，并在政策、资金等方面给予支持。市、县也要在省级试点的基础上，开展多种类型的试点。通过试点，总结经验，以点带面，全面推进，提高全省城镇化的整体水平与质量。

各市、县要根据本意见，结合当地实际，提出推进城镇化的实施意见。各有关部门要按照各自职责，制定具体的政策措施。

山西省人民政府

二〇一一年六月十一日

山西省人民政府
关于进一步加快保障性住房建设的意见

晋政发〔2011〕12号

各市、县人民政府，省人民政府各委、厅，各直属机构：

为深入贯彻落实《国务院办公厅关于进一步做好房地产市场调控工作有关问题的通知》（国办发〔2011〕1号）和全国保障性安居工程工作会议精神，进一步加快保障性住房建设，切实改善城镇中低收入家庭和农村困难群众的住房条件，现提出如下意见：

一、统一思想认识，明确工作目标

（一）提高认识，统一思想。2011年，中央把保障性住房建设作为当前和今后一段时期的一项标志性工程，并将其纳入我国经济社会发展约束性指标。加快保障性住房建设对于加快推进我省城镇化、促进经济社会转型跨越发展，有着重要作用，省委、省人民政府高度重视，将保障性住房建设纳入对各市年度目标责任考核指标体系，作为省级重点工程加以推进。各地人民政府要把加快保障性住房建设作为推进城镇化、实现转型跨越发展的重要抓手，健全和完善保障性住房供应体系，切实增加保障性住房供应，让城乡住房困难群体早日实现“住有所居”。

（二）“十二五”总体目标。“十二五”期间，全省开工建设各类保障性住房116.93万套，到“十二五”期末，全省城镇居民住房保障覆盖面达到20%以上。2012年底前，基本完成3000平方米以上的集中连片的城市和国有工矿棚户区改造；2015年底前，对房屋整体存在危险的农村困难家庭住房全部实施改造。其中：新建廉租住房21.47万套；新建公共租赁住房15万套；新建经济适用住房16.6万套；新建限价普通商品住房5万套；改造城市棚户区20.57万套；改造国有工矿棚户区9.2万套；改造林区棚户区0.77万套；改造垦区棚户区0.5万套；改造兼并重组的国有重点煤矿棚户区5.49万套；改造农村危房22.33万套。

（三）2011年工作目标。住房保障工作总任务为37.54万套（含新增廉租住房货币化补贴2万户、农村危房改造5.5万户）。

二、落实政策支持，加大建设力度

（四）确保建设用地。廉租住房、经济适用住房、棚户区改造安置住房、政府直接投资建设的公共租赁住房，建设用地以行政划拨方式供应。其他方式投资建设的公共租赁住房，建设用地可以采用出让、租赁或作价入股等方式有偿使用。省政府下达的年度保障住房建设用地指标由省国土资源部门在年度用地计划中单列。各市、县政府要建立住房建设用地储备制度，优先落实保障性住房建设用地。在符合城市总体规划和土地利用总体规划的前提下，允许把企事业单位富余存量土地纳入市、县人民政府保障性住房年度建设计划用地，统筹使用，所建保障性住房优先用于解决原单位符合住房保障条件职工的住房问题。为了保障民生安全，对于现有的焦化、化工、机械加工（含电镀）、农药等工业企业废弃地转为住宅用地的保障性住房项目，应组织开展土壤风险评估及修复工作。修复后经相关部门检测符合住宅用地标准要求的，方可作为居民住宅用地的选址。

（五）落实税费减免政策。保障性住房建设、经营和管理环节涉及的城镇土地使用税、契税、印花税、房产税、营业税、城市维护建设税、教育费附加等税种，按照国家有关规定予以减免；对参与建设、经营和管理保障性住房的企业（单位），纳税确有困难的，可以按照规定申请延期缴纳税款。廉租住房、经济适用住房、公共租赁住房、棚户区改造安置住房建设免收各种行政事业性收费和政府性基金。

（六）加大省级资金支持力度。省级预算安排对52个国定、省定贫困县和5个插花县建设的廉租住房按国家补助资金标准给予1:1配套补助；对非贫困县（市、区）建设的廉租住房和所有县（市、区）建设的公共租赁住房给予50元/平方米的资金补助。2011年保障性住房建设省级配套资金，除省财政预算、省发展改革委投资计划安排外，不足部分由市、县从中央代地方发行的债券中解决不少于24亿元配套资金。

（七）多渠道筹集建设资金。市、县人民政府要增加财政一般性预算资金安排，用于直接投资、资本金注入、投资补助、贷款贴息等。按照《山西省人民政府办公厅关于认真贯彻全国保障性安居工程工作会议精神加快保障性安居工程建设的通知》（晋政办发〔2009〕97号）要求，筹集廉租住房建设资金，专款专用，不得截留或挪作他用。金融机构在风险可控的情况下优先向符合贷款条件的保障性住房建设项目提供贷款。鼓励和支持各地人民政府政府设立保障性住房建设投资公司。

（八）严格执行廉租住房配建政策。各市、县要严格执行《山西省人民政府关于健全和完善住房保障体系切实解决城市低收入家庭住房困难的通知》（晋政发〔2008〕2号）规定，在商品住房项目中按建筑面积配建5%廉租住房，并作为土地出让的前置条件。从2011年起，对于不配建或不宜配建的项目，要按照该项目商品住房平均销售价格向保障性住房建设主管部门缴纳应配建廉租住房面积部分的建设资金，专户管理，作为市、县廉租住房建设资金。

（九）大力发展公共租赁住房。要加大公共租赁住房建设力度，改善城镇中等偏下收入住房困难家庭、新就业无房职工和外来务工人员的居住条件。各市、县人民政府要充分运用土地供应、投资补助、财政贴息或注入资本金、税费优惠等政策措施，吸引机构投资者参与公共租赁住房建设和运营。鼓励大型房地产企业开发、建设和运营公共租赁住房。在外来务工人员集中的开发区、产业园区，公共租赁住房的建设用地要优先保障供应。市、县人民政府要按照集约用地的原则，统筹规划，引导各类投资主体投资建设宿舍型公共租赁住房，面向用工单位或园区就业人员出租。市、县可通过配建、改建、收购、长期租赁等方式，增加公共租赁住房房源。新建公共租赁住房套型建筑面积控制在60平方米以内。公共租赁住房的租金按照低于同地段市场租金水平的原则确定。

（十）加快城市和国有工矿棚户区改造。各市、县人民政府要科学制定2011年和2012年棚户区改造的实施计划，坚持政府主导、市场运作的原则，精心安排改造地段和时序，新建安置小区要选择在交通便利、市政设施完善和公共服务设施配套齐全的地段。设区市要把所辖县（市、区）集中连片城市和国有工矿棚户区改造的具体计划在6月30日前上报省住房城乡建设厅备案。

（十一）增加中小套型商品住房供应。在进一步扩大保障性住房建设规模的同时，要切实加强房地产市场调控，增加普通商品住房有效供应，特别是中小套型、中低价位普通商品住房供应。要合理确定保障性住房和中小套型、中低价位普通商品住房的建设规模，统筹兼顾，促进房地产市场平稳健康发展。

（十二）确保工程质量安全。各级住房城乡建设主管部门要把保障性住房工程质量和安全放在首位，对各建设、勘察、设计、施工、监理等单位严格管理，精心设计、精心施工，强化工程质量安全监督，严格施工现场管理，严把工程竣工验收关，确保保障性住房工程质量和安全。

（十三）加快工程建设。各有关部门要开辟保障性住房项目审批"绿色通道"，简化办事程序，提高工作效率，加快办理保障性住房项目用地、环评、立项等建设手续，确保城市和国有工矿棚户区改造项目在9月底前开工建设，其他保障性住房建设项目在6月底前开工建设。要在确保工程质量安全的前提下，努力加快工程进度，争取项目早日竣工。

三、加强分配运营管理，确保公开公平公正

（十四）严格准入制度。严格执行住房保障申请、审核、公示、轮候、复核制度，健全住房保障、民政、公安、社保、住房公积金等机构和社区协作配合的保障对象住房和经济状况审核制度，完善准入机制。各有关部门要切实履行职责，主动接受社会和公众监督，确保保障性住房分配过程公开透明，结果公平公正。

（十五）落实退出机制。保障性住房不得出租、转借、闲置。已享受住房保障的家庭，再购买商品住房的，必须办理住房保障退出手续。各级各部门要认真执行保障性住房年度复核和日常监管制度，采取经济、行政、司法等综合手段，对不符合住房保障条件家庭严格落实退出工作机制。根据保障对象申报、住房保障管理信息系统检测、举报等途径，对已不符合保障条件的住房保障对象，要按规定退出。对以虚假资料骗购、骗租保障性住房和骗取廉租住房货币补贴的，一经查实，立即责令退还或退出。从2011年起，新购经济适用住房不得自行上市交易，对需出售的，由政府回购作为保障性住房房源，面向符合保障条件的家庭按程序予以安排。

（十六）加强运营管理。加强廉租住房、公共租赁住房合同管理，租赁合同应载明承租对象的权利和义务、租金水平、租赁期限、转借或转租的处罚以及其他违反使用规定的责任等事项。住房城乡建设主管部门要会同民政等有关部门定期或不定期对保障性住房使用情况和承租人收入情况进行检查，对违规使用的，按有关规定或者合同约定予以处理。要加强保障性住房新建小区的物业管理，优先安排困难家庭人员从事物业管理和社区

服务。

四、加强组织领导，落实工作责任

（十七）完善工作机构。保障性住房建设工作实行省级人民政府负总责、市县人民政府抓落实的工作责任制。各市、县人民政府要成立由主要负责人挂帅的组织领导机构，把住房保障工作列入重要工作日程。

（十八）加强协调配合。省直各有关部门要认真履行工作职责，通力合作，密切配合。住房和城乡建设部门牵头负责拟定住房保障相关政策，编制住房保障规划和年度计划，做好保障性住房建设的组织协调工作；发展改革部门牵头负责项目立项和申报工作，积极争取中央投资补助，组织实施国有重点煤矿棚户区改造；财政部门负责资金落实到位，强化资金运行监管；国土部门负责安排用地，落实土地保障优惠政策；监察部门牵头负责对保障性住房建设的监督检查；林业、农业部门分别负责组织实施林区、垦区棚户区改造工作；金融监管部门负责金融信贷政策支持工作；审计部门要加强对保障性住房建设项目的审计监督；民政、环保、国税、地税、物价、扶贫、残联等部门也要按职责分工做好支持配合工作。

（十九）严格考核问责。各级政府要及时向社会公示有关保障性住房的政策、信息及建设情况，接受社会监督。各设区城市人民政府要在年中和年末将本地区保障性住房建设情况向省人民政府作出书面汇报，省委、省人民政府将依据签订的目标责任书，对各市的目标任务完成情况进行考核。省保障性安居工程领导组及办公室将加强对保障性住房建设的监督检查，对各市、县保障性住房建设项目土地、立项、环评等手续办理情况、落实国家及省有关土地、资金筹集、税费减免等优惠政策、工程项目进展、质量安全、住房分配管理等情况进行定期检查或抽查，对各市进展情况进行排队，按月通报。对没有完成工作任务的，要对市、县人民政府负责人进行约谈问责。

（二十）加强宣传培训。要采取多种方式，广泛宣传保障性住房建设的政策和工作成效。要加强住房保障领域领导干部的培训，增强各级干部的责任感和使命感，激发加快保障性住房建设的自觉性和主动性。

山西省人民政府

二〇一一年六月十一日

山西省人民政府办公厅
关于做好城乡建设用地增减挂钩试点工作的通知

晋政办发〔2011〕11号

各市、县人民政府，省人民政府各委、厅，各直属机构：

国土资源部于2010年9月批准我省为城乡建设用地增减挂钩试点省。为搞好我省城乡建设用地增减挂钩试点工作，缓解土地供需矛盾，推进节约集约用地，促进城乡统筹发展，根据《国务院关于严格规范城乡建设用地增减挂钩试点切实做好农村土地整治工作的通知》（国发〔2010〕47号）及国土资源部《城乡建设用地增减挂钩试点管理办法》精神，结合我省实际，经省人民政府同意，现就做好我省城乡建设用地增减挂钩试点工作（以下简称挂钩试点工作）通知如下：

一、挂钩试点工作的范围和原则

（一）挂钩试点工作范围

各地人民政府要先行开展农村建设用地潜力调查摸底工作。根据调查摸底情况，具备开展挂钩试点工作条件的县（市、区），可逐级向省人民政府提出申请，经省人民政府同意后，方可列入挂钩试点范围。未经批准不得擅自开展试点或扩大试点范围；严禁在试点之外，以各种名义开展城乡建设用地调整和使用；严禁擅自开展建设用地置换、复垦土地周转等“搭车”行为。

（二）挂钩试点工作原则

以保护耕地、保障农民土地权益为出发点，以改善农村生产、生活条件，统筹城乡发展为目标，以优化用地结构和节约集约为重点，具体遵循以下原则：

1. 规划引导，控制规模。科学编制土地利用总体规划和土地整治专项规划，加强与城镇体系规划及村镇规划的衔接，强化土地利用总体规划对建设用地总量和布局的控制和引导，合理安排增减挂钩试点的规模、布局和时序，统筹安排农民新居、城镇发展等土地整治活动，合理设置建新、拆旧项目区，确保项目区内建设用地总量有减少、布局更合理、耕地面积有增加、质量有提高，实现以城带乡、以工补农，城乡统筹发展。试点工作必须符合土地利用总体规划和土地整治规划，严禁突破挂钩周转指标规模设立挂钩项目区，严禁项目区跨县级行政区域设置，严禁循环使用周转指标。

2. 先易后难，统筹安排。试点区域的选择要在调查摸底的基础上，选择有一定资金保障能力的乡（镇）和拆迁难度小的地区先行开展试点，试点单位应根据自身的条件，因地制宜、量力而行、先易后难、循序渐进。

3. 自愿合法，维护权益。挂钩试点项目区的设立和实施要尊重农民意愿并考虑农民的实际承受能力，防止不顾条件的大拆大建、盲目推进。严禁在农村地区盲目建高楼、强迫农民住高楼。开展挂钩试点工作，必须举行听证、论证，充分听取当地农村基层组织和农民的意见。涉及土地调整互换使用的，未征得农村集体组织和农民同意，不得强行开展挂钩试点工作。必须按照明晰产权、维护权益的原则，合理分配土地调整使用中的增值收益。要明确受益主体，规范收益用途，确保所获土地增值收益及时全部返还农村，用于支持农业发展和改善农民生产生活条件，防止农村和农民利益受到侵害。

二、挂钩试点项目的申报和审批程序

（一）项目申报

列入挂钩试点工作的县（市、区），应按照挂钩试点工作的原则，依据土地利用总体规划、城市总体规划、村庄和集镇建设规划和土地整治规划等，选定项目区并确认“四至”、地类和土地权属等基本情况，组织编制项目区实施规划。由县（市、区）人民政府提出项目区立项申请，经市人民政府审查同意后，报省国土资源厅审批。

项目区申报应提交以下材料：

1. 县（市、区）人民政府申请（含申请的挂钩周转指标数）；

2. 项目区实施规划文本、图件；

3. 项目区农村集体经济组织对项目区实施规划的书面意见、听证会纪要和被拆房人同意搬迁的意见；

4. 县（市、区）人民政府确保资金投入、按时完成并按期归还挂钩周转指标的承诺函；

5. 设区市人民政府的初审意见。

（二）项目审批

省国土资源厅收到申请材料后，应组织专家进行实地踏勘和论证，审查同意的，下达批复文件，并分别报省人民政府和国土资源部备案。

三、挂钩试点项目的实施管理

（一）县（市、区）人民政府应根据已批准的项目区实施规划，组织有关部门和项目区所在乡（镇）人民政府，筹措资金，组织实施，并在规定的时间内实施到位，项目区涉及拆迁安置补偿的，必须按规定做好拆迁安置补偿工作。

（二）挂钩试点项目区实施过程中，拆旧地块要优先复垦为耕地，其土地复垦要按照土地开发整理复垦项目的有关规定执行。

（三）建新地块要优先满足拆旧区的居民安置用地，并预留必要的农村基础设施和发展用地，节余的指标，经批准可少量调剂给城镇和工业项目使用。

（四）建新地块须办理征收手续的，按规定的程序和要求办理审批手续，涉及农用地转为建设用地的，对项目区实施规划和建新拆旧进行整体审批，直接与拆旧地块的建设用地置换，不再另行办理农用地转用手续。

（五）建新地块需要征收为国有土地的，可按批次以建设用地报批，按省人民政府规定的统一年产值标准进行补偿；属于经营性用地的，必须征收为国有土地，并按规定实行招标拍卖挂牌方式供地。

（六）建新地块土地征收，必须符合土地利用总体规划，原则上应一次性申报，由项目区所在县（市、区）人民政府组织申报材料并按征地程序申报。省国土资源厅收到征地申报文件后，根据土地管理法律法规和有关规定，依据土地利用总体规划和挂钩项目区实施规划，对拟征收土地的规模、区位、用途、征地补偿安置进行总体审查，形成审查报告，呈报有批准权的政府审批。

（七）项目区所在市、县（市、区）国土资源管理部门要加强对项目区实施的监督检查，每年年底向上级国土资源主管部门书面报告项目区实施进展情况，省国土资源厅根据项目区年度实施方案，不定期对项目区实施情况组织评估。对连续两次评估达不到要求的，经报省人民政府批准后，取消试点县（市、区）资格，撤销试点项目区。

（八）项目区拆旧地块土地复垦项目竣工后，县（市、区）人民政府应及时组织自查。自查合格的，经市国土资源管理部门审查同意后，报省国土资源厅进行项目区验收。

（九）项目区验收合格后，县（市、区）国土资源管理部门要及时进行土地变更登记，并对项目区有关资料归档备查。

（十）验收确认的拆旧地块土地复垦项目新增耕地指标，用于归还挂钩周转指标，归还的耕地面积不得少于下达的挂钩周转指标。各试点县（市、区）国土资源管理部门应建立挂钩周转指标使用台账，做到动态管理，并定期向省、市国土资源管理部门报告周转指标使用及归还情况。

（十一）省国土资源厅要定期向省人民政府报告挂钩项目实施情况和周转指标使用、归还情况。

四、做好挂钩工作的组织与协调

（一）开展城乡建设用地增减挂钩试点工作，对于推进土地节约集约利用，促进城乡统筹发展，具有重要意义。各地人民政府要高度重视挂钩试点工作，加强领导，明确责任，精心组织，落实措施，确保此项工作顺利推进。挂钩项目区所在县（市、区）要成立由政府主要负责人牵头、有关部门参加的组织领导机构，协调实施中的重大问题，制定相关政策。

（二）设区市国土资源管理部门要做好试点县（市、区）挂钩项目的初审和监督检查工作。省国土资源厅要加强对挂钩试点工作的统一管理，对挂钩试点项目进行严格审核和验收，要加强与国土资源部的沟通与协调，并积极指导各地开展好挂钩试点工作。

山西省人民政府办公厅
二〇一一年二月二十一日

山西省人民政府办公厅
关于进一步加强房地产市场调控促进房地产市场健康发展的通知

晋政办发〔2011〕18号

各市、县人民政府，省人民政府各委、厅，各直属机构：

为贯彻落实《国务院办公厅关于进一步做好房地产市场调控工作有关问题的通知》（国办发〔2011〕1号）精神，加强我省住房保障与稳定住房价格工作，促进房地产市场平稳健康发展，现将有关事项通知如下：

一、进一步强化地方政府责任

（一）落实地方政府责任。各市、县人民政府要高度重视房地产市场调控工作，成立由市、县人民政府主要负责人任组长的保障性住房建设与稳定住房价格工作领导组，切实承担起住房保障和稳定住房价格的责任，确保当地保障性住房建设规划和年度目标任务的完成，将住房价格控制在合理水平。各城市人民政府要根据当地经济发展目标、人均可支配收入增长速度、居民住房支付能力和保障性住房需求等，合理确定本地区年度保障性住房建设任务和住房价格控制目标，于3月25日前向社会公布并报省人民政府备案。

（二）强化住房保障和稳定住房价格工作的考核评价。省人民政府对各城市住房保障和稳定住房价格工作进行年中检查和年终考核评价，考核结果向全省通报。考核的主要内容包括：本地区新建住房价格控制目标落实情况、保障性住房建设目标完成情况、廉租住房建设资金筹集情况（含市县财政预算安排廉租住房建设专项、市县财政预算外有关专项、土地出让净收益不得低于20%、住房公积金增值收益、市县行政事业性收费等）和个人住房信息系统建设情况等。

（三）建立约谈、问责机制。各市、县人民政府要建立住房保障和稳定住房价格约谈问责机制。对未如期确定并公布本地区年度新建住房价格控制目标、未完成本地区新建住房价格控制和保障性住房建设等目标任务的，有关市、县人民政府要向上一级人民政府作出专题报告。对于新建住房价格上涨过快、保障性住房建设进度缓慢的，上一级人民政府要对有关市、县人民政府主要负责人进行约谈。各级行政监察机关、住房城乡建设等部门要视情况，根据有关规定启动问责程序。同时，将执行差别化信贷和税收政策不到位，房地产相关税收征管不力以及个人住房信息系统建设滞后等纳入约谈问责范围。

二、加大住房保障工作力度

（四）确保2011年保障性住房建设任务全面完成。2011年全省计划开工建设廉租住房、经济适用住房、公共租赁住房，改造各类棚户区和农村危房共3754万套（含农村危房改造55万套）、2122万平方米。对符合廉租住房保障条件的申请家庭实现应保尽保。各市、县人民政府要开辟绿色通道，加快办理保障性住房项目用地、环评、立项等建设手续，确保所有保障性住房建设项目在7月底前全部开工建设。

（五）实现廉租住房保障全覆盖。尚未完成《2009-2011年山西省廉租住房保障规划》的城市，要采取有力措施，切实加大廉租住房建设力度，到2011年底实现实物配租率达到80%以上的目标。各市、县要严格执行省人民政府关于在普通商品住房和经济适用住房项目配建廉租住房的规定，对于不配建或不宜配建的项目，要按照该项目商品住房平均销售价格缴纳应配建廉租住房面积部分的建设资金，由各市、县住房保障主管部门统一组织建设廉租住房。要积极筹措廉租住房建设资金，从2011年3月起建立廉租住房资金筹集月报制度，由各市财政部门每月向省财政厅、省住房城乡建设厅报送。

（六）稳步推进公共租赁住房建设。太原市和其他流动人口较多的城市要加大公共租赁住房建设规模，加大政府投资力度，增加公共租赁住房供应。政府投资建设的公共租赁住房，建设用地采用行政划拨方式供应。各市、县要健全和完善公共租赁住房建设与供应机制，运用土地供应、投资补助、财政贴息或注入资本金、规费减免等政策措施，推进公共租赁住房建设。同时，要合理确定租金水平，吸引机构投资者参与公共租赁住房建设和运营。积极推动国有企业建设公共租赁住房，引导开发区、工业园区建设公共租赁住房，解决中等偏下收入群体、新就业职工和外来务工人员的住房需求。鼓励金融机构发放公共租赁住房建设运营中长期贷款。

（七）严格执行保障性住房各项优惠政策。各市、县人民政府要切实落实好国家及省有关保障性住房建设用地供应、资金筹集和税费减免等方面的优惠政策，不得在执行优惠政策时增加额外的限定条件。严禁以保障性住房名义取得划拨土地后，以补交土地出让金、行政事业性收费等方式，变相进行商品房开发。在资金筹措中土地出让净收益用于廉租住房建设不得低于20%。不得以任何理由对保障性住房建设项目收取行政事业性收费和政府性基金。省人民政府将组织省住房城乡建设厅、省监察厅、省财政厅、省国土厅、省审计厅等有关部门组成联合检查组，于2011年6月对各市、县落实国家及省关于保障性住房建设用地供应、资金筹措和税费减免等优惠政策落实情况进行检查，并对落实优惠政策不力的市、县人民政府进行问责。

（八）加强保障性住房管理。各市、县要进一步健全和完善保障性住房的准入退出机制，加强保障性住房租（售）后监管。经济适用住房购买后5年之内不得上市交易，实行租售并举的廉租住房和购买5年之后的经济适用住房确需出售的，由政府统一回购，作为保障性住房房源，面向符合保障条件的家庭分配。承租人或产权人不得出售、转租或闲置保障性住房，一经发现一律收回，没收租售收益，并不得再申请保障性住房。

三、增加住房有效供给

（九）增加住房用地供应。各市、县要按照“十二五”住房建设规划确定住房建设用地总量。保障性住房、棚户区改造住房和中小套型普通商品住房用地不低于住房建设用地供应总量的70%；保障性住房建设用地供应要做到应保尽保，在年度建设用地供应计划中明确保障性住房建设用地供应指标，并落实到具体地块。当年的商品住房用地供应计划总量原则上不得低于前2年年均实际供应量。对未完成年度保障性住房建设用地供应任务，保障性住房、棚户区改造住房、中小套型普通商品住房供应总量未达到住房用地供应总量70%的市、县，下一年度按上年度未建保障性住房建设用地量核减用地指标。

（十）切实改善住房供应。各市、县要抓紧组织编制并向社会公布2011年住房建设计划，明确中小套型住房供应面积和套数、占住房供应总量的比例等内容。建立中小套型商品住房建设项目行政审批快速通道，加快项目建设速度。新审批、新开工的商品住房建设项目，要严格控制商品住房的套型比例，确保将国家“城市新审批、新开工的住房建设，套型建筑面积90平方米以下住房面积所占比重，必须达到开发建设总面积的70%以上”的规定落到实处。商品住房价格超出全省平均房价20%的城市，2011年要采取“限房价、竞地价”方式建设一定规模的限价商品住房。

四、合理引导住房需求

（十一）调整相关税收政策，强化税收征管。个人将购买不足5年的住房对外销售的，全额征收营业税；个人将购买超过5年（含5年）的非普通住房对外销售的，按照其销售收入减去购买房屋的价款后的差额征收营业税；个人将购买超过5年（含5年）的普通住房对外销售的，免征营业税。要推广应用房地产评估技术加强存量房交易税收征管工作，堵塞税收漏洞。加强对土地增值税征管情况的监督和检查，重点对商品房销（预）售价格高、涨幅快、群众举报多和社会反映强烈的房地产项目进行土地增值税的清算和稽查。

（十二）严格执行差别化住房信贷政策。对贷款购买第二套住房的家庭，首付款比例不低于60%，贷款利率不低于基准利率的1.1倍。各级人民银行可根据当地新建住房价格控制目标和政策要求，在国家统一信贷政策的基础上，提高第二套住房贷款的首付款比例和利率。银监部门要加强对商业银行执行差别化住房信贷政策情况的监督检查，严肃查处违规行为。

（十三）培育住房理性消费。住房价格较高、上涨过快的城市，要适时出台住房限购措施。对已拥有1套住房的当地户籍居民家庭、能够提供当地一定年限纳税证明或社会保险缴纳证明的非当地户籍居民家庭，限购1套住房（含新建商品住房和二手住房）；对已拥有2套及以上住房的当地户籍居民家庭、拥有1套及以上住房的非当地户籍居民家庭、无法提供一定年限当地纳税证明或社会保险缴纳证明的非当地户籍居民家庭，要暂停在本行政区域内向其售房。已经公布限购措施的太原市要加强对购房人资格审核工作，确保限购政策措施落实到位。

五、加强房地产用地管理

（十四）严格审查土地市场准入资格和资金来源。参加土地竞买的单位或个人，必须说明资金来源并提供相应证明。土地竞买人在受让土地6个月内，未取得房地产开发资格的，收回其土地使用权，重新公开出让。严肃查处擅自改变保障性住房用地性质的行为。各市、县国土资源主管部门要组织开展保障性住房用地利用和已供房地产用地闲置情况排查工作。对由于房地产开发企业自身原因闲置一年以上不满两年的，必须征收闲置费；闲置两年以上的，收回土地使用权。要依法查处非法转让土地使用权的行为，对房地产开发建设投资达不到25%以上的（不含土地价款），不得以任何方式转让土地及合同约定的土地开发项目。

（十五）加强国有土地上房屋征收管理。各市、县人民政府要认真贯彻落实《国有土地上房屋征收与补偿条例》（国务院令第590号），按照决策民主、程序正当、结果公开的原则，负责组织实施好房屋征收与补偿工作。要依法、按程序规范国有土地上房屋征收与补偿活动。各级人民政府要统筹兼顾公共利益和被征收人的利益，既要确保公共利益得以实现，又要保障被征收房屋所有权人的合法权益不受侵害。

六、强化信息交流与舆论引导

（十六）加快建设个人住房信息系统。各市、县人民政府要将个人住房信息系统建设列入重要议事日程，在人力、物力、财力上予以保障。太原市要按照国家要求在2011年10月底前完成个人住房信息系统建设并与住房城乡建设部联网，其他市要在2012年6月底前完成数据整合及纸质档案数字化工作，在2013年底前完成与省级个人住房信息系统的联网工作。

（十七）加强房地产市场信息交流。各有关部门要加强沟通，建立房地产相关信息交流机制，搭建信息传递平台，共享房地产信息资源，定期分析房地产市场形势，发布房地产市场运行情况。国土资源、住房城乡建设、银监等主管部门要加强闲置土地情况、违法违规房地产企业名单、房贷违规行为等信息的相互交流，防范风险。

（十八）强化舆论引导。要进一步完善房地产信息发布制度。各市、县人民政府要及时公布住房建设计划、住房建设用地年度供应计划、住房供求等信息，增加市场透明度。省直各有关部门要及时发布产业发展政策。新闻媒体要加强对政策的解读和宣传，引导居民理性消费，稳定住房消费预期，防止虚假信息或不负责任的猜测与评论误导消费者。对制造、散布虚假消息的，要依法追究有关当事人的责任。

山西省人民政府办公厅

二〇一一年三月十八日

山西省人民政府办公厅关于印发全省城市扩容提质大行动实施方案的通知

晋政办发〔2011〕44号

各市、县人民政府，省人民政府各委、厅，各直属机构：

加快推进城镇化是我省“十二五”期间的重要任务之一，编制“一核一圈三群”规划、开展城市扩容提质大行动、推进“双百”工程建设是推进城镇化的三项重点工作。为贯彻落实省人大十一届五次会议和全省县域经济暨农村工作会议关于城市扩容提质的安排部署，省人民政府决定，“十二五”期间，在全省城市和县城开展扩容提质大行动。现将《全省城市扩容提质大行动实施方案》印发给你们，请结合本地实际认真贯彻落实，确保各项任务圆满完成。

山西省人民政府办公厅

二〇一一年六月二日

全省城市扩容提质大行动实施方案

城市扩容提质是推进城镇化的重要内容，是建设宜居城市的有效途径，是促进经济转型跨越发展的关键措施。省人民政府决定，“十二五”期间在全省城市和县城开展城市扩容提质大行动。为做好此项工作，特制定如下实施方案：

一、总体目标

以建设宜居城市、县城为目标，以加快基础设施建设、加强城市管理为主线，实施“一建一改两治理”（即建设城市新区和基础设施，改造城中村、棚户区和老旧基础设施，开展城市容貌和人居环境专项治理，开展市政设施运营提质专项治理），力争使我省城市和县城在环境质量、聚集能力、承载功能、居住条件、风貌特色、管理服务等方面都有较大提升，创建一批国家园林城市、中国人居环境奖和联合国人居奖城市，逐步构筑一个适宜居住、有利发展的城镇体系。

二、任务和要求

（一）搞好规划设计，指导城市扩容提质。

要以城市和县城总体规划为依据，搞好近期建设片区详细规划，指导新区建设；编制城中村和棚户区改造规划，搞好旧城改造；重要项目的设计要注重塑造景观风貌，突出地方特色。积极推进市政设施专项规划编制工作，加快市政设施建设扩容提质。

（二）加大建设力度，提高综合承载能力。

1、加快城市新区、产业集聚区和专业园区建设。统筹城市与产业集聚区、专业园区基础设施建设，城市基础设施要向产业集聚区、专业园区延伸。强化产业集聚区和专业园区的经济功能，以产业集聚促进人口向城市转移。

2、加快城市道路和停车设施建设。结合城市新区建设和旧城改造，打通断头路，拓宽瓶颈路，改造小街巷，配建停车场，形成路网长度、密度和动态、静态交通体系科学合理的城市道路系统。统筹各类地下工程管线布局，配套建设地下公共管沟。按照国家养护定额，确保养护经费足额到位，严格执行道路养护规范，提高道路养护质量。

3、加快供热、供气和供水设施建设。加快热源设施建设和老旧管网改造，加大供热计量改革的力度。以“气化山西”为目标，进一步优化用气结构，不断提高燃气普及率和管道天然气气化率。严格水源保护措施，加大自备井关停力度；提高水质监测能力，实施水质督查，确保城市供水水质安全。

4、不断提高污水、垃圾无害化处理水平。加快污水处理厂升级改造和配套管网建设，确保出水水质和运行负荷率达到国家的有关要求；积极推行再生水回用和污泥处理处置。大力推行垃圾处理无害化、减量化、资源化，三年内全省所有市县都要建成垃圾无害化处理场；进一步完善垃圾渗滤液处理设施，杜绝二次污染。建筑垃圾、粪便收集实行密闭化运输。

5、提高城市照明设施建设和改造水平。加强功能照明设施建设，强化景观照明管理。推广照明节能技术和设备，全面淘汰低效、高耗照明产品。

（三）实施旧城改造，优化城市发展环境。

1、实施老商业区的改造。对城市建成区内功能混杂、环境较差、严重影响城市形象的老商业区实行综合改造，打造一批集休闲、娱乐、商务、旅游、文化等功能为一体的商贸街区。

2、实施城中村的改造。因地制宜地研究制定城中村改造的配套政策，集中力量加快城中村改造。要严格控制开发强度，妥善解决拆迁安置、就业社保、集体资产处置等问题，保证改造工作顺利平稳推进。

3、实施棚户区和旧住宅区的改造。坚持政府主导、市场运作、统一规划、配套建设的原则，加大棚户区和旧住宅区改造力度。对设施不配套、功能不完善、环境较差的旧住宅小区，实施以整容、拆违、补建、配套等为主要内容的整治工程，提升小区的环境质量和居住条件。太原、大同、阳泉等地，还要抓好老工业区的综合整治。

（四）开展环境容貌专项治理，改善人居环境。

实施园林绿化增量、城市公园升级工程，大幅提高建成区绿地率、绿化覆盖率、人均公园绿地面积。切实解决市容环卫“脏、乱、差”问题。规范清扫保洁，重点整治集贸市场、背街小巷、城乡结合部、城中村等卫生死角；规范摊位摆设，重点整治占道经营，保证道路功能；规范广告牌匾设置，重点整治店招牌匾乱设乱挂。按照国家标准规范，建设和改造一批城市公厕，解决群众如厕难题。

（五）开展设施运营提质治理，提高服务质量。

通过建立完善市政设施运营考核体系，督促市政公用企业完善各项规章制度，健全应急保障体系，加强人员培训，提供优质安全服务，提高运营服务水平。政府主管部门要完善市场准入和清出机制，制定企业运营监管标准和运营考核办法，加强运营考核监管，切实提高“三供”企业的保障能力、“两处理”企业的减排能力、供热计量改革和城市照明的节能效果，确保市政设施安全、稳定、高效运营。

（六）创新管理模式，提高城市管理水平。

建立高效有序的城市管理运行模式和管理体制，以点带面深入推进数字化城市管理工作。通过不断提高城市管理水平，推动城市创建工作深入开展，晋城、长治、侯马、孝义等市要建成省级宜居城市，努力争取“中国人居环境奖”。

各市均要建成一批“山西省人居环境范例奖”、“中国人居环境范例奖”和“联合国迪拜改善人居环境最佳范例奖”项目。

三、方法措施

1、强化组织领导

省人民政府创建宜居城市领导组负责城市扩容提质大行动组织协调和监督考核工作。各市、县人民政府是扩容提质大行动的责任主体，要按照省人民政府的要求，成立专门机构，精心策划，认真组织，建立“层级分明、运转高效”的领导体系，确保城市扩容提质工作任务圆满完成。

2、建立推进机制

各市、县要根据省人民政府对扩容提质的要求，结合本地实际，制定工作方案和年度实施计划，做到任务分解到部门、责任落实到人。省人民政府创建宜居城市领导组将建立信息报送、工作督查、工作考核、严格奖惩的机制，确保此项工作的扎实推进。

3、注重舆论引导

各地、各部门要采取多种形式，开展宣传教育活动，提高市民的文明意识和素质。广播、电视、报纸、网络等媒体要开辟专题或专栏，切实发挥舆论导向作用，营造人人关心城市发展，全民参与城市建设和管理的良好氛围，推动城市扩容提质行动健康有序发展。

山西省人民政府办公厅关于落实控制新建住房价格目标的通知

晋政办发〔2011〕 65号

各市、县人民政府，省人民政府各委、厅，各直属机构：

为进一步贯彻落实《国务院办公厅关于进一步做好房地产市场调控工作有关问题的通知》（国办发〔2011〕1号）精神，切实做好控制新建住房价格工作，经省人民政府同意，现就有关事项通知如下：

一、制定控制住房价格目标的措施。

各城市人民政府要从讲政治、谋跨越、促转型的高度，研究制定控制新建住房价格目标的措施，各相关部门要按照各自的职能分工，探索和研究控制住房价格的环节和措施，确保控制目标的兑现。各城市人民政府亦可根据当地经济发展目标、人均可支配收入增长速度和居民住房支付能力，适时下调新建住房价格控制目标。

二、增加普通住房供应。

各城市要高度重视普通商品住房建设，在加快建设保障性住房的同时增加中小套型普通商品住房供应。要严格控制高档商品住房土地供应规模，继续加大城中村、棚户区改造力度，盘活存量土地，拓展住房用地供应，确保保障性住房和中小套型普通商品住房用地达到规定比例。普通商品住房建设用地出让底价，要根据当地年度新建住房价格控制目标以及即期住房价格水平合理确定。

三、严格商品房销（预）售许可和价格申报。

要加强商品房销（预）售监管，严格执行商品房销（预）售合同网上备案制度。商品房销（预）售许可，要严格按单幢审批，不得分层、分单元、按小区、按组团许可。项目规模小于3万平方米的，应一次性申领《商品房预售许可证》，不得分期销（预）售。要严格执行商品房销（预）售价格申报制度。房地产开发企业在申报项目销（预）售许可前，要同时向当地价格主管部门和住房城乡建设部门申报销售价格。

四、建立商品住房销（预）售价格联动监管机制。

各级住房城乡建设部门每季度要按结构类型、檐口高度等分类测算并向社会公布住房建设成本。各级价格主管部门要向社会公布商品住房开发建设涉及的行政事业性收费项目和收费标准。房地产开发企业要依据住房城乡建设部门和价格主管部门公布的建设成本、规费项目等核算商品住房价格，在申报销（预）售价格时同时报送核算资料。核算资料包括：楼盘销售最高价、最低价、平均价和每套住房的平米销售单价、销售总价、销售面积、套内面积、公摊面积；小区内公共服务设施建设情况以及所有权和销售收入的归属等。各市、县亦可核算其开发建设成本。

五、建立商品房销（预）售人员培训上岗和入晋备案管理制度。

各级住房城乡建设部门要加强房地产经纪机构和商品房销（预）售人员监管，定期组织开展商品房销（预）售人员岗前培训和考核工作。经考核合格，取得上岗资格的人员，方可从事商品房销（预）售工作。自2011年8月1日起，未取得商品房销（预）售上岗资格的人员，一律不得从事商品房销（预）售工作。外地房地产经纪机构入晋从事商品房销（预）售，必须办理入晋备案手续，备案后方可在我省范围内承揽商品房销（预）售业务。

六、建立健全商品房供应信息公开机制。

房地产开发企业在取得商品房预售许可或者办理现房销售备案后，必须在10日内一次性公开全部准售房源信息。包括：项目坐落位置、土地性质及使用起止年限、楼层、朝向、层高、套型面积、公摊面积等基本信息；建设用地规划、建设工程规划、建筑工程施工和商品房预售等许可信息；勘察、设计、施工、监理单位名称与资质等级等企业信息；容积率、绿化率、车位配比率、建筑高度、套型比例等规划设计信息；销售价格、优惠折扣的条件、代收代办的收费项目及标准、前期物业服务企业名称、服务内容、服务标准和收费依据、收费标准等销售信息；楼盘的楼面地价、建筑结构、建设成本、装修标准及成本（材料明细、价格）、交房标准、基础设施（水、电、燃气、供暖、有线电视、通讯）配套情况、计划竣工时间及工程进展情况等建设信息。

七、严格执行商品房明码标价销售制度。

各级价格主管部门要加强商品房销售明码标价、收费公示的监督检查。销售商品房时，必须按照申报价格对每套商品房明码标价，实行一套一标。不得在标价之外加价销售商品房，不得收取任何未予标明的费用。已销售的房源，要明确标示具体位置和实际成交价格。

八、加强商品房销（预）售巡查。

各级价格主管部门要加强商品房销（预）售价格巡查，严肃查处不按申报许可时的申报价格销（预）售、不执行明码标价和公示收费的规定、使用虚假或者不规范的价格标示误导购房者、利用虚假或者使人误解的标价方式进行价格欺诈等违规行为。各级住房城乡建设部门要加强商品房销(预)售行为巡查,严肃查处无证销(预)售、捂盘惜售等违规行为。

九、合理引导住房需求。

要认真落实国办发〔2011〕1号文件精神，引导居民住房理性消费，新建住房主要解决当地居民自住性和改善性住房需求，坚决遏制投资、投机性需求。新建商品住房价格涨幅连续两个月超过新建住房价格控制目标的城市要采取住房限购措施。各相关部门要共享资源、信息，建立购房人资格核查联动机制。

十、加强土地增值税预征与清算。

各级住房城乡建设（房管）部门要密切配合税务机关全面加强土地增值税预征与清算工作。把土地增值税预征与商品房销售营业税结合起来，把预征率的调整与住房价格上涨结合起来，加大土地增值税预征力度。商品住房项目销（预）售均价低于项目所在区域上一年度新建商品住房平均价格的，普通标准住宅预征率不得低于1.5%，非普通标准住宅预征率不得低于2%，其他商品房的预征率不得低于2.5%；高于平均价格的，普通标准住宅预征率为3%，非普通标准住宅预征率为4%，其他商品房的预征率为5%。要重点清算和稽查商品房销（预）售价格高、群众举报多和社会反映强烈的房地产项目。

十一、严格执行差别化住房信贷政策。

对新建商品住房价格涨幅连续两个月超过新建住房价格控制目标的城市，人民银行分支机构可根据当地人民政府确定的新建住房价格控制目标和政策要求，在国家统一信贷政策基础上，报经人民银行太原中心支行审核批准后，提高第二套住房贷款的首付比例和利率下限。

十二、培育规范住房租赁市场。

要进一步培育住房租赁市场，引导居民通过租赁住房满足住房基本需求，同时要规范住房租赁市场，加强房屋租赁登记备案信息化管理，定期分区域公布不同类型房屋的市场租金水平等信息。发挥住房租赁市场缓解住房供应矛盾和稳定住房价格的作用。

十三、加强新建住房价格统计分析与舆论引导。

各城市要加强新建住房价格统计与分析，各设区城市和县级市每月10日前向省住房和城乡建设厅上报上个月新建住房价格和住房价格走势情况。新闻媒体要深入解读房地产市场宏观调控政策,引导居民理性住房消费,为稳定住房价格提供舆论支持。

山西省人民政府办公厅
二〇一一年八月四日印发

山西省创建宜居城市领导组
关于印发《山西省宜居城市考核指标体系》（试行）和《山西省人居环境范例奖评选主题及内容》的通知

晋宜居〔2011〕1号

各市、县人民政府，省直有关部门：

建设宜居城市是开展城市扩容提质大行动的重要目标。为进一步加快推进城镇化进程，指导各地继续做好宜居城市的创建工作，省住建厅根据省人民政府《关于开展创建宜居城市活动的意见》、《关于加快推进城镇化的意见》和国家住房城乡建设部修订颁布的《中国人居环境奖评价指标体系》（试行）及我省创建工作的实际，编制了《山西省宜居城市考核指标体系》（试行）和《山西省人居环境范例奖评选主题及内容》，现印发给你们，请按照指标体系的要求，认真做好宜居城市和人居环境范例奖的创建工作，申报考核工作继续按照山西省人民政府办公厅《关于印发山西省创建宜居城市考核评比实施办法的通知》执行。

山西省创建宜居城市领导组

二〇一一年六月二日

山西省宜居城市考核指标体系（试行）

一级指标	二级指标	三级指标	评价标准	
			城 市	县 城
A、居住环境	A1 住房与社区	住房保障率（%）	≥ 70%	
		保障性住房建设计划完成率（%）	≥ 90%	
		社区配套设施建设	社区教育、医疗、体育、文化、便民服务、公厕等各类设施配套齐全。	
		棚户区、城中村改造	建成区内基本消除棚户区，居民得到妥善安置，实施物业管理；制定城中村改造规划并按规划实施。	
	A2 道路交通	城市综合交通体系规划编制实施情况	编制完成并经法定程序批准后实施。	
		城市道路和停车设施规划编制实施情况	编制完成并经法定程序批准后实施。	
		道路桥梁建设与养护情况	城市人均建设用地 $100m^2$ 以下的人均道路面积 ≥ 11m2，$100m^2$ 以上的人均道路面积 ≥ $13m^2$；档案台帐健全完善；按照技术规范实施养护作业；路面达到“六无”标准；开展城市桥梁安全检测工作。	
		停车设施建设与管理情况	百辆汽车社会公共停车位 ≥ 20 个；有条件的单位小区停车位向社会开放。	百辆汽车社会公共停车位 ≥ 25 个；有条件的单位小区停车位向社会开放。
		公共交通出行分担率 *	≥ 20%	
		步行和自行车交通系统规划建设情况	制订专项规划，并经批准实施，建成较为完善的步行、自行车系统。步行和自行车出行分担率 ≥ 35%。	
	A3 城市供水	城市供水专项规划编制实施情况	编制完成并经法定程序批准后实施。	
		城市公共供水普及率	≥ 95%	
		供水服务质量	落实“三公开”制度，即公开服务承诺、公开服务电话、公开办事流程；投诉办结率 100%。	
		供水安全与应急保障	未发生重大安全生产事故。	
		供水企业运营考核	年度运营考核等次为优秀。	
		城市供水水质检测能力	供水水质检测项目达到《生活饮用水标准》常规检测项目要求。	
		供水监管信息系统运用情况	填报率 100%，上报数据准确及时。	

	A4 集中供热	城市供热专项规划编制实施情况	编制完成并经法定程序批准后实施。	
		城市集中供热普及率	≥ 85%	≥ 70%
		供热服务质量	落实“三公开”制度，即公开服务承诺、公开服务电话、公开办事流程；投诉办结率 100%。	
		供热安全与应急保障	未发生重大安全事故。	
		供热企业运营考核	年度运营考核等次为优秀。	
		城市供热监管信息系统运用情况	填报率 100%，上报数据准确及时。	
	A5 城市燃气	城市燃气专项规划编制实施情况	编制完成并经法定程序批准后实施。	
		城市燃气普及率	≥ 90%	≥ 80%
		液化气市场监管与规范情况	液化气企业审批程序规范；企业供气许可证、安全制度、应急队伍、物资与设备齐全完备。	
		供气服务质量	落实“三公开”制度，即公开服务承诺、公开服务电话、公开办事流程；投诉办结率 100%。	
		供气安全与应急保障	未发生重大安全生产事故。	
		供气企业运营考核	年度运营考核等次为优秀。	
		供气监管信息系统运用情况	0	
	A6 公共设施	小学布局合理	分布均匀，服务半径不超过 500 米。	
		校园安全	幼儿园、中小学校舍、校园符合安全要求，校园周边治安环境良好，设置完善的警示、限速、禁止鸣笛等交通标志；校园周边无台球、电子游戏机营业点、网吧，无集贸市场、摊点等。	
		人均拥有公共体育设施用地面积（m ）	≥ 0.15	
		万人拥有卫生服务中心（站）数量（个）	≥ 0.3	
		万人拥有医院床位数（个）	≥ 40	
		万人拥有公共图书馆图书数量（册）	≥ 16000	
		人均拥有公益性文化娱乐设施用地面积（m ）	人均拥有文化馆、图书馆、博物馆、青少年宫等设施用地面积（指设施已建成投入使用的用地）≥ 0.8 平方米。	

	A7 城市照明	城市照明专项规划编制实施情况	编制完成并经法定程序批准后实施。
		城市功能照明设施建设养护情况	设有专门机构负责城市照明监管工作；功能、景观照明台帐资料齐全；实行集中分时控制；功能照明装灯率、亮灯率≥ 98%。
		城市景观照明设施建设监管情况	
		城市照明监管信息系统运用情况	填报率 100%，上报数据准确及时。
	A8 城市设标	城市设标的国家标准执行情况	按照国家标准进行设标。
		城市街路牌设标情况	规范设标；设施完好率≥ 95%。

		城市楼门牌设标情况	规范设标；设施完好率≥ 95%。	
B、生态环境	B1 城市生态	城市生态环境保护	市区自然地貌、植被、水系、湿地等生态敏感区域得到有效保护，按照生态学原则进行驳岸和水底处理，河道无大规模硬质护坡和衬砌。	
		环城林带建设管理	结合各地实际，形成完整的环城林带。	
	B2 园林绿化	城市绿地系统专项规划编制实施情况	编制完成并经法定程序批准后实施。	
		人均公园绿地面积	≥ $9m^2$	≥ $8m^2$
		建成区绿地率	≥ 31%	≥ 30%
		城市绿化覆盖率	≥ 36%	≥ 35%
		城市公园绿地服务半径覆盖率	≥ 70%	
		新建、改建城市道路绿化达标率	≥ 80%	
		改建、扩建单位庭院绿地达标率	≥ 90%	
		改建、扩建居住区绿地达标率	≥ 90%	
		城市园林绿化监管信息系统运用情况	填报率 100%，上报数据准确及时。	
	B3 环境质量	城市地表水环境质量	达标率 100%，且市区内无 IV 类以下水体。	
		城市空气质量	API ≤ 100 的天数占全年天数比例≥ 80%（≥ 292 天）	
		城市噪声平均值	≤ 60db	
C、节能减排	C1 城市节水	节水政策制定和实施情况	严格实行节水“三同时”制度；城市居民用水实行阶梯式水价；非居民用水执行超计划用水加价制度。	
		单位 GDP 取水量	≤ 100m　/万元，不得高于全省平均水平。	
		节水型企业（单位）创建情况	覆盖率≥ 20%	
		工业用水重复利用率	≥ 90%	
		公共供水范围内自备井关闭率	100%	
	C2 污水处理	污水处理设施建设情况	污水管网配套；完善回用设施；完成升级改造，实现达标排放；污泥得到有效处置。	
		污水再生利用率	≥ 20%	
		污水处理设施运行负荷率	设施投运后在一年内不低于设计能力的 60%，三年内不低于设计能力的 75%。	
		城市生活污水处理率	≥ 80%，且不低于全省平均水平。	
		污水处理费征收情况	征收标准达到省政府要求，征收率≥ 80%。	
		污水处理设施运营考核	年度运营考核等次为优秀。	
		污水处理监管信息系统运用情况	填报率 100%，上报数据准确及时。	
	C3 垃圾处理	生活垃圾无害化处理设施建设情况	生活垃圾无害化处理设施等级评定II级以上；渗滤液得到有效处置。	

		生活垃圾无害化处理率	≥ 80%，且不低于全省平均水平。
		生活垃圾处理费征收情况	按照国务院规定开征生活垃圾处理费，征收率 ≥ 80%。
		生活垃圾无害化处理设施运营考核	年度运营考核等次为优秀。
		垃圾处理监管信息系统运用情况	填报率 100%，上报数据准确及时。
		建筑垃圾收运、处理监管情况	统一收运、处理，台帐资料齐全，无乱排乱倒现象。
		餐厨垃圾收运、处理监管情况	
	C4 建筑节能	建筑节能专项规划编制实施情况	编制完成并经法定程序批准后实施。
		新建建筑设计施工阶段节能标准执行情况	新建建筑执行节能强制性标准 100%。
		既有建筑节能改造推进情况	确定重点项目，科学制定改造计划和实施方案，完成改造任务 70% 以上。
		可再生能源在建筑中应用情况	制定可再生能源建筑应用实施计划，组织可再生能源建筑应用示范项目，并逐步推广。
		绿色建筑与能效测评标识情况	组织实施节能型建筑及绿色建筑示范工程并推广。
		民用建筑能耗统计制度建设与实施情况	开展民用建筑能耗统计工作。
	C5 供热节能	供热计量改革政策制定	出台计量收费标准与收费办法。
		公共建筑供热计量改造与计量收费情况	大型公共建筑完成计量改造，全部实现供热计量收费。
		居住建筑实行供热计量收费情况	2010 年后新建建筑全部实行供热计量收费。
	C6 照明节能	低能效、高能耗照明器具淘汰率	100%
		城市照明节能监管措施	设有专门机构负责城市照明节能工作；功能、景观照明均建立档案台帐；推广节能灯具和措施，节电能力提升明显。
D、公共安全	D1 城市公共安全	市政公用设施运营状况	未出现大面积停供等影响民生的保障事故。
		城市供水水质达标情况	公共供水水质综合合格率≥ 95%
	D2 城市灾害预防	城市人均避难场所面积（m^2）	≥ 2
		公共消防设施完好率	100%
		城市燃气管网安全评估	制定安全评估计划，并按计划组织评估工作，形成评估报告。根据评估结果，制定整改方案，采取有效措施，尽快排除隐患。
		城市防洪排涝	城市防洪排涝设施达到相应设防标准。城市重点地区、交通枢纽地区、地下公共空间等配备完善的汛期排水设施并有效维护。

	D3 城市应急保障	市政公用行业应急预案制定	城市政府制定各行业应急预案。
		市政公用行业应急队伍建设	应急队伍健全，并定期组织演练。
		市政公用行业应急物资储备	应急物资齐备，并定期检查更新。
E、社会和谐	E1 社会保障	社会保险基金征缴率	≥ 90%
		城市最低生活保障	最低生活保障线高于本省同类城市平均水平，实现应保尽保，正常发放。
	E2 老龄事业	优待老年人政策	制定完善的老年人医疗、交通等优惠政策，并得到有效实施。
		百名老人拥有社会福利床位数（张）	≥ 2
	E3 残疾人事业	残疾人服务和保障体系	建立完善的残疾人服务和保障体系，并得到有效实施。
		无障碍设施建设	主要道路、公园、公共建筑等公共场所设有无障碍设施，管理、使用情况良好。
F、经济发展	F1 收入与消费	城市居民可支配收入（万元）	≥ 1.8
		恩格尔系数	≤ 36%
	F2 就业水平	城市登记失业率	≤ 4.3%
	F3 资金投入	城市市政基础设施建设资金投入比重	城市市政公用设施建设固定资产投资占同期全社会固定资产投资比重≥ 5%。
	F4 经济结构	第三产业增加值占 GDP 比重	≥ 55%
G、城市管理	G1 城市规划	总体规划编制情况	完成总规的编制（修编）任务，并经法定程序批准后实施。
		近期建设区域控制性详细规划编制覆盖率	≥ 95%
		近期建设规划编制情况	编制近期建设规划，并经法定程序批准后实施。
		城市规划年度计划情况	制定城市规划年度计划，并经法定程序批准后实施。
	G2 市容环卫	城市容貌标准实施细则	制定并实施当地的城市容貌标准实施细则。
		城市广告牌匾设置与规范	出台管理办法；大型户外广告设置审批程序规范；广告设置达到“三无”标准。
		城市环境卫生专项规划编制情况	编制完成并经法定程序批准后实施。
		城市道路与公共场所保洁	主次干道保洁时间≥ 16 小时；城市卫生死角得到有效治理。
		环卫设施设置与保养	广场、公园、商业街设置废物箱间距≤ 50 米，主次干路废物箱间距≤ 100 米；环卫设施完好率≥ 95%

		垃圾收集、转运情况	生活垃圾实现全收集，密闭转运。
		环境卫生监管信息系统运用情况	填报率100%，上报数据准确及时。
	G3 公共厕所	城市公共厕所规划建设情况	人口密集街道和商业区道路公厕间距≤500米，居民区公厕间距≤800米。
		城市公共厕所管理和开放情况	有专人负责公厕管理，保证厕所设施完好、功能齐全，厕所内外无乱写乱画、无蚊蝇、无臭味、无尿碱污物、无乱堆物品；所有公厕免费开放。
	G4 城市排水	城市排水专项规划编制实施情况	编制完成并经法定程序批准后实施。
		城市排水监测工作开展情况	建立实施排水许可制度。
		城市排水设施建设与维护情况	按规划进行建设；建成区推行雨污分流排水体制，雨水系统按《室外排水设计规范》（GB50014-2006）规定标准高限建设。
	G5 数字化城市管理	“数字化城市管理”建设与实施情况＊	完成数字化城市管理系统建设；出台管理考核办法；系统运行效果良好。
		“12319”城建监察热线运行情况	及时率、办结率和满意率均达到100%
综合否定项		近2年内发生重大安全、污染、破坏生态环境等事故，造成重大负面影响的城市，实行一票否决。	
重要参考条件		“园林城市”、“环保模范城市”、“卫生城市”、“文明城市”、“节水型城市”、人居环境范例奖将作为重要参考项目予以加分。	

注：1、标注＊记号项目仅考核设区城市，其他县、市该项目的分数并入下一单项考核。
2、所有信息系统填报情况以评价时间前一个月的统计数据为准。

山西省人居环境范例奖评选主题及内容

二〇一一年六月二日

主题1：旧城改造

1、编制旧城改造规划，并整体组织实施；

2、旧城市政基础设施更新改造完毕，旧城承载功能得到明显改善；

3、旧城社会服务设施配套建设到位，公共物品基本满足居民需求；

4、旧城范围内有价值的历史街区和历史建筑得到科学有效地保护；

5、旧城绿化、容貌、环卫和照明有效提升，人居环境得到明显改善。

主题2：城市保障

一、供水保障

1、全面实施新的《生活饮用水卫生标准》（GB 5749-2006）；

2、城市公共供水覆盖率高于全省平均水平，有效保障人民生活和社会生产；

3、城市供水管网定期进行更新改造，有效降低供水管网漏失率；

4、建立水源地水质报告、供水水质督查制度，确保出厂水、管网水水质达标，提高城市供水水质安全保障

5、建立完善并严格实施城市各类用水的水政策，有效促进城市节约和优化用水。

二、供气保障

1、推行区域化、城乡一体化的燃气供应方式，实现网络化的先进管理模式；

2、积极发展天燃气、煤层气等多气种清洁气源，优化用气结构，减少污染排放；

3、规划建设充足的气源储备调峰设施，有效提高城市燃气应急保障能力；

4、定期开展燃气管网安全评估，及时改造老旧燃气管网，排除燃气供应的安全隐患，保障安全供气。

三、供热保障

1、城市集中供热普及率高于全省平均水平，大力发展热电联产集中供热，规划建设调峰热源，提高城市供热应急保障能力；

2、积极推广供热先进技术，提高热源效率，积极探索热、电、冷三联供模式，提高设备利用率；

3、积极推广地源热泵、水源热泵、生物质能及太阳能等可再生能源的新型供热方式；

4、积极推行供热计量改革工作，提高居民行为节能意识，实现社会节能减排、企业降低成本、居民节约热费的共赢目标。

主题3：节能减排

一、污水处理

1、完成污水处理设施建设和改造的任务，完善城市排水系统，实现雨污分流，污水管网覆盖率高于全省平均水平；

2、污水处理设施运营水平较高，设施运行负荷率达到国家规定标准，在全省污水处理设施年度运营考核中为优秀；

3、污水处理再生利用有了明显突破，污泥全部得到稳定无害化处理处置，污水处理厂资源化水平较高；

4、全面开征污水处理费，征收标准达到省政府规定的水平，征收率达到全省先进水平，基本保证运行经费。

二、垃圾处理

1、积极推行城市生活垃圾分类收集和回收利用，实现城市生活垃圾源头的减量化和资源化；

2、重视城市生活垃圾无害化处理过程中的可燃气体、有机肥料和热能等资源性产品的有效回收和合理利用，实现处理过程中的资源化利用；

3、认真落实城市生活垃圾处理的技术政策，科学选择城市生活垃圾处理技术，加大处理设施建设力度，提高城市生活垃圾无害化处理水平；

4、按照国家相关标准和规范的要求，搞好城市生活垃圾处理设施的运行，在全省垃圾无害化处理设施年度运营考核中，达到优秀的水平；

5、开面开征生活垃圾处理费，征收率要达到全省先进水平，确保垃圾处理厂的运行经费。

三、城市节水

1、制定城市节约用水的规划和措施，并认真组织实施；

2、制定科学合理的节水经济政策，按照用途不同实行差别水价，在居民生活用水中，进行一户一表改造，结算到户，实行阶梯水价；企事业单位用水，实行超计划累进加价的政策，提高节水的意识；

3、采取有效措施，在重点行业、重点企业中提高的水重复利用率；加大城镇供水管网改造力度，降低管网漏损率；促进城镇污水处理由达标排放向再生利用转变，提高资源再生利用率；大力推广先进节水技术，普及节水器具，提高用水效率；

4、要按照循环经济“减量化、再利用、资源化”的原则，以创建节水型城市为载体，建立健全节水目标责任制，建立完善城市节约用水管理长效机制。

四、城市照明

1、制定并实施城市照明专项规划，节能篇章内容丰富翔实，技术措施有效得当，对城市照明节能有较强的针对性和导向性；

2、全面淘汰国家规定的低效高耗照明产品，推广城市照明节能新产品、新措施，在城市照明中积极探索能源合同管理模式；

3、设立专门机构负责辖区城市照明的节能监管工作，功能照明要满足城市运行的需要，城市景观要推行绿色照明，城市功能照明和景观照明要实行集中控制、统一管理，设施、能耗台帐完善真实；

4、制定照明节能计划和节能措施，实行城市照明节能责任制，开展照明节能目标制的考核，定期公布城市照明节能目标完成情况。

主题4：生态环境

1、认真编制并实施《城市绿地系统规划》，严格实行城市绿线管制、绿色图章和绿色证书等三项制度，搞好城市园林绿化工作；

2、重视对城市规划区内森林、湿地、生物多样性丰富地区和生态脆弱区等特殊生态系统的保护，开展城

市周边的植树造林改善城市生态环境，在城市功能分区的交界处建设绿化隔离带；

3、城市公园和广场绿地布局合理、分布均匀，绿化面积要符合标准规范的要求，设计施工要营造植物景观，植物群落要丰富多彩，注重乔、灌、花、草有机结合；

4、城市道路绿化要符合《城市道路绿化规划与设计规范》，选择适地适树的行道树种，突出地方特色和文化，逐步形成林荫道路；

5、重视单位庭院和居住小区的绿化，新建和改造的居住小区绿化要达到国家绿化标准和规范的要求，积极推广建筑物、屋顶、墙面等立体绿化；

6、城市绿化建设因地制宜，积极培育、应用乡土树种，加强植物新品种的研究和引种驯化，丰富绿化植物种类。要加强城市古树名木的保护工作。

主题5：环境风貌

1、严格执行道路养护规范，提高道路养护质量，确保城市道路养护达到“六无”标准。即：路幅到位无瓶颈，路面平坦无坑洼，管道通畅无积水，井盖平整无凹陷，路牙顺直无缺损，盲道坡道无障碍；

2、统筹各类地下工程管线布局，配套建设地下公共管沟，架空线路全部入地，避免城市道路反复开挖；

3、道路两边建筑物色彩协调，立面整齐有序、整洁干净，无悬挂物、无私改乱搭现象；

4、道路绿化水平较高，行道树无缺苗断垄现象，绿化带完整协调有序、及时修剪养护；

5、严格按照《城镇环境卫生设施设置标准》（CJJ 27-2005）要求的数量和密度设置环卫设施，制定并实施道路保洁标准，加大保洁力度，消除卫生死角，特别是小街巷和人行便道等贴近人民群众生活的场所，生活垃圾要日产日清，实行密闭化运输，城市公厕免费对外开放，并要做好日常维护；

6、合理设置临时便民服务点，规范摊位摆设和车辆停放，城市道路秩序良好；

7、制定并实施当地的城市容貌标准、户外广告管理办法，广告设置达到“三无”标准，即：无违规设置和破损的户外广告，无店招牌匾私搭乱建，无“牛皮藓”小广告乱贴乱画；

8、加强城市夜景照明管理，实行政府统一规划，业主负责设置，集中控制运行，塑造景观风貌，突出地方特色。

山西省宜居城市考核指标体系说明

以下说明详细介绍了指标的基本含义和计算方法等，各申报单位在填报时，需详细注明各指标的计算过程和参考数据，并附相关支撑材料。

A、居住环境

A1 住房与社区

住房保障率

指标解释：指累计实施住房保障户数占累计已申请登记户数的百分比。住房保障包括货币保障和住房实物保障。住房实物保障包括廉租住房、经济适用住房、公共租赁住房、限价商品住房。

指标计算方法：住房保障率＝已保障户数（户）/已申请登记应保障户数（户）×100%

数据来源：城市建设（住房保障）部门

保障性住房建设计划完成率

指标解释：指市区实际新开工保障性住房的套数占计划新开工保障性住房套数的百分比。保障性住房包括廉租住房、经济适用住房、限价房、公共租赁住房。

指标计算方法：保障性住房建设计划完成率＝当年实际新开工保障性住房套数（套）/当年计划新开工各类保障性住房套数（套）×100%

数据来源：城市建设（住房保障）部门

A2 城市交通

城市综合交通体系规划编制实施情况

指标解释：按照住房城乡建设部《城市综合交通体系规划编制办法》、《城市综合交通体系规划编制导则》的有关要求，结合本地实际编制规划，并经法定程序审批备案后开始实施。

注：需提供规划审批文件

数据来源：城市建设部门

城市道路和停车设施规划编制实施情况

指标解释：按照住房和城乡建设部、公安部、发展和改革委员会《关于城市停车设施规划建设及管理的指导意见》的有关要求，结合本地实际编制规划，并经法定程序审批备案后开始实施。

注：需提供规划审批文件

数据来源：城市建设部门

道路桥梁建设与养护情况

指标解释：城市人均建设用地100m2以下的人均道路面积≥11m2，100m2以上的人均道路面积≥13m2；档案台帐做到一路一档、一桥一档；按照技术规范实施养护作业；路面达到“六无”标准，即：路幅到位无瓶颈，路面平坦无坑洼，管道通畅无积水，井盖平整无凹陷，路牙顺直无缺损，盲道坡道无障碍；聘请有资质的单位对桥梁定期进行安全检测。

数据来源：城市建设部门

停车设施建设与管理情况

指标解释：设市城市和县城按照两套标准进行考核。百辆汽车社会公共停车位分别不低于20个和25个；有条件的单位小区停车位向社会开放。

指标计算：百辆汽车社会公共停车位（个/百辆）=公共建筑配建停车场、社会停车场和占路停车场的车辆标准泊位数（个）/市区百辆注册汽车（百辆）

数据来源：城市建设部门

公共交通出行分担率　*

指标解释：指使用公共交通出行的总人次占城市出行总人次的百分比。本指标仅考核设区城市，其他县、市该指标的分值合并入“步行和自行车交通系统规划建设情况”进行考核。

指标计算方法：公共交通出行分担率=公共交通出行总人次（万人）/城市出行总人次（万人）×100%

数据来源：城市交通部门、城市交管部门、城市建设部门

步行和自行车交通系统规划建设情况

指标解释：指编制完成城市步行、自行车交通系统规划，并获相应主管部门批准，严格实施，取得良好效果。步行和自行车出行分担率≥35%

注：需提供规划审批文件

指标计算方法：步行和自行车出行分担率=步行和自行车出行总人次（万人）/城市出行总人次（万人）×100%

数据来源：城市建设部门

A3 城市供水

城市供水专项规划编制实施情况

指标解释：按照省政府办公厅《关于加快完善市政公用设施专项规划促进市政公用行业健康发展的通知》、省住房城乡建设厅《山西省城市给水工程专项规划编制纲要（试行）》的有关要求，结合本地实际编制规划，并经法定程序审批备案后开始实施。

注：需提供规划审批文件

数据来源：城市建设部门

城市公共供水普及率

指标解释：指城市建成区公共用水人口占建成区人口的百分比。公共用水人口指使用城市供水管网供水的用户。设市城市和县城的城市公共供水普及率均要达到95%以上。

指标计算方法：城市公共供水普及率=建成区公共用水人口（万人）/建成区人口（万人）×100%

数据来源：城市建设部门

城市供水水质检测能力

指标解释：指供水水质检测项目达到常规43项要求。

数据来源：城市建设部门

A4 城市供热

城市供热专项规划编制实施情况

指标解释：按照省政府办公厅《关于加快完善市政公用设施专项规划促进市政公用行业健康发展的通知》、省住房城乡建设厅《山西省城市集中供热专项规划编制纲要（试行）》的有关要求，结合本地实际编制规划，并经法定程序审批备案后开始实施。

注：需提供规划审批文件

数据来源：城市建设部门

城市集中供热普及率

指标解释：指城市集中供热面积占建成区面积的百分比。设市城市和县城分别要达到82%和50%以上，且不低于全省平均水平。

指标计算方法：城市集中供热普及率=城市集中供热面积（平方公里）/建成区面积（平方公里）×100%

数据来源：城市建设部门

A5 城市燃气

城市燃气专项规划编制实施情况

指标解释：按照省政府办公厅《关于加快完善市政公用设施专项规划促进市政公用行业健康发展的通知》、省住房城乡建设厅《山西省城市燃气专项规划编制纲要（试行）》的有关要求，结合本地实际编制规划，并经法定程序审批备案后开始实施。

注：需提供规划审批文件

数据来源：城市建设部门

城市燃气普及率

指标解释：指城市建成区使用煤气、液化气、天然气等用气人口占建成区人口的百分比。设市城市和县城要分别达到88%和58%以上，且不低于全省平均水平。

指标计算方法：城市燃气普及率=建成区用气人口（万人）/建成区人口（万人）×100%

数据来源：城市建设部门

A6 公共设施

人均拥有公共体育设施用地面积

指标解释：指市区每人所拥有的公共体育设施用地面积。公共体育设施用地指城市规划中确定的体育用地，并已建成投入使用。

指标计算方法：人均拥有公共体育设施用地面积=公共体育设施用地（平方米）/市区人口（人）

数据来源：体育部门、城市建设部门

万人拥有卫生服务中心（站）数量

指标解释：指市区中每万人拥有卫生服务机构的数量。

指标计算方法：万人拥有卫生服务中心（站）数量=市区卫生服务中心（站）数量（个）/市区人口（万人）

数据来源：卫生部门

万人拥有医院床位数

指标解释：指市区每万人拥有的医院床位数，其中医院床位数指各级各类医院的固定实有床位。

指标计算方法：万人拥有医院床位数=市区各类医院床位总数（张）/市区人口（万人）

数据来源：卫生部门

万人拥有公共图书馆图书数量

指标解释：指市区每万人拥有的公共图书馆藏书量，其中公共图书馆图书总藏量指图书馆已编目的古籍、图书、期刊和报纸的合订本、小册子、手稿以及缩微制品、录像带、录音带、光盘等视听文献资料数量总和。

指标计算方法：万人拥有公共图书馆图书数量=公共图书馆藏书数量（册）/市区人口（万人）

数据来源：文化部门

人均拥有公益性文化设施用地面积

指标解释：指市区每人拥有的公益性文化设施面积。公益性文化设施指按照要求城市必须设置的图书馆、展览馆、博物馆、文化馆等设施。文化设施必须已建成投入使用，并按照相关要求对公众开放。

指标计算方法：人均拥有公益性文化设施用地面积=公益性文化设施用地面积（平方米）/ 市区人口（人）

数据来源：城市建设部门

A7 城市照明

城市照明专项规划编制实施情况

指标解释：按照省政府办公厅《关于加快完善市政公用设施专项规划促进市政公用行业健康发展的通知》、省住房城乡建设厅《山西省城市照明专项规划编制纲要（试行）》的有关要求，结合本地实际编制规划，并经法定程序审批备案后开始实施。

注：需提供规划审批文件

数据来源：城市建设部门

B、生态环境

B2 园林绿化

城市绿地系统专项规划编制实施情况

指标解释：按照省政府办公厅《关于加快完善市政公用设施专项规划促进市政公用行业健康发展的通知》、省住房城乡建设厅《山西省城市绿地系统专项规划编制纲要》的有关要求，结合本地实际编制规划，并经法定程序审批备案后开始实施。

注：需提供规划审批文件

数据来源：城市建设（园林绿化）部门

人均公园绿地面积

指标解释：指城市建成区各类公园绿地的总面积与建成区总人口的比例。公园绿地包括城市综合公园、社区公园、专类公园、带状公园、街旁绿地。设市城市和县城分别要达到9m2和8m2以上，且不低于全省平均水平。

指标计算方法：城市人均公园绿地面积=建成区公园绿地面积（平方米）/建成区总人口（人）

数据来源：城市建设（园林绿化）部门

建成区绿地率

指标解释：指建成区内各类绿化用地总面积占建成区总面积的比率。城市绿化用地包括公园绿地、生产绿地、防护绿地和附属绿地。设市城市和县城分别要达到31%和30%以上，且不低于全省平均水平。

指标计算方法：建成区绿地率=建成区绿地面积（万平方米）/建成区总面积（万平方米）×100%

数据来源：城市建设（园林绿化）部门

城市绿化覆盖率

指标解释：指城市建成区的绿化覆盖面积占建成区面积的百分比。绿化覆盖面积是指城市中乔木、灌木、草坪等所有植被的垂直投影面积，乔木树冠下重叠的灌木和草本植物不能重复计算。设市城市和县城分别要达到36%和32%以上，且不低于全省平均水平。

指标计算方法：建成区绿化覆盖率=建成区绿化覆盖面积（万平方米）/建成区总面积（万平方米）×100%

数据来源：城市建设（园林绿化）部门

城市公园绿地服务半径覆盖率

指标解释：指面积在5000平方米以上的公园绿地，按照500米的服务半径计算覆盖居住用地的百分比。

指标计算方法：

公园绿地服务半径覆盖率=公园绿地服务半径覆盖的居住用地面积/居住用地总面积×100%

数据来源：城市建设（园林绿化）部门

6. 新建、改建城市道路绿化达标率

指标解释：指新建改建道路项目中按照《城市道路绿化规划与设计规范》（CJJ75-97）进行规划、设计、建设并验收合格的道路所占百分比。

指标计算方法：城市道路绿化达标率=新建改建项目中达标的道路数（条）/新建改建道路总数（条）×100%

数据来源：城市建设（园林绿化）部门

7. 新建、改建单位庭院绿地达标率

指标解释：指新建改建的单位庭院项目中达到《城市绿化规划建设指标的规定》的项目总数的百分比。

指标计算方法：单位庭院绿地达标率 = 新建改建项目中达标的单位庭院数（个）/ 新建改建单位庭院总数（个）×100%

数据来源：城市建设（园林绿化）部门

8. 新建、改建居住区绿地达标率

指标解释：指新建改建居住区项目中达到《城市居住区规划设计规范》（GB 50180-93）中规定绿化标准的项目所占百分比。

指标计算方法：居住区绿地达标率 = 新建改建项目中达标的居住区数（个）/ 新建改建居住区总数（个）×100%

数据来源：城市建设（园林绿化）部门

B3 环境质量

城市空气质量*

指标解释：指空气污染指数（API）≤ 100 的天数占全年天数的比例。空气污染指数（API）为城市建成区内认证监测点位每日环境空气污染指数。

指标计算方法：

空气污染指数（API）≤ 100 的天数所占全年天数的比例 =API ≤ 100 的天数 / 全年天数 ×100%

数据来源：城市环境保护部门

城市地表水环境质量

指标解释：指城市地表水按照不同功能类别分别符合《地表水环境质量标准》（GB3838-2002）中规定的相应类别的标准，达标率为 100%。

指标计算方法：参照环保部门相关的计算方法

数据来源：城市环境保护部门

城市区域噪声平均值

指标解释：指城市建成区内经认证的环境噪声网格监测的等效声级算术平均值。

指标计算方法：

区域噪声平均值＝认证点位监测值之和 / 认证点位总数 ×100%

数据来源：城市环境保护部门

C 节能减排

C1 城市节水

单位 GDP 取水量

指标解释：指市区年取水量与市区地方生产总值（GDP）的比值。

指标计算方法：单位地方生产总值（GDP）取水量 = 市区年取水量（立方米）/ 年市区地方生产总值（万元）

数据来源：城市建设部门、发展改革部门

节水型企业（单位）创建情况

指标解释：指市区节水型企业（单位）年用水量与市区用水总量的比值。

指标计算方法：节水型企业（单位）覆盖率 = 市区节水型企业（单位）年用水量 / 年市区用水总量

数据来源：城市建设部门

工业用水重复利用率

指标解释：指在一定的计量时间（年）内，生产过程中使用的重复利用水量与总用水量的比值。

指标计算方法：工业用水重复利用率 = 工业重复用水量（立方米）/ 工业用水总量（立方米）×100%

数据来源：城市经信部门、城市环境保护部门、城市建设部门

C2 污水处理

污水再生利用率

指标解释：指城市污水再生利用量与污水排放量的比率。

指标计算方法：污水再生利用率 = 污水再生利用量 / 污水排放量 ×100%

数据来源：城市建设部门

污水处理设施运行负荷率

指标解释：指城市污水处理设施实际处理水量与设计处理规模的比率。达到《建设部关于加强城镇污水处理厂运行监管的意见》（建城〔2004〕153 号）的规定：设施投运后在一年内不低于设计能力的 60%，三年内不低于设计能力的 75%。

指标计算方法：污水处理设施运行负荷 = 城市污水处理设施实际处理水量 / 设计处理规模 ×100%

数据来源：城市建设部门

城市生活污水处理率

指标解释：城市生活污水集中处理率指城市市区经过城市污水处理厂二级或二级以上处理且达到排放标准的生活污水量占城市生活污水排放总量的百分比。

指标计算方法：城市生活污水集中处理率 = 城市污水处理厂处理生活污水量（万吨）/ 城市生活污水排放总量（万吨）×100%

数据来源：城市建设部门

污水处理费征收情况

指标解释：污水处理费征收标准达到省政府要求。污水处理费征收率指实际征收费用占应收污水处理费（根据自来水、自备井用水量核定的费用，区别于当地财政下达的征收任务）的比率，以评价时间前一年征收情况为准。

指标计算方法：污水处理费征收率 = 实际征收费用

（万元）/ 自来水、自备井用水用户实际应征收费用（万元）×100%

数据来源：城市建设部门、城市财政部门、城市物价部门

C3 垃圾处理

生活垃圾无害化处理设施建设情况

指标解释：生活垃圾无害化处理设施通过国家或省无害化处理等级评定，达到Ⅱ级以上；渗滤液采取科学有效措施进行处理，未能造成二次污染。

数据来源：城市建设（市容环卫）部门

生活垃圾无害化处理率

指标解释：生活垃圾无害化处理率指无害化处理的城市市区生活垃圾数量占市区生活垃圾产生总量的百分比。

指标计算方法：城市生活垃圾无害化处理率 = 生活垃圾无害化处理量（万吨）/ 生活垃圾产生总量（万吨）×100%

数据来源：城市建设（市容环卫）部门

生活垃圾处理费征收情况

指标解释：开征生活垃圾处理费，废除卫生费等收费项目。生活垃圾处理费征收率指实际征收费用占应收生活垃圾处理费（根据单位、企业、居民产生垃圾量与收费标准进行核算，区别于当地财政下达的征收任务）的比率，以评价时间前一年征收情况为准。

指标计算方法：生活垃圾处理费征收率 = 实际征收费用（万元）/ 应征收费用（万元）×100%

数据来源：城市建设（市容环卫）部门、城市财政部门、城市物价部门

C6 照明节能

1. 低能效、高能耗照明器具淘汰率

指标解释：按照住房城乡建设部、国家发展和改革委《关于切实加强城市照明节能管理严格控制景观照明的通知》，全部淘汰白炽灯、高压汞灯、能效指标未达到国家标准的高压钠灯、金属卤化物灯等光源产品和镇流器产品。严禁在景观照明中使用强力探照灯、大功率泛光灯、大面积霓虹灯等高亮度、高能耗灯具。

数据来源：城市建设部门

D、公共安全

D1 城市公共安全

城市供水水质达标情况

指标解释：依据《生活饮用水卫生标准》（GB5479-2006）检测供水水质，水质综合合格率≥ 95%。

数据来源：城市建设部门、城市卫生防疫部门

D2 城市灾害预防

城市人均避难场所面积

指标解释：指建成区应急避难场所面积与建成区人口之比。

指标计算方法：建成区应急避难场所面积 = 建成区应急避难场所面积（平方米）/ 建成区人口（人）

数据来源：城市建设、地震等部门

公共消防设施完好率

指标解释：指市区消防站、消防道路、消防水源、消防通信、消防车辆等设施装备结构和功能齐备，达到相应的城市设施建设标准。

指标计算方法：参照公安消防部门计算方法

数据来源：城市公安消防部门

E、社会和谐

E1 社会保障

社会保险基金征缴率

指标解释：指参加基本养老保险、失业保险和医疗保险三项保险覆盖总人数占应参保职工人数的比率。

指标计算方法：社会保险基金征缴率＝参加全部三项保险的职工人数（万人）/ 应参保职工人数（万人）×100%

数据来源：劳动和社会保障部门

城市最低生活保障

指标解释：指以保障城市居民基本生活为目的，科学、合理地确定最低生活保障标准，对其家庭成员的人均收入低于最低生活保障标准的给予差额补助。实现应保尽保，正常发放。

注：指标说明应注明当年本省同类城市最低生活保障平均值。

数据来源：劳动和社会保障部门

E2 老龄事业

百名老人拥有社会福利床位数

指标解释：指市区每百名 60 岁以上的高龄人口拥有社会福利机构提供的床位数。其中市区社会福利机构包括市区内农村敬老院。

指标计算方法：百名老人拥有社会福利床位数 = 市区社会福利机构养老床位数量（张）/ 市区 60 岁以上人口数（百人）

数据来源：民政部门

F、经济发展

F1 收入与消费

城市居民人均可支配收入

指标解释：指城市居民家庭人均可用于最终消费支出和其它非义务性支出以及储蓄的总和，即居民家庭可以用来自由支配的收入。

指标计算方法：参照城市统计年鉴“城镇居民人均可支配收入”。

数据来源：统计部门

恩格尔系数

指标解释：指城市居民食品支出总额占个人消费支出总额的百分比。

指标计算方法：恩格尔系数=居民食品支出总额(元)/居民消费支出总额（元）×100%。

数据来源：统计部门

F2 就业水平

城镇登记失业率

指标解释：指城镇登记失业人数占城镇从业人数和城镇登记失业人数总和的百分比。

指标计算方法：城镇登记失业率=城镇登记失业人数/（城镇从业人数+城镇登记失业人数）×100%

数据来源：劳动和社会保障部门

F3 资金投入

城市市政公用设施建设资金投入比重

指标解释：指城市建成区市政公用设施建设固定资产投资占同期全社会固定资产投资的比重。

指标计算方法：城市市政公用设施建设资金投入比重=市政公用设施建设投资完成额（万元）/全社会固定资产投资完成额（万元）×100%

数据来源：城市建设部门

F4 经济结构

第三产业增加值占GDP比重

指标解释：指商业、金融、保险、旅游、信息、法律和会计审计咨询、居民服务等第三产业的增加值在国内生产总值中所占的比重。

指标计算方法：第三产业增加值占GDP比重=第三产业增加值（万元）/国内生产总值（万元）×100%

数据来源：统计部门

G、城市管理

G2 市容环卫

城市容貌标准实施细则

指标解释：根据《城市容貌标准》（GB50449-2008）的有关要求，结合当地实际，制定实施城市容貌标准实施细则。

数据来源：城市建设（市容环卫）部门

城市广告牌匾设置与规范

指标解释：根据国家和省的有关规定，结合当地实际，制定实施城市广告牌匾管理办法；大型户外广告的设置要严格按照规定进行审批，广告设置达到“三无”标准：无违规设置和破损的户外广告，无店招牌匾私搭乱建，无“牛皮藓”小广告乱贴乱画。

数据来源：城市建设（市容环卫）部门

城市环境卫生专项规划编制情况

指标解释：按照省政府办公厅《关于加快完善市政公用设施专项规划促进市政公用行业健康发展的通知》、省住房城乡建设厅《山西省城市环境卫生专项规划编制纲要（试行）》的有关要求，结合本地实际编制规划，并经法定程序审批备案后开始实施。

注：需提供规划审批文件

数据来源：城市建设（市容环卫）部门

G3 城市公厕

城市公共厕所规划建设情况

指标解释：城市公共厕所应按照《城市公共厕所设计标准》（CJJ 14-2005）三类以上标准进行建设，设置密度应按照《城镇环境卫生设施设置标准》（CJJ 27-2005）的要求进行设置。

数据来源：城市建设（市容环卫）部门

G4 城市排水

城市排水专项规划编制实施情况

指标解释：按照省政府办公厅《关于加快完善市政公用设施专项规划促进市政公用行业健康发展的通知》、省住房城乡建设厅《山西省城市排水工程专项规划编制纲要（试行）》的有关要求，结合本地实际编制规划，并经法定程序审批备案后开始实施。

注：需提供规划审批文件

数据来源：城市建设部门

G5 数字化城市管理

“数字化城市管理”建设与实施情况 *

指标解释：本指标仅考核设区城市，其他县、市该指标的分值合并入“12319”城建监察热线运行情况进行考核。

数据来源：城市建设部门

山西省住房和城乡建设厅关于印发《〈商品住宅性能认定管理办法〉（试行）实施细则》的通知

晋建房字〔2011〕65号

各市住房和城乡建设局（建委）、房管局、规划局：

为提高商品住宅品质，推进住宅产业现代化，维护消费者的利益，我厅制定了《〈商品住宅性能认定管理办法〉（试行）实施细则》，现印发你们，请遵照执行。

山西省住房和城乡建设厅

二〇一一年三月十七日

《商品住宅性能认定管理办法（试行）》实施细则

第一章 总 则

第一条 为提高住宅品质，推进住宅产业现代化，维护消费者的利益，根据住房和城乡建设部《商品住宅性能认定管理办法（试行）》，结合我省实际，制定本实施细则。

第二条 本省行政区域新建商品住宅性能认定，适用本实施细则。

凡列入国家、省级住宅试点（示范）工程的新建住宅小区商品住宅应申请认定。其他商品住宅可申请认定。

第三条 商品住宅性能认定应当遵循科学、公正、公平和公开的原则，严格按照《住宅性能评定技术标准》(GB / T 50362—2005) 规定的标准进行认定。

第四条 商品住宅性能划分为A、B两个级别。A级住宅按照评审得分由低到高又细分为“1A(A)”、“2A(AA)”、“3A(AAA)”三个等级。

第五条 省住房和城乡建设行政主管部门负责指导和监督管理全省商品住宅性能认定工作。设区市、县（市、区）住房和城乡建设（房地产）行政主管部门负责监督管理本行政区域内商品住宅性能认定工作。

第二章 评审与认定

第六条 商品住宅性能认定实行委员会认定制度。

省住房和城乡建设行政主管部门负责组建省商品住宅性能认定委员会和评审委员会，设区市住房和城乡建设（房地产）行政主管部门负责组建本市商品住宅性能认定委员会和评审委员会。

商品住宅性能认定工作由认定委员会组织实施，由认定委员会委托评审委员会进行评审。

第七条 省商品住宅性能认定委员会的主要职责：

（一）负责指导和管理全省商品住宅性能认定工作；

（二）负责组织和管理省商品住宅性能评审委员会；

（三）负责1A、2A级商品住宅性能认定以及3A级商品住宅性能认定的初审；

（四）负责国家康居示范工程住宅性能认定的初审；

（五）负责省级试点（示范）工程住宅性能认定；

（六）对全省商品住宅性能认定管理工作实行监督、检查。

第八条 设区市商品住宅性能认定委员会在省商品住宅性能认定委员会指导下开展工作，其职责：

（一）负责组织和管理本市商品住宅性能认定工作；

（二）负责组织和管理本市商品住宅性能评审委员会；

（三）负责 1A、2A 级商品住宅性能认定的初审；

（四）负责 B 级商品住宅性能认定。

第九条 省、设区市商品住宅性能认定委员会应由相关部门负责人和相关专业具有高级职称的专家组成。

各设区市的商品住宅性能认定委员会应报省商品住宅性能认定委员会备案。

第十条 省、设区市商品住宅性能认定委员会负责组建商品住宅性能评审专家库，从专家库中随机抽取专家组成商品住宅性能评审委员会。

评审专家抽取应当遵循回避原则。

第十一条 商品住宅性能评审专家应当具有相关专业高级职称，并通过商品住宅性能认定专项培训。

商品住宅性能评审专家应当对自己提出的评审结果负责。

第三章 认定的主要内容

第十二条 商品住宅性能认定主要包括以下内容：住宅的适用性能、安全性能、耐久性能、环境性能和经济性能。

第十三条 商品住宅的适用性能评审主要包括下列内容：

（一）平面与空间布置；

（二）设备、设施的配置与性能；

（三）住宅的可改造性；

（四）保温隔热与建筑节能；

（五）隔音与隔振；

（六）采光与照明；

（七）通风换气。

第十四条 商品住宅的安全性能评审主要包括下列内容：

（一）建筑结构安全；

（二）建筑防火安全；

（三）燃气、电气设施安全；

（四）日常安全与防范措施；

（五）室内空气和供水有毒有害物质的危害性。

第十五条 商品住宅的耐久性能评审主要包括下列内容：

（一）结构耐久性；

（二）防水性能；

（三）设备、设施防腐性能；

（四）设备耐久性。

第十六条 商品住宅的环境性能评审主要包括下列内容：

（一）用地的合理性；

（二）室外环境；

（三）水资源的合理利用；

（四）生活垃圾的收集和运送。

第十七条 商品住宅的经济性能评审主要包括下列内容：

（一）住宅的性能成本比；

（二）住宅日常运行耗能指数。

第四章 评审与认定程序

第十八条 商品住宅性能认定工作程序分为申请、评审（初步审查、中期审查、终审）、审批和公布四个阶段。

商品住宅性能认定项目的初步审查在初步设计完成后进行，中期审查在主体结构施工阶段进行，终审在项目竣工后进行。

第十九条 申请商品住宅性能认定，由房地产开发企业向项目所在地市级商品住宅性能认定委员会提出申请。

第二十条 申请商品住宅性能认定的房地产开发企业和项目应当具备下列条件：

（一）企业具有住房和城乡建设行政主管部门颁发的有效资质证书；

（二）申请项目的开发建设符合国家法律、法规和技术、经济政策的规定；

（三）终审前，要按照住宅性能评定技术标准规定的住宅性能检测项目，委托由具有资格的住宅性能检测机构进行的现场测试或检验；

（四）终审前，申请项目工程质量应经验收合格。

第二十一条 房地产开发企业申请商品住宅性能认定初步审查时应当提交以下资料：

（一） 商品住宅性能认定申请表；

（二） 企业营业执照、资质证书、项目批准文件、规划条件、土地批准文件等相关手续；

（三） 项目说明、规划、设计、新技术应用、节能、经济指标等初步设计技术资料；

第二十二条 房地产开发企业申请商品住宅性能认

定中期审查时应当提交以下资料：

（一） 项目施工组织情况；

（二） 原材料、半成品和成品、设备合格证书及检验报告；

（三） 试件等试验检测报告；

（四） 隐蔽工程验收记录和分部分项工程质量检查记录等施工技术资料；

第二十三条 房地产开发企业申请商品住宅性能认定终审时应当提交以下资料：

（一） 政府部门颁发的该项目计划批文和土地、规划、消防、节能、施工图审查等文件；

（二） 住宅竣工图及全套技术文件；

（三） 经济效益分析；

（四） 商品住宅性能检测项目检测结果单；

（五） 竣工报告和工程验收单；

第二十四条 市级商品住宅性能认定委员会接到申请后，对企业和项目进行审核。对申请1A级及以上级别的项目，签注初审通过意见上报省商品住宅性能认定委员会。

第二十五条 商品住宅性能认定项目通过资料审查的，省、市商品住宅性能认定委员会委托商品住宅性能评审委员会进行评审。

第二十六条 商品住宅性能评审采取听取汇报、提问质疑、现场检查、审阅资料、集体审议、打分评审的方式进行。

第二十七条 商品住宅性能认定评审应当将评审指标分解到规划、设计、施工、监理、物业管理等多环节，并落实相应的技术措施。

第二十八条 省、市商品住宅性能认定委员会根据评审委员会意见出具认定结果并进行公示。

第二十九条 公示7日内无异议的，由省、市商品住宅性能认定委员会分别报同级住房和城乡建设（房地产）行政主管部门予以公布。

B级商品住宅性能认定结果应当在公布后10日内由市商品住宅性能认定委员会报省商品住宅性能认定委员会备案。

第三十条 对1A级及以上的项目，由省商品住宅性能认定委员会颁发国家统一制作的认定证书、认定标志。

第三十一条 申请者对各级商品住宅性能认定委员会的认定结果有异议的，可以向上一级商品住宅性能认定委员会提出申诉。认定结果确有错误的，上一级商品住宅性能认定委员会应当责令出具认定结果的商品住宅性能认定委员会予以纠正。

第三十二条 商品住宅性能认定原则上以单栋住宅楼为对象，也可以住宅小区为对象进行评定。环境性能以住宅小区为对象进行综合评定。

第三十三条 申报商品住宅性能认定的预售商品住宅，在向用户承诺性能等级时，应通过性能认定初审和中期检查，并确保住宅建成后达到预定的性能等级。

第三十四条 商品住宅性能认定结果有效期限为5年，期满后认定标志自动作废，不得继续悬挂。

第五章 政策支持

第三十五条 对获得A级以上商品住宅的房地产开发企业，县级以上住房和城乡建设（房地产）行政主管部门在企业核定、晋升资质等级，业绩动态考核，企业信用评定等方面予以支持。

第三十六条 商品住宅交易合同、质量保证书中应当包含性能认定内容，县级以上住房和城乡建设(房地产）行政主管部门应当将商品住宅性能认定列为合同备案审查内容。

第六章 罚则

第三十七条 房地产开发企业以不正当手段取得商品住宅性能认定结果的，一经查出，撤销其认定结果并予以公布，相关企业三年内不得申请1A及以上级别商品住宅性能认定。

第三十八条 房地产开发企业没有取得商品住宅性能认定评审结果，作虚假宣传的，相关企业两年内不得申请1A及以上级别商品住宅性能认定。

第三十九条 伪造、盗用、买卖和转让商品住宅性能等级证书或标志的，依照有关法律法规予以处罚，相关企业三年内不得申请1A及以上级别商品住宅性能认定。

第四十条 检测机构及其工作人员未按有关标准和规定出具检测报告的，予以通报并承担相应责任。情节严重的，依照有关法律法规予以处罚。

第四十一条 商品住宅性能评审委员会专家未按规定履行职责，造成不良后果的，予以通报；情节严重的，清出专家库，并向有关部门通报。

第四十二条 商品住宅性能认定委员会成员未按规定履行职责，造成不良影响的，予以通报；情节严重的，清出商品住宅性能认定委员会，并向有关部门通报。

第七章 附则

第四十三条 本实施细则所称的商品住宅性能认定，是根据国家统一标准和统一程序，经评审委员会进行技术审查和认定委员会确认，并获得认定证书和认定标志以证明商品住宅的性能等级。

第四十四条 A级住宅指执行了国家现行标准且性能好的住宅；B级住宅指执行了国家现行强制性标准但性能达不到A级的住宅。

第四十五条 本实施细则自二〇一一年五月一日起施行。

山西省住房和城乡建设厅关于做好《国有土地上房屋征收与补偿条例》学习宣传和贯彻实施工作的通知

晋建村字〔2011〕74号

各市住房和城乡建设局(建委)、房地局，阳泉市规划局：

《国有土地上房屋征收与补偿条例》（国务院第590号令），（以下简称新《条例》）已于2011年1月21日颁布实施，《城市房屋拆迁条例》（国务院第305号令，以下简称旧《条例》）同时废止。为确保新《条例》的顺利实施，同时做好新旧《条例》过度期间的城市房屋拆迁和国有土地上房屋征收补偿工作，现就有关事宜通知如下：

一、认真学习宣传新《条例》

各市要认真组织学习新《条例》，领会其精神实质与内涵，要充分运用网络、报刊等媒介资源，采取社区宣传板报、媒体知识问答、专家政策解读等形式广泛开展宣传活动，让群众了解国有土地上房屋征收与补偿政策。

二、加强政策过渡期间的监管

新《条例》颁布实施之日起，不再核发拆迁许可证，不再新批拆迁企业资源。原拆迁资格只适用于新《条例》实施前已核发拆迁许可证的项目。新《条例》实施后，从事房屋征收的实施单位不得以营利为目的。在新《条例》颁布实施前，已核发拆迁许可证的拆迁项目，要严格按照新《条例》关于“本条例施行前已依法取得房屋拆迁许可证的项目，继续沿用原有的规定办理，但政府不得责成有关部门强制拆迁”的规定完成后续工作。要认真组织开展拆迁积案集中排查工作，集中调处拆迁遗留问题。

三、规定房屋征收与补偿行为

各市要按照决策民生、程序正当、结果公正的原则，组织实施好国有土地上的房屋征收与补偿工作，依法、按程序规范征收补偿行为。

一是要公平补偿。统筹兼顾公共利益和被征收人的利益，既要确保公共利益得以实现，又要保障被征收房屋所有权人的合法权益不受侵害，确保房屋被征收的群众居住条件有所改善，原有生活水平不降低。

二是要民主决策。房屋征收与补偿工作中，所有因公共利益需要的建设活动，都应当符合国民经济和社会发展规划、土地利用总体规划、城乡规划和专项规划。征收补偿方案要组织有关部门有关部门进行论证，并征求公众意见。因旧城区改建需要征收房屋，多数被征收人认为征收补偿方案不符合条例规定的，政府应当组织由被征收人和公众代表参加的听证会，并根据听证会情况修改方案等。

三是要严格程序。按新《条例》的要求，严格遵循法定程序，执行5公布2公告制度。即：公布征收补偿方案、征收补偿方案征求意见情况和根据公众意见修改情况、房屋的权属等调查结果，公告房屋征收决定和补偿决定。

四、理顺征收与补偿管理体制

各市要按照新《条例》的要求，尽快理顺国有土地上房屋征收与补偿管理体制，明确实施主体、组织实施部门和受委托实施单位各自的职责分工。

一是实施主体。市、县人民政府是征收补偿的主体。禁止建设单位参与搬迁活动，任何单位和个人都不得采取暴力、威胁或者中断供水、供热、供气、供电和道路通行等非法方式迫使被征收人搬迁。

二是组织实施。房屋征收与补偿工作由市、县人民政府确定的房屋征收部门组织实施。各市要尽快明确房屋征收部门，组织实施好本行政区域内的房屋征收与补偿工作，并对委托房屋实施的房屋征收与补偿行为进行监督。

三是委托实施。房屋征收部门可以委托房屋征收实施单位，承担房屋征收与补偿的具体工作。以营利为目的的拆迁公司不能作为房屋征收实施单位承担房屋征收与补偿的具体工作。

山西省住房和城乡建设厅
二〇一一年三月二十五日

山西省住房和城乡建设厅 山西省发展和改革委员会 山西省财政厅 关于做好2011年农村危房改造工作的通知

晋建村字〔2011〕150号

各市住房城乡建设局(建委)、发展改革委(局)、财政局:

省政府决定，“十二五”期间，全面解决农村房屋整体存在危险的22.33万户困难家庭住房问题。根据4月20日省政府召开的全省保障性住房建设工作会议精神，结合住房城乡建设部、国家发展改革委、财政部《关于下达第一批农村危房改造试点补助资金的通知》（财社〔2011〕23号）和《山西省人民政府关于解决农村困难群众住房问题的意见》（晋政发〔2008〕25号，以下简称《意见》），现就做好我省2011年农村危房改造工作的有关事项通知如下：

一、农村危房改造的实施范围和任务

2011年农村危房改造的实施范围是：全省所有县（市，不含城市和县城规划区）。在各县（市）申报的基础上，综合考虑各地农户数、危房数、上年补助资金落实情况以及工作绩效等因素，将国家下达的任务分解到市、县。其中：朔州作为保障性住房建设试点城市两年全部完成农村危房改造；右玉县作为全省危房改造示范县，今年全部完成。

二、农村危房改造对象和认定程序

根据《意见》，我省农村危房改造对象为：居住在房屋整体存在危险的D级危房或房屋已经倒塌属于无房户的农村低保户、农村低保边缘户、因灾因病返贫户、不宜集中供养享受国家定期抚恤的农村重点优抚对象等农村特困户。各县（市）要按照《意见》规定的程序和权限，严格认定危房改造对象，不得随意扩大危房改造对象范围。

三、农村危房改造基本要求

农村危房改造的基本原则、改造方式和质量标准，按照《意见》的规定执行。重建房屋原则上以农户自建为主，农户自建确有困难且有统建意愿的，地方政府要发挥组织协调作用，帮助农户选择有资质的施工队伍统建。坚持整村推进、兼顾个别的原则，危房集中的村庄可分年度集中解决，居住偏远分散的困难家庭要适当兼顾。各市、县在农村危房改造中，要统筹规划，特别是对将要改造的危房，要与移民搬迁、残疾人危房改造工作统筹解决，避免重复建设，造成资金浪费。翻建、新建或修缮加固住房要考虑抗震因素，建筑面积原则上控制在40至60平方米以内，引导农户先建40到60平方米的基本安全房，同时又便于农民富裕后向两边扩建或者向上加盖。

四、资金补助标准、配套要求和使用管理

按《意见》要求，各级财政对农村危房改造平均每户补助标准为11000元，其中：中央财政补助6000元，省级财政补助2000元，市财政补助1500元，县（市）财政补助1500元。对农村危房改造建筑节能示范户，中央财政每户再增加2000元补助。每户的具体补助标准，由各县（市）政府根据当地实际，按照改造方式等情况测算确定。农村危房改造补助资金要及时足额落实到位，专款专用，分账核算，严禁截留、挤占和挪用。各级财政、住房城乡建设主管部门要会同其它有关部门，定期对资金使用和管理情况进行监督检查。

五、建筑节能示范工作要求

农村危房改造建筑节能示范任务，原则安排在我省中北部寒冷地区集中解决。建筑节能示范要坚持突出重

点、体现特色、力求实效、因地制宜、易于推广的原则，我省部分地区特别是高寒地区着重在取暖、保温等方面，对墙体、门窗、屋面、地面等围护结构制定节能措施。根据各地地理和资源条件，尽量选取当地材料，传承和改进传统建筑节能措施，尊重农民生产生活习惯，采用技术经济合理的节能措施。担负农村危房改造建筑节能示范任务的县（市），节能示范结合危房改造可适当集中。县（市）建设行政主管部门要成立农房建筑节能技术指导小组，根据农民意愿，结合当地气候特点，制定具体的农村危房改造建筑节能技术方案，明确具体节能措施和实施方法，做好农村危房改造建筑节能示范的指导、检查工作，有关县建筑节能示范实施方案请于6月底前报省厅备案。

六、工作进度要求

5月底前，各县（市）制定实施方案，报省、市住房和城乡建设主管部门备案，并将改造任务落实到镇（乡）、村、户，完成农村危房改造农户档案管理信息系统主要内容的录入工作，全面开工建设。

晋北地区9月底前，其他县（市）10月底前完成农村危房改造工作。

11月底前，各县（市）组织完成农村危房改造竣工验收工作，将改造的全部档案资料归集、整理、存档，完成农村危房改造总结工作，并将书面总结分别报省、市住房和城乡建设主管部门。

每月20日前，各市住房和城乡建设主管部门要将农村危房改造工作信息和进度情况报送省住房和城乡建设厅，同时抄报省发改委和财政厅。

七、农户档案管理工作

农村危房改造农户档案管理信息系统，是国家考核各地工作绩效的主要手段，每年不定期从农户档案管理信息系统中，随机抽取农户进行实地复核。各地分解到户、开工建设、改造进度、改造完成等情况，均以录入信息系统中的数据和图片为准。各县（市）应安排一定数量的农户档案管理信息系统工作经费，用于系统相关数据、照片的采集录入工作，并按照《关于建设全国扩大农村危房改造试点农户档案管理信息系统的通知》（建村函〔2009〕168号）和《农村危房改造农户档案管理信息系统运行管理规定》（建办村函字〔2009〕959号）的要求，及时、全面、真实、准确地做好农户档案信息的录入上报工作，特别是危房改造前、中、后照片等信息要素，不得缺项漏项，其中节能示范户录入信息系统的“改造中照片”，必须反映主要建筑节能措施施工现场。要建立农村危房改造农户纸质档案，实行一户一档，批准一户、建档一户，分户归档，规范有关信息管理。农户纸质档案应当包括档案表、农户申请、评议、公示、审核审批、协议以及信息系统纸质档案等材料。

八、质量监管和竣工验收

各地要建立农村危房改造质量安全管理制度，在建房过程中，要有防震抗震措施，确保危房改造的工程质量。县级住房和城乡建设主管部门要组织技术力量，对危房改造施工现场开展质量安全检查指导。危房改造完成后，各县（市）住房和城乡建设主管部门要联合有关部门，组织乡镇政府和村委会逐户竣工验收，验收内容包括改造任务完成情况、改造工程质量、改造档案建立与管理情况、配套资金使用管理情况等，并形成验收报告。要按照省厅提供的农村危房改造标识牌电子样本，及时制作危房改造标识牌，并在危房改造竣工验收后悬挂。市住房和城乡建设主管部门要会同有关部门根据县（市）上报的验收情况，按一定比例抽查。

九、其他工作要求

（一）加强领导。农村危房改造是省委、省政府改善民生问题的重要举措。按照省政府五年全部解决农村房屋整体存在危险的22.33万户困难家庭住房问题的要求，市、县要抓紧制定分年度实施计划，明确责任，严密组织，确保落实。

（二）多方筹资。农村危房改造资金以农民自筹为主，中央和地方政府补助为辅，并通过银行信贷和社会捐资等多渠道筹集。各地要采取积极措施，整合相关项目和资金，提高资金使用效益。农村危房改造补助资金要专款专用，分帐核算，严禁截留、挤占和挪用。要定期对资金的管理和使用情况进行监督检查，发现问题，及时纠正，严肃处理。各市、县财政部门要安排足够的工作经费，用于组织协调、督促检查等项目管理工作。

（三）落实责任。农村危房改造工作实行“国家、省、市给予资金支持、进行宏观指导，县级政府是责任主体、负责全面落实”的责任制管理方式。各市、县要按照国家、省里的要求，做好规划编制、资金配套、组织实施、系统录入、竣工验收等工作。对不按规定时限和要求开展工作，影响工程进度，造成严重后果的，将追究有关人员责任。

山西省住房和城乡建设厅
山西省发展和改革委员会
山西省财政厅
二〇一一年五月五日

山西省住房和城乡建设厅
关于印发《房屋登记办法》实施细则的通知

晋建房字〔2011〕159号

各市住房和城乡建设局（建委）、房地产管理局：

《〈房屋登记办法〉实施细则》业经省政府法制办审查，现印发给你们，请遵照执行。

山西省住房和城乡建设厅

二〇一一年五月九日

《房屋登记办法》实施细则

第一条　为规范房屋登记行为，依法维护房屋权利人的合法权益，依据物权法、房地产管理法、建设部《房屋登记办法》等法律、法规和规章，结合我省实际，制定本细则。

第二条　在本省行政区域内的房屋登记和管理适用本细则。

本细则所称房屋包括建筑物、构筑物及特定空间。

本细则所称房屋登记，是指房地产管理部门依法将房屋权利和其他应当记载的事项在房屋登记簿上予以记载的行为。

第三条　房屋权力的取得、转移、变更、抵押、灭失和终止，应当办理登记。

第四条　省住房和城乡建设行政主管部门负责全省房屋登记的指导、监督工作。

设区的市、县（市）人民政府房地产（房产、建设）行政主管部门或设置的房屋登记机构（以下简称“登记机关”）负责本行政区域的房屋登记工作。

第五条　设区的市、县（市）人民政府登记机关应当建立本行政区域统一的房屋登记簿及有关的登记文本、表格；房屋登记簿、房屋档案及有关证书、文本、表格填写与管理应当采用统一标准。

第六条　房屋登记簿是房屋权利归属和内容的根据，由所在地人民政府登记机关管理。

《房屋登记办法》实施前已经登记的房屋，房屋登记机构应当利用已登记的房屋档案，全部建立房屋登记簿。

权利人或者利害关系人认为登记簿记载内容有错误或者有异议的，可以提请更正。

第七条　从事房屋登记审核工作的人员，应当经国家建设行政主管部门或者省建设行政主管部门统一专业培训，取得房屋登记上岗资格证书，持证上岗。

第八条　共有人因下落不明无法共同申请房屋登记的，应当通过人民法院宣告失踪、宣告死亡等法定程序确定房屋代管人或者继承人，由代管人或者继承人与其他共有人共同申请房屋登记。

第九条　未成年人、无民事行为能力人或者限制民事行为能力人的房屋，应当由其法定监护人代为申请房屋登记。

第十条　无民事行为能力人或者限制民事行为能力人的监护人申请房屋登记，应当提交人民法院出具的被代理人无民事行为能力或者限制民事行为能力的证明和监护人有效身份的证明。

被监护人的房屋申请转移或者抵押登记，监护人还应当提供经公证的转移、抵押房屋目的是为被监护人利益的书面保证。

房屋登记机构应当将有关未成年人、无民事行为能力人或者限制民事行为能力人及其监护人的相关信息在登记簿中进行附记。

第十一条 境外申请人委托代理人申请房屋登记的，其委托书应当按照国家有关规定进行公证或者认证。

房屋登记申请人提供的证明文件原件是外文的，应当提供有资格的或者公正部门认可的翻译机构出具的中文译本。

申请人提供的登记材料中有港、澳、台和外国机构或者其他的境外机构出具的证明文件的，应当按规定办理公证或者认证。

第十二条 申请人为自然人的，代理人应当向房屋登记机构提交当事人的授权委托书和身份证明；申请人为法人或者其他组织的，提交由法定代表人签署并加盖申请单位公章的授权委托书。

委托书应当载明委托事项、登记房屋坐落和委托权利范围。

申请人申请处分登记的，其授权委托书应当办理公证。

第十三条 委托代理人申请房屋登记时，代理人除提交授权委托书和委托人身份证明外，还应当提交受托人的身份证明。

第十四条 房屋登记机构应当就申请人的申请登记事项询问申请人，询问结果经申请人签字后，随申请材料一并存档。

申请人对房屋登记事项询问内容的真实性和询问结果负责。

申请人拒绝接受登记机构询问或者拒绝签字确认询问结果的，房屋登记机构不予受理。

第十五条 房屋登记机构工作人员实地查看时，申请人应当予以配合。申请人不配合，导致无法完成查看的，工作人员应当记载，并可以据此不予受理房屋登记。

申请房屋登记的证明文件与实地查看情况不一致的，房屋登记机构应当不予受理登记。

第十六条 房屋登记机构受理登记申请应当出具受理书面凭证。房屋登记机构将申请登记事项记载于房屋登记簿之前，申请人可以撤回登记申请。

撤回登记申请应当以书面形式提出。共同申请的，应当由共有人共同提出撤回登记申请；代理申请的，代理人应当依据撤回申请的授权委托提出撤回登记申请。

申请人撤回登记申请，已交的登记费不予退还。

第十七条 房屋登记机构认为有必要对房屋登记事项公告的，公告应张贴于申请登记房屋所在地的显著位置或者刊登在房屋所在地公开发行的主要报纸，也可以在登记机构的网站等公开媒介进行公告。

集体土地上的房屋登记公告，房屋登记机构应当将登记事项在房屋所在地农村集体经济组织办公地点公告栏上公告。

公告期限，应当根据不同的房屋登记种类确定，一般应为公告之日起10至30日。具体期限由设区市、县(市)确定。

第十八条 在公告期间，利害关系人认为有异议的，可以向房屋登记机构提出异议登记。

第十九条 房屋登记机构应当将公告内容及相关资料存档，并将公告无异议或者异议不成立的事实记载于房屋登记簿。

第二十条 房屋登记机构应当依法在政府网站和房屋登记机构方便申请人了解的场所公示房屋登记需要提交的材料目录和申请登记程序。

第二十一条 对共有房屋的登记，房屋登记机构应当向共有人每人发一本权属证书或者登记证明。权属证书或者登记证明应当注明“共有”字样；按份共有的注明各自的份额。

第二十二条 房屋权属证书、登记证明遗失、灭失的，权利人应当在当地公开发行的报刊上刊登遗失声明，公房屋权属证书或者登记证明作废，公告时间为30天。声明内容要有遗失证件号码等主要内容。

公告期满无异议的，房屋登记机构应当将报刊遗失声明等材料存入档案。登记机构应当补发的房屋权属证书、登记证明应当重新编号，注明“补发”字样。

换发、补发房屋权属证书，房屋登记机构收取证书工本费，不收登记费。

第二十三条 登记机关应当整合商品房预售许可、预售合同登记备案、房屋交易、房屋登记、房产测绘、档案管理、统计、信息发布和安全系统，实现信息共享。

第二十四条 申请房屋初始登记。应当提交的“房屋已竣工的证明”，是指建设主管部门出具的单体工程竣工备案证明或者房地产开发主管部门出具的住宅小区综合验收备案证明。

第二十五条 房屋登记机构可以将土地证号、取得方式和土地使用年限、土地性质等土地信息，记载于登记簿及房屋权属证书。其中住宅小区内的房屋的土地信息，按小区用地的综号填写。

第二十六条 房地产开发企业在申请房屋所有权初始登记时，应当对建筑区划内依法属于全体业主共有的公共场所、公用设施和物业服务用房等房屋一并代为申请登记。

公共场所、公用设施和物业服务用房等房屋的权利人为“某某小区全体业主”。

第二十七条 房地产开发企业已经办理了初始登记的房屋，房屋买受人凭在登记机构备案的商品房买卖合同、购房发票、房屋移交证明等材料，可以单方申请房屋所有权登记。

第二十八条 共同共有转为不等额按份共有的、不等额按份共有转为共同共有或者等额按份共有的份额发生变化的房屋，当事人应当申请房屋所有权转移登记。

婚姻存续期间已登记为夫妻共有的房屋，改为单方所有或者婚前登记在夫妻一方名下，婚后夫妻申请改为共有的应当办理房屋所有权转移登记。

第二十九条 当事人申请房屋所有权转移登记提交的赠与合同、受遗赠证明、继承证明等应当办理公证。

第三十条 凡涉及房屋分割、合并等有关面积发生变化的登记，申请房屋登记的当事人应当提交有房屋面积测绘资质的测绘单位提供的测绘报告。

第三十一条 申请人申请房屋登记，通过拍卖取得房屋的，应当提交有关部门出具的《拍卖确认书》；通过征收补偿取得房屋的，应当提供征收补偿安置协议或者房屋产权互换合同。

第三十二条 房屋抵押期间，抵押人转让抵押房屋的所有权，申请房屋所有权转移登记的，应当由抵押人和抵押权人先办理抵押权注销登记，方可办理房屋所有权转移登记。

第三十三条 除房屋预告登记和其他法律法规规定的情形外，未经房屋所有权初始登记的房屋，不得办理其他房屋权力登记。因有关材料丢失等原因无法办理房屋所有权初始登记的，应当通过民事诉讼解决。

房屋权利人在申请房屋所有权初始登记前死亡的，其继承人或者其他合法的房屋权利承受人应当在办理继承等房屋所有权转移登记手续时，凭相关的建房手续及继承遗产公证申请补办房屋所有权初始登记手续。法人或者其他组织在申请房屋所有权初始登记前消灭的，其合法的房屋权利承受人应当在办理房屋所有权转移登记时，代为申请补办房屋所有权初始登记手续。

当事人之间订立有关设立、变更、转让和消灭房屋权力的合同后，未办理房屋所有权初始登记的，再次处分房屋权力时应当补办房屋所有权初始登记。

第三十四条 因人民法院、仲裁委员会生效的法律文书或者人民法院协助执行通知书要求登记机构予以办理房屋登记的，房屋登记机构应当予以办理登记。但法院要求房屋登记事项与房屋登记簿的记载有冲突或者被执行房屋未办理房屋所有权初始登记的，登记机构应当书面告知人民法院相关情况。

前款房屋登记事项与房屋登记簿的记载有冲突，是指该房屋已被其他法院查封或者预查封等情形。

第三十五条 房屋所有权共同共有转为等额按份共有，或者等额按份共有转为共同共有的，当事人可以申请房屋所有权变更登记。

房屋因改建、扩建申请房屋所有权变更登记的，应当出具城乡规划部门批准的有关证明文件。

第三十六条 集体土地依法转为国有土地的，已经登记的房屋应当凭原房屋权属证书、国有土地使用权证等证明文件办理房屋所有权变更登记，并换发房屋权属证书。

第三十七条 房屋拆除后，房屋征收部门申请房屋注销登记手续时，应当提交当地人民政府或者人民法院、仲裁委员会生效的法律文书、协助执行通知书及被征收拆迁房屋的房屋权属证书。

因放弃房屋所有权而申请注销登记的，应当提交放弃房屋所有权的书面声明，并提交利害关系人同意注销登记的证明。

第三十八条 设有抵押权、地役权、预告登记或者已经查封的房屋，在申请办理房屋所有权注销登记时，应当提交抵押权人、地役权人、预告登记权利人或者执行查封的法院出具的书面同意文件，并办理抵押权、地役权、预告登记注销手续，申请法院解除查封手续。

第三十九条 在旧城改造、棚户区改造以及城市建设中，经登记的房屋所有权消灭后，原权利人不申请注销登记的，房屋登记机构应当依据人民法院、仲裁委员会的生效法律文书或者设区市、县（市）人民政府的生效征收决定，办理房屋所有权注销登记。

第四十条 办理房屋抵押权登记，申请人与依法提交的材料、申请登记的房屋与登记簿记载的权利主体应当一致。

房屋登记机构在受理、审核环节应当对房屋权利信息、房屋所有权证书、房屋状况记载等信息与登记簿进行核查，符合规定条件的，将有关事项记载于登记簿，并向抵押权人发放他项权利证书。

第四十一条 他项权利变更或者转移后，房屋登记机构应当在登记簿上记载变更登记或者转移登记的时间。他项权利设立的时间不变。

第四十二条 主债权已消灭，抵押权已经实现或者抵押权人放弃抵押权等法律法规规定抵押权消灭的，当事人应当办理房屋抵押权注销登记。权利人拒绝申请房屋抵押权注销登记的，利害关系人可以依法请求人民法院或者仲裁机构确认权利、排除妨害，依法注销房屋他项权利。

第四十三条 抵押人或者第三人的房屋、正在建造的建筑物可以设立最高额抵押。最高额抵押权一经设立登记，其间发生新的债权，房屋登记机构不再办理房屋抵押权登记。

第四十四条 已经存在的债权转入最高额抵押担保的，房屋登记机构办理房屋最高额抵押登记时，应当将已经存在的债权记入最高额抵押担保的债权范围。

第四十五条 最高额抵押权登记后，抵押物坐落、街道、面积等发生变化，或者最高额抵押权人与抵押人协议变更抵押权顺位、抵押权存续期的，当事人应当申请最高额抵押权变更登记。

第四十六条 申请最高额抵押权变更登记和转移登记时，应当提交抵押当事人关于最高额抵押权担保的债权尚未确定的书面声明。

第四十七条 申请最高额抵押权确定登记时，申请人提交的"最高额抵押权担保的债权已确定的证明材料"是指抵押当事入关于最高额抵押权担保的债权确定的书面协议或者人民法院、仲裁委员会确定债权数额的生效法律文书。

第四十八条 最高额抵押权确定登记时，房屋登记机构应当将最高额抵押权确定的事实和原因、确定的时间和债权数额记载于登记簿。

第四十九条 建房前土地使用权已单独设立抵押，建房时又申请房屋抵押登记的，应当先办理新建房屋所占土地的使用权抵押注销登记，房屋登记机构方可办理房屋在建工程抵押登记或者预购商品房抵押预告登记和房屋抵押权登记。

第五十条 地役权设立登记的，房屋登记机构应当将登记事项分别记载于房屋登记簿的供役地和需役地登记册。

地役权转移、变更和消灭的应当在房屋登记簿上记载。

第五十一条 地役权的设立、转移、变更、注销登记应当由当事人共同申请。

未办理登记的地役权发生变更、转移的，当事人申请地役权变更、转移登记，房屋登记机构应当先办理地役权设立登记，再办理地役权变更、转移登记。

第五十二条 已经办理预告登记的房屋，具备办理房屋所有权登记条件的，当事人应当自能够办理房屋所有权登记之日起三个月内办理登记。当事人申请办理房屋所有权登记，不再重复提交申请房屋预告登记时已提交的材料，只提交按规定缺少的材料。

已经办理了预告登记的房屋，具备了房屋所有权登记条件后，义务人不配合权利人办理的，权利人可以单方申请办理房屋所有权登记手续。

第五十三条 依据《物权法》第19条第2款的规定，利害关系人不能提供权利人同意更正的证明材料的，利害关系人可以申请异议登记。

异议登记申请人应当在异议登记之日起15日内就异议事项提起诉讼或者申请仲裁，并向房屋登记机构提交人民法院或者仲裁委员会出具的受理证明。

第五十四条 当事人申请异议登记后，自申请之日起15日内向房屋登记机构提交人民法院或者仲裁机构受理诉讼文件的，异议登记继续有效；异议登记申请人自申请之日起15日内未能向房屋登记机构提交法院或者仲裁机构受理诉讼文件的，15日后异议登记失效。

第五十五条 房屋登记簿记载错误，房屋登记机构应当书面通知有关权利人。权利人应当自送达书面通知之日起30个工作日内申请办理房屋更正登记。

涉及房屋权利归属和权利内容错误，当事人未申请或者已申请更正登记，但尚未办理完毕的，房屋登记机构应当暂缓办理处分登记。

第五十六条 异议登记期间，异议登记申请人可以申请注销异议登记。房屋登记簿记载的权利人可以持人民法院或者仲裁委员会证明异议不成立的生效法律文书等材料，申请注销异议登记。

第五十七条 异议登记未注销的，房屋登记簿记载的权利人处分房屋申请登记的，应当先申请注销异议登记。

第五十八条 对撤销登记的，房屋登记机构收回房屋权属证书、登记证明，或者在当地公开发行的报刊上公告证书或者登记证明作废。

第五十九条 集体土地范围内房屋所有权登记的申请人为农村集体经济组织、农村集体经济组织成员和乡镇、村企业。

集体组织成员为生产经营依法建设的房屋或者基础设施，应当给予登记。

因升学、兵役、婚姻等正常人口迁徙成为非农村集体成员的人申请在原集体土地上的房屋进行登记的，应当予以登记。

非农村集体经济组织成员因继承或者受遗赠取得集体土地上的房屋申请房屋转移登记的，房屋登记机构应当予以登记。

城市人口依法迁入农村并成为农村集体组织成员，申请房屋登记的，房屋登记机构应当予以登记。

上述各款登记申请，当事人应当提交房屋所在地集体组织的证明。

第六十条 原为集体组织成员，整体转为非农业户口的，申请在原集体组织土地上的房屋登记，房屋登记机构应当予以登记。

第六十一条 村民住房因分割等导致独立建筑为多个所有权人所有的，已有明确固定界限并可以独立使用的层、间可以作为基本单元申请房屋登记。

第六十二条 《房屋登记办法》第83条第1款第（四）项所称符合城乡规划的证明，是指城乡规划管理部门出具的建设工程竣工规划认可文件。《城乡规划法》实施前建造的房屋，由镇、乡人民政府有关部门或者村委会出具。

房屋建造时规划管理部门尚未在当地颁发《建设工程规划许可证》的，申请人应当提交房屋所在地镇、乡、街道以上人民政府认可的建房证明材料。

第六十三条 申请房屋登记的村民住房，与其他所有人的住房相毗连的，需要由相毗连房屋的所有权人出具相应的证明材料，以明确毗连墙体的权利归属情况。

第六十四条 权利人申请附属房屋、附属设施单独进行登记的，房屋登记机构应当予以登记。

第六十五条 设区的市、县（市）可依据本《细则》，结合当地实际制定具体的办法。

第六十六条 本细则实施前，各市出台的解决历史遗留问题的规定继续有效。

第六十七条 本细则自2011年6月1日起实行。

山西省住房和城乡建设厅关于规范国有土地上房屋征收工作的通知

晋建房字〔2011〕160号

各市住房和城乡建设局(建委)、房地局，阳泉市规划局:

为规范国有土地上房屋征收程序和行为，维护公共利益，保障被征收人的合法权益，促进国有土地上房屋征收工作有序推进，现就有关事宜通知如下：

一、认真学习宣传贯彻落实《条例》

国务院第590号令公布的《国有土地上房屋征收与补偿条例》（以下简称《条例》），对公共利益的范围作出了明确界定，确立了公众参与、公开透明的征收程序，确定了政府是征收与补偿主体，取消了行政强制拆迁，禁止建设单位参与搬迁，为进一步做好房屋征收工作，从根本上解决在房屋征收中损害群众利益的问题提供了制度保证。各市要认真组织学习与培训，切实领会《条例》的精神实质，宣传贯彻落实《条例》的各项规定和制度。要进一步改进工作作风，提高工作效率，依法做好房屋征收与补偿工作。加大《条例》的宣传力度，使征收实施单位、被征收人知法懂法、自觉按照《条例》的规定开展房屋征收活动，保障城市建设的顺利进行。

二、健全房屋征收与补偿管理工作机制

各市要按照《条例》的要求，尽快理顺国有土地上房屋征收与补偿管理体制，完善工作制度，建立健全工作机制。

一是要尽快明确房屋征收部门，落实工作机构和人员。房屋征收部门要按《条例》要求履行职责，组织实施好本行政区域内的房屋征收与补偿工作。负责拟定征收补偿方案，组织调查登记征收范围内房屋的权属、区位、用途、建筑面积等情况，与被征收人签订征收补偿协议，向被征收人公布分户补偿情况，依法建立房屋征收补偿档案等，并对委托实施的房屋征收与补偿行为进行监管。

二是要完善征收补偿制度。各市要结合本地的实际情况，研究制定实施细则和配套政策。按照《条例》要求，尽快制定国有土地上房屋征收补助与奖励办法，明确补助与奖励应具备的条件、标准、申请与发放程序等内容；制定被征收人住房保障实施细则，明确保障条件、程序等内容，优先保障符合住房保障条件的被征收人。征收房屋停产停业补偿办法未出台前，搬迁费、临时安置补助费、停产停业损失补偿可以参照各地现行标准向被征收人支付或根据当地的具体情况制定暂行办法。

三是要加强房屋征收评估管理。被征收房屋价值应当由具有相应资质的房地产价格评估机构评估，评估机构由房屋征收实施单位与房屋被征收人协商选定，协商不成的，由房屋征收实施单位组织，公证机构公证，通过摇号等方式随机确定。各市可制定房屋征收评估机构选定的具体办法。房地产价格评估机构要独立、全面、客观、公正地对被委托项目进行评估，按要求出具评估报告。评估住宅用途改做非住宅用途的房屋，要充分考虑房屋收益对价格的影响因素；评估房屋占用范围内建设用地的使用权价格，应根据土地使用实际状况进行评估。被征收房屋的建筑面积和房屋用途，以《房屋所有权证》标注的内容认定。

四是要科学编制征收补偿方案。房屋征收部门哟啊在实地调研和科学论证的基础上，编制房屋征收补偿方案。明确征收范围与实施时间、征收补偿资金筹集情况、被征收房屋调查结果、征收补偿标准、补偿方式、补偿金额、补助和奖励、安置用房面积和安置地点、搬迁期限、搬迁过渡方式和过渡期限、征收补偿协议签约期限等事项。

五是要规范征收补偿协议。各市要制定国有土地上房屋征收补偿格式协议，在格式协议中载明补偿方式、补偿金额和支付期限、用于产权调换房屋的地点和面积、搬迁费、临时安置费或者周转用房、停产停业损失、搬迁期限、过渡方式和过渡期限等事项，保障被征收人的合法权益。

三、规范房屋征收补偿行为

各市要按照确保被征收人居住条件有保障、生活水平不降低和先补偿后搬迁的总要求，实施国有土地上房屋征收与补偿工作，规范征收补偿行为。

一是要依法履行征收程序。严格遵循《条例》，履行征求公众意见、论证、听证、公示、公告等法定程序，依法保障被征收人的知情权、参与权、选择权、质疑权和救济权等。

二是要进行社会稳定风险评估。市、县人民政府作出房屋征收决定前，房屋征收部门要协调所涉及的相关部门，科学论证项目实施的可行性，依法有关规定对是否可能引发群众大规模集体上访或群体性事件进行先期预测、先期研判和先期介入，提高风险评估报告，从源头上预防和减少信访和不稳定事件的发生，保障房屋征收补偿与项目建设的顺利实施。

三是要加强旧《条例》已许可项目的监管。对《条例》实施前已依法取得房屋拆迁许可证的项目，继续沿用原有的规定办理，双方达不成补偿协议的，房屋拆迁管理部门可以做出裁决，对于在裁决规定期限内被拆迁人拒不搬迁的，可依法申请人民法院强制执行，但政府不得责成有关部门强制拆迁。

四、排查调处房屋征收违法违规行为

各市要认真开展国有土地上房屋征收与补偿违法违规行为排查调处工作，坚决纠正房屋征收中存在的违规行为，严肃查办违法征收案件，规范方位征收拆迁行为。

一是要开展自查自纠工作。房屋征收部门要认真组织开展自查自纠工作，重点从履行程序、发放补偿资金、落实补偿协议等方面，查找房屋征收与补偿过程中存在的问题，纠正征收补偿管理和实施中存在的违规行为。要做好自查自纠工作记录，并形成书面报告，报上级房屋征收部门，设立并向社会公布举报电话，接受社会监督。

二是要查处违法违规行为。各级房屋征收部门要积极配合有关部门查处房屋征收中程序不合法、行为不规范、补偿不合理、保障不落实等突出问题。对采取暴力威胁或中断供水、供热、供气、供电和道路通行等非法方式强迫被征收人搬迁的行为，要会同监察机关严肃查办，并适时向社会曝光违法违规的典型案例，充分发挥警示作用。

三是要积极调处拆迁遗留问题。对拆迁遗留问题，要进行排查梳理，集中调处解决。个性问题，要落实专人，包案解决；共性问题，要集中研究，统一标准，批量解决。同时，要密切关注网络舆情和媒体报道，及时发现和纠正新的苗头性和倾向性的问题，确保新旧条例平稳过渡。

山西省住房和城乡建设厅
二〇一一年五月九日

山西省住房和城乡建设厅关于建立新建房屋建设和销售情况月报制度的通知

晋建房字〔2011〕184号

各市住房和城乡建设局（建委）、房地局，阳泉市规划局：

为加强新建住房价格统计与分析，切实做好控制新建住房价格工作，决定建立新建房屋建设和销售情况月报制度，现将有关事项通知如下：

一、高度重视对房地产市场运行情况的统计、分析和监测，指定专人负责新建房屋建设和销售情况统计工作，每月将全市、市本级和所属县级市新建房屋建设和销售情况上报我厅，并抄报市政府。对新建住房价格超过年度新建住房价格控制目标的，还要写出专题分析报告。

二、暂未实行商品房销售合同网上备案制度的城市，要强化商品房销售合同备案的实效性，要求房地产开发企业在与购房人签订购房合同10日内到房地产管理部门备案。

三、要加强对在本区域注册的房地产开发企业统计工作的监督指导，并做好与统计局的衔接，确保房地产开发企业向统计局报送的月报数据与新建房屋建设和销售情况月报数据一致。

四、从6月份开始，每月10日前将《2011年新建房屋建设和销售情况月报表》（表一、表二）加盖印章后报送我厅。

附件：1、2011年新建房屋建设和销售月报表一（略）
2、2011年新建房屋建设和销售月报表二（略）

山西省住房和城乡建设厅
二〇一一年五月三十日

山西省住房和城乡建设厅
山西省物价局
山西省人力资源和社会保障厅
关于转发《房地产经纪管理办法》的通知

晋建房字〔2011〕206号

各市住房和城乡建设局、房地产管理局、物价局、人力资源和社会保障局：

现将住房和城乡建设部、国家发展和改革委员会、人力资源和社会保障部第8号令《房地产经纪管理办法》转发给你们，并结合我省实际，提出以下意见，请一并贯彻执行。

一、各级住房和城乡建设（房地产）、价格、人力资源和社会保障等相关主管部门，要密切配合，互通信息，及时有效地对房地产经纪实施监督管理。切实规范房地产经纪行为，保护房地产经纪活动当事人的合法权益，促进房地产经纪行业健康发展。

二、加强房地产经纪机构备案管理。各市房地产管理部门要根据当地经济发展实际情况。制定房地产经纪机构备案条件和备案办法。不具有规定数额的注册资本金、一定数量的房地产经纪机构备案，不得从事房地产经纪活动。

三、加强对房地产经纪人员的管理。未取得房地产经纪人、房地产经纪协理资格的人员，不得从事房地产经纪、售楼等经纪活动。房地产经纪人员有违法违规行为的，要记入个人信用档案，取消其房地产经纪从业资格。

四、对房地产经纪机构赚取差价、不正当竞争、分割出租、挪用交易资金等违法行为，管理部门要记入房地产经纪机构信用档案，并在当地媒体曝光，取消其房地产经纪经营资格。情节严重的，可以处以没收违法所得、罚款以至停业整顿等行政处罚。

山西省住房和城乡建设厅
山西省物价局
山西省人力资源和社会保障厅
二〇一一年六月二日

山西省住房和城乡建设厅
关于切实做好国有土地上房屋征收与补偿工作的通知

晋建房字〔2011〕245号

各市住房和城乡建设局(建委)、房地局,阳泉市规划局:

随着城镇化进程的提速和旧城改造步伐的加快,我省国有土地上房屋征收工作量越来越大。征收过程中,程序不规范、工作方法不当、政策宣传不到位等都易引发纠纷,甚至酿成严重后果。为切实加强管理,依法推进国有土地上房屋征收工作,现将有关事项通知如下:

一、充分认识 做好国有土地上房屋征收与赔偿工作的重要性

国有土地上房屋征收与补偿工作,政策性强,涉及面广,直接关系人民群众的切身利益,是一项重要的民生工作。做好此项工作,不仅关系到国民经济的发展,而且关系到社会和谐稳定的大局。各级房屋征收部门,要切实提高认识,站在讲政治的高度,充分认识做好房屋征收工作的重要性。将其作为践行"立党为公、执政为民",落实科学发展观的重要内容,切实加强管理,严格履行程序,规范行为,统筹兼顾好公共利益和被征收个人的利益,真正实现和谐征收、平安征收,为市县我省经济转型跨越发展,营造和谐稳定的社会氛围。

二、加大新《条例》的学习宣传力度

各级房屋征收部门要加大学习新《条例》的密度和强度,真正领会其精神实质与内涵。充分利用好各种媒介资源,通过专题培训、案例分析等多种形式广泛开展宣传活动,提高广大群众对国有土地上房屋征收工作的知晓率和认同度。同时,要认真落实房屋征收人员岗前培训和持证上岗制度,进一步提高房屋征收队伍的自身素质、业务水平和自我保护意识。

三、健全国有土地上房屋征收与补偿工作机制

各市要尽快理顺国有土地上房屋征收与补偿管理体制,明确房屋征收部门,明确实施主体、组织实施部门和受委托实施单位各自的职责分工。禁止建设单位参与搬迁,禁止采取暴力、威胁或者中断供水、供热、供气、供电和道路通行等方式迫使被征收人搬迁。各级房屋征收部门要按照新《条例》的要求,认真履行职责,研究制定符合放低实际的实施细则和配套政策,完善政策体系,建立健全工作机制,组织实施好本行政区域内的房屋征收与补偿工作。

四、确保安置补偿到位

各市要严格遵循"征收房屋先补偿后搬迁"的原则,落实新《条例》中关于补偿范围、补偿方式、补偿标准、补偿程序、安置保障等有关规定,确保被征收群众的居住条件有改善,原有生活水平不降低。分配安置住房,要组织居民代表参与监督,确保分配过程和分配结果公开、公正。征收个人住宅,经相关部门审查,被征收人符合住房保障条件的,要优先给予住房保障。征收教育、医疗、邮政、通讯等公共服务设施,要按照国家有关规定给予补偿或对重新设置进行统筹规划,作出妥善安排,确保被征收区域公共服务设施配套齐全,功能完善。同时,要开展摸排工作,集中调处因安置补偿引发的矛盾纠纷,解决好历史遗留问题。

五、规范国有土地上房屋征收程序和行为

要严格遵循新《条例》及有关规定,履行征求公众意见等法定程序,依法保障被征收人的知情权、参与权、选择权、质疑权和救济权等,研究制定征收工作规程,规范征收工作行为。坚决执行新《条例》关于"条例施行前已依法取得房屋拆迁许可证的项目,继续沿用原有的规定办理,但政府不得责成有关部门强制拆迁"等有关规定,加强旧《条例》已许可项目的监管。坚决杜绝房屋征收中程序不合法、行为不规范、补偿不合理等问

题。要提高房屋征收人员的安全防范意识，在开展工作的同时，保护好自身安全。同时，要高度重视房屋征收人对征收工作的意见和建议，密切关注媒体的相关报道，及时掌握苗头性、倾向性的问题，防止矛盾激化或引发群体性事件。要制定突发性事件处置预案，防范于未然。

山西省住房和城乡建设厅
二〇一一年六月二十五日

山西省住房和城乡建设厅关于进一步规范房地产开发企业资质管理工作的通知

晋建房字〔2011〕248号

各市住房城乡建设局（建委）、房管局：

为进一步规范房地产开发企业资质管理工作，促进房地产开发质量提升，根据《房地产开发企业资质管理规定》（建设部令第77号）、《山西省房地产开发企业资质管理实施细则》（晋建房字〔2001〕42号），现就有关事项通知如下：

一、规范房地产开发企业名称

新设立房地产开发企业，企业名称应当标明行业特征，冠有“房地产开发”、“置业”、“置地”、“地产”、“房产”等字样。

二、晋升、核定资质等级

（一）申报时限及提交的证明文件

申报晋升一级资质的房地产开发企业应当于资质证书有效期届满前60日向所在市住房城乡建设（房地产）主管部门提出申请；申报二级及以下资质的房地产开发企业应当与资质证书有效期届满前30日向所在市住房城乡建设（房地产）主管部门提出申请。

申报晋升一级资质的房地产开发企业应当按照住房和城乡建设部的要求提交相关证明文件；申报二级及以下资质的房地产开发企业应当按照建设部第77号令、晋建房字[2001]42号文件的要求提交相关证明文件。

（二）资质等级确定

1、暂定资质房地产开发企业取得建设工程规划许可证后，可核定为四级资质。

2、暂定资质房地产开发企业取得建设用地规划许可证、投资计划批准（备案）文件或国有土地使用证（合同）后，可延长其暂定资质一年。

3、申请晋升一、二、三级资质，按建设部第77号令之规定确定。

4、为鼓励房地产开发企业申报康居示范工程，建设节能省地型住宅，引领房地产开发企业提升住房建设品质，凡承担通过国家康居示范工程规划设计评审，且建设规模15万平方米以上项目的企业，在满足注册资金、专业技术人员等条件的情况下，可核定为贰级资质。项目竣工后未通过国家康居示范工程验收的，降回原资质等级。

凡承担建设规模15万平方米以上，通过升级康居示范工程规划设计评审、通过2A及以上等级商品住宅性能认定初步审查项目的企业，在满足注册资金、专业技术人员等条件的情况下，可核定为贰级资质。项目竣工后未通过升级康居示范工程验收、2A及以上等级商品住宅性能认定的，降回原资质等级。

三、延续资质等级

（一）二级资质延续：资质有效期内其开发业绩不得低于晋升叁级资质的业绩。

凡承担通过国家、省级康居示范工程规划设计评审，通过2A及以上等级商品住宅性能认定初步审查项目的企业，可予以贰级资质延续。

（二）三级资质延续：资质有效期内累计竣工建筑面积5万平方米以上或完成相当于此的投资额。

凡承担通过1A等级商品住宅性能认定初步审查项目的企业，可予以叁级资质延续。

（三）四级资质延续：资质有效期内有开发建设的房地产开发项目。

达不到以上资质延续条件的，按照实际业绩重新核定资质等级。

四、明确审查责任

（一）各市、县住房城乡建设（房地产）主管部门负责对企业资产、专业技术人员、开发经营业绩等有关情况的真实性审查。对企业资产、专业技术人员、开发经营业绩等有关情况的真实性审查。对企业资产、专业技术人员、开发经营业绩等有关情况的真实性有疑义的，可查勘企业及项目现场，调取并核查企业及项目的相关证件、材料。必要时可要求企业提供资产核验、人员身份（任职、合同、职称）、项目手续、统计等方面的证件或材料。

（二）各市、县住房城乡建设（房地产）主管部门要加强企业资质申报证明文件的完整性、规范性审查。《房地产开发企业资质申报表》要填写完整、书写规范、印鉴齐全、字迹清晰。证明文件为复印件的，必须清晰、可辨，并在相关证件（文件）复印件上加盖“经核对与原件相符”的行政许可专用核验章；也可由相关证件（文件）的发证（文）单位在复印件上加盖公章。证明文件不得提交扫描件。

（三）各市、县住房城乡（房地产）主管部门要认真审查资质申报证明文件，规范填写《房地产开发企业资质审批责任卡》。在《房地产开发企业资质申报表》相关栏目中明确填写审查意见；不同意的，应当说明原因。

（四）对资质申报材料不完整、不规范的，未按要求加盖原件核验章的，《房地产开发企业资质审批责任卡》填报不规范的，初审意见不明确的，我厅将退回材料，不予受理；对资质申报材料弄虚作假的，我厅将按照有关规定对企业进行处罚，并对初审部门进行通报批评。

五、此前文件精神与本通知不一致的，以本通知为准。

山西省住房和城乡建设厅

二〇一一年七月五日

山西省住房和城乡建设厅
关于加强保障性住房工程质量管理的通知

晋建保字〔2011〕275号

各市住房城乡建设局（建委）、房地局：

保障性住房建设是“十二五”时期的一项标志性民生工程。为加快保障性住房建设，确保工程质量，根据住房城乡建设部《关于加强保障性安居工程质量管理的通知》，现就加强保障性住房工程质量管理工作通知如下：

一、充分认识加强保障性住房工程质量管理的重要性

加快保障性住房建设是党中央、国务院作出的重要战略部署，是转变经济发展方式、调整经济结构、保障和改善民生的重大举措。保障性住房工程质量，直接关系人民群众的生命和财产安全，直接关系经济发展和社会和谐稳定的大局，涉及面广、公益性强、社会影响大。确保保障性住房工程质量，不仅是经济问题，更是社会问题、政治问题。“十二五”期间，全省保障性住房建设任务重、规模大，工程质星管理工作责任重大。各级住房城乡建设行政主管部门要站在讲政治的高度，统一思想，提高认识，把加强质量管理摆在实施保障性安居工程的首位，切实增强工作贵任感和使命感，加强组织领导，完善管理措施，强化督导检查，确保下程质量，确保把保障性住房建成质量过硬、人民群众满意、经得起历史检验的德政工程。

二、严格履行基本建设程序

（一）加强招标投标管理。建设单位要严格按照国家和省有关招投标管理规定，做好保障性住房工程的招标工作。要选择市场信誉好、施工能力强、管理水平高、工程质量安全有保证的施工队伍承接保障性住房工程。要保证保障性住房工程建设的合理周期和费用，杜绝低于成本价中标或不按合理工期组织建设。

（二）加强规划设计审批。各设计单位在建设保障性住房的设计中要结合当地实际情况进行优化设计，择优选择，确保保障性住房设计安全质量保证。要切实保证保障性住房功能齐全，布局合理，保证保障性住房建设功能标准，确保设计质量符合工程建设标准，对容易产生质量通病的部位和环节，实施优化、细化设计。

（三）严格施工图审查。施工图审查机构要严格按照国家和省工程建设强制性标准要求，突出工程地基基础、主体结构安全、抗震设防、消防安全等关键环节技术审查，对工程地质详细勘察报告和施工图设计中违反工程建设强制性条文和强制性标准的，及时予以纠正，排除质量安全隐患。

（四）严格施工许可管理。保障性住房建设必须严格执行施工许可制度。对不依法委托建设监理、不办理质量安全监督手续的工程，建设行政主管部门不予发放施工许可证，没有办理施工许可证的工程不得开工建设。

（五）严格竣工验收。建设单位、质量监管机构要按照我省《住宅工程质量分户验收管理办法》，全面落实住宅工程分户验收制度。认真组织设计、施工、监理等单位进行竣工验收，有效防控工程质量通病。并及时报当地建设主管部门进行备案。对违反国家法律法规和工程建设强制性标准的保障性住房工程，建设行政主管部门不予竣工验收备案。

三、认真落实工程质量责任制

（一）严格落实建设单位的主体责任。建设单位对保障性住房质量全面负贵。要严格履行基本建设程序，严禁不履行基本建设程序或简化建设程序。要加强对勘察设计、施工质量的过程控制，确保合理的工期和工程造价。任何建设单位不得任意压缩合理工期和合理造价，明示或暗示设计、施工、监理单位降低建设标准或违反工程建设强制性标准。

（二）勘察设计单位要提高服务水平。勘察单位要按照工程建性标准进行勘察，加强对现场的质量控制和技术服务，确保勘察文件真实可靠。承担保障性住房任务的设计单位要了解现场施工情况，对容易产生质量通

病的部位和环节实施优化细化设计，加强驻场设计服务和规范设计变更程序，对施工单位发现的设计错误、遗漏和对设计文件的疑问，要及时予以解决，并对施工质量提出具体要求和措施。

（三）施工单位要建立健全质童保证体系。施工单位是工程实体的具体实施者，对工程质量起关键作用，对施工过程中的质量工作全面负责。要完善工程质量管理体系，派驻具备资格的工程项目负责人、技术负责人以及质检员等关键岗位人员，无特殊原因不得擅自变更。要落实质量责任制，制定质量保证措施，并结合工程实际，编制行之有效的施工组织设计（方案）和高大模板、基坑等危险性较大分部分项工程以及关键工序的专项施工方案，确保工程质量。保障性住房工程实行施工总承包的，总承包单位对所承包工程的施工质量等负总责。总承包单位必须依法分包工程，严禁将工程分包给不具备相应资质的单位；实行劳务分包的，总承包单位及专业分包单位必须将劳务分包给具有相应资质的劳务分包单位，禁止分包给无资质的单位和个人。

（四）工程监理单位要加强监理力度。要进一步落实项目总监理工程师负责制 ，督促监理单位建一立满足监理任务要求的组织机构，配备专业设置合理的持证监理人员，要编制有针对性的监理规划和监理实施细则，对重点部位、关键工序编制旁站监理方案并实施旁站监理。对达不到质量要求的建筑材料、构配件和设备，不得签字认可；对发现有质量隐患的，应书面督促施工单位立即整改，情况严重的应要求立即停工，并及时向建设单位报告。

（五）工程质量检测机构要确保检测数据结果的真实性和准确性。工程质量检测单位要按照国家和省有关检测管理的规定、标准和规范，严格检测要求，确保各项检测数据和每份检测报告真实、准确、完整，严禁出具虚假检测报告。对检测发现的建设、监理、施工等单位违反有关规定及检测结果不合格的情况，要按规定及时报告主管部门。

（六）加强对保律性住房质量监管。各级住房城乡建设主管部要强化层级监管，加强工作指导和监督检查，督促监管责任落实。要加大日常监督、巡查、抽查力度，开展专项执法监督检查，坚决查处违法违规行为。保障性住房工程参见各方，凡发生重大工程质量事故以及有转包和违法分包、挂靠、弄虚作假等严重违法违规行为的，一律清除出保障性住房工程建设市场。要把工程质量管理纳入住房保障工作考核、约谈和问责范围，凡是发生质量问题，市、县主管部门要及时查处，并向本级人民政府报告，省厅将对问题查处情况进行挂牌督办，对市、县主管部门负责人进行约谈。

四、强化工程质量责任追究

（一）加强对保津性住房工程质量管理的组织领导。各市住房城乡建设主管部门要把保障性住房工程质量管理工作作为当前的一项中心工作，列人重要议事日程，主要负责人亲自抓，分管负责人具体抓，要切实加强组织领导，要不断完善工作机制，明确各相关单位工作责任，确保各司其职、各负其责。

（二）落实工程质全终身责任制。建立工程竣工验收合格后设置标牌制度，建设单位应在建筑物明显部位设置永久性标牌，载明建设、助察、设计、施工、监理单位等工程质量责任主体的名称和主要责任人姓名。要严格执行事故责任追究制度，建立各方主体质量责任人责任追究制。对建设、勘察设计、施工、监理等单位违反国家规定，致使房屋出现质量问题的，依法予以处罚并追究直接责任人责任。

（三）认真做好信访投诉处理。各地建设主管部门要建立保障性住房质量投诉举报制度，公布投诉电话，拓宽反映渠道，健全舆论监督机制，要建立保障性住房使用档案和不良记录公示制度。对在保障性住房建设中违反工程建设强制性标准的行为和投诉处理等情况进行记录并向社会公布。

山西省住房和城乡建设厅
二〇一一年七月二十七日

山西省住房和城乡建设厅 关于加强房地产经纪机构备案管理的通知

晋建房字〔2011〕301号

各市住房和城乡建设局（建委）、房地产管理局：

为规范房地产经纪、商品房销售机构管理，维护房地产市场秩序，根据住房和城乡建设部、国家发展和改革委员会、人力资源和社会保障部《房地产经纪管理办法》（第8号令）规定，现就加强我省房地产经纪、商品房销售机构备案管理工作通知如下：

一、凡在本省从事房地产经纪、商品房销售业务的机构，工商登记经营范围内包括“房地产经纪、房地产销售”的内容的，在取得营业执照之日起30日内，应当向所在地市、县房地产管理部门申请办理房地产经纪机构或分支机构备案。

房地产经纪、商品房销售机构备案应当具备以下条件：

（一）房地产经纪、商品房销售机构应当有4名以上注册房地产经纪人员，其中至少有1名注册房地产经纪人，3名注册经纪人协理；分支机构有2名以上注册房地产经纪人员，其中有1名注册房地产经纪人，1名注册经纪人协理；

（二）房地产经纪、商品房销售机构主要负责人（即法定代表人或总经理）和分支机构负责人应当具有注册房地产经纪人员职业资格；

（三）外埠房地产经纪、商品房销售机构设立分支机构的，应当取得当地的营业执照和房地产经纪机构备案证明，分支机构应当具备房地产经纪机构设立的条件；

（四）市、县房地产管理部门规定的其他条件。

二、房地产经纪。商品房销售机构或其下设的分支机构备案内容发生变更的，应当进行变更备案；房地产经纪、商品房销售机构及其下设分支机构因注销营业执照或被吊销营业执照的，应当办理注销备案。

房地产经纪、商品房销售机构及分支机构联系电话、其他从业人员等备案情况发生变更的，应向省、市管理部门申请修改。

三、各市、县房地产管理部门，应当将房地产经纪、商品房销售机构和经纪人员的基本情况记入房地产经纪信用档案系统，通过当地房地产信息网向社会进行公示。

四、房地产经纪机构《备案证明》，采用全省统一式样，委托山西省房地产估价师与经纪人协会统一印制，免费提供，由各市领取使用。

五、各市房地产管理部门，应当将所辖区域内房地产经纪、商品房销售机构备案情况，包括房地产经纪、商品房销售机构、从业人员、联系电话等内容，每季度报送我厅房地产市场监管处。

六、各市、县房地产管理部门发现从事房地产经纪、商品房销售业务，但未在当地工商行政管理机关办理登记手续，或经营范围内无“房地产开口、房地产销售”内容的，应当及时将相关情况移送工商部门处理。

各市、县房地产管理部门可根据当地的实际情况制定具体的房地产经纪、商品房销售机构登记备案办法。

山西省住房和城乡建设厅

二〇一一年八月十一日

山西省住房和城乡建设厅关于印发《商品房屋租赁管理办法》实施细则的通知

晋建房字〔2011〕303号

各市住房和城乡建设局（建委）、房地产管理局：

《商品房屋租赁管理办法》实施细则已经省政府法制办审查备案，现予以印发，请认真贯彻执行。

山西省住房和城乡建设厅

二〇一一年八月十七日

《商品房屋租赁管理办法》实施细则

第一条 为加强我省商品房屋租赁管理，规范商品房屋租赁行为，保障租赁当事人的合法权益。根据住房和城乡建设部《商品房屋租赁管理办法》的规定，结合本省实际，制定本实施细则。

第二条 在本省城市规划区内国有土地上的商品房屋租赁和管理，适用本细则。

第三条 商品房屋租赁应当遵循自愿、平等、互利和诚实信用协商一致的原则。

第四条 省住房和城乡建设厅负责全省商品房屋租赁的指导和监督工作；设区市、县（市）房地产（房产、建设）主管部门负责本行政区域内的房屋租赁监督管理工作。

第五条 有下列情形之一的商品房屋不得出租：

（一）属于违法建筑的；

（二）不符合安全、防灾等工程建设强制性标准的；

（三）违反规定改变房屋使用性质的；

（四）法律、法规规定禁止出租的其他情形。

第六条 商品房屋出租人明知其出租的房屋是危险房屋的，不得出租。

第七条 商品房屋租赁当事人应当订立书面租赁合同，租赁合同的内容由当事人约定。

一般包括下列条款：

（一）当事人姓名或者名称及住所；

（二）房屋坐落、面积、结构、装修、附属设施，家具和家电等室内设施状况；

（三）租金和押金数额及交付方式；

（四）房屋租赁用途和使用要求；

（五）房屋和室内设施的安全性能；

（六）租赁期限及房屋交付日期；

（七）房屋修缮责任；

（八）物业服务、水、电、暖、燃气等相关费用的缴纳；

（九）房屋返还时状态和增添物的处置；

（十）争议解决办法和违约责任；

（十一）其他约定；

设区城市房地产（房产、建设）管理部门应当会同同级工商行政管理局制订房屋租赁合同的示范文本，供当事人参考使用。

第八条 住宅出租，应当以房屋建设时设计的独立使用房间为最小出租单位。

厨房、卫生间、阳台和地下储藏室不得出租供人居住。

第九条 出租人应当依照租赁合同约定的期限将房屋交付承租人，不能按期交付的，应当支付违约金，给承租人造成损失的，应当承担赔偿责任。

房屋租赁合同期内，出租人不得单方面随意提高租金水平。

第十条 出租人有权对承租人使用房屋的情况进行监督，并按合同约定履行房屋维修责任，保证房屋和室内设施安全。出租人、承租人应当积极协助相关部门做好防火、防盗、防治安全隐患的工作，发现问题及时向有关部门报告。

第十一条 出租人出租的房屋影响承租人正常使用的，承租人有权要求出租人限期修复或者减少租金。

合同另有约定的从其约定。

第十二条 承租人应当按照租赁合同约定使用房屋，不得改动房屋承重结构和拆改室内设施，不得损害其他业主和使用人的合法权益。

在租赁期限内，承租人转租、改变房屋用途或者对房屋进行装修，必须以书面形式征得出租人同意。

第十三条 承租人有下列行为之一的，出租人有权终止租赁合同，收回房屋。因此而造成的损失，由承租人赔偿：

（一）将承租的房屋擅自转租的；

（二）将承租的房屋擅自转借他人或擅自调换使用的；

（三）将承租的房屋擅自装修、拆改结构或改变用途的；

（四）利用承租房屋进行违法活动的；

（五）故意损坏承租房屋的；

（六）法律、法规规定其他可以收回房屋的。

第十四条 租赁期限内，出租房屋发生赠与、析产、继承或者买卖的，由房屋产权承接人继续履行原租赁合同。

承租人在租赁期限内死亡，租赁房屋的共同居住人要求继承原租赁关系的，出租人应继续履行原租赁合同。

法律、法规和规章另有规定或者当事人另有约定的除外。

第十五条 出租人出售已出租的房屋，应当提前三个月书面通知承租人，在同等条件下，承租人有优先购买权。

第十六条 租赁期限内，因房屋出现安全隐患而影响房屋正常使用的，承租人应采取有效措施防止隐患扩大，并立即通知出租人。

第十七条 房屋租赁当事人应当自房屋租赁合同签订、变更之日起30日内，到房屋所在地房地产（房产、建设）管理部门办理房屋租赁登记备案手续。

房屋租赁当事人可以书面委托他人办理房屋租赁登记备案。

第十八条 办理房屋租赁登记备案，应当提交下列材料：

（一）房屋租赁合同；

（二）当事人的合法身份证件；

（三）出租已抵押房屋的，提交抵押权人同意出租的书面证明；

（四）转租房屋的，提交房屋所有权人同意转租的书面证明。

房屋租赁当事人提交的材料应当真实、有效。

第十九条 房屋租赁登记管理机构自接到房屋租赁合同登记备案申请之日起3日内，对符合登记备案条件的，予以登记备案；并核发房屋租赁登记备案证明。对不符合登记备案条件的，不予登记备案，并说明理由。

第二十条 房屋租赁登记备案证明由各市房地产管理部门制订统一式样，载明出租人的姓名或者名称，承租人的姓名或者名称，出租房屋的坐落、租赁用途、租赁期限等内容。

第二十一条 房屋租赁登记备案内容发生变化、续租或者租赁终止的，当事人应当在30日内，到原租赁登记备案的部门办理房屋租赁登记备案的变更、延续或者注销手续。

第二十二条 房地产（房产、建设）管理部门，应当把房屋租赁登记备案信息纳入房地产市场信息系统，并逐步实现网上登记备案。

第二十三条 房屋租赁登记备案记载的信息应当包含以下内容：

（一）出租人的姓名（名称）、住所，身份证件种类和号码，电话联系方式；

（二）承租人的姓名（名称）、身份证件种类和号码，电话联系方式；

（三）出租房屋的坐落、租赁用途、租金数额、租赁期限；

（四）其他需要记载的内容。

第二十四条 违反本细则第五条规定，责令限期改正，对没有违法所得的，可处以五千元以下罚款；对有违法所得的，可以处以违法所得一倍以上三倍以下，但不超过三万元的罚款。

违反本细则第八条规定的，责令限期改正，逾期不改正的，可处以五千元以上三万元以下罚款。

违反本细则第十七条第一款、第二十一条规定的，责令限期改正；个人逾期不改正的，处以一千元以下罚款；单位逾期不改正的，处以一千元以上一万元以下罚款。

第一条 为加强我省商品房屋租赁管理，规范商品房屋租赁行为，保障租赁当事人的合法权益。根据住房和城乡建设部《商品房屋租赁管理办法》的规定，结合本省实际，制定本实施细则。

第二条 在本省城市规划区内国有土地上的商品房屋租赁和管理，适用本细则。

第三条 商品房屋租赁应当遵循自愿、平等、互利和诚实信用协商一致的原则。

第四条 省住房和城乡建设厅负责全省商品房屋租赁的指导和监督工作；设区市、县（市）房地产（房产、建设）主管部门负责本行政区域内的房屋租赁监督管理工作。

第五条 有下列情形之一的商品房屋不得出租：

（一）属于违法建筑的；

（二）不符合安全、防灾等工程建设强制性标准的；

（三）违反规定改变房屋使用性质的；

（四）法律、法规规定禁止出租的其他情形。

第六条 商品房屋出租人明知其出租的房屋是危险房屋的，不得出租。

第七条 商品房屋租赁当事人应当订立书面租赁合同，租赁合同的内容由当事人约定。

一般包括下列条款：

（一）当事人姓名或者名称及住所；

（二）房屋坐落、面积、结构、装修、附属设施，家具和家电等室内设施状况；

（三）租金和押金数额及交付方式；

（四）房屋租赁用途和使用要求；

（五）房屋和室内设施的安全性能；

（六）租赁期限及房屋交付日期；

（七）房屋修缮责任；

（八）物业服务、水、电、暖、燃气等相关费用的缴纳；

（九）房屋返还时状态和增添物的处置；

（十）争议解决办法和违约责任；

（十一）其他约定；

设区城市房地产（房产、建设）管理部门应当会同同级工商行政管理局制订房屋租赁合同的示范文本，供当事人参考使用。

第八条 住宅出租，应当以房屋建设时设计的独立使用房间为最小出租单位。

厨房、卫生间、阳台和地下储藏室不得出租供人居住。

第九条 出租人应当依照租赁合同约定的期限将房屋交付承租人，不能按期交付的，应当支付违约金，给承租人造成损失的，应当承担赔偿责任。

房屋租赁合同期内，出租人不得单方面随意提高租金水平。

第十条 出租人有权对承租人使用房屋的情况进行监督，并按合同约定履行房屋维修责任，保证房屋和室内设施安全。出租人、承租人应当积极协助相关部门做好防火、防盗、防治安全隐患的工作，发现问题及时向有关部门报告。

第十一条 出租人出租的房屋影响承租人正常使用的，承租人有权要求出租人限期修复或者减少租金。

合同另有约定的从其约定。

第十二条 承租人应当按照租赁合同约定使用房屋，不得改动房屋承重结构和拆改室内设施，不得损害其他业主和使用人的合法权益。

在租赁期限内，承租人转租、改变房屋用途或者对房屋进行装修，必须以书面形式征得出租人同意。

第十三条 承租人有下列行为之一的，出租人有权终止租赁合同，收回房屋。因此而造成的损失，由承租人赔偿：

（一）将承租的房屋擅自转租的；

（二）将承租的房屋擅自转借他人或擅自调换使用的；

（三）将承租的房屋擅自装修、拆改结构或改变用途的；

（四）利用承租房屋进行违法活动的；

（五）故意损坏承租房屋的；

（六）法律、法规规定其他可以收回房屋的。

第十四条 租赁期限内，出租房屋发生赠与、析产、继承或者买卖的，由房屋产权承接人继续履行原租赁合同。

承租人在租赁期限内死亡，租赁房屋的共同居住人要求继承原租赁关系的，出租人应继续履行原租赁合同。

法律、法规和规章另有规定或者当事人另有约定的除外。

第十五条 出租人出售已出租的房屋，应当提前三个月书面通知承租人，在同等条件下，承租人有优先购买权。

第十六条 租赁期限内，因房屋出现安全隐患而影响房屋正常使用的，承租人应采取有效措施防止隐患扩大，并立即通知出租人。

第十七条 房屋租赁当事人应当自房屋租赁合同签订、变更之日起30日内，到房屋所在地房地产（房产、建设）管理部门办理房屋租赁登记备案手续。

房屋租赁当事人可以书面委托他人办理房屋租赁登记备案。

第十八条 办理房屋租赁登记备案，应当提交下列材料：

（一）房屋租赁合同；

（二）当事人的合法身份证件；

（三）出租已抵押房屋的，提交抵押权人同意出租的书面证明；

（四）转租房屋的，提交房屋所有权人同意转租的书面证明。

房屋租赁当事人提交的材料应当真实、有效。

第十九条 房屋租赁登记管理机构自接到房屋租赁合同登记备案申请之日起3日内，对符合登记备案条件的，予以登记备案；并核发房屋租赁登记备案证明。对不符合登记备案条件的，不予登记备案，并说明理由。

第二十条 房屋租赁登记备案证明由各市房地产管理部门制订统一式样，载明出租人的姓名或者名称，承租人的姓名或者名称，出租房屋的坐落、租赁用途、租赁期限等内容。

第二十一条 房屋租赁登记备案内容发生变化、续租或者租赁终止的，当事人应当在30日内，到原租赁登记备案的部门办理房屋租赁登记备案的变更、延续或者注销手续。

第二十二条 房地产（房产、建设）管理部门，应当把房屋租赁登记备案信息纳入房地产市场信息系统，并逐步实现网上登记备案。

第二十三条 房屋租赁登记备案记载的信息应当包含以下内容：

（一）出租人的姓名（名称）、住所，身份证件种类和号码，电话联系方式；

（二）承租人的姓名（名称）、身份证件种类和号码，电话联系方式；

（三）出租房屋的坐落、租赁用途、租金数额、租赁期限；

（四）其他需要记载的内容。

第二十四条 违反本细则第五条规定，责令限期改正，对没有违法所得的，可处以五千元以下罚款；对有违法所得的，可以处以违法所得一倍以上三倍以下，但不超过三万元的罚款。

违反本细则第八条规定的，责令限期改正，逾期不改正的，可处以五千元以上三万元以下罚款。

违反本细则第十七条第一款、第二十一条规定的，责令限期改正；个人逾期不改正的，处以一千元以下罚款；单位逾期不改正的，处以一千元以上一万元以下罚款。

以上处罚，由设区市、县（市）房地产（房产、建设）管理部门负责。

第二十五条 市、县（市）房地产管理部门对符合规定的房屋租赁登记备案申请不予办理、对不符合规定的房屋租赁登记备案申请予以办理，或者对房屋租赁登记备案信息管理不当，给租赁当事人造成损失的，对直接负责的主管人员和其他直接责任人员依法给予处分；构成犯罪的，依法追究刑事责任。

第二十六条 房屋租赁登记管理机构工作人员不认真履行管理职责，徇私舞弊的，由其所在单位给予行政处分，情节严重构成犯罪的依法追究法律责任。

第二十七条 本细则自2011年9月17日起施行。

第二十八条 各市房地产管理部门可以制定具体的房屋租赁登记备案实施办法。

第二十九条 城市规划区外国有土地上的房屋租赁和监督管理，参照本细则执行。

山西省住房和城乡建设厅 中国人民银行太原中心支行 中国银行业监督管理委员会山西监管局 关于印发《商品房预售资金监管办法》的通知

晋建房字〔2011〕318号

各市住房和城乡建设局（建委）、房地产管理局，人民银行各市中心支行，各银监分局：

为维护房地产市场交易秩序，加强商品房预售资金监督管理，防止商品房交易风险，保障购房人的合法权益，确保预售资金用于商品房项目工程建设，根据《中华人民共和国城市房地产管理法》、《城市商品房预售管理办法》（建设部令第131号）和《关于进一步加强房地产市场监管完善商品住房预售制度有关问题的通知》（建房〔2010〕53号）等有关法律法规、政策，山西省住房和城乡建设厅、中国人民银行太原中心支行、中国银行业监督管理委员会山西监管局制定了《商品房预售资金监管办法》，经省政府法制办审查备案，现予以印发，请遵照执行。

山西省住房和城乡建设厅
中国人民银行太原中心支行
中国银行业监督管理委员会山西监管局
二〇一一年八月二十五日

商品房预售资金监管办法

第一条 为加强商品房预售资金的监督管理，防止商品房交易风险，保障购房人的合法权益，维护房地产市场交易秩序，根据《中华人民共和国城市房地产管理法》、《城市商品房预售管理办法》、《山西省城市房地产交易管理条例》等有关法规、规章的规定，制定本办法。

第二条 凡在本省行政区域内批准预售的商品房建设项目，其预售资金的收缴、使用和监督管理工作，适用本办法。

第三条 本办法所称商品房预售资金，是指预售人将其开发建设的商品房在竣工备案前预售给购房人，由购房人按合同约定支付的预购房款（包括首付款、分期付款、一次性付款和银行按揭贷款、住房公积金贷款）。

本办法所称监管银行（即受托银行），是指与房地产开发企业签订商品房预售资金监管协议、设立资金监管账户的银行。

本办法所称预售人，是指预售商品房的房地产开发经营企业。

本办法所称购房人，是指购买预售商品房的单位和个人。

第四条 省住房和城乡建设行政主管部门负责监督指导全省商品房预售资金的使用。人民银行、银监部门负责对监管银行的预售资金监管行为进行监督检查。

市、县级商品房预售许可部门（以下简称“监管部门”）负责本行政区域内的商品房预售资金监督管理，其主要工作职责是：

（一）办理预售人和受托银行监管协议备案；

（二）办理商品房预售资金使用计划备案；

（三）监督管理预售资金支取；

（四）建立房地产开发企业诚信档案，向相关部门提供施工、监理等单位的诚信情况，并定期公示；

（五）受理商品房预售资金收缴、使用中违法违规行为的投诉；

（六）商品房预售资金监管其他有关工作。

各级商品房预售许可部门、人民银行和银监部门应当建立商品房预售资金监管协调机制。

第五条 监管银行应当按照商品房预售资金监管协议约定，配合监管部门共同做好商品房预售资金监管工作，并按照监管项目分别建立商品房预售资金收缴、支出台账，加强对商品房预售资金的缴存、使用等事项的日常监管：

（一）按本办法要求及时开设商品房预售资金专用账户；

（二）审核预售人预售资金支取凭证的合法性和有效性，对不符合条件的支取不予划转预售资金；

（三）对违规挪用预售资金的行为及时向监管部门通报；

（四）将商品房预售资金专用账户情况及预收款的缴存、支取相关凭证报当地监管部门和人民银行备案。

第六条 预售人应当将拟预售的商品房建设项目，作为独立的预售资金监管对象（下称“监管项目”），在当地选择受托银行并申请设立商品房预售资金专用账户（下称“专用账户”）。

未设立专用账户的监管项目，监管部门不得发放《商品房预售许可证》，不得办理《商品房买卖合同》预售备案。

第七条 专用账户应以幢为基本单位设立，一个企业有多个预售项目的，专用账户应分别设立。预售资金专用账户名称必须为基本账户＋项目名称，并且预留签章要与专用账户名称一致。

监管项目预售过程中，监管银行原则上不得变更。

第八条 预售人在申请《商品房预售许可证》前，应当就监管项目的基本情况、监管内容、监管时间、资金使用计划、违约责任等内容与监管银行、监管项目的工程监理单位共同签订商品房预售资金监管协议，并向监管银行提供以下资料：

（一）监管项目（按幢或多幢）的工程形象进度表；

（二）监管项目各阶段的资金使用计划；

（三）监管项目工程预算清册；

（四）投标文件、中标通知书；

（五）监管银行要求的其它资料。

签订商品房预售资金监管协议后，监管银行向预售人预发放专用资金账户账号，用于申请办理监管项目的《商品房预售许可证》。

《商品房预售资金监管协议书》示范文本由各市制定。

第九条 预售人申请办理《商品房预售许可证》时，在向监管部门提供的商品房预售方案中应当包括以下内容：

（一）商品房预售资金监管协议书；

（二）监管项目的工程建设费用；

（三）监管项目各阶段的资金使用计划；

（四）监管项目的工程形象进度表；

（五）监管银行预发放的资金账户名称、账号。

第十条 预售人应当根据《人民币银行结算账户管理办法》等账户管理规定，凭《商品房预售许可证》在监管银行正式开立资金账户，开立的资金账户账号应当与预发放资金账户账号一致。

第十一条 监管银行在专用账户开立后五个工作日内，将预售人的开户申请书、《商品房预售许可证》复印件、商品房预售资金监管协议书、监管项目的工程形象进度表、监管项目各阶段的资金使用计划等材料报当地人民银行备案。

第十二条 预售人应将预售款全部直接存入专用账户，购房人持预售人开具的专用账户缴款单直接向监管银行缴款，预售人凭购房人在监管银行的缴款凭证为购房人开具售房收款票据。

第十三条 预售人与购房人解除购房合同的，预售人可以持市、县商品房预售许可主管部门出具的证明文件向监管银行申请退回相应购房款，监管银行应在二个工作日内拨付。

第十四条 有贷款的商品房预售项目，专用账户原则上应当开立在提供贷款的商业银行；设定土地使用权抵押或在建工程抵押的项目，预售人应当保证商品房预售资金监管银行是该项目的抵押权人。若土地使用权抵押或在建工程抵押的抵押权人为非银行金融机构或个人，预售人还应当与抵押权人和监管银行共同签订三方协议，明确各方的权利、义务和责任。

第十五条 在监管项目竣工备案、办理房地产初始登记前，商品房预售款可以支付本项目的工程、建筑材料、配套设施、设备等款项，以及法定税费、本项目到期的银行贷款和有关的工程建设费用。

预售人可以在预售资金中提取一定比例的办公和管理经费，具体标准由各市、县商品房预售许可部门制定。

第十六条 预售人申请使用监管项目预售资金，应当向监管部门提出申请，并提交下列文件：

（一）商品房预售资金使用申请表；

（二）预售人资金使用计划；

（三）工程建设合同及经验核的房地产开发项目手册；

（四）用于支付工程款的，提供施工监理单位出具的监管项目分部分项工程施工完成证明和施工单位的用款申请；

（五）用于支付购买项目建设必须的建筑材料、设备款项的，提供与供应商签订的购销合同；

（六）用于支付设计、监理以及其他行政事业收费的，提供合同或缴费通知；

（七）用于归还银行贷款的，提交贷款合同；

（八）应当提供的其他材料。

第十七条 使用商品房预售资金按下列程序办理：

（一）预售人应持第十六条规定的文件向监管部门提出申请；

（二）对符合使用条件的，监管部门应当在2个工作日内出具《商品房预售资金拨付通知书》；

（三）监管银行凭《商品房预售资金拨付通知书》，在2个工作日为预售人办理资金拨付手续。

第十八条 监管部门应当对商品房预售资金入账情况、建设工程进度与工程建设资金使用情况进行监督检查。监管银行应当按月将监管的商品房预售资金收支情况报人民银行当地分支行和监管部门。

第十九条 商品房监管项目办理房地产初始登记后，预售人凭相关证明材料向监管银行申请注销监管账户，监管银行应当按照《人民币银行结算账户管理办法》有关规定办理账户注销手续。

预售人应当将监管银行注销账户证明报当地监管部门备案。

第二十条 预售人向购房人以集资、借款、会员费、预订等形式变相预售商品房，逃避资金监管的，监管部门应当立即停止该监管项目的销售，并责令其限期改正。同时，将其行为记入企业的诚信档案和人民银行的企业征信系统。

第二十一条 监管项目的工程监理单位提供虚假施工进度证明或者采取其他方式协助预售人超前超额支取商品房预售资金，造成工程无法按期竣工的，应当和开发单位共同承担相应的法律责任，并由主管部门将其行为记入企业的诚信档案。

第二十二条 监管银行违反本办法规定，擅自拨付商品房预售资金，或者不按要求拨付，造成预售资金被挪用，导致工程无法按期竣工的，除承担相应责任外，三年内不得在当地市、县（市）行政区域内承担商品房预售资金的监管。

第二十三条 预售人与监管银行或者监管项目的工程监理单位相互串通设立虚假资金账户逃避监管或者违规使用商品房预售资金的，由其主管部门责令限期改正，造成严重后果的，应当依法追究法律责任。

第二十四条 商品房预售监管部门违反本办法造成监管缺失或违法监管的，按有关规定对有关责任人追究责任。

第二十五条 各市、县（市）房地产行政主管部门应当会同当地人民银行、银监部门根据本办法制订具体实施细则。

第二十六条 本办法自2011年9月26日起施行，施行之前已批准预售的商品房项目不适用本办法。

山西省国土资源厅
关于加强地价监管落实保障性住房供地的通知

晋国土资发 [2011] 83 号

各市国土资源局，厅机关有关处室，厅属有关事业单位，各开发区土地分局：

日前，国土资源部以特急明传电报下发了《关于加强地价监管确保不出现住房高价地的紧急通知》，提出了落实国务院房地产市场宏观调控八项新措施的要求。为贯彻落实国务院关于房地产市场调控的一系列政策，进一步加强房地产用地管理工作，切实落实保障性住房用地供应，保持我省住宅用地价格平稳。现将有关要求通知如下：

一、落实保障房用地供应，坚决防止出现住房高价地。

各市国土资源局在收到此文后，要将《国土资源部关于加强地价监管、确保不出现住房高价地的紧急通知》（附件）呈报市人民政府，并及时传达到所辖县（市）。同时，认真梳理 2007 年以来住宅用地的价格走势，掌握住宅用地高价地块的详细情况，分析土地供需和地价的变化趋势，把握好住宅用地的出让时机，控制相同区域地价过快增长和坚决防止出现非理性住房高价地块。对招拍挂出让中溢价率超过 50%、成交总价或单价创历史新高的地块，市、县国土资源主管部门要在成交确认书签订（中标通知书发出）后 2 个工作日内，通过中国土地市场网下载并填写《房地产用地交易异常情况一览表》分别上报国土资源部和省厅。对可能在公开出让中成交总价或单价创历史新高、成交楼面地价超出周边地价的，要按照部里通知的要求暂停出让，重新调整出让方案。要积极探索"限房价、限套型、竞地价、竞配建"等方式确定受让人，切实把地价降下来。

切实加大保障房用地供应力度。要千方百计盘活存量土地、科学使用新增建设用地指标。 2011 年度国有建设用地供应计划必须对保障性住房建设所需用地"应保尽保"，保障性住房用地报批时土地利用指标使用留省指标，不占用各市的指标。住房用地计划总量原则上不得低于前 2 年年均实际供应量，保障性住房、棚户区改造住房和中小套型普通商品住房用地不得低于住房用地供应计划总量的 70%。

二、加快 2011 年度国有建设用地供应计划和住房用地供应计划的编制工作。

各市局要按照《关于做好编制 2011 年度国有建设用地供应计划的通知》（晋国土资办发〔2010〕246 号）要求，依据《国有建设用地供应计划编制规范（试行）》，抓紧编制 2011 年国有建设用地供应计划和住房用地供应计划。要认真总结 2010 年住房用地供应计划编制和实施工作，加大调研和协调力度，进一步提高今年计划编制工作的科学性和针对性，提前考虑全年计划编制与实施的衔接，准备好预案，避免出现年度计划完成率低的情况。

各开发区土地分局的计划编制要纳入相关市、县国土资源局供应计划编制范围内。

在 3 月 20 日前，各市将 2011 年度土地供应计划和住房用地供应计划上报省厅利用处备案。3 月底前通过国土资源部土地市场动态监测与监管系统上报国土资源部并在当地主流媒体向社会公布。凡未按时发布住房用地供应计划的市县，一律不得向保障性住房、棚户区改造住房和中小套型普通商品住房以外的商品住房供地。

三、提高认识，切实加强对房地产用地的监管工作。

全省各级国土资源管理部门要认真学习国务院关于房地产市场调控的政策，提高认识，坚决贯彻中央的调控措施。把住房用地供应和控制住房高地价作为今年工作的一项重要内容来抓。要严格执行《国土资源部关于严格落实房地产调控政策促进土地市场健康发展有关问题的通知》（国土资发〔2010〕204 号）文，保障性住房用地改变用途搞商品房开发的，必须坚决依法没收违法所得，收回土地使用权，由市、县国土资源主管部门重新招拍挂出让。对因企业原因造成土地闲置一年以上的、非法转让土地使用权的、违背出让合同约定条件开发利用土地等违法违规违约行为的开发商列入黑名单，在违法违规违约行为查处整改到位前，不准其参与招拍挂出让土地活动，对其开发土地要严格监管。坚决落实出让公告审核制度，省国土资源交易中心负责全省公告的网上巡查，市、县国土部门部门负责公告上网前的审核，要各负其责，及时掌握网上公告的拟出让地块的各项指标的具体情况，严防违规公告上网。

各市国土资源局、开发区土地分局要结合本市（区）实际，做出统一的工作部署，增强责任感使命感，提高对市场的敏锐性和针对性，及时采取有力措施应对新情况新问题，努力完成今年住房用地供应和监管工作。

山西省国土资源厅

二○一一年三月十五日

山西省国土资源厅
关于印发《山西省建设项目用地预审管理实施办法》
的通知

晋国土资发〔2011〕100号

各市国土资源局，厅机关各有关处室，厅属有关事业单位，各开发区土地分局：

《山西省建设项目用地预审管理实施办法》（以下简称《办法》）已于2010年12月15日经厅务会审议通过，2011年3月2日经山西省人民政府法制办公室审查通过（晋政法函〔2011〕34号）。现将《办法》印发给你们，请认真贯彻执行。

《办法》是我省严格执行耕地保护和集约节约用地制度的重要体现，是各级国土资源管理部门贯彻落实《中华人民共和国土地管理法》和国土资源部《建设项目用地预审管理办法》（国土资源部42号令）的重要措施，是我省建设项目用地预审管理工作的具体规范。各级国土资源管理部门在开展建设项目用地预审工作中，要严格按照《办法》有关规定执行，切实发挥国土资源管理部门保护耕地与保障发展的重要作用。

山西省国土资源厅

二○一一年三月二十四日

《山西省建设项目用地预审管理实施办法》

第一条 为贯彻落实科学发展观，充分发挥土地供应的宏观调控作用，加强土地用途管制，控制建设用地总量，保证山西省各级土地利用总体规划的实施，根据国土资源部《建设项目用地预审管理办法》（42号令）和有关法律法规规定，制定本实施办法。

第二条 本实施办法所称建设项目用地预审，是指国土资源管理部门在建设项目审批、核准、备案阶段，依法对建设项目涉及的土地利用事项进行的审查。

第三条 建设项目用地预审应当遵循的原则

（一）符合土地利用总体规划；

（二）保护耕地，特别是基本农田；

（三）合理和集约节约利用土地；

（四）符合国家供地政策。

第四条 建设项目用地实行分级预审

需人民政府或有批准权的人民政府发展和改革等部门审批的建设项目，由该人民政府的国土资源管理部门预审。

需核准和备案的建设项目，由与核准、备案机关同级的国土资源管理部门预审。

建设项目拟用地在土地利用总体规划确定的城镇建设用地规模范围内（圈内）的，应由国土资源部预审的建设项目，委托市级国土资源管理部门受理，受理后，提出初审意见，转报送国土资源部，应由省国土资源厅预审的项目，委托市国土资源管理部门负责预审。

应当由国土资源部负责预审的输电线塔基、钻探井位、通讯基站等小面积零星分散建设项目用地，由省级国土资源管理部门预审，并报国土资源部备案。

第五条 建设项目用地预审的环节

需审批的建设项目，在可行性研究阶段，由建设用地单位提出预审申请。

需核准的建设项目在项目申请报告核准前，由建设单位提出用地预审申请。

需备案的建设项目在办理备案手续后，由建设单位提出用地预审申请。

第六条 建设项目用地预审申报程序

建设单位提交预审申请报告，主送单位为负责预审的国土资源管理部门，但应抄送负责初审的国土资源管理部门。

依法应由国土资源部和省国土资源厅预审的建设项目，市、县国土资源管理部门负责进行初审，并分别在预审申请表上填写对建设项目的初步审查意见，如项目位于开发区四至范围内，预审申请表上的初审意见由开发区土地分局填写。市县及开发区土地分局国土资源管理部门在预审申请表上填写初审意见时，要按照预审审查的5项内容填写审查意见，不得简单填写“同意上报”字样。

涉密军事项目和国务院批准的特殊建设项目用地，建设用地单位可直接向国土资源部提出预审申请。

第七条 申请建设项目用地预审应当提交的材料：

（一）建设单位出具的建设项目用地预审申请报告（正式文件），主送单位为负责预审的国土资源管理部门，内容包括拟建项目的基本情况（项目的依据和必要性、审批核准备案机关、建设规模、总投资等）、拟选址占地情况（总用地规模、拟用地类型、各功能分区等）、拟用地面积确定的依据和适用建设用地指标情况、补充耕地初步方案、征地补偿费用和矿山项目土地复垦资金的拟安排情况等；

（二）建设项目用地预审申请表（国土资源厅统一格式）；

（三）需审批的建设项目，应提供项目可行性研究报告；

（四）项目建议书批复文件或项目备案批准文件；

（五）项目纳入国家或省有关规划、计划的清单的复印件（需加盖建设用地单位公章），未纳入的要提供国家或省有关部门同意开展前期工作的支持性文件；

（六）单独选址建设项目拟选址位于地质灾害防治规划确定的地质灾害易发区内的，提交地质灾害危险性评估报告和备案证明；

（七）省级以上国土资源部门出具的是否压覆重要矿产资源的证明材料；

（八）申请矿山建设用地预审，需提供国土资源管理部门依法划定矿区范围的批复文件或颁发的采矿许可证。

（九）标注项目用地范围的乡级以上土地利用总体规划图（局部图并加盖县级国土资源管理部门公章）及相关图件，报国土资源部预审的建设项目附县级以上土地利用总体规划图；

（十）由建设单位出具的征地补偿费用和矿山项目土地复垦资金安排情况的承诺；

（十一）建设项目占用耕地的，提供补充耕地方案和所需资金的落实情况、委托补充耕地的委托协议等；

直接审批可行性研究报告的审批类建设项目与需核准的建设项目，申请用地预审的不提交前款第（四）、（六）、（七）项材料。

第八条 属于《土地管理法》第二十六条规定情形，可依法修改土地利用总体规划的单独选址项目用地，申报材料中要包括规划修改方案（占用基本农田的要包括基本农田补划方案和基本农田补划位置图）、规划修改听证会纪要、规划实施影响评估报告及论证意见。其中规划修改听证工作，由项目所在地县级国土资源管理部门按照《国土资源听证规定》的要求组织完成；规划修改方案和实施影响评估报告的论证工作，由市级国土资源管理部门组织有关部门和专家完成。

第九条 直接审批可行性研究报告的审批类建设项目与需核准的建设项目，项目单位应当在用地预审完成后，申请用地审批前，依据预审意见，办理地质灾害危险性评估与矿产资源压覆情况证明等手续。

第十条 建设项目占用耕地面积大或占用基本农田较多（公路、铁路、管道等线性工程占用基本农田100公顷以上、200公顷以下；能源、矿山、水利设施等面（块）状工程占用基本农田35公顷以上，70公顷以下），建设单位应编制土地保护专题报告，随预审申报材料报省国土资源厅，在预审批复前，由国土资源部委托省国土资源厅组织相关专家进行实地踏勘和论证。

第十一条 预审应当审查的主要内容：

（一）建设项目选址是否符合土地利用总体规划，是否符合国家供地政策和土地管理法律、法规规定的条件；

（二）建设项目用地规模是否符合有关建设用地指标的规定；

（三）建设项目占用耕地的，补充耕地初步方案是否可行；

（四）征地补偿费用和矿山项目土地复垦资金的拟安排情况；

（五）属《土地管理法》第二十六条规定情形，建设项目用地需修改土地利用总体规划的，规划的修改方案、规划修改对规划实施影响评估报告等是否符合法律、法规的规定。

第十二条 预审时限

（一）自受理预审申请之日起二十日内，完成审查工作，并出具预审意见。二十日内不能出具预审意见的，经负责预审的国土资源管理部门负责人批准，可以延长十日；

（二）负责初审的国土资源管理部门，应当自受理之日起二十日内完成初审工作，并转报上一级国土资源管理部门。

第十三条 预审意见应当包括对本办法第十一条规定内容的结论性意见和对建设用地单位的具体要求。

第十四条 预审意见是有关部门审批项目可行性研究报告、核准项目申请报告的必备文件。

第十五条 已经预审的项目，如需对土地用途、建设项目选址等进行重大调整的，应当重新申请预审。

第十六条 工业用地及经营性用地项目，根据《国土资源部监察部关于落实工业用地招标拍卖挂牌出让制度有关问题的通知》（国土资发 [2007]78 号）要求，与竞得人签订《成交确认书》或向中标人发放《中标通知书》后，由依法进行建设项目用地预审的国土资源管理部门向竞得人、中标人核发预审批准文件。

第十七条 未经预审或者预审未通过的，不得批复可行性研究报告、核准项目申请报告；不得批准农用地转用、土地征收，不得办理供地手续。预审审查的相关内容在建设用地报批时，未发生重大变化的，不再重复审查。

第十八条 建设项目用地预审申报材料由建设单位直接报送国土资源管理部门的政务大厅，大厅接收时，要开据收文回执，并要告知建设单位办结时限。

第十九条 建设项目用地预审实行集体会审和厅内网上会审制度。

第二十条 建设项目用地预审文件有效期为两年，自批准之日起计算；到期后确需延期的，应向原申报机关提出申请，延期期限为一年。

第二十一条 本办法自 2011 年 3 月 29 日起施行。

山西省国土资源厅
关于进一步落实房地产市场调控政策加强住房用地供应管理的通知

晋国土资发〔2011〕176号

各市国土资源局、各开发区土地分局：

为贯彻落实国务院房地产宏观调控政策，增强土地政策参与房地产市场宏观调控的针对性、有效性，按照国土资源部的有关要求，为进一步做好住房用地供应管理和供后监管工作，积极促进房地产市场健康平稳可持续发展。现就有关问题通知如下：

一、认真落实房地产调控政策的重点任务和基本要求

（一）2011年的重点任务和基本要求。

全省各级国土资源管理部门要以供应保障性安居工程建设用地为重点，及时编制公布城市住房用地供应计划并认真实施，确保省政府与各市政府签订的2011年保障性安居工程建设任务落地。确保保障性住房、棚户区改造和中小套型商品房用地不低于住房建设用地总量的70%，确保城市住房用地供应计划总量不低于前2年年均实际供应总量。要严防出现高价地，坚决杜绝土地出让中出现楼面地价超过同类地价历史最高价的情况。房价高的市、县要及时调整住房用地供应方向，增加公共租赁住房和中小套型限价商品住房供地，促进房价合理回归。加强住房建设用地全程监管，实时跟踪土地开发利用情况，加大清理查处违法违规违约行为力度，严厉打击囤地炒地，确保闲置土地及时依法依规处置到位，促进住房用地按期依规开发利用。

二、强化住房用地的年度计划管理，确保完成保障性安居工程用地的供应

（二）强化保障性安居工程用地年度计划管理。

市、县国土资源主管部门要按照保障性安居工程建设规划和建设用地供应计划编制住房供地年度计划和保障性安居工程用地年度计划，并根据年度计划实行宗地供应预安排，将确定的保障性住房、棚户区改造住房、公共租赁住房、限价房和中小套型普通商品住房年度建设任务落实到地块。市、县国土资源主管部门应及时向社会公布供地计划、供地时序、宗地情况和供地条件，接受社会公众监督，正确引导市场预期。各地要根据住房建设计划和保障性安居工程用地年度计划落实情况，及时合理调整供地计划。要在盘活利用存量土地的同时，对依法收回的闲置土地和具备“净地”供应的储备土地以及新增建设用地，应优先确保以保障性住房用地的供应。未完成保障性住房供地计划的地方，不得向大户型高档住房建设供地。

（三）确保保障性安居工程用地及时供应。

市、县国土资源主管部门要主动加强与相关部门的协调配合，进一步加大工作力度，依据项目建设规划落实情况及时将保障性安居工程用地落实到地块，及时办理土地供应手续。对涉及使用新增建设用地的，要提前做好土地征收、补偿安置等前期工作。对已供应的保障性住房建设用地，要督促建设单位抓紧做好开工前期工作，促其按期开工建设。省厅从今年6月起将对保障性安居工程供地实施情况按季度进行检查，及时解决影响保障性安居工程用地供应与管理方面出现的各种问题，对于保障性安居工程用地落实不到位的，要予以通报批评。

三、坚决落实房地产调控新规定，严格规范土地公开出让制度和操作程序

（四）坚决落实房地产调控的新规定。

各级国土资源局要坚持招标拍卖挂牌制度和公开、公平、公正竞争原则，积极实行“限房价竞地价”、“商品住房用地中配建保障性安居住房”等多种招拍挂供地政策。严格执行企业利用自有土地兴建住房的政策规定。

距离城区较远住房困难职工较多的独立工矿企业，为解决内部员工住房困难，在符合城市规划前提下利用自有土地建设保障性住房的，应向国土资源管理部门申报，经城市人民政府批准后，纳入市、县住房用地供应计划。利用自有土地建设保障性住房的，其建设标准和供应对象等，必须按照国务院《关于解决城市低收入家庭住房困难的若干意见》（国发［2007］24号）的规定，并纳入城市保障性住房管理。对符合国发［2007］24号文件规定条件的企业建设公共租赁住房已纳入当地公共租赁住房规划、计划的，国土资源管理部门应按照法律规定办理相关手续。对政府投资建设的公共租赁住房用地，可以划拨方式供应。以出让方式供应土地建公租房的，应实行“定套型面积、竞租金标准、竞地价”的供地政策。严禁擅自利用农村集体建设用地兴建公共租赁房。

（五）规范编制拟供地块出让方案。

市、县国土资源主管部门要依据土地利用规划和城镇控制性详细规划，对具备供地条件的地块，要按照国土资发〔2010〕151号文件要求通知规划、房地产主管部门按时提出规划和建设条件。土地出让必须以宗地为单位提供规划条件、建设条件和土地使用标准，严格执行商品住房用地单宗出让面积规定，不得将两宗以上地块捆绑出让，不得“毛地”出让，要严格限制供应低密度大户型住宅用地，禁止供应容积率指标小于1的住宅用地。拟出让地块要依法进行土地调查和确权登记，确保地类清楚、面积准确、权属合法，没有纠纷。

（六）严格土地出让的规划和建设条件。

市、县国土资源主管部门要会同市县规划主管部门，严格依据经批准的控制性详细规划和节约集约用地要求，将出让地块的位置、使用性质、开发强度、住宅建筑套数、套型建筑面积等套型结构比例条件，作为土地出让的规划条件，列入出让合同。对于中小套型普通商品住房建设项目，要明确提出平均套型建筑面积的控制标准和相应的套型结构比例条件。市、县国土资源主管部门要以住房城乡建设（房地产、住房保障）主管部门提出限价商品住房的控制性销售价位，商品住房建设项目中保障性住房的配建比例、配建套数、套型面积、设施条件和项目开竣工时间及建设周期等建设条件作为土地出让的依据，并纳入出让合同。由开发建设单位提出申请调整规划建设条件而不按期开工的，必须收回土地使用权，重新按招标拍卖挂牌方式出让土地。工业用地改变用途进行商品房开发的，应当收回土地使用权，以招标拍卖挂牌方式重新出让。

（七）切实落实公告审核和土地竞买人资格审查制度。

对违反政策规定的出让公告，市、县、开发区国土资源主管部门要及时撤销公告，重新拟定出让方案。违反规定出让的，要立即责令终止出让行为，并依法追究责任。竞买人参加招拍挂出让土地时，除应要求提供有效身份证明文件、缴纳竞买（投标）保证金外，还应提交竞买（投标）保证金不属于银行贷款、股东借款、转贷和募集资金的承诺书及商业金融机构的资信证明。对存在伪造公文骗取用地和非法倒卖土地等犯罪行为；非法转让土地使用权；因企业原因造成土地闲置一年以上的；开发建设企业违背出让合同约定条件开发利用土地的要禁止参加土地竞买活动并及时将违法违规违约企业的名单、问题和查处结果上报省厅并上传到中国土地市场网页。

（八）严格划拨决定书和出让合同管理。

各类住房建设项目应当在划拨决定书和出让合同中约定土地交付之日起一年内开工建设，自开工之日起三年内竣工。综合用地的，必须在合同中分别载明商业、住房等规划、建设及各相关条件。市、县国土资源主管部门要将违反土地划拨决定书和出让合同约定的条件、规定和要求的违约责任及处罚条款，连同土地受让人对上述内容的承诺一并写入土地划拨决定书和出让合同，确保以保障性为重点的各类住房用地按照国家政策落实到位。

四、进一步加大违法违规行为清理查处力度

（九）加强住房建设项目开发过程的动态监管。

市、县国土资源主管部门要加强对房地产开发企业在土地开发利用的全程动态监管，按照职责，认真审核审批，发现有违法违规违约行为的，必须终止企业相关行为、停办相关手续。要按土地出让合同的约定对房地产开发项目进行竣工验收，对开发企业及建设项目履行用地合同约定的各类条件及承诺情况进行核查。各市、县要在5月底前建立和完善房地产用地开竣工申报制度。省厅将对房地产用地开竣工申报制度的落实情况进行检查，对未按照国土资发〔2010〕34号文件规定建立制度的，要通报批评。各级国土资源主管部门要尽快完善土地市场动态监测监管系统，实现专岗专人实时监测，建立快速反应机制，及时实施网上排查和实地核查。要重点加强对保障性安居工程住房用地开发利用的监督管理。

（十）严格查处违法违规违约行为。

各市、县国土资源主管部门要采取有力措施，加大对房地产用地中违法违规违约的查处力度。严禁改变保障性安居工程住房用地的土地用途或性质，凡以划拨方式取得土地后申请改变用途的，任何部门不得批准。对

保障性安居工程住房建成后申请改变住房性质的，在纪检监察机关依法依纪追究相关部门和人员责任前，国土资源主管部门不得为其办理任何土地手续。对住房建设项目造成土地闲置一年以上未满两年的，要按照新规定收取闲置费，闲置满两年的要依法收回并收取闲置费。对未达到法律法规规定的土地转让条件转让房地产用地等囤地炒地的行为，要及时依法依规严肃查处，应当依法没收违法所得，并处罚款。对违规违法办理相关用地手续的，要按有关规定相关追究责任人。

全省各级国土资源管理部门，要围绕落实党中央、国务院确定的房地产调控和保障性住房建设目标任务，采取积极有效措施，确保住房用地供应、管理和调控政策落实到位。

山西省国土资源厅
二〇一一年五月十八日

山西省人力资源和社会保障厅
山西省住房和城乡建设厅
关于印发《山西省房地产经纪人协理从业资格考试实施办法》的通知

晋人社职字〔2011〕80号

各市人力资源和社会保障（人事）局、住房和城乡建设局（建委）、房地产管理局：

为提高房地产经纪人协理的职业水平，规范房地产经纪市场秩序，根据《人事部、建设部关于印发＜房地产经纪人员职业资格制度暂行规定＞和＜房地产经纪人职业资格考试实施办法＞的通知》（人发（2001）128号）精神，现将《山西省房地产经纪人协理从业资格考试实施办法》印发给你们，请遵照执行。

山西省人力资源和社会保障厅
山西省住房和城乡建设厅
二〇一一年八月二日

山西省房地产经纪人协理从业资格考试实施办法

第一条 根据《人事部、建设部关于印发＜房地产经纪人员职业资格制度暂行规定＞和＜房地产经纪人执业资格考试实施办法＞的通知》（人发（2001）128号）精神，为做好我省房地产经纪人协理从业资格考试及注册工作，制定本办法。

第二条 本办法适用于全省范围内在商品房销(预)售、房地产交易中充实居间、代理等经济活动的人员。

第三条 省人力资源和社会保障厅、住房和城乡建设厅共同负责山西省房地产经纪人协理从业资格考试的组织实施和日常管理工作。省人力资源和社会保障厅负责审定房地产经纪人协理从业资格考试命题、合格标准，以及组织实施考试等工作。住房和城乡建设厅负责教材征订、组织报名、培训，以及注册管理等工作。省人事考试中心负责房地产经纪人协理从业资格考试的考务工作。

第四条 房地产经纪人协理从业资格考试从2011年度开始实施，原则上每年举行一次。2011年度的考试于11月中旬举行，以后考试时间定于每年的第三季度。具体考试报名和考试时间另行通知。

第五条 房地产经纪人协理从业资格考试实行全国统一大纲，全省统一命题的考试制度。

第六条 房地产经纪人协理从业资格考试科目设《房地产基础知识》和《房地产经纪基础》两个科目。考试分两个半天进行，每个科目的考试时间为两个半小时。房地产经纪人协理从业资格考试的考场原则上设在省辖市以上的中心城市。

第七条 参加考试人员必须在一个考试年度内通过全部应试科目，方能取得房地产经纪人协理从业资格证书。

第八条 凡中华人民共和国公民，遵守国家法律、法规，具有高中以上学历，愿意从事房地产经纪活动的人员，均可申请参加房地产经纪人协理从业资格考试。

第九条 考试合格人员由省人力资源和社会保障厅颁发《房地产经纪人协理从业资格证书》，该证书在全省范围内有效。

第十条 坚持培训与考试分开的原则，凡组织和参与过培训工作的人员，不得参与考试组织、命题、审题等涉密工作。应考人员参加考前培训坚持自愿原则。

第十一条 严格执行考试考务工作的有关规章制度，做好试卷命题、印刷、发送过程中的保密工作，严格考场纪律、严禁弄虚作假，对违反有关规定的，按照《专业技术人员资格考试违纪违规行为处理规定》（人力资源和社会保障部令第12号）处理。

山西省林业厅
山西省住房和城乡建设厅
山西省发展和改革委员会
关于印发《山西省国有林场危旧房改造工程项目管理实施细则（暂行）》的通知

晋林规发〔2011〕2号

各市林业局、住房和城乡建设局、发展和改革委员会，省直各林局、省林职院实验林场：

为进一步加强国有林场危旧房改造项目管理，规范建设程序，提高建设质量，积极稳妥推进国有林场危旧房改造工作，确保建设任务的完成。根据国家林业局、住房和城乡建设部、国家发展改革委联合印发的《国有林场危旧房改造工程项目管理办法（暂行）》（林规发〔2011〕266号）和省人民政府《关于加快保障性住房建设的若干意见》（晋政发〔2010〕3号），结合我省国有林场的实际，我们研究制定了《山西省国有林场危旧房改造工程项目管理实施细则（暂行）》，现印发你们，请认真贯彻执行。

附件：1、山西省国有林场危旧房改造工程项目管理实施细则（暂行）

2、国家林业局、住房城乡建设部、国家发展改革委关于印发《国有林场危旧房改造工程项目管理办法（暂行）的通知》（略）

山西省林业厅
山西省住房和城乡建设厅
山西省发展和改革委员会
二〇一一年一月六日

山西省国有林场危旧房改造工程项目管理实施细则（暂行）

第一章　总则

第一条　为全面加快我省国有林场危旧房（以下简称“危旧房”）改造步伐，加强项目管理，规范建设程序，提高建设质量，切实改善国有林场职业住房条件，根据国家有关法律、法规及国家林业局、国家发展改革委、住房城乡建设部《关于做好国有林场危旧房改造有关工作的通知》（林计发〔2009〕135号）、国家林业局、住房城乡建设部、国家发展改革委《关于印发国有林场危旧房改造工程项目管理办法（暂行）的通知》（林规发〔2010〕266号）和山西省人民政府《关于加快保障性住房建设的若干意见》（晋政发〔2010〕3号）等政策文件，制定本实施细则。

第二条　实施细则适用于列入中央投资计划的国有林场危旧房改造项目。

第三条　国有林场危旧房是指国家林业局备案的国有林场中的泥草房、板加泥、干打垒、土坯房等简易房屋；符合《危险房屋鉴定标准》（JGJ125-99）C、D等级的危房；建房年限超过30年的房屋；基本功能不健全需要改造的房屋。

第四条　危旧房改造原则上以户为单位进行，各地可根据具体情况、经济实力和职工意愿，确定不同的改造模式，新建与维修改造相结合，统规统建与统规自建相结合，宜平则平，宜楼则楼。危旧房改造要以满足基本居住需要为目标，新建住房基本户型建设面积为50平方米，各地可结合当地居民平均居住水平和职工意愿，在初步设计阶段按照国家有关规定作适度调整。改造后的房屋要保证质量，确保居住安全和基本功能齐全。

根据当地实际，也可在职工自愿的前提下由林场统一购买经济适用住房。

第五条 危旧房改造资金筹措采取中央补助，省级人民政府配套，市、县政府支持，国有林场和职工个人共同负担的方式解决。其中中央补助每户10000元，省级人民政府配套每户10000元。市、县政府要根据当地实际情况安排一定比例的资金投入。林场和职工自筹资金由林场和职工依据实际情况合理分担。并可结合投工投料解决。

第六条 省、市、县人民政府对本地区危旧房改造负总责，落实本地区危旧房改造的配套资金和优惠政策，协调解决危旧房改造实施过程中的有关重大事宜。市、县人民政府要保障危旧房改造的土地供应，并在金融信贷、收费减免、拆迁补偿等方面给予优惠和支持。

第七条 危旧房改造应当与产业结构调整、国有林场布局调整和区域小城镇建设相结合，与推进国有林场改革和林业生产力布局调整相衔接，推进生产区与生活区逐步分离。项目实施中，以整场推进为主，首先解决困难林场、山上一线职工的住房困难，优先解决危房问题突出、生活贫困职工的住房困难。

第八条 危旧房改造应坚持统一规划、合理布局、综合开发、配套建设，做好与国有林场道路、供水、供电、旅游等规划的衔接。市、县人民政府应把国有林场危旧房改造与城市规划、土地利用规划相衔接，加强市政基础设施和配套公共服务设施建设，提高国有林场职工生活环境质量和公建配套质量。

第九条 危旧房改造项目涉及国有林场职工切身利益，应当实行公示制度，坚持公开、公平、公正，实行民主监督。要严格执行国家和省有关法律法规和政策规定，妥善处理和化解各种问题和矛盾，维护职工合法权益，确保林区社会稳定。

第十条 危旧房改造项目的审批（审核、规划许可）、咨询、勘察、设计、施工等单位（机构）应当严格遵守国家、行业的有关法律、法规和标准要求，并对其行为负责。

第二章 项目组织管理

第十一条 实施危旧房改造的国有林场隶属于市县林业局管理的，市县林业局为项目建设单位；隶属于市县人民政府管理的市县人民政府为项目建设单位或由市县人民政府指定项目建设单位；省直国有林场以省直林局为项目建设单位。项目建设单位对项目实施负全责。项目建设单位负责自由（筹）资金和职工出资的筹措。要定期上报项目建设进度、计划完成、资金使用情况及存在的问题和建议。

项目建设单位要加强危旧房改造项目的组织领导，成立危旧房改造项目工作专门办理机构。

第十二条 省林业厅负责会同省发展改革委、省住房城乡建设厅等部门，组织编制并联合上报年度建设方案。按照国有林场隶属关系，市、县林业局（省直林局）负责入户调查、严格界定改造对象、签订合同、房屋拆迁、住宅建设等项目实施管理等工作；配合有关部门对危旧房改造项目进行检查验收。

第十三条 省发展改革委发展会同省林业厅、省住房城乡建设厅等部门联合上报年度投资建议计划，协调落实省级配套资金，转发下达投资明细计划。省直林局及林职院实验林场、市县国有林场按隶属关系由同级发展改革部门负责会同本级林业、住房城乡建设等部门对危旧房改造项目可行性研究报告（初步设计）进行审批。

项目建设单位要依据国家林业局、国家发展改革委、住房城乡建设部《关于做好国有林场危旧房改造有关工作的通知》（林计发［135］号）要求，对核实的全部户数一次性报批可行性研究报告（初步设计）。

第十四条 省、市、县住房城乡建设部门负责会同本级林业、发展改革等部门将危旧房改造任务纳入本地区保障性住房建设规划，加强对危旧房改造项目拆迁、规划、勘察设计、施工监理、竣工验收、备案等环节的监督管理，保证工程质量。对纳入危旧房改造的项目优先受理，加快审批进度，保证按期完成计划。

第三章 项目计划管理

第十五条 省发展改革委会同省林业厅、省住房城乡建设厅等部门，依据中央下达的危旧房改造年度投资计划、省级年度建设方案、林场自有（筹）资金、职工出资落实等情况，将计划分解到具体项目，转发下达明细计划。

第十六条 项目建设单位应当严格按照批复的可行性研究报告（初步设计）组织实施，不得擅自调整或者更改计划内容、变更项目建设方案、扩大或压缩建设规模。确需调整的，须报经原审批部门批准。

第四章 项目建设管理

第十七条 对于采用划拨方式供应危旧房改造项目用地的，应在《国有建设用地划拨决定书》中明确约定住房套型建筑面积、项目开竣工时间等土地使用条件。严禁以危旧房改造名义变相进行商品房开发。

第十八条 危旧房改造工程项目统规统建的，应当严格实行项目法人责任制、招标投标制、监理制和合同管理制。大宗物资应当集中采购。

第十九条 参与危旧房改造的有关部门、单位应当在各自的职责范围内任职做好档案建设与管理工作，并建立档案检索目录。档案管理工作要与改造规划、建设、管理等同步进行，确保档案管理工作的连续性。归档的资料要保证完整性、真实性，做到内容齐全、自己清楚、图面整洁、影响清晰。档案管理必须有专人负责并严格履行职责。

第二十条 建设单位应当认真组织力量，按照国家规定的标准，对已批复建设方案中的危旧房改造职工逐户核查，建立详细完善的国有林场职工住房档案。

第二十一条 建设单位应当按照统筹规划、先易后难的原则，在危旧房改造前做好职工意愿普查工作，充分尊重职工意愿，与职工签订包括职工意愿、资金（含政府补助、林场自有（筹）资金、职工和人出资）、住房管理、房屋产权等相关内容的合同。危旧房改造实行公开、公平、公正管理，对改造计划、享受改造政策的人员及相应的住房分配方案、工程财务决算等须向职工公示。

第二十二条 建设单位应当充分考虑危旧房改造职工的承受能力，做好与各项住房政策的衔接，采取多种途径解决国有林场职工住房困难问题，确保职工住房条件切实得到改善。

第二十三条 对生活困难、无力出资进行房屋改造的职工家庭，可通过由林场统一建设廉租住房的方式解决职工住房困难问题，免收或减收租金。廉租住房产权归林场。条件具备时，林场可按照有关规定将廉租住房的产权出售给职工。

第二十四条 按照当地政府的有关规定取得房屋产权的，地方房屋登记部门应当及时给予相应登记，也可实行共有产权。涉及危旧房改造的建设用地，必须依法办理土地登记，明晰土地产权，并及时办理土地变更登记手续，保护土地权利人的合法权益。

第二十五条 危旧房改造要与城镇基础设施建设相结合，与改善人居环境相结合，与社区建设相结合，同步建设道路、给排水、供电、通信等基础设施。

第五章 项目资金管理

第二十六条 危旧房改造项目资金来源包括：中央补助资金，省级配套资金，市、县政府投资，林场自有（筹）资金和职工个人出资等。

第二十七条 危旧房改造资金要严格执行国家有关法律、法规、办法，实行专款专用，单独核算，严防截留挪用、滞留不用和浪费建设资金。严禁以任何形式挤占、挪用，违规抵扣建设资金。严禁将危旧房改造中央补助资金用于偿还以往债务和拖欠款。对违反规定的单位，将采取停拨资金、停止审批项目的调控措施，并建议有关部门追究有关责任人的行政和法律责任。

第六章 监督检查和竣工验收

第二十八条 危旧房改造项目实行定期报告制度。项目建设单位应当按规定程序及时报送有关投资、项目进度、资金筹措与使用情况以及存在的问题等，并对填报内容的真实性负责。

第二十九条 省林业厅将会同有关部门组成国有林场危旧房改造检查组队危旧房改造情况进行不定期的检查和专项稽查；省林业厅负责对年度计划执行情况进行验收检查。

第三十条 按照国有林场隶属关系，由省、市、县发展改革部门会同本级林业主管部门组织相关部门对本级所所审批的项目进行竣工验收。各市林业部门会同本级发展改革部门、住房城乡建设部门将本市危旧房改造实施情况分别向省林业厅、省发展改革委和省住房城乡建设厅进行报告。

第七章 优惠政策

第三十一条 国有林场危旧房改造项目，依据山西省人民政府《关于加快保障性住房建设若干意见》（晋政发〔2010〕3号）规定，“免征城市基础设施配套费等各种行政事业性收费和政府基金，经营服务性收费征得相关企业同意后，按减半收取”；“改造安置住房建设用地纳入保障性住房土地供应计划优先安排，以行政划拨方式供应，简化审批流程，提高审批效率，随报随批”。

第三十二条 省、市、县人民政府和有关主管部门应在落实国家有关优惠政策的同时，应根据本行政区域的实际情况制定支持危旧房改造的相关优惠政策。

第三十三条 项目所在地人民政府和减少单位应当切实做好改造后住宅区的管理与服务工作，建立规范住房维修基金制度。

第三十四条 新建的住宅小区要推行物业管理，执行有关物业管理政策，切实做好改造后住宅小区的管理与服务工作。

第八章 附 则

第三十五条 本实施细则由省林业厅、省发展改革委、省住房城乡建设厅负责解释。

第三十六条 本实施细则自公布之日起实施。

山西省物价局
山西省住房和城乡建设厅
关于规范和降低房屋交易手续费及有关问题的通知

晋价服字〔2011〕120号

各市物价局、住建局（委）、房地产管理局：

根据《国家发展改革委关于降低部分建设项目收费标准规范收费行为等有关问题的通知》（发改价格〔2011〕534号）规定，为进一步优化企业发展环境，减轻企业和群众负担，决定适当降低保障性住房转让手续费，减免保障性住房租赁手续费，同时规范房屋交易收费行为，现将有关问题通知如下：

一、房屋交易手续费属经营服务性收费，应遵循公开、公平、质价相符的原则，由经批准建立的房地产交易中心（市场）提供交易服务，办理交易手续时收取。

二、房屋交易手续费包括房屋转让手续费和房屋租赁手续费。在办理房屋交易手续过程中，除房屋转让手续费和房屋租赁手续费外，不得以任何名义收取其他费用。

三、房屋交易手续费标准见附表。

四、新建经济适用住房、限价商品住房、棚户区改造安置住房等保障性住房转让手续费按规定标准减半收取；因继承、遗赠、婚姻关系共有发生的住房转让免收转让手续费；依法进行的廉租住房、公有住房、公共租赁住房等保障性住房租赁行为免收租赁手续费。

五、房地产交易中心（市场）应当按规定提供交易场所、市场信息、核实产权、产权过户、租赁合同备案以及其他与房屋交易有关的服务。

六、房屋交易手续费主要用于房地产交易中心（市场）人员经费，房屋、设备等固定资产折旧、维护和购置费用，信息系统建设费用，办公费用及交纳税金等，其他任何部门、单位不得平调、扣缴、截留。

七、房地产交易中心（市场）应按照有关规定在交易场所实行明码标价，公布收费依据、收费项目、收费标准等，自觉接受价格主管部门的检查和社会监督。

八、各市房地产管理部门每年3月15日前按照省物价局《关于实行部分重要经营服务性收费执行情况年度报送制度的通知》（晋价服字〔2011〕61号）规定要求，将你市及所属县（市）房屋交易手续费相关情况报省住房城乡建设厅。

九、本通知从2011年5月1日起执行，期限为三年。省物价局、省建设厅《关于规范房产交易手续费有关问题的通知》（晋价房字〔2002〕120号）同时废止。

山西省物价局
山西省住房和城乡建设厅
二〇一一年四月二十七日

附表：

山西省房屋交易手续费标准

交易类别		计费单位	收费标准	交费主体	备 注
新建商品房转让	住宅	每平方米建筑面积	3 元	转让方	经济适用住房、限价商品住房、棚户区改造安置住房减半
	非住宅		4 元		
存量房转让	住宅	每平方米建筑面积	6 元	转让双方各一半	
	非住宅		8 元		
房屋租赁	住宅	套	100 元	出租人	
	非住宅	宗	200 （含）以下 100 元		
			200-500 （含） 200 元		
			500-1000 （含） 300 元		
			1000 以上 400 元		

山西省物价局
关于印发《商品房销售明码标价规定》实施细则的通知

晋价市字〔2011〕153号

各市物价局：

实行商品房销售明码标价制度，规范商品房销售价格行为，是解决广大人民群众普遍关心的商品房销售标价混乱，信息不透明，价格欺诈等问题，建立和维护公开、公正、透明的房地产市场价格秩序，保护消费者和经营者合法权益的重大举措。根据《国家发改委关于发布〈商品房销售明码标价规定〉的通知》（发改价检〔2011〕548号）、《国家发展改革委关于贯彻实施〈商品房销售明码标价规定〉有关问题的通知》（发改价检〔2011〕658号）精神，我局制定了《山西省物价局〈商品房销售明码标价规定〉实施细则》，现印发给你们，请遵照执行。

各级价格主管部门要按照本实施细则的规定，建立健全相应的制度，认真履行自己的职责，采取有力措施，切实做好这项工作。对在本实施细则执行中出现的新情况和新问题，请及时向省局报告。

山西省物价局

二〇一一年五月十八日

《商品房销售明码标价规定》实施细则

第一条 为规范我省商品房销售价格行为，进一步建立和维护公开、公平、透明的市场价格秩序，保护消费者和经营者合法权益，根据《中华人民共和国价格法》、原国家发展计划委员会《关于商品和服务实行明码标价的规定》、《国家发展改革委关于发布〈商品房销售明码标价规定〉的通知》（发改价检〔2011〕548号）的有关规定，结合我省实际，制定本实施细则。

第二条 在本省境内的房地产开发企业和中介服务机构（以下统称商品房经营者）销售新建商品房，应按照国家有关规定和本细则规定实行明码标价。

经济适用房、限价商品房、存量房的明码标价参照本细则执行。

第三条 本实施细则所称明码标价是指商品房经营者在销售商品房时按照规定要求公开标示商品房价格、相关收费以及影响商品价格的其它项目。

第四条 县级以上人民政府价格主管部门是商品房明码标价的管理机关，负责本行政区域内商品房销售明码标价实施情况的监督检查。省价格主管部门负责统一规定商品房销售明码标价方式，并负责指导协调全省商品房销售明码标价有关执法工作。

第五条 商品房经营者应在商品房交易场所的醒目位置放置标价牌、价目表或价格手册，可同时采取电子信息屏、多媒体终端或电脑查询等方式明码标价。采取上述多种方式明码标价的，标价内容应保持一致，价目齐全，标价内容真实明确、字迹清晰、标示醒目。

第六条 对已取得预售许可或办理现房销售备案的房地产开发项目，商品房经营者应在住房建设主管部门规定的时间内一次性公开全部销售房源和相关信息，严格按照向当地价格主管部门申报的价格明码标价对外销售。

第七条 商品房销售明码标价实行一套一标，标价牌、价目表、价格手册由设区的市、县（市、区）价格主管部门监制。明码标价一经实施，不得擅自提高。

第八条　商品房经营者应在交易场所醒目位置放置标价牌或者张贴价目表，明确标示以下内容：

（一）开发企业名称、楼盘名称、坐落位置、土地性质及使用起止年限、房屋性质、容积率、绿化率、车位配比率。

（二）每套在售商品房销售情况以及销售状态、楼号、楼层、房号、建筑面积、套内建筑面积及共摊面积，建筑面积每平方米单价，每套销售总价。

（三）销售地下停车位的，应标明每个在售车位的准确位置、编号、面积和销售总价。

（四）销售商品房有优惠的应标示折扣幅度及享受折扣的条件。

（五）销售存量房，应标示房源具体区域位置、土地使用起止年限、结构、户型、建筑面积、销售价格、代理服务项目及收费标准。

（六）应标示本单位服务监督电话和“价格举报电话：12358”。

第九条　商品房经营者应当使用价格手册的形式，明确标示以下内容：

（一）已取得《建设用地规划许可证》、《国有土地使用权证》、《建设工程规划许可证》、《建设工程施工许可证》、《商品房预售许可证》的批准文号、批准日期。

（二）每套商品房户型、层高、朝向、建筑面积、套内建筑面积和分摊的共有建筑面积。

（三）前期物业服务企业名称、物业服务内容、服务标准及收费依据、收费标准。

（四）机动车停车管理办法及收费依据、收费标准。

（五）楼盘的建筑结构、装修状况以及水、电、燃气、供暖、有线电视、通讯等基础设施配套情况。

（六）商品房交易及产权转移等代收代办服务的收费项目和收费标准。代收代办服务应标明由消费者自愿选择。

第十条　对已完成销售的新建商品房房源，商品房经营者应予以明确标示。如果同时标示价格的，应当标示所有已销售房源的实际成交价格。

对已完成销售的存量房房源，商品房经营者应及时撤下相关房源信息。

第十一条　商品房经营者不得在标价之外加价，不得收取任何未予标明的费用。

第十二条　商品房经营者在广告宣传中涉及的价格信息，以及在项目说明书、销售推介或者通知、声明、告示等对价格作出的具体确定的承诺，应真实、可靠、准确、严谨。

第十三条　商品房经营者不得使用虚假或者不规范的价格标示误导购房者，不得利用虚假或者使人误解的标价方式进行价格欺诈。

第十四条　商品房经营者不执行明码标价规定的或进行价格欺诈的，由县级以上人民政府价格主管部门依据《中华人民共和国价格法》、《价格违法行为行政处罚规定》、《关于商品和服务实行明码标价的规定》、《禁止价格欺诈行为的规定》等法律、法规和规章的规定，实施行政处罚。

第十五条　本实施细则自2011年6月1日起施行。

统计资料

TONGJIZILIAO

2011 年金融机构贷款投向统计报告（摘要）

房地产贷款增速总体回落，其中保障性住房开发贷款增量占比提高

12 月末，主要金融机构及农村合作金融机构、城市信用社、外资银行人民币房地产贷款（注 1）余额 10.73 万亿元，同比增长 13.9%，比上年末回落 13.5 个百分点；全年累计增加 1.26 万亿元，同比少增长 7704 亿元，全年增量占同期各项贷款增量的 17.5%，比上年水平低 9.4 个百分点。

12 月末，地产开发贷款余额 7680 亿元，同比下降 7.9%。房产开发贷款余额 2.72 万亿元，同比增长 17.1%，比上年末低 5.9 个百分点。

12 月末，保障性住房开发贷款（注 2）余额 3499 亿元，全年累计增加 1751 亿元，占同期房产开发贷款增量的 50.1%，比年初水平提高 31.7 个百分点。

注 1：房地产贷款包括房地产开发贷款、购房贷款和证券化的房地产贷款。

注 2：保障性住房包括两限商品住房、经济适用房、政策性租赁房以及廉租房等具有社会保障性质的住房。

数据来源：中国人民银行

2011 年度全国房地产月度数据

	2 月	3 月	4 月	5 月	6 月	7 月	8 月	9 月	10 月	11 月	12 月
房地产开发投资额（亿元）	4250	4596	4494	5397	7513	5623	5908	6444	5698	5560	6257
商品住宅开发投资额（亿元）	3014	3239	3244	3793	5351	4148	3158	4670	4044	4025	4451
房屋新开工面积（亿平方米）	1.91	2.07	1.70	1.93	2.33	1.58	1.67	1.59	1.26	1.16	1.5
房屋施工面积（亿平方米）	29.15	3.59	2.51	2.5	2.82	1.85	1.84	1.82	1.40	1.65	1.67
房屋竣工面积（亿平方米）	0.70	0.58	0.43	0.45	0.6	0.48	0.46	0.64	0.63	0.96	2.99
住宅竣工面积（亿平方米）	0.54	0.48	0.35	0.35	0.49	0.39	0.37	0.51	0.51	0.79	2.39
全国商品房销售面积（万平方米）	8143	9500	7255	8034	11487	7618	7817	11435	8364	9941	20352
住宅销售面积（万平方米）	7282	8567	6496	7197	10263	6754	6985	10064	7367	8668	17391
全国商品房销售额（亿元）	5242	4910	3926	4542	5969	4263	4412	6048	4514	5221	10072
住宅销售额（亿元）	4471	4136	3249	3809	4992	3487	3611	4939	3724	4164	8038
国房景气指数（当月）	102.90	102.98	103.19	103.20	101.75	101.50	101.12	100.41	100.27	99.87	98.89

数据来源：国家统计局

2011 年度全国房地产月度累计数据

	1-2 月	1-3 月	1-4 月	1-5 月	1-6 月	1-7 月	1-8 月	1-9 月	1-10 月	1-11 月	1-12 月
房地产开发投资额（亿元）	4250	8846	13340	18737	26250	31873	37781	44225	49923	55483	61740
同比增幅（%）	35.2	34.2	34.3	34.7	32.9	33.6	33.2	32	31.1	29.9	27.9
住宅开发投资额（亿元）	3014	6253	9497	13290	18641	22789	27118	31788	35832	39857	44308
同比增幅（%）	34.9	38.3	38.6	37.8	36.1	36.4	36.4	35.2	34.3	32.8	30.2
房屋新开工面积（亿平方米）	1.91	3.98	5.68	7.61	9.94	11.52	13.19	14.78	16	17.5	19.0
同比增幅（%）	27.9	23.2	24.3	23.7	23.5	24.9	25.8	23.7	21.7	20.5	16.2
房屋施工面积（亿平方米）	29.15	32.74	35.25	37.75	40.57	42.42	44.26	46.08	47.48	49.13	50.8
同比增幅（%）	39.0	35.2	33.2	32.4	31.5	30.8	30.5	29.7	28.4	27.9	25.3
房屋竣工面积（亿平方米）	0.70	1.28	1.71	2.16	2.76	3.24	3.71	4.35	4.97	5.93	8.9
同比增幅（%）	13.9	15.3	14.0	12.5	13.1	13.3	14.7	17.8	18.5	22.3	13.3
住宅竣工面积（亿平方米）	0.54	1.02	1.37	1.72	2.21	2.60	2.97	3.48	3.99	4.78	7.17
同比增幅（%）	12.1	14.6	14.2	12.4	12.8	12.6	13.6	16.6	17.6	21.5	13.0
全国商品房销售面积（万平方米）	8143	17643	24898	32932	44419	52037	59854	71289	79653	89594	109946
同比增幅（%）	13.8	14.9	6.3	9.1	12.9	13.6	13.6	12.9	10.0	8.5	4.9
住宅销售面积（万平方米）	7282	15849	22345	29542	39805	46559	53540	63604	70971	79639	97030
同比增幅（%）	13.2	14.3	5.8	8.5	12.1	12.9	13.1	12.1	9.0	7.5	3.9
全国商品房销售额（亿元）	5242	10152	14078	18620	24589	28852	33264	39312	43826	49047	59119
同比增幅（%）	27.4	27.3	13.3	18.1	24.1	26.1	25.9	23.2	18.5	16.0	12.1
住宅销售额（亿元）	4471	8607	11856	15665	20657	24144	27755	32694	36417	40581	48619
同比增幅（%）	26.2	25.9	11.0	16.0	22.3	24.5	24.4	21.2	16.3	13.7	10.2

数据来源：国家统计局

2011年全国房地产开发投资月度累计数据

单位：亿元

	1-2月	1-3月	1-4月	1-5月	1-6月	1-7月	1-8月	1-9月	1-10月	1-11月	1-12月
房地产开发投资	4250.37	8846.36	13340.16	18737.23	26250.45	31873.03	37780.84	44224.84	49922.82	55483.03	61739.78
住宅投资	3013.7	6253.13	9497.31	13290.41	18640.67	22789.38	27117.98	31787.77	35832.12	39856.64	44308.43
办公楼	193.31	361.42	540.62	748.14	1067.92	1285.98	1507.63	1741.95	2028.29	2278.38	2543.53
商业投资	506.63	1058.21	1546.64	2193.13	3147.49	3806.89	4508.61	5259.37	5927.26	6613.57	7370.21

数据来源：国家统计局

三十一个省、自治区及直辖市2011年房地产开发投资数据

单位；亿元

	投资总额	住宅	经济适用房	比去年同期增长（%）		
				投资总额	住宅	经济适用房
全国投资额	61739.78	44308.43	1095.63	27.9	30.2	2.5
东部地区	35606.66	25214.76	583.64	27.2	31.1	-2.4
北京	3036.33	1778.31	51.05	4.7	17.9	4.2
天津	1080.04	678.98	59.04	24.6	20.1	-53.1
河北	3069.55	2296.31	24.55	35.5	28.6	-10.3
辽宁	4487.56	3413.44	45.72	29.5	37.6	-9.2
上海	2170.31	1398.75	99.32	9.6	13.7	-15.5
江苏	5552.69	4085.85	127.88	29.2	29.4	29.3
浙江	4137.25	2699.82	49.88	36.7	31.2	49.2
福建	2402.61	1591.56	16.42	32.1	63.2	-0.5
山东	4108.08	3202.04	52.84	26.4	27.5	7.4
广东	4899.19	3495.43	47.50	33.9	37.7	92.6
海南	663.05	574.27	9.08	41.7	37.7	125.6
中部地区	13197.33	9831.79	254.70	25.5	25.3	3.7
山西	789.92	615.03	16.36	33.4	34.5	-27.2
吉林	1165.39	903.60	33.39	26.5	23.5	-7.8
黑龙江	1219.37	938.82	20.38	44.6	42.8	65.9
安徽	2590.07	1884.16	46.99	15.0	18.1	67.7
江西	852.69	656.91	1.91	20.6	20.6	-83.2
河南	2620.01	2022.06	70.24	23.9	20.0	13.5
湖北	2063.21	1327.21	42.90	27.5	27.6	6.4
湖南	1896.66	1484.01	22.54	29.1	30.8	-31.7
西部地区	12935.79	9261.88	257.29	32.8	33.3	14.0
内蒙古	1650.02	1112.02	51.93	47.3	42.1	32.8
广西	1500.46	1073.59	19.74	24.4	22.2	-9.5
重庆	2015.09	1438.45	55.16	24.4	31.8	-6.5
四川	2836.71	1998.11	5.86	29.3	30.1	-3.1
贵州	878.67	579.97	27.93	57.8	76.5	38.6
云南	1272.72	873.90	14.58	41.3	33.5	16.9
西藏	5.13	3.74	0.33	-42.7	-46.5	476.7
陕西	1420.53	1180.11	42.82	22.5	25.8	27.2
甘肃	362.88	258.06	26.00	36.2	37.3	49.7
青海	144.77	90.20	0.43	33.8	19.9	-77.8
宁夏	330.55	235.80	2.99	29.9	25.9	-28.5
新疆	518.26	417.93	9.52	49.0	48.4	-4.2

数据来源：国家统计局

2011 年房地产开发资金来源月度累计状况

单位：亿元

	1-2 月	1-3 月	1-4 月	1-5 月	1-6 月	1-7 月	1-8 月	1-9 月	1-10 月	1-11 月	1-12 月
本年资金来源	12173.08	19268.05	25361.73	32340.01	40990.87	47851.63	54738.05	61947.19	68428.77	75208.36	83245.94
国内贷款	2679.15	3836.84	4800.06	5803.43	7022.68	8017.97	8888.83	9749.25	10552.37	11376.09	12563.79
利用外资	86.28	144.01	222.10	265.72	438.42	499.97	633.50	678.55	714.49	764.47	813.63
自筹资金	4184.18	7126.29	9486.35	12485.79	16462.97	19293.39	22253.11	25534.82	28201.35	31091.52	34093.40
其他资金	5223.47	8160.91	10853.22	13785.07	17066.79	20040.31	22962.62	25984.56	28960.56	31976.28	35775.12

数据来源：国家统计局

2011 全国土地开发及购置月度累计数据

单位：万平方米

	1-2 月	1-3 月	1-4 月	1-5 月	1-6 月	1-7 月	1-8 月	1-9 月	1-10 月	1-11 月	1-12 月
土地购置面积	3780.35	8180.78	11970.03	16638.24	21909.8	25089.04	28117.24	31184.02	33747.96	37153.41	40972.95
土地购置费用	529.59	1555.45	2493.80	3571.35	5015.72	6044.59	7232.53	8442.37	9423.32	10477.72	11412.82
待开发土地面积	19046.94	22674.44	24634.45	27118.07	29631.62	30622.3	31768.79	32865.82	33504.97	35186.63	35659.18

数据来源：国家统计局

三十一个省、自治区及直辖市 2011 年房地产开发资金来源

单位：亿元

	资金总额	国内贷款	利用外资	自筹资金	其他资金
全国投资额	83245.94	12563.79	813.63	34093.40	35775.12
东部地区	49945.10	8655.23	534.38	18917.03	21838.46
北京	5358.09	1167.95	2.60	1746.18	2441.36
天津	1997.82	521.53	12.48	645.44	818.37
河北	3437.76	277.64	14.52	2001.75	1143.85
辽宁	5607.39	762.26	199.02	2820.67	1825.44
上海	3206.93	741.18	43.55	1192.87	1229.32
江苏	7912.88	1543.22	85.65	2432.98	3851.04
浙江	6029.57	1085.61	43.86	1838.29	3061.81
福建	3326.51	399.36	17.66	1401.88	1507.61
山东	5253.75	794.70	27.37	2351.55	2080.14
广东	6889.45	1218.65	81.41	2162.76	3426.63
海南	924.95	143.12	6.25	322.68	452.90
中部地区	15985.91	1711.02	138.23	7851.56	6285.10
山西	**840.49**	**68.76**	**/**	**377.14**	**394.59**
吉林	1190.48	53.60	5.03	709.92	421.80
黑龙江	1536.48	59.53	3.35	1045.60	428.00
安徽	3149.47	339.38	7.34	1497.06	1305.70
江西	1118.26	135.20	6.08	464.12	512.86
河南	2845.25	271.30	6.69	1654.38	912.89
湖北	2801.02	453.49	43.90	1198.02	1105.61
湖南	2504.59	329.76	65.84	905.32	1203.66
西部地区	17314.93	2197.54	141.02	7324.81	7651.56
内蒙古	1794.69	65.16	/	1502.18	227.35
广西	1691.20	241.59	7.11	679.96	762.54
重庆	3295.69	695.08	59.92	853.72	1686.98
四川	4029.00	449.20	66.64	1639.08	1874.08
贵州	1271.26	175.95	4.47	544.92	545.92
云南	1648.09	129.50	0.90	773.24	744.45
西藏	9.66	2.40	/	2.61	4.64
陕西	1929.28	231.17	0.24	701.50	996.36
甘肃	390.65	67.02	/	169.81	153.82
青海	148.67	17.13	1.53	79.36	50.65
宁夏	433.18	50.87	/	147.39	234.92
新疆	673.57	72.45	0.22	231.03	369.86

数据来源：国家统计局

三十一个省、自治区及直辖市2011年土地开发及购置数据

单位：亿元、万平方米

	土地购置费	本年购置土地面积	比去年同期增长（%）	
			土地购置费	本年购置土地面积
全国总计	11412.82	40972.95	14.1	2.6
东部地区	7704.59	19728.54	11.17	5.2
北京	1301.23	507.04	0.7	-41.0
天津	85.15	596.59	-36.5	-8.6
河北	410.14	2737.89	11.4	-9.5
辽宁	523.13	3307.12	3.0	5.5
上海	418.10	562.76	-6.9	30.1
江苏	1259.43	2409.68	31.1	17.2
浙江	1338.62	1987.59	17.6	1.4
福建	793.95	1288.38	3.8	-16.4
山东	690.24	3641.96	15.0	27.8
广东	817.50	2289.69	28.9	32.6
海南	67.11	399.83	37.3	-22.6
中部地区	2059.46	11257.12	21.4	-2.3
山西	91.95	654.85	-0.6	-25.1
吉林	182.10	1280.25	45.3	48.7
黑龙江	152.60	1703.71	68.3	45.1
安徽	521.67	2601.91	0.9	6.2
江西	155.65	1002.29	41.6	29.0
河南	300.21	1534.80	2.4	-46.4
湖北	375.71	1414.23	29.1	-0.6
湖南	279.57	1065.08	58.3	-2.8
西部地区	1648.77	9987.29	17.4	3.2
内蒙古	196.52	1692.70	51.3	-15.1
广西	232.55	907.43	54.4	-24.3
重庆	374.76	1676.12	0.9	23.7
四川	420.84	961.51	14.1	-7.8
贵州	66.28	911.07	8.8	-9.3
云南	129.87	1425.38	7.1	38.2
西藏	0.48	5.77	-72.3	97.9
陕西	98.61	488.71	-8.2	-11.5
甘肃	39.63	287.52	35.3	0.3
青海	18.85	140.31	90.8	30.9
宁夏	28.08	520.54	30.1	-5.2
新疆	42.30	970.24	34.9	74.0

数据来源：国家统计局

2011年全国房地产建设月度累计数据

单位；万平方米

	1-2月	1-3月	1-4月	1-5月	1-6月	1-7月	1-8月	1-9月	1-10月	1-11月	1-12月
商品房施工面积	291472.98	327401.76	352471.62	377516.04	405737.56	424195.25	442615.96	460785.55	474785.67	491311.06	507959.39
其中：住宅	224048.85	251713.82	270474.01	289145.94	310795.17	325047.87	339162.74	353099.46	363711.55	376013.98	388438.59
办公楼	9309.47	10295.69	11245.84	12046.63	12848.27	13398.26	13962.60	14559.72	14982.58	15518.64	15949.87
商业营业用房	31783.14	35602.29	38639.66	41918.24	45089.77	47188.31	49322.96	51224.98	52841.5	54657.78	56278.18
商品房新开工面积	19082.79	39842.43	56840.51	76118.16	99442.59	115169.16	131880.67	147774.69	160362.19	174951.75	190082.70
其中：住宅	14838.49	31025.29	44088.66	58698.97	76865.75	89117.85	102089.35	114480	124114.71	134939.76	146034.57
办公楼	555.51	1058.18	1539.01	2102.23	2769.65	3146.88	3604.71	4043.18	4438.55	4860.76	5360.94
商业营业用房	1959.98	4007.18	5912.98	8197.25	10674.37	12475.41	14287.67	15887.93	17275.32	18999.28	20670.72
商品房竣工面积	6951.52	12831.51	17126.97	21620.51	27558.03	32445.43	37094.98	43455.98	49720.67	59326.17	89244.25
其中：住宅	5366.25	10229.08	13685	17238.04	22059.02	26017.29	29742.13	34845.18	39952.81	47767.41	71692.33
办公楼	227.68	366.95	486.41	488.89	729.44	836.46	929.72	1092.73	1222.48	1409.07	2179.42
商业营业用房	801.22	1308.62	1771.61	2243.01	2871.14	3359.22	3889.63	4550.47	5207.72	6157.15	9045.27

数据来源：国家统计局

三十一个省、自治区及直辖市 2011 年商品房建设数据

单位：万平方米

	施工面积	新开工面积	竣工面积	比去年同期增长（%）		
				施工面积	新开工面积	竣工面积
全国	507959.39	190082.70	89244.25	25.3	16.2	13.3
东部面积	262005.40	94717.56	45578.01	25.1	17.2	11.3
北京	12065.38	4246.05	2245.24	17.1	42.8	-5.9
天津	9075.39	3484.21	2105.32	26.7	19.7	0.3
河北	26835.37	11298.70	5145.32	29.6	17.3	42.3
辽宁	34511.89	12425.86	6359.15	28.6	-1.8	41.4
上海	12983.32	3644.06	2240.62	14.9	20.2	15.4
江苏	40738.08	14721.11	8040.88	16.0	7.1	-7.5
浙江	30318.08	10216.94	4423.32	27.5	30.3	7.5
福建	19212.77	7033.35	2614.88	35.4	50.3	16.6
山东	36293.30	14029.44	6226.85	29.2	13.8	22.7
广东	36311.94	11968.66	5800.52	23.9	20.8	2.5
海南	3659.88	1649.19	375.91	35.6	45.2	-38.3
中部地区	119260.50	49007.73	23898.91	24.4	17.2	13.6
山西	9325.63	2838.30	2084.20	22.7	2.0	73.1
吉林	8963.42	4749.81	1656.17	26.8	34.7	-18.4
黑龙江	12065.32	7195.27	2992.61	60.2	43.3	13.1
安徽	20744.07	8308.17	3063.87	17.7	13.0	1.2
江西	8210.88	3308.49	1777.42	13.6	41.1	-2.2
河南	25280.95	9823.23	5307.13	24.0	14.1	19.9
湖北	13923.90	5605.60	3083.54	20.1	-2.1	21.3
湖南	20746.32	7178.86	3933.97	23.5	11.4	17.5
西部地区	126693.49	46357.41	19767.33	26.6	13.0	17.9
内蒙古	16738.10	8537.91	2453.11	42.0	36.2	6.8
广西	14448.23	3760.22	2183.90	19.9	-20.8	39.6
重庆	20397.24	6824.36	3424.33	19.0	8.1	30.4
四川	27315.44	8473.27	4308.71	29.1	9.6	8.6
贵州	10395.27	2912.81	1462.44	31.5	1.5	39.5
云南	10597.88	4984.70	1450.76	20.6	34.6	-5.5
西藏	48.73	4.53	21.69	-35.2	-73.2	78.1
陕西	12179.97	3843.17	1104.45	22.4	17.5	22.7
甘肃	3810.00	1546.59	655.99	21.7	10.8	9.6
青海	1659.03	532.33	505.91	16.5	-24.0	89.0
宁夏	4040.83	1954.46	942.77	37.4	8.1	0.6
新疆	5422.77	2983.06	1253.27	36.2	37.0	23.7

数据来源：国家统计局

三十一个省、自治区及直辖市2011年住宅建设数据

单位：万平方米

	施工面积	新开工面积	竣工面积	比去年同期增长（%）		
				施工面积	新开工面积	竣工面积
全国	388438.59	146034.57	71692.33	23.4	12.9	13.0
东部地区	194081.66	71003.05	35299.17	23.8	14.2	11.1
北京	7168.12	2596.05	1316.13	16.1	25.8	-12.2
天津	6435.79	2374.29	1641.68	25.8	17.1	2.4
河北	21483.03	9017.52	4250.37	25.2	14.6	35.8
辽宁	26742.21	9896.26	5259.86	29.3	0.3	42.5
上海	8386.26	2473.60	1549.66	14.7	17.2	11.0
江苏	30469.01	11158.20	6147.76	15.6	5.4	-6.2
浙江	20023.78	6674.46	2986.62	24.1	27.8	6.7
福建	13719.68	4828.29	1993.32	29.8	42.0	16.2
山东	29014.62	11305.66	5197.97	27.7	10.4	21.7
广东	27452.39	9242.84	4611.54	23.4	18.1	0.5
海南	3186.79	1435.49	344.26	37.2	46.4	-33.2
中部地区	95665.44	39438.37	20142.46	22.9	15.6	14.1
山西	7727.98	2418.95	1867.13	23.6	6.5	88.4
吉林	7144.34	3780.22	1371.31	24.1	30.6	-19.1
黑龙江	9593.72	5734.93	2396.04	57.1	40.4	9.0
安徽	16058.40	6428.52	2422.58	16.0	10.9	0.6
江西	6781.84	2684.43	1513.22	11.8	37.2	-2.4
河南	20576.45	8158.35	4646.63	21.7	11.8	20.6
湖北	11058.67	4480.39	2647.50	20.6	0.6	24.3
湖南	16724.04	5752.59	3278.05	21.4	7.2	15.9
西部地区	98691.48	35593.14	16250.71	23.2	7.7	15.9
内蒙古	11298.24	5988.45	1939.20	36.6	33.9	3.8
广西	11497.68	2951.41	1836.76	17.7	-24.4	36.8
重庆	15923.84	5214.42	2826.78	15.9	-1.0	29.7
四川	21596.31	6562.20	3520.09	24.9	4.6	3.8
贵州	7780.42	2179.78	1106.85	30.3	-3.1	34.0
云南	7973.23	3618.18	1182.14	13.2	22.2	-6.1
西藏	36.28	0.04	19.28	-47.0	-99.7	67.6
陕西	10488.13	3364.05	972.79	22.2	17.6	21.7
甘肃	3141.26	1289.98	554.45	22.8	10.3	10.6
青海	1359.46	447.77	435.22	15.3	-21.3	79.8
宁夏	3059.76	1457.54	762.20	33.9	0.9	2.1
新疆	4536.88	2419.31	1095.24	36.7	36.0	27.4

数据来源：国家统计局

三十一个省、自治区及直辖市2011年办公楼建设数据

单位：万平方米

	施工面积	新开工面积	竣工面积	比去年同期增长（%）		
				施工面积	新开工面积	竣工面积
全国	15949.87	5360.94	2179.42	31.3	46.2	20.0
东部地区	10572.70	3471.29	1620.55	30.8	52.5	20.6
北京	1422.66	489.40	245.17	34.9	140.7	23.6
天津	687.88	278.26	146.72	73.4	34.6	43.3
河北	572.14	253.58	111.16	48.8	72.0	206.2
辽宁	611.63	116.18	73.16	4.9	-46.1	-2.8
上海	1158.34	225.72	174.33	5.0	53.1	15.7
江苏	1362.12	507.13	239.26	16.4	40.3	-25.0
浙江	1967.10	593.55	290.53	33.1	24.8	45.5
福建	769.11	300.38	56.70	69.8	63.7	61.1
山东	759.82	373.36	113.51	58.9	131.0	29.7
广东	1218.97	311.83	169.15	28.8	94.3	40.9
海南	42.92	21.89	0.88	19.4	55.5	-95.4
中部地区	2436.28	835.98	273.84	24.4	26.1	0.4
山西	172.92	29.50	23.66	-4.6	-49.2	13.8
吉林	161.50	69.08	16.08	54.3	183.3	26.2
黑龙江	122.68	74.93	20.62	63.0	82.0	-15.0
安徽	498.18	148.53	58.06	-4.5	-9.1	16.4
江西	130.64	60.50	6.79	14.4	44.7	-71.0
河南	755.96	252.65	66.72	48.0	47.7	18.8
湖北	317.47	101.20	45.46	32.5	0.6	-10.6
湖南	276.91	99.57	36.44	31.6	59.7	5.0
西部地区	2940.90	1053.68	285.02	39.8	44.7	43.1
内蒙古	675.56	266.26	31.91	39.1	-6.8	9.8
广西	246.72	101.07	19.12	34.8	69.2	46.9
重庆	386.84	154.44	44.77	56.3	170.0	49.1
四川	598.48	140.72	61.78	44.8	9.5	75.7
贵州	171.87	20.08	31.77	15.1	-31.3	73.0
云南	319.66	173.42	26.94	106.5	210.4	61.1
西藏	0.76	/	0.20	-41.9	/	/
陕西	248.77	76.91	14.57	8.3	102.0	23.6
甘肃	60.68	23.03	7.91	19.1	99.8	-0.3
青海	26.29	6.51	4.59	11.2	-62.3	18.7
宁夏	102.33	50.67	23.35	38.0	138.4	34.7
新疆	102.94	40.55	18.12	14.0	75.1	14.2

数据来源：国家统计局

三十一个省、自治区及直辖市2011年商业营业用房建设数据

单位：万平方米

	施工面积	新开工面积	竣工面积	比去年同期增长（%）		
				施工面积	新开工面积	竣工面积
全国	56278.18	20670.72	9045.27	26.1	18.3	9.2
东部面积	29494.29	9822.62	4622.79	21.4	11.0	2.8
北京	1187.48	306.43	232.43	-3.4	26.4	-14.5
天津	1031.65	436.57	154.27	2.7	7.0	-34.4
河北	2885.03	1199.31	468.85	46.4	20.8	57.3
辽宁	5028.99	1577.01	720.10	27.2	-14.1	33.7
上海	1365.89	240.00	231.80	5.6	-19.5	31.4
江苏	5503.92	1836.81	1063.34	13.1	5.4	-12.7
浙江	3197.38	1041.92	466.82	22.1	21.6	-17.4
福建	1956.68	824.57	266.03	53.6	81.4	60.9
山东	4074.98	1349.82	595.27	24.2	6.7	16.7
广东	3062.86	917.97	403.03	16.8	33.3	-15.1
海南	199.42	92.20	20.83	10.2	38.4	-53.0
中部地区	12958.07	5399.20	2404.39	26.4	20.6	9.6
山西	831.91	199.31	104.79	8.1	-31.2	-23.4
吉林	1110.16	615.94	172.98	37.0	46.4	-23.0
黑龙江	1378.01	830.38	424.25	59.8	43.9	39.9
安徽	2790.02	1125.75	464.22	20.9	16.5	8.1
江西	869.58	365.43	200.04	18.5	46.1	15.0
河南	2413.57	866.24	418.18	23.6	14.1	13.1
湖北	1609.56	693.53	263.74	26.9	5.6	-2.9
湖南	1955.26	702.61	356.18	26.1	26.0	25.0
西部地区	13825.82	5448.90	2018.09	37.1	31.5	26.9
内蒙古	3062.00	1573.30	371.26	51.0	43.7	20.9
广西	1342.48	309.84	188.58	20.9	-21.5	54.7
重庆	1956.25	708.12	298.79	26.2	63.3	30.2
四川	2393.79	833.06	378.90	50.2	31.3	33.4
贵州	1293.82	413.58	195.66	42.3	35.8	52.2
云南	1272.57	611.10	150.77	36.1	56.0	-4.4
西藏	11.69	4.50	2.21	153.5	326.6	227.1
陕西	889.59	239.77	88.79	25.7	4.5	44.0
甘肃	391.25	157.51	82.03	17.8	-1.9	35.8
青海	164.48	43.73	41.41	15.8	-37.1	128.5
宁夏	507.76	250.01	113.77	40.7	16.5	-7.1
新疆	540.14	304.38	105.92	31.4	41.9	7.6

数据来源：国家统计局

全国房地产销售数据

单位：万平方米、亿元

	2006年	2007年	2008年	2009年	2010年	2011年
商品房销售面积	60628.14	76192.70	62088.94	93713.04	104349.11	109945.56
其中：住宅	54392.13	69103.79	55886.47	85294.42	93051.56	97030.26
办公楼	1205.50	1454.19	1110.67	1513.30	1882.00	2007.90
商业营业用房	4199.73	4552.94	3852.07	5222.29	6921.46	7878.19
商品房销售额	20509.68	29603.87	24071.41	43994.54	52478.72	59119.09
其中：住宅	17038.01	25323.48	20424.06	38157.21	43953.33	48619.39
办公楼	983.12	1265.24	954.66	1617.84	2148.81	2501.74
商业营业用房	2224.32	2649.38	2286.38	3601.36	5354.02	6702.46

数据来源：国家统计局

三十一个省、自治区及直辖市2011年商品房销售面积

单位：万平方米

	总面积	现房面积	期房面积	比去年同期增长（%）		
				总面积	现房面积	期房面积
全国	109945.56	26745.17	83200.39	4.9	0.3	6.5
东部面积	51052.25	12155.84	38896.41	0.1	-4.6	1.6
北京	1440.04	329.06	1110.98	-12.2	-20.0	-9.5
天津	1643.11	455.98	1187.13	8.5	7.7	8.8
河北	5901.36	1464.26	4437.10	26.6	48.0	20.8
辽宁	7561.39	2401.74	5159.65	11.2	7.2	13.2
上海	1771.30	633.28	1138.03	-14.1	1.5	-20.8
江苏	7982.67	1344.43	6638.24	-15.8	-31.8	-11.7
浙江	3827.08	582.51	3244.57	-20.5	-18.5	-20.9
福建	2696.16	271.92	2424.24	4.7	-21.5	8.7
山东	9579.60	2025.75	7553.85	3.1	-20.2	11.8
广东	7761.34	2491.08	5270.26	6.0	6.3	5.9
海南	888.19	155.83	732.35	3.9	12.9	2.2
中部地区	29311.92	8502.68	20809.24	11.3	4.5	14.3
山西	1263.19	481.04	782.15	7.0	39.4	-6.4
吉林	2364.25	589.42	1774.82	-0.7	-37.5	23.3
黑龙江	3395.42	1061.84	2333.58	24.8	37.7	19.7
安徽	4581.55	610.03	3971.52	10.3	-11.5	14.6
江西	2335.36	584.02	1751.34	-5.4	-33.1	9.7
河南	6304.41	2171.84	4132.56	15.6	13.7	16.7
湖北	4190.09	1596.35	2593.74	19.4	28.8	14.3
湖南	4877.65	1408.14	3469.51	9.1	3.2	11.7
西部地区	29581.39	6086.65	23494.74	8.0	5.0	8.7
内蒙古	3620.12	1619.42	2000.70	18.4	2.7	35.2
广西	2934.05	459.98	2474.07	5.0	9.4	4.2
重庆	4533.50	803.40	3730.10	5.1	30.5	0.8
四川	6664.70	1266.37	5398.33	4.5	5.4	3.9
贵州	1889.95	284.11	1605.84	9.2	29.2	6.3
云南	3107.12	430.07	2677.05	5.0	-5.7	6.9
西藏	19.36	13.19	6.17	0.4	7.6	-12.1
陕西	3068.63	260.74	2807.89	18.5	-18.3	23.6
甘肃	815.89	251.87	564.02	7.8	-0.1	11.8
青海	348.20	58.10	290.10	23.9	27.6	23.2
宁夏	842.89	257.59	585.29	-9.9	-13.7	-8.2
新疆	1736.98	381.80	1355.18	11.0	1.4	14.0

数据来源：国家统计局

三十一个省、自治区及直辖市2011年商品房销售金额

单位：亿元

	总销售额	现房销售额	期房销售额	比去年同期增长（%）		
				销售总额	现房销售额	期房销售额
全国	59119.09	12267.75	46851.34	12.1	11.3	12.4
东部地区	34628.05	7254.59	27373.46	3.8	5.0	3.5
北京	2425.80	508.88	1916.93	-16.8	-18.5	-16.3
天津	1473.11	387.80	1085.32	18.2	17.4	18.5
河北	2350.04	522.98	1827.07	42.4	68.5	36.4
辽宁	3576.31	1077.70	2498.61	16.7	21.3	14.9
上海	2568.88	740.36	1828.52	-13.8	-4.3	-17.2
江苏	5186.00	709.76	4476.24	-6.4	-25.4	-2.5
浙江	3728.16	427.31	3300.85	-16.4	-6.3	-17.5
福建	2070.94	164.31	1906.63	28.5	-19.8	35.6
山东	4259.17	766.18	3492.99	16.2	-14.0	25.9
广东	6199.18	1842.96	4356.22	13.1	32.0	6.7
海南	790.44	106.34	684.10	5.9	28.7	3.0
中部地区	11895.36	2819.08	9076.28	29.4	22.9	31.5
山西	434.67	137.86	296.81	5.6	59.8	-8.8
吉林	1040.08	226.67	813.41	19.7	-18.5	37.7
黑龙江	1357.51	367.20	990.31	34.1	50.6	28.9
安徽	2183.10	235.08	1948.02	25.0	-0.9	29.0
江西	953.57	223.05	730.52	22.8	-12.5	40.0
河南	2201.22	581.92	1619.30	32.7	32.6	32.7
湖北	1872.99	591.48	1281.51	42.6	52.6	38.4
湖南	1852.22	455.82	1396.40	31.7	24.3	34.3
西部地区	12595.68	2194.08	10401.60	23.9	20.4	24.6
内蒙古	1360.82	537.49	823.33	26.4	14.0	36.0
广西	1111.68	143.72	967.95	11.7	11.2	11.8
重庆	2146.09	306.74	1839.35	16.2	22.3	15.2
四川	3270.85	559.76	2711.09	23.6	47.9	19.5
贵州	734.70	95.69	639.01	26.5	42.6	24.3
云南	1133.61	147.63	985.98	21.3	-4.1	26.3
西藏	6.69	4.93	1.75	19.8	35.2	-9.3
陕西	1517.23	87.15	1430.08	55.8	-4.2	62.0
甘肃	276.95	84.79	192.16	20.3	21.0	20.0
青海	114.16	15.75	98.41	35.2	26.0	36.8
宁夏	314.53	88.22	226.31	1.7	-1.0	2.8
新疆	608.38	122.20	486.18	25.9	16.8	28.5

数据来源：国家统计局

三十一个省、自治区及直辖市2011年住宅销售面积

单位：万平方米

	销售面积	现房面积	期房面积	比去年同期增长（%）		
				销售面积	现房面积	期房面积
全国	97030.26	21849.05	75181.22	3.9	-0.9	5.4
东部地区	44466.13	9688.52	34777.61	0.0	-4.7	1.4
北京	1034.96	172.26	862.70	-13.9	-21.0	-12.3
天津	1454.84	371.33	1083.51	11.7	22.1	8.5
河北	5311.77	1269.22	4042.55	22.8	44.4	17.3
辽宁	6631.84	1969.62	4662.22	10.3	3.1	13.6
上海	1473.72	476.85	996.87	-12.8	3.8	-19.0
江苏	6789.64	972.34	5817.31	-16.3	-34.5	-12.2
浙江	3006.06	331.69	2674.37	-21.6	-14.7	-22.4
福建	2207.49	149.33	2058.16	3.2	-26.3	6.3
山东	8745.79	1776.68	6969.12	3.5	-20.2	12.0
广东	6969.10	2064.85	4904.24	6.4	5.0	6.9
海南	840.92	134.35	706.57	0.8	6.2	-0.2
中部地区	26157.72	7244.69	18913.02	9.3	2.4	12.2
山西	1150.62	432.42	718.20	7.5	47.4	-7.6
吉林	2060.73	442.97	1617.76	-2.1	-45.1	24.5
黑龙江	2914.45	854.02	2060.43	22.2	38.0	16.6
安徽	3970.33	465.36	3504.97	9.0	-16.1	13.5
江西	2084.95	489.55	1595.40	-8.0	-38.1	8.2
河南	5747.77	1955.55	3792.22	12.9	13.1	12.7
湖北	3784.68	1409.78	2374.90	16.9	29.9	10.4
湖南	4444.17	1195.04	3249.13	7.3	-0.2	10.4
西部地区	26406.42	4915.84	21490.58	5.7	2.3	6.5
内蒙古	3000.38	1301.89	1698.49	16.8	/	34.0
广西	2724.00	397.28	2326.72	4.5	10.3	3.6
重庆	4063.42	589.35	3474.08	1.9	31.7	-1.8
四川	5944.35	1026.37	4917.97	1.6	1.1	1.7
贵州	1705.92	243.52	1462.4	6.9	30.8	3.7
云南	2716.42	345.39	2371.03	2.2	-8.1	3.9
西藏	18.40	12.24	6.16	-1.9	3.5	-11.1
陕西	2885.85	225.12	2660.73	16.7	-25.1	22.5
甘肃	734.38	216.15	518.23	6.1	-1.6	9.7
青海	332.11	50.4	281.71	24.7	27.3	24.2
宁夏	701.86	199.85	502.01	-14.1	-12.8	-14.6
新疆	1579.33	308.28	1271.05	8.9	-3.2	12.3

数据来源：国家统计局

三十一个省、自治区及直辖市 2011 年住宅销售金额

单位：亿元

	销售总额	现房销售额	期房销售额	比去年同期增长（%）		
				销售总额	现房销售额	期房销售额
全国	48619.39	8899.18	39720.21	10.2	10.8	10.1
东部地区	28362.59	5207.39	23155.20	3.0	5.4	2.4
北京	1606.04	261.74	1344.30	-22.1	-27.4	-20.9
天津	1242.27	282.82	959.44	20.1	25.3	18.6
河北	1998.08	415.87	1582.22	34.2	57.6	29.2
辽宁	3010.84	806.53	2204.31	16.4	14.5	17.1
上海	1981.91	460.65	1521.26	-18.0	-17.4	-18.2
江苏	4125.75	439.97	3685.78	-9.1	-32.4	-5.1
浙江	2924.97	232.88	2692.08	-18.2	6.3	-19.8
福建	1627.14	97.36	1529.79	25.2	-22.6	30.3
山东	3760.14	631.91	3128.23	16.8	-14.5	26.2
广东	5326.19	1485.93	3840.25	16.0	46.2	7.5
海南	759.27	91.72	667.55	3.4	19.8	1.5
中部地区	9767.16	2133.23	7633.92	24.4	20.4	25.5
山西	372.32	115.02	257.30	4.2	72.7	-11.5
吉林	863.62	146.44	717.18	17.4	-33.9	39.4
黑龙江	1080.22	258.17	822.05	29.7	54.9	23.4
安徽	1736.81	157.82	1579.00	22.3	-4.9	25.9
江西	789.96	154.34	635.62	17.8	-27.8	39.2
河南	1790.97	472.83	1318.14	23.1	31.7	20.3
湖北	1566.32	482.68	1083.64	38.0	65.7	28.5
湖南	1566.93	345.94	1221.00	25.6	20.8	27.0
西部地区	10489.64	1558.55	8931.08	20.3	17.7	20.7
内蒙古	997.57	371.12	626.45	30.2	8.7	47.4
广西	973.48	104.36	869.12	10.4	7.8	10.7
重庆	1825.41	195.45	1629.96	13.3	39.8	10.8
四川	2727.35	428.34	2299.01	17.0	43.2	13.2
贵州	595.27	72.86	522.41	18.7	44.1	15.8
云南	921.80	97.77	824.03	19.8	-9.0	24.5
西藏	6.07	4.33	1.75	17.2	30.1	-5.9
陕西	1353.91	66.71	1287.20	49.3	-17.9	55.9
甘肃	235.55	66.37	169.18	15.8	18.6	14.8
青海	103.28	12.40	90.88	34.0	23.2	35.6
宁夏	237.74	58.64	179.10	-6.3	-1.6	-7.8
新疆	512.20	80.21	431.99	23.0	1.3	28.1

数据来源：国家统计局

三十一个省、自治区及直辖市2011年办公楼销售金额

单位：亿元

	销售总额	现房销售额	期房销售额	比去年同期增长（%）		
				销售总额	现房销售额	期房销售额
全国	2501.74	667.67	1834.07	16.1	19.0	15.0
东部地区	1919.66	564.02	1355.65	9.1	18.9	5.4
北京	500.96	103.91	397.04	2.8	-0.9	3.8
天津	53.55	21.06	32.49	9.5	-48.7	315.4
河北	41.90	6.16	35.73	128.4	151.6	124.8
辽宁	32.37	20.97	11.40	-38.3	57.6	-70.9
上海	371.81	175.77	196.04	20.8	71.1	-4.3
江苏	211.48	64.49	147.00	26.6	36.9	22.5
浙江	265.33	52.73	212.60	-11.6	-1.9	-13.7
福建	115.57	12.37	103.20	61.0	58.3	61.3
山东	54.23	20.86	33.37	-0.5	9.8	-5.9
广东	266.61	79.93	186.68	7.3	-0.9	11.3
海南	5.85	5.76	0.09	65.8	270.1	-95.3
中部地区	309.52	57.55	251.97	97.7	28.1	125.7
山西	**10.13**	**3.53**	**6.60**	**71.4**	**31.7**	**104.5**
吉林	8.11	0.31	7.80	219.5	-39.3	284.8
黑龙江	3.92	2.40	1.52	9.5	-2.8	36.8
安徽	58.83	14.86	43.97	8.6	110.8	-6.7
江西	18.95	2.09	16.86	20.7	-77.7	165.5
河南	138.59	21.18	117.41	175.5	224.4	168.2
湖北	27.94	5.11	22.83	108.7	-53.7	
湖南	43.06	8.07	34.98	293.1	53.0	
西部地区	272.55	46.10	226.45	14.1	10.5	14.8
内蒙古	27.46	8.55	18.90	47.5	60.2	42.4
广西	13.84	0.99	12.85	-4.8	-39.2	-0.5
重庆	51.28	9.11	42.17	-14.1	-43.9	-3.0
四川	83.07	10.20	72.87	12.0	182.3	3.3
贵州	16.33	4.87	11.46	18.9	492.0	-11.3
云南	22.07	2.00	20.07	52.5	-69.7	154.7
西藏						
陕西	33.52	1.84	31.68	51.7	46.2	52.1
甘肃	6.36	1.73	4.63	195.5	42.1	396.1
青海	0.18	0.07	0.10	-19.0		-49.9
宁夏	6.73	1.63	5.09	-17.2	-50.1	4.9
新疆	11.73	5.10	6.63	5.7	197.3	-29.3

数据来源：国家统计局

三十一个省、自治区及直辖市2011年办公楼销售面积

单位：万平方米

	总面积	现房面积	期房面积	比去年同期增长（%）		
				总面积	现房面积	期房面积
全国	2007.9	581.49	1426.41	6.2	2.7	7.7
东部地区	1299.61	408.82	890.79	-1.9	2.0	-3.7
北京	211.42	44.93	166.5	1.6	-22.1	10.6
天津	42.8	16.54	26.26	21.3	-45.1	406.6
河北	60.7	10.91	49.79	54.9	84.3	49.6
辽宁	54.08	29.43	24.65	-16.4	30.2	-41.5
上海	147.4	66.42	80.98	-9.5	8.5	-20.4
江苏	217.12	72.71	144.41	3.4	10.0	0.4
浙江	226.18	54.67	171.52	-16.9	-0.9	-20.9
福建	110.02	18.34	91.68	33.8	12.8	39.0
山东	69.36	32.88	36.48	-15.9	18.0	-33.2
广东	154.4	56.01	98.39	-5.3	2.3	-9.1
海南	6.1	5.98	0.13	11.5	82.5	-94.3
中部地区	375.87	101.5	274.72	51.9	12.9	74.1
山西	14.28	5.56	8.72	32.7	32.5	32.8
吉林	8.94	0.77	8.17	15.4	-70.2	58.2
黑龙江	8.05	5.52	2.53	-3.9	6.7	-21.1
安徽	88.31	27.07	61.24	1.2	85.2	-15.7
江西	20.76	4.74	16.02	9.1	-57.6	104.5
河南	150.93	28.5	122.43	148.3	90.4	167.2
湖北	34.57	12.18	22.38	42.9	-39.9	472.0
湖南	50.05	16.8	33.25	71.0	1.0	163.1
西部地区	332.41	71.51	260.9	4.8	-5.3	8.0
内蒙古	45.12	17.01	28.11	51.0	69.9	41.5
广西	16.68	2.2	14.48	-10.2	-40.9	-2.6
重庆	43.88	11.79	32.08	-29.9	-57.7	-7.6
四川	85.44	11.41	74.03	1.9	60.9	-3.5
贵州	27.03	8.19	18.84	2.9	223.0	-20.6
云南	41.68	1.82	39.86	93.9	-75.1	181.0
西藏						
陕西	38.77	4.04	34.73	-3.2	49.3	-7.0
甘肃	8.2	3.29	4.91	44.5	-15.5	176.3
青海	0.57	0.38	0.2	-42.3		-79.4
宁夏	9.27	2.76	6.51	-39.8	-62.0	-19.8
新疆	15.79	8.62	7.17	27.8	184.3	-23.1

数据来源：国家统计局

三十一个省、自治区及直辖市 2011 年商业营业用房销售金额

单位：亿元

	销售总额	现房销售额	期房销售额	比去年同期增长（%）		
				销售总额	现房销售额	期房销售额
全国	6702.46	2157.82	4544.65	23.7	6.6	33.8
东部地区	3561.57	1139.98	2421.59	5.9	-6.4	12.8
北京	270.85	110.98	159.88	-15.1	-13.6	-16.1
天津	138.58	73.37	65.21	26.8	67.8	-0.6
河北	259.93	87.92	172.00	119.7	153.8	105.6
辽宁	411.08	191.38	219.71	23.5	32.8	16.4
上海	181.66	82.88	98.78	-8.4	-7.8	-8.9
江苏	794.57	187.05	607.52	1.9	-20.5	11.6
浙江	443.77	114.71	329.06	-9.1	-27.7	-0.1
福建	253.57	34.67	218.90	40.4	-23.3	61.7
山东	387.78	99.73	288.05	11.9	-17.1	27.4
广东	400.78	148.74	252.03	-17.0	-30.3	-6.5
海南	19.00	8.57	10.43	123.0	93.2	155.3
中部地区	1625.89	543.69	1082.20	55.5	29.1	73.4
山西	47.25	17.14	30.11	3.8	15.7	-2.0
吉林	145.34	73.39	71.95	30.5	51.8	14.3
黑龙江	225.65	86.06	139.58	65.0	42.2	83.0
安徽	374.28	58.02	316.26	43.4	-0.9	56.2
江西	130.13	62.50	67.63	61.5	116.2	30.8
河南	247.51	80.22	167.29	80.6	24.8	129.7
湖北	241.76	84.50	157.26	70.0	6.9	148.9
湖南	213.99	81.86	132.13	63.6	23.0	105.8
西部地区	1515.00	474.14	1040.86	50.1	23.4	66.6
内蒙古	262.98	134.14	128.84	3.9	30.1	-14.0
广西	100.78	32.68	68.10	33.4	28.0	36.2
重庆	216.58	75.00	141.57	39.3	-9.5	94.9
四川	366.12	83.84	282.28	100.0	52.6	120.3
贵州	108.03	14.95	93.08	90.3	5.2	118.8
云南	159.91	40.87	119.03	35.0	21.5	40.3
西藏	0.61	0.61		50.6	86.7	
陕西	114.23	14.51	99.71	188.0	98.0	208.4
甘肃	32.51	15.89	16.62	38.8	24.5	56.0
青海	10.42	3.00	7.42	48.9	27.7	59.6
宁夏	64.75	25.01	39.75	47.3	1.4	105.9
新疆	78.09	33.63	44.46	49.3	49.5	49.1

数据来源：国家统计局

三十一个省、自治区及直辖市 2011 年商业营业用房销售面积

单位：万平方米

	总面积	现房面积	期房面积	比去年同期增长（%）		
				总面积	现房面积	期房面积
全国	7878.19	3035.71	4842.48	12.6	-0.5	22.8
东部地区	3626.16	1376.45	2249.71	-2.2	-12.3	5.2
北京	108.69	55.47	53.22	-23.5	-27.2	-19.1
天津	104.50	54.93	49.57	0.8	-11.3	18.8
河北	368.05	147.53	220.52	76.0	108.5	59.4
辽宁	592.27	294.03	298.24	16.1	15.3	17.0
上海	95.57	48.91	46.65	-24.0	-26.1	-21.7
江苏	842.59	255.52	587.07	-14.7	-29.6	-6.1
浙江	375.48	119.71	255.77	-18.2	-38.4	-3.5
福建	180.18	45.37	134.81	2.2	-17.6	11.1
山东	604.25	176.05	428.20	-0.5	-26.0	15.8
广东	328.29	164.10	164.19	-11.7	-9.4	-13.9
海南	26.30	14.83	11.47	89.0	85.7	93.5
中部地区	2262.02	918.41	1343.61	28.6	15.4	39.6
山西	81.26	33.81	47.45	-3.7	-7.1	-1.1
吉林	237.90	125.59	112.31	8.0	13.1	2.8
黑龙江	362.84	153.04	209.80	54.6	35.8	72.0
安徽	482.31	104.44	377.87	23.8	-0.7	32.8
江西	183.26	76.97	106.29	21.5	30.4	15.8
河南	332.08	160.76	171.32	34.8	16.1	58.7
湖北	287.75	126.46	161.29	56.0	16.8	111.8
湖南	294.64	137.35	157.29	18.9	9.9	28.0
西部地区	1990.00	740.85	1249.15	30.2	7.9	48.4
内蒙古	396.41	229.77	164.65	11.6	13.7	8.9
广西	120.78	41.00	79.78	11.6	3.8	16.1
重庆	266.32	106.61	159.71	37.1	7.7	67.7
四川	403.85	126.38	277.46	37.2	10.6	54.1
贵州	125.27	23.80	101.47	54.8	-4.5	81.2
云南	250.94	53.63	197.31	37.5	-1.6	54.0
西藏	0.95	0.95		82.9	117.9	
陕西	112.65	20.80	91.85	77.8	59.9	82.4
甘肃	62.08	30.17	31.91	16.2	8.9	24.0
青海	14.81	6.62	8.19	12.1	16.4	8.9
宁夏	114.53	46.56	67.96	27.3	-15.7	96.0
新疆	123.42	54.57	68.85	30.7	8.7	55.7

数据来源：国家统计局

2011 年全省房地产开发投资完成情况

单位：万元

	1-12 月累计	比上年同期增长（%）	比重（%）
一、计划投资			
建设项目计划总投资	31992607	30.1	——
二、房地产开发	7899241	33.4	100
其中：土地购置费	919545	-0.6	11.6
1、按隶属关系分			
中央项目	17536		0.2
地方项目	7881705	33.1	99.8
2、按控股情况分			
国有控股	1503274	75.9	19
集体控股	261382	28	3.3
私人控股	5551927	22.3	70.3
港澳台商控股	51963	2.0183	0.7
外商控股	146363	146.49	1.9
其他	384332	80.928	4.9
3、按构成分			
建筑工程	5554636	39.5	70.3
安装工程	807828	66.1	10.2
设备工器具购置	55131	16.7	0.7
其他费用	1481646	5.2	18.8
4、按工程用途分			
住宅	6150275	34.5	77.9
其中：90 平方米及以下住房	1659630	46.8	21
经济适用房	163567	27.2	2.1
办公楼	173226	38.2	2.2
商业营业用房	732497	21.2	9.3
其他	843243	36.4	10.7
三、本年新增固定资产	4284651	78.5	——
四、土地购置情况			
1、本年购置土地面积（万平方米）	654.9	-25.1	——
2、本年土地成交价款	812992	-5.3	——

数据来源：山西省统计局

2011年全省房屋施工、竣工和销售情况

单位：万平方米

	1-12月累计	比上年同期增长（%）
一、商品房施工情况		
商品房施工面积	9325.6	22.7
住宅	7728.0	23.6
其中：90平方米及以下住房	2165.3	25.1
经济适用房	342.9	-9.4
办公楼	172.9	-4.6
商业营业用房	831.9	8.1
其它	592.8	50.2
商品房新开工面积	2838.3	2
住宅	2419.0	6.5
其中：90平方米及以下住房	561.1	1.1
经济适用房	97.3	-31
办公楼	29.5	-49.2
商业营业用房	199.3	-31.2
其他	190.5	16.4

续表

单位：万平方米

	1-12 月累计	比上年同期增长（%）
二、商品房竣工情况		
商品房竣工面积	2084.2	73.1
住宅	1867.1	88.4
其中：90 平方米及以下住房	980.3	297.2
经济适用房	75.8	12.6
办公楼	23.7	13.8
商业营业用房	104.8	-23.4
其他	88.6	61.8
商品房竣工价值（万元）	3906874	87.7
住宅	3449987	104.7
其中：90 平方米及以下住房	1804242	315.3
经济适用房	121911	17.6
办公楼	61419	1.4
商业营业用房	248524	-1.9
其他	146944	19.9

续表

单位：万平方米

	1-12 月累计	比上年同期增长（%）
三、商品房销售情况		
商品房销售面积	1263.2	7.0
住宅	1150.6	7.5
其中：90 平方米及以下住房	185.6	-3.6
经济适用房	35.8	24.6
办公楼	14.3	32.7
商业营业用房	81.3	-3.7
其它	17.0	14.2
商品房销售额（万元）	4346692	5.6
住宅	3723201	4.2
其中：90 平方米及以下住房	594788	5.7
经济适用房	60949	37.1
办公楼	101263	71.4
商业营业用房	472464	3.8
其他	49764	71.3

数据来源：山西省统计局

2011年全省房地产开发投资资金来源

单位：万元

	1-12月累计	比上年同期增长（%）	比重（%）
一、自年初累计资金来源合计	11040009	14.4	——
1、上年末结余资金	2635122	55.9	——
2、本年资金来源小计	8404887	5.6	100.0
国内贷款	687555	−22.2	8.2
利用外资			
自筹资金	3771444	29.3	44.9
其中：自有资金	1831442	10.6	21.8
其他资金	3945888	−5.2	46.9
二、各项应付款合计	1925459	20.4	——
其中：工程款	923783	17.6	——

数据来源：山西省统计局

2011 年全省房地产开发完成情况

项　　　　目	2005	2010	2011
本年完成投资　　（万元）	1779937	5922376	7901982
≠ 商品住宅	1168931	4574340	6153199
本年新增固定资产　（万元）	1020261	2400863	4377931
本年商品房屋销售额（万元）	1522069	4117112	4410271
≠ 商品住宅	1163065	3573679	3783642
本年销售面积　　（平方米）	6887486	11805872	12847788
≠ 商品住宅	6198563	10705378	11708832
本年施工房屋面积　（平方米）	22665320	75998460	93079577
≠ 商品住宅	17667959	62544066	77143314
≠ 新开工房屋面积　（平方米）	11560090	27820539	28494371
≠ 商品住宅	9838964	22705185	24295409
本年竣工房屋面积　（平方米）	6672519	12037309	21104271
≠ 商品住宅	5573845	9913062	18882010
本年竣工房屋价值　（万元）	917262	2081040	3918820
≠ 商品住宅	686002	1685507	3459302

数据来源：山西省统计局

2011年全省房地产开发施工、销售和空置情况

指　　标	合　计	住　宅	#90平方米及以下住房	#144平方米以上住房	#别墅、高档公寓	办公楼	商业营业用房	其他
房屋施工面积（平方米）	93079577	77143314	21605160	12846545	801245	1660449	8273950	6001864
#本年新开工	28494371	24295409	5582357	3561459	94154	295031	1997642	1906289
房屋竣工面积（平方米）	21104271	18882010	9848619	1801576	24062	236649	1098870	886742
#不可销售	9244102	8403942	7782041	38998		113083	215627	511450
商品住宅竣工套数（套）		240524	168012	10508	253			
竣工房屋价值（万元）	3918820	3459302	1807293	375901	6980	61419	251390	146709
出租房屋面积（平方米）	225891	10911	4450			9460	183254	22266
商品房销售面积（平方米）	12847788	11708832	1898306	1934572	16126	142786	821369	174801
现　　房	4898407	4410955	769395	699701	14899	55629	339283	92540
期　　房	7949381	7297877	1128911	1234871	1227	87157	482086	82261
商品房销售额（万元）	4410271	3783642	604690	923450	5241	101263	475336	50030
现　　房	1404986	1175941	217763	246029	4591	35291	172018	21736
期　　房	3005285	2607701	386927	677421	650	65972	303318	28294
商品住宅销售套数（套）		103243	23439	11268	80			
现　　房		39639	9351	4155	73			
期　　房		63604	14088	7113	7			
待售面积（平方米）	6848575	5592981	863844	1356597	48166	107026	808339	340229
#待售1-3年面积	2622777	2241128	351069	608773	21600	28425	290260	62964
待售3年以上面积	176575	127942		58703	7816		45154	3479

数据来源：山西省统计局

2011 年全省房地产开发投资

单位：万元

指 标	企业个数（个）	计划总投资	累计完成投资	本年完成投资	#配套工程投资	建筑工程	安装工程	设备工器具购置	其他费用	#旧建筑物购置费	#土地购置费	住 宅	#90 平方米及以下住房	#144 平方米以上住房	#别 墅、高档公寓	办公楼	商业营业用房	其他
总 计	2156	31958472	19789495	7901982	106550	5555139	809789	55026	1482028	4915	942873	6153199	1665132	1440452	126743	172888	736434	839461
按登记注册类型																		
内 资	2135	31278499	19321781	7702431	106550	5384964	798128	50470	1468869	4915	942873	5978532	1651612	1354653	49884	170593	719617	833689
国 有	108	2613692	1970264	818807	12732	576593	164579	1860	75775	300	5715	638254	460702	25958	50	8087	72079	100387
集 体	17	73749	66003	5456		5431	25					5411	4541	50			45	
股份合作	4	5327	1491	641					641			641	179					
国有联营																		
集体联营																		
国有与集体联营																		
其他联营	1	38970	26000	4750		4450	300					4250		4250				500
国有独资公司	12	326761	195984	92058	12031	73427	10300		8331		8331	77412	12073	25029		2554	4292	7800
其他有限责任公司	530	9153079	6219703	2574469	19872	1827998	227631	15166	503674	1459	359239	2067604	446912	528966	42217	30900	191170	284795
股份有限公司	55	1602150	1130419	385861	10132	240735	47868	2120	95138	101	58207	309086	126103	42126	5425	446	14612	61717
私营独资	33	386653	210812	119380	8826	65306	17671	943	35460		17387	85526	17667	17714		13586	12358	7910
私营合伙	9	46140	32260	22969		13379		300	9290		9100	21569	2950	700				1400
私营有限责任公司	1273	15095822	8585665	3242456	26876	2321210	294896	28666	597684	3055	354877	2414044	499056	575011	2192	107437	392691	328284
私营股份有限公司	77	1677845	670252	292843	11899	136969	27934	415	127525		120431	240006	43449	133610		5252	13925	33660
其 他	16	258311	212928	142741	4182	119466	6924	1000	15351		9586	114729	37980	1239		2331	18445	7236
港澳台投资	15	355694	211262	53188		45086	1372	4556	2174			30504	393	28449	24574	2295	16007	4382
合资经营	8	126794	110309	16986		11694	490	4556	246							1225	15761	
合作经营	1	25000	23007	2436		1530	882		24			2070	393	15			146	220
独 资	6	203900	77946	33766		31862			1904			28434		28434	24574	1070	100	4162
股份有限																		
其 他																		
外商投资	6	324279	256452	146363		125089	10289		10985			144163	13127	57350	52285		810	1390
合资经营	3	59879	37650	21292		13203	8089					21292	13127	8165				

合作经营																		
独　资	3	264400	218802	125071		111886	2200		10985			122871		49185	52285		810	1390
股份有限																		
其　他																		
按控股情况分																		
国有控股	172	4967691	3194150	1494878	25365	999341	190647	2323	302567	300	216176	1173289	552483	126579	8329	14331	86350	220908
集体控股	66	1380373	838068	235026		217730	5715		11581		560	216476	74353	29793	21928	2641	8130	7779
私人控股	1812	23159222	14075798	5488751	73071	3815894	546059	47980	1078818	4595	671694	4213773	877440	1150014	14454	152491	583071	539416
港澳台商控股	12	332694	196321	51963		44351	882	4556	2174			30504	393	28449	24574	1070	16007	4382
外商控股	6	324279	256452	146363		125089	10289		10985			144163	13127	57350	52285		810	1390
其　他	88	1794213	1228706	485001	8114	352734	56197	167	75903	20	54443	374994	147336	48267	5173	2355	42066	65586

数据来源：山西省统计局

2011 年全省房地产开发资金来源情况

单位：万元

指　　标	本年资金来源合计	上年末结余资金	本年资金来源小计	国内贷款	利用外资	自筹资金	其他资金来源	#定金及预付款
总　　计	11237272	2733782	8503490	687749		3859366	3956375	2772144
按登记注册类型								
内资	10994785	2723996	8270789	625963		3747601	3897225	2728004
国有	824829	345188	479641	1000		245927	232714	59548
集体	9130	730	8400			280	8120	5120
股份合作	1551	1431	120			120		
国有联营								
集体联营								
国有与集体联营								
其他联营	10476	476	10000	10000				
国有独资公司	132793	54712	78081	5000		45382	27699	25699
其他有限责任公司	3826402	1125037	2701365	219839		805023	1676503	1202271
股份有限公司	635204	111235	523969	34467		231038	258464	133753
私营独资	126243	10155	116088	1950		81120	33018	32536
私营合伙	22529	2278	20251	1500		17929	822	15
私营有限责任公司	4832584	922258	3910326	312118		2107005	1491203	1130269
私营股份有限公司	425152	136004	289148	40089		167515	81544	71857
其　他	147892	14492	133400			46262	87138	66936
港澳台投资	91523	6973	84550	30800		12380	41370	30270

合资经营	58622	4401	54221	13000		11182	30039	18939
合作经营	3654	297	3357				3357	3357
独　资	29247	2275	26972	17800		1198	7974	7974
股份有限								
其　他								
外商投资	150964	2813	148151	30986		99385	17780	13870
合资经营	27440	1360	26080	8300			17780	13870
合作经营								
独　资	123524	1453	122071	22686		99385		
股份有限								
其　他								
按控股情况分								
国有控股	1866020	659466	1206554	23000		506514	677040	380111
集体控股	388572	156521	232051	26470		70278	135303	90085
私人控股	8156247	1772567	6383680	522531		3017285	2843864	2103215
港澳台商控股	84941	6244	78697	30800		6527	41370	30270
外商控股	150964	2813	148151	30986		99385	17780	13870
其　他	590528	136171	454357	53962		159377	241018	154593

数据来源：山西省统计局

2011 年全省开发企业土地购置、开发和空置情况

单位：平方米

指　　标	待开发土地面积	本年购置土地面积	本年土地成交价款（万元）	待售面积	待售面积（一年至三年）	待售面积（三年以上）
总　　计	5286930	6976911	898007	6848575	2622777	176575
按登记注册类型						
内　资	5286930	6976911	898007	6818025	2592227	176575
国　　有	609568	230418	13690	238933	13422	130789
集　　体		30000	30000	98400	85566	
股份合作						
国有联营						
集体联营						
国有与集体联营						
其他联营						
国有独资公司		5389	6300	30473		
其他有限责任公司	2249818	1758061	218653	2041179	864203	23620
股份有限公司	308317	272829	61291	196678	21705	
私营独资	72119	150851	10317	37035	37035	
私营合伙		48509	9100	28170		
私营有限责任公司	1714574	4091804	506304	3840749	1502667	21112
私营股份有限公司	332534	284130	36846	212754	67629	
其　他		104920	5506	93654		1054
港澳台投资				30550	30550	
合资经营				29250	29250	

合作经营				1300	1300	
独　资						
股份有限						
其　他						
外商投资						
合资经营						
合作经营						
独　资						
股份有限						
其　他						
按控股情况分						
国有控股	1141645	448321	52891	313531	15945	134339
集体控股		71601	32431	158160	143935	1391
私人控股	3488213	6034537	707613	5969604	2307981	36507
港澳台商控股				30550	30550	
外商控股						
其　他	657072	422452	105072	376730	124366	4338

数据来源：山西省统计局

2011年全省房地产开发企业财务状况

单位：万元

指标	固定资产原价	固定资产累计折旧	本年折旧	资产总计	负债合计	所有者权益合计	营业收入	主营业务收入	土地转让收入	商品房屋销售收入	房屋出租收入	其他收入	营业成本	主营业务成本	税金及附加	主营业务税金及附加	营业利润	利润总额	应缴所得税
总计	776399	188908	37257	28747552	24510059	4237494	3565523	3549185	19318	3306559	87767	135542	2851290	2763155	276710	273096	57144	33895	80923
按登记注册类型																			
内资	767552	184964	36758	27936397	23808419	4127978	3505256	3488949	19318	3246913	87767	134952	2804998	2717789	273690	270076	59355	36194	79490
国有	45905	12047	1623	1768087	1632408	135679	141045	140398	102	131057	1030	8209	150527	115628	7415	7366	2037	17	1706
集体	2207	1161	56	69814	61373	8442	22568	22515		20821	91	1603	20416	20353	1406	1406	1934	1936	
股份合作	1598	561	21	96692	44076	52617	18930	18930		18930			15351	15351	58	58	3063	3065	26
国有联营																			
集体联营																			
国有与集体联营																			
其他联营	178	79	32	112935	112670	265									158	158	761	763	
国有独资公司	9944	473	188	311565	275958	35606	31605	31124		30984		140	23050	22570	2119	2119	4262	2580	2131
其他有限责任公司	205929	57763	10055	8211303	7012547	1198756	1293573	1282198	903	1202681	1806	76808	1028252	1011551	86846	85989	71253	52688	34953
股份有限公司	11026	4584	735	1389000	1063910	325089	107684	107649		107463		186	70807	70749	9854	9687	6299	8866	3734
私营独资	7075	1075	369	236618	162585	74033	12286	11585		10921	22	643	7417	7237	817	687	3083	3069	121
私营合伙	2039	201	43	34770	28780	5989	212	212		212			319	319	10	10	594	621	
私营有限责任公司	458182	101936	22357	14542139	12471137	2071002	1749007	1747157	18312	1597925	84021	46899	1349499	1344074	158368	155958	3805	3552	36399
私营股份有限公司	18431	4462	1070	933466	737949	195517	106086	104921		103662	798	460	89588	89588	6077	6077	20842	20518	219
其他	5038	621	210	230008	205026	24982	22261	22261		22257		4	49773	20369	562	562	74	530	201
港澳台投资	7969	3531	358	392514	310879	81635	59930	59899		59309		590	45054	45054	2571	2571	5093	5019	1433
合资经营	6255	3054	281	186234	145696	40537	51263	51232		50642		590	36675	36675	2034	2034	7447	7398	1292
合作经营	228	81	19	18339	18626	287	6728	6728		6728			6781	6781	417	417	657	682	142
独资	1487	396	58	187941	146556	41385	1939	1939		1939			1598	1598	119	119	1698	1698	
股份有限																			
其他																			
外商投资	878	414	142	418641	390761	27880	337	337		337			1237	312	450	450	7305	7318	
合资经营	811	377	127	171821	184071	12250	337	337		337			1237	312	450	450	6532	6545	
合作经营																			
独资	67	37	15	246820	206689	40131											773	773	
股份有限																			
其他																			

按控股情况分																			
国有控股	85173	20705	3073	3624017	3242365	381653	418897	411576	102	335457	1269	74748	391770	349606	18888	18707	15335	3522	7586
集体控股	28293	5236	687	1078295	902923	175372	179350	179297		177076	272	1949	132846	132783	12114	12040	15740	16828	7171
私人控股	626748	153351	31823	21937492	18569182	3368310	2788683	2779853	19135	2618793	85842	56083	2194556	2149574	233279	229927	22399	10174	63950
港澳台商控股	6893	2636	351	360618	290362	70257	45423	45423		44833		590	35314	35314	1549	1549	1721	1857	589
外商控股	878	414	142	418641	390761	27880	337	337		337			1237	312	450	450	7305	7318	
其　他	28413	6567	1182	1328490	1114467	214023	132833	132699	80	130062	384	2173	95567	95567	10431	10423	9255	8832	1627

数据来源：山西省统计局

2011年全省城镇居民家庭年末居住情况

单位：%

指　　　标	2010	2011
一、按房屋产权	100.0	100.0
租赁公房	7.4	3.9
租赁私房	3.2	4.2
原有私房	12.5	10.1
房改私房	49.9	48.0
商品房	22.1	28.9
其　　他	4.9	4.9
二、住宅建筑式样	100.0	100.0
单栋住宅	1.8	1.7
四居室	1.3	2.8
三居室	26.7	27.2
二居室	44.8	47.5
一居室	3.0	2.8
普通楼房	2.9	2.1
平房及其他	19.6	15.9
三、饮水情况	100.0	100.0
自来水	96.0	97.5
矿泉水	0.7	1.3
纯净水	3.1	1.2
井、河水	0.2	
其　　他		
四、用水情况	100.0	100.0
独用自来水	97.8	98.8
公用自来水	2.1	1.2

井、河水	0.1	
其　　他		
五、卫生设备	100.0	100.0
无卫生设备	14.5	10.5
有厕所浴室	52.1	64.0
有厕所无浴室	31.4	23.5
	2.1	
公　　用		2.0
六、取暖设备	100.0	100.0
无取暖设备	1.1	0.6
空调设备	0.1	0.9
暖　　气	82.7	85.0
其　　他	16.1	13.5
七、炊用燃料使用情况	100.0	100.0
管道煤气	30.1	28.7
液化石油气	21.9	10.2
煤	16.0	8.0
其　　他	32.0	53.1
八、信息化调查	100.0	100.0
# 接入互联网的移动电话	19.5	53.2
# 接入有线电视网络的电视机	92.3	90.3
# 接入互联网的计算机	39.6	58.4

数据来源：山西省统计局

2011年全省各市住宅固定资产投资

单位：万元

地区	1-12月		比上年同期	
	住宅投资	开发住宅	增长（%）	开发住宅
全省总计	10299414	6150275	39.0	34.5
太原市	3795186	2465279	44.1	33.1
大同市	1499929	1033524	46.0	48.3
阳泉市	619708	462649	22.7	32.8
长治市	598574	424664	10.0	63.4
晋城市	661605	300334	16.6	11.2
朔州市	502343	150902	88.9	45.5
晋中市	625642	258373	31.2	11.4
运城市	540333	388982	75.4	71.4
忻州市	298227	194623	21.1	21.7
临汾市	639238	301763	65.6	18.1
吕梁市	518629	169182	15.8	-0.2

数据来源：山西省统计局

2011年全省各市商品房销售情况

地区	销售面积1-12累计（平方米）	比上年同期增长（%）	销售面积1-12月累计（万元）	比上年同期增长（%）
全省总计	12631945	7.0	4346692	5.6
太原市	2061577	-20.3	1465064	-21.9
大同市	901649	11.7	293493	22.4
阳泉市	1064303	-1.2	280540	0.1
长治市	1443357	17.9	423074	31.5
晋城市	1015609	65.3	353619	91.7
朔州市	774505	34.4	160090	34.9
晋中市	868616	-24.2	258735	-9.2
运城市	1884804	7.1	422202	28.3
忻州市	908991	31.8	214196	49.1
临汾市	1107902	64.1	319677	83.4
吕梁市	600632	-7.4	156002	-5.5

数据来源：山西省统计局

2011年全省各市商品住宅销售情况

地区	销售面积 1-12 累计（平方米）	比上年同期增长（%）	销售面积 1-12 月累计（万元）	比上年同期增长（%）
全省总计	11506214	7.5	3723201	4.2
太原市	1811888	-23.1	1218329	-27
大同市	859722	17.1	275651	36.6
阳泉市	999267	-0.6	246101	0.6
长治市	1357638	19.2	387871	39.1
晋城市	955680	72.8	322822	112
朔州市	679176	61.0	133729	59.4
晋中市	810761	-25.6	230209	-10.1
运城市	1636834	4.0	328833	19.2
忻州市	843740	25.8	189875	38.9
临汾市	1006578	67.5	271928	90
吕梁市	544930	-3.3	117853	-10.4

数据来源：山西省统计局

2011年全省各市房地产开发施工、竣工面积及价值

单位：平方米

市名	本年施工房屋面积	#住　宅	本年竣工房屋面积	#住　宅	本年竣工房屋价值（万元）	#住　宅
全　　省	93079577	77143314	21104271	18882010	3918820	3459302
太 原 市	28545463	23739835	2326982	2108215	520969	467730
大 同 市	17078953	15204255	8725048	8121756	1633231	1521890
阳 泉 市	6572382	4960506	1233270	1125076	188321	154189
长 治 市	6380523	5409556	2112494	1881956	331591	293822
晋 城 市	4885229	3937952	794057	714603	217369	194598
朔 州 市	3879848	3019875	581199	500122	92307	76244
晋 中 市	4705438	3915431	747200	657575	108776	90682
运 城 市	7852072	6106476	1932368	1545498	315296	246599
忻 州 市	4435654	3774924	818349	666961	157250	129098
临 汾 市	5651274	4537008	1098294	915331	219883	172199
吕 梁 市	3092741	2537496	735010	644917	133827	112251

数据来源：山西省统计局

2011年全省各市固定资产投资房屋面积及价值

单位：平方米

市　　名	本年施工房屋面积	#住　宅	本年竣工房屋面积	#住　宅	本年竣工房屋价值（万元）	#住　宅
全　　省	166717047	112629909	52464210	34997408	9259663	6202318
太原市	46730886	34786439	9174516	6250435	1849592	1294809
大同市	24573660	19272544	12477671	11305208	2215764	2001478
阳泉市	8722748	6231885	2372514	1963122	405890	329378
长治市	12004071	6886759	4559795	2699647	704288	398578
晋城市	9475779	5893441	3118285	1922472	704566	433863
朔州市	9031141	6326599	2011786	1442032	328725	224952
晋中市	11340650	7164645	2736446	1634432	458393	243921
运城市	15267228	7382116	6790223	2575509	999243	410799
忻州市	7108265	5075566	1984517	1109300	330820	193683
临汾市	10948661	7236949	3929830	2048189	659236	352410
吕梁市	11513958	6372966	3308627	2047062	603146	318447

数据来源：山西省统计局

2011 年全省各市房地产开发房屋销售额

单位：万元

市 名	商品房销售额	住 宅	#90 平方米及以下住房	#144 平方米以上住房	#别墅、高档公寓	办公楼	商业营业用房	其 他
全 省	4410271	3783642	604690	923450	5241	101263	475336	50030
太原市	1499589	1250619	208355	494134	216	72816	158837	17317
大同市	293493	275651	103720	45863		2440	15151	251
阳泉市	280540	246101	10905	17797		8492	25246	701
长治市	423074	387871	49563	99993		3428	24450	7325
晋城市	365546	334749	29194	60104		11092	17733	1972
朔州市	163447	137086	31200	26084			25052	1309
晋中市	252574	224145	31653	23092		22	26694	1713
运城市	422040	328671	41056	52961	4805	1000	90739	1630
忻州市	233609	208288	35330	39288		1973	17037	6311
临汾市	320357	272608	53894	54892	220		38142	9607
吕梁市	156002	117853	9820	9242			36255	1894

数据来源：山西省统计局

2011 年全省各市房地产开发房屋销售面积

单位：平方米

市　　名	商品房销售面积	住　宅	#90 平方米及以下住房	#144 平方米以上住房	#别墅、高档公寓	办公楼	商业营业用房	其　　他
全　　省	12847788	11708832	1898306	1934572	16126	142786	821369	174801
太原市	2176868	1918873	374365	497915	136	74364	162056	21575
大同市	901649	859722	348202	108844		8981	32437	509
阳泉市	1064303	999267	42692	52214		19373	41219	4444
长治市	1443357	1357638	170701	317963		9377	49244	27098
晋城市	1046391	986462	75996	178931		22033	21146	16750
朔州市	790530	695201	145680	114493			88682	6647
晋中市	829121	771368	116281	83457		55	39447	18251
运城市	1884210	1636240	234574	215337	15550	5701	229750	12519
忻州市	1002825	932553	171196	163430		2902	40302	27068
临汾市	1107902	1006578	181096	168205	440		65738	35586
吕梁市	600632	544930	37523	33783			51348	4354

数据来源：山西省统计局

2011年全省各市房地产开发投资

单位：万元

市名	本年完成投资	#住宅	建筑工程	安装工程	设备工器具购置	其他费用
全省	7901982	6153199	5555139	809789	55026	1482028
太原市	3120781	2463915	2059964	291664	5759	763394
大同市	1341815	1033524	911571	199376	5248	225620
阳泉市	588843	462549	498641	19419	950	69833
长治市	537603	424664	456363	16730	17994	46516
晋城市	375014	300284	276098	34837	6348	57731
朔州市	244408	154959	123768	33657	2848	84135
晋中市	322186	258564	246208	38110	2439	35429
运城市	526776	389172	376389	55956	7375	87056
忻州市	240979	194623	185749	30937	1040	23253
临汾市	373874	301763	266185	52693	1555	53441
吕梁市	229703	169182	154203	36410	3470	35620

数据来源：山西省统计局

2011 年中央下达
保障性安居工程任务用地落实情况

为贯彻落实党中央、国务院关于保障性安居工程建设用地落实工作的一系列重要政策和目标要求，确保 2011 年中央下达保障性安居工程任务用地应保尽保，国土资源系统按照国办发〔2011〕1 号文件要求，通过科学编制计划、合理测算需求、定期视频调度、实地检查督促、适时公开信息等措施，进一步加大工作力度，取得显著成效。截至 2011 年 10 月 14 日，全国 31 个省（区、市，含兵团，西藏除外）今年落实中央下达 1000 万套保障性安居工程建设任务测算用地 41983 公顷，实际已用地 42614 公顷，用地落实率超过 100%（详见附表），已超额完成今年中央下达的保障性安居工程用地落实任务。

省 （区、市，含兵团）	合计落实用地面积 （公顷）	用地落实率
北京市	1180.00	108%
天津市	817.10	101%
河北省	1480.54	116%
山西省	1695.65	109%
内蒙古	1925.03	98%
辽宁省	1440.00	100%
吉林省	845.92	101%
黑龙江	3462.57	96%
上海市	1002.00	111%
江苏省	2660.00	102%
浙江省	997.92	99%
安徽省	2082.61	99%
福建省	881.39	110%
江西省	1012.80	99%
山东省	2127.48	102%
河南省	2679.68	100%
湖北省	1163.00	99%
湖南省	1605.22	92%
广东省	815.86	105%
广　西	758.33	109%
海南省	430.29	98%
重庆市	1086.40	103%
四川省	1165.18	100%
贵州省	1067.21	100%
云南省	1106.00	96%
陕西省	2080.00	100%
甘肃省	595.66	104%
青海省	838.00	156%
宁　夏	661.77	100%
新　疆	1949.18	100%
兵　团	1001.00	100%
合　计	42613.80	102%

注：西藏除外，统计时间截至 2011 年 10 月 14 日。

数据来源：国土资源部

2011年第一季度 全国主要城市地价监测分析报告

城市地价动态监测组

2011年一季度监测数据显示，在宏观经济、市场预期、通胀因素及调控政策等综合作用下，全国地价总体水平仍然小幅上升，但居住用地价格涨幅回落引领总体趋势。全国主要监测城市地价总体水平为2945元/平方米，商业、居住、工业分别为5358元/平方米、4349元/平方米和638元/平方米，呈小幅上升态势；环比增长率分别为2.20%、3.33%、2.44%、1.43%；同比增长率分别为8.52%、10.99%、10.23%、5.50%，地价环比、同比增速放缓，居住地价环比、同比增幅均较上一季度收窄。

一、全国地价总体水平小幅上升，居住用地价格涨幅回落引领总体趋势

2011年一季度，在"十二五"良好开局和换届效应作用下，国民经济延续平稳较快发展态势，城市化、工业化进程持续加速，流动性过剩及通胀压力等因素不断冲高土地需求。但受调控新政及春节假期的双重影响，市场上流动性回收力度加大，支撑房地产投机炒作的非理性预期弱化，房地产市场出现观望气氛，地价涨幅略有回落。其中，全国主要监测城市地价总体水平为2945元/平方米，商业、居住、工业分别为5358元/平方米、4349元/平方米和638元/平方米，呈小幅上升态势；环比增长率分别为2.20%、3.33%、2.44%、1.43%；同比增长率分别为8.52%、10.99%、10.23%、5.50%，地价环比、同比增幅有所放缓，特别是居住地价环比、同比增幅均较上一季度明显收窄。

从各业地价涨幅来看，金融危机以来，全国城市地价涨幅变动较大，随宏观经济发展水平和调控政策而上下波动。在刺激性宏观调控政策下，2009年二季度以来，居住地价涨幅高于商业地价涨幅，引领地价总体趋势。本季度，在经济由恢复性增长向常态增长过渡环境下，高压房地产调控政策的短期效果显现，居住地价增幅出现回落，低于商业地价增幅0.89个百分点（图1）。

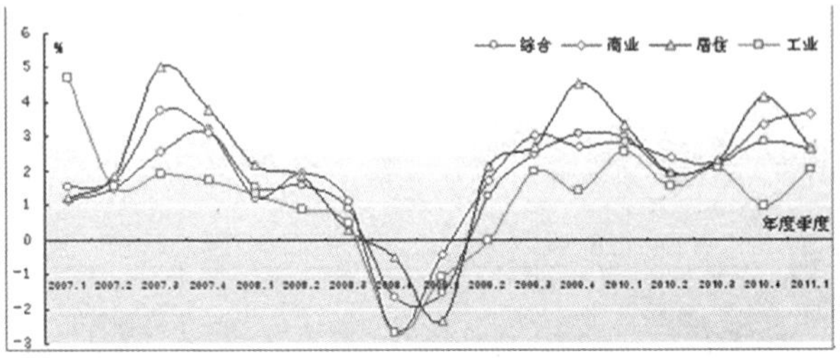

图1 2007年以来全国重点监测城市各季度分用途地价环比增长率

从监测城市来看，超过半数城市的综合地价环比增速放缓，涨幅超过5.0%的城市由上一季度的18个减少至6个；六成监测城市居住地价环比增速有所回落，超过5.0%的城市由23个减少至9个。

二、三大区域地价增幅趋势反转，长江三角洲、珠江三角洲地区增速上升，环渤海地区环比增速趋缓

2011年第一季度，与上个季度相比三大区域增幅趋势变化各异，受楼市调控政策影响，环渤海地区在上一季度较高增幅的基础上迅速回落；在实体经济逐步复苏过程中，在上季度放缓的基础上长江三角洲、珠江三角洲地区增幅大幅上升；在对外依赖性加速弱化的背景下，珠江三角洲地区综合地价环比涨幅远高于全国及长江三角洲和环渤海地区（图2）。

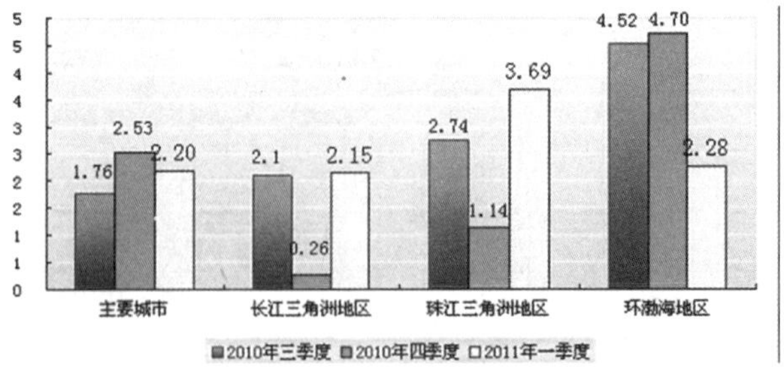

图2 2010年三季度以来三大重点区域综合地价环比增长率（%）

三、东部地区重点城市综合地价环比增长率高于全国和中西部重点城市平均水平，综合地价同比仍处于高位运行

2011年第一季度，全国重点城市中，东部地区综合地价平均水平最高，为5931元/平方米，明显高于全国和中、西部地区重点城市平均水平。中部和西部地区综合地价水平均低于全国和东部地区重点城市平均水平，其中，中部地区综合地价水平最低，为1971元/平方米；西部地区综合地价水平高于中部地区，但远低于全国和东部地区，为2773元/平方米。

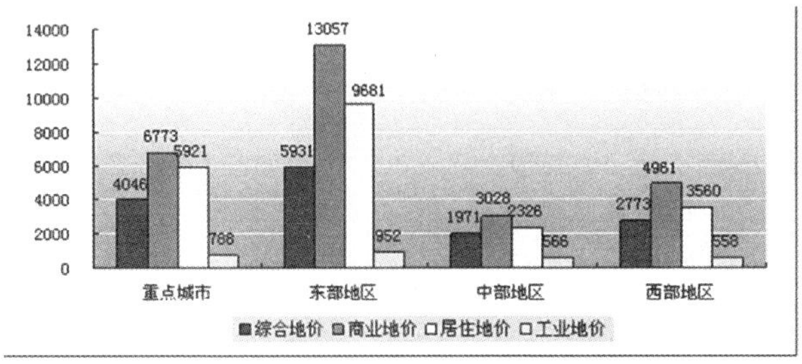

图4 2011年第一季度东中西部地区重点监测城市地价水平（元/平方米）

从环比增长率看，东部地区综合地价增长率高于全国和中、西部地区重点城市平均水平，为3.41%，较上一季度上升了1.32个百分点；中部地区综合地价增长率低于全国和东部、西部地区重点城市平均水平，为1.14%，较上一季度下降了1.33个百分点；西部地区综合地价增长率高于中部地区重点城市平均水平，低于全国和东部地区平均水平，为2.52%，较上一季度下降了2.34个百分点。

从同比增长率看，东中西部地区综合地价增长率仍处于高位运行。东部地区综合地价增长率高于全国和中部地区重点城市平均水平，低于西部地区平均水平，为10.94%，较上一季度下降0.49个百分点；中部地区综合地价增长率低于全国和东、西部地区重点城市平均水平，为7.55%，较上一季度下降了0.73个百分点；西部地区综合地价增长率高于全国和东、中部地区重点城市平均水平，为12.19%，较上一季度上升了0.67个百分点。

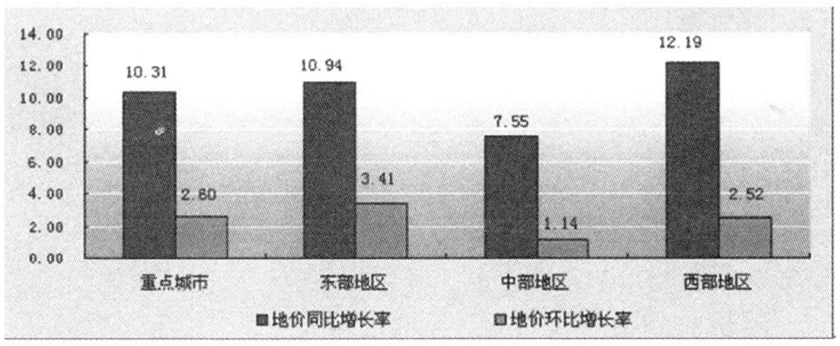

图5 2011年第一季度东中西部地区重点监测城市综合地价增长率（%）

四、后期形势分析

宏观经济形势持续向好，较快增长的居民收入与投资渠道的瓶颈约束，将对房地产市场调控带来较大压力。从一季度末全国648个城市公布的房价调控目标来看，尽管多数城市调控目标增幅较上一年度房价实际增幅有较大下降，但房价增幅调控目标仍确定在10%左右，加之高通货膨胀、高流动性过剩等因素，也对土地市场产生较大压力。

今年以来，为强化落实房地产市场调控各项政策，国办再次下发了《关于进一步做好房地产市场调控工作有关问题的通知》，调控政策高压从紧，财政、金融、土地政策密集出台。国家统计局结果显示，二月70个大中城市中新建住宅价格较上月下降的城市由3个增加到8个；地价监测结果显示一季度全国总体地价增幅明显收窄。这些指标均反映出市场态势正在向调控预期目标逐步发展。

由于城镇化刚性需求、民间投资领域过窄、全球化热钱涌入与人民币升值预期等因素，房地产调控的难度非常之大。近期，央行的再次加息也表明金融政策已经开始对流动性过剩采取措施。下一阶段，若各项房地产调控政策能够得到有效落实和进一步细化，保障性住房供给量能够持续释放，市场上高流动性能够进一步收缩，百姓对房价逆势反弹的忧虑可能得到初步缓解。预计随着调控的深化，未来住房市场的热度将有所缓解，从而有助于居住地价的平稳。但是，也要注意，随着大中城市房地产炒作热度的梯度转移，要防止中小城镇的住房及土地价格的跟风上涨。

2011年第二季度
全国主要城市地价监测分析报告

城市地价动态监测组

根据全国城市地价动态监测系统的最新数据，2011年第二季度全国重点区域和主要城市地价状况分析如下：

一、全国地价总体水平小幅上升，环比增速持续回落

2011年第二季度，全国主要监测城市地价总体水平为3000元／平方米，商业、居住、工业分别为5506元／平方米、4443元／平方米和645元／平方米；环比增长率分别为1.87%、2.77%、2.17%、1.13%，较1季度分别下降0.33、0.56、0.27和0.30个百分点；同比增长率分别为8.85%、11.76%、10.73%、5.45%，

重点监测城市中，除商业地价环比增长率以外，其他各项指标均高于全国主要城市平均水平。综合、商业、居住、工业地价水平分别为4126元／平方米、6952元／平方米、6051元／平方米和799元／平方米；环比增长率分别为1.98%、2.65%、2.19%和1.40%；同比增长

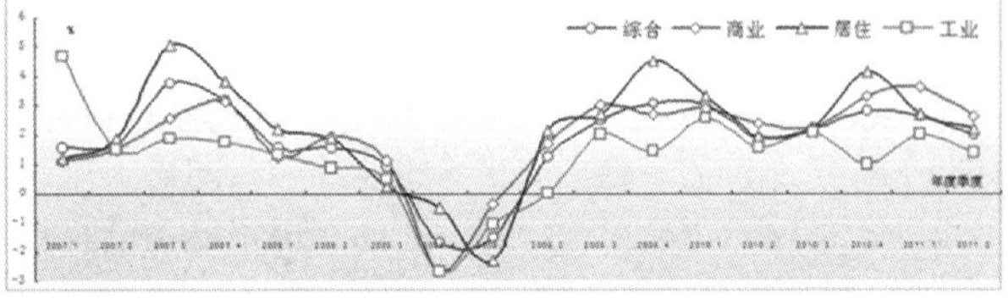

图1 2007年以来全国重点城市各季度分用途地价环比增长率（%）

二、全国三大重点区域中，综合地价环比增速均呈回落态势；珠江三角洲地区环比、同比增长率居于首位

2011年第二季度，三大重点区域综合地价水平均高于全国总体水平。其中，长江三角洲地区综合地价水平最高，为4574元／平方米；珠江三角洲地区次之，为4097元／平方米；环渤海地区最低，为3288元／平方米。

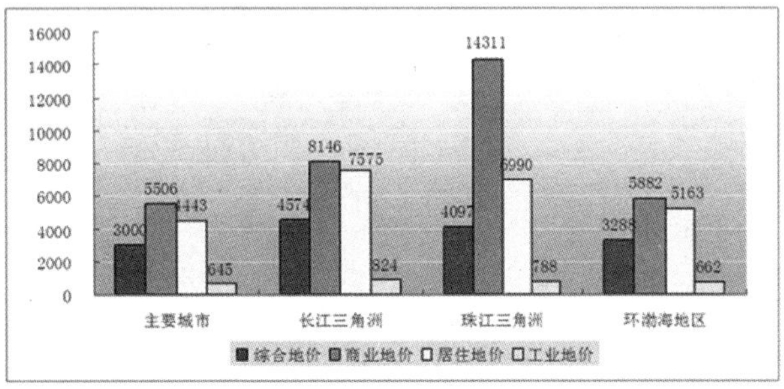

图2 2011年第二季度三大重点区域地价水平（元／平方米）

从环比增长率看，三大区域的综合地价环比增速均呈回落态势。其中，长江三角洲地区低于全国平均水平，介于其他两个重点监测区域水平之间，为1.69%，较上一季度下降了0.46个百分点；珠江三角洲高于全国和其他两个重点监测区域水平，为3.18%，较上一季度下降了0.51个百分点；环渤海地区低于全国和其他两个重点区域水平，为1.02%，较上一季度下降了1.26个百分点，下降的幅度最大。

从同比增长率看，长江三角洲和环渤海地区综合地价同比增速呈回落态势，珠江三角洲区综合地价涨幅高于上一季度。

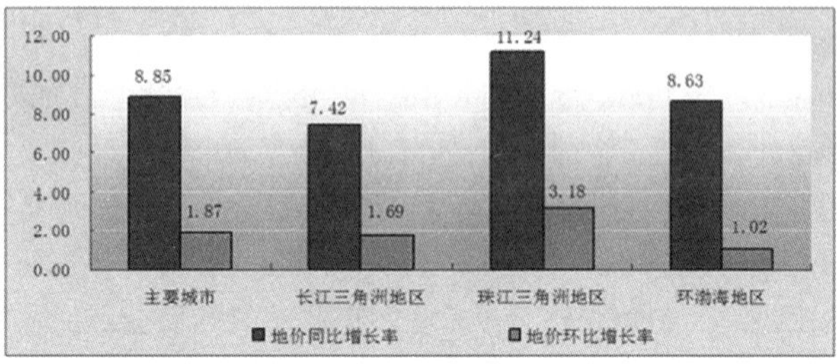

图3 2011年第二季度三大重点区域综合地价增长率（%）

三、西部地区重点城市综合地价环比、同比增长率均高于全国和东中部重点城市平均水平；东中西部地区综合地价同比增速持续高位运行

2011年第二季度，全国重点城市中，东部地区综合地价平均水平最高，为6048元／平方米，明显高于全国和中、西部地区重点城市平均水平；中部地区综合地价水平均低于全国和东部地区重点城市平均水平，为2004元／平方米；西部地区综合地价水平高于中部地区，但远低于全国和东部地区，为2838元／平方米。

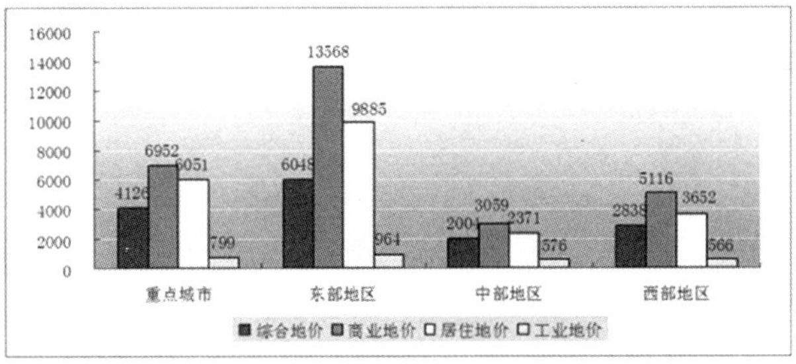

图 4 2011 年第二季度东中西部地区地价水平（元 / 平方米）

从环比增长率看，东部地区综合地价增长率与全国平均水平持平，介于中部和西部地区重点城市平均水平之间，为 1.98%，较上一季度下降了 1.43 个百分点；中部地区综合地价增长率低于全国和东部、西部地区重点城市平均水平，为 1.68%，较上一季度上升了 0.54 个百分点；西部地区综合地价增长率高于全国和东、中部地区重点城市平均水平，为 2.33%，较上一季度下降了 0.19 个百分点。

从同比增长率看，东中西部地区综合地价增长率持续高位运行，分别为 10.85%、7.25% 、12.85%。

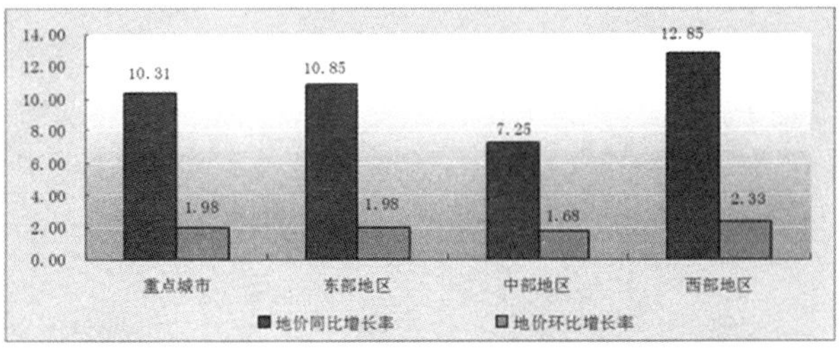

图 5 2011 年第二季度东中西部地区综合地价增长率（%）

四、全国分用途地价水平中，商业、居住、工业地价环比增速较上一季度均有所放缓

2011 年第二季度，在政府严厉的楼市调控政策持续推进的背景下，商品住房交易量下降，交易价格有所松动，受间接影响，各用途地价增速较上一季度均有所放缓。全国商业、居住、工业地价环比增幅分别为 2.77%、2.17%、1.13%，较上一季度分别下降了 0.56、0.27 和 0.30 个百分点。由于政府对商品住宅交易的严格限制，投资持续转向商业地产，全国商业地价环比、同比的增长率均为最高。

本季度，长江三角洲地区居住环比、同比增速分别较上一季度上升了 0.20 和 0.32 个百分点，增长率分别为 1.73%、6.43%；商业地价环比有所趋缓，同比增速则有所上升；工业地价环比、同比增长率较上一季度均有所趋缓。珠江三角洲地区商业、居住、工业地价环比、同比增长率均明显高于长江三角洲和环渤海地区各用途的平均水平，环比增长率分别为 7.43%、4.03%、1.73%；同比增幅则保持较高水平，分别为 26.50%、11.96%、7.63%，涨幅较上一季度均有所上升。环渤海地区商业、居住、工业地价环比、同比增长率较上一季度均有所放缓，环比增长率分别为 1.69%、1.52%、0.24%，较上一季度分别下降了 1.25、0.56、2.06 个百分点；同比增长率分别为 11.73%、10.84%、5.15%，较上一季度分别下降了 0.37、1.28、1.37 个百分点。

五、全国主要监测城市中，逾六成城市的综合、居住地价环比增速趋缓，而同比增长率仍高位运行

2011 年第二季度，全国主要监测城市中，超过六成城市的综合地价环比增速较上一季度有所放缓，涨幅超过 5.0% 的城市仅有两个。综合地价环比涨幅前十位城市分别为：深圳市、珠海市、潍坊市、黄石市、淮南市、广州市、北海市、南宁市、苏州市、重庆市。综合地价同比涨幅超过 20.0% 的城市仍有 4 个，分别为昆明市、深圳市、石家庄市、南宁市。

居住地价变化与综合地价状况基本保持一致。超过六成城市的居住地价环比增速有所回落，其中，热点城市北京和杭州居住地价略有下降，降幅分别为 0.58% 和 0.53%，另有温州等四个城市本季度居住地价出现负增长。近五成监测城市的居住地价同比增速有所回落。

六、形势分析与判断

持续向好的国民经济支撑了土地市场的稳中有升态势。宏观经济总体增长，对我国土地市场平稳发展产生深远影响，为土地市场注入强劲的刚性需求。加之通货膨胀率持续高涨，以及人民币升值预期导致的境外热钱流入，部分持币观望和避胀需求入市显化，推动土地价格总体水平小幅上涨。

持续收紧的房市调控政策推动地价涨幅回调。一方面，中央联合地方政府不断加大保障房建设力度；另一方面，在 1 季度限购、限贷、限价“三限”严厉趋紧调控政策基础上，银根进一步收紧，上半年六次上调存款准备金率、两次加息，对开发企业资金面持续施压，基本缓解了企业高价抢地的状况，房价、地价逐步平缓回调。

目前，房地产市场调控中的一些难题仍未有效破解，例如土地、金融、税收等政策的调控力度和综合协调能力有待提高，地方政府追求局部经济发展带来的需求和压力巨大等。综合各类因素，一要谨防地方政府落实中央政策的力度有所弱化；二是谨防三、四线城市曲线规避调控政策现象，以免土地市场再度过热。预计下半年，随着紧缩性调控政策的细化和落实、货币信贷的常态回归，市场整体宽裕流动性逐步有效回笼，以及调控政策威力的继续释放，全国各主要城市居住地价将总体趋稳。

[1] 说明：全国主要监测城市指105个监测城市；重点监测城市指直辖市、省会城市、计划单列市。

2011 年第三季度
全国主要城市地价监测分析报告

城市地价动态监测组

一、全国地价总体水平小幅上升，各用途地价环比、同比增速全面回落

地价水平小幅上涨。2011 年第三季度，全国主要监测城市地价总体水平为 3040 元 / 平方米，商业、居住、工业分别为 5615 元 / 平方米、4518 元 / 平方米和 649 元 / 平方米；综合、商业、居住和工业地价水平分别较上一季度上涨 40、109、75 和 4 元 / 平方米（图 1）。

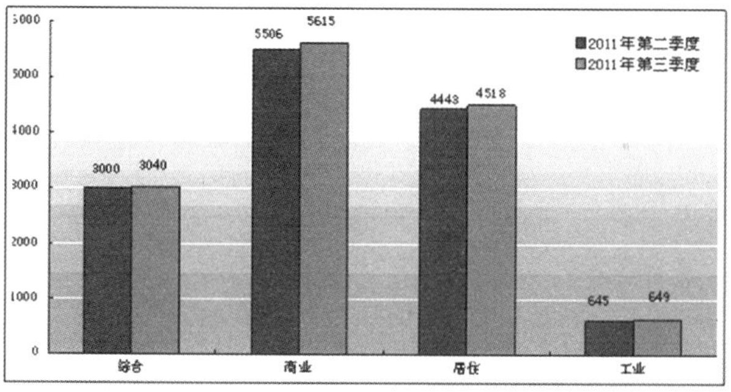

图 1 2011 年第二、三季度全国主要城市地价水平（元 / 平方米）

地价增幅全面回落。2011 年第三季度，全国主要监测城市综合、商业、居住和工业地价环比增长率分别为 1.33%、1.98%、1.69%、0.64%，较上一季度分别下降 0.54、0.79、0.48、0.49 个百分点；同比增长率分别为 8.37%、11.54%、10.48%、4.61%，较上一季度分别下降 0.48、0.22、0.25、0.84 个百分点，地价环比、同比增幅全面回落。

重点监测城市中，各项指标均高于全国主要城市平

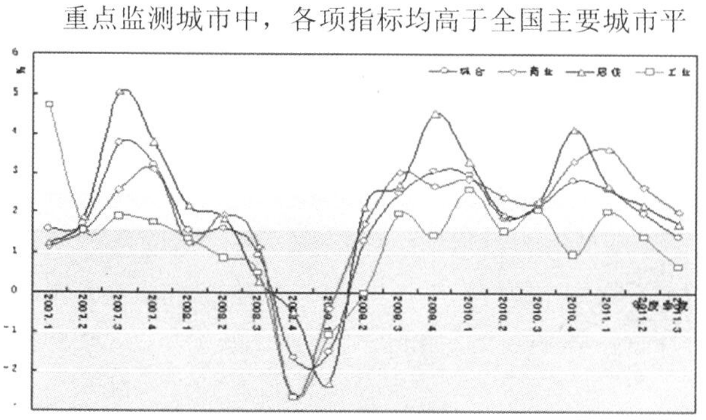

图 2 2007 年以来重点城市各用途地价环比增长率均水平。综合、商业、居住、工业地价环比增长率分别为 1.39%、2.04%、1.74% 和 0.66%；同比增长率分别为 9.33%、12.25%、11.19% 和 5.65%，环比、同比增速均较上一季度明显放缓。（图 2）。

地价指数持续上升。长期以来，全国重点城市平均地价指数随宏观经济增长持续上升，2007 和 2010 两年各类用地地价指数增幅较高，十年间，居住用地价格水平总体翻番，工业用地价格上升近半。2011 年第三季度，以 2000 年为基期的重点城市综合、商业、居住、工业地价指数分别达到 192、200、224、156。（图 3）。

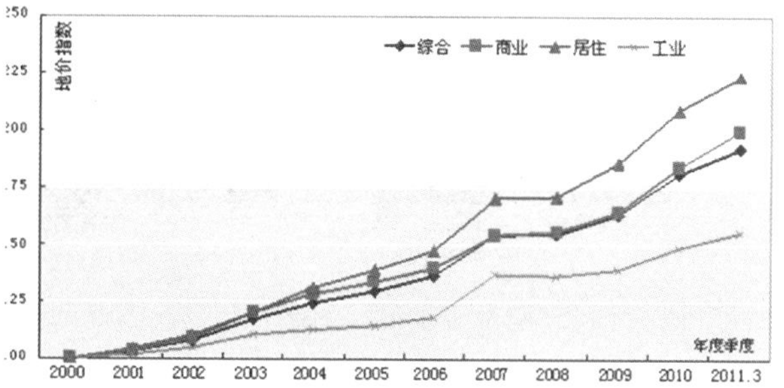

图 3 2000-2011 年 3 季度重点城市平均地价指数

二、三大重点区域地价总体增速放缓的态势与全国保持一致，珠江三角洲地价增幅仍居最高

2011 年第三季度，三大重点区域综合地价水平均高于全国总体水平。其中，长江三角洲地区最高，为 4613 元 / 平方米；珠江三角洲地区次之，为 4181 元 / 平方米；环渤海地区最低，为 3319 元 / 平方米（图 4）。

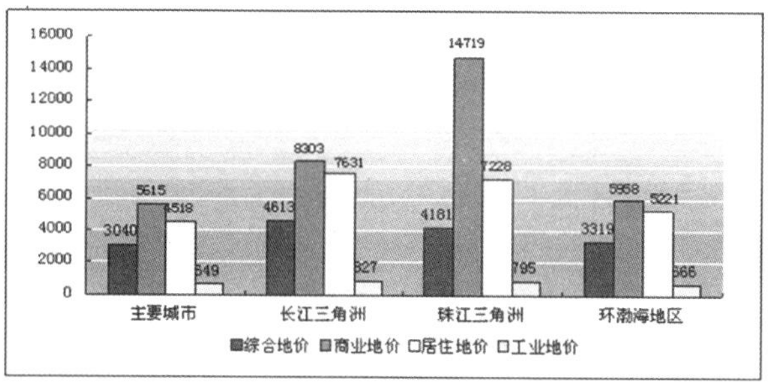

图 4 2011 年第三季度三大重点区域地价水平（元 / 平方米）

从环比增长率看，三大区域的综合地价环比增速均呈回落态势。其中，长江三角洲地区低于全国和其他两

个重点区域水平，为0.86%，较上一季度下降了0.83个百分点；珠江三角洲地区高于全国和其他两个重点监测区域水平，为2.05%，较上一季度下降了1.13个百分点，下降的幅度最大；环渤海地区低于全国平均水平，介于其他两个重点监测区域水平之间，为0.95%，较上一季度下降了0.07个百分点。

从同比增长率看，三大区域的综合地价同比增速也呈回落态势。其中，长江三角洲地区低于全国和其他两个重点区域水平，为6.87%，较上一季度下降了0.55个百分点；珠江三角洲地区高于全国和其他两个重点地区水平，为10.86%，较上一季度下降了0.38个百分点；环渤海地区低于全国水平，介于其他两个重点地区水平之间，为7.32%，较上一季度下降了1.31个百分点，下降幅度最大（图5）。

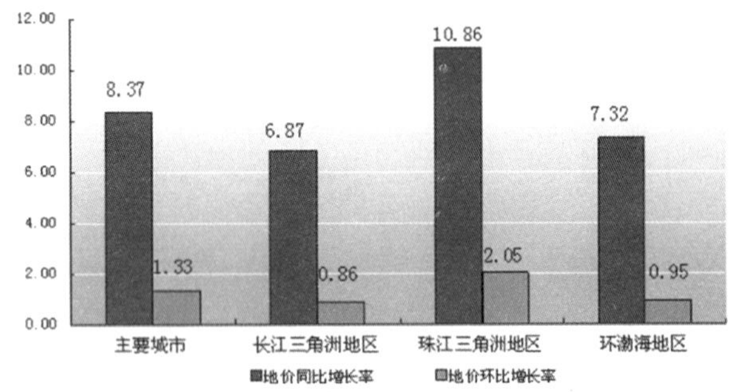

图5 2011年第三季度三大重点区域综合地价增长率（%）

三、各用途地价在三大重点区域呈现不同变化，商业、居住地价环比增速全面下降，同比增速则涨跌各异

除环渤海地区工业地价环比增速略有上升外，其余各重点区域分用途地价环比增速均明显放缓，并保持了自今年1季度以来的下行轨迹，其中珠三角地区本季度商业地价环比增速下降幅度最高，达到4.58个百分点。

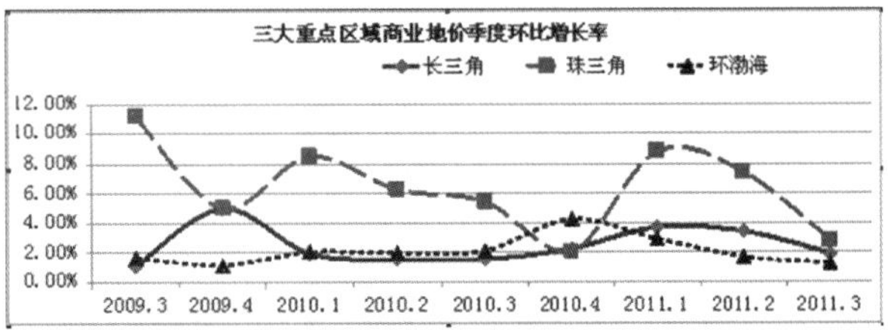

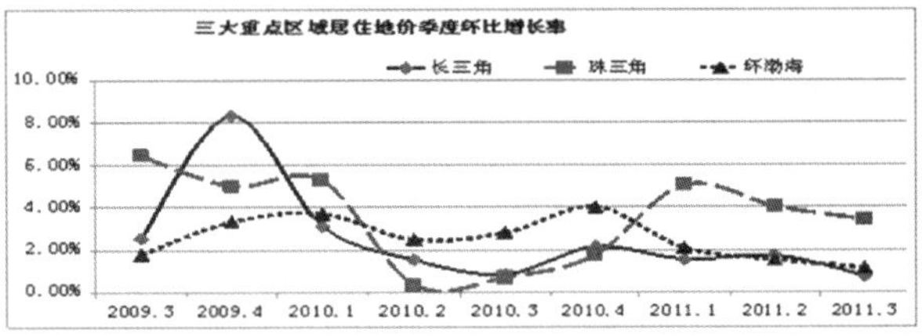

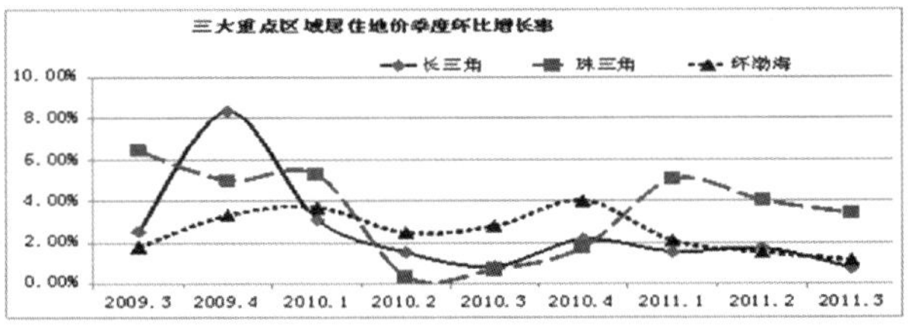

图6 三大重点区域分用途地价环比增长率趋势

就同比增长率而言，长三角地区商业地价同比增速自今年以来持续微升，珠三角地区居住地价同比增速度则明显高于年初水平，各区域工业地价同比增速均呈回落态势。

四、全国主要监测城市中，超过五成城市的综合、居住地价增速回落，地价水平下降的城市明显增多

2011年第三季度，全国主要监测城市中，超过五成城市的综合、居住地价环比、同比增速较上一季度有所回落。各监测城市中，综合地价涨幅超过5.0%的城市仅有4个，分别是：贵阳市7.28%、南充市7.17%、湖州市5.43%、海口市5.15%；7个城市为负增长，分别是：温州市-2.30%、杭州市-0.80%、南宁市-0.50%、青岛市-0.25%、无锡市-0.14%、哈尔滨市-0.12%、北海市-0.08%。综合地价同比涨幅超过20.0%的城市仍有5个，但涨幅有所放缓，分别是：昆明市、柳州市、南充市、湖州市、深圳市。

居住地价变化与综合地价状况基本保持一致。超过五成的城市居住地价环比增速回落，环比增幅超过5.0%的城市减少至5个，分别为：南充市8.19%、贵阳市7.49%、湖州市6.49%、海口市5.99%、岳阳市5.92%；12个城市出现负增长，分别为：温州市-3.56%、太原市-1.57%、南宁市-0.90%、杭州市-0.83%、哈尔滨市-0.79%、成都市-0.67%、无锡市-0.53%、青岛市-0.49%、常州市-0.33%、北海市-0.20%、扬州市-0.17%、北京市-0.08%。超过五成监测城市的居住地价同比增速有所回落，增幅超过20.0%的城市减至8个，分别为：昆明市、柳州市、南充市、湖州市、新乡市、石家庄市、平顶山市、汕头市；3个城市居住地价较去年同期微降，分别为：杭州市、哈尔滨市、鸡西市。

五、当前市场态势分析

从宏观经济层面来看，国际上经济复苏速度放缓，变数增加，国内经济走势总体可控，楼市调控政策纵向深化，多重因素叠加下，地价水平升中趋稳，涨幅持续回落。三季度以来，宏观经济继续向调控预期方向发展，各业用地需求持续旺盛，统计显示，仅1-8月间全国已有12省份将全年供地计划指标用尽。本季度，社会消费品零售总额同比增速维持17%及以上，固定资产投资增速继续保持在25%左右，通货膨胀率在6%以上高位振荡，特别是欧美债务危机引发外汇资产缩水加大了人民币升值压力，投资逐利与保值避险等支撑房价地价上涨的各方因素仍然存在，地价水平仍保持一定增速。面对上半年部分城市房价上涨压力仍然较大的局面，国务院研究部署继续加强调控工作，要求二三线城市采取限购政策，多次督促推进保障性安居工程建设，持续深化调控政策力度。9月份，70个大中城市中，新建商品住宅价格同比涨幅回落的城市达到59个，房地价高企态势得到初步遏制。

从土地供应市场上异常交易地块的情况来看，高价地块数量明显减少，溢价率和竞价轮次相对平稳，市场热度降温。

从一线和热点城市[1]月度地价调查情况来看，多数调查城市专家普遍认为地价稳中微升，且市场热点从居住向商业、工业地产转移的态势明显。房地产调控政策的效果已在土地市场上逐步显现。7、8、9各月，北、上、广、深四大一线城市中，认为居住地价下降的专家比例增加，9月份，除广州外，其他一线城市认为居住地价下降的专家比例均超过半数，同时，在其他热点城市中，认为居住地价出现下降居多的城市包括青岛、宁波、杭州、南京、天津、成都等地。

六、后期关注要点及走势预判

土地市场运行及未来的发展趋势与宏观经济变动息息相关，在全球经济复苏步伐放缓，国内经济理性回调、房地产调控继续深化的背景下，土地市场相对降温的态势已基本明朗。在宏观调控政策走向的敏感期和调控效果的关键期，以下方面值得密切关注：一是做好政策预评估，全面、科学地评判国内外政治经济因素变动的叠加影响，统筹设计改革路径。二是审慎对待地方融资平台风险，防患未然，逐步梳导、控制因土地、房地产市场降温给地方政府带来的财政、金融双重压力。三是坚持房地产调控方向不动摇，增加政策手段的精准性，在合理应用限购、限价等措施的同时，适时启动长效机制。四是深入研究以土地供应参与调控的科学模式，力争通过供应数量、结构、时序的变化平抑经济的不合理波动，避免盲目供应同向放大市场风险。五是关注资本向商业、工业地产的转移。

预计四季度，随着我国经济自主稳定增长、保障性安居工程建设全年目标的推进，城市地价总体水平将会延续平稳增长。但随着供需双向调控政策全面落实、房地产业资金有序回流、通货膨胀率有效抑制等有利因素的强化，城市居住地价增速将进一步回调。

2011 年第四季度
全国主要城市地价监测报告

城市地价动态监测组

根据全国城市地价动态监测系统的最新数据，2011 年第 4 季度全国重点区域和主要城市地价状况分析如下：

一、全国地价总体水平微幅上涨，环比、同比增速持续回调

2011 年第 4 季度，全国主要监测城市地价总体水平为 3049 元 / 平方米，商服、住宅、工业地价分别为 5654 元 / 平方米、4518 元 / 平方米和 652 元 / 平方米；环比增长率分别为 0.29%、0.69%、0.00%、0.44%；同比增长率分别为 5.94%、9.02%、6.58%、3.88%。

本季度，全国综合地价环比增速较上一季度下降 1.04 个百分点，增速连续四个季度回调；同比增速连续 2 个季度回调，较上一季度下降 2.43 个百分点。

重点监测城市中，除工业地价环比增速外，其他各项指标均高于全国主要城市平均水平。综合、商服、住宅和工业地价水平分别为 4201 元 / 平方米、7176 元 / 平方米、6165 元 / 平方米和 807 元 / 平方米；环比增长率分别为 0.43%、1.15%、0.15% 和 0.43%；同比增长率分别为 6.74%、9.79%、7.02% 和 4.96%，环比、同比增速已连续四个季度逐步放缓。

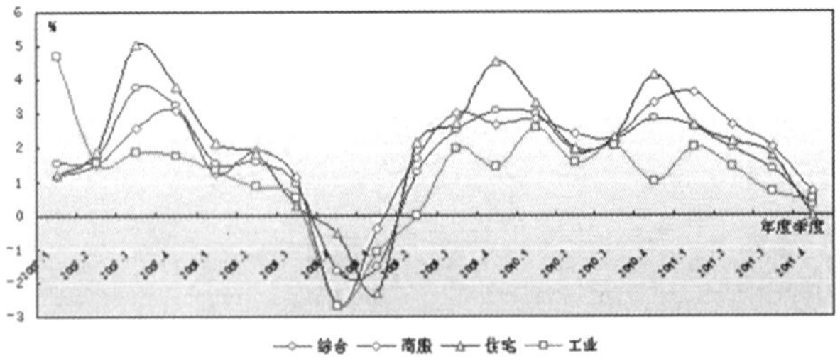

图 1 重点城市分用途地价环比增长率曲线图（%）

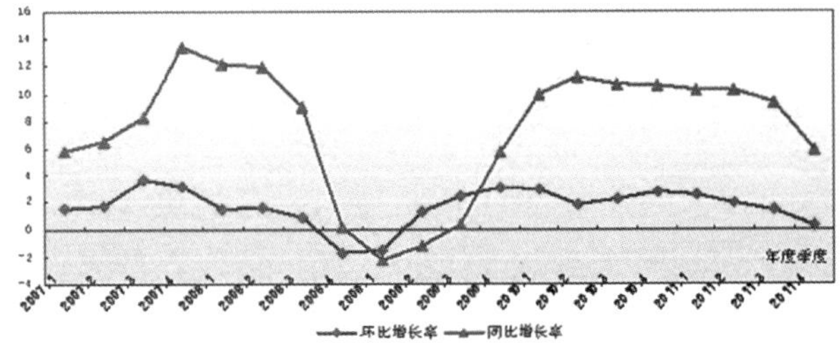

图 2 重点城市综合地价环比、同比增长率曲线图（%）

以 2000 年为基期的重点城市平均地价指数持续上升，2011 年末，综合、商服、住宅、工业地价指数分别达到 193、202、224、157。

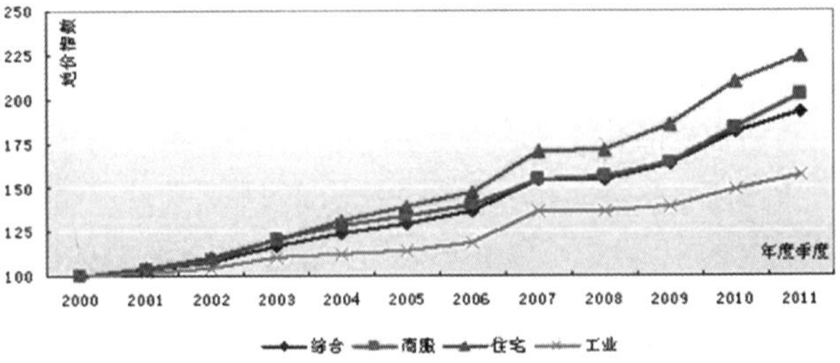

图 3 2000-2011 年重点城市分用途平均地价指数

二、长江三角洲和珠江三角洲地区综合地价水平由升转降，环渤海地区仍有微涨；三大重点监测区域地价环比、同比增速均呈回落态势

2011 年第 4 季度，三大重点区域综合地价水平均高于全国总体情况。长江三角洲、珠江三角洲、环渤海地区综合地价水平分别为 4582 元 / 平方米、4171 元 / 平方米、3329 元 / 平方米。

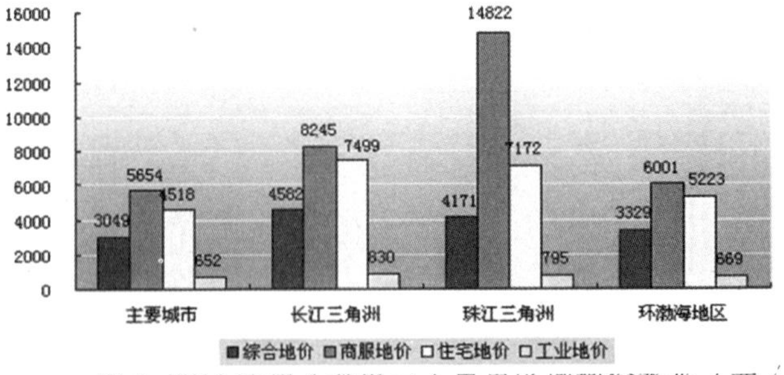

图 4 2011 年第 4 季度三大重点区域地价水平（元 / 平方米）

从环比增长率看，三大监测区域的综合地价环比增速均呈回落态势，长江三角洲、珠江三角洲地区自 2009 年下半年以来，首次出现负增长。相对而言，尽管较上一季度下降了 0.65 个百分点，环渤海地区仍以 0.30% 的增速位居第一。

从同比增长率看，三大监测区域的综合地价同比增速明显回落，其中尤以环渤海地区回调幅度最大，较上一季度下降了 2.70 个百分点。

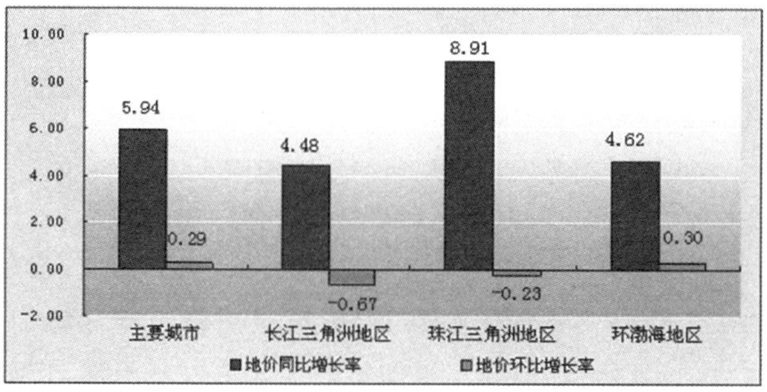

图 5 2011 年第 4 季度三大重点区域综合地价增长率（%）

三、东中西部地区重点城市地价环比增速涨跌各异，同比增速全面放缓

2011 年第 4 季度，全国重点城市中，地价水平东高、西次、中低的局面依然存在。

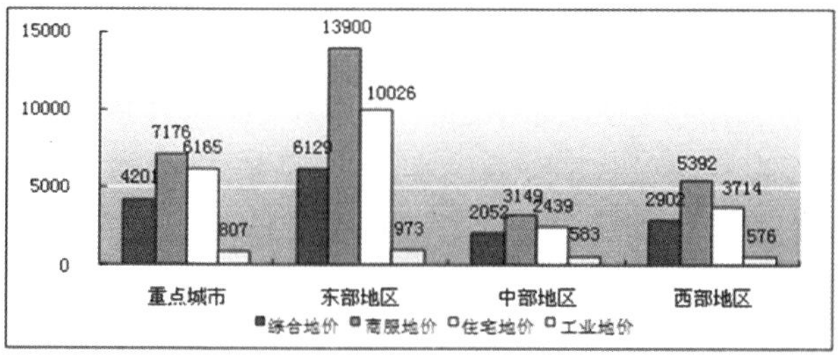

图 6 2011 年第 4 季度东中西部地区重点城市地价水平（元 / 平方米）

从环比增长率看，东降、中升、西稳的态势与以往有所不同。东部地区综合地价增长率较上一季度下降 1.47 个百分点，达到 -0.07%；中部地区综合地价增长率长期以来首次超过西部，为 1.21%，较上一季度上升了 0.05 个百分点；西部地区则以 0.59% 的增长率稳定微升。

从同比增长率看，东、中、西部地区综合地价增长率仍处于较高水平，但增速全面放缓，分别为 7.18%、5.31% 和 7.50%，其中西部地区较上一季度下降了 4.48 个百分点，变化最为明显。

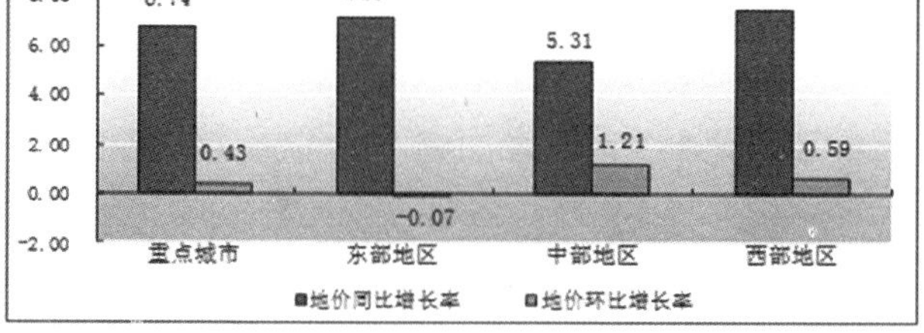

图 7 2011 年第 4 季度东中西部地区重点城市综合地价增长率（%）

四、全国各业用地价格增速深度回调，住宅地价环比零增长

2011 年第 4 季度，全国各用途平均地价增速持续放缓，商服、住宅、工业地价环比增速连续三个季度回调，同比增速连续两个季度回调。其中，受房地产调控政策的间接影响，本季度，全国住宅平均地价环比增幅跌落至 0（见图 1）。

本季度，三大重点监测区域的商服、住宅、工业地价环比、同比增速均呈放缓趋势，且除环渤海外，各业地价在不同区域均有负增长现象出现（见图 8），地价的变化侧面印证了在近期国内外经济形势变动及调控政策的多重影响下，长三角、珠三角地区反映更为敏感，变化相对显著。

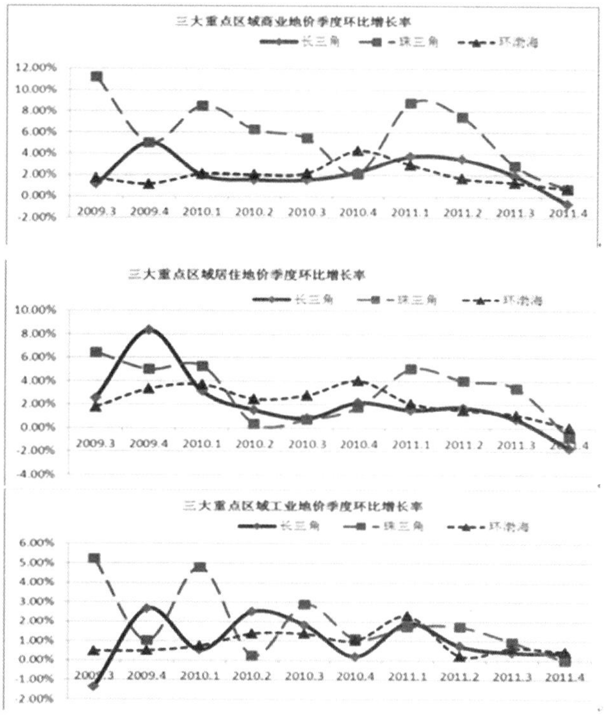

图 8 三大重点监测区域分用途地价环比增长率（%）

五、全国主要监测城市地价增幅普降，综合地价环比负增长的城市约占三分之一

2011 年第 4 季度，全国主要监测城市的综合地价环比、同比增速较上一季度呈整体放缓态势，增长率为负的城市持续增多。大部分城市环比涨幅集中在 -2.0% ～ 2.0% 之间，涨幅相对较大的城市主要集中在二、三线城市，如新乡市（6.57%）、呼和浩特市（3.78%）、荆州市（3.71%）、兰州市（3.16%）、石家庄市（2.90%）、岳阳市（2.64%）、齐齐哈尔市（2.58%）、太原市（2.48%）、西安市（2.41%）、柳州市（2.39%）；地价环比下降的城市由上一季度的 7 个激增到本季度的 30 个，其中，芜湖市（-6.98%）、温州市（-6.12%）、嘉兴市（-3.64%）、廊坊市（-2.57%）、深圳市（-2.48%）、焦作市（-2.09%）、宜宾市（-1.94%）、南京市（-1.70%）的地价下降幅度较大；温州、芜湖、杭州、廊坊等市综合地价低于去年同期水平。

住宅地价变化与综合地价基本一致，环比增幅超过3.0%的城市仅有5个，分别为太原、邯郸、兰州、石家庄、岳阳；环比负增长的城市由上一季度的12个增加到37个，其中，降幅较大的城市有芜湖市（-9.47%）、温州市（-7.58%）、嘉兴市（-4.71%）、深圳市（-3.70%）、廊坊市（-3.29%）。同比负增长的城市增至8个，分别是温州、芜湖、杭州、廊坊、昆明、哈尔滨、厦门、合肥。

六、当前市场形势分析

（一）国内外经济走势是地价变化趋稳降速的宏观背景。

从宏观经济来看，国际经济复苏缓慢，严峻的外需环境对国内经济辐射力度下降;我国总体经济平稳放缓，转方式、调结构、稳增长成为政策调控的主旋律，经济基本面的变化是地价走势的内在支撑。数据显示，近年来，GDP与综合地价轨迹基本相同，特别是2010年以来，二者以接近的同比增长率推进，而工业地价增长率与反映宏观经济景气的制造业采购经理指数（PMI）走向几乎一致，PMI作为先行指标，其波动对地价的引导作用不可忽视。

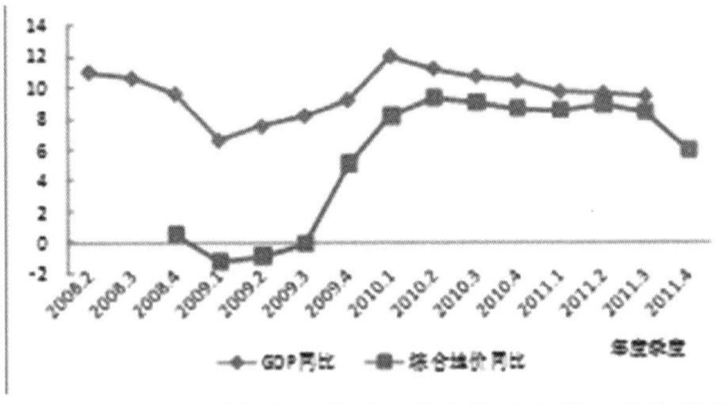

图9 GDP同比增长率和主要监测城市综合地价同比增长率（%）

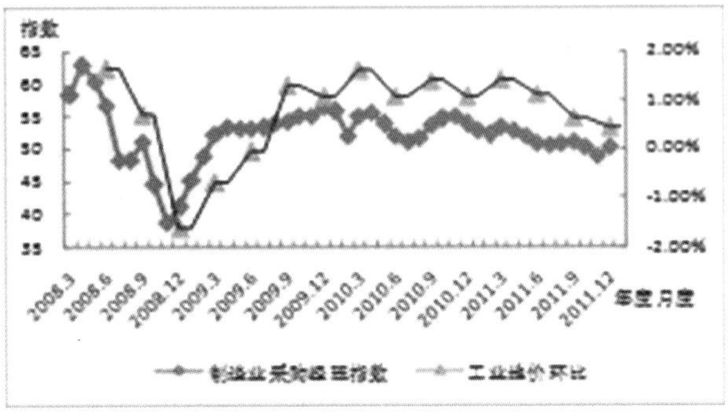

图10 制造业采购经理指数和主要监测城市工业地价增长率（%）

（二）楼市调控持续从紧，多重手段下，房屋、土地市场热度明显下降，价格进入停滞回落通道。

中央、国务院多次强调房地产调控不动摇，各有关部门积极落实，确保实施政策取向一致，调控效果明显好于去年：

土地供应持续放量，保障性住房供地明显增加[2]：初步统计显示，2011年，全国主要监测城市建设用地供应总量为29.73万公顷，同比增加14.62%。全年保障性住房用地供应[3]2.80万公顷，同比增加26.98%，占住宅用地比重达到41.69%（见图11）。

完善招拍挂方式，严格监管“高价地”：各地全年共上报房地产异常交易地块596宗，1-12月分别上报宗数为115、41、81、57、76、81、62、29、27、16、8、3宗，平均溢价率和竞价轮次基本平稳，4季度土地市场热度逐步放缓趋势明显（见图12）。

房地产开发投资增幅高位放缓，从需求面直接影响居住地价变化。今年1-11月，房地产开发投资额同比增长29.9%，较去年同期下降6.6个百分点，但仍高于固定资产投资增长率5.4个百分点（见图13）。

住宅销售价格下降城市持续增多，房地产开发景气指数28个月以来首次降到100以下。国家统计局公布的70个大中城市住宅销售价格变动情况显示，自今年4月份以来，房价下降的城市逐步增多（见图14），11月份房价下降的城市首次超过半数，达到47个，仅有5个城市价格出现未超过0.2%的上涨。房地产调控政策的效果在四季度集中凸显，11月房地产开发景气指数降为99.8，28个月以来首次下降到100以下。房价增长态势的遏制，将引致居住地价的回落。

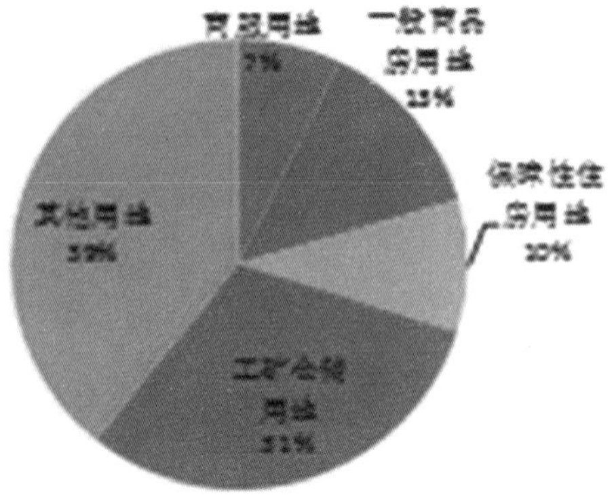

图11 2011年主要监测城市建设用地供应结构

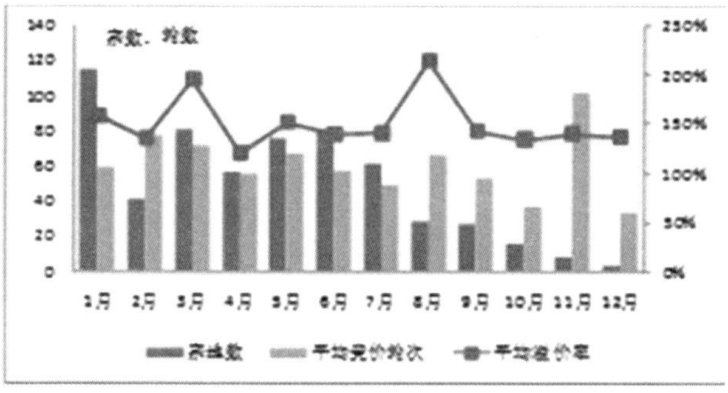

图 12 2011 年各月度异常交易地块上报情况

图 13 房地产开发投资额和主要监测城市居住地价增长率曲线图（%）

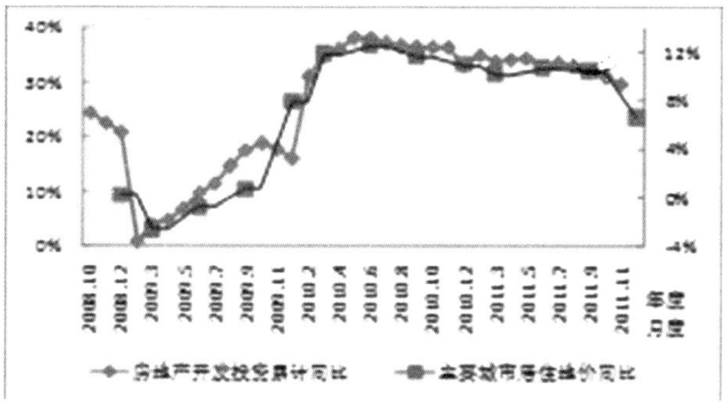

图 14 2011 年七十个大中城市住宅销售价格增减的城市个数

（三）供给量对地价的短期影响并不明显，市场波动期，土地供应调控作用的发挥需多因素配合。

加大供应，缓解供需矛盾，进而平抑价格是市场经济的一般规律，但近年土地市场数据显示，单方面调整供应，并不能直接平抑价格波动，如图 15，2009 年以来，建设用地供应与地价总体同向变化，在资金等多因素主导市场的背景下，土地供给对地价的影响作用有限。

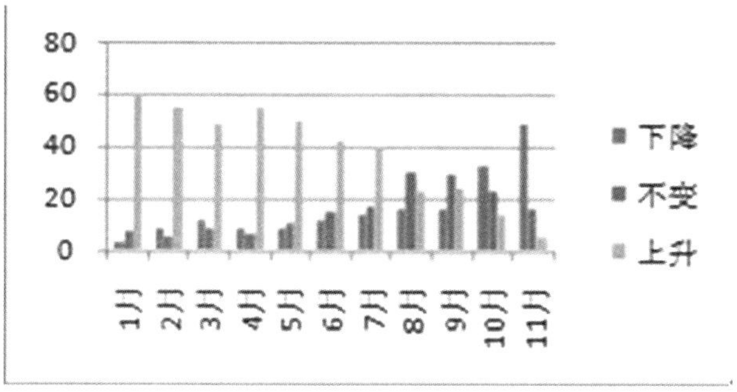

图 15 2008 年以来主要监测城市建设用地供应面积与综合地价的环比、同比增长率（%）

分用途观测显示，商业地价受供给因素影响相对显著，住宅地价影响因素复杂，工业地价与实体经济的相关性更为密切。在多轮房地产调控期，商业物业受到的政策限制较少，市场化程度较高，土地供应增加与商业地价增幅基本呈反向变动（见图 16）。这种规律性在居住地价和住宅用地供给间明显减弱，特别是 09 年以来，充裕的房地产资本支配居住地价，极大弱化了土地供应的自主调节作用（见图 16）。对工业地价而言，受实体经济的主导和地方政府的控制，多年以来，其价格增幅稳定而缓慢，市场化程度相对较低（见图 10）。

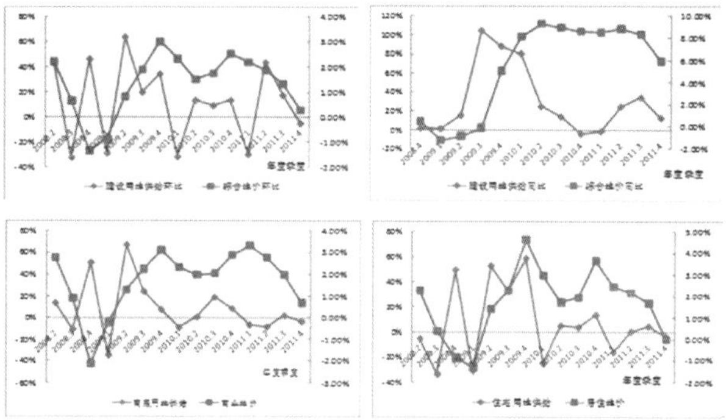

图 16 2008 年以来主要监测城市的商业、住宅用地供应与价格环比增长率变化（%）

（四）市场预期初步扭转，调控效果基本得到肯定，去库存化主导未来一段时期的市场。

进入四季度，多家机构发布 2011 年房地产市场状况和 2012 年走势分析报告，数位专家总结当前并预判明年形势。在当前市场形势方面，各方机构发布的数据基本支撑相同观点，即四季度房地产市场“量价齐跌”，陷入低迷。在房地产调控效果方面，多数专家和机构认为调控已达到初步政策预期。在后市走向及预测方面，谨慎乐观与悲观预警同时存在，市场预期初现转向。在未来调控方向方面，人民日报指出房地产调控应坚持不动摇，多数专家认为明年将继续执行从严的楼市调控政策。

七、后期关注要点及走势预判

2011 年以来，中央政府综合运用经济、行政多种手段高压调控房地产业，四季度，市场进入从“量跌价滞”到“量价齐跌”的关键转变阶段，当前形势下，应密切关注以下几方面动态：一是，世界经济复苏的艰巨性和复杂性对我国经济的不利影响逐步加深，对人民币持续升值可能引发的输入性金融风险需及早应对；二是，货币政策微调中，房地产业资金压力得以缓解，谨防市场恶性反弹；三是，多个区域规划的全面起动、“铁公基”项目的持续建设、700 万套新增保障房项目的落地、地方政府偿债高峰的到来，以及换届效应的叠加下，土地供需矛盾仍然突出，调控政策的前瞻性、科学性尤为重要；四是，持续三年的土地放量供应下，应严格监管已供土地的开发利用，动态分析评价集约程度，避免形成新的资源浪费。

土地市场深受宏观经济环境及调控政策的影响。2012年世界经济增长将持续放缓，国内经济下行和物价上涨压力并存，在国民经济增速适度回落过程中，“稳增长、调结构”政策的执行力度将进一步加强，相对可控的外部综合环境有利于促进土地市场稳态发展。

预计2012年一季度，市场谨慎预期仍将漫延，城市住宅地价增速或将进一步下降，而伴随着政策微调对实体经济的支撑作用加大，土地市场资金结构性流动，商服、工业用地市场价格仍会微幅增长。

[1] 说明：全国主要监测城市指105个监测城市；重点监测城市指直辖市、省会城市、计划单列市。2011年4季度参与全国汇总的城市为104个监测城市，拉萨市未参与全国数据汇总；淮北市地价同比增长率未参与测算。

[2] 本部分数据来源于国土资源部土地市场监测监管系统，建设用地面积不含代征地面积。

[3] 包括经济适用房、廉租房及中低价位中小套型普通商品住房。

2011 年全省建设用地供应情况

积极争取国家新增建设用地计划指标，全年使用新增用地计划指标达 23.35 万亩，为历年之最。全力保障重点项目用地，协调解决了高速公路、铁路、侯马方略保税园区、省煤运公司等一批重点项目和企业的土地、资源问题，安排重点项目用地 10.6 万亩。为全省 44 万套保障性住房单列用地计划指标 1 万亩，实际供地 2.9 万亩，做到了应保尽保。

全年共审批建设用地 16163.58 公顷，同比增长 5.54%，其中国务院批准 6831.11 公顷，省政府批准 9332.46 公顷。公共管理和服务用地、工矿仓储用地、住宅用地分别占总量的 30%、27% 和 23%。全年共征缴建设用地有偿使用费 22.86 亿元

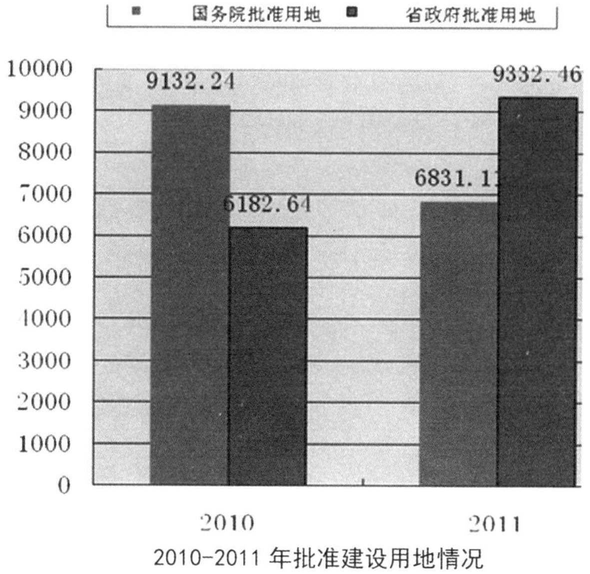

2010-2011 年批准建设用地情况

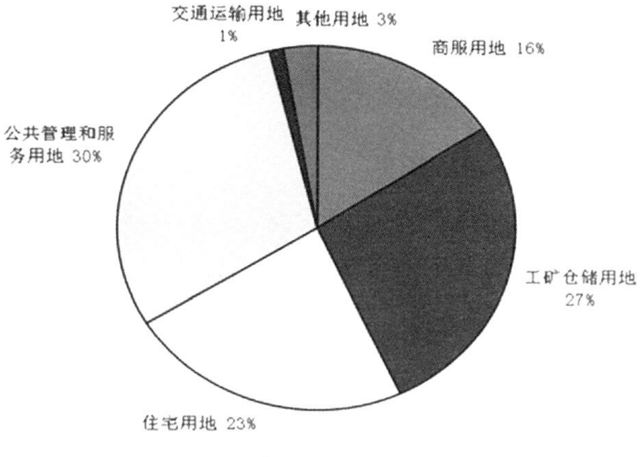

2011 年批准建设用地结构

全省供应土地 20505.85 公顷，同比增长 1.8 倍。其中，其他用地工矿仓储用地、住宅用地、商服用地分别为 12760.05 公顷、4220.64 公顷、2577.02 公顷和 948.13 公顷。

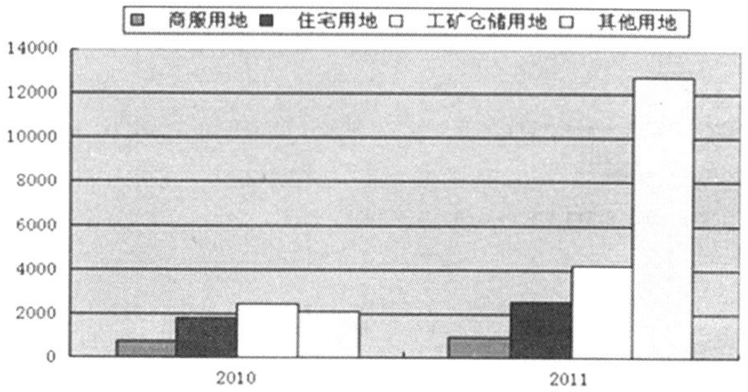

2010-2011 年国有建设用地供应变化

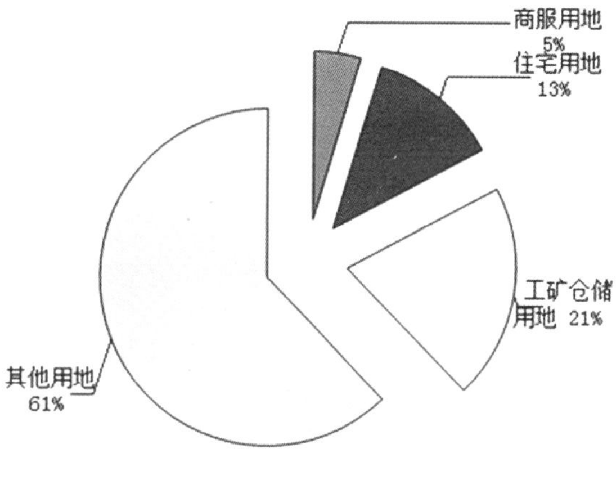

2011 年国有建设用地供应结构

2011 年全省土地出让情况

出让国有建设用地面积 7054.08 公顷，出让合同价款 361 亿元，同比分别增长 48.5% 和 36.52%。其中通过招拍挂出让土地 6312.21 公顷，出让合同价款 334.8 亿元，分别占出让总面积的 89.48% 和总价款的 92.74%。

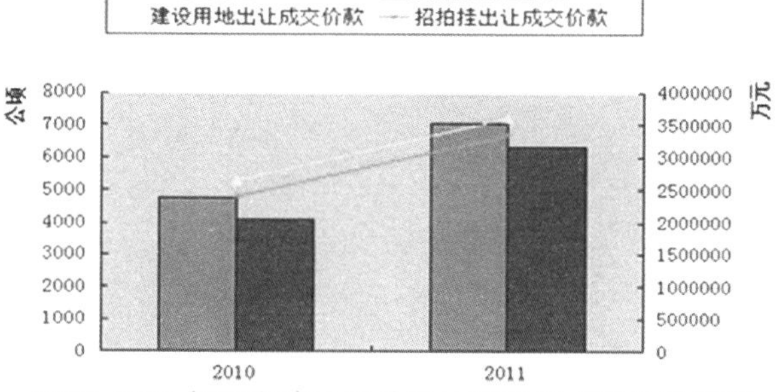

2010-2011 年国有建设用地出让面积及成交价款情况

数据来源：山西省国土资源厅

2011年全省各市土地供应计划汇总表

责任人：

省	市	供地总量			保障性安居工程用地									商品住房用地		保障性安居工程和中小套型商品房用地占比（%）
					保障性住房用地		各类棚户区改造用地				公共租赁房		限价商品房		中小套商品住房	
		合计	存量	增量	廉租房	经济适用房		廉租房	经济适用房	中小套商品住房	划拨	出让				
合计		5274.00454	1621.29205	3652.71249	407.87733	408.900608	1023.0969	452.7359	406.34068	147.1407	111.7623	15.8263	200.7068	3105.8343	1973.394163	78.21%
山西省	太原市	1052.92713	116.095136	936.831989	4.67	46.319768	52.791379	2	48.648579	0	1.36	0	10.176	937.609978	631.561713	70.73%
	大同市	1178.67	405.0611	773.6089	242.14	41.12	455.97	404.67	34	6	72	0	14	353.44	194.17	85.53%
	阳泉市	205.314549	118.814114	86.500435	15.6546	3	48.9528	0	42.4266	0	3	0	0	134.707149	86.6754	73.43%
	长治市	398.415498	109.9534	288.462098	14.84619	34.00231	9.6718	0	2.1461	7.5257	10.6705	0.3	9.033	319.891698	221.91361	75.41%
	晋城市	271.7175	108.1433	163.5742	0	7.48	28.9075	0	12.29	14.4475	2.6	11.66	14	207.07	148.84	77.77%
	朔州市	472.8341	214.0716	258.7625	21.2795	25.3041	195.9093	31.3453	157.4438	0	4.5333	2.5333	89.9612	133.3134	43.9842	79.60%
	晋中市	282.35381	111.0617	171.29211	8.00794	49.54993	83.3797	0	58.6293	17.13	2.98803	0.333	6.956	131.13921	67.86524	74.89%
	运城市	423.4705	74.3088	349.1617	11.3159	47.9933	30.82	0	0	30.82	0	0	0	333.3413	217.4307	72.63%
	忻州市	381.146161	106.6645	274.481661	48.1918	58.443	46.613	10	16.9796	39.6334	11.8855	1	41.2466	173.766261	102.1446	86.46%
	临汾市	441.0848	194.7495	246.3353	19.6217	70.9203	53.612	0.34	22.2593	31.0127	0.325	0	15.334	281.2718	194.5116	80.33%
	吕梁市	166.0705	62.3689	103.7016	22.1497	24.7679	16.4694	4.3806	11.5174	0.5714	2.4	0	0	100.2835	64.2971	78.33%
	小计	5274.00454	1621.29205	3652.71249	407.87733	408.900608	1023.0969	452.7359	406.34068	147.1407	111.7623	15.8263	200.7068	3105.8343	1973.394163	78.21%

数据来源：山西省国土资源厅

山西省房地产业协会
第三次会员代表大会

SHANXISHENG
FANGDICHANXIEHUI
DISANCIHUIYUAN
DAIBIAODAHUI

在山西省房地产业协会第三次会员代表大会上的讲话

（2011年10月19日）

省住房和城乡建设厅党组成员、副厅长　　任在刚

各位代表、同志们：

山西省房地产业协会第三次会员代表大会是在全面贯彻落实国家房地产市场宏观调控政策，加快保障性住房建设，调整住房供应结构，控制新建住房价格取得阶段性成果的关键时期召开的。这次代表会议，回顾总结了省房协第二次会员代表大会以来的工作，提出了新一届理事会的工作建议和意见，选举产生了新一届理事会、常务理事和会长、副会长、秘书长，会议开的圆满成功，是一次承前启后、继往开来的大会。我代表省住房和城乡建设厅，对大会选举产生的协会新一届理事会、常务理事会和会长、副会长、秘书长，表示热烈的祝贺！向前来参加会议的全省各地的协会会员代表致以亲切的慰问！

下面，我讲两方面的意见。

一、贯彻落实国家宏观调控政策，谋划房地产业转型跨越发展。

（一）过去五年间，我省房地产业发展取得了长足的进步。

“十一五”期间，我省坚决贯彻国家“总量基本平衡、结构基本合理、价格基本稳定”的房地产市场宏观调控政策和省委、省政府“保增长、扩内需、调结构、惠民生”的总体部署，保障性安居工程建设快速推进，房地产开发投资平稳增长，住房价格保持基本稳定，住房环境质量、功能质量和综合配套水平明显提升，房地产业持续健康发展。

一是政策措施日臻完善。“十一五”期间，省人大修订了《山西省物业管理条例》，省政府相继印发了《关于加快保障性住房建设促进房地产市场平稳健康发展的通知》等10多个重要文件，从加快保障性安居工程建设、优化住房结构、加强房地产市场监管等方面，夯实了政策法制基础。

二是房地产市场健康运行。房地产开发投资、商品房建设规模稳步增长。“十一五”期间，全省累计完成房地产开发投资1865亿元，是“十五”期间的3.5倍；完成商品住房投资1410.1亿元，是“十五”期间的4.5倍；商品住房投资占房地产开发投资的比重加大，达到75.6%，商品房供应结构日趋合理。商品房累计竣工4343万平方米，是“十五”期间的1.7倍。住房价格保持相对稳定，“十一五”末，全省商品住房平均销售价格为3326元/平方米，比全国平均水平低1398元/平方米，在全国排第20位，在中部6省和周边5省（区）中排第3位。

三是保障性住房建设成效显著。省委、省政府高度重视保障性住房建设工作，省政府连续7年将保障性住房建设纳入向全省人民承诺办好的实事。自2009年以来，把保障性建设摆在了经济社会发展的突出位置，纳入了省级重点工程加以推进。2009年12月28日，国务院在我省大同市召开了全国城市和国有工矿棚户区改造工作会议，李克强副总理出席会议并做了重要讲话，充分肯定了我省棚户区改造工作。“十一五”期间，全省共开工建设保障性住房82.32万套、5813.66万平方米，完成投资850亿元。国有重点煤矿棚户区改造任务全面完成，12.25万户矿工家庭告别棚户，喜迁新居。全省31.66万户符合廉租住房保障申请条件的家庭实现了应保尽保。

四是住房品质和物业服务水平明显提升。“十一五”期间，我省将创建国家康居示范工程作为推进住宅产业化工作的主要抓手，充分发挥其载体功能，提高住宅小区的规划设计水准、住房建设的科技含量和品质。围绕拓展服务领域，创新服务方式，提高服务质量和服务水平，构建和谐物业。全省创建国家康居示范工程项目总数达

到15个，位居全国第4位。全省创建国家级物业服务示范项目11个，省级物业示范项目69个，物业管理覆盖率达到46%，比“十五”末提高了4.9个百分点。到“十一五”末，全省城镇居民人均住房建筑面积达到了31.03平方米，比“十五”末提高了6.24平方米。

回顾“十一五”取得的成绩，倍感欢欣鼓舞。成绩的取得，是省委、省政府和厅党组正确领导的结果，是社会各界鼎力支持的结果，是全省上下奋力拼搏的结果。借此机会，想长期以来一直关心，支持房地产业工作的各级领导、社会各界人士和新闻界的朋友们表示衷心的感谢和诚挚的敬意！

（二）以转型跨越发展为契机，全面提升房地产业运行的质量与效益

“十二五”规划明确提出，要加快推进市域城镇化，紧扣提速、提质主题，按照“一核一圈三群”布局，一太原都市区为核心、区域中心城市为节点、大县城和中心镇为基础，加快推进市域城镇化，形成城镇化与工业化、城镇化与新农村建设良性互动的发展格局，推进城市新区综合开发建设和城镇旧区进行成街成坊综合整治，全面实施“大县城”战略，努力使城市面貌、人居环境得到根本的改善。“十二五”时期，是全面建设小康社会的关键时期，是深化改革开放、加快转变经济发展方式的攻坚时期，是房地产业实现转型跨越发展，提升运行质量和效益的重要机遇期。我们必须牢牢把握实施城镇化战略的历史机遇，谋求产业转型，谋划发展跨越，真正实现从量到质的飞跃。

今年以来，国家继续加强房地产调控，加大保障性住房建设力度。胡锦涛总书记在7月22日召开的中央政治局会议上指出：要坚持不懈地搞好房地产市场调控和保障性住房建设，坚持调控目标不动摇、方向不改变、力度不放松，坚决遏制住房价格过快上涨，确保落实保障性住房建设计划，确保建设质量，确保分配公平。国务院在今年1月、4月和7月召开的常务会议上，都对房地产市场调控工作提出了明确的要求，国务院办公厅先后下发了《关于进一步做好房地产市场宏观调控工作有关问题的通知》（国办发〔2011〕1号）和《关于保障性安居工程建设和管理的指导意见》（国办发〔2011〕45号），提出了落实地方政府责任、加大保障性安居工程建设力度、调整完善相关税收政策、强化差别化住房信贷政策、严格住房用地供应管理、合理引导住房需求、建立健全保障性住房分配和运营监管机制等一系列政策措施。

省委、省政府高度重视房地产市场调控和稳定住房价格工作。袁纯清书记、王君省长多次听取房地产市场调控和稳定新建住房价格工作汇报。省政府今年连续下发了《关于进一步加强房地产市场调控促进房地产市场健康发展的通知》（晋政办发〔2011〕18号）和《关于落实控制新建住房价格目标的通知》（晋政办〔2011〕65号）两个文件，提出了一系列加强和改善房地产市场调控，控制新建住房价格的措施。

“十二五”规划蓝图，为实现房地产业的转型跨越发展提供了广阔的舞台和发展空间。按照“十二五”规划确定的发展目标，全省房地产开发投资总量、建成城镇住宅总规模将分别达到3000亿元和1.2亿元平方米，比“十一五”期间分别增长60%和50%。“十二五”期间，我省将进一步加大保障性住房建设力度，基本完成3000平方米以上集中连片城市和国有工矿棚户区改造，对房屋整体存在危险的农村困难家庭住房全部实施改造。开工建设各类保障性住房116.93万套，总投资约1475亿元，城镇保障性住房覆盖面将达到城镇家庭总户数的22.98%。

总结成绩的同时，也应该清醒地认识到，房地产业仍然是机遇与挑战并存，房地产企业面临融资难、建设用地紧缺等难题，普遍存在企业资质等级低、综合竞争力和抗风险能力弱等问题。据统计，全省2000多家房地产开发企业，二级以上等级资质企业仅占企业总数的6%，比全国水平低4个百分点；平均每个房地产开发企业的资产仅有8600多万元，不到全国平均水平的40%，而企业负债率却比全国平均水平高7个百分点。房地产企业一定要认清形势，适时调整经营战略和服务水平，选准发展定位和发展方向，努力在竞争中实现新的发展和跨越。

今年，是全面实施“十二五”规划的开局之年。从统计数据来看，我省房地产开发投资稳步增长，保障性住房建设工作稳步推进，新建商品住房价格稳中有降，房地产市场宏观调控工作取得显著成效。1-8月，全省完成房地产开发投资411.7亿元，同比增长34.8%。投资额居全国第25位；投资增幅居全国第16位，比全国同期平均增幅高1.6百分点，在中部六省中排第4位，周边5省（区）中排第3位。全省新开工城镇保障性住房36.84万套，开工率为111.5%；开工改造农村危房6万套，开工率为100%。全省商品住房平均销售价格为3123元/平方米，比2010年底下降203元/平方米，下降6.1%；省会太原市新建住宅价格同比指数和环比指数在国家重点监测的70个大中城市中分别排68位和54位，中部6省和周边5省（区）省会城市中最低；11个城市中，太原、大同、临汾、长治、阳泉、朔州、忻州7市商品住房价格低于2010年底水平，吕梁、晋城、运城、晋中4市商品住房价格略高于2010年底水平，仍需要进一步加大房地产市场调控力度，确保兑现年初确定的控制新建住房价格目标。又有3个项目通过住房和城乡建设部的国家康居示范工程评审，1个项目通过国家物业示范项目评比验收。

落实国家房地产市场调控政策，推进房地产业转型跨越发展，任务还非常艰巨，工作量还很大。近期，我省将重点抓好以下几方面的工作。

*一是围绕市域城镇化，谋划房地产业转型跨越发展。*牢牢把握城镇化快速推进的契机，按照“一核一圈三群”城镇化布局，谋划房地产业转型跨越发展。支持房地产开发企业跨区域经营，鼓励和引导民营资本投入房地产业；引导房地产开发企业强化精品意识，在经营规模上做大，在住房品质上做精，增强市场竞争力；鼓励房地产开发企业到县级城市开发建设，推进县域房地产市场发展；发挥房地产开发企业的管理与技术优势，积极参与保障性安居工程建设和城中村改造。

*二是落实控制新建住房价格目标。*认真落实好国家和省关于房地产市场调控的各项政策规定，加强商品房销（预）售监管，严格执行商品房销（预）售许可和价格申报制度；加强商品房销（预）售价格巡查，严肃查处违规销（预）售行为；严格执行商品房明码标价销售和信息公开制度，让群众放心购房；建立新建住房价格统计分析制度，跟踪监测个城市新建住房价格变化情况，确保新建住房价格控制目标的实现。

*三是加快保障性安居工程建设进度，加强分配监管。*开辟保障性安居工程建设“绿色通道”，加快手续办理，加快工程进度，加强质量监督，确保保障性安居工程质量。加强保障性住房分配监管，严格执行保障性安居工程住房申请、审核、分配全过程监管制度，完善退出机制，确保保障性住房分配过程公开透明，分配结果公平公正。

*四是探索以CBD（中央商务区）为主要开发建设内容的城市综合开发新模式，改变单一开发商品房的传统模式。*支持和鼓励房地产开发企业整合资金和管理资源，统筹建设城市的公园、学校、医院、供水、供热、供气、道路和绿化等配套设施，开发建设集商业、文化、娱乐、休闲、酒店、会展、公寓、住宅及银行、保险、基金、证券、信托、租赁等为一体的CBD项目，提高城市的承载力和综合配套服务功能，提升房地产业的发展水平。推广普及新技术、新材料、新工艺、新设备等“四新”成果，提高科技对住宅产业的贡献率，提高住宅建设、管理的劳动生产率和住宅的整体质量水平，改善住宅的使用功能和居住质量，提高住区环境和居住舒适度，提升住宅品质。

*五是拓展物业服务，构建和谐物业。*引导物业服务企业找准市场定位，强化服务意识，挖掘业主对物业管理服务日益增长的需求，纵向延伸服务链条，深化服务内涵，横向涵盖消费者的个性化需求。进一步规范物业服务行为，指导物业服务企业按照资质等级范围承接业务，按业主的服务需求签订物业服务合同，按照合同约定的项目、标准提供质价相符的服务。

*六是规范房地产交易与权属登记行为，提升房地产市场服务水平。*进一步建立健全房屋登记流程，完善等级工作标准，积极创建房地产交易与权属等级规范化管理先进单位。依法简化房地产交易与权属等级程序，缩短办事时限，推行房地产交易与权属登记一站式服务和一体化管理，切实提高管理与服务水平，真正方便群众。

二、提高服务是水平，重塑协会形象

房地产业与人民群众的日常生活息息相关，是推动经济增长的重要力量，是和谐山西建设的重要内容。省房地产业协会作为行业协会，在过去的几年中为推动行业改革、发展等方面发挥了积极的作用。今天，又选举产生了新一届协会理事会和领导班子，这次换届，换出了新活力、新作风和新风貌，新的理事会要为推动产业转型跨越发展作出新贡献！刚才，于世玮通知代表省房协二届理事会所作的工作报告，就下届协会工作作出具体安排部署，我完全同意。下面，我再提几点要求：

（一）在改善服务上下功夫

*一是在服务政府方面要有“位”。*要坚持围绕主管部门的中心工作开展协会工作，依托协会联系会员企业广泛的优势，发挥好在会员企业与政府主管部门之间的桥梁纽带作用，当好主管部门的参谋助手，完成好主管部门交办的各项工作任务。

*二是在服务企业方面要有“为”。*经常性地组织会员企业、专家、学者共同进行项目可行性研究、市场需求分析，为企业解决经营和发展时遇到的具体问题，多为企业的经营决策出谋划策，充分发挥协会智囊的集体力量。

*三是在引领行业发展方面要有“品”。*要带领会员企业构建具有山西特色的房地产业。发扬晋商诚实守信的传统美德，倡导行业自律，营造守法经营的行业新气象。挖掘三晋建筑文化底蕴，在建设特色房地产、品质房地产、品位房地产等方面有所作为，营造提高住宅环境质量，提升住宅品质，推广应用住宅产业化技术，增加住宅科技含量的房地产开发新氛围。同时，要建设山西自己的房地产行业文化，倡导企业文化建设，提升行业对位、整体素质和文化素养，增强企业的软实力和市场综合竞

争力，营造企业间互学、互励、互助的新风貌。

（二）在推进发展上做文章

一是要加强政策研究。充分发挥行业协会的人力资源优势，经常性地深入企业、深入市场进行调查研究，组织会员企业对发展中遇到的新情况、新问题进行研讨拓展思路，寻求解决的途径，研究解决问题的措施和办法，创新市场监管的机制。

二是要充分发挥企业和政府间的桥梁纽带作用。及时向政府主管部门反映企业诉求，向企业传达解读政策方针，使主管部门能够更多地了解企业情况，使会员企业能够准确地掌握理解主管部门的决策和要求，推动企业的转型升级和行业的改革发展。

三是要树立为政府分忧、为企业解愁的宗旨意识。把“为政府分忧、为企业解愁”作为协会一切工作的出发点和落脚点，深入调研研究，制定全装修销售住房标准、商品房验房标准、住宅产业化技术指南等指导行业发展的各类标准和办法。通过制定行业标准、行业自律公约，推广应用住宅产业化技术等方式，努力解除政府在商品房销售管理、工程质量管理、性能的最佳结合点。

（三）在自身建设上树立形象

一是要加强组织建设。只有让更多的房地产企业参加到协会中来，协会才能更有代表性、更具有生命力。现在，我省绝大部分三级以上房地产企业已经成为省房协的会员，一部分四级企业和新成立的企业已经入会。这对省房协的工作来讲，增加了活力，也加大了压力。省房协的同志们必须加倍努力工作，积极开展工作，增强凝聚力和吸引力，真正把协会成为会员之家。

二是要加强制度建设。严格执行协会章程，建立健全会议制度、工作制度、财务制度和岗位责任制度等各项规章制度，推进协会工作规范化运行。这次会员代表大会选举产生了协会新一届的理事会、常务理事会和会长、副会长、秘书长，对当选的同志来说，首先是增加了一份重要责任。希望新机构有新气象，要从会长、副会长、秘书长和常务理事做起，带头遵守协会章程和各项制度，自觉参加协会相关会议和各项活动，尽心尽力，尽职尽责，努力做好协会安排的工作。

三是要加强作风建设。协会驻会领导、各个工作机构和全体工作人员，都要牢固树立服务观念，增强服务意识，切实转变工作作风，提高工作效率和服务质量。要加强与会员企业和各位理事、常务理事的沟通与联系，集思广益，民主办会。

各位代表、同志们，随着政府主管部门职能的进一步转变和社会管理工作的进一步加强，行业协会所承担的工作任务会越来越多。希望省房协第三届理事会与全体会员一道，在省住房和城乡建设厅和省社团组织管理局的支持指导下，求真务实，锐意进取，以更加坚定的信心和更加扎实的工作，努力开创协会工作的新局面！

在山西省房地产业协会第三次会员代表大会上的讲话

（2011 年 10 月 19 日）

省民间组织管理局局长　吴建强

各位领导，全体代表们，朋友们：

山西省房地产业协会按照《社会团体登记管理条例》的要求和协会《章程》的规定，完成了各项筹备工作，今天隆重召开第三次会员代表大会。在这里，我代表山西省民间组织管理局，对省房地产业协会和新当选的以于会长为首的全体协会领导表示最热烈的祝贺！

通过参加今天的大会，谈两点感受：

第一点，今天的大会组织得非常好，会场秩序也很好。会议议题集中，内容紧凑，程序流畅，层次分明，可以说在会议组织上是个典范。

第二点，省住房和城乡建设厅的领导同志对我们社会组织非常关心。在我们面对的几十个厅局里，是比较突出的。我是 2009 年到省民间组织管理局工作的，当时我省的组织状况是部分社团组织领导年龄普遍偏大，有些换届工作不能按时进行，人员比较短缺。后来经过贯彻《社会团体登记管理条例》，社会组织的作用和地位得到进一步重视。省民政厅管理部门提出，社会组织要根据《条例》的规定开展换届工作。省住房和城乡建设厅作为业务主管单位，管理的协会有几十家，领导年龄比较偏大的也不少，这两年工作比较到位，效果也很明显。刚才几位领导也讲了，厅领导参加全部协会的会议，协会按照章程规定五年一届。协会需要新的血液，新的理念，新的想法，领导也要及时调整，要尝试新的领导结构。省房地产业协会在袁会长的领导下，这几年来确实取得了很大的进步，效果非常明显。这不光是咱们房地产业业内人说的，也包括媒体和其他行业的人说过的话。这是两点感受。

借这个机会，把我们省的社会组织情况给大家简要介绍一下。

目前，全省在省、市、县登记的社会组织总数有 1 万余家。按我省总人口数，基本上达到每万人 3.5 个左右。但是活动的质量是不够的。我们管的社会组织目前有 1300 多家，其中社会团体 800 多家，民办非企业 400 多家，基金会 30 家。从全国来讲，基金会数量目前倒数第四。基金会是企业家献爱心、作贡献、服务社会意识的产物，基金会的发展与经济的发展有着紧密联系，而我们山西属于欠发达地区，需要有个过程。现在有个现象非常好，我们吕梁柳林企业家热情比较高，正在筹备扶贫基金会，第二个助学基金会。一个基金，一般只能扶持 150—200 人，从初中到大学要 10 年，所以基金会的承受能力有限。这样的基金会多一些的话，对我们贫困地区的教育发展是一个非常好的事情。所以我们也在积极扶持，帮助这方面的组织发展。基金会既可以扶贫，也可以做助学方面的事情。目前咱们省社会组织的情况大概就是这样。

省房协主要是全省从事房地产开发经营的企业和与房地产业相关的企事业单位及专家依法自愿组成的全省性社会团体，是服务于房地产行业和广大人民群众的团体。每位理事都具有深厚的房地产业方面专业和丰富的实践经验。为了更好地发挥协会在我省建设中的作用，借此机会，我讲三点意见。

一、珍惜发展机遇，发挥积极作用

当前，社会组织的发展已进入快速发展的机遇期。社会组织已经并且必然在推动经济社会发展上起到非常重要的作用。中央高度重视社会组织的发展。十七大把社会组织的发展摆到了更加突出的位置，对社会组织的建设和管理进行了全面论述，提出了更加明确的要求。因此，当前社会组织的发展正站在一个新的历史起点。我们一定要把思想统一到十七大精神上来，珍惜发展机遇，把协会建设好，发挥好协会在行业改革发展中的积极作用。

二、广泛开展活动，争创一流业绩

要根据协会宗旨和自身特点，立足山西，结合省情，广开思路，发挥广泛联系会员的作用，利用人才济济的优势，开展服务我省房地产业的各项活动；要搞好交流研讨，做好房地产业从业人员的培训，开展诚信自律建设活动；要找准自己工作的切入点，从职能上定好位，做好房地产业发展热点、难点问题的调查研究和理论探索；要让广大会员有认同感、归属感。这样，协会才有生命力、凝聚力、吸引力，才能使协会形成良性循环，成为活水。在规范房地产业运行、推动城市建设发展方面，在沟通政府与开发商、群众、企业之间的关系方面，在营造房地产业良好的营销环境方面，在推动全省房地产业技术进步方面，在维护社会稳定、增强社会和谐等方面，协会应当积极有所作为，争创一流工作业绩。

三、抓好自身建设，打下良好基础

社会组织的自身建设是其生存发展的基础。协会要发挥好作用，就要依据《社会团体登记管理条例》和本会章程广泛开展活动。作为一个社团组织，希望协会进一步加强管理，健全以章程为核心的各项规章制度，健全会员大会或会员代表大会制度，推进民主选举、民主决策、民主管理和民主监督，形成独立自主、规范有序的运作机制；要主动接受业务主管单位和登记管理机关的指导与监督；要加强自身能力建设，不断提高社会公信力。

刚才于会长也讲了，“十二五”期间国家将启动房地产策划师、职业经理人、成本管理师、置业顾问等多种职业资格认证工作。这对房地产行业和房地产业协会来讲，既是一个机会，也是一个挑战。小政府大社会的发展是将来的目标，政府不可能把所有社会的事都监管起来，很多事要委托社会组织来做，比如资格的认定、资质的审查等。目前国家已经把一部分工作转移到社会组织方面来做。那么政府一旦把资质资格评审转移到社会组织以后，我们作为社会组织有没有能力接受管、管理好、服务好？所以我们要练好内功，把我们的底子打好、铺垫好，做好充分准备。社会组织要服务社会、服务政府、服务会员，你自己不具备这个能力的时候，就不要狮子大开口，说你能办了这、办了那。所以要把自己的机制建设、服务建设等事情办好，才能真的具备服务社会、服务人民的条件。

相信通过各位会长和会员的努力，房地产业协会一定会为我省房地产业的快速健康发展作出应有的贡献。

最后，祝大家工作顺利，祝大会圆满成功！

（根据录音整理，未经本人审阅）

积极改进工作 搞好“三个服务”
努力开创协会工作的新局面

—在山西省房地产业协会第三次会员代表大会上的报告

（2011年10月19日）

于世玮

各位代表：

现在，我受山西省房地产业协会第二届理事会的委托，向大会作工作报告，请予审议。

一、第二届理事会工作的简要回顾

山西省房地产业协会于2000年4月成立。2004年6月进行了换届，选举产生了第二届理事会。七年来，在省住房城乡建设厅、省民间组织管理局的关心和指导下，在政府相关部门和会员单位的大力支持下，省房协认真学习贯彻国家和我省关于调控房地产市场、控制新建住房价格、加强保障性住房建设等政策措施，坚持践行“服务企业，服务政府，服务行业发展”的办会宗旨，积极发挥在企业与政府之间的桥梁纽带作用，与全省房地产行业携手前行，主要做了以下几方面的工作：

（一）举办论坛和研讨会，解读政策，研判市场走势，为企业经营决策当好参谋

多次组织举办房地产高峰论坛和研讨会，如2004年的房地产金融论坛、2008年的房地产高峰论坛、2010的中西部地区房地产业发展趋势高峰论坛等。邀请主管部门领导、专家学者、金融机构负责人和知名房地产企业负责人，对国家和我省出台的相关政策进行解读，对房地产市场走势进行分析。

《物权法（草案）》公布后和国家统计局《住宅销售价格统计调查方案》（征求意见稿）下发后，省房协都邀请各界人士进行了认真讨论，将征集到的修改意见整理后分别上报全国人大和国家统计局。

在组织论坛、研究政策的同时，省房协紧扣房地产行业的一些热点问题，采取一会一题的形式，组织召开了《山西百姓住房论坛》系列研讨会，邀请中房协会长杨慎、宋春华、刘志峰和副会长顾云昌、朱中一，省政协副主席边鸣涛、吕日周、韩儒英、周然等领导同志，北京华远集团任志强、北京万通集团冯仑和国务院发展研究中心、中国社会科学院、易居中国研究院、山西省社科院、北京大学、山西大学、山西财经大学的专家学者出席论坛，参加研讨。对房地产企业领会房地产业政策，把握房地产市场走势，了解国内外同行的发展现状等起到了积极的作用。同时，为企业提供了可供参考的思路和交流合作的平台。

（二）开展市场调查和产业政策研究，向政府部门反映企业诉求，提出政策建议

开展市场调查和产业政策研究，反映企业诉求，跟踪政策落实情况，向政府提出政策建议，是省房协的一项重要职能。近年来，省房协先后组织了6次比较重要的调查活动。

一是2008年组织开展了房地产市场调控政策的实施情况和我省房地产业发展现状调研。

二是2008年组织编印了《1998—2008山西住房建设和房地产发展10年》，编写过程实际上也是一次调查研究的过程，通过回顾10年来的发展历程，归纳总结产业发展中遇到的问题、采取的措施、所做的工作、主要运行数据等，展现了10年来我省房地产业的发展成就。

三是2009年组织开展了全省房地产业发展现状和存在问题的调研。分批邀请省和太原市房管、建设、国土、统计等主管部门及金融机构、部分开发企业负责人进行座谈，收集了大量一手资料，及时向省建设厅领导提交了调查报告。

四是2010年组织开展了“十二五”住房建设规划前期调研。省房协和太原市房地产开发协会邀请省统计局投资处、《山西晚报》、《太原晚报》、新浪网、搜狐焦点网、山西房地产门户网、山西房地产网、易居中国太原公司共同参与，利用网络和报刊平面媒体，组织开展了“我为山西和太原市‘十二五’住房建设规划建言献策”活动；与《山西晚报》共同组织开展了“我对实现百姓住有所居的建议和期待”有奖问卷活动。在两项活动中，市民参与踊跃，网站点击和网上留言达3万多人次，收到书面答卷近200份。省房协综合各方面的信息和建议，向省领导和省住房城乡建设厅及有关部门提交了《对编制我省“十二五”住房建设规划的建议》。

五是2010年会同各市房协组织开展了全省房地产市场运行情况调查。召开了全省城市房协第三次联席会议，分析了2009—2010年前三季度我省房地产市场运行情况，各市交流了调查情况，形成了书面调查报告。

六是2011年邀请省市有关部门负责同志和专家学者召开了“贯彻‘新国八条’合理制定房价调控目标座谈会”，并将收集汇总的具体意见和建议向各市政府进行了反馈。

与此同时，省房协还撰写了调整住房供应体系、保障性住房建设管理、改革土地使用权出让方式、实行差别化信贷税费政策、发展节能省地绿色环保住宅以及小产权房治理等方面的专题文章20余篇，有的通过报刊刊发，有的呈送中央和省市厅领导参阅。

（三）推进行业诚信建设，推介行业先进典型，树立房地产行业良好社会形象

推进房地产行业诚信建设，加强行业自律，推介行业先进典型，树立行业良好社会形象，优化房地产业发展的产业环境，是省房协的又一项重要职能。

2006年，省房协向会员单位发出《关于反对商业贿赂和不正当竞争行为的通知》，向会员单位提出了具体要求。印发了《山西省房地产行业依法诚信经营自律公约》，对房地产开发、物业管理、房地产中介3类房地产企业提出了23条自律要求。

2008年，在省房协二届四次理事暨会员代表大会上，隆重举行了“和谐社会·责任地产”倡议书签字仪式，增强了会员单位的凝聚力和社会责任感。5•12汶川地震发生后，省房协迅速向会员企业发出“献出爱心，伸出援手，向灾区进行捐助”的倡议。据不完全统计，全行业共向地震灾区捐款2000多万元。2010年玉树地震发生后，省房协再次组织会员企业向灾区进行了捐助。

省房协还通过会刊《山西房地产》向社会公众推介了一批优秀房地产企业和精品楼盘。其中，有3家企业荣获2005—2006年度“中国房地产诚信企业”称号，10家企业荣获2007—2008年度“中国房地产诚信企业”称号，1个住宅小区荣获第五届“詹天佑土木工程大奖优秀住宅小区”提名奖，4个楼盘分获2007—2010年全国房地产行业的综合性大奖—广厦奖。省房协因此也成为广厦奖评选推荐工作成绩突出的18个省级房协之一，受到了中房协的通报表彰。

（四）举办专题讲座和培训，为房地产企业发展提供智力支持

积极开展房地产业法律法规专题培训。对房地产企业负责人领会立法宗旨、熟悉法规政策、增强法制观念、树立依法经营理念等起到了积极作用。

2005年，省房协与省建筑业协会、成诚律师事务所联合举办了“建设工程合同管理与纠纷处理实务”讲座；与省土木建筑学会、山西勘察设计协会、省建筑装饰协会联合举办了以提高住宅建筑设计整体水平，积极推动建筑节地、节能、节水、节材和环境保护，发展绿色建筑，转变增长方式，走可持续发展之路为主旨的“绿色建筑与环境设计”学术讲座，邀请中国工程院院士江忆、国家住宅与居住环境工程中心顾问赵冠谦大师和建设部政研中心厨卫所所长林润泉教授作了学术报告。

2007年，省房协受邀为省信托投资有限公司房产部员工举办了系列讲座。邀请建设部总经济师、中国物业管理协会会长谢家瑾为房地产企业管理人员作了《物权法与房地产》专题讲座。

2008年，省房协举办了“以生命的名义—房屋质量与开发商的社会责任”专题报告会。省建设厅领导和有关专家用汶川地震后检测到的最新数据，从营造理念和专业技术角度，对房屋抗震设计、住房安全和开发企业的社会责任等提出了许多建设性的意见和建议。

（五）开辟对外交流和联系的工作通道，加强协会组织建设，提高协会服务水平

2007年，举办了山西房地产配套产品暨绿色建筑节能技术展示会，组织近百家省内外企业参展。

倡导建立了“三北”（华北、东北、西北）地区房协联席会议。2010年，与中国房协、太原市开发协会共同举办了中西部地区房地产业发展趋势高峰论坛暨“三北”及中西部地区房协会长联席会议，听取了中房协刘志峰会长和张永岳院长的专题报告，各省（区、市）房协进行了工作交流。

倡导建立了全省城市房协联席会议制度，先后在晋中、长治、大同、阳泉和忻州召开了5次联席会议。省、市两级房协借助联席会议这一平台，建立起了比较紧密的工作联系，大家互通信息，交流经验，携手开展一些重要的工作，以期共同为我省房地产业的健康发展出谋划策，为会员企业提供更加有效的服务。

多次牵头组织各市建设、房管部门负责人和开发企业代表赴北京、上海、江苏、山东、深圳等地，考察住宅建设、小区规划，参加住交会、地产博览会、威海人居节和环渤海不动产发展论坛。与澳门地产发展商会签订了合作协议，多次邀请澳门地产发展商会人员来晋考察，组织我省房地产界代表赴澳门参加中国房地产（澳门）论坛和国际房地产金融投资洽谈会。组织建设、房管部门和房地产企业代表赴欧洲和澳大利亚、新西兰进行公务考察。为我省房地产企业打开窗户看世界，了解外部信息，学习借鉴先进经验，提升自身能力和水平，起到了积极的推动作用。

按照省住房城乡建设厅党组的要求，于2010年11月建立了党支部。

协会会刊《山西房地产》从2006年创刊至今已编印60期。开通了协会网站。作为协办单位，为《山西日报》“置业周刊”、山西电视台“第一房产”、《山西晚报》“房地产周刊”、太原电视台“新闻对话”等栏目提供了服务和支持。

今年下半年，在各市主管部门和各市房协的大力支持下，结合换届筹备工作，对会员进行了重新登记，并发展了一大批新会员，进一步增强了协会的工作覆盖面和行业代表性。

各位代表，省房协成立以来，以袁纶华同志为会长的省房协理事会，为办好协会，发挥好协会的桥梁纽带作用，做了大量基础性、开创性的工作。特别是袁纶华同志，作为建设系统的老领导和省房协两届理事会的会长，以高度的事业心和责任感，为房协的工作倾注了大量心血，受到广泛赞誉。由于协会换届和任职年龄等原因，袁纶华同志和几位副会长将不再担任协会领导职务。在这里，让我们以热烈的掌声，向袁纶华同志和其他几位协会领导，表示崇高的敬意和衷心的感谢！

各位代表，在充分肯定成绩的同时，我们也要清醒地认识到，省房协的工作同办会宗旨、形势任务的要求和会员企业的期盼，还有一定的差距，服务内容、服务形式、服务质量还有待完善和提高，自身建设和基础工作还亟待加强。这些都需要我们在今后的工作中予以高度重视，努力加以改进。

二、第三届理事会工作思路和工作重点的建议

“十二五”时期，是全面建设小康社会的关键时期，是深化改革开放、加快转变经济发展方式的攻坚时期，也是我省以科学发展观为指导，以建设“国家资源型经济转型综合配套改革试验区”为抓手，实现转型跨越发展的重要时期。按照规划，“十二五”期间，全省城镇化水平将达到55%左右，年均增长1.8个百分点；为适应城镇化快速发展的要求，将更大规模地推进保障性住房建设；预计完成房地产开发投资3000亿元以上，比“十一五”时期增长61%以上。我省房地产业已步入又好又快发展的新阶段。省房协的工作必须适应行业发展要求，进一步加强和改进。同时，随着改革的不断深化和社会主义市场经济体制的不断完善，协会所承担的一般社会职能将逐步增加，担负的协调、服务任务也将逐步加大。可以肯定，“十二五”期间，省房协的工作任务将会越来越重。

面对新形势、新任务，省房协新一届理事会要以邓小平理论和“三个代表”重要思想为指导，深入贯彻落实科学发展观，紧紧围绕推进山西转型跨越发展和全省住房城乡建设工作中心任务，紧扣加快保障性住房建设、提升住房品质、促进房地产市场平稳健康发展三大主题，积极适应房地产业改革发展的新形势、新任务的新要求，创新工作思路，改进工作方法，拓宽服务领域，努力开创“服务企业、服务政府、服务行业发展”的新局面。重点要做好以下几方面的工作：

（一）加强产业政策研究和市场调查，积极建言献策，在服务政府方面尽力有作为

要认真履行协会职责，创造性地开展工作，努力当好政府主管部门的参谋和助手，。

一是要认真宣传贯彻《国务院办公厅关于保障性安居工程建设和管理的指导意见》（国办发〔2011〕45号）和我省有关文件精神，把保障性住房建设管理作为调研的重点，更好地为政府主管部门决策服务。

二是要高度关注房地产业的运行状态，做好市场形势分析，立足省情，悉心研究我省房地产业的运行状况和特点，协助政府主管部门抓好房地产市场调控政策和行业改革发展措施的落实。

三是要加强产业经济技术政策研究，在发展省地节能环保型住宅、提高住宅科技含量和推进住宅产业化等方面提出合理化建议。

同时，努力完成好政府主管部门交办和委托承办的各项工作任务。

（二）推动和促进房地产业转型升级，强化行业自律，在服务行业发展和提升产业素质上力争有推动

房地产业生产方式仍比较传统，产业发展粗放，住宅产业化水平底，科技创新能力弱，能源消耗大，产业持续稳定发展的基础不牢。推动我省房地产业发展与国民经济和社会发展的要求相适应，与建设宜居城市和人民群众的住房需求相适应，与不断变化的市场环境相适应，加快转型升级，是一项迫在眉睫的任务。新一届省房协要在推动我省房地产业转型升级上下功夫，引领会员企业向协调发展、绿色发展、和谐发展转型，在转型中实现更大发展。

一是要推动会员企业转变发展方式。拓展发展领域，调整产品结构和产业结构，积极参与保障性住房建设和城中村、棚户区及农村危房改造，大力发展民生地产、旅游地产和商业地产，变单一开发建设为多元化经营、可持续发展；推动会员企业联合重组，加快内涵发展，增强市场竞争能力；推动会员企业建设康居示范工程、广厦奖工程，增加产品科技含量，全面提高产品质量和性能。加强调研，开展宣传，推介先进典型，提出政策建议，力所能及地做一些实事。

二是要推动和谐物业建设。深入研究物业服务企业与业主、物业管理与社区建设的关系，为物业服务企业与业主、与社区建立和谐相融的关系提出建设性意见和行之有效的措施。

三是要强化行业自律、信用体系和品牌建设。协助政府主管部门开展住宅性能认定工作，贯彻落实住宅质量终身制；引导会员企业牢固树立科学发展理念，提高企业综合素质，依法诚信经营，履行社会责任，注重品牌建设，打造百年企业，谋求长远发展。

（三）建设会员之家，增强协会的吸引力、凝聚力和影响力，在服务会员企业上争取有建树

省房协是会员企业自愿组成的行业性社团组织，为会员企业提供及时有效的服务，是协会的本职工作。引导和支持会员企业转型升级，帮助会员企业做大做优做强，是协会义不容辞的责任。

一是要积极推动会员企业设计创新、管理创新、技术创新。通过举办多种形式的培训班和专题讲座，对全省房地产企业的管理技术骨干进行普遍培训，引进先进的经营管理思想、理念和方法，提高队伍整体素质，为房地产业的发展提供智力支持。“十二五”期间，国家将启动房地产策划师、职业经理人、成本管理师、置业顾问等职业资格认证工作。这对于全面提高房地产行业企业队伍素质和管理素质具有重要意义。我们要按照国家统一部署，做好相关工作。

二是要积极为会员企业提供信息服务。进一步办好协会会刊《山西房地产》及《山西房地产网》，及时为会员企业提供更多快捷、丰富、准确的信息。协会会刊将进行改版，增加信息量，扩大发行量，确保按期发行到每个会员，更好地发挥法规政策宣传阵地、行业形象展示窗口、工作交流服务平台作用。要充实人员和设备，刊网联办，越办越好。

三是要积极组织会员企业开展交流合作与对外联系。组织必要的参观考察，为会员企业牵线搭桥，支持会员企业拓宽经营视野，发挥优势，加强联合，共同发展。

四是要积极向政府主管部门反映会员企业的意见和诉求，当好会员企业的“代言人”。

总之，要努力把协会办成会员之家，使协会成为会员企业获取信息和交流情况的平台、相互合作和对外联系的通道、反应自身诉求和争取外部支持的桥梁。

（四）抓好房协自身建设，扎实推进工作，在服务能力提高上明显有进步

省房协的自身建设，是确保工作顺利开展和高效、廉洁运行的关键和保障。完善基础制度、规范各项管理、加强队伍建设，是本届理事会工作的重点之一。

一是要加强协会组织建设和制度建设。倡导入行应入会，不断扩大协会工作的覆盖面。建立健全以协会章程为核心的规章制度，从会员、理事到常务理事，从会长、副会长、秘书长、副秘书长到各办事机构、分支机构、代表机构、实体机构负责人，都要严格遵守协会章程和各项规章制度，正确行使权利，自觉履行义务。充分发挥会员代表大会、理事会、常务理事会和会长办公会的作用。坚持民主管理，实行会务公开，规范人、财、物、事等各项管理工作，逐步形成科学规范的管理体系和运行机制。加强会费管理，确保廉洁办会。

二是要加强协会干部队伍建设和思想作风建设。按照搞好服务和提高效率的要求，逐步建立一支职业化、专业化、年轻化的工作团队。协会驻会领导、各个工作机构和全体工作人员，都要切实增强责任感和使命感，以新的状态、新的作风做好各自的工作。要牢固树立创新意识和服务意识，努力建设学习型协会和服务型协会。要改善工作环境，加强各项基础性工作，建立岗位责任制，严明纪律，严格考核，不断提高自身工作水平和服务企业、服务政府、服务行业发展的能力。

各位代表，省房协第三届理事会面临的工作任务十分艰巨。我们要在省住房城乡建设厅和省民间组织管理局的关心指导下，以奋发有为的精神状态与时俱进，以求真务实的工作作风开拓创新，努力谱写协会工作的新篇章，为促进我省住房城乡建设事业转型跨越发展和房地产市场平稳健康发展，作出积极的贡献！

关于修改《山西省房地产业协会章程》的说明

（2011年10月19日）

翟振新

各位代表：

我受山西省房地产业协会第二届理事会的委托，向大会作《山西省房地产业协会章程》修改说明。

本协会现行《章程》是经2004年6月 29 日协会第二次会员代表大会修改通过的。7年来，《章程》对指导和规范协会工作发挥了重要作用。为进一步加强和改进协会工作，更好地适应形势发展的需要，根据民政部制发的《社会团体章程示范文本》，结合本会运行两届的工作实践，有必要对现行《章程》作适当修改。

省住房城乡建设厅社团办对本协会《章程》的修改进行了指导。对本协会《章程》的修改，参考了《中国房地产业协会章程》的规定。

现行《章程》共八章四十八条，修改为八章四十九条。具体修改内容如下：

一、关于第一章第二条本协会性质的修改

《章程》原规定是：山西房协是由全省各地从事房地产管理、开发经营、物业管理、市场交易、经纪中介、修建装饰等企事业单位及有关部门自愿组成的全省性行业组织，是依据法律规定，经社团登记管理机关批准注册登记的具有法人资格的非营利性社会团体。

修改为：山西房协是由在本省区域内登记注册或者备案的从事房地产开发经营的企业和与房地产业相关的其他企事业单位、社会团体、科研院校及有关专业人士自愿参加组成的地方性行业组织，是经省民政厅注册登记的具有法人资格的非营利性社会团体。

本次修改，一是将会员企事业单位的类型概括为“从事房地产开发经营的企业和与房地产业相关的其他企事业单位”，并在会员中增加了“社会团体、科研院校及有关专业人士”，表述更加符合实际；二是将社团登记管理机关明确为省民政厅，有利于更好地接受社团登记管理机关的管理。

二、关于第三条本协会宗旨的修改

《章程》原规定是：高举邓小平理论伟大旗帜，坚持党的基本路线，认真实践 “三个代表”重要思想，围绕建立社会主义市场经济体制，在政府和企业之间起桥梁纽带作用，协助政府加强行业管理，传达政府政策意图，为推进企业改革，促进行业发展，提高城乡人民居住水平，加快城乡建设，发挥房地产业在国民经济中的支柱产业作用服务。

本协会遵守中华人民共和国宪法，遵守国家法律、法规和有关政策，遵守社会道德风尚。

修改为：以邓小平理论和“三个代表”重要思想为指导，深入贯彻落实科学发展观，遵守宪法、法律、法规和国家政策，遵守社会道德风尚，按照建立社会主义市场经济体制和构建社会主义和谐社会的要求，坚持以服务为宗旨，积极反映企业诉求，维护企业合法权益，规范企业行为，加强行业自律，促进行业发展，为提高城乡人民居住水平，实现山西转型跨越发展，作出积极的贡献。

本次修改，进一步明确了协会工作的指导思想和新形势、新任务对协会工作的新要求，更加突出了协会“服务企业，服务政府，服务行业发展”的办会宗旨。

三、关于第二章本协会业务范围的修改

《章程》第六条本协会的业务范围，原规定共有以下9条：

（一）研究探讨房地产业改革和发展的理论、方针、政策，向政府提出行业发展的经济、技术政策和法规等建议；

（二）协助政府主管部门制定和实施行业发展规划，推行行业管理，协调执行中出现的问题，推动企业横向经济联合和技术进步，提高全行业的整体素质和经济效益、社会效益；

（三）承办房地产行业资质审核的具体工作；

（四）收集、传播省内外房地产政策法规、经济技术情报和市场信息，举办展览，开展咨询服务；

（五）对各地市房地产业协会进行工作指导，组织经验交流，制定行规行约，开展行检行评，促进精神文

明建设；

（六）协助企业培训管理和技术人才，提高企业素质；

（七）组织开展省内外经济、技术、学术等方面的合作与交流；

（八）承办政府部门、社团团体或会员单位委托办理的事项；

（九）根据需要开展有利于行业发展的其他活动。

修改为下列8条：

（一）研究探讨房地产业改革和发展的理论、方针、政策，提出行业发展的经济、技术政策和法规等建议；协助主管部门制定、实施行业发展规划和有关法规规章，推进行业管理，协调执行中出现的问题。

（二）组织制定行规行约，建立完善行业自律机制，推进行业诚信建设和规范行业行为，维护平等竞争的市场环境。

（三）向政府及相关部门反映行业企业的要求和意愿，维护会员合法权益；沟通会员与政府及其他组织的联系，协调会员与会员、会员与非会员的关系；为会员单位提供法律、政策、技术、管理和市场咨询服务；加强与房地产业链有关的组织及单位的合作，推动企业横向经济联合和技术进步，提高全行业的经济效益和社会效益。

（四）受政府主管部门委托，承担行业培训及有关评比表彰活动的相关工作；协助主管部门做好行业统计工作。

（五）组织开展国内外同行业经济、技术交流与合作，积极开展与国内外同行业社团的友好交往。

（六）利用会刊和网站宣传党和国家的有关方针政策、法律法规及主管部门制定的行业政策；收集国内外房地产政策法规和经济技术情报，了解房地产市场和行业发展态势，及时发布相关动态信息。

（七）加强协会自身建设，组织经验交流，提高协会工作质量和服务水平。

（八）承办主管部门委托办理的其他事项。　　修改后的业务范围，更加符合协会工作的实际和形势发展的需要。特别是增加了向政府主管部门及相关部门反应行业企业的要求和意愿、维护会员合法权益的内容，更好地体现了协会的宗旨和性质。

四、关于第三章本协会会员的修改

《章程》第七条原规定是：本协会会员分单位会员和个人会员。

（一）单位会员：省内从事房地产管理、开发经营、物业管理、市场交易、经纪中介、修建装饰等企事业单位及有关部门，经批准可成为山西房协单位会员。

（二）个人会员：热心房地产事业并有一定实践经验的专家、学者、社会知名人士或有关部门负责人，经批准可成为山西房协个人会员。

修改为：本协会会员分单位会员和个人会员。

（一）单位会员：在本省区域内从事房地产开发建设、经营管理、物业管理、市场交易、经纪中介、修建装饰等业务的企业（含省外入晋企业）及与房地产业相关的企事业单位、社会团体、科研院校，经批准可以成为本协会单位会员。单位会员一般应当具有独立的民事法人资格。

（二）个人会员：热心房地产事业并且具有一定理论基础或者实践经验的专家、学者、社会知名人士，经批准可以成为本协会个人会员。　修改后的单位会员，增加了“与房地产业相关的企事业单位、社会团体、科研院校”，明确了“单位会员一般应当具备独立的民事法人资格”；对个人会员，要求“具有一定理论基础”。修改后，进一步提高了协会会员的代表性和广泛性。

《章程》第八条关于申请加入本协会的会员必须具备的条件，修改后增加了“能参加协会组织的活动”，目的是为协会今后开展活动提供制度保证。

五、关于第四章组织机构和负责人产生、罢免的修改

《章程》第十四条会员代表大会职权的第五条，原规定是：“决定其它重大事宜”。**修改为：**“决定协会工作方针、主要任务和其他重大事宜。”进一步突出了会员代表大会的作用。

六、关于第五章资产管理、使用原则的修改

《章程》第五章第三十四条原规定是：“本协会根据国家有关规定收取会员会费。”**修改为：**“本协会按照国家有关规定收取会员会费。会费标准须经会员代表大会通过后执行”。进一步规范了确定会费标准的程序。

七、关于第八章附则的修改

增加了第四十七条，即：本章程经2011年10月19日第三次会员代表大会表决通过。

原第四十七条、第四十八条依次顺延为第四十八条、第四十九条。

八、其他说明

本次修改对《章程》的个别文字也进行了规范，使文字表述更为准确。

以上说明，请各位代表审议。

山西省房地产业协会章程

（山西省房地产业协会第三次会员代表大会部分修改，
2011年10月19日通过）

第一章 总 则

第一条 本协会的名称是山西省房地产业协会，简称山西房协；英文名称是SHANXI REAL ESTATE ASSOCIATION，缩写为SREA。

第二条 山西房协是由在本省区域内登记注册或者备案的从事房地产开发经营的企业和与房地产业相关的其他企事业单位、社会团体、科研院校及有关专业人士自愿参加组成的全省性行业组织，是依据法律规定，经山西省民政厅注册登记的具有法人资格的非营利性社会团体。

第三条 本协会的宗旨：以邓小平理论和“三个代表”重要思想为指导，深入贯彻落实科学发展观，遵守宪法、法律、法规和国家政策，遵守社会道德风尚，按照建立社会主义市场经济体制和构建社会主义和谐社会的要求，坚持以服务为宗旨，发挥政府和企业之间的桥梁纽带作用，开展调查研究，提出政策建议，反映企业诉求，维护企业合法权益，规范企业行为，加强行业自律和信用建设，协助政府加强行业管理，为推进企业改革，促进行业发展，加快城镇化进程，提高城乡人民居住水平，实现山西转型跨越发展，作出积极的贡献。

第四条 本协会接受业务主管单位山西省住房和城乡建设厅、社团登记管理机关山西省民政厅的业务指导和监督管理。

第五条 本协会设在山西省太原市。

第二章 业务范围

第六条 本协会的业务范围：

（一）研究探讨房地产业改革和发展的理论、方针、政策，提出行业发展的经济、技术政策和法规等建议；协助主管部门制定、实施行业发展规划和有关法规规章，推进行业管理，协调执行中出现的问题。

（二）组织制定行规行约，建立完善行业自律机制，推进行业诚信建设，规范行业行为，维护平等竞争的市场环境。

（三）向政府及相关部门反映行业企业的要求和意愿，维护会员合法权益；沟通会员与政府及其他组织的联系，协调会员与会员、会员与非会员的关系；为会员单位提供法律、政策、技术、管理和市场咨询服务；加强与房地产业链有关的组织及单位的合作，推进企业横向经济联合和技术进步，提高全行业的经济效益和社会效益。

（四）受主管部门委托，承担行业培训及行业有关评比表彰活动的相关工作；协助主管部门做好行业统计工作。

（五）组织开展国内外同行业经济、技术交流与合作，积极开展与国内外同行业社团的友好交往。

（六）利用会刊和网站宣传党和国家的有关方针政策、法律法规及主管部门制定的行业政策；收集国内外房地产政策法规和经济技术情报，了解房地产市场和行业发展态势，及时发布相关动态信息。

（七）加强协会自身建设，组织经验交流，提高协会工作质量和服务水平。

（八）承担主管部门委托办理的其他事项。

第三章 会 员

第七条 本协会会员分单位会员和个人会员。

（一）单位会员：在本省区域内从事房地产开发建设、经营管理、物业管理、市场交易、经纪中介、修建装饰等业务的企业（含省外入晋企业）及与房地产业相关的企事业单位、社会团体、科研院校，经批准可以成为本协会单位会员。单位会员一般应当具有独立的民事法人资格。

（二）个人会员：热心房地产事业并且具有一定理论基础或者实践经验的专家、学者、社会知名人士，经批准可以成为本协会个人会员。

第八条 申请加入本协会的会员，必须具备下列条件：

（一）拥护协会章程；

（二）有加入协会的意愿；

（三）能参加协会组织的活动。

第九条 会员入会程序：

（一）提交入会申请书；

（二）经协会理事会或者常务理事会讨论通过；

（三）由协会秘书处办理入会登记，并颁发会员证书。

第十条 会员享有下列权利：

（一）本协会的选举权、被选举权和表决权；

（二）有权要求本协会就企业和行业共同关心的问题开展调查研究，并向政府及有关部门提出政策性建议；

（三）参加本协会组织的各项活动，在经济技术咨询、业务培训中享受优惠待遇；

（四）优先取得本协会编印的资料和信息；

（五）对本协会的工作有监督、批评、建议权，有权经过必要程序要求罢免选举产生的领导成员；

（六）有参加和退出本协会的自由。

第十一条 会员必须履行下列义务：

（一）遵守协会章程，执行协会决议；

（二）维护协会的合法权益；

（三）积极参加协会活动，完成协会交办的任务；

（四）关心协会工作，及时向协会反映情况，提供有关资料；

（五）依照规定按时交纳会费。

第十二条 会员退会应当书面通知协会秘书处，并交回会员证。

会员不履行义务、不参加本协会活动或者无故连续两年不交纳会费，经告知仍不改正者，视为自动退会。

第十三条 会员如有严重违反本章程的行为，经劝告拒不改正者，经协会理事会或者常务理事会表决通过，予以除名。

第四章　组织机构和负责人产生、罢免

第十四条 本协会的最高权力机构是会员代表大会。会员代表大会的职权是：

（一）制定和修改协会章程；

（二）选举和罢免理事；

（三）听取并审议理事会的工作报告和财务报告；

（四）决定终止事宜；

（五）决定协会工作方针、主要任务和其他重大事宜。

第十五条 会员代表大会须有三分之二以上的会员代表出席方能召开，其决议须经到会会员代表半数以上表决通过方能生效。

第十六条 会员代表大会每届五年。因特殊情况需提前或者延期换届的，须由常务理事会表决通过，报业务主管单位审查并经社团登记管理机关批准同意。但延期换届最长不超过一年。

第十七条 理事会是会员代表大会的执行机构，在会员代表大会闭会期间领导本协会开展工作，对会员代表大会负责。

第十八条 理事会的职权是：

（一）执行会员代表大会的决议；

（二）选举和罢免会长、副会长、秘书长、常务理事；

（三）筹备召开会员代表大会；

（四）向会员代表大会报告工作和财务状况；

（五）决定会员的吸收或者除名；

（六）决定办事机构、分支机构、代表机构和实体机构的设立；

（七）决定副秘书长、各机构主要负责人的聘任；

（八）领导本会各机构开展工作；

（九）制定内部管理制度；

（十）决定其他重大事项。

第十九条 本协会理事会由会员代表大会选举产生，每届理事会任期五年。理事因机构、人事变动或其他原因不在原推荐单位工作时，其理事资格自动消失，缺额可由原推荐单位另行推荐，按程序予以调整。理事会须有三分之二以上理事出席方能召开，其决议须经到会理事三分之二以上表决方能生效。

第二十条 理事会每年至少召开一次会议，必要时经会长办公会议决定可以临时召开或者采用通讯形式召开。

第二十一条 本协会设立常务理事会。常务理事会由理事会选举产生，常务理事会人数不能超过理事会人数的三分之一。在理事会闭会期间行使本章程第十八条第一、三、五、六、七、八、九、十项的职权，对理事会负责。

常务理事会闭会期间，由会长办公会议负责处理有关重大事项。

第二十二条 常务理事会须有三分之二以上常务理事出席方能召开，其决议须经到会常务理事三分之二以上表决通过方能生效。

第二十三条 常务理事会每半年至少召开一次会议，必要时可以采用通讯形式召开。

第二十四条 秘书处是常务理事会的办事机构，由秘书长主持日常工作。

第二十五条 本协会根据工作需要设置若干专业委

员会。专业委员会是协会联系会员单位的工作机构，不具备独立法人资格，其组成及任务如下：

（一）专业委员会由成员单位选举产生，由主任、副主任和若干委员组成。委员会确定一名副主任或者委员负责处理日常工作。

（二）专业委员会的主要任务是紧紧围绕协会的宗旨、业务范围和工作计划，针对本专业带有共性的问题开展活动，提出建议，推进工作。

（三）专业委员会应当根据协会章程制定工作条例，报协会常务理事会批准实施。专业委员会的工作计划及重大活动，须事先报常务理事会审定，由协会秘书处统一协调。

第二十六条 协会根据工作需要，可以聘请社会知名人士担任顾问或者名誉职务。

第二十七条 本协会会长、副会长、秘书长必须具备下列条件：

（一）坚持党的路线、方针、政策，政治素质好；

（二）热心协会工作，在本行业有较大影响；

（三）最高任职年龄一般不超过70周岁，秘书长为专职；

（四）身体健康，能坚持正常工作；

（五）未受过剥夺政治权利的刑事处罚；

（六）具有完全民事行为能力。

第二十八条 会长、副会长、秘书长如超过最高任职年龄，须经理事会表决通过，报业务主管单位审查，并经社团登记管理机关批准同意后，方可留任。

第二十九条 会长、副会长、秘书长每届任期五年。任期一般不超过两届。因特殊情况需要延长任期的，须经会员代表大会三分之二以上代表表决通过，报业务主管单位审查，并经社团登记管理机关批准同意后，方可延任。

第三十条 会长为本协会法定代表人。

本协会法定代表人不兼任其他社会团体的法定代表人。

第三十一条 会长行使下列职权：

（一）召集和主持理事会、常务理事会及会长办公会议；

（二）检查会员代表大会、理事会、常务理事会决议的落实情况；

（三）代表本协会签署有关重要文件；

（四）处理协会章程实施中的重大事项。

副会长协助会长行使职权。

第三十二条 秘书长行使下列职权：

（一）主持秘书处日常工作，组织实施协会年度工作计划；

（二）协调办事机构、分支机构、代表机构、实体机构开展工作；

（三）提名副秘书长和各机构主要负责人，经会长办公会议同意后，提交理事会或者常务理事会决定；

（四）决定办事机构、分支机构、代表机构、实体机构专职工作人员的聘用；

（五）处理其他日常事务。

副秘书长协助秘书长行使职权。

第五章 资产管理、使用原则

第三十三条 本协会的经费来源：

（一）会员会费；

（二）在核准的业务范围内开展活动或者服务的收入；

（三）捐赠及赞助；

（四）政府资助；

（五）创办经济实体的收入；

（六）利息；

（七）其他合法收入。

第三十四条 本协会按照国家有关规定收取会员会费。会费标准须经会员代表大会通过后执行。

第三十五条 本协会经费必须用于本章程规定的业务范围和事业的发展，不得在会员中分配。

第三十六条 本协会按照国家有关财务规定，建立严格的财务管理制度，保证会计资料合法、真实、准确、完整。

第三十七条 本协会配备具有专业资格的会计人员。会计不得兼任出纳，会计人员必须进行会计核算，实行会计监督。会计人员调动工作或者离职时，必须与接管人员办清交接手续。

第三十八条 本协会的资产管理必须执行国家规定的财务管理制度，接受会员代表大会和财政部门的监督。资产来源属于国家拨款或者社会捐赠、资助的，必须接受审计机关的监督，并以适当方式向会员公布。任何单位、个人不得侵占、私分和挪用。

第三十九条 本协会换届或者更换法定代表人之前，必须接受社团登记管理机关和业务主管单位组织的财务审计。

第四十条 本协会专职工作人员的工资和保险、福利待遇，参照国家对事业单位的有关规定执行。

第六章 章程的修改程序

第四十一条 对本协会章程的修改，须经常务理事会表决通过后，报会员代表大会审议。

第四十二条 修改后的章程，须在会员代表大会通过后十五日内经业务主管单位审查同意，并经社团登记管理机关核准后生效。

第七章 终止程序及终止后的财产处理

第四十三条 本协会由于分立、合并或者其他原因需要注销时，由理事会或者常务理事会提出终止动议。协会终止动议须经会员代表大会表决通过，并报业务主管单位审查同意。

第四十四条 本协会终止前，须在业务主管单位及有关机关指导下成立清算组织，清理债权债务，处理善后事宜。清算期间，不开展清算以外的活动。

第四十五条 本协会经社团登记管理机关办理注销登记手续后即为终止。

第四十六条 本协会终止后的剩余财产，在业务主管单位和社团登记管理机关的监督下，按照国家有关规定，用于发展与本协会宗旨相关的事业。

第八章 附 则

第四十七条 本章程经 2011 年 10 月 19 日第三次会员代表大会表决通过。

第四十八条 本章程的解释权属本协会理事会。

第四十九条 本章程自社团登记管理机关核准之日起生效。

山西省房地产业协会
会员会籍管理办法

（2011 年 11 月 17 日会长办公会议通过）

为了规范和加强山西省房地产业协会（以下简称本协会）对会员的统一管理，根据《山西省房地产业协会章程》，制定本办法。

一、本协会会员分为单位会员和个人会员。

（一）在山西省区域内从事房地产开发建设、经营管理、物业管理、市场交易、经济中介、修建装饰等业务的企业（含省外入晋企业）及与房地产业相关的企事业单位、社会团体、科研院校，经批准可以成为本协会单位会员。

（二）热心房地产事业并且具有一定的理论基础或者实践经验的专家、学者、社会知名人士，经批准可以成为本协会个人成员。

二、本协会各分支机构受协会委托所发展的会员，均为协会会员，会籍由协会统一管理。各分支机构可组织受协会委托所发展的会员开展各项业务活动。

三、新会员入会，由其单位或者个人提出申请，提交入会申请书，经协会理事会或者常务理事会讨论通过，由协会秘书处办理入会登记，并颁发会员证书。

四、会员退会应当书面通知协会秘书处，并交回会员证。

五、实行会员会籍统计报告制度。各分支机构应当将受协会委托发展的会员造册报协会秘书处。吸收新会员或者有会员退会等变动情况，应当于每年年底报协会秘书处备案。

六、会员必须履行会员义务，按规定及时交纳会费。会员不履行义务、不参加协会组织的活动或者无故连续两年不交纳会费，经告知仍不改正者，视为自动退会。

会员如有严重违反协会章程的行为，经劝告拒不改正者，经协会理事会或者常务理事会表决通过，予以除名。

本协会的会员证、理事证、常务理事证等有关证书，由协会统一制作和颁发。

本办法经 2011 年 11 月 17 日会长办公会议通过。

本办法由协会秘书处负责解释。

本办法自印发之日起施行。

山西省房地产业协会
财务管理办法

（2011年11月17日会长办公会议通过）

第一章　总　则

第一条　为加强协会财务管理，健全财务制度，规范收支行为，严格财经纪律，保障协会工作的正常进行，根据《山西省社会团体财务管理暂行规定》、《山西省建设厅厅属社会团体管理暂行办法》、《山西省建设厅厅属社会团体财务管理暂行规定》和《山西省房地产业协会章程》，制定本办法。

第二条　本协会严格执行国家财政法规和《会计基础工作规范》，按照《民间非营利组织会计制度》进行会计核算。

第三条　本协会从事会计工作的人员必须取得会计从业资格证书，遵守国家法律、法规，严格执行有关财务、税务制度和政策规定。

第二章　收　入

第四条　本协会收入主要包括：

（一）会费收入；

（二）在业务范围内开展活动或者提供服务的收入；

（三）捐赠及赞助收入；

（四）政府补助收入；

（五）创办经济实体的收入；

（六）利息；

（七）其他合法收入。

第三章　支　出

第五条　本协会的收入必须用于协会章程规定的业务范围和协会的发展，必须遵守国家规定的财务制度和财经纪律，本着节约使用、收支平衡、留有余地、有利发展原则，结合年度工作计划编制预算，合理安排支出。

第六条　本协会支出主要包括业务活动成本、管理费用、筹资费用和其他费用。主要内容有：

（一）人员支出：指支付给专职工作人员和聘用人员的各类劳动报酬（包括基本工资、各项津贴、奖金等），为上述人员缴纳的各项社会保障费，按工资的一定比例提取的职工福利费、职工教育经费、职工工会经费等。

（二）日常公用支出：指耗用办公用品、专用材料和劳务的支出。包括办公费、专用材料支出、印刷费、劳务费、水电费、邮寄费、电话通讯费、取暖费、物业管理费、交通费、差旅费、维修费、租赁费、会议费、招待费等。

（三）设备购置支出：指按固定资产管理的资产购置，包括办公设备购置、车辆购置、图书购置、档案设备购置等；

（四）基本业务活动支出：指依照协会章程开展技术服务、业务咨询、人才培训、学术交流、宣传展览等基本活动的费用；

（五）资料支出：订购报刊、书籍、学术资料，编印发行经有关部门批准的会刊、通讯和专业技术刊物等；

（六）固定资产折旧和大修理支出：指固定资产发生的折旧和大修理支出；

（七）其他的合理开支。

以上各项支出，按业务性质分别计入业务活动成本及各项费用中。

第七条　本协会的各项支出执行国家财务规章制度规定的开支范围和开支标准，必须取得合法的原始凭证，并按规定程序审核后方可办理支出。

第八条　本协会的支出应当严格执行财务支出审批制度。

（一）已在预算中安排的支出，经会计对支出项目是否符合财会制度及有关规定、支出票据是否真实有效等进行合法性和真实性审查后，由秘书长审批。

（二）未在预算中安排的支出，经会计对支出项目是否符合财会制度及有关规定、支出票据是否真实有效等进行合法性和真实性审查后，单笔支出在5000元以下的由秘书长审批，5000元及以上的由会长或者会长委托审批。

第四章　资产管理

第九条　本协会的资产包括固定资产和其他物资材料。

（一）固定资产指一般设备单位价值在500元以上、专用设备单位价值在800元以上，使用期限超过1年的有形资产。包括一般设备、专用设备、交通工具、陈列品、图书和其他固定资产等。

（二）物资材料是指库存的物资材料以及达不到固定资产标准的工具、器具、低值易耗品等。

第十条 加强资产管理工作。

（一）做好各项资产的日常管理工作，建立固定资产账簿、卡片台账，做到账账、账实相符、使用管理手续完善。对符合固定资产条件的购置性支出，要同时登记固定资产明细账和固定资产台账。接受捐赠的固定资产，应当按照有关凭据上标明的金额作为入账价值；没有提供凭据的，以同类资产的市场价格登记入账。

（二）原值在2万元及以上的资产购置，须事先向省住建厅计财处提出书面报告，经批准后方可购置。

（三）原值在1万元以上的资产处置，须经会长办公会议研究决定，并提交资产处置申请（写明申请处置原因、处置资产情况、处置形式等），填报资产处置审批表，报省住建厅计财处审核、分管厅领导批准后办理。对应当进行评估的资产，要按照规定进行资产评估，并将评估结果在会长办公会议上通报。对有偿转让的资产，由省住建厅组织进行竞购或者拍卖。对外借款在1万元以上的，须经会长办公会议集体研究决定，并与借款方签订借款合同。

第十一条 协会财务管理人员应当结合本协会具体情况，建立固定资产的明细台账，每年末进行一次核实清查。

第十二条 本协会的资产管理必须执行国家规定的财务管理制度，接受会员代表大会和财政部门的监督。资产来源属于国家拨款或者社会捐赠、资助的，必须接受审计机关的监督，并以适当方式向会员公布。任何单位和个人不得侵占、私分和挪用。

第五章 财务管理与监督

第十三条 本协会应当根据国家有关规定建立健全各项财务管理制度。

第十四条 本协会配备具有专业资格的会计人员。

（一）财务人员应当明确职责权限，必须做到账、钱分管。会计、出纳不得一人兼任，出纳不得兼管稽核、会计档案保管和收入、费用、债权债务账目的登记工作。非出纳人员不得经管现金、有价证券和票据（不含支票），银行印鉴、票据必须分别保管，领交票据应当有完整的记录登记。

会计人员负责进行收入、支出和结余以及往来款项的会计核算，向有关部门报送会计报表；登记总分类帐，收支往来明细分类和固定资产明细帐；审核支出事项的合法性及票据的真实性；每月列出财务收支清单报告会长和秘书长。

出纳人员负责现金支付（现金提取、保管）和日常报销业务；办理与银行的资金往来结算业务；登记现金日记帐和银行存款日记款；按规定向交费单位开具票据；负责现金日记帐与库存现金的核对和银行存款日记帐与银行存款数额的核对；保管有关印章。

（二）财务人员应当严格执行国家规定的会计制度，确保真实、完整地提供会计信息。财务人员调动工作或者离职时，要照《中华人民共和国会计法》规定的程序将本人所经管的财务工作全部移交给接替人员，没有办清交接手续的，不得调动或者离职。

第十五条 本协会设立、变更银行帐号和刻制财务专用章等事宜按照有关规定办理。本协会只设立一个基本户帐号，银行账号不得出租、出借和转让给其他单位或者个人使用。

第十六条 本协会依照有关规定办理税务登记，除会费收入外使用税务部门监制的票据，依法纳税。

第十七条 本协会应当严格执行财务预算管理，实行先收后支，合理支出。每年年底前应当编制下一年度财务预算报告，报理事会批准后实施。

第十八条 本协会必须按照国家有关会计制度的规定，定期编制财务报告，接受有关部门的检查和审计监督。年度财务报告经理事会审议，向会员代表大会报告。

第十九条 本协会的财务管理接受理事会和会员代表大会的监督。对违反国家有关财务制度的财务收支，财务人员有义务和有权拒绝执行，必要时应当向业务主管部门及有关部门如实反映。

第二十条 本协会每年必须按规定对期末财务状况进行审计并办理社团年检，年检报送资料先报省住建厅社团办。换届或者更换法定代表人之前，必须接受社会团体登记管理机关和业务主管单位组织的财务审计。

第二十一条 本协会自行终止、注销时，应当在业务主管部门及有关机关的监督指导下做好清理债权债务工作。本协会终止后的剩余财产，在业务主管单位和社团登记管理机关的监督下，按照国家有关规定用于发展与本协会宗旨相关的事业。

第六章 附 则

第二十二条 本办法未尽事宜执行《山西省社会团体财务管理暂行规定》和《山西省建设厅社会团体财务管理暂行规定》。

第二十三条 本办法经2011年11月17日协会会长办公会议通过。

第二十四条 本办法由协会秘书处负责解释。

第二十五条 本办法自印发之日起施行。

山西省房地产业协会
公文处理办法

（2011年11月17日会长办公会议通过）

为使协会公文处理工作制度化、规范化、科学化，提高公文处理效率和公文质量，参照上级机关公文处理办法，制定本办法。

一、公文办理

（一）公文办理包括发文和收文，发文包括拟稿、审批、签发、编号、办理和归档；收文包括签收、登记、审批、办理和归档。

（二）公文办理应当做到及时、准确、安全，规范；机要公文管理应当按照公文密级要求办理。

（三）协会秘书处是协会公文处理的管理机构，统一管理协会和各办事机构、分支机构、代表机构、实体机构的公文处理工作。

二、公文种类

协会的公文种类主要有：

（一）决定：适用于对重要事项或者重大行动作出安排部署。

（二）意见：适用于对重要问题提出见解和处理办法。

（三）通知：适用于传达上级机关指示，转发上级机关和不相隶属机关的公文，传达要求所属机构办理和需要会员周知或者执行的事项，任免人员。

（四）通报：适用于表彰先进，批评错误，传达重要精神或者情况。

（五）报告：适用于向上级机关汇报工作，反映情况，提出意见或者建议，答复上级机关的询问。

（六）请示：适用于向上级机关请求指示、批准。

（七）函：适用于与不相隶属机关单位商洽工作，询问和答复问题。

（八）会议纪要：适用于记载、传达会议情况和议定事项。

三、公文格式

（一）协会公文由协会发文标识、发文字号、标题、主送机关单位、正文、附件说明、成文日期、印章、主题词、抄报机关、抄送机关单位、附件等部分组成。

1、协会发文标识由协会全称加“文件”组成，特定公文只标识协会全称。

2、发文字号，包括协会代字、年份、顺序号。

3、标题应当准确简要地概括公文的主要内容，标明公文种类。

4、公文如有附件，应当注明附件顺序和名称。

5、公文除会议纪要外，应当加盖协会印章。

6、公文落款处不署协会名称，只标识成文时间，加盖协会印章；印章必须与正文同处一面。

7、成文时间以协会领导签发日期为准。

8、文件应当按照规定标注主题词。

（二）公文中各组成要素标识规则，参照《国家行政机关公文格式》执行。

（三）公文用纸一般采用国际标准A4型(210mm×297mm)，左侧装订。

四、行文规则

（一）行文应当确有必要，注重效用。

（二）行文内容应当是本协会业务范围内的事项，不得越权行文。

（三）重要行文，应当同时抄报上级机关。

（四）请示应当一文一事，一般只写一个主送机关，需要同时送相关机关部门的，应当用抄送形式。

（五）报告不得夹带请示事项。

五、发文办理

（一）发文办理指以本协会名义制发公文的过程，包括草拟、审核、签发、编号、复核、缮印、用印、登记、分发等程序。

（二）草拟公文应当做到：

1、符合国家的法律、法规及其他有关规定。

2、情况确实，观点明确，表述准确，结构严谨，条理清楚，字词规范，标点正确，篇幅力求简短。

3、文种应当根据行文目的、协会的业务范围和与主送机关单位的行文关系确定。

4、人名、地名、数字、引文准确。引用公文应当先引标题，后引发文字号。引用外文应当注明中文含义。日期应当写明具体的年、月、日。

5、结构层次序数，第一层为“一、”，第二层为“（一）”，第三层为“1.”，第四层为“(1)”，第五层为①。

6、应当使用国家法定计量单位。

7、使用非规范化简称，应当先用全称并注明简称。使用国际组织外文名称或其缩写形式，应当在第一次出现时注明准确的中文译名。

8、公文中的数字，除成文日期、部分结构层次序数和在词、词组、惯用语、缩略语、具有修辞色彩语句中作为词素的数字必须使用汉字外，应当使用阿拉伯数字。

（三）协会公文由秘书处负责起草，起草时应当征求有关副会长意见；协会所属机构以协会名义印发的公文，由该机构负责起草，秘书处统一办理。

（四）公文送领导签发前，应当由秘书处进行审核。审核的重点是：是否确需要行文，行文方式是否妥当，是否符合行文规则和拟制公文的有关要求，公文格式是否符合本办法的规定等。

（五）以协会名义制发的上行文，由会长签发；下行文或者平行文，根据行文内容由会长、秘书长或者会长授权的其他负责人签发。

（六）公文正式印制前，秘书处应当进行复核。复核的重点是：审批、签发手续是否完备，附件材料是否齐全，格式是否统一、规范等。

六、收文办理

（一）收文办理指对收到公文的办理过程，包括签收、登记、审核、拟办、批办、承办、催办等程序。

（二）秘书处或者其他机构收到交办的公文后应当及时办理，不得延误、推诿。紧急公文应当按照时限要求办理，确有困难的应当及时予以说明。

（三）收到上级机关下发或者交办的公文，由秘书处提出拟办意见，送秘书长或者会长批示后办理。

（四）送领导批示或者交有关机构办理的公文，由秘书处负责催办。

七、公文归档

（一）公文办理完毕后，应当根据《中华人民共和国档案法》和其他有关规定，及时整理、立卷、归档。个人不得保存应当归档的公文。

归档范围内的公文，应当根据其相互联系、特征和保存价值等整理立卷。归档范围内的公文应当确定保管期限，按照有关规定定期向档案部门移交。

以协会名义制发的公文由秘书处将审批稿、正本（一式两份）和有关材料原件收集、整理、立卷、归档。

八、公文管理

（一）公文由秘书处专职人员统一收发、登记、审核、编号、用印、归档和销毁。

（二）不具备归档和存查价值的公文，经过鉴别并经秘书长批准，可以销毁。

（三）销毁秘密公文应当到指定场所由二人以上监销，保证不丢失、不漏销。其中，销毁绝密公文（含密码电报）应当进行登记。

（四）工作人员调离工作岗位时，应当将本人暂存、借用的公文按照有关规定移交、清退。

九、本办法自印发之日起施行。

山西省房地产业协会
印章管理规定

（2011年11月17日会长办公会议通过）

第一条 为加强协会印章管理，确保合理规范使用印章，制定本规定。

第二条 本规定所称印章，是指协会及协会所属工作机构印章、协会法定代表人专用名章和财务专用章。

第三条 印章的刻制和启用统一由协会秘书处负责办理。

第四条 协会印章和协会法定代表人公务专用名章由协会秘书处管理，协会各工作机构印章由该机构负责人管理，协会财务专用章和协会法定代表人财务专用名章由协会财务人员管理。

第五条 所有印章均须指定专人保管，未经领导批准，不得委托非保管人员代管。

第六条 任何人不得擅自携带印章外出和在空白纸上加盖印章。因特殊情况确需携带印章外出或者在空白纸上加盖印章，须经领导批准。在空白纸上加盖印章，应当注明用途和有效期；空白介绍信要同时在存根上注明用途和有效期。

第七条 使用印章须履行审批手续。使用协会印章，除公文和介绍信外，均需进行登记，注明用印日期、用途、经手人、用印人和批准人。

第八条 本规定自印发之日起施行。

山西省房地产业协会
物业管理工作部工作条例

（山西省房地产业协会物业管理工作部
第一次成员单位代表会议2011年12月8日通过）

第一章 总 则

第一条 为了加强和规范山西省房地产业协会物业管理工作部的工作，根据《山西省房地产业协会章程》，制定本条例。

第二条 山西省房地产业协会物业管理工作部是山西省房地产业协会联系相关会员单位的专业性工作机构，不具备独立法人资格，在山西省房地产业协会的领导和业务主管部门的指导下开展工作。

第三条 山西省房地产业协会物业管理工作部办公地点设在山西省太原市建设北路85号。

第二章 业务范围

第四条 山西省房地产业协会物业管理工作部的业务范围：

（一）贯彻执行国家有关物业管理的法律法规和政策规定，组织开展行业调查研究，提出行业改革发展和法规政策等方面的建议；协助主管部门制定、实施行业发展规划和有关法规规章，推进行业管理，协调执行中出现的问题。

（二）组织制定行规行约，推进行业诚信建设，建立完善行业自律性管理约束机制，规范行业行为，树立行业良好形象，维护平等竞争的市场环境。

（三）向主管部门和相关部门反映成员单位的合理要求和意愿，维护成员单位的合法权益；加强与物业管理有关的组织及单位的合作，推动企业横向经济联合和技术进步，提高全行业的经济效益和社会效益；组织进行工作研讨和经验交流，为成员单位提供法律、政策、技术、管理和市场等咨询服务。

（四）受主管部门委托，承担行业培训及有关评比表彰活动的相关工作；协助主管部门做好行业统计工作。

（五）了解和掌握国内外行业发展动态，及时收集、发布行业信息。

（六）积极开展与省外同行业社团组织的友好交往，组织开展对外交流与合作。

（七）承担主管部门和协会委托办理的其他事项。

（八）根据需要开展有利于行业发展的其他活动。

第五条 本工作部的工作计划和重大活动须事先报协会常务理事会审定，由协会秘书处统一协调。

第三章 成员单位

第六条 在本省区域内从事物业管理及与物业管理相关的企事业单位、科研院校等，经批准可以成为本工作部成员单位。

第七条 本工作部成员单位均为山西省房地产业协会会员单位或者会员单位所属机构，享有协会会员相应的权利，并履行相应的义务。

第四章 组织机构

第八条 本工作部由成员单位代表会议选举产生，由主任、副主任和若干成员组成，任期与协会理事会同步。

第九条 热心物业管理业务并且具有一定理论基础或者实践经验的专家、学者、社会知名人士，经批准可以当选为本工作部成员。

第十条 工作部组成人员因机构、人事变动或者其他原因不在原推荐单位工作时，其成员资格自动消失，缺额可由原推荐单位另行推荐，按程序予以调整。

第十一条 工作部的领导机构是主任会议，由主任召集和主持，副主任和成员参加。主任会议须有三分之二以上成员出席方能召开，其决议须经到会成员三分之二以上表决通过方能生效。

第十二条 主任会议每半年至少召开一次，必要时可以采用通讯形式召开。

第十三条 成员会确定一名副主任负责处理日常工作。各成员单位确定一名联络员，负责与工作部的工作联系。

第五章 经费管理和使用

第十四条 本工作部的经费来源：

（一）成员单位交纳的协会会员会费；

（二）在核准的业务范围内开展活动或者服务的收入；

（三）捐赠及赞助；

（四）政府和协会资助；

（五）利息；

（六）其他合法收入。

第十五条 本工作部的经费由协会单独记账，统一管理。

第六章 附 则

第十六条 本条例经 2011 年 12 月 8 日第一次成员单位代表会议表决通过。

第十七条 本条例的解释权属本工作部。

第十八条 本条例自协会会长办公会议批准实施之日起生效。

山西省房地产业协会
房地产交易与产权工作部工作条例

（山西省房地产业协会房地产交易与产权工作部第一次成员单位全体会议2011年12月20日通过）

第一章 总 则

第一条 为了加强和规范山西省房地产业协会房地产交易与产权工作部的工作，根据《山西省房地产业协会章程》，制定本条例。

第二条 山西省房地产业协会房地产交易与产权工作部是山西省房地产业协会联系相关会员单位的专业性工作机构，不具备独立法人资格，在山西省房地产业协会的领导和业务主管部门的指导下开展工作。

第三条 山西省房地产业协会房地产交易与产权工作部办公地点设在山西省太原市建设北路85号。

第二章 业务范围

第四条 山西省房地产业协会房地产交易与产权工作部的业务范围：

（一）贯彻执行国家有关房地产产权交易和房地产权属登记管理的法律法规和政策规定，组织开展调查研究，提出规范房地产交易秩序、加强房地产产权管理的意见和建议；协助主管部门制定实施房地产交易及产权管理的改革方案、工作规划和法规政策，协调执行中出现的问题。

（二）组织制定行规行约，建立和完善成员单位自律机制，规范成员单位管理行为，树立成员单位良好形象。

（三）向主管部门和相关部门反映成员单位的合理要求和意愿，维护成员单位的合法权益。

（四）组织进行工作研讨和经验交流，为成员单位提供法律、政策、技术、管理和市场咨询服务。

（五）受主管部门委托，承担本专业业务培训及有关评比表彰活动的相关工作。

（六）协助主管部门做好相关统计工作，及时发布省内外房地产交易和房地产权属登记管理工作的动态信息。

（七）积极开展与省外同类社团组织工作机构的友好交往，组织开展对外交流与合作。

（八）承担主管部门和协会委托办理的其他事项。

第五条 本工作部的工作计划和重大活动须事先报协会常务理事会审定，由协会秘书处统一协调。

第三章 成员单位

第六条 在本省区域内从事房地产产权交易和房地产权属登记管理业务的工作机构及与房地产交易和产权管理相关的企事业单位、科研院校等，经批准可以成为本工作部成员单位。

第七条 本工作部成员单位均为山西省房地产业协会会员单位或者会员单位所属机构，享有协会会员相应的权利，并履行相应的义务。

第四章 组织机构

第八条 本工作部由成员单位全体会议选举产生，由主任、副主任和若干成员组成，任期与协会理事会同步。

第九条 热心房地产交易和产权管理业务并且具有一定理论基础或者实践经验的专家、学者、社会知名人士，经批准可以当选为本工作部成员。

第十条 工作部组成人员因机构、人事变动或者其他原因不在原推荐单位工作时，其成员资格自动消失，缺额可由原推荐单位另行推荐，按程序予以调整。

第十一条 工作部的领导机构是主任会议，由主任召集和主持，副主任和成员参加。主任会议须有三分之二以上成员出席方能召开，其决议须经到会成员三分之二以上表决通过方能生效。

第十二条 主任会议每半年至少召开一次，必要时可以采用通讯形式召开。

第十三条 工作部确定一名副主任负责处理日常工作。各成员单位确定一名联络员，负责与工作部的工作联系。

第五章　经费管理和使用

第十四条　本工作部的经费来源：

（一）成员单位交纳的协会会员会费；

（二）在核准的业务范围内开展活动或者服务的收入；

（三）捐赠及赞助；

（四）政府和协会资助；

（五）利息；

（六）其他合法收入。

第十五条　本工作部的经费由协会单独记账，统一管理。

第六章　附　则

第十六条　本条例经 2011 年 12 月 20 日第一次成员单位全体会议表决通过。

第十七条　本条例的解释权属本工作部。

第十八条　本条例自协会会长办公会议批准实施之日起生效。

山西省房地产业协会
第三届理事会会长、副会长、秘书长名单

（经2011年10月19日山西省房地产业协会
第三会员代表大会选举通过）

会　长：

于世玮　山西建筑职业技术学院原院长

副会长：

赵富英　原省房改办副主任
翟振新　省统计局副局长
成　宏　山西建筑职业技术学院院长
李　庆　省纪委原副厅级检查员
张银元　山西煤炭运销集团有限公司副总经理、
　　　　山西万景源房地产开发有限公司董事长
崔学锋　太原市住房和城乡建设委员会副主任
张双娥　太原市房地产业协会会长
杨　设　大同市房产管理局局长
郑耀东　阳泉市住房保障和城乡建设局副局长、
　　　　阳泉市房地产业协会会长
张学锋　山西省建筑设计研究院院长
裴小波　运城市金鑫房地产有限公司董事长
苑俊生　山西华夏房地产开发有限公司董事长
陈新华　山西骅燕置业有限公司董事长
李建明　山西龙昌房地产开发有限公司董事长
李海龙　大同翔龙集团董事长
贾云植　山西云馨物业管理有限责任公司董事长
白武魁　辰兴房地产发展股份有限公司总经理

秘书长：

段燕临　省住房和城乡建设厅信息中心

山西省房地产业协会
第三届理事会常务理事名单

（按姓氏笔画为序）

于世玮　山西建筑职业技术学院原院长
于丽萍　省住房和城乡厅村镇建设处处长
卫长义　中房集团山西天泰房地产开发有限公司董事长
马金生　山西金厦房地产开发有限公司董事长
马建生　晋中市住房保障和城乡建设管理局副局长
马培生　山西财经大学副校长
王　原　省住房和城乡建设厅建筑安全监督站站长
王士铎　山西四建集团有限公司董事长
王风英　省住房和城乡建设厅标准定额处处长
王长安　山西新弘祺房地产开发有限公司董事长
王永生　山西省宏图永盛房地产开发有限公司董事长
王尧邦　朔州市住房保障和城乡建设管理局副局长
王明福　忻州市住房公积金管理中心主任
王建军　晋中市房地产交易中心主任
王政伟　晋中市房地产业协会会长
牛焕德　太原市房地产交易所所长
邓永红　山西蓝泰物业管理有限公司总经理
田凤杰　阳泉太行房地产开发有限公司总经理
田文林　省住房和城乡建设厅房地产市场监管处调研员
史红权　省住房和城乡建设厅办公室主任
白武魁　辰兴房地产发展股份有限公司总经理
冯玉祥　太原市房地产开发协会会长
边宝莲　省住房和城乡建设厅城镇规划建设发展中心主任
台俊民　省住房和城乡建设厅标准定额处处长
成　宏　山西建筑职业技术学院院长
毕兴锁　省建筑科学研究院院长
吕文珍　忻州市房地产交易登记中心主任
朱　强　省体育局体育设施建设管理中心主任
乔建峰　山西省第五建筑工程公司总经理
任金彪　山西东方紫光房地产开发有限公司董事长
任永平　山西国电置业有限公司董事长
刘　庆　太原庆民房地产开发有限责任公司董事长
刘文斌　省统计局固定资产投资处处长
刘玉坤　省住房和城乡建设厅法规处处长
刘卯才　省住房和城乡建设厅建设工程保险与担保管理办公室主任
刘志军　吕梁市住房保障和城乡建设管理局副局长、吕梁市房产管理局局长
刘跃生　省住房和城乡建设厅稽查办公室主任
祁跃华　山西晋建房地产开发公司总经理
许立新　省住房和城乡建设厅城市建设档案馆馆长
阮　晶　山西飞云房地产开发有限公司董事长
孙全明　临汾市五洲物业管理有限公司总经理
远勤山　山西通达集团运城房地产开发有限责任公司董事长
杜　敏　临汾市住房保障和城乡建设管理局副局长
杜在兴　大同市睿和新城物业管理有限责任公司总经理
杜临学　省住房和城乡建设厅人事教育处处长
杜根文　太原北晨综合开发有限责任公司总经理
李　庆　省纪委原副厅级检查员
李　瑞　晋城市房地产业协会会长
李　霞　太原市华龙泰房地产开发有限公司副总经理
李光通　太原达人物业管理有限公司总经理
李志锋　山西翰思正道投资顾问有限公司董事长
李志成　山西晋业房地产开发公司董事长
李延英　省住房和城乡建设厅计划财务处处长
李秀亭　长治市房地产业协会会长
李明德　朔州市房产管理局局长、朔州市房地产业协会秘书长
李建明　山西龙昌房地产开发有限公司董事长
李春光　山西阳光集团开发有限公司董事长
李海龙　大同翔龙集团董事长
李督文　山西六建集团有限公司董事长
杨　设　大同市房产管理局局长
杨志家　太原城市职业技术学院院长
杨敬典　山西金地房地产开发建设集团有限公司总经理
杨雷平　山西省第三建筑工程公司总经理
吴文祥　山西全顺房地产开发有限公司董事长
宋兵虎　省城乡建设学校校长
张　和　大同市房地产业和物业管理协会会长
张　峰　太原市房地产产权登记中心主任
张　海　省住房和城乡建设厅城市建设处处长
张双娥　太原市房地产业协会会长

张学峰　省建筑设计研究院院长
张建民　山西铭基房地产开发有限公司董事长
张建民　山西合力房地产开发有限公司董事长
张剑英　阳泉市人民政府拆迁办公室主任
张培泉　省住房和城乡建设厅纪检监察室主任
张润生　大同凯德物业服务有限责任公司总经理
张萍梅　运城市住房保障和城乡建设管理局副局长
张银元　省煤炭运销公司副总经理、
山西万景源房地产开发有限公司董事长
陈玉生　山西省工业设备安装公司总经理
陈美善　晋中华晟房地产开发有限公司董事长
榆次区安居住宅合作社主任
陈新华　山西骅燕置业有限公司总经理
幸有文　大同煤矿集团宏建房地产开发有限责任公司董事长
苑俊生　山西华夏房地产开发有限公司董事长
林　经　山西太重兴业投资发展有限公司
山西兴业房地产公司董事长
相立军　太原富力城房地产开发有限公司董事长
周文选　大同市绿园物业管理有限责任公司总经理
周丽萍　运城御苑置业有限公司董事长
周尚文　山西建筑职业技术学院副院长
周晓涛　运城市房地产业协会会长
周喜文　忻州市房地产业协会会长
周翠芬　省住房和城乡建设厅建筑与勘察设计市场监管处处长
郑耀东　阳泉市住房保障和城乡建设管理局副局长、
阳泉市房地产业协会会长
赵　梅　省住房和城乡建设厅宣传中心主任
赵　斌　山西省第八建筑工程公司总经理
赵富英　省房改办原副主任
赵新中　省广播电视局宣传处副处长
郝竹青　省住房和城乡建设厅综合处处长
郝增元　省住房和城乡建设厅建筑节能与科技处处长
胡孟卿　省勘察设计研究院院长
要　鸣　山西汇远房地产开发公司总经理
段燕临　省住房和城乡建设厅信息中心
俞应华　山西丽华房地产开发有限公司总经理
宣为民　临汾市房地产业协会会长
姚少峰　省重点工程建设办公室主任
秦英广　山西广鑫房地产开发有限责任公司董事长
秦惠来　山西鑫梓房地产开发有限公司董事长
项连斌　省住房和城乡建设厅工程质量安全监管处处长
袁惠芬　省住房和城乡建设厅机关党委专职副书记
贾云植　山西云馨物业管理有限责任公司董事长
贾迎泽　省住房和城乡建设厅设计审核室主任
贾树彬　省重点工程建筑技术服务中心主任
顾朝晖　恒大地产集团太原有限公司董事长
徐　博　山西坤杰房地产开发有限公司董事长
高　潮　大同市房屋产权产籍管理中心主任
高玉武　大同煤矿集团鹏程物业管理有限责任公司总经理
郭　瑜　省住房和城乡建设厅工程建设标准定额站站长
郭玉增　吕梁市住宅合作社主任
郭永明　晋中市人民政府拆迁办公室主任
郭永钢　大同阳光嘉业房地产开发有限责任公司董事长
郭廷儒　省住房和城乡建设厅城乡规划处处长
郭志宏　太原市住房和城乡建设委员会房地产开发管理处处长
郭俊思　山西晋联房地产开发有限公司总经理
郭舒昌　太原晋东房地产开发有限公司总经理
崔明祥　山西佳泰物业管理有限公司总经理
崔学锋　太原市住房和城乡建设委员会副主任
崔晋宏　山西东泰房地产开发有限公司董事长
康建斌　太原市房产管理局副局长
阎玉变　省住房和城乡建设厅住房公积金监管处处长
梁昌春　太原化学工业集团房地产开发有限公司总经理
梁建民　山西省建设科技推广与建筑节能监管中心主任
梁晓军　省住房和城乡建设厅住房保障处处长
董成俊　忻州市住房保障和城乡建设管理局副局长
董建国　山西博雅都园房地产开发有限公司董事长
韩　岗　大同市房产管理局副局长
韩丽明　阳泉丽玉房地产开发有限责任公司董事长
韩建宏　山西信通联科工贸有限公司总经理
程永平　省住房和城乡建设厅房地产市场监管处处长
温　刚　山西省第二建筑工程公司总经理
温贵云　省住房和城乡建设厅建设信息中心主任
裴小波　运城市金鑫房地产有限公司董事长
裴天德　晋城市住房保障和城乡建设管理局副局长
翟顺河　省城乡规划设计研究院院长
翟振新　省统计局副局长
薛团明　省住房和城乡建设厅住房改革与发展处处长
澹台印玉　山西省第一建筑工程公司总经理

山西省房地产业协会
第三届理事会理事名单

（按姓氏笔画为序）

于广荣　吕梁创新房地产开发有限公司董事长
于世玮　山西建筑职业技术学院原院长
于志平　阳泉市城区房地产开发有限公司董事长
于丽萍　省住房和城乡建设厅村镇建设处处长
万福生　山西鼎胜房地产开发有限公司董事长
卫长义　中房集团山西天泰房地产开发有限公司董事长
卫忠平　太原市富佳房地产开发有限公司董事长
卫彩霞　长治市怡昌房地产开发有限公司总经理
卫慧明　中汇房地产开发有限公司总经理
马　薇　山西银丰房地产开发有限公司副总经理
马金生　山西金厦房地产开发有限公司董事长
马建生　晋中市住房保障和城乡建设管理局副局长
马贵成　大同市睿和兴业房地产开发有限责任公司董事长
马培生　山西财经大学副校长
马堂宽　山西鑫马房地产开发有限公司董事长
马敏儒　朔州市东方房地产有限责任公司总经理
王　秀　山西中元房地产开发有限公司总经理
王　实　吕梁市房地产登记中心主任
王　胜　山西建筑职业技术学院
王　姝　阳泉市房地产交易中心主任
王　原　省住房和城乡建设厅建筑安全监督站站长
王　毅　大同市鑫和物业管理有限责任公司董事长
王士铎　山西四建集团有限公司董事长
王小刚　山西科隆泰开发公司经理
王五宝　临汾市房屋拆迁管理办公室主任
王长安　山西新弘祺房地产开发有限公司董事长
王文荣　闻喜县民生房地产开发有限公司总经理
王玉芳　山西鸿辰房地产开发有限公司总经理
王玉梅　山西瀚达房地产开发有限公司董事长
王冬鸽　闻喜县红鑫房地产开发有限公司总经理
王永生　山西省宏图永盛房地产开发有限公司董事长
王扣英　太原市福泓地产开发有限公司董事长
王有德　晋中市住房保障和城乡建设管理局房产科科长
王存钧　阳泉市瑞丰房地产开发有限公司总经理
王尧邦　朔州市住房保障和城乡建设管理局副局长
王创全　长治市启越房地产开发有限公司董事长
王军海　朔州市海源房地产开发有限公司董事长
王志刚　垣曲县隆昌房地产开发有限公司总经理
王志强　太原青龙房地产开发有限公司总经理
王丽秀　运城市锦博渊房地产开发有限公司总经理
王连亮　汾阳市嘉业房地产开发有限公司董事长
王秀卿　山西建筑职业技术学院校企合作与培训部主任
协会培训部主任
王良伟　忻州市华洋房地产开发有限公司总经理
王茂新　山西宇佳房地产开发有限公司总经理
王国庆　阳泉市恒大房地产开发有限公司总经理
王明福　忻州市住房公积金管理中心主任
王治宪　山西工程职业技术学院副院长
王学春　阳泉市豪门房地产开发有限公司董事长
王宝宝　吕梁市永宁集团房地产开发有限公司董事长
王建军　晋中市房地产交易中心主任
王建忠　大同市浩海地产置业有限责任公司董事长
王政伟　晋中市房地产业协会会长
王贵珍　朔州市溢源居房地产开发有限公司总经理
王前进　晋城市前胜房地产开发有限公司董事长
王爱唐　山西三晋建设开发公司董事长
王海法　山西瑞驰房地产开发有限公司董事长
王继龙　阳城县佳地房地产开发有限责任公司总经理
王彩萍　临汾市房地产管理局房屋登记中心主任
王喜明　太原市鸿峰房地产建设有限公司董事长
王喜鸿　太原钢铁（集团）有限公司民用建设开发公司
董事长
王敬耀　运城市运泰房地产开发有限公司总经理
王福喜　阳泉市福祥房地产开发有限公司董事长
王巍明　山西万佳物业服务有限公司总经理
支国梁　山西盛地房地产开发有限公司总经理
牛　俊　太原市迎泽区城市建设综合开发公司董事长
牛小姝　长治市仙龙房地产开发有限公司总经理
牛焕德　太原市房地产交易所所长
尹代伟　山西宝洁房地产开发有限公司总经理

邓永红 山西蓝泰物业管理有限公司总经理
厉以彭 太原市商业建设综合开发有限公司董事长
叶新荣 山西平朔房地产开发有限公司总经理
申新年 山西龙翼房地产开发有限公司董事长
田 刚 大同宝通房地产开发有限责任公司董事长
田 宏 太原市美嘉乐物业管理有限公司总经理
田 峰 《山西房地产》编辑部主任
田凤杰 阳泉太行房地产开发有限公司总经理
田文林 省住房和城乡建设厅房地产市场监管处调研员
田宝云 山西澳林百和房地产开发有限公司董事长
田晓红 山西帝景房地产开发公司董事长
史 松 朔州市同兴房地产开发有限公司董事长
史永峰 大同市御河房地产建设有限责任公司董事长
史百芳 临猗县锦达房地产开发有限公司董事长
史红权 省住房和城乡建设厅办公室主任
史珏文 阳泉市阳光房地产开发有限公司董事长
冉翔天 山西力通房地产开发有限公司总经理
代会斌 阳泉市滨江房地产开发有限公司董事长
白世斌 和顺县建安房地产开发有限公司董事长
白仲玉 太原中和房地产开发公司董事长
白武魁 辰兴房地产发展股份有限公司总经理
冯 旺 晋城市华威房地产开发有限公司总经理
冯文彬 朔州市三源房地产开发有限责任公司总经理
冯玉祥 太原市房地产开发协会会长
冯爱民 山西闻汇房地产开发有限公司董事长
司永胜 晋城市凤展房地产开发有限公司总经理
边宝莲 省住房和城乡建设厅城镇规划建设发展中心主任
台俊民 省住房和城乡建设厅标准定额处处长
邢丑锁 昔阳县新安房地产开发有限公司董事长
邢占勇 山西铁诚房地产开发有限公司董事长
戎占伟 朔州市恒力源房地产开发有限公司总经理
吉克峰 临汾吉宇房地产开发有限公司总经理
成 义 文水县环博房地产开发有限公司总经理
成 宏 山西建筑职业技术学院院长
成现敏 大同市浩达房地产开发有限责任公司总经理
成贵生 吕梁云栋房地产开发有限公司董事长
毕兴锁 省建筑科学研究院院长
光美华 太原市恒达世行房地产顾问有限公司董事长
吕文珍 忻州市房地产交易登记中心主任
吕全新 太原锦宏物业管理有限公司总经理
朱 强 省体育局体育设施建设管理中心主任
朱林生 运城市盛世广厦房地产开发有限公司董事长
朱海莲 晋中银海房地产开发有限公司董事长
乔建峰 山西省第五建筑工程有限公司总经理
乔福安 山西华强房地产开发有限公司董事长
任金彪 山西东方紫光房地产开发有限公司董事长
任建辉 临汾平阳房地产开发有限公司董事长
任崇文 山西金海洋房地产开发有限公司总经理
刘 冯 太原通达建设发展有限公司总经理
刘 庆 太原庆民房地产开发有限责任公司董事长
刘 瑜 山西鑫大华房地产开发有限公司总经理
刘千里 山西千里集团董事长
刘月朝 大同市梦园房地产开发有限责任公司总经理
刘文斌 省统计局固定资产投资处处长
刘玉坤 省住房和城乡建设厅法规处处长
刘玉波 平陆欧达房地产开发有限公司董事长
刘卯才 省住房和城乡建设厅建设工程保险与担保管理办公室主任
刘同顺 山西同顺房地产开发有限公司董事长
刘先明 忻州市房产管理局开发科科长
刘会民 绛县飞龙房地产开发有限公司董事长
刘志军 吕梁市住房保障和城乡建设管理局副局长、吕梁市房产管理局局长
刘利猛 长治市房地产交易管理处处长
刘忠山 怀仁县宏玉房地产开发有限责任公司董事长
刘忠森 山西天茂房地产开发有限公司总经理
刘彦斌 阳泉市天峰房地产开发有限公司董事长
刘跃生 省住房和城乡建设厅稽查办公室主任
刘银栋 山西成诚律师事务所主任
协会法律事务部主任
刘增军 大同市铁建房地产开发有限责任公司董事长
齐安国 临汾市富安房地产开发有限公司董事长
齐惠卿 洪洞县连三房地产开发有限公司董事长
齐聪文 太原市房产管理局物业管理处处长
关生唐 省第二建筑工程公司原党委书记
米 杰 朔州市森杰房地产有限公司董事长
安东升 临汾新安宇房地产开发有限公司总经理
祁跃华 山西晋建房地产开发公司总经理
许立新 省住房和城乡建设厅城市建设档案馆馆长
许润平 大同市云安花园物业管理有限责任公司总经理
阮 晶 山西飞云房地产开发有限公司董事长
孙 凯 运城市世纪环球置业有限公司总经理
孙全明 临汾市五洲物业管理有限公司总经理
孙群胜 运城市华荣房地产开发有限公司董事长
远勤山 山西通达集团运城房地产开发有限责任公司董事长
杜 敏 临汾市住房保障和城乡建设管理局副局长
杜吉仁 晋中田森房地产开发有限公司总经理
晋中田森物业管理有限公司董事长

杜在兴　大同市睿和新城物业管理有限责任公司总经理
杜志华　朔州市建设局住房科科长
杜临学　省住房和城乡建设厅人事教育处处长
杜根文　太原北晨综合开发有限责任公司总经理
李　庆　省纪委原副厅级检查员
李　宏　阳泉市住房保障和城乡建设管理局房产科科长
李　强　山西新时代房地产开发集团有限公司董事长
李　瑞　晋城市房地产业协会会长
李　毅　太原市地天物业管理有限公司总经理
李　霞　太原市华龙泰房地产开发有限公司副总经理
李小飞　吕梁豫立房地产开发有限公司总经理
李天虎　山西海鑫海天房地产开发有限公司总经理
李云胜　晋城市新世达房地产开发有限公司总经理
李长春　朔州市房地产登记中心主任、房屋征收办公室主任
李文利　山西省太原市小店区综合开发公司总经理
李玉东　太原市房产经营公司房地产开发部总经理
李世杰　大同市万森房地产开发有限责任公司总经理
李在田　吕梁金泽房地产开发有限公司董事长
李光通　太原达人物业管理有限公司总经理
李延军　临汾市恒安房地产开发有限公司总经理
李延英　省住房和城乡建设厅计划财务处处长
李志成　山西晋业房地产开发有限公司董事长
李丽清　阳泉市太行工贸房地产开发有限公司总经理
李秀亭　长治市住房保障和城乡建设管理局局长
李述华　晋中市龙湖房地产开发有限公司总经理
李国希　阳泉市汇鑫房地产开发有限公司董事长
李昕宇　大同市华盛房地产开发有限责任公司董事长
李明德　朔州市房产管理局局长
　　　　朔州市房地产业协会秘书长
李学锋　山西省忻州市综合开发公司书记
李建平　太原市基磊房地产开发有限公司董事长
李建民　运城市广厦房地产开发有限公司董事长
李建明　山西龙昌房地产开发有限公司董事长
李春光　山西阳光集团开发有限公司董事长
李树林　运城市泰森房地产开发有限公司董事长
李香莲　山西森宇房地产开发有限公司董事长
李保更　山西太谷荣星房地产开发有限公司董事长
李保林　临汾市金洋州房地产开发有限公司总经理
李彦明　阳泉市元承建业房地产开发有限公司
李晋良　清徐县双赢房地产开发有限公司总经理
李海龙　大同翔龙集团董事长
李跃进　长治市乐源房地产开发有限公司总经理
李银顿　晋城市金建房地产开发有限公司总经理
李道渝　晋中市通宇房地产开发有限公司董事长
李湘蓝　长治市三宝房地产开发有限公司董事长
李督文　山西六建集团有限公司董事长
李锦洪　大同市宏洋房地产开发有限公司董事长
杨　设　大同市房产管理局局长
杨志家　太原城市职业技术学院院长
杨金明　山西金明房地产开发有限公司董事长
杨承萍　阳泉市五龙房地产开发有限公司董事长
杨贵明　山西伟厦房地产开发有限公司董事长
杨晋平　阳泉市房地产修建开发总公司总经理
杨敬典　山西金地房地产开发建设集团有限公司总经理
杨雷平　山西省第三建筑工程公司总经理
连长顺　吕梁中天房地产开发有限公司董事长
肖　健　阳泉标准信合物业服务有限公司董事长
肖振卿　阳泉市诚远房地产开发有限公司总经理
吴　明　吕梁民生房地产开发有限公司董事长
吴仁贵　大同市房产管理局开发科科长
吴文祥　山西全顺房地产开发有限公司董事长
吴晓槟　山西长实房地产开发有限公司董事长
吴朝辉　山西津辉建筑实业有限公司董事长
何心齐　山西佳德置地房地产开发有限公司董事长
何裕华　运城市住房保障和城乡建设管理局房产科科员
汪荣贵　运城豪德贸易广场开发有限公司总经理
沈颂华　大同市华田房地产开发有限公司董事长
宋　斌　西安铁峰房地产开发公司集团有限公司临猗分公司项目经理
宋兵虎　省城乡建设学校校长
宋喜东　山西省陆延房地产开发有限公司总经理
张　宇　临汾市派德森房地产开发有限公司常务副总
张　军　晋城市摩天房地产集团有限公司副董事长
张　陆　大同市城市建设开发公司董事长
　　　　大同市城开物业管理有限责任公司董事长
张　和　大同市房地产业和物业管理协会会长
张　峰　太原市房地产产权登记中心主任
张　海　省住房和城乡建设厅城市建设处处长
张　琦　大同市深特集团房地产开发有限责任公司董事长
张　辉　吕梁市海盛房地产开发有限公司总经理
张小明　山西九思房地产开发有限公司董事长
张天年　长治市晋苑房地产开发有限公司总经理
张凤鸣　晋城市房地产交易管理处处长
张文辉　临汾市房地产管理局局长
张文渊　山西光信实业有限公司董事长
张双娥　太原市房产管理局局长
　　　　太原市房地产业协会会长
张玉生　长治市华森房地产开发有限公司董事长

张玉柱　太原市云飞房地产开发有限公司总经理
张龙龙　临汾市新世纪房地产开发有限公司总经理
张扩忠　大同市泰瑞房地产开发有限责任公司董事长
张同林　闻喜县鑫河房地产开发有限公司董事长
张同虎　汾阳市城市建设综合开发公司总经理
张志栋　朔州市住房保障和城乡建设管理局
　　　　住房科副科长
张松林　山西颐景房地产开发有限公司董事长
张学峰　省建筑设计研究院院长
张金泉　运城市房地产管理局局长
张建民　山西铭基房地产开发有限公司董事长
张建民　山西合力房地产开发有限公司董事长
张建国　晋城市住房保障和城乡建设管理局房产科科长
张保才　山西省运城鑫源房地产开发有限公司总经理
张剑英　阳泉市人民政府拆迁办公室主任
张彦宏　晋城市太行太岳房地产开发有限公司总经理
张海松　长治市房地产业协会会长
张润生　大同市凯德物业服务有限责任公司总经理
张培龙　山西兰花集团房地产开发有限公司董事长
张培泉　省住房和城乡建设厅纪检监察室主任
张萍梅　运城市住房保障和城乡建设管理局副局长
张银元　省煤炭运销公司副总经理
　　　　山西万景源房地产开发有限公司董事长
张银喜　山西融田房地产开发有限公司董事长
张敬泉　运城市宇磊房地产开发有限公司董事长
张智荣　大同市益兴房地产开发有限责任公司董事长
张瑞钊　介休市鸿瑞房地产开发有限公司董事长
张德山　大同华健房地产开发有限责任公司董事长
陈　凯　运城市柄全房地产开发有限公司总经理
陈　鑫　太原市鸿峰物业管理有限公司总经理
陈玉生　山西省工业设备安装公司总经理
陈江海　山西丽华物业管理有限公司总经理
陈克亮　侯马市阳光置业房地产开发有限公司总经理
陈宏新　运城市弘昊房地产开发有限公司董事长
陈建明　山西百祥房地产开发有限公司董事长
陈俏林　太原市汇都房地产开发有限公司董事长
陈美善　晋中华晟房地产开发有限公司董事长
　　　　榆次区安居住宅合作社主任
陈海英　山西省建筑职业技术学院
陈琼芳　山西恒实文化物业管理有限公司总经理
陈新华　山西骅燕置业有限公司总经理
武建军　介休市凌云房地产开发有限公司董事长
武德林　汾阳市中石房地产开发有限公司董事长
幸有文　大同煤矿集团宏建房地产开发有限责任公司董事长
苑俊生　山西华夏房地产开发有限公司董事长
范永平　吕梁市房屋征收办公室主任
范存俭　山西省侯马市新田房地产开发有限公司总经理
林　经　山西太重兴业投资发展有限公司
　　　　山西兴业房地产公司董事长
尚中明　阳泉鑫田房地产开发有限公司
岳建军　长治市房屋建筑公司总经理
金松尧　汾阳市伯乐置业有限公司总经理
瓮祥记　洪洞县范融房地产开发有限公司总经理
周小林　太原西山物业管理有限公司总经理
周文选　大同市绿园物业管理有限责任公司总经理
周江峰　晋城市中瑞房地产开发有限公司董事长
周丽萍　运城御苑置业有限公司董事长
周尚文　山西建筑职业技术学院副院长
周国全　太原市园林建设开发公司总经理
周晓涛　运城市房地产业协会会长
周恩有　侯马市华翔房地产开发有限公司董事长
周喜文　忻州市房产管理局局长
　　　　忻州市房地产业协会会长
周翠芬　省住房和城乡建设厅建筑与勘察设计市场监管
　　　　处处长
庞晋川　晋城华港物业有限公司董事长
庞晓婕　寿阳县房地产开发有限公司总经理
郑平军　山西宏厦建筑工程有限公司董事长
郑耀东　阳泉市住建局副局长、阳泉市房地产业协会会长
孟双全　山西佰晟房地产开发公司董事长
孟玉金　山西古鑫房地产开发有限责任公司董事长
孟永萍　太原祥融物业管理有限公司副总经理
赵　军　山西天盛源房地产开发有限公司总经理
赵　珍　朔州市建筑总公司总经理
赵　梅　省住房和城乡建设厅宣传中心主任
赵　斌　山西省第八建筑工程公司总经理
赵子录　大同市万科隆物业管理有限责任公司总经理
赵文保　山西省太谷县城市建设开发有限公司总经理
赵玉亮　长治市玉华房地产开发有限公司总经理
赵岗飞　山西潞安房地产开发有限公司总经理
赵昆山　山西华吉地产开发有限公司董事长
赵金菊　山西锦佳房地产开发有限公司董事长
赵建民　大同市华宇中百商业置地有限责任公司董事长
赵莜静　山西天鸿基业房地产开发有限公司董事长
赵银修　长治市金德利房地产开发有限公司总经理
赵续泉　山西天泉建设开发有限公司董事长
赵富英　省房改办原副主任
郝立富　山西嘉瑞房地产开发有限公司董事长

郝竹青　省住房和城乡建设厅综合处处长
郝志军　省统计局固定资产投资处
郝建秀　山西恒晟房地产开发有限公司总经理
郝晋生　晋城市城区房地产开发总公司总经理
郝增元　省住房和城乡建设厅建筑节能与科技处处长
荣兆东　交城县房地产开发公司董事长
胡孟卿　省勘察设计研究院院长
胡胜合　河津市建筑工程有限公司董事长
胡惠恒　山西惠恒房地产开发有限公司董事长
胡增祥　阳泉市危旧房屋集资改建处主任
柳二文　朔州市新世纪房地产开发有限公司总经理
剌亿飞　介休市飞达房地产开发有限公司总经理
要　鸣　山西汇远房地产开发公司总经理
段　富　阳泉市兴富华房地产开发有限公司董事长
段燕临　省住房和城乡建设厅信息中心
侯　荣　朔州市房地产综合开发公司总经理
侯文元　朔州市荣丰房地产开发有限公司总经理
侯国栋　山西省运城市房地产开发公司总经理
俞应华　山西丽华房地产开发有限公司总经理
昝宝石　大同市华岳房地产开发有限责任公司董事长
宣为民　临汾市房地产业协会会长
宣新民　临汾五洲城建开发有限公司总经理
姚　厚　大同市金利房地产开发有限责任公司董事长
姚　霞　运城市明珠房地产开发有限公司董事长
姚少峰　省重点工程建设办公室副主任
姚发兴　阳泉市联丰房地产开发有限责任公司董事长
姚培林　阳泉金联置业建设有限责任公司董事长
秦英广　山西广鑫房地产开发有限责任公司董事长
秦惠来　山西鑫梓房地产开发有限公司董事长
项连斌　省住房和城乡建设厅工程质量安全监管处处长
袁金元　吕梁市住房保障和城乡建设管理局房产科科长
袁惠芬　省住房和城乡建设厅直机关党委专职副书记
耿玉杰　临汾亚太房地产开发有限公司项目总监
贾云植　山西云馨物业管理有限责任公司董事长
贾迎泽　省住房和城乡建设厅设计审核室主任
贾树彬　省重点工程建筑技术服务中心主任
贾晓亮　太原化学工业集团房地产开发有限公司总经理
顾　颜　大同市桐城物业管理有限责任公司总经理
顾朝晖　恒大地产集团太原有限公司董事长
徐　博　山西坤杰房地产开发有限公司董事长
徐印芳　长治市房屋产权产籍监理处处长
高　峰　晋中恒基房地产开发有限公司总经理
高　潮　大同市房屋产权产籍管理中心主任
高万才　大同市天力房地产开发有限责任公司董事长
高玉武　大同煤矿集团鹏程物业管理有限责任公司总经理
高生明　朔州市金第房地产开发有限公司执行董事
高如华　山西瑞生房地产开发有限公司总经理
高嘉伟　太原诚达物业管理有限公司总经理
郭　忠　大同市达胜房地产开发有限责任公司董事长
郭　涛　山西多力多房地产开发有限公司董事长
郭　瑜　省住房和城乡建设厅工程建设标准定额站站长
郭一进　晋城市兰煜房地产开发有限公司总经理
郭少春　大同市宇鑫房地产开发有限责任公司董事长
郭玉增　吕梁市住宅合作社主任
郭永明　晋中市人民政府拆迁办公室主任
郭永钢　大同阳光嘉业房地产开发有限责任公司董事长
郭有寿　山西省介休市绵山房地产开发有限公司董事长
郭廷儒　省住房和城乡建设厅城乡规划处处长
郭志宏　太原市住房和城乡建设委员会房地产开发管理处处长
郭志勇　山西同仁太房地产开发有限公司董事长
郭志强　孝义市三皇集团房地产开发有限公司董事长
郭尚文　山西智诚房地产开发有限公司董事长
郭荣春　忻州市房屋拆迁办公室主任
郭俊思　山西晋联房地产开发有限公司总经理
郭晓彤　长治市广利房地产开发有限公司董事长
郭继生　山西盛世房地产开发有限公司董事长
郭崇喜　山西省运城市开发建筑有限公司总经理
郭舒昌　太原晋东房地产开发有限公司总经理
唐光亮　晋中市太塑房地产开发有限公司董事长
黄　征　山西天和房地产开发公司董事长
黄玉林　临汾市建设局房产科科长
黄正才　山西榆缆集团房地产开发有限公司董事长
曹小会　晋城市万通房地产开发有限公司总经理
常　亮　运城市东星房地产开发有限公司总经理
常文明　山西盛祥房地产开发有限责任公司董事长
常鹏程　大同市永华置地有限责任公司董事长
崔明祥　山西佳泰物业管理有限公司总经理
崔学锋　太原市住房和城乡建设委员会副主任
崔晋宏　山西东泰房地产开发有限公司董事长
康小菲　大同市民航房地产开发有限责任公司董事长
康文平　侯马经济技术开发区仁和房地产开发有限公司办公室主任
康守武　太原市大复生房地产开发有限公司董事长
康建斌　太原市房产管理局副局长
阎云鹏　山西云基房地产开发有限公司董事长
阎玉变　省住房和城乡建设厅住房公积金监管处处长
阎忠宝　临汾宇宁房地产开发有限公司董事长

盖江涛　山西宇丰房地产开发有限公司总经理
渠成胜　祁县天源房地产开发有限公司董事长
梁建民　省住房和城乡建设厅建设工程质量监督管理总站站长
梁晓军　省住房和城乡建设厅住房保障处处长
梁燕绒　阳泉远鑫房地产开发有限公司董事长
梁耀忠　祁县房地产开发总公司总经理
彭　飞　太原市新凯房地产开发公司总经理
董三满　晋城市博厚置业房地产开发有限公司董事长
董汇军　长治市房屋拆迁办公室主任
董成俊　忻州市住房保障和城乡建设管理局副局长
董其民　运城市房屋征收办公室主任
董建国　山西博雅都园房地产开发有限公司董事长
韩　岗　大同市房产管理局副局长
韩丽明　阳泉丽玉房地产开发有限责任公司董事长
韩秀文　山西晋阳房地产开发有限公司董事长
韩建宏　山西信通联科工贸有限公司总经理
韩海瑞　山西三正房地产开发有限公司
程永平　省住房和城乡建设厅住房保障处副处长
程晨阳　孝义市城市住宅综合开发公司总经理
傅开云　山西源宏房地产开发有限公司总经理
焦玉海　大同市建正房地产有限责任公司董事长
温　刚　山西省第二建筑工程公司总经理
温双伟　山西佳境房地产开发有限公司董事长
温永生　山西中泰房地产开发有限公司董事长
温国辉　闻喜县龙海房地产开发有限公司总经理
温贵云　省住房和城乡建设厅建设信息中心主任
褚永和　榆次城市建设综合开发总公司总经理
靳光明　晋城市亿泰房地产开发有限公司董事长
靳晓刚　大同市房地建筑开发公司董事长
詹建兵　运城市广鑫房地产开发有限公司总经理
解文亮　大同市泰泽房地产开发有限责任公司董事长
裴小波　运城市金鑫房地产有限公司董事长
裴天德　晋城市住房保障和城乡建设管理局副局长
裴桂兰　大同市房地产业和物业管理协会副秘书长
雒晓法　吕梁远安房地产开发有限公司总经理
翟建伟　山西桓裕房地产开发有限责任公司董事长
翟顺河　省城乡规划设计研究院院长
翟俊峰　晋城市峰景房地产开发有限公司董事长
翟振新　省统计局副局长
樊志中　长治市住房保障和城乡建设管理局科长
樊新玲　晋城市房屋征收与补偿管理办公室主任
潘贞朱　孝义市蓝天房地产开发有限公司董事长
燕志勇　大同市广社房地产开发有限责任公司董事长
薛团明　省住房和城乡建设厅住房改革与发展处处长
霍万全　山西万全房地产开发有限公司总经理
霍文元　山西省阳泉市城市建设开发总公司董事长
澹台印玉　山西省第一建筑工程公司总经理
魏建利　大同市博兴房地产开发有限责任公司董事长
魏晓梅　阳泉市长顺物业管理有限公司董事长
魏植甫　大同市诚益达房地产开发有限责任公司董事长

山西省房地产业协会
会员单位名录

太原市

太原市住房和城乡建设委员会
太原市房产管理局
太原市房地产产权登记中心
太原市房地产交易所
太原市房地产业协会
太原市房地产开发协会
太原市中和房地产开发公司
山西省第二建筑工程公司
山西四建集团有限公司
山西省第五建筑工程公司
山西六建集团有限公司
山西省第八建筑工程公司
山西省工业设备安装公司
太原城市职业技术学院
山西骅燕置业有限公司
山西省陆延房地产开发有限公司
太原市北晨综合开发有限责任公司
山西省裕昌房地产开发有限公司
山西华龙泰房地产开发有限公司
太原市中保房地产开发有限公司
山西华吉地产开发有限公司
山西三晋建设开发公司
山西阳光集团开发有限公司
太原化学工业集团房地产开发有限公司
山西晋建房地产开发公司
山西东泰房地产开发有限公司
山西华夏房地产开发有限公司
山西晋联房地产开发有限公司
山西长实房地产开发有限公司
山西新弘祺房地产开发有限公司
山西光信实业有限公司
山西龙昌房地产开发有限公司
山西澳林百和房地产开发有限公司
山西丽华房地产开发有限公司
山西庆民房地产开发有限公司
山西鸿辰房地产开发有限公司
太原汇远房地产开发公司
山西万全房地产开发有限公司
山西佰晟房地产开发公司
山西宝洁房地产开发有限公司
山西鑫大华房地产开发有限公司
山西融田房地产开发有限公司
太原市汇都房地产开发有限公司
山西瑞驰房地产开发有限公司
山西东方紫光房地产开发有限公司
山西科隆泰开发公司
太原市新凯房地产开发公司
山西省太原市小店区综合开发公司
太原市房产经营公司房地产开发部
太原市基磊房地产开发有限公司
山西百祥房地产开发有限公司
山西铁诚房地产开发有限公司
山西兴业房地产公司
山西太重兴业投资发展有限公司
中汇房地产开发有限公司
山西银丰房地产开发有限公司
山西合力房地产开发有限公司
太原市大复生房地产开发有限公司
山西天鸿基业房地产开发有限公司
太原市园林建设开发公司
山西鼎胜房地产开发有限公司
山西晋阳房地产开发有限公司
太原市云飞房地产开发有限公司
山西闻汇房地产开发有限公司
山西瀚达房地产开发有限公司
山西金厦房地产开发有限公司
山西佳境房地产开发有限公司
太原市富佳房地产开发有限公司
山西恒晟房地产开发有限公司
山西天和房地产开发公司
山西帝景房地产开发公司
太原市福泓地产开发有限公司
山西瑞生房地产开发有限公司
山西同仁太房地产开发有限公司

太原通达建设发展有限公司
清徐县双赢房地产开发有限公司
太原市鸿峰房地产建设有限公司
山西天盛源房地产开发有限公司
太原市商业建设综合开发有限公司
山西力通房地产开发有限公司
太原青龙房地产开发有限公司
山西宇佳房地产开发有限公司
太原市迎泽区城市建设综合开发公司
山西智诚房地产开发有限公司
太原市解困住宅合作社
山西万景源房地产开发有限公司
山西大唐双喜房地产开发有限公司
山西鑫梓房地产开发有限公司
山西宏宇房地产开发有限公司
山西同利达房地产开发有限公司
太原市广厦房地产开发有限公司
山西鼎元伟业房地产开发有限公司
山西南畔房地产开发有限公司
太原市鑫盛通房地产开发有限公司
山西名雄房地产开发有限公司
山西百德兴房地产开发有限公司
山西古唐房地产开发股份有限公司
山西鑫隆房地产开发有限公司
山西九丰房地产开发有限公司
山西国欣房地产开发有限公司
山西鼎宇房地产开发有限公司
太原市港源房地产开发有限公司
山西陆达房地产开发有限公司
太原市煤炭气化恒通房地产开发公司
山西联大房地产开发有限公司
山西华雄房地产开发有限公司
山西金海房地产开发有限公司
山西博雅都园房地产开发有限公司
太原市锦胜博雅房地产开发有限公司
山西万隆房地产开发有限公司
山西恒昌房地产开发有限公司
山西晋能房地产开发有限公司
山西天坤房地产开发有限公司
山西经典房地产开发有限公司
山西尚城房地产开发有限公司
山西晋府综合开发公司
山西霄羽房地产开发公司
山西奥龙德房地产开发有限公司

山西康德顺房地产开发有限公司
山西志超伟业房地产开发有限公司
太原市万和房地产开发有限公司
山西巢歌房地产开发有限公司
太原市金地园房地产开发有限公司
山西威扬房地产开发公司
山西蓝港房地产开发有限公司
山西瑞通房地产开发有限公司
山西万泉房地产开发有限公司
山西百捷房地产开发有限公司
山西同发展房地产开发有限公司
山西康平锦夏房地产开发有限公司
太原康培房地产开发有限公司
太原浩翔房地产开发有限公司
山西顺伟实业有限公司
太原市松竹房地产开发有限公司
太原市富众房地产开发有限公司
太原市吉昌鑫房地产开发有限公司
山西智海房地产开发有限公司
山西海基房地产开发有限公司
山西同盛房地产有限公司
山西汾河房地产开发有限公司
山西金谷源房地产开发有限公司
山西金茂房地产开发有限公司
山西广恒房地产开发有限公司
山西盛银祥房地产开发有限公司
山西恒世达房地产开发有限公司
山西康辰房地产开发有限公司
山西昌泰房地产开发有限公司
山西中兴房地产开发有限公司
山西嘉德房地产开发有限公司
山西汽运集团华运房地产开发有限公司
山西和诚置业有限公司
山西九昌房地产开发有限公司
山西晋都房地产开发有限公司
山西丰田房地产开发有限公司
山西安善房地产开发有限公司
山西泛华房地产开发有限公司
山西龙迪房地产开发有限公司
山西兴龙房地产开发有限公司
太原市科森房地产开发有限公司
山西通富房地产开发有限公司
山西万业泓基房地产开发有限公司
山西盛田房地产开发有限公司

山西隆亨房地产开发有限公司
山西军安置业有限公司
山西恒昌泰房地产开发有限公司
山西丽日房地产开发有限公司
山西广源房地产开发有限公司
山西宏展房地产开发有限公司
山西荣昶房地产开发有限公司
山西福运达房地产开发有限公司
山西华龙综合开发有限公司
山西广鑫房地产开发有限公司
山西坤杰房地产开发有限公司
山西古鑫房地产开发有限责任公司
山西红润房地产开发有限公司
太原市不锈钢生态工业园房地产开发有限公司
山西国都世纪龙房地产开发有限公司
山西万力房地产开发有限公司
山西翔恒房地产开发有限公司
山西新锦房地产开发有限公司
山西路桥房地产开发有限公司
山西君泰房地产开发有限公司
山西维隆房地产开发有限公司
太原晋东房地产开发有限公司
山西国电置业有限公司
山西通润房地产开发有限公司
山西惠恒房地产开发有限公司
山西安金房地产开发有限公司
太原富力城开发有限公司
山西信通联科工贸有限公司
太原锦宏物业管理有限公司
太原祥融物业管理有限公司
太原诚达物业管理有限公司
山西丽华物业管理有限公司
太原市地天物业管理有限公司
山西恒实文化物业管理有限公司
太原达人物业管理有限公司
山西滨汾物业管理有限公司
太原市鸿峰物业管理有限公司
太原西山物业管理有限公司
太原市美嘉乐物业管理有限公司
山西佳泰物业管理有限公司
山西蓝泰物业管理有限公司
山西房地美房地产经纪有限公司
山西荟鑫房地产经纪有限公司
山西省投资集团房地产开发有限公司
山西慧光房地产开发有限公司
山西鸿福房地产开发有限公司
山西国瑞房地产有限公司
太原鼎盛房地产开发有限公司
山西和佳房地产开发有限公司
山西智伟基业房地产开发有限公司
山西鹏远房地产开发有限公司

大同市

大同市房产管理局
大同市房地产业和物业管理协会
大同市房屋产权产籍管理中心
大同市城市建设开发公司
大同翔龙集团房地产开发有限责任公司
大同市睿和兴业房地产开发有限责任公司
大同市浩海地产置业有限责任公司
大同市深特集团房地产开发有限责任公司
大同华健房地产开发有限责任公司
大同市永华置地有限责任公司
大同市博兴房地产开发有限责任公司
大同市御河房地产建设有限责任公司
大同市阳光嘉业房地产开发公司
大同市建正房地产有限责任公司
大同市房地建筑开发公司
大同市泰泽房地产开发有限责任公司
大同市浩达房地产开发有限责任公司
大同市华田房地产开发有限公司
大同市泰瑞房地产开发有限责任公司
大同市益兴房地产开发有限责任公司
大同市华岳房地产开发有限责任公司
大同市天力房地产开发有限责任公司
大同宝通房地产开发有限责任公司
大同市宇鑫房地产开发有限责任公司
大同市铁建房地产开发有限责任公司
大同市民航房地产开发有限责任公司
大同市华宇中百商业置地有限责任公司
大同市广社房地产开发有限责任公司
大同市华盛房地产开发有限责任公司
大同市梦园房地产开发有限责任公司
大同市金利房地产开发有限责任公司
大同市达胜房地产开发有限责任公司
大同市宏洋房地产开发有限公司
大同市诚益达房地产开发有限责任公司
大同市万森房地产开发有限责任公司

大同市瑞祥房地产开发有限责任公司
大同市新德房地产开发有限公司
大同市恒通房地产开发有限责任公司
大同市三鼎房地产开发有限责任公司
大同市众鑫房地产开发有限责任公司
大同市宏运达房地产开发有限公司
大同市伟通房地产开发有限责任公司
大同市当代房地产开发有限责任公司
大同市和平房地产开发公司
大同市鸿基房地产开发有限责任公司
大同市鑫建房地产开发有限责任公司
大同市锦鑫房地产开发有限责任公司
大同市御苑房地产开发有限责任公司
大同市嘉顺房地产开发有限责任公司
大同市宇明房地产开发有限责任公司
大同市万佳房地产开发有限责任公司
大同市新胜房地产开发有限责任公司
大同市金长城房地产开发有限责任公司
大同市大通房地产开发有限公司
大同市名威房地产开发有限责任公司
大同市奇志房地产开发有限公司
大同市永和世家房地产开发有限公司
大同市建信房地产开发有限公司
大同市浩达永久房地产开发有限公司
大同市胜达房地产开发有限责任公司
大同市经联房地产开发有限责任公司
大同市金厦房地产开发有限责任公司
大同市恒翔房地产开发有限责任公司
大同市新旺永久房地产开发有限责任公司
大同市华泰圣达房地产开发有限责任公司
大同市万城房地产开发有限责任公司
大同市金豪房地产开发有限责任公司
大同市御泉苑房地产开发有限公司
山西新神力伟业房地产开发有限公司
大同市奕城房地产开发有限责任公司
大同市博凡房地产开发有限责任公司
大同市博隆房地产开发有限责任公司
大同市江鸿房地产开发有限责任公司
大同市平城建设房地产开发有限公司
大同市万喜房地产开发有限公司
大同市明达房地产开发有限责任公司
大同市正茂房地产开发有限责任公司
大同市安家房地产开发有限责任公司
大同市贵龙房地产开发有限责任公司
大同市中大房地产开发有限公司
大同市开发区盛大房地产开发有限责任公司
大同市开源房地产开发有限责任公司
大同市天晨房地产开发有限责任公司
大同市鸿晟房地产开发有限公司
大同市仁和广厦房地产开发有限公司
大同市腾逸达房地产开发有限责任公司
大同市金牛房地产开发有限责任公司
山西云馨物业管理有限责任公司
大同煤矿集团鹏程物业管理有限责任公司
大同市城开物业管理有限责任公司
大同市机车工贸物业有限公司
大同市方园物业管理有限责任公司
大同市万科隆物业管理有限责任公司
大同市鑫和物业管理有限责任公司
大同市桐城物业管理有限责任公司
大同市睿和新城物业管理有限责任公司
大同市绿园物业管理有限责任公司
大同市云安花园物业管理有限责任公司
大同市凯德物业服务有限责任公司

阳泉市

阳泉市住房保障和城乡建设管理局
阳泉市房地产业协会
阳泉市人民政府拆迁办公室
阳泉市房地产交易中心
山西金地房地产开发建设集团有限公司
阳泉太行房地产开发有限公司
阳泉市天峰房地产开发有限公司
阳泉市危旧房屋集资改建处
阳泉市联丰房地产开发有限责任公司
山西省阳泉市城市建设开发总公司
阳泉鑫田房地产开发有限公司
阳泉市恒大房地产开发有限公司
阳泉市豪门房地产开发有限公司
阳泉远鑫房地产开发有限公司
山西佳德置地房地产开发有限公司
阳泉市兴富华房地产开发有限公司
阳泉市阳光房地产开发有限公司
山西嘉瑞房地产开发有限公司
阳泉市城区房地产开发有限公司
阳泉市福祥房地产开发有限公司
阳泉市瑞丰房地产开发有限公司
阳泉市汇鑫房地产开发有限公司

阳泉市房地产修建开发总公司
阳泉市诚远房地产开发有限公司
阳泉金联置业建设有限责任公司
阳泉市五龙房地产开发有限公司
阳泉市太行工贸房地产开发有限公司
山西森宇房地产开发有限公司
山西金明房地产开发有限公司
山西同顺房地产开发有限公司
山西天泉建设开发有限公司
山西宏厦建筑工程有限公司
阳泉市元承建业房地产开发有限公司
阳泉市滨江房地产开发有限公司
山西三正房地产开发有限公司
阳泉市华泰房地产开发有限公司
山西东升恒泰房地产开发有限公司
阳泉市宏业房地产有限责任公司
阳泉咸山雷房地产开发有限公司
阳泉市三洲房地产开发有限责任公司
山西邦原房地产开发有限公司
阳泉晋东海润房地产有限公司
山西金马四方房地产开发有限公司
平定县房地产开发公司
阳泉市聚鑫房地产开发有限公司
阳泉市大富房地产开发有限公司
阳泉市亿隆房地产开发有限公司
阳泉市中泰房地产开发有限公司
阳泉市天元房地产开发有限公司
阳泉市安远房地产开发有型公司
阳泉市义井城镇建设开发有限公司
阳泉市盂县凯通房地产开发有限公司
阳泉市惠丰房地产开发有限公司
阳泉市矿区房地产开发公司
阳泉市金振房地产开发有限公司
阳泉市德丰房地产开发有限公司
山西天正房地产开发有限责任公司
阳泉市商业房地产开发公司
阳泉市长顺房地产经营开发总公司
盂县天荣房地产开发有限公司
阳泉市腾飞房地产开发有限公司
阳泉市新天地房地产开发有限公司
阳泉市益昌房地产开发有限公司
阳泉融泰嘉业房地产开发有限公司
阳泉市盛大房地产开发有限公司
山西长富房地产开发有限公司
阳泉标准信合物业服务有限公司
阳泉市长顺物业管理有限公司
阳泉市方信物业管理有限公司

晋中市

晋中市住房保障和城乡建设管理局
晋中市人民政府拆迁办公室
晋中市房地产交易中心
晋中市房地产业协会
辰兴房地产发展股份有限公司
晋中田森房地产开发有限公司
晋中市通宇房地产开发有限公司
晋中华晟房地产开发有限公司
山西颐景房地产开发有限公司
山西太谷荣星房地产开发有限公司
晋中市太塑房地产开发有限公司
晋中市龙湖房地产开发有限公司
祁县房地产开发总公司
山西省太谷县城市建设开发有限公司
昔阳县新安房地产开发有限公司
介休市凌云房地产开发有限公司
介休市飞达房地产开发有限公司
山西省介休市绵山房地产开发有限公司
介休市鸿瑞房地产开发有限公司
山西绿都房地产开发有限公司
介休市城市建设开发总公司
介休市超华房地产开发有限公司
介休市中鑫房地产开发有限公司
榆次城市建设综合开发总公司
晋中银海房地产开发有限公司
祁县天源房地产开发有限公司
寿阳县房地产开发有限公司
和顺县建安房地产开发有限公司
山西桓裕房地产开发有限责任公司
山西华强房地产开发有限公司
山西榆缆集团房地产开发有限公司
榆次区安居住宅合作社
晋中恒基房地产开发有限公司
祁县桓裕房地产开发有限公司
山西恒基伟业房地产开发有限公司
祁县宏达房地产开发有限公司
祁县巨峰房地产开发有限公司
山西茂源房地产开发有限责任公司
晋中天星房地产发展有限公司
晋中市桐茵房地产开发有限公司
山西祥瑞房地产开发有限公司

山西乐辉房地产开发有限公司
山西和实房地产开发有限公司
山西省平遥峰岩房地产开发有限公司
山西清华金元房地产开发有限公司
山西振鹏投资开发有限公司
太谷县美宝房地产开发有限公司
山西省平遥县承志房地产开发有限公司
平遥光大房地产开发有限公司
山西平遥汇丰房地产开发有限公司
灵石县志嘉房地产开发有限责任公司
晋中市经济适用住房发展有限公司
灵石县东盛房地产开发有限责任公司
太谷县奥泰房地产开发有限公司
太谷广宇房地产开发有限公司
山西锦都房地产开发有限公司
灵石县中和置业房地产开发有限公司
灵石县中煤家园房地产开发有限公司
晋中田森物业管理有限公司
山西万佳物业服务有限公司
晋中市鸿源房地产估价事务所有限公司
晋中恒誉房地产评估有限公司

忻州市

忻州市住房保障和城乡建设管理局
忻州市房产管理局
忻州市房屋拆迁办公室
忻州市房地产交易登记中心
忻州市房地产业协会
忻州市住房公积金管理中心
忻州开来房地产开发有限公司
山西晋业房地产开发有限公司
忻州市华洋房地产开发有限公司
山西省忻州市综合开发公司
五台县友好房地产开发有限公司
定襄虹桥房地产开发有限公司
山西暖神鑫磊房地产开发有限公司
忻州市万家房地产开发有限公司
忻州市利民房地产开发有限公司
山西信发房地产开发有限公司
忻州市中发房地产开发有限公司
山西五洲房地产开发有限公司

朔州市

朔州市住房保障和城乡管理局
朔州市房地产管理局
朔州市房地产业协会
朔州市房屋征收办公室
朔州市房地产登记中心
山西龙翼房地产开发有限公司
朔州市新世纪房地产开发有限公司
朔州市房地产综合开发公司
山西新时代房地产开发集团有限公司
朔州市建筑总公司
朔州市荣丰房地产开发有限公司
山西平朔房地产开发有限公司
山西中元房地产开发有限公司
朔州市森杰房地产有限公司
朔州市东方房地产有限责任公司
山西中泰房地产开发有限公司
朔州市恒力源房地产开发有限公司
山西金海洋房地产开发有限公司
怀仁县宏玉房地产开发有限责任公司
朔州市海源房地产开发有限公司
朔州市同兴房地产开发有限公司
朔州市金第房地产开发有限公司
朔州市三源房地产开发有限责任公司
朔州市溢源居房地产开发有限公司
怀仁县广厦房地产开发公司
朔州市万鑫房地产开发有限公司
朔州市中宇房地产开发有限公司
朔州市金财房地产开发有限公司
朔州市鑫峰房地产开发有限公司
朔州市炜阁尔房地产开发有限公司
朔州市圆融房地产开发有限公司
朔州市三盛市政建筑有限责任公司
怀仁县国益房地产开发有限责任公司
朔州市日福隆房地产开发有限公司
朔州市和发房地产开发有限公司
朔州市华隆房地产开发有限公司
朔州市都市房地产开发有限责任公司
朔州市慧源房地产开发有限公司
朔州市天地福房地产开发有限公司
朔州市北方鹏伟房地产开发有限公司
朔州中仁房地产开发有限公司
朔州市荣达房地产开发有限责任公司
怀仁县天鹏房地产有限公司
怀仁县绿家园房地产开发有限公司
朔州市宏宇翔房地产开发有限公司

朔州市泽宇房地产开发有限公司
朔州市通宝房地产开发有限公司
朔州市兴达房地产开发有限公司
朔州市平鲁区平安房地产开发有限公司
朔州市煌家房地产开发有限公司
朔州玉百房地产有限责任公司
朔州市信泰房地产开发有限公司
山西春鑫房地产开发有限公司
山西鑫泽房地产开发有限公司
朔州神怡房地产开发有限公司
朔州市金海玉业房地产开发有限公司
朔州市辉煌房地产开发有限公司
怀仁县东海房地产开发有限公司
朔州市大明房地产开发有限公司

吕梁市

吕梁市住房保障和城乡建设管理局
吕梁市房地产管理局
吕梁市房屋征收办公室
吕梁市房地产交易中心
汾阳市嘉业房地产开发有限公司
汾阳市中石房地产开发有限公司
山西云栋房地产开发有限公司
吕梁金泽房地产开发有限公司
吕梁市住宅合作社
交城县房地产开发公司
汾阳市城市建设综合开发公司
吕梁离石区海盛房地产开发有限公司
文水县环博房地产开发有限公司
汾阳市伯乐置业有限公司
孝义市城市住宅综合开发公司
吕梁民生房地产开发有限公司
吕梁中天房地产开发有限公司
吕梁市远安房地产开发有限公司
吕梁市豫立房地产开发有限公司
吕梁市永宁集团房地产开发有限公司
吕梁创新房地产开发有限公司
孝义市蓝天房地产开发有限公司
孝义市三皇集团房地产开发有限公司
山西云基房地产开发有限公司
山西九思房地产开发有限公司
山西伟厦房地产开发有限公司
文水县大众房地产开发有限公司
吕梁市恒寓房地产开发有限公司
山西宏鑫源房地产开发有限公司
孝义市申利房地产开发有限公司
文水县全顺房地产开发有限公司
汾阳市新源房地产开发有限公司
孝义市东盛昌旺房地产开发有限公司
孝义市利民房地产开发有限公司
吕梁恒益房地产开发有限公司
吕梁市新平房地产开发有限公司
吕梁市华晨房地产开发有限公司
吕梁房地产开发公司
吕梁宜安房地产开发有限公司
吕梁市房地产综合开发有限公司
吕梁三佳房地产开发有限公司
吕梁市汇江房地产开发有限公司
吕梁欣帮房地产开发有限公司
吕梁市东山房地产开发有限公司
吕梁恒信房地产开发有限公司
孝义市三联房地产开发有限公司
山西晋鑫房地产开发有限公司
山西文峰房地产开发有限公司
中阳县房地产开发公司
兴县房地产开发有限公司
吕梁市金月房地产开发有限公司
吕梁呈瑞房地产开发有限公司
山西曙光房地产开发有限公司
山西弘建房地产开发有限公司
吕梁金域房地产开发有限公司
吕梁市欣杰房地产开发有限公司
吕梁恒升房地产开发有限公司
吕梁日昇房地产开发有限公司
山西万基房地产开发有限公司
吕梁市泰鑫房地产开发有限公司
吕梁金鼎房地产开发有限公司
吕梁华达房地产开发有限公司
山西九洲房地产开发有限公司
交城县鸿泰房地产开发有限公司
交城县隆鑫房地产开发有限公司
交城县久鑫房地产开发有限公司
文水县房地产开发有限公司
吕梁佳谕房地产开发有限公司
吕梁永盛房地产开发有限公司
山西雪恩集团房地产开发有限公司
孝义市居贤房地产开发有限公司
孝义市力达房地产开发有限公司

孝义市民泰房地产开发有限公司
孝义市乾峰房地产开发有限公司
孝义市金泉房地产开发有限公司
孝义市增泰房地产开发有限公司
山西众和富邦房地产开发有限公司
孝义市东兴房地产开发有限公司
孝义市金和房地产开发有限公司
孝义市涌莲房地产开发有限公司
山西荣明房地产开发有限公司
山西安乐房地产开发有限公司
山西世纪光华房地产开发有限公司
山西香江房地产开发有限公司
山西汇丰建业房地产开发有限公司
吕梁盛煜艺苑房地产开发有限公司
中阳县宁盛房地产开发有限公司
山西鸿博房地产开发有限公司
山西兴达房地产开发有限公司
山西鑫源通房地产开发有限公司
方山县商品房开发公司
岚县城市建设综合开发公司
吕梁益众房地产开发有限公司
山西安泽房地产开发有限公司
吕梁市欣邦房地产开发有限公司
吕梁华阳房地产开发有限公司
汾阳市仁和房地产开发有限公司
吕梁广厦源房地产开发有限公司
岚县瑞安房地产开发有限公司
孝义市亚飞房地产开发有限公司
孝义市远泰房地产开发有限公司
山西华明泰房地产开发开有限公司
吕梁市佳信房地产评估咨询有限公司

长治市

长治市住房保障和城乡建设管理局
长治市房屋拆迁办公室
长治市房地产交易管理处
长治市房屋产权产籍监理处
长治市房地产业协会
山西省宏图永盛房地产开发有限公司
山西省第三建筑工程公司
长治市乐源房地产开发有限公司
长治市房屋建筑公司
长治市金德利房地产开发有限公司
长治市启越房地产开发有限公司
长治市怡昌房地产开发有限公司
长治市广利房地产开发有限公司
长治市华森房地产开发有限公司
长治市三宝房地产开发有限公司
长治市仙龙房地产开发有限公司
长治市晋苑房地产开发有限公司
长治市玉华房地产开发有限公司
长治市杰昌房地产开发有限公司
长治市晋源房地产开发有限公司
长治市海德房地产开发有限公司
长治市沁县大地房地产开发有限公司
长治市卓盛房地产开发有限公司
长治市园中夏房地产开发有限公司
长治市康泰房地产开发有限公司
长治市泰舸房地产开发有限公司
长治市世纪景源房地产开发有限公司
长治市广茂房地产开发有限公司
长治市物华房地产开发有限公司
长治市鸿源泰房地产开发有限公司
长治市北华房地产开发有限公司
长治市先导房地产开发有限公司
山西世龙房地产开发有限公司
长治市万月峰房地产开发有限公司
长治市昌盛房地产开发有限公司
长治市方圆房地产开发有限公司
长治市进峰房地产开发有限公司
长治市福泰和房地产开发有限公司
长治市韩世伟业房地产开发有限公司
长治市宇立房地产开发有限公司
长治市容海房地产开发有限公司
长治市淮海房地产开发有限公司
长治市忠辰房地产开发有限公司
长治市紫恩房地产开发有限公司
长治市屯留县城镇建设房地产开发有限公司
山西启东房地产开发有限公司
长治市华青房地产开发有限公司
长治市锦绣房地产开发有限公司
长治市红阳房地产开发有限公司
长治市生华房地产开发有限公司
长治市锦汇房地产开发有限公司
长治市祥龙房地产开发有限公司
长治市久安房地产开发有限公司
长治市振华房地产开发有限公司
长治市海晋房地产开发有限公司

长治市震晋房地产开发有限公司
长治市华日泰房地产开发有限公司
长治市长远房地产开发有限公司
长治市路安鸿房地产开发有限公司
长治市常天佳地房地产开发有限公司
长治市久安房地产开发有限公司
长治市鑫兴房地产开发有限公司
长治市泰兴房地产开发有限公司
长治市紫光房地产开发有限公司
沁源县房地产开发有限公司
长治市安顺房地产开发有限公司
长治市金广厦房地产开发有限公司
山西潞安房地产开发有限公司

晋城市

晋城市住房保障和城乡建设管理局
晋城市房屋征收与补偿管理办公室
晋城市房地产交易管理处
晋城市房地产业协会
山西铭基房地产开发有限公司
山西兰花集团房地产开发有限
晋城市金建房地产开发有限公司
晋城市城区房地产开发总公司
阳城县佳地房地产开发有限责任公司
晋城市博厚置业房地产开发有限公司
山西盛祥房地产开发有限责任公司
山西盛世房地产开发有限公司
晋城市万通房地产开发有限公司
晋城市凤展房地产开发有限公司
晋城市峰景房地产开发有限公司
晋城市亿泰房地产开发有限公司
晋城市太行太岳房地产开发有限公司
晋城市中瑞房地产开发有限公司
晋城市新世达房地产开发有限公司
晋城市摩天房地产集团有限公司
晋城市前胜房地产开发有限公司
晋城市兰煜房地产开发有限公司
晋城市华威房地产开发有限公司
晋城市名人居房地产开发有限公司
山西晋浦发展股份有限公司
阳城县华丰房地产开发有限公司
阳城县宏鑫房地产开发有限公司
阳城县展鸿房地产开发有限公司
阳城县水村房地产开发有限公司
阳城县东昊房地产开发有限公司
阳城县丰泽房地产开发有限责任公司
阳城县天合润房地产开发有限公司
晋城市元昌房地产开发有限公司
晋城市合友房地产开发有限公司
晋城市兆祥房地产开发有限公司
晋城市隆一房地产开发有限公司
山西顺洋房地产开发有限公司
高平市人和房地产开发有限责任公司
高平市阳光房地产开发有限公司
高平市欣鑫房地产开发有限责任公司
高平市恒隆房地产开发有限公司
晋城市盈泰房地产开发有限公司
晋城市金地信房地产开发有限公司
晋城市华洋房地产开发有限公司
晋城市琛凯房地产开发有限公司
晋城市广发房地产开发有限公司
晋城市锐宏房地产开发有限公司
晋城市远东房地产开发有限公司
晋城市润宝房地产开发有限公司
晋城福盛泰房地产开发有限公司
晋城市亿冠房地产开发有限公司
山西达盛昌房地产开发有限公司
鹏龙房地产开发（晋城）有限公司
山西金塘房地产开发有限公司
泽州县鑫博大房地产开发有限公司
晋城市圣拓房地产开发有限公司
山西盛华房地产开发有限公司
晋城市峰花园房地产开发有限公司
晋城市鹏展房地产开发有限公司
晋城市天惟房地产开发有限公司
山西金恒房地产开发有限公司
晋城富景房地产开发有限公司
晋城市东祥房地产开发有限公司
晋城市星湖房地产开发有限公司
沁水县豪祥房地产开发有限公司
沁水县沁城工贸商住区房地产开发有限公司
沁水县房地产总公司
晋城市侯匠瑞麒房地产开发有限公司
晋城市阆苑房地产有限公司
晋城市金厦房地产开发有限公司
晋城市居泰房地产开发有限公司
晋城市鼎秀房地产开发有限公司
晋城市松青房地产开发有限公司

晋城市四方房地产开发有限公司
晋城豪德光彩贸易广场开发有限公司
晋城金建集团锦天房地产开发有限公司
泽州县源芳房地产开发有限公司
晋城市和来鑫房地产开发有限公司
晋城市银基房地产开发有限公司
晋城华港物业有限公司

临汾市

临汾市住房保障和城乡建设管理局
临汾市房产管理局
临汾市房屋拆迁管理办公室
临汾市房地产管理局房屋登记中心
临汾市房地产业协会
山西省第一建筑工程公司
临汾平阳房地产开发有限公司
侯马市华翔房地产开发有限公司
山西多力多房地产开发有限公司
临汾市恒安房地产开发有限公司
临汾五洲城建开发有限公司
侯马市阳光置业房地产开发有限公司
山西省侯马市新田房地产开发有限公司
侯马经济技术开发区仁和房地产开发有限公司
临汾市派德森房地产开发有限公司
临汾市新世纪房地产开发有限公司
山西源宏房地产开发有限公司
临汾吉宇房地产开发有限公司
洪洞县连三房地产开发有限公司
临汾市富安房地产开发有限公司
临汾新安宇房地产开发有限公司
临汾亚太房地产开发有限公司
临汾宇宁房地产开发有限公司
洪洞县范融房地产开发有限公司
临汾市金洋州房地产开发有限公司
侯马市勇杰房地产开发有限公司
临汾市紫东房地产开发有限公司
临汾市敏业房地产开发有限公司
同鑫城市建设项目管理有限公司
临汾京华房地产开发有限公司
临汾市海强房地产开发有限公司
侯马普天众恒房地产开发有限公司
曲沃县馥裕房地产开发有限公司
临汾永泰房地产开发有限公司
临汾同世达房地产开发有限公司
侯马经济技术开发区华隆万盛房地产开发有限公司
侯马市凯强房地产开发有限公司
侯马市三禾房地产开发有限责任公司
侯马市康城房地产开发有限公司
洪洞县恒昌房地产开发有限公司
山西庆丰房地产开发有限公司
山西旺龙房地产开发有限公司
临汾市尧都区创亿房地产开发有限公司
山西远洋房地产开发有限公司
山西利群房地产开发有限公司
曲沃县鑫晟房地产开发有限公司
临汾市金华房地产开发有限公司
临汾华融房地产开发有限公司
洪洞县弘淦房地产开发有限公司
临汾通力房地产开发有限公司
临汾博浩源房地产开发有限公司
侯马经济技术开发区中大房地产开发有限公司
洪洞县业成房地产开发有限公司
襄汾县龙和房地产开发有限责任公司
浮山县房地产开发公司
霍州煤电集团云厦房地产开发有限公司
侯马市昊星房地产开发有限公司
霍州市大地华城房地产开发有限公司
山西恒富煤化集团恒悦房地产开发有限公司
霍州市建筑安装有限公司
洪洞县晋亨荟严开发公司
临汾市尧隆房地产开发有限公司
临汾市岐东房地产开发有限公司
临汾市鸿安世纪房地产开发有限公司
临汾市日月升房地产开发有限公司
侯马市恒荣房地产开发有限公司
临汾市金海湾房地产开发有限公司
临汾市朝暾房地产开发有限公司
临汾广奇房地产开发有限公司
山西宏大宇房地产开发有限公司
山西康泰房地产开发有限公司
霍州市华怡房地产开发有限责任公司
山西宝泓房地产开发有限公司
霍州市天悦房地产开发有限责任公司
临汾博恒房地产开发有限公司
侯马市宏诚房地产开发有限公司
临汾康桥房地产开发有限公司
临汾市富海房地产开发有限公司
山西通涛房地产开发有限公司

山西信诺房地产开发有限公司
临汾市五洲物业管理有限公司
临汾市惠信房地产估价有限责任公司
临汾平阳房地产评估（事务所）有限公司

运城市

运城市住房保障和城乡建设管理局
运城市房产管理局
运城市房屋征收办公室
运城市房地产登记中心
运城市房地产业协会
中房集团山西天泰房地产开发有限公司
中房集团山西天泰房地产开发有限公司临猗分公司
运城市金鑫房地产有限公司
运城市御苑置业有限公司
山西海鑫海天房地产开发有限公司
运城市东星房地产开发有限公司
山西省运城市房地产开发公司
西安铁峰房地产开发公司集团有限公司临猗分公司
山西锦佳房地产开发有限公司
山西鑫马房地产开发有限公司
运城市运泰房地产开发有限公司
垣曲县隆昌房地产开发有限公司
山西省运城市开发建筑有限公司
运城市宇磊房地产开发有限公司
运城市泰森房地产开发有限公司
山西天茂房地产开发有限公司
运城市盛世广厦房地产开发有限公司
运城市广厦房地产开发有限公司
运城市世纪环球置业有限公司
运城市明珠房地产开发有限公司
运城市锦博渊房地产开发有限公司
山西盛地房地产开发有限公司
运城市广鑫房地产开发有限公司
运城豪德贸易广场开发有限公司
运城市华荣房地产开发有限公司
平陆欧达房地产开发有限公司
运城市柄全房地产开发有限公司
山西省运城鑫源房地产开发有限公司
闻喜县红鑫房地产开发有限公司
闻喜县民生房地产开发有限公司
闻喜县龙海房地产开发有限公司
闻喜县鑫河房地产开发有限公司
山西津辉建筑实业有限公司
河津市建筑工程有限公司
山西宇丰房地产开发有限公司
运城市弘昊房地产开发有限公司
临猗县锦达房地产开发有限公司
山西金博雅房地产开发有限公司
运城市通联房地产开发有限公司
垣曲县金龙房地产开发有限公司
山西乾得龙房地产开发有限公司
运城市美汇达房地产开发有限公司
运城市半岛房地产开发有限公司
运城市延鑫房地产开发有限公司
山西星河房地产开发有限公司
运城市高盟房地产开发有限公司
运城市建宇房地产开发有限公司
山西天兆房地产开发有限公司
运城市五兄弟房地产开发有限公司
运城市欣达房地产开发有限公司
运城市鑫鑫房地产开发有限公司
运城佳兆房产开发有限公司
山西强鑫房地产开发有限公司
绛县房地产开发公司
绛县瑞天房地产开发有限公司
绛县钰鑫房地产开发有限公司
河津市政房地产开发有限公司
河津市三联房地产开发有限公司
新绛县绛鑫房地产开发有限公司
闻喜县鸿光房地产开发有限公司
垣曲县鑫泰房地产开发有限公司
垣曲县五龙房地产开发有限公司
山西省平陆县鑫慧房地产开发有限公司
平陆县恒达房地产开发有限公司
山西卓里集团丰源房地产开发有限公司
芮城县金桥房地产开发有限公司
运城市建辉房地产开发有限公司
山西鑫涛房地产开发有限公司
山西飞达鑫房地产开发有限公司
山西省运城市隆港房地产开发有限公司
运城市恒佳苑房地产开发有限公司
临猗县伟达盛房地产开发有限公司
山西晟哲鑫房地产开发有限公司
运城市北海房地产开发有限公司
运城市瑞泽诚房地产开发有限公司
运城市润森房地产开发有限公司
永济市馨怡家房地产开发有限公司

山西南风惠嘉房地产有限公司
运城市桐浩房地产有限公司
嘉禾房地产开发有限公司
山西海容房地产开发有限公司
运城市华泰房地产开发有限公司
运城市盐湖区龙达伟业房地产开发有限公司
山西银海房地产开发有限公司
运城市天缘房地产开发有限公司
山西世捷房地产开发有限公司
山西省瑞安房地产开发有限公司
运城金运房地产开发有限公司
山西荣盛家园房地产开发有限公司
运城市鼎元房地产开发有限公司
运城富邦房地产开发有限公司
芮城县盛世华庭房地产开发有限公司
山西华曦房地产开发有限公司
运城市嘉逸房地产开发有限公司
运城市晟嘉房地产开发有限公司
运城市迎太房地产开发有限公司
运城市绿美房地产开发有限公司
临猗县华迪房地产开发有限公司
山西华晋新生活房地产开发有限公司
闻喜县闻海房地产开发有限公司
平陆春元祥房地产开发有限公司
山西众联房地产开发有限公司
平陆虞圣房地产开发有限公司
山西华曦房地产开发有限公司临猗分公司
山西中冶东晟房地产开发有限公司
运城市恋家房地产开发有限公司
运城经济开发区腾飞房地产开发有限公司
山西恒睿达房地产开发有限公司
运城市金恒房地产开发有限公司
运城深国投商用置业有限公司
运城市东方润达房地产开发有限公司
运城市鸿腾房地产开发有限公司
新绛县汇洋房地产开发有限公司
垣曲万盛房地产开发有限公司
垣曲县昌盛房地产开发有限公司
临猗县玮昊房地产开发有限公司
山西馨博园房地产开发有限公司
林州市凯业房地产开发有限公司临猗分公司
运城市金城房地产开发有限公司
山西金宝圣房地产开发有限公司
运城市云鼎房地产开发有限公司
运城市荣达房地产开发有限公司
运城市鑫宇房地产开发有限公司
运城市德润房地产开发有限公司
运城市旺鑫房地产开发有限公司
运城市三盟房地产开发有限公司
运城市恺鑫房地产开发有限公司
山西省运城市金磊阳光房地产开发有限公司
运城市祥瑞房地产开发有限公司
运城磐石房地产开发有限公司
运城市远航房地产开发有限公司
山西丰泽源房地产开发有限公司
运城市华都房地产开发有限公司
山西国范房发产开发有限公司
闻喜县八达房地产开发有限公司
平陆天盛房地产开发有限公司
山西宇华腾飞房地产开发有限公司
运城市盛之都房地产开发有限公司
绛县飞龙房地产开发有限公司
绛县民生物业管理有限公司
绛县瑞天物业管理有限公司
绛县晟华物业管理有限公司
绛县爱家物业管理有限公司
芮城县魏风房地产价格评估事务所
芮城县富民南路芮平房产信息服务中心

省住建厅机关

厅办公室
厅综合处
厅人事教育处
厅法规处
厅住房改革与发展处
厅住房保障处
厅城乡规划处
厅标准定额处
厅房地产市场监管处
厅建筑与勘察设计市场监管处
厅城市建设处
厅村镇建设处
厅工程质量安全监管处
厅建筑节能与科技处
厅住房公积金监管处
厅计划财务处
省重点工程建设办公室
厅直机关党委

厅纪检监察室

省住建厅直属机构

省城市建设档案馆
省设计审核室
省建设工程质量监督管理总站
省建筑安全监督站
省重点工程建筑技术服务中心
厅稽查办公室
省建设信息中心
厅宣传中心
省建设工程保险与担保管理办公室
省工程建设标准定额站
山西建筑职业技术学院
山西省城乡建设学校
山西省城乡规划设计研究院
山西省勘察设计研究院
省城镇规划建设发展中心
山西省建筑设计研究院
山西省建筑科学研究院

其他

中国中建设计集团有限公司山西分公司
太原我爱我家房屋置换有限公司
建设银行山西省分行住房金融与个人信贷部
中国民生银行地产金融事业部太原分部
中国民生银行股份有限公司太原分行
山西翰思正道投资顾问有限公司
太原市旭辉力华文化传媒有限公司
太原市恒达世行房地产顾问有限公司
山西金玛财务服务有限公司
山西亚龙盛景建材有限公司
山西亮龙涂料有限公司
山西锋卫律师事务所
太原市远大未来广告有限公司（腾讯网太原站）

山西省房地产业协会
物业管理工作部成员名单

主　任：齐聪文　太原市房产管理局物业处处长
副主任：闫燕青　省住房城乡建设厅房地产市场监管处副调研员
　　　　何建荣　太原市物业管理协会会长
　　　　裴桂兰　大同市房地产业与物业管理协会副秘书长
成　员：李　宏　阳泉市住建局房产科科长
　　　　屈瑞华　晋中市住建局房产科科长
　　　　樊志中　长治市住建局房产科科长
　　　　张振国　晋城市住建局房产科科长
　　　　张　平　临汾市住建局房产科科长
　　　　吴叶飞　运城市住建局房产科科长
　　　　贾云植　山西云馨物业管理有限责任公司董事长
　　　　纪木春　太原市物业管理协会副会长、
　　　　　　　　太重北特机械制造有限公司总经理
　　　　韩建宏　山西信通联科工贸有限公司总经理
　　　　吕全新　太原锦宏物业管理有限公司总经理
　　　　田　宏　太原市美嘉乐物业管理有限公司总经理
　　　　李光通　太原达人物业管理有限公司总经理
　　　　邓永红　山西蓝泰物业管理有限公司总经理
　　　　杨士奇　太重北特机械制造有限公司董事长
　　　　周文选　大同市绿园物业管理有限责任公司总经理
　　　　王巍明　山西万家物业服务有限公司董事长
　　　　杜吉仁　晋中田森物业管理有限公司总经理
　　　　范志勤　永济电机安居物业管理有限责任公司董事长
　　　　孙全明　临汾市五洲物业管理有限公司总经理
　　　　李　艳　太原城市职业技术学院工商管理系主任
　　　　王　胜　山西建筑职业技术学院
　　　　陈海英　山西建筑职业技术学院

山西省房地产业协会
房地产交易与产权工作部成员名单

主　任：田文林　山西省住房和城乡建设厅房地产市场监管处调研员
副主任：樊东旭　吕梁市房管局副局长
张　峰　太原市房地产产权登记中心主任
牛焕德　太原市房地产交易所所长
王建军　晋中市房地产交易中心主任
成　员：王　姝　阳泉市房地产交易中心主任
吕文珍　朔州市房地产产权登记中心主任
刘利猛　长治市房地产交易管理处处长
王彩萍　临汾市房屋登记中心主任
高净宇　侯马市房地产交易中心主任
高　潮　大同市房屋产权产籍管理中心主任
李昌春　朔州市房地产登记中心主任
赵　斌　长治市房地产产权处处长
张凤鸣　晋城市房地产交易管理处处长
徐　舰　运城市房地产登记中心主任
马　辉　永济市房地产交易中心主任

附录

FULU

国家康居示范工程山西项目

太原大唐四季花园

国家康居示范工程是以住宅小区为载体，以推进住宅产业现代化，提高住宅质量为总目标，通过示范小区引路，提高住宅建设总体水平，加速科技成果转化，实现住宅产业现代化。也是转变住宅产业发展方式，用最经济、最有效率的方式向市场提供有质量保证、性价比高的住宅，可以促进住宅产业和房地产市场健康可持续发展。

开发建设单位：山西大唐房地产开发有限公司

规划建筑设计单位：中国有色工程设计研究总院深圳分院

该小区位于山西省太原市千峰南路以东、大王村以西、后王村以南、纺织街以北，规划总用地面积7.11公顷，规划净用地面积7.11公顷，住宅用地面积4.69公顷。建设规模为12万平方米，其中：住宅9.7万平方米，配套公建0.8平方米，办公商业区用房1.5平方米。容积率1.69，建筑密度25%，住宅建筑净密度18%，绿化率44.2%，在小区内规划配套12班小学一座。该项目计划投资约2.87亿元。

“大唐四季花园”以西班牙式风格为主，在18栋造型独特的建筑包围中，花草树木与楼宇和谐交织。小区在规划设计上突出以下特点：

一、“大唐四季花园” 绿化率高达44.2%，是真正意义上的园林式小区。

二、“大唐四季花园”建有三个地下车库，车位数为住户的50%，住户在停车后可乘电梯从车库直接入楼，方便而私密，是真正实行人车分流的住宅小区。

三、“大唐四季花园”在智能化建设方面，推行IC卡管理。无论进入中央广场还是独立庭院、社区会所、单元门禁，都须凭IC卡，使小区管理实现三重安全防护保障。是真正实现“安全三保障、方便一卡通”的安全小区。同时，设置有周界防越报警、电视监控及电子巡更等保安系统。家居内设置煤气泄漏和紧急求助报警系统等。

四、根据《国家康居示范工程建设技术要点》、《国家康居示范工程成套技术量化评价指标》，结合当地实际情况，大唐四季花园采用了以下系列的住宅成套技术体系：

1、采用粉煤灰加气混凝土块及GRC隔墙做隔墙、隔断；

2、外墙外保温选用舒乐舍板或聚苯颗粒外墙砂浆保温；

3、建筑外窗全部选用塑钢中空玻璃窗；

4、小区采用模块式SBF系列污水处理中水回用技术，用于小区绿化、景观及洗车等。

5、小区有机垃圾处理采用HYW微生物有机垃圾处理技术，使小区有机垃圾降解率在95%以上。

6、小区B－1、B－2楼采用阳台式真空太阳能与电热水器结合技术，满足住户的生活用热水；

7、小区生活用水采用变频调速恒压供水技术；

8、小高层建筑选用永大日立全数字化电梯；

9、小区设置通讯网络机房，数据宽带网实现10兆到户，有线电视网可提供数字电视的播放。

国家康居示范工程山西项目

大同金色水岸龙园

项目开发建设：大同翔龙（集团）房地产开发有限责任公司

规划建筑设计：同济大学建筑设计研究院

通过康居评审：2005 年 8 月

金色水岸龙园项目位于大同市御河西岸，东邻御河，横穿 24 米宽滨河路，直入绿化面积达 90% 以上的大型生态景观园区，环境优良，空气清新；南邻东关商圈仅 300 米，居民购物便利；北接全城最宽 72 米花园大道；西靠市委与雁北行署隔路相望。11 路、22 路、25 路、26 路公交车方便居民出行。学校、宾馆、医院等近在咫尺。项目规划区位正处在大同市城市建设“东拓”后的中心。

项目规划强调小区整体功能与环境的协调，空间布局从整体上形成“一带多区”的结构特点。通过对中心景观带的塑造将北、中、南三个区有机的加以联系，南北两个区均为带底商住宅。

小区采用人车分流设计，环形的车行道路沿小区外围设置，在内部形成幽静的步行系统，消防及紧急运输可以使用，增加行人的安全，形成完善的步行体系。小区设置了地下车库，最大程度减少地面停车。

小区利用曲折的水系将园区景观充分整合统一，景观轴突破传统单一形式，形成多个视觉中心。利用微地形景观，堆坡造丘，结合乔木、灌木，形成龙形景观带，使社区景观更加丰富和具层次感。

除小区中心营造大尺度的景观外，在组团设计中营造亲切景观尺度，利用高差创造景观点，营造景观的层次感。大量的立体绿化应用，利用茂盛的植物把建筑物的环境软化。通过叠泉、喷水池等现代水景的营造，创造舒适的亲水空间。小区园林中设置户外康乐设施，如儿童憩戏区、缓跑径、健身区等。

小区北入口为主入口，丰富的商业气氛，塑造鲜明的入口形象。西入口正对小区的中心绿地，精致的园林设计引人入胜。

小区采用的新型成套技术有：

1、住宅结构体系。采用短肢剪力墙技术，提高了

住宅使用面积，改变了传统结构体系带来的内部空间狭小，分隔不灵活的弊端。

2、建筑节能技术。门窗节能技术：采用LG塑钢平开门窗，以中空玻璃代替单层玻璃，中空玻璃不仅有优良的采光性能，同时具有隔热、隔音、防霜等优点。入户门使用保温、隔音、防盗多功能门，也将大大提高住宅的保温、隔热功能。外墙保温隔热技术：大同市目前基本上没有使用外墙保温隔热技术，本工程将采用聚苯乙烯板进行外墙外保温，以提高外墙隔热保温效果。屋面防水层下设聚苯乙烯板保温隔热技术，以提高顶层业主居住的舒适度。电梯已成为仅次于空调的“耗电大户”，小高层和多层住宅中将采用新型节能电梯技术，大大减少电梯的耗能。供水加压设备采用变频水泵代替目前普遍使用的普遍气压式加压装置，变频调速给水可以保证用户水压稳定、可靠、节能。在公共空间、楼梯间采用节能灯和电子延时、声控开关应用技术，可杜绝照明中的浪费现象。充分利用现有地形，采用车库、地下室等架空做法，房屋不与地面直接接触，改善了底层住户的热环境，同时也减少房间内的耗热量，达到节能的效果。

3、新设备使用。楼宇净水系统。卫生洁具应用技术，推广冲洗水量6升/次的便器，有效减少水资源的浪费。节水龙头应用技术，在公共部分及精装修房屋采用陶瓷芯片的节水型龙头，节水效果显著。

4、小区现代智能化管理技术。目前大同市较高档住宅小区智能化管理也只做到了可视对讲，本小区智能化系统将包括可视对讲系统、区域周界红外线防范系统、电子巡更保安系统、设备集中控制技术、地下车库管理技术等。

5、住宅精装修技术。目前大同市进行住宅精装修的小区基本没有，推行精装修房是推动中国住宅产业化进程的重要内容之一，考虑到大同市目前的实际情况，本小区将选择20%的住宅作为样板进行精装修，以引导当地居民改变家庭装修的传统观念，其余住宅全部采用菜单装修，减少二次装修的破坏及污染。

6、居住区环境及保障技术。采用有机垃圾生物处理技术，就地消化处理每天产生的有机垃圾，卫生方便，无二次污染，大大减少垃圾清理量和搬运费用，有利于提高小区的环境质量。此项技术大同市目前尚未使用。采用中水处理回用技术，实现污废水的资源化，既可节省水资源，又可使污水无害化，起到保护环境、防治水污染的重要作用。处理后的水用于绿化、洗车、洒路等。

国家康居示范工程山西项目

大同御馨花都

项目开发建设：大同市浩达房地产开发有限责任公司
规划建筑设计：北京东方华太建筑事务所
通过康居评审：2005 年 6 月

御馨花都位于大同市御河南路东侧，东、南邻规划路，北邻华岳路。水文地质状况良好，给水、排水、供电、道路、供热、煤气、通讯等市政基础设施一应俱全。基地的东侧是市政府投资 8.2 亿元建设的套型生态林景观园，园区东侧有改造一新的御河水系，绿化面积达 90%，是大同市不可多得的黄金水岸。

小区总用地 9.75 公顷，住宅建筑占地面积 5.11 公顷，公共建筑占地面积 1.11。

规划充分利用小区自然标高与周边城市道路标高之间 3 米的高差，建立一个完善的交通系统，形成小区的地上地下人车分流设计，进入小区的车辆迅速引入地下车库，地面上完整的步行系统连接社区绿化带、住户，增加行人的安全。尽量满足住户将车方便快捷地停在居所附近的需求，通过进入地下的电梯直接到达居所。地面环路主要用于消防及紧急运输，在确保区域通达的前提下，最大程度地减少机动车穿越住宅区。

中心绿地景观轴：利用中心景观绿轴将园区景观充分整合统一，形成良好的居住氛围和社区的归属感。景观轴突破传统单一形式，形成多个视觉中心。堆坡造丘，利用微地形景观作为景观平台及活动地点，使社区景观更加丰富和具有层次感。

绿化庭院：除了小区中心营造大尺寸的景观外，在组团设计中营造亲切的景观尺度。利用高差创造景观点，营造景观的层次感。大量立体绿化的应用，利用茂盛的植物把建筑物的环境软化。通过叠泉、喷泉池等现代水景的营造，创造舒适的青水空间。小区园林中设置户外康乐设施，如儿童憩戏区、缓跑区、健身区。

住宅设计通过创造具有代表性的建筑风格，充分考虑建筑本身的景观作用，使社区建成后具有较强的观赏性。强调整体风格的一致性与个性化的和谐统一。充分考虑居住者的个性及多元特征，通过产品形式的创新体现差异化。小区内多层、小高层、建筑形式决定了建筑风格的多样性，充分体现组团的不可复制性，产品形态的多样性。高低错落的建筑高度，充满动感的设计意向，更增加了小区的识别性。

小区采用的新型成套技术项目有：

1、住宅结构体系

大同市目前常用的结构体系多为混合结构，而本小区的小高层住宅中将使用短肢剪力墙技术，同传统的结构体系相比，室内无柱，并且可以做到无梁或少梁，改变了传统的凸柱给住户家具布置带来困难的不便，提高了住宅的使用面积，改变了传统结构体系带来的内部空间狭小，分隔不灵活的弊端。

2、建筑节能技术

（1）门窗节能技术：目前大同市建筑门窗中使用的为普通铝合金、塑钢单层玻璃门窗，其保温隔热性能较差。而本工程将以中空玻璃代替单层玻璃，中空玻璃不仅有优良的采光性能，同时具有隔热、防霜等特殊优点。同时入户门使用保温、隔音、防盗多功能门，也将大大提高住宅的保温、隔热功能。

（2）外墙保温隔热技术：大同市较少使用外墙保温隔热技术，此工程采用挤塑型聚苯乙烯板进行外墙外保温，以提高外墙隔热保温效果。

（3）屋面防水层下设聚苯乙烯板保温隔热技术，以提高顶层业主居住的舒适度。

（4）电梯已成为仅次于空调的耗电大户，小高层中将采用新型节能电梯技术，大大减少电梯的耗能。

（5）供水加压设备采用变频水泵代替目前普遍使

用的普通气压式加压装置，变频调速给水可以保证用户水压稳定、可靠、节能。

(6) 使用节能灯和电子延时、声控开关应用技术，节能灯是绿色照明的首选产品，它具有光效高、节能效果明显、寿命长、体积小、使用方便等优点，而且光线柔和，很适合于各种普通照明场所，可以直接取代白炽灯．在公共楼梯间、公共窖选用电子延时、声控开关，可杜绝照明中的浪费现象。

（7）充分利用现有地形，采用车库、地下室等架空做法，房屋不与地面直接接触，改善了底层住户的热环境，同时也减少了房间内的耗热量，达到节能的效果。

3、新材料和设备使用

（1）墙改材料的使用：本小区住宅中的围护体系使用了粉煤灰砌块、加气混凝土块，其具有轻质、隔音、隔热的功能，并能充分利用资源。

（2）节水型卫生洁具应用技术：在公共部分及精装修房屋采用节水型卫生器具，推广冲洗水量6升／次的便器，有效减少水资源的浪费。

（3）节水龙头应用技术：在公共部分及精装修房屋使用陶瓷芯片的节水型水龙头，国际标准是30万次开闭，并且封闭严密，反应灵敏，关闭速度只有老式水龙头的十分之一，节水效益显著。

4、小区现代智能化管理技术

本小区的智能化系统将包括可视对讲系统、区域周界红外线防范系统、电子巡更保安系统、设备集中控制技术、地下车库管理技术等。让业主拥有高效率、舒适、温馨、便利以及安全的居住环境。

5、住宅精装修技术

推行精装修房是推动中国住宅产业化进程的重要内容之一，考虑到大同市目前实际情况，本小区选择了20%的住宅作为样板进行精装修，其余住宅全部采用菜单式装修，尽可能减少二次装修的破坏及污染。

6、居住区环境及其保障技术

（1）使用低噪音变频调速装置的水泵加压设备，保证用户用水压力稳定、合理、节能。

（2）有机垃圾生物处理技术，使用有机废弃物系列化处理有机垃圾设备，可就地消化处理每天产生的有机垃圾，卫生方便，无二次污染，大大减少垃圾清理量和搬运费用，有利于小区环境质量的提高，此项技术大同市目前尚未使用。

（3）中水处理回用技术，利用中水系统，实现污、废水的资源化，既可节省水资源，又可使污水无害化，起到保护环境、防治水污染的重要作用。处理后的水用于绿化、洗车、洒路等。

国家康居示范工程山西项目

忻州市开莱国际社区

“开莱国际社区”由忻州开来房地产开发有限公司开发建设，是忻州首席大型园林景观居住区，忻州首家国家康居示范工程，是集高档住宅区、园林景观区、教育文化区、配套商业区于一体的高档次城市居住社区。

“开莱国际社区”四至范围为忻州市七一北路东、九源街南、五台山路西、公园街北，位于忻州北部新区主城区的核心地带，紧邻忻州市规模最大的城市花园，与云中河水系和顿村温泉旅游经济开发区遥相呼应，地理位置优越，周边环境优美、人文景观良好，是忻州北部新区的龙脉之地。

“开莱国际社区”总占地面积为234908.44平方米，约合352.39亩，规划建筑总面积为558132.24平方米。“开莱花园”的建设用地分二期开发建设。

第一期建设用地占地172949.62平方米，约合259.45亩。规划建设B、C、E、F、G、J、中心广场七个住宅组团和学校区。

第二期建设用地地处整个项目东部，占地41665.94平方米，约合62.499亩。规划建设A、D两个组团及周边配套商业建筑区。

项目南北纵向、东西横向各有三条主干道，小区从南到北、从东到西，井字格划分，南面为：A、B、C组团、学校区。中部分布为：D、E和中心广场、F、G组团。北面为J组团，4栋24层临街高层建筑。B、C组团以多层建筑为主，采用砖混结构；A、D、E、F、G、J组团以小高层、高层住宅为主，采用框架剪力墙结构，防地震能力强，户型多样，便于装修。

社区沿九源街、五台山路，布置了两层沿街商用房，分别为商铺，医疗保健中心、文体活动中心、商业服务、

开莱国际社区 J3、J4 号楼效果图

金融邮电等，沿五台山路主入口处，设计了引入小区内部的步行商业街，为住户的生活提供了更便利的服务；社区的中心广场建设有26层的社区地标建筑和24层的景观观景建筑，两栋建筑建设宏伟，设计独特，尽显都市奢华风范；26层地标建筑底座设有多功的综合会所，为社区人们提供休闲、娱乐、交际的高品味场所；社区中央广场、社区组团和庭院间，安置运动健身器械、运动场地和背景音乐，在社区便可以边锻炼边享受优美的乐曲；社区在地下设置停车库，地下停车位；社区按照“乙级智能化住宅标准”建设，充分保证了安全保卫问题，社区内设有红外线报警系统、智能保安系统、门禁系统、社区内保安巡逻体系等充分保证了您的生活安全，解决了您的后顾之忧。

“开莱国际社区”的一期工程（B、C、E、F、G住宅组团）包括22栋多层建筑，11栋小高层建筑、2栋18层建筑，一栋26层高层建筑、一栋24层高层建筑已全部完工。配套的文化教育区，建设了忻州市十三中，现已投入使用。住宅小区的园林绿化、道路铺装、管网铺设、消防设施、环保卫生清运站等配套工程也已完成建设。“开莱花园”的二期工程（A、D两个组团及周边配套商业建筑区）已取得建设用地手续，正在办理相关建设手续。

国家康居示范工程山西项目

忻州市民心家园

民心家园项目是忻州市委、市政府确定的保障性住房建设重点工程，也是该市创新模式，政府引资，采取由“山西省浙江商会垫资建设，政府回购”方式建设的第一个保障性住房综合项目。该项目位于忻府区解原乡解原村（城北街南、团结街北、芦芽山路东），经省发改委审批立项。

项目开发建设：忻州华悦房地产开发有限公司

规划建筑设计：山西国建工程设计有限公司

太原中晋建筑设计事务所

民心家园总用地面积292亩，总投资约9亿元，面积38万平方米、4988套。其中，廉租住房建筑面积8.7万平方米、1782套；公共租赁住房建筑面积15万平方米、2496套；经济适用住房建筑面积6.8万平方米、710套；配套商业及公共设施建筑面积4.3万平方米。该项目多层为砖混结构，高层为纯剪力墙结构，已于2012年6月19日通过了国家康居示范工程规划、设计以及住宅成套技术评审。

该项目计划于2011年10月开工建设，2014年12月竣工交付使用，建设工期三年。

住宅结构体系

一、住宅结构体成套技术

1.1短肢剪力墙结构。小区住宅利用剪力墙增加抗震优势，采用纯剪力墙结构达到无柱、无梁，增大了室内空间，保证了室内美观。

1.2框架结构体系。小区利用框架结构，达到了分隔大空间的作用，适用于大空间内灵活的分隔，保证了商铺使用功能的要求。

1.3多层砌体结构。小区采用楼层全现浇结构，设立圈梁构柱，结构整体性好，抗震性强，建设成本低。

二、围护结构体系成套技术（包括墙体、屋面、节能、保温、隔热等技术。

2.1加气砼凝土块砌体。轻质、保温、隔热，砌体结构安全可靠与外室面材料连接可靠。

2.2岩棉板外墙保温，外抹玻化微珠抗裂砂浆。轻质、高效保温、隔热具有良好的防水、防冲刷性能

2.3屋顶挤塑聚苯板，保温、隔热、轻质。

2.4管道保温。室外供暖管采用聚氨脂直埋供热管道技术，室内管道采用离心棉保温。

三、建筑节能成套技术（包括门窗节能、供热系统节能、分散式采暖、空调节能、利用太阳能等技术）。

3.1中空镀膜双玻璃塑钢窗。该种玻璃又称低辐射玻璃，是在普通玻璃上镀上一层金属氧化物薄膜。用于制造中空型双层玻璃。该种玻璃能把90％的远红外线反射在室内，节能效果很好。

3.2保温、隔音、防盗封户门。具有三种功能特性，兼顾美观，形式多样。

3.3地板辐射采暖。每户为一个系统管路以蛇形盘管为主，局部辅以蛇形排管和平行排管形式，每户设热量表。

3.4供热热源采用城市集中供热。小区设置换热站，变频调速补水泵定压。

3.5利用太阳能电池发电供路灯照明．将太阳能转化为电流，供路灯照明使用，使用清洁、便利。

四、节水节电技术

4.1节能灯和电子延时，声控开关应用技术。采用节能型灯具，如荧光灯具、金属卤化物灯具，在公共楼梯间公共空间选用电子延时，声控开关，杜绝照明中的浪费。

4.2 节水型卫生洁具应用技术。采用节水型卫生器具，推广冲水量6升/次的便器。

4.3 采用分区段供水系统即六层以下全部为城市自来水供给。有效利用城市自来水资源，达到节电的效果

五、住宅厨卫体系成套技术

5.1 厨房整体标准化技术。采用标准化设计，按照模数原则，优化参数，确定厨房定型设计；考虑厨房电器设备的配置和插座的位置

5.2 卫生间整体标准化技术。采用标准化系列设计，根据模数协调原则，优化参数系列，确定卫生间定型设计；设置变压式通风道，机械排风设计。

六、防烟排烟系统

楼、电梯前室排烟。采用分段分别设置机械加压送风系统；厨房烟气集中排放系统，排放系统由排油烟机、变压上逆阀、排烟气道、屋顶风帽等四部分组成，通风蓖防倒灌，构造简单，安装方便 ，利用空气动力学动静压转换原理，满足住宅排气量要求，达到二次油烟分离的要求。

七、住宅智能化技术。

7.1 安全防范系统技术。可视楼宇单元安全门对讲或可视对讲；可实现对住宅头道火灾、有害气体泄漏的紧急呼叫报警；巡更保安系统，可实现区域联网，便于物业管理部门管理；设备集中监控与管理技术，采用计算机技术、通讯技术、自动化技术及集中监控技术，对住宅小区的关键设备及设施实现集中监控管理（对公共设施、供电、供水、供气、供暖、电梯及车库存运行情况进行集中监控管理）；

7.2 地下车库现代管理成套技术。地下车库无人管理、采用磁卡、IC卡或红外线控制，自动计费。

八、居住环境及其保障技术（包括水质保障、污水处理、垃圾处理等技术）

8.1 水质保障。水质为城市生活供水。

8.2 水压保障技术。生活给水采用分区供水系统，一至六层为低区由市政自来水直接供水，六层以上为高区，采用无负压供水，保证用户用水压力稳定合理。

8.3 居住区生活污水处理。雨、污水排放采用分流制系统，污、雨水分系统排出，生活废水和粪便废水，经化粪池处理后与项目区排水系统汇合排入市政污水管网，雨水排放：小区道路设雨水蓖和检查井，雨水管沿小区道路敷设、直接连接城市雨水管网。

8.4 垃圾中转站处理技术。小区内设置垃圾中转站，占地面积小，清洁、卫生，机械化程度高，不污染环境。

8.5 优质绿化草坪技术。选用适应地方气候特点优质草种、科学管理。

8.6透气透水性铺装材料加施工技术。预制混凝土异型步道砖：用于人行道和居民活动场地铺装，有较好的透水性能，可使铺装场地土壤的水、气状况满足植物根系生长的需要，有利于充分利用雨水资源，减弱雨水的地表径流，减轻城市的排水压力，对改善居住区生态环境有积极意义。

九、防水技术

9.1防水卷材成套技术。推广以高分子卷材为代表的防水材料。抗老化，延伸率高，扯断强度高，抗透水性强。

9.2防水密封成套技术。推广非煤焦油类防水油膏，弹性好，密封性好，施工方便。

9.3新型瓦材。应具有良好的防水构造，有利于固定安装，色彩多样，色泽稳定。

9.4新型刚软性防水成套技术。施工方便，工序简单，抗变形加强，抗进水性强。

十、建筑消防成套技术

10.1消防平面布置及防火疏散。建筑四周设消防通道；公共走道设应急照明，并设诱导疏散方向指示；高层住宅每单元设楼梯1部、电梯2部，并设置防火分区。

10.2给排水防火设计。室内外设消火栓系统，并在室内辅以磷酸铵盐手提式灭火器。

10.3采暖通风防火设计。不满足自然通风的消防楼梯间前室设正压送风系统；配电视设置机械通风系统；通风及排烟管采用镀锌钢板矩形风管，设置近控常闭多页送风口，多页送风口与正压送风机设连锁起动装置，正压送风机选用混流风机。

十一、其他类型住宅及无障碍设计

无障碍设计 楼门口设计坡道、栏杆室外人行道设盲道地砖。

国家康居示范工程山西项目

大同水泉湾 • 龙园

水泉湾 • 龙园在社区配置上引进国外成熟的节能环保减排技术和产品，开发水泉湾龙园建筑豪宅，成就社区未来绿色环境和居民舒适方便快捷的生活。开发商以坚持不懈地实践品质地产的理想与追求，以一种承诺、一种态度、一种标准、一种文化，综合建筑、环境、配套、服务、资源等多方面优秀，全面提升城市居住品质、生活品味，为大同重树豪宅标准、品质标杆。2009年3月以齐全的节能减排配套和超前的规划理念顺利通过国家康居住宅示范工程的方案评审，并被山西省城乡住房与建设厅指定为绿色建筑试点小区。

水泉湾龙园西临大同第一条高标准景观大道---御河西路，南通京大高速公路，北连得大高速，东接碧波荡漾的御河和生态园的万千美景，绿化面积90%以上的大型生态景观园区，国子学府，全程精英教育：西临大同一中，东临大同二中新校址，社区内设有高档的小学，幼儿园，不出社区就能入托。该建设项目占地面积为174418平方米，建筑面积为54万平方米。

项目在建筑结构体系、围护结构体系、厨卫、管网、智能化、可再生能源利用、环境保障、施工等方面采用产业化成套技术。在低碳减排方面，采用粉煤灰混凝土加气块作建筑外围护用材，采用了硬泡聚氨脂复合板外墙保温系统，断桥铝平开中空玻璃窗、顶层聚苯板屋面保温、双层保温防盗门，只为将来的家免去空调的开支，保持冬暖夏凉、恒温效果；封闭式垃圾自动收集系统及有机垃圾处理系统，把环保减排与生活的方便融合；地源热泵系统、太阳能光伏电系统、雨水回收、中水回用节能环保措施将一一实现；双供热系统，将实现不分季节自由采暖 分户计量收费系统、低温地板辐射采暖系统，解决冬季采暖诸多弊病，实现低费用高舒适度的采暖效果；室内分室温控系统，自由选择，各取所需；节能拟将达到65%标准要求。小区绿化节水喷灌系统与景观水系节水新技术、节能节水环保细节到位；一卡通管理系统，更人性化、更方便。住宅工业化全装修一次到位等，对节水节材具有示范意义。

小区规划设计为组团院落式布局形式，结构紧凑，空间富有变化。住宅建筑采用高低塔配、长短板结合，达到朝向好，通风好的效果。区内道路采用内环的交通系统，三个机动车出入口与二个步行出入口与城市道路相连，布局合理，线形流畅，居民进出方便。机动车停车以地下停车为主，地面为辅，停车率达到70%以上，人车分流，全地下停车，保持社区安静祥和的居住环境。小区的景观建设采用中心绿地与组团绿地相结合的方式，使绿色环境分布均衡，景观空间丰富。小区公共服务设施布置合理配套齐全，为居民提供方便的服务。住宅套型面积利用率高，平面功能分区明确，设计中有入户过渡空间及适当的贮藏空间，户内交通联系顺畅，空间尺度合宜。起居室、卧室通风、采光、视野条件良好。餐

厨布置紧密，建立有独立的就餐空间。建筑立面造型简洁，挺拔清秀。

该小区规划科学合理，功能齐全，空间利用充分，"四节一环保"产业化成套技术采用得当，项目的建设将为带动大同地区省地节能环保型住宅的发展起到主要的示范作用。

国家康居示范工程山西项目

太原澳林滨河花园

太原澳林滨河花园自2009年初开始启动，同年7月份通过国家住房和城乡建设部、山西省建设厅的评审，被列为“国家康居示范工程”，山西化工行业第一个康居示范项目，2010年4月被中国房地产协会评为“中国城市魅力经典楼盘”。

澳林滨河花园是太原化学工业集团房地产开发有限公司依托太原市长风商务区精心打造的商品房项目。澳林滨河园项目道路交通发达四面环路，与新晋祠路相距约200米，新晋祠路以东为长风商务区，规划建设包括：24层——30层商品住宅楼9栋，托幼1所，西北向沿街为2层底商。规划建设用地107.24亩，规划净用地84亩，总建筑面积196000平方米，容积率3.5。项目采用超大景观设计理念，重点提升居住品质，满足为提高住房质量人群购买需求，是都市人紧张忙碌工作之余身心放松的良好境地。

该项目积极采用新技术、新工艺、新设备、新材料，建筑墙体采用当地产煤矸石大孔砖，并结合外墙及门窗中空玻璃等节能产品可实现建筑节能65%的要求。

项目亮点一、水源热泵和中水回用技术，依托太化集团自身优势，做到洁净无污染供暖，中水回用系统将降低居民生活成本，同时壮大转型发展力量，拓宽“非化”产业经济道路。

项目亮点二、该项目应用世界先进的小区绿肺绿化理念，超大绿化面积规划，并适时配以景观水系，小区内呈现绿树掩映、鸟语花香，其乐融融的和谐景象。

项目亮点三、户型设计均聘请国家知名设计单位，结合北方住宅的基本特点，体现南北通透、气派实用、舒适大气、采光充分、私密性强，营造美好生活空间。

项目亮点四、由于长风商务区的建成，将幅射带动周边的繁荣发展，市府南街，中环路的通衢，以及新晋祠路多座过街天桥的建设，势必带动该区域餐饮娱乐产业的兴起，在未来三年内必将出现平地起厦千万间，万家灯火夜阑珊的景象。

国家康居示范工程山西项目

太原天赐康缘住宅小区

康居示范工程通过对新材料、新技术以及先进适用成套技术的研发、生产和推广应用，不仅提高了住宅的使用功能质量、工程质量、环境质量，同时也推进了住宅产业的现代化。所以坚持走科技含量高、经济效益好、资源消耗低、环境污染少、人力资源优势得到充分发挥的新型工业化道路，是住宅建设先进生产力的发展方向。作为国家康居示范工程之一的天赐康缘住宅小区正是如此。“天赐康缘”是由太原市恒广源房地产开发有限公司精心打造的高品质生活社区，位于小店区汾东新区的中心位置，东邻富士康工业园区，西北方是高新技术开发区，东南方是太原经济开发区和教育园区（大学城），该小区占地面积约 168 亩，建筑面积 28 万平方米，40% 的高绿化率，38-77 米奢侈楼间距以及 270 度外飘窗。

开发建设单位：太原恒广源房地产开发有限公司

一、总平面规划

天赐康缘住宅小区总用地面积为 9.97 公顷，代征城市道路用地为 1.38 公顷，代征城市绿化用地 0.16 公顷。居住区用地为 8.43 公顷。其中住宅用地面积为 4.93 公顷，公建用地面积为 1.55 公顷，道路广场用地面积为 1.27 公顷，公共绿化用地面积为 0.68 公顷。小区由 16 幢板式高层住宅、3 幢点式高层住宅、2 幢板式高层公寓以及配套公建四部分组成。

一期为东南区，布置有 4 栋高层住宅及部分临街商业与配套公建，全部已建成。

二期为东北区，布置 4 栋正在施工中。采用的建设技术主要有：采用纯剪力墙结构体系；外墙采用聚苯板外保温；屋面采用挤塑聚苯板保温；采用集中供热低温热水地板热辐射采暖系统 外窗均采用中空玻璃塑钢窗。一、二期中所有建筑面积大于 120m2 的套型均采用了错层式设计。

三期为西区，布置有 7 栋住宅、2 高层公寓及及部分临街商业与配套公建，采用的建设技术主要有：中水回用系统；雨水回用系统；管道直饮水系统；太阳能集

中热水供应系统；住宅室内装修一次到位，直接入住，实现交钥匙工程。

建设总用地面积为 9.97 公顷，规划建筑面积约为 30 万平方米。

二、功能布局

根据太原市总体规划设计，小区沿康宁街、真武路及北侧东侧两条规划路布置了配套公建。布置了会所、商场以及为小区配套服务的超市、商铺等，充分体现沿街面的商业价值。它们既服务于小区，亦可服务于周边地区，在管理上可相对独立。另外在小区机动车入口处布置了幼儿园等公建，方便居民使用。

高层住宅围绕中央绿地呈向心式布局。在靠真武路一边布置高层住宅楼以屏蔽干道对小区的干扰，形成规划设计的整体感。小区形成四个组团式片区，板式楼长短不一，错落有致，打破了兵营式布局的单调呆板。

高层点板式住宅—弧心式布局

中央绿地周围弧心地布置了三栋点式高层住宅，为整个小区的核心，有效的连接了东西四个组团片区，使小区形成了一个有机的整体。

1、空间构成

小区整体呈由南向北逐渐增高，由中央绿地向外逐渐增高的态势，高层板楼通过退台形成高低错落，空间形态丰富多变。

各住宅楼间作为户外交往空间是半私密性的，人们置身于其中有归属感和安全感，为邻里的交往提供了方便，这些空间由于板式楼而呈带形。宅间空间与中央公共空间既相互独立，又相互渗透，缩放有致，形成对比。一系列形状不同、大小各异、高低有别的室外空间将整个小区串联在一起，流畅自然，浑然一体，从而达到了功能与形式的统一，满足居民由公共－半私密－私密的心理需求。

2、住宅设计

高层住宅均为单元式住宅，一梯两户，一梯三户，户型面积有90m2、100m2、120m2、140m2几种不等，其中90m2为主力户型。住宅设计中始终强调“以人为本”的住宅设计理念，努力建构一个人性化的居住环境。

2.1 合理的房间尺度，合理的功能分区

根据人体尺度及功能要求，设置不同功能的空间尺度。比如：设计客厅时，均留有两面相对较长的实面墙，保证起居空间能容纳一个小型家庭影院；厨房设计考虑洗、切、烧的顺序来安排设备，配置相应的案台，并留有冰箱位置；卫生间将洗浴、便溺、盥洗、洗衣功能加以组合分隔，并考虑洗衣机位置。

户内设计功能空间做到动静分离，洁污分离，公私分离，食寝分离，居寝分离等，通过恰当的空间划分使居住生活空间和生活行为适得其所，进而获得最佳的居住空间环境。

为提高居住品质，每种套型内均留有相当的储藏空间，在大套型内设有步入式更衣间。

2.2 重视朝向、采光及通风

户型设计保证每户主卧室及起居室都有一个向南的朝向，做到明厅、明卧、明厨，餐厅的设置也相对独立，靠近外墙，自然采光。户型设计皆考虑穿堂风路线短直，特别是南北起居厅与餐厅对穿的户型设计，通风流畅。厨房、卫生间采用变压式通风道将臭气和潮气排出室外。

2.3 设备管网的有效组织

所有厨房、卫生间均设集中管井，保证室内美观。结合住宅小区的发展趋势，在单元公共区内设置管井，每户均采用电表、水表、暖表三表出户系统，为小区物业管理提供了方便，为智能化小区创造了条件。

2.4 宜人的公共部位设计

公共部位的设计充分体现了人性化空间的特点。每栋楼的一层均设计了面积适当、空间形态完整的大堂空间，所有公共部分均采用无障碍设计，以满足残障人士及老年人的要求。

2.5 重视室内外空间的组织

如何将室外优美的环境渗透到室内来，在住宅设计中易被忽略。本方案设计中南向起居室及卧室等均采用大面积落地窗台、中空玻璃窗，南向阳台亦采用低栏板，这样室外美景尽收眼底，形成了内外交融的效果。端单元户型均特殊设计，面向中心广场做大面积落地玻璃窗，

使人们拥有良好的视野和融入自然的感觉。所有住户均能做到户户有景，强调了环境的均好性。

2.6 立面设计

立面通过墙面的虚实对比，玻璃与实墙的材料质感对比，形成简洁流畅、力度感人的形象和丰富的立面效果，整个造型体现出技术浪漫主义风格，塑造出鲜明而真实的现代住宅特性。

立面设计中调动了一切元素作为建筑立面构成的一部分，也是本工程立面设计的一个基本原则，如将空调室外机搁板同阳台或凸窗进行组合设计，避免了立面的杂乱无章。

3、配套公建

为满足居民日常生活所需，保证小区于生活机能上的自给自足，设置了配套齐全的商业服务设施。

小区级主要公建在小区南部及西部，沿康宁街、真武路集中设置，布置了会所、商场以及为小区配套服务的超市、商铺等，充分体现沿街面的商业价值。它们既服务于小区，亦可服务于周边地区，在管理上可相对独立。会所中包括设置了居委会、物业管理等社区服务中心以及健身房、室内游泳池等休闲活动场所。

小区配备了五班幼儿园，建筑面积约为1200平方米，分四层布置。其内部功能较为齐全，东侧设置各班及集中的儿童游戏场。

每个组团片区设有垃圾收集点及公厕。

小区内还配置了变电站、热交换站、水泵房、煤气调压站等配套设施。

4、道路系统

道路系统的设计以为人、货提供高效、安全和便捷的交通为主旨。机动车交通与步行生活活动，在平面上适当分离，形成便捷安全的人车分流交通系统。

小区内部的道路系统由三种类型的道路组成。小区主要道路呈环状布局，满足机动车、自行车和步行交通的要求，联系全区各住宅组群和城市道路，解决小区与城市交通的联系，路宽6米，两侧各有1米宽人行道。邻里道路满足各邻里单元内部小汽车通达的要求，其道路设计满足应急和消防车辆沿住宅环行的要求，道路宽度不小于4米。中央绿地间布置了绿化步行道，主要为步行和漫步缓跑等休闲健身活动服务，路宽2-3米结合沿路绿化种植设计和环境小品自由布局，地面铺装采用毛石或鹅卵石等自然材质。

5、停车设计

小区停车分为地上和地下两部分。在每两栋高层板式楼之间的绿地下面均设有集中停车库，完全实现就近停放。车库入口设在主要车行道两侧，避免机动车进入组团。地下停车库为机械升降水平横移式车库。地面上在主要干道旁边分散地设置地面停车位，以植草砖铺装辆。

6、绿化景观

小区景观设计摒弃了以往平板一块的做法，结合地形，引入立体绿化的新概念，并且引入“水体”这一景观元素，因为水是环境与生态活动中最重要的因素，是一切生命赖以生存的重要自然资源，设计中利用水体能够起到营造环境，渲染气氛，调节气温，活跃环境等作用。小区绿化体系由小区中心绿化、宅间绿化、沿街绿化、屋顶绿化等层次组成。设计努力使人们在日常生活的每时每刻都能感受到绿化，让绿化形成一个连续的系统。

中央绿地，以水景、喷泉互动，强化中心景观，构图形式自由、饱满又富有张力，颇具现代气质。庭院形态兼顾高层住宅俯视的效果，创造了良好的心理、视觉环境。中央绿地以大片草地及低矮灌木为主，以保持较开阔的视野。宅间绿地设在地下车库屋顶上，与中央绿地自然分开，但又互相延伸，此处设置了儿童游戏场所、体育活动场地、邻里交往场所，加强了居住区的使用功能，提高了环境质量。

7、科技含量

在住宅产业现代化和科技含量上，于结构体系、围护体系、内隔断体系、管线综合布置体系、屋面体系、厨卫设备体系中体现新技术、新材料以及新的设计方法等。

三、各专业技术设计：

1、建筑专业

高层住宅为钢筋混凝土剪力墙结构，局部选用厚Gm板，在地下室与卫生间等较潮的部位填充墙体为厚空心砖。

会所、商场等公共建筑为钢筋混凝土框架剪力墙结构。

2、节能设计

积极贯彻国家节约能源的政策，实现节能50%的目标，小区内住宅及酒店均进行节能设计，满足小于0.30的要求。

2.1 高层住宅外墙为钢筋混凝土墙，采用外墙外保温技术，采用钢丝网架聚苯板现浇混凝土外墙外保温系统。

2.2 屋面保温层采用挤塑聚苯板，地下室顶板下粘贴挤塑聚苯板作为保温层。

2.3 在南北阳台栏板内侧粘贴厚挤塑聚苯板，在阳台首层出挑板下粘贴厚挤塑聚苯板以防止结露。

2.4 所有外门窗均选用塑钢门窗，中空玻璃，以满足节能要求。

3、防水设计

3.1 地下室防水

本工程地下防水等级为二级，根据规范要求，地下室外墙及底板均做全防水处理。地下室外墙和底板均为抗渗混凝土；高层住宅、幼儿园、小楼区在地下室底板下及外墙外粘贴MEE改性沥青防水卷材。酒店、写字楼在地下室底板下及外墙外粘贴厚三元乙丙防水卷材。

3.2 桩头防水

桩头防水选用水泥基渗透结晶防水涂料。

3.3 屋面防水

小区内高层住宅的屋面防水等级为II级，设两道防水。

幼儿园等屋面防水等级为III级，设一道防水层。

3.4 厨卫成套技术

住宅中厨房卫生间均采用标准化设计，按照模数原则，优化参数，确定厨房卫生间定型设计。在厨房卫生间内均设有集中管道井用于安装上下水管，设有变压式通风道用于通风排烟。在厨房根据洗、切、烧的顺序合理安排了灶具等设备，留有足够的操作平台，予留了吊柜等储藏空间的位置。

4. 消防及人防设计

中高层住宅均为18层以上，为一类建筑，耐火等级为一级，消防按GB50045-95《高层民用建筑设计防火规范》设计。每单元设一部防烟楼梯间和一部消防电梯，防火分区、防火间距、消防车道等的设计均符合要求。

设计中幼儿园等均为多层民用建筑，属二类建筑，耐火等级为二级，消防按GBJ16-87《建筑设计防火规范》设计。防火分区、防火间距、消防车道等的设计均满足要求。

高层住宅的地下二层均按六级人员掩蔽所设计，考虑平战结合，平时作为库房使用。

四、工程中采用的成套新技术

1、住宅结构体系

1.1 承重结构体系

部分层数为高层住宅采用短肢剪力墙结构。

部分层数为18、20层的高层住宅采用现浇钢筋砼剪力墙结构。

配套公建、商业采用大开间现浇钢筋砼框架结构。

1.2 围护结构体系

10层以上高层住宅为钢筋混凝土剪力墙结构，填充墙体为加气混凝土砌块。在地下室与卫生间等较潮的部位填充墙体为厚空心砖。

配套公建、商业等公共建筑为钢筋砼框架结构，填充墙体为加气混凝土砌块。

加气混凝土砌块具有质量轻，保温效果好的特点。

1.3 隔断结构体系

轻质隔墙板具有轻质、隔音良好、适用多种饰面材料的特点，对于它的应用，满足了灵活分隔空间、方便施工的要求。在高层住宅中，部分墙体采用GM板，在配套公建及商业内大量使用了GRC轻质隔墙板。

2、厨卫体系

住宅中厨房卫生间均采用标准化设计，按照模数原则，优化参数，确定厨房卫生间定型设计。在厨房卫生间内均设有集中管道井用于安装上下水管，设有变压式通风道用于通风排烟。在厨房根据洗、切、烧的顺序合理安排了灶具等设备，留有足够的操作平台，予留了吊柜等储藏空间的位置。

2.1 推广使用节水器具

配水装置和卫生设备是水的最终端使用单元，它的节水性能的好坏，直接影响着建筑节水工作的成效，因而大力推广使用节水器具是实现建筑节水的重要手段和途径。在不同场所推广使用不同类型的节水器具

在选择节水器具时，除要考察其节水性能外，还要考虑价格因素和使用对象。

3、建筑节能

积极贯彻国家节约能源的政策，实现节能65%的目标，小区内住宅及会所等配套公建均进行节能设计，体型系数均小于规范的要求。

高层住宅外墙为钢筋混凝土墙，采用外墙外保温技术，采用钢丝网架聚苯板现浇混凝土外墙外保温系统，即将钢丝网架聚苯板置于剪力墙外模板的内侧，与剪力墙一次浇筑成型。

屋面保温层采用挤塑聚苯板，地下室顶板下粘贴挤塑聚苯板作为保温层。

在南北阳台栏板内侧粘贴厚挤塑聚苯板，在阳台首层出挑板下粘贴厚挤塑聚苯板以防止结露。

所有外门窗均选用塑钢门窗，中空玻璃，以满足节能要求。

住宅暖通专业设计严格执行《民用建筑节能设计标准》。

4、住宅室内装修成套技术

厨房卫生间一次装修：

厨卫地面和墙面砖铺设完成，顶棚采用防水腻子，防止受潮脱落；通风道安装到位，管线封闭不外露。

住宅室内装修一次到位，直接入住，实现交钥匙工程：

除厨卫装修外，其他房间也按市场需求档次完成地面、墙面、顶棚、门套的安装工作，按住户采用菜单装修一次到位，直接入住，实现交钥匙工程。

5、专项技术开发、关键技术的突破

5.1 采用智能住宅布线系统，户内设置家庭信息接入箱，一方面能够集中管理家庭服务各种功能的应用，一方面支持视频、语音、数据及监控等信号的传输，具有高带宽，高速率，高可靠性，兼容性，开放性，异域管理等特点，完全适应网络目前及将来的发展。

5.2 住宅小区采用智能化管理系统，本系统是基于计算机网络技术的楼宇网络

智能控制系统，它将家庭安全防范，燃气泄露，紧急救助，水电气三表自动抄表收费，远程控制家庭智能终端的布防，撤防及家用电器，物业管理及计算机网络集于一体，通过计算机网络线路构成整个住宅小区的集中管理控制系统，系统具有适用性广，功能齐全，直观性好，操作简便等特点。

小结

住宅产业化成套技术的广泛推广，对提高住宅的综合品质，缩短建设周期，降低建造成本，加速资金运转，加快投资回收，提高劳动生产率都起到了积极的促进作用；同时因为建设周期减少，成本的减低等使住宅产品更具有市场竞争力，也有利于营造一个公平、健康的市场竞争环境，使市场环境逐步走向更加规范化、法制化的轨道。

国家康居示范工程山西项目

运城市外滩首府

开发建设单位：山西省运城市大运房地产开发有限公司

规划建筑设计单位：上海华邦建筑设计有限公司
上海江南院建筑设计有限公司

园林设计单位：上海邦越景观设计有限公司

室内装饰设计单位：上海和境装饰设计有限公司

项目概况：

“外滩首府”位于河东东街延长线以南，盐湖大道以北，韩信路以东。毗邻河东街行政文化中心，紧依运城中学、新城中学、运城学院等著名学府，周边体育馆、博物馆、科技馆环侍，坐拥5000亩禹都森林公园，俯揽波涛浩渺的八一水库，景观资源条件十分优越！项目占地面积202亩，总建筑面积约23万平方米，社区由16栋花园洋房、5栋高层、1栋办公楼和2栋商业楼组成，是按照城市总体规划开发建设的全新型高档住宅区。其中：花园洋房约9万平方米，高层住宅约11万平方米，办公楼及商铺约2万余平方米。容积率1.72，建筑密度22.61%，绿化率37.22%，在小区内规划配套8班幼儿园一座。

“外滩首府”花园洋房采用新古典主义建筑风格，高层住宅和写字楼采用ARTDECO建筑风格，在5栋高层和16栋花园洋房组合的建筑包围中，花草树木与楼宇和谐交织。项目采用60多项国内领先的建筑技术，打造运城首座科技名宅，是运城唯一的国家A级康居示范社区。小区在规划设计上突出以下特点：

一、“外滩首府” 绿化率高达37.22%，是真正意义上的园林式小区。

二、“外滩首府”建有地面地下车库，车位数多达1346个，真正达到1：1，满足小区住户停车需求。

三、“外滩首府”在智能化建设方面，设置有周界防越报警、电视监控及电子巡更等保安系统。家居内设置煤气泄漏和紧急求助报警系统等。

四、根据《国家康居示范工程建设技术要点》、《国家康居示范工程成套技术量化评价指标》，结合当地实际情况，外滩首府采用了以下系列的住宅成套技术体系：

1、采用粉煤灰加气混凝土块及GRC隔墙做隔墙、隔断；

2、外墙外保温选用聚苯颗粒外墙砂浆保温；

3、建筑外窗全部选用断桥铝中空玻璃窗；

4、小区采用雨水回用技术，用于小区绿化、景观及洗车等。

5、小区有机垃圾处理采用HYW微生物有机垃圾处理技术，使小区有机垃圾降解率在95%以上。

6、小区B－1、B－2楼采用阳台式真空太阳能与电热水器结合技术，满足住户的生活用热水；

7、小区生活用水采用变频调速恒压供水技术；

8、小区高层建筑选用上海三菱全数字化电梯；

9、小区设置通讯网络机房，数据宽带网实现100兆到户，有线电视网可提供数字电视的播放。

10、采用地热井热源、采暖及供热水技术，节约能耗、

经济适用、采暖全部采用地板辐射、采暖管线敷设成套技术。

11、在公共楼梯间及公共空间选用电子延时、声光控开关，杜绝照明中的浪费现象。

12、采用管道井集中暗设系统技术、方便检修和后期改造。

13、采用电器多回路配线技术、综合布置、分井设置、管线集中隐蔽。

14、采用智能化计量收费技术，小区水、电、暖、燃气消耗数据自动采集并传送到物业管理计算机系统中，免去入户抄表、收费等程序。

15、地下车库实现无人管理，采用红外线控制技术自动计费。

16、采用可视楼房单元安全门对讲、可视系统和巡更保安系统，及小区视频监控系统。

国家康居示范工程山西项目

太原文湃苑康居住宅小区

开发建设单位：山西庆民房地产开发有限公司

建设场地：本项目在并州南路以东，亲贤北街以南，太堡西街以北的位置上建设，工程位于山西省太原市小店区，隶属于太原市小店区管辖。

项目定位：该项目定位为国家康居示范工程，规划总用地面积为4.22公顷，约合63.3亩，规划净用地面积为3.75公顷，约合56.25亩，建设用地面规划容积率4.57，规划总建筑面积为196450㎡；地上建筑面积为171390㎡、包括住宅建筑面积161030㎡，商业建筑面积5335㎡，配套设施幼儿园建筑面积1140㎡、物业和社区服务建筑面积3660㎡，换热站煤气调压站建筑面积225㎡；地下建筑面积为25060㎡，包括地下车库18580㎡，主楼地下室6480㎡。规划布局采用南北向住宅与东西向住宅相结合，通风好，朝向好，土地利用充分。区内道路采用外环方式，设西、南两个出入口与城市道路连接，出行便捷。机动车停车率达户均一个以上，且以地下停车为主，避免了机动车对居民居住安静、安全的干扰。

整个小区以住宅为主，拟建设33层高层1幢，32层高层2幢，28层高层2幢， 25层高层1幢，其中2幢32层的高层中间为主入通道加以点缀的设计尤为别具氛格。商住楼裙房2层；地下2层，地下两层为停车场，设备用房，人防等。小区共有机动停车位1485辆，地上377辆，地下1108辆，非机动停车位1520辆；规划总户数为1358户，居住总人数4074人，绿地率占38.2%，有利于营造较好的室外空间。

配套设施基本齐全。套型面积多样，类型丰富，适应市场需求。套型平面良好，功能分区明确，做到动静及洁污合理分离，公共与私密互不干扰。各功能空间尺度基本合理，平面布局紧凑，家具布置稳定。厨房与餐厅之间联系紧密，冰箱位置基本合理。单体一律采用剪刀楼梯，在超过18层的条件下，有利于减少公摊面积。厨卫设置基本合理，操作流线清晰，设备管线集中。造型简洁、大方、明快，具有居住建筑特点。

主要采用的产业技术有：

采用框剪结构、煤矸石多孔空心砖砌筑体系技术。RFT 自控变储能墙体保温隔热、保温镀膜两层玻璃门窗及屋面聚苯保温隔热技术。污水源热泵供热制冷、地板辐射采暖、太阳能供热水（公建部分），以及太阳能光热技术。有机垃圾处理、雨水收集、污水处理和中水回用等技术。地下立体停车、智能化计量、门禁和周界防范信息通讯等小区现代管理技术。

该项目结合当地实际情况，积极推广先进、成熟的新材料、新技术、新设备、新工艺，采用当地生产的如煤矸石大孔砖、RFT 自控相变储能墙体保温材料、新型铝合金中空玻璃门窗，促进当地住宅建筑材料、部品的集约化、标准化生产，对提高住宅质量，引领住宅产业化发展起到了积极的作用。

国家康居示范工程山西项目

大同御锦源

御锦源是由大同市博兴房地产开发有限公司开发，地处大同市御河西路以东，东邻皇城水系御河，与滨河生态园相伴；西边与大同一中新址相邻；南靠新建的南三环御河斜拉大桥，直通御东新区、大同二中、京大、大运高速；北与得大高速相通。项目周边有云冈建国宾馆、晨光国际大酒店等高档五星级酒店和商务中心，社区内部配套幼儿园、小学、高档会所等。占地378亩，规划建筑面积96万平方米，29幢地中海风情高层阳光板楼峻拔伟岸，10万平方米商业规划构筑新兴商圈，打造大同市大型、高品质宜居社区，成为城市中靓眼的一道风景。该项目在2010年被国家建设部评为“省地节能环保型住宅国家康居示范工程”。

项目概况

1、项目定位：大同东、御河畔，集居住、购物、休闲、商务于一体的尚品社区。

2、项目规划：集商业与住宅为一体，由高层住宅、底商、独立商街、公寓、会所等多种物业构成。

3、项目规模：占地370亩，规划建筑面积约96万平方米，共建29栋地中海风格高层板楼，总户数5395户，是大同市目前规模最大、品质最高的社区。其中住宅建筑面积60万平方米，商业建筑面积10万平方米，地下建筑面积21万平方米。写字楼30000平米，幼儿园2500平米，独立式车库18万平米，自行车车库8000平米。

4、项目目标：坚持以人为本理念，建设集居住、商业为一体，配套设施完善，居住舒适、功能齐全、高效快捷、生态环境优美的现代化大型、高品质宜居社区。其中投资上亿元营造地中海风情园林景观，绿化率高达40%，园林景观面积约为65%，在功能配置上从细节着手，为业主配套人性化、多元化功能设施；在园林景观设计中，以山水庭园、动静相织水景的造园手法体现自然山水之美，配植常绿植物及落叶植物营造四季景观，整体景观呈现出集“丰盛、灵动、幽雅”于一体的视觉盛宴……

5、投资金额：总投资约30亿元人民币。

6、地理位置：地处横贯南北交通的御河西路东面，北与水泉湾龙园相连，东邻御河，与滨河生态园相伴；西与大同一中新址对望；向北经御河大桥、向南经南环桥与御东新区相通；为京大、大运高速新入口必经之路；

向北直上得大高速，地理位置四通八达，区位优势得天独厚。

7、周边配套：项目周边有御馨花都、国际丽都、柳航新村等大型成熟社区以及水泉湾龙园和凯德世家等新型社区，在城市东南已形成较密集的居住圈；同时周边还有云冈建国宾馆、晨光国际大酒店等高档酒店和商务中心，大同一中、九中、大同二中、城区十八小学等学校，已成为城市的发展中心。

国家康居示范工程山西项目

大同市紫润芳庭

“一轴双城，双城并美”的战略实施让大同这座古老的城市焕发出勃勃生机，融古风古韵与现代时尚于一城的大同展现出无穷的魅力。作为一个地产开发商，如何为正在褪变中的城市带来更多的精彩，为城市留下可以长存下来的具有地标价值的经典建筑？大同市恒翔房地产开发总公司总经理赵建国给出这样的答案：以“绿色建筑”为城市留下经典。

什么是绿色建筑？绿色建筑是指在建筑全寿命周期内，最大限度地节约资源（节能、节地、节水、节材），保护环境和减少污染，为人们提供健康、适用和高效的使用空间，与自然和谐共生的建筑。目前，我国正在大力发展绿色经济，不断以科学技术手段提升住宅的舒适度、节能性，倡导低碳地产，引领绿色生活，

恒翔房地产开发总公司在2010年拿下了大同市南环路北侧（蔬菜研究所）地块。这块得天独厚的土地，是大同城市重新布局最好的地段，永泰南路是古城中轴的延伸，北接有“大同长安街“之称的迎宾街，南与居然之家、百盛等名店相连，汇聚了城市优良的商业配套与生活配套。不能辜负这么好的地段，更要为城市留下经典。初入地产开发行业的恒翔房地产公司将这个经典的标准定为国家康居示范工程。要做就要做到最好。国家康居示范工程，这个代表着现代住宅产业的发展方向，是目前领先国际水平的住宅建筑指标，它倡导以新技术、新材料、新工艺来促进建筑节能，八大项建筑指标和62项新技术，从建筑规划设计、成套技术应用上都体现了节能、节水、节地、节材、环保。他们认为，城市的土地是宝贵的，不可再生的，与城市和谐共生的绿色建筑不仅是各项功能齐全的宜居家园，更应该成为这座城市未来建筑的典范和标杆，最大限度地节约资源。为此，紫润芳庭项目积极申报了国家康居示范工程，并于2011年通过了国家康居示范工程的方案评审。

合理规划设计，缔造敞阔绿意空间

根据拆迁及商品开发的户型要求，紫润芳庭项目结合用地特点，针对密度、容积率、户型以及立面风格作了充分的比较研究，力求简约又适合现代居住的高品质住宅；坚持以人为本、环境为先、以城市总体规划为基础，努力营造高品质的居住文化氛围；运用城市设计理论，造型采用现代建筑手法，使建筑具有识别性和区域标志性；崇尚自然，遵循自然优先的原则，创造一个居住舒适，环境优美，高水平，高质量的新型休闲社区；适应居民的活动规律，综合考虑日照、采光、通风、防火、配套设施管理要求，创造方便、舒适、安全、优美的生活环境；合理利用自然地形、地貌，力求在改善居民居住环境的同时，节约用地，兼顾各方利益，努力创造出一个环境优美，设施齐全的居住社区。

紫润芳庭项目位于南环路北侧。东邻永泰南路，南邻南环路，西邻府南街延伸段，北邻向阳西街。永泰南路、南环路是大同市主要交通干道，其中南三环路直通大同市御东新区，便捷的交通得天独厚。“北魏明堂公园”、“御河生态园”、“智家堡森林公园”位于项目的东南，城市花园内花繁树茂、空气清新、景色宜人；大同一中、九中、十一中，四十一校、四十五校及早期教育学校近在咫尺，完善的教育配套，必将成就孩子们的美好未来；周边有三医院、四医院、沃尔玛超市、银行、星级商务酒店等成熟的配套设施，为业主提供便捷的生活条件；城市供水、污水干管，集中供热、天然气、供电、有线电视、通讯等设施一应俱全。

项目占地9.32公顷，总建筑面积49.12万平米，其中商业11.8万平米。建筑密度27.7%，小区绿地率达60%以上。国家规定高层住宅容积率3.5—5，而紫润芳庭的住宅部分容积率仅为2.97，这将大大提升住宅的

舒适度。减少楼体，减少建筑面积，为社区留下诺大的景观空间，绿化率高了，居住其中才能安享绿意盎然的自然美景。小区内住宅采用院落组团式总平面布局，结构清晰、布置紧凑、空间富有变化，建筑采用高低搭配、长短板结合，朝向与通风较好。各住宅楼均采用座北朝南布置，户户朝阳，符合中国北方居民几千年来形成的朝南而居的传统居住心理，亦可形成最佳的自然通风、采光效果，更能体现构建节约型社会的节能理念。为避免规划简单的排列模式，通过户型多样组合、单元之间前后错落、各楼宇长短搭配、高低变化等手法，使小区总体布局井然有序，室外空间丰富多样。

前期的规划设计非常重要。一笔错，就会影响到居住者70多年的生活。例如社区停车问题。我们大同的大多数社区做不到人车分流，地下车库做得少，社区就停满了汽车。汽车侵占了景观空间，也打破了居住需要的宁静。紫润芳庭在建筑规划之初，就以人车分流式的社区设计，汽车全部进入地下车库。我们按照1：1.5的车库配比，车位量达到4398个，实现全地下停车。地下车库为三层设计，增加建安成本500多万元，但可以换来未来社区安静、有序的空间和万千美景的呈现。

成套技术体系应用，成就居者绿意生活

紫润芳庭项目申报国家康居示范工程成功后，就根据《国家康居示范工程建设技术要点》《国家康居示范工程成套技术量化评价指标》的要求，结合本土的具体情况，实施如下方案：

结构体系

1．住宅结构体系

短肢剪力墙结构，框架剪力墙大开间体系，利用框架与剪力墙的抗震优势及楼板全现浇，达到无梁或少梁，便于分隔的大空间。

2．围护结构体系成套技术

围护结构体系采用具有轻质、高效保温、隔热性能；满足节能要求的复合墙体及层面，达到良好的防水、防冲刷性能。

外墙外保温隔热技术，采用燃烧性能等级为A级的60mm厚的岩棉板，阻燃、保温性能好，达到外墙不散热的功效。

防水层下设保温隔热层技术，屋面保温材料采用100mm挤塑聚苯板，屋顶与外墙交界处、屋顶开口部位做500mm宽岩棉板水平防水隔离带。

3. 隔断结构体系成套技术（包括、灵活分隔等技术）

轻质隔墙技术，轻质、隔音效果好、灵活分隔、方便施工要求。

建筑节能成套技术

1. 断桥铝门窗

重量轻、气密性、水密性、隔声性较好，中空玻璃增强了保温性能，导热系数小。

2. 保温、防火、密闭、隔音、防盗用户门

具有多种功能特性，坚固美观，形式多样。

3. 平衡阀及其水力平衡调试技术

平衡阀具有良好的流量调节性能，借助智能仪表可测出流经该平衡阀的流量，智能仪表内储存了平衡的流量特性及平衡调试软件，只需在供热系统运行时对管网中全部平衡阀作一次性的调整，即可实现流量分配符合设计要求。

4. 节能灯和电子延时，声控开关应用技术

采用节能型灯具和荧光灯具、金属卤化物灯具，在公共楼梯间、公共空间选用电子延时、声控开关，杜绝照明中的浪费现象。

5. 节水型卫生洁具应用技术

采用节水型卫生器具，推广冲洗水量 6 升 / 次的便器。

6. 太阳能应用

将太阳能转化为直流电或交流电，用于小区道路照明及草坪照明。

住宅设备成套技术

垃圾分类收集技术

社区配备垃圾处理系统，生活垃圾分类收集、集中处理后，进行排放，利于环保。

空调室外隐藏技术

每户设置统一空调室外机摆放位置，以达到不影响建筑外型

空调预留孔和冷凝水集中排放技术

集中设置空调凝水管道，埋设于墙体之中，避免破会建筑外立面，美化环境，克服墙面污染

配置电梯

每个单元配置电梯两部，高效能、低耗能的品牌电梯，方便居民生活所需。

住宅管网体系成套技术

电器多回路配线，综合设计、综合布置、分井设置、回路和插座设置满足电器增加要求。管线集中、隐蔽，为住户进行装修留有灵活性。

管道集中设置，隐蔽暗藏。设置管道井，方便检修和后期改造。

地板辐射采暖，配置分户分室热计量表，分户分室热控制。

现代化管理成套技术

地下车库无人管理，采用磁卡、IC 卡或红外线控制，自动计费。

采用计算机技术、通讯技术、自动化技术及集中监控技术，对住宅小区的关键设备及设施实现集中监控管理（对公共设施、供电、供水、供气、供暖、电梯及车库运行情况进行集中监控管理）。

安全防范系统技术，区域周界防范，可视对讲楼房单元安全门，可实现对住宅偷盗、火灾、有害气体泄漏和紧急呼叫报警，可实现区域联网便于物业管理部门管理，巡更保安系统。

居住区环境质量保障技术

新风系统，统一布网、布线，打造“会呼吸的房屋”。

中水回用，利用中水系统，实现污、废水的资源化，既可节省水资源，又可使污水无害化，起到保护环境、防治水污染的重要作用。处理后的水用于绿化、洗车、洒路等。

雨水回收利用，绿地雨水就地渗入，人行非机动车通行的硬质地面广场等采用透水地面；设计雨水收集系统，储存回用。

绿化自动喷灌技术，喷灌可节约用水，易于管理，喷灌均匀。

有机垃圾生物处理技术，有机垃圾可以在小区内通过小型的堆肥器和高效菌种快速发酵处理，机械化程度高，不污染环境。堆肥用于小区内绿地施肥，减少了垃圾运输费用。

住宅施工建造技术：

1、模板工程采用梁柱钢模和楼板竹胶板体系，楼板底平整，可直接刮腻子，施工速度快，降低了工程造价。

3、粗直径钢筋锥螺纹连接技术，操作方便，可靠性高。竖向钢筋采用电渣压力焊技术，保证了竖向钢筋

对接质量，节省了钢材。

4、泵送混凝土技术，施工速度加快，保证了工程质量，减少了环境污染。

5、外墙面砖在保温层上采用了后锚固法工艺，有效地防止面砖的脱落。

6、在所有建筑基础的伸缩缝处，后绕带等处采用止水带，止水环等防水密闭成套技术，确保技术缝的防水处理。地下管道穿墙处采用预埋防水套管技术，有效防止了水的渗漏。

节能减排工程建设的施工管理

为保障各项节能减排措施的顺利落实和保证施工质量，通过集中学习，树立起节能减排对国家可持续健康发展的重要战略意义的正确观念，并建立专门机构来进行监督。

1、建立监督检查机制，发挥监理的质量监督作用，对施工阶段的质量、进度、投资三方面进行全面控制。做到施工要有组织设计、质量检收按规范、操作有规程、材料要检测、现场要文明、安全要落实、过程要记载、变更按程序的方针，确保工程质量。

2、工程质量管理始终贯穿于工程的全过程。围绕工程质量，建立健全管理制度，强调施工的计划性，加强目标控制，过程控制和验收控制。主要有：

（1）建立项目承包制度；

（2）建立图纸交底和技术交底制度；

（3）材料的进场检验制度；

（4）自检、互检、交接检查制度；

（5）成品保护制度；

（6）持证上岗制度；

（7）工程质量事故报告和调查制度；

（8）建立建设、监理、施工以及分包单位协调制度；

（9）建立学习和竞赛制度。

3、安全与文明施工：紫润芳庭项目在抓工程质量的同时，也狠抓工地的文明施工和安全施工，工地设置专职安全管理员和文明现场管理员，定期检查，狠抓违章操作。

由新材料、新技术、新工艺成就的绿色建筑，是经得起时间考验、能为居者带来舒适、便捷、环保、健康的生活。这些技术与材料的运用，节约能源、回归自然，让建筑更好地与生态环境和谐统一，保护自然生态环境。

国家康居示范工程山西项目

晋城市长风苑

项目名称：晋城市长风苑
建设单位：山西省晋城市住房保障和城乡建设管理局
规划设计单位：山西省建筑设计研究院（一期）
晋城市建筑设计院（二期）

晋城市长风苑小区位于晋城西南，东邻凤城路，南邻中原西街，西邻西外环路，北邻赵树理文学公园，总占地150亩，投资5亿元，规划总建筑面积24.5万平方米，共分两期建设。晋城市长风苑秉承以人为本、自然和谐的理念，遵循面积不大功能全、占地不多环境美、造价不高品质优的基本要求。该项目具有四大亮点：一是区位优势得天独厚。小区位于市区主干道凤城路西侧，紧靠赵树理公园，邻近泽州一中、凤西广场和妇幼保健院，环境优美、功能完善、交通便捷的区位优势十分明显。二是功能齐全配套完善。户型面积80平方米左右，二室二厅，一厨一卫一阳台一储藏室，供水、供热、供气、供电、通讯等配套设施建设一步到位，最大限度地满足住户的使用需要。三是节能环保舒适宜居。严格执行了50%的建筑节能标准，建筑高度18层，容积率2.5。住宅单元南北朝向，户户都有阳面家，区域绿地面积达到35%以上，区内绿化美观、休闲。四是人文关怀经济方便。充分考虑了人性化管理，水、暖、气、电分户控制。科学布局了社区服务，区内交通人车分流，幼儿园、停车位、商业网点、休闲健身等生活设施十分便捷。

一、规划设计

1、规划要点

1.1 规划结构

小区中心一级道路垂直于凤城路开设，贯穿东西，将居住小区分为南北两区，形成了小区结构的主轴线，并且与南北向林荫道、组团路共同将小区划分为四个不同组团，住宅以南北向布置为主、楼间距满足了住户对采光和通风的要求，商业网点、岗亭、物业中心合理安排于小区内，方便居民生活，有利安全防卫和物业管理。儿童活动场、健身器械，分布小区各有利位置，将不同功能、尺度、形态和类型的空间进行有机整合，丰富了从住户家门以外至住区大门之间的空间，形成通透、富于变化的建筑空间与时尚、健康的小区景观环境相辉映，为居住者提供了一个健康、休闲、便捷、安全的居住环境。

1.2 群体空间

考虑到北方气候条件及生活习惯，应充分适应住宅在城市中的肌理。周边以及用地内自然环境和景观 ，让小区内的住宅单位达到匀质、均好、共享。由于北方气候因素，住宅的肌理采用——南北向，根据各庭院的围合布置建筑。建筑和庭院、环行林荫道、中心景观互相穿插、渗透，使每个建筑单元至少拥有一个以上的景观面，多数南北朝向、南北通风，形成了亲切怡人、适宜尺度的庭院空间。

1.3 道路交通

整个小区交通模式分为机动车行系统、步行系统。小区设四个出入口，均位于凤城路。小区主入口设置于用地中部位置，车行次入口设于用地南部位置，另外两个步行出入口分别位于南北两区正中位置。小区车行系统由小区一级道路和环形二级道路交错形成，并与路边绿化停车位一起组成有机生态车行系统。步行区贯穿于区内各个功能区及组团，使区内每一个部分都紧密有序地串接在一起，形成步行系统。步行系统与车行系统分离，为住户创造一个安全、舒适的环境。考虑到生活习性及健康生活的需要，部分建筑设半地下自行车库，与周边花池、树木结合，这样我们将实现小区内无污染的休闲生活交通方式及健康的交通环境。

1.4 环境景观

小区一级道路设计为绿荫大道，形成绿色景观视线走廊，也是小区景观的主轴线，将小区主入口广场、中心会所、幼儿园、中心绿地及西侧防护林带串联起来，并且与小区二级道路环形林荫道、组团路共同将小区划分不同组团院落，形成“不围而合”的空间形态，各种景观互相穿插、渗透，使每个建筑单位至少拥有一个以上的景观面，达到均好性的要求。

良好的景观把人工与自然、技术与观赏、时尚与传统有机地结合起来，使人们在拥有住宅的同时又拥有一座公园或一片绿地，尽情享受阳光、空气、自然和人与建筑构成的和谐居住环境。营造亲切、舒适、优美的居住空间，配合各种有特色的户外活动设施，满足居民业余生活的各种需求，建设可持续发展的宜人居住环境，成为讲究环境与设计紧密配合，层次空间丰富的园林小区。

1.5 公共设施

小区设有完善的服务设施，包括4200平米14个班幼儿园、900平方米2层会所、商业服务网点等；满足了住户的多元生活需求。

2、规划设计思想及设计理念

2.1 突出人本思想

住宅在适用性、安全性和耐久性方面以人为本，充分满足人的行为模式和心理需求，建立居民的认同感及归属感，创造多功能的人性住宅。

2.2 强化精品设计

充分结合地形，发掘城市周边有利条件，优化居住环境，改善地区面貌，避免不利影响，为小区提供多样性、新颖性、独特性的分区环境。户型设计满足住户对居住的日照、通风、卫生等舒适性要求。

2.3 提升科技含量

采用新材料、新技术、新构造、新设备，倡导节能、舒适、安全，加大住宅产业化、模块化与智能化的设计力度。

2.4 注重环境质量

研究项目周边的环境，规划设计结合自然地势，优化环境，并结合考虑户型面积、密度和空间环境等因素。人工景观环境充分尊重自然环境，保持人工景观与它的连续性。

二、建筑设计

本项目包含住宅、底商住宅、幼儿园、会所等几类型的单体项目。建筑设计适应本地区气候特点和生活习惯，突出了均好性、多样性和协调性。

住宅建筑层高为3.0米。住宅单元结构形式采用剪力墙结构，填充墙采用加气混凝土砌块。抗震设防烈度为6度。住宅建筑耐火等级为地上二级，地下一级。

1、功能与空间。

住宅标准单元为一梯四户，局部为一梯五户，一梯六户，平面住宅中动静分区明确，私密空间无干扰，所有起居厅、餐厅分设，厨房与餐厅布置合理，并设有生活阳台、厨房内设了小型变压式风道，有效改善了厨房环境，主卧室采用外飘窗，开阔户内视野。

2、通风与采光

住宅标准单元全部南北向布置、超宽楼间距满足了住户对采光和通风的要求。

3、采暖

热源由小区换热站提供。住宅供暖方式为散热器采暖系统，供热管道：采暖干管采用镀锌钢管，户内埋地管道采用聚丁烯（PB）管道。

4、电气系统

电气系统干线设在电气竖井内，垂直敷设的电气干线均明敷在线槽内：每户设计量磁卡式电表一块，电表安装在楼梯间内，每户户内设置配电开关箱：公建部分与住宅部分单独设变配电系统。

5、给排水

生活给水主要用于厨房用水及卫生间盥洗。会所、幼儿园及住宅低区用水由市政水直供，住宅高区采用变频泵组加压供水，变频加压泵组设于室外综合水泵房内。生活污水经化粪池处理后排入市政污水管网，雨水经有组织收集后直接排入市政雨水管网。地下层废水经潜污泵提升后排入市政雨水管网。

三、成套技术应用

1、住宅结构体系：住宅建筑采用剪力墙结构。

2、加气混凝土砌块围护体系：外墙采用轻质加气混道凝土砌块围护结构。

3、外墙保温体系：墙体保温采用30厚的聚苯板外墙保温饰面系统。

4、烟道系统：采用变压式排气道。

5、建筑防水及饰面成套技术：

（1）采用新型防水材料施工技术：屋面采用高聚物改性沥青防水卷材，地下室采用SBS新型防水材料。

（2）砼结构自防水技术：结构层与防水层二者合一，抗渗等级P6。

（3）外墙涂料成套技术：采用丙烯酸超耐候外墙防水涂料。

（4）外墙石材成套技术：部分采用干挂花岗岩饰面材料。

6、住宅管网体系：

（1）电器多回路配线技术。

（2）管道集中暗设系统技术。

（3）新型管材应用：室内排水立管采用高温静音排水管。

（4）智能化综合布线系统。

7、节能成套技术：

（1）窗：采用塑钢推拉窗，双层中空玻璃。

（2）入户门：采用防火防盗门。

（3）供热采用分户控制系统，每户单独设有分水器及供热计量表。

（4）采用太阳能庭院灯。

8、小区现代化管理成套技术。

（1）小区内闭路电视监控系统。

（2）可视对讲与门控系统。

（3）消防综合监控系统。

（4）电梯报警系统。

9、居住区环境质量保障技术

（1）水压保障技术：采用变频调速供水设备，解决各建筑供水问题。

（2）水质保障技术：采用新型环保管材供水，防止供水输送进程的的二次污染。

10、施工过程成套技术：

（1）砼泵送技术：全部采用砼泵送技术。

（2）电渣压力焊粗直径钢筋连接技术：在施工过程中，广泛采用 此技术，节约了钢材，保证了钢筋接头的施工质量。

（3）通缝补强抹灰技术：砌体与梁柱结合部位双面钉钢丝网，避免了抹灰层空鼓、裂缝。

工程采用的成套新技术

序号	类别	项目名称	技术特点及应用范围	应用覆盖率
1	住宅结构体系成套技术	（1）异型柱框架结构体系	·配合住宅各房间的布置，框架柱采用“L”“+”“T”等横截面形状。 ·消灭室内柱凸角，便于住户布置，用于小区的低层、多层建筑。	100％
		（2）外围护墙复合结构体系	· 加气砼砌块节能新型墙体复合材料，集保温、隔热、隔音、抗震、环保、装饰于一体，取代普通粘土砖。	100％
		（3）剪力墙结构体系	·利用剪力墙的抗震优势，采用现浇达到无梁或少梁的效果。 ·便于住宅中大开间灵活分隔	100％
2	建筑节能成套技术	（1）新型节能防水保温隔热屋面技术	·质量轻、强度高、冷作业、施工方便 ·抗冻抗高温能力较强	100％
		（2）外墙外保温隔热技术	·加气砼砌块节能新型墙体复合材料，集保温、隔热、隔音、环保、装饰于一体。形成外墙装饰、施工一体化。	100％
		（3）节能塑钢门窗（双层中空玻璃）	·质量轻，气密性、水密性隔音效果好。 ·中空玻璃增强保温性能，导热系数小。 ·工业化大规模生产。 ·提高了防风沙、防水能力。	100％
		（4）防火、隔音、防盗户门	·具有三种功能特性，坚固美观，形式多样。 ·便于工厂系列化生产。	100％

序号	类别	项目名称	技术特点及应用范围	应用覆盖率
3	住宅厨卫成套技术	（1）厨房整体标准化技术	·采用标准化技术，按照模数协调原则，优化参数，确定厨房定型设计。 ·考虑厨房电器设备的配套和插座位置。	
		（2）卫生间整体标准化技术	·采用标准化系列设计，根据模数协调原则，优化参数系列，确定卫生间定型设计。 ·水平或竖向排风管道及机械排风设计。	
		（3）厨卫烟气集中排放系统	·排放系统由脱排油烟机、变压止逆阀、排烟气道、屋顶风帽四部分组成。 ·通风好、防倒灌、构造简单，安装方便。 ·有配套的定型配件及产品清单。 ·利用空气动力学动静互转换原理，满足住宅排气量 $2000M^3/N$，达到二次抽烟分离的要求。	100％
4	住宅管线成套技术	（1）电器多回路配线技术	·综合布线，回路和插座设置满足电器增长要求，管线集中、隐蔽，为住户装修留有灵活性。 ·每户回路数大于8个。	100％
		（2）管道集中隐蔽设置技术	·管道集中设置、隐蔽暗藏；设置管道夹墙或管道井，方便检查、管理和维修。 ·室内环境整齐美观。	100％
		（3）新型管材	·耐锈蚀、易清洗、连接方便、使用期长。	100％
		（4）空调室外机隐蔽安装技术	·空调室外机标准化设计，整齐划一，隐蔽安装。 ·外观装饰美观。	100％
		（5）优化型高层住宅电梯成套技术	·电梯的配置与住宅建筑设计和施工方法统筹考虑。 ·载重量、轿厢尺寸、速度等参数符合不同住宅的交通计算及运行模式。 ·采用具有不同拖运方式和控制方式的系列产品。 ·安全可靠，故障率低，维护方便。 ·价格及运行费用适合当前经济水平适合高层使用。	100％
5	小区智能化技术	（1）智能化计量收费系统	·三表出户，集中管理收费。	100％
		（2）小区电话、电视、数据三线综合布线系统	·小区三线综合布线系统可实现住房与外界信息、咨询沟通的便捷与畅通	100％
		（3）安全防范系统	·可视对讲系统 ·电梯紧急呼叫报警系统 ·小区安防监控系统 ·区域联防系统 ·巡更保安系统 ·停车场管理系统	100％
6	小区环境质量及保障技术	（1）水压保障技术	·带变频调速装置的水泵加压设备，保证用户用水压力稳定、合理、节能	适用高层应用覆盖率 100％
		（2）生活垃圾袋装、分类	·垃圾分类收集、集中处理。	100％
		（3）优质绿化草坪技术	·选用适应地方气候特点的优质草种、科学管理。	100％
		（4）防噪音技术	·中空玻璃，气密性及隔音效果好。 ·加气混凝土砌块复合墙体体系，有效阻隔外来及室内相互噪音。	100％

7	建筑防水成套技术	（1）平屋面防水技术	·4厚SRS高聚物改性沥青防水层。 ·40厚细面防水混泥土面层。	用于高层住宅屋面
		（2）厨房卫生间楼地面防渗漏技术	·凡有管道穿孔均预埋套管，要求套管高出地面30MM ·地面使用抗渗漏外加剂防水材料	100%
		（3）人防、地下室等部位的防水技术	·抗渗漏混凝土技术、柔性防水技术	
		（4）外墙涂料成套技术	·外墙涂料向水性涂料和环保型溶剂涂料发展；涂膜厚度薄型向厚型发展，从单层向复层发展，以及向超耐久性和高弹性发展。 ·涂膜具有耐洗刷性、耐蚀性、耐水性、呼吸性及高盖力，并具有10年以上的寿命。	部分外墙
8	住宅施工成套技术	（1）电弧焊及竖向钢筋电渣压力焊焊接技术	·简化工艺、保证强度、节约钢材、减低成本，提高速度。	100%
		（2）商品混凝土泵送技术	·高效、质量性能稳定、对环境影响小。 ·提高了工作效率，节约了人力。	100%
		（3）施工现场技术	·充分利用原有地形，减少土方开挖量。 ·充分保护原有绿化与树木。	100%
9	其他	（1）区内机动车道路及安全步行道路系统	·解决好区内道路人行和车行的关系，减少人车的相互干扰。区内设置安全步行道路，地面铺设导向步行防滑砖，满足残疾人需要。	100%
		（2）无障碍通道	·人行道设置缘石坡道，高层住宅入口均设坡道，轮椅可经由门厅、电梯直达户门，满足肢残人需要。	100%

四、成套技术应用说明

为确保工程项目符合国家康居示范工程的要求，在工程项目的各个施工节点，均尽可能的采用成套新技术项目，以提高住宅的品质。

1、住宅结构体系：

高层采用剪力墙结构体系，配合住宅各房间的布置，消灭室内柱凸角，便于住户布置。

2、加气砼砌块外围护结构体系

内外墙大量使用加气砼砌块外围护结构。技术特点：加气砼砌块节能新型墙体复合材料，集保温、隔热、隔音、抗震、环保、装饰于一体，取代普通粘土砖。

3、屋面保温体系

采用新型节能防水保温隔热屋面技术。技术特点是质量轻、强度高、冷作业、施工方便 抗冻抗高温能力较强。

4、烟道系统

排放系统由脱排油烟机、变压止逆阀、变压式烟气道、屋顶风帽四部分组成。其特点是通风好、防倒灌、构造简单，安装方便；有配套的定型配件 及产品清单；利用空气动力学动静互转换原理，满足住宅排气量2000M3/N，达到二次抽烟分离的要求。

5. 建筑防水及饰面成套技术：

（1）采用新型防水材料施工技术：屋面采用4厚SBS改性沥青防水卷材。地下室则采用抗渗漏混凝土技术、柔性防水技术。

（2）混凝土密封防水技术：聚氨酯弹性密封条，遇水膨胀，用于混凝土伸缩缝部位的处理。

（3）外墙涂料成套技术：外墙涂料具有耐洗刷性、耐蚀性、耐水性及高盖力。

（4）外墙干挂石材成套技术：商铺临街外墙采用干挂花岗岩饰面材料，具有耐腐蚀性、洗刷性、耐水性等特点

6. 住宅管网体系：

（1）电器多回路配线技术：综合布线，回路和插座设置满足电器增长要求，管线集中、隐蔽，为住户装修留有灵活性。

（2）管道集中隐蔽设置技术：管道集中设置，隐蔽暗藏；设置管道井，方便检查、管理和维修。

（3）新型管材应用：采用静音排水管，它具有耐锈蚀、易清洗、连接方便、使用期长的特点。

（4）小区电话、电视、数据三线综合布线系统：小区三线综合布线系统可实现住房与外界信息、咨询沟通的便捷与畅通。

7、节能成套技术：

（1）窗：采用节能塑钢窗，双层中空玻璃。技术特点：质量轻，气密性、水密性隔音效果好；中空玻璃增强保温性能，导热系数小；工业化大规模生产；提高了防风沙、防水能力。

（2）门：入户门采用防火、隔音、防盗户门，具有三种功能特性，坚固美观，形式多样。

（3）室内外节能灯、节能灯具和电子延时灯具综合技术：室内采用细管高效荧光灯。路灯采用高压钠灯，庭院灯采用太阳能发光灯。

8、小区现代化管理成套技术：

（1）可视对讲与门控技术，住宅小区安装访客对讲系统，由技术辅助人防，可有效地防止大部分的入室盗窃案件的发生。安装访客对讲系统能有效的威慑和预防事件的发生，提高了住宅小区技防装备与管理档次。因此访客对讲系统也是小区安防系统中重要的一环。对讲系统防止了不速之客的任意私闯，保护了业主的隐私权，提高了安全防范的系统。

（2）家庭现代通讯，布线与设施：小区采用了综合布线技术，每户设一个综合弱电布线箱，里面有语音电话分线装置，数据交换机、电视分配器等不同的模块。数据网络：采用光纤建立通达每户的小区ADSL宽带接入网络。

（3）闭路电视监控系统，闭路电视监控系统是采用先进的电子技术和计算机技术，对远端场景进行传感成像、信号传输、集中监视、图像记录以及联动控制的系统。住宅小区安装闭路电视监控系统，由技术辅助人防，实时记录小区个重要区域如公共道路、小区出入口、电梯等处的图像。值班人员可以在控制室内通过该系统全方位的掌握小区的动态。一旦遇到紧急状况，值班人员可以通过监控器进行有效的预防和追踪。这样就提高了小区的管理水平和安全系数。

9、居住区环境质量保障技术：

（1）水压保障技术：采用变频调速泵组加压设备供水，解决高层建筑供水问题。

（2）水质保障技术：采用新型环保管材供水，防止供水输送进程中的二次污染。

（3）居住区绿化环境保护技术。

①小区整个被绿化、水面覆盖，三季有花，四季常绿，空气清新，湿度适宜，有效调节区划气侯。

②生活垃圾袋装、分类分装垃圾。

③优质绿化草坪技术：选用适应地方气候特点的优质草种、科学管理。

（4）建筑防水及饰面成套技术：

①防水技术：采集SBS、聚氨酯等新型防水材料，能大大延长建筑物的防水年限。

②外墙涂料：外墙涂料具有耐洗刷性、耐腐蚀性、耐水性及高遮盖力等特点。

③外墙干挂石材饰面材料，具有耐洗刷性、耐腐蚀性、耐水性等特点。

10、施工过程成套技术：

混凝土砌块技术

①高层住宅中采用的剪力墙结构体系，围护结构采用混凝土砌块复合墙体，隔断结构采用GRC隔墙板，施工方便快捷，可有效缩短工期10%，提高劳动生产率约3倍。

②采用商品泵送混凝土技术，机械化程度高，减轻了劳动强度，节省了人力、物力，提高效率近2倍。

③复合组合模板技术，板块面积大，表面平整，拆装方面，大大减轻了工人的劳动强度，提高效率80%。

④采用竖向钢筋电渣压力焊钢筋技术，节约钢筋用量，增加焊接强度，同时提高效率近2倍。

结语

把国家康居示范工程项目引入晋城，使得晋城市经济适用住房项目对晋城市住宅消费模式和建设模式转变起到示范带动作用，康居示范促使住宅产业化，这样不仅可以降低建设成本，还可以大大加快开发周期，提前交付使用时间，减少过渡安置费用，节省开发建设管理费用，从而总体上降低开发成本。这有利于加快开发建设进度，形成滚动开发，特别是在保障性住房建设中具有十分重要的意义。

博雅地产
C I T Y V A C A T I O N
Center Of Rare Luxury To Create The Legend Of Yangqu
中心珍稀豪宅 缔造阳曲传奇
每一个城市都有令人仰望的地标；每一个时代都有一个让人梦想的高度。
城市假日，30万平米国际视野城邦，开创都市生活新高度，
城市中心，国际品质，珍稀传世府邸，成就都市生活至高标准，缔造阳曲人居传奇！
城市假日2
Cambridge
康城
城市门户 * 雄踞阳曲中心，30分钟直达太原中心城区。
丰盛配套 * 连接新阳西街，独享城市假日风情商业街。
风景相伴 * 内享40000m²园林，外揽1000余亩阳曲公园。
低密社区 * 超宽楼间距，确保户户窗外欣赏至美景观。
尚品空间 * 80-140m²经典户型，谱写都市人居传奇。
星级物管 * 星级服务，24小时奢享安全与温馨。
售楼部地址/ 太原市阳曲县108国道县城北段 项目地址/ 阳曲县首邑北路108国道沿线 整合推广/ 甲乙丙丁广告 咨询热线/ 0351- 559 7777
一切图文仅供参考，不作为合同要约，最终解释权归开发商所有。

Huifeng Shiye

长治惠丰实业有限公司

氛围浓重、环境优美、亲近和谐

company profile 公司简介

长治惠丰实业有限公司挂牌成立于2002年1月，公司注册资金150万元，是一家专业的房地产开发和物业管理企业，拥有三级物业管理资质，现为山西省房地产业协会常务理事单位、长治市房地产行业协会副会长单位；管辖物业面积70余万平方米。

公司历经10年的发展，房地产建设和物业管理项目取得了经济效益和社会效益的双丰收，荣获国家、省、市众多荣誉。目前，公司按照新一轮发展战略和市场化管理要求对公司组织架构和经营管理运营模式进行了全方位改革，公司下设办公室、计划部、财务部、人力资源部、客户服务部、技术部、能源管理部、市场开发部、物业服务一部、二部、三部、四部、幼儿园、公寓、澡堂、集贸市场、房产中介等17个部门，公司现有从业人员370余名，专业技术管理人员44名，管理人员全部具有中专以上学历，具有中级以上职称人员10余人。

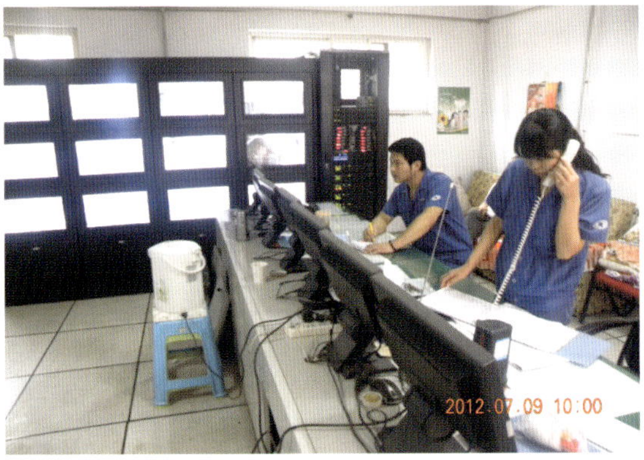

Huifeng Shiye

长治惠丰实业有限公司

氛围浓重、环境优美、亲近和谐

company profile 公司简介

同时，公司建立健全了各项管理制度，制定完善了服务标准和业务操作工作流程及考核机制，开展了企业文化和社区文化建设，举办了丰富多彩的文化活动，主办了《惠丰物业》内部信息专刊，提供了沟通平台，架设起了物业与客户之间、公司与员工之间、同仁与同仁之间的沟通桥梁，通过实施人性化的管理服务，秉承用心专注的态度，竭力为社会各界提供优质的物业管理、家政清洁和水电气暖设施设备维修、安装等全方位的服务，致力于为客户营造一个氛围浓重、环境优美、感觉亲近和谐的居家场所。

公司进一步明确了“以经营为主线，以物业为主业、以服务为主轴，以管理进步、减亏降耗、客户满意、重塑形象四项工作为主题”的发展战略，确定了“因客户的需求而存在、因客户的满意而发展”的企业价值观，践行“快速、认真、有效”的工作理念；公司以“惠丰物业 满意你我”为出发点，建立完善了经营管理与服务运行机制和规范化管理要求等保障体系，建立健全了3915444客户服务调度平台，重点打造“来电必接、接必回复、复必有果”的24小时热线服务体系，当你遇到物业需求时，你只需拨打3915444热线电话，其余的交给我们来做，我们会全力以赴让你满意。

山西鼎宇房地产开发有限公司

山西鼎宇房地产开发有限公司是经太原市工商局注册登记，政府有关单位审核核准的房地产开发企业，企业正式成立于二零零五年十二月。法定代表人是吕高峰先生。

自企业成立始，企业就以“诚信、务实”为原则，首先抓紧企业团队建设，完善部门设置，大力度引进各类专业技术人才，由企业成立初的11人，逐渐扩大至今的从业人员达到40人。其中，高级职称人员10人，中级职称人员10人，初级职称人员15人。经有关管理部门核定，于二零一零年九月正式核发房地产开发四级的《资质证书》。

在企业团队建设的同时，企业一贯注重各项管理的规章制度建设。企业以科学的管理体系为目标，健全和完善各项规章、制度，使得企业内各部门、各岗位职责分明，任务明确，从而确保公司上下，团结并有机的相互配合，相互支持，保证了工作的高效率。

正是有了企业团队的高效工作，有了企业各项规章、制度的保障，有了企业“诚信、务实”的态度，几年来，企业得到政府各有关部门及领导的支持，得到相关单位的大力配合，因此，在2007年3月与相关单位合作，承担开发了晋源区新农村建设项目“翡翠山庄”住宅小区，该小区由14幢6层砖混结构楼宇构成，总建设面积5.6万平方米。该小区已于2010年3月全面竣工并交付使用，完成总投资约8300余万元。由于企业严格的管理，优质的产品，高效的服务，公司在该项目投入使用后得到入住村民的广泛认可和好评。

公司于2007年12月，在介休市金华街开发建设了“鼎宇苑商住楼”项目，该项目为11层框剪结构住宅楼，总建筑面积9600平方米，现建筑已竣工并交付使用，完成投资约1500万元。

公司于2008年10月，在应县新建路北侧，开发建设了“清华苑小区(二期)”项目，该项目由4幢6层砖混结构住宅楼组成，总建筑面积23800平方米，该项目已于2009年10月竣工并交付使用，完成总投资4800余万元。

截止目前，公司已完成建设开发项目三项，建成总规模8.9万余平方米，完成投资约1.46亿元。创造了良好的社会及经济效益。

目前，公司正在积极地与有关单位协作，筹备新的开发项目，同时，在总结面前工作的经验，找出工作的不足，进一步完善企业的管理。相信在今后的业务发展过程中，企业全体员工团结、协作，服务的水平不断提高，为社会提供更多、更好、更优质的产品，同时也将创造更好的经济效益。

企业法定代表人吕高峰总经理全体员工，期待与各行各业朋友的协作，并在此承诺，本企业将继续以“诚信、务实”为本，精诚合作，热情服务，与各届朋友共同发展，共建辉煌。

地址：太原市坞城西路40号5-2-3　电话：0351-7061619

晋中华晟房地产有限公司

晋中华晟房地产有限公司是榆次安居住宅合作社与市场体制并轨企业改革于2001年成立的有限责任公司。

公司成立以来，在董事长陈美善带领下，实施城市道路、商业网点、商品住宅、保障性住房等市政基础设施改造与开发建设工程，公司历年项目品牌建设主要有：花园路、新集西街、北大街、榆太路、锦南路、迎新路、顺城街西段等十条道路与榆次老城五个区域的改造建设工程。开发建设临街商业用房2.82万平方米、12个住宅小区、283栋、11792套、128万平方米住宅楼。其中怡岭住宅小区被晋中市委、市政府授予“城市建设精品工程奖”、迎宾小区被评为“中国(山西)房地产成功经营模式典范”。2005年投资9亿元实施晋中市顺城西街道路拓宽及街景改造市政重点工程，该道路工程已于当年实现竣工通车，配套街景改造建设工程在2009年基本完成拆迁工作的基础上已全面展开，部分项目年内将竣工交付使用。

晋中华晟房地产有限公司在十多年的发展历程中以市场为导向，以服务为宗旨，创新赶超发展，公司又相继投资成立了物业有限公司、商贸有限公司、热力有限公司、文化广告传播有限公司，已经成为一个以居住产业为龙头，具有生机活力的现代化集团企业，树立了良好的企业品牌形象，创造了优异的经济效益和社会效益。公司将坚持“科学发展、争先创优、服务民生、奉献社会”的宗旨，为满足市民的住房需求，构建和谐社会做出更大贡献。

奖牌

榆次区安居住宅合作社

榆次区安居住宅合作社(现更名为晋中华泰保障住房开发有限公司)成立于1994年，是在计划经济向市场经济转轨、城镇住房制度改革中诞生的，主要承担解决城镇中低收入家庭保障性安居住房建设工作，至今累计建成16个具备一定规模的保障性住房安居住宅小区，为晋中市城区的保障性住房建设和平抑房价做出了重大贡献，连续多年受到省、市、区的表彰。2002年被省劳动竞赛委员会荣记集体三等功。2003年被榆次区委、政府授于先进集体称号。企业所辖的16个住宅小区多次荣获“优秀示范小区”、“市级零案小区”等称号，其中迎宾小区于2011年获“山西省绿色社区。”

企业成立以来始终坚持“科学发展、争先创优、服务民生、奉献社会”的宗旨，历经十余年的潜心积淀，企业业务领域涉及保障性住房建设、城市基础设施配套建设，以及由房地产产业链延伸的物管服务，集中供热、房屋租赁等配套产业，初步形成了以房地产开发为主及产业链相关业务多种经营的多元化发展格局，不断提高企业经济实力和综合素质。

向保安公司赠送锦旗

第二届素质竞赛颁奖

中层干部任职聘任

顺城西街改造项目

2010 先进表彰

顺城街项目剪彩

建设中的顺城西街

迎宾小区

第二届素质竞赛抽奖

山西清华金元房地产开发有限公司

SHAN XI QING HUA JIN YUAN FANG DI CHAN KAI FA YOU XIAN GONG SI

山西清华金元房地产开发有限公司

董事长许毛青

山西清华金元房地产开发有限公司成立于2005年8月，是一家专业从事房地产开发经营项目的公司，注册资金2000万人民币，专业技术人才雄厚，具有大专以上学历的员工达员工总数的95％。

公司从2005年开始，先后投资开发了榆次德国小镇、左权清华金元　物流商城、左权清华金元　米兰小镇等项目。开发建筑面积20余万平方米，涉足住宅、商业领域。同时公司跨区域发展，现在湖北赤壁市投资建设大型商业、购物生活中心——赤壁小维多利亚生活港，此项目正在建设中。

公司成立七年来，注重企业文化和员工素质的提升。致力于经济效益和社会效益的双赢。特别是在履行社会责任、社会公益和慈善事业、打造学习型团队，培育精品工程等方面，做了大量工作。

公司下一步的发展目标是：

立足山西　面向全国　科学管理　争创一流

我们对社会的承诺是：

诚信　品质　互惠　责任

2007年荣获优秀经营者

致力于打造一流企业

2006年承建的公司开篇力作，清华金元德国小镇项目，荣获2007年中国——山西地产盛典最具投资价值楼盘奖；

2007年8月荣获榆次区人大“优秀发展环境联系点”；

2008年、2009年公司连续两年荣获先进单位；

2009年1月荣获中共晋中经济技术开发区工作委员会、晋中经济开发区管委会“纳税贡献银奖”；

2009年2月荣获中共榆次区委、区政府“结对帮扶先进企业”；

2009年承建的左权——清华金元物流商城项目荣获优秀项目；

2010年1月荣获榆次区委、区政府“新农村建设结对子帮扶先进企业”；

2011年9月企业在参加左权县住房保障和城乡建设管理局安全文化建设文艺汇演中荣获“优秀奖”；

与此同时，企业还充满爱心的捐助了一名贫困在校大学生完成学业。无论是在四川汶川地震的抗震救灾，还是积极参加社会主义新农村建设、榆次区人大参政、议政等方面，均模范的履行了企业家的良好社会责任。2007年，许毛青董事长荣获晋中市经济技术开发区“优秀经营者”称号，连续两次当选榆次区人大代表，2009年11月荣获榆次区第十四届优秀人大代表。

德国小镇荣获2007年度-最具投资价值楼盘奖

公司地址：山西省晋中市经济技术开发区迎宾西街灵石路南段
电　　话：0354-2411904
传　　真：0354-2411904-8009
邮　　编：030600

太原市房地产交易所

太原市房地产交易所成立于1991年，是隶属于太原市房产管理局的副县级事业单位，现有10个科室，其中所领导2人，中层干部18人，职工69人，中共党员16人，预备党员1人，共青团员24人，全所平均年龄30岁，主要承担着省城市辖六区国有土地上房屋转移登记、租赁备案等职能。近年来，先后荣获了全国住房城乡建设系统创建文明行业示范点单位、省级青年文明号、市级劳动模范集体、市级双拥先进单位、市级政风行风评议工作先进单位等光荣称号。2011年12月，顺利的通过了市文明委、文明办对交易所文明单位标兵创建工作的验收。2012年2月荣获团省委“山西省优秀青年志愿服务集体”荣誉称号，2012年3月获得我局党政工作目标责任制考核“优胜单位”称号。

交易所负责太原市房地产交易办证大厅的日常管理工作，大厅建筑面积1200多平方米，服务窗口26个，是省城房屋交易、办证及其配套服务的综合性大厅。太原市房地产产权登记中心、太原市房地产交易所驻大厅一体化办公，公证、税务、房改、测绘等相关部门也都在大厅设置了服务窗口，为群众提供一条龙办证服务。大厅平均每日接待群众1000人次，每日受理各类业务300余件，发放各类房屋登记证书300余本，日交易房屋1万平方米，日交易金额4000多万元，日协征税金额100万元。优质的服务，和谐的氛围，得到了社会各界的一致好评,保持了省住建厅“五星级服务大厅”的荣誉称号。

2011年交易所主要指标完成或超额完成。2011年1-12月，我所完成交易办证14275套，总成交面积147.44万平方米，金额57.56亿元，完成率分别为118.96%、122.87%、130.82%。收取交易手续费1783.3万元，完成率234.6%；代征印花税295.5万元，完成率369.45%精神文明建设结出累累硕果。新农村建设成效显著，2011年我们与阳曲县大汉村帮扶结对子为村里购买了价值3万元的水泥，支持村庄道路硬化等基础建设。2012年支持娄烦县庙湾村饮水工程、居民院墙等工程，捐款20万元，开展帮扶活动；认真开展双拥工作，2010年将价值1000余元的蔬菜等赠送给了省军区第六干休所。2011年慰问省政府警卫连，赠送慰问物品；爱心捐赠，帮助弱势群体。2011年中秋节，到市福利院打扫卫生并捐赠物品，2012年3月，向太原市关心下一代委员会捐赠2900元的购书款。

二〇一二年六月

两个公园 一个家

太原化学工业集团房地产开发有限公司

太化集团积极响应省委省政府转型发展号召，由高能耗高污染的化产经济向低碳绿色的地产经济转变。2007年，经山西省国资委批准，投资八千万元，成立了太化集团房地产开发有限公司。短短几年，太化房地产从无到有，连年发展壮大。目前公司拥有二级房地产开发资质，成为了太化集团转型发展的领头羊。

一、技术力量

公司现有员工81人，其中拥有国家注册监理工程师、国家注册造价工程师、国家注册一级建造师、高级土建工程师、高级会计师、高级经济师、高级政工师、高级统计师等职称37人，各类中级职称27人；并有专门的技术委员会，重点解决开发工作中遇到的各类技术难题，大力推广和使用国内地产开发的新技术、新材料，为开发建设绿色、环保、节能、降耗、低成本，高品质楼盘提供技术支撑。

二、项目规划

太化地产立足民生地产目标，按照太原市城市整体规划，结合西山地区综合整治要求，紧紧抓住晋阳湖片区提升改造契机，坚持保障房建设和商品房开发并举的路子，在大面积改造就生活区、提高群众居住条件的同时，发挥国企地产承担社会责任的积极作用，响应政府号召，大力参与保障性住房建设，努力推动本区域城市建设。2011—2012年，太化地产在政府支持下开发建设保障性住房项目三个，住房七千余套。其中：

1)太化和平苑项目：本项目总占地面积36.75亩，净用地面积29亩，规划总建筑面积7.37万平方米，实际规划总建筑面积8万平方米，容积率4.17。从开工建设到竣工入住，始终保持太原市十大棚改项目速度最快、质量最好、评价最优的良好记录。工程建设所用各种材料都接受群众监督，施工过程在保障安全的前提下，随时让群众参观。项目先后获得2008年获“太原市棚改样板工程”、2009年获“迎泽杯主体结构优良工程”2010年被太原市委、市政府授予“城乡重点工程建设先进单位”荣誉称号。

2)太化紫竹园项目:本项目总占地面积75亩，净用地面积55.2亩，规划总建筑面积13.2万平方米，实际规划总建筑面积15.1万平方米，容积率4.1。

3)太化澳林滨河花园项目：本项目总占地面积86亩，净用地面积56亩，规划总建筑面积13万平方米，容积率3.5。太化澳林滨河花园自2009年初开始启动，同年7月份通过国家住房和城乡建设部、山西省建设厅的评审，被列为“国家康居示范工程”，是太原市第四个康居示范工程，山西化工行业第一个，2010年4月被中国房地产业协会评为“中国城市魅力经典楼盘”。

4)太化晋阳湖A区项目：本项目总占地面积36亩，净用地面积26亩，规划总建筑面积6.37万平方米，容积率3.5。

5)太化时代花园项目：本项目总占地面积为12.5亩，规划净用地面积12.5亩，总建筑面积：4.82万平方米，容积率5.8。

6)太化怡林苑A区项目：本项目总占地面积14亩，净用地面积12.5亩，规划总建筑面积4.83万平方米，容积率5.85。

太化和平苑项目样板间

太化澳林滨河花园项目

太化紫竹园项目

太化和平苑项目样板间

太化澳林滨河花园项目

三、荣誉建设

2009年太化和平苑项目四幢回迁楼被市建委评为棚户改造样板工程。太化国际城·澳林滨河园建设项目被建设部评为“国家康居示范工程”，2010年4月被中国房地产业协会评为“中国城市魅力经典楼盘”，2011年先后拿回“全国重质量守信用AAA级品牌企业”、“城乡建设重点工程”、“人居典范品牌企业”，被山西省房地产业协会吸收为会员单位，并成为常务理事单位。

四、文化建设

（一）、企业文化内容

企业精神：诚实、卓越、拼搏、和谐

经营理念：建百年精品，体现卓越实力;筑常青基业，引领品质生活

员工信条：恪守诚信、爱岗敬业、勤奋创业、企兴我荣

开发理念：落实科学发展观，紧贴城市发展规划，彰显绿色和谐人居，融入城市新区发展建设。

（二）、企业文化建设方向

太化房地产公司2012年将实施以内控管理制度为核心的企业管理，开展以价值观为重要体现的企业文建设，这两项内容就是太化房地产今年乃至今后一个时期管理工作的主旋律。通过全员学习培训，熟悉并掌握内控管理制度功能和要求，以内控制度促进管理规范，保证经济效益提升，推动特色鲜明高层次企业文化形成，全面提高员工队伍素质，增强企业发展后劲，从而提高企业核心竞争力。

实 景 景 观 楼 王 典 藏 巨 献
星河湾华彩绽放两周年 礼献三晋
两年深耕，一宅倾城
太原星河湾以取材全球的大视野、史诗级的建筑精粹
考究到极致的园林美学，为龙城量身定制百年家族荣兴之基
实景观景楼王，雄踞“全球同纬度最美园林”央心，八月大美绽放
一个心情盛开的地方
A place the mood in full blossom

星河湾
StarRiver
中国 · 太原
品鉴尊线
(86351)7266666
项目地址
太原市小店区星河西路8号
（滨河东路与龙城大街交界处东南200米）
本广告为要约邀请，不构成本公司对广告相应内容的承诺，买卖双方权利义务以《商品房买卖合同》为准
实景拍摄

五龙房产

阳泉市五龙房地产开发有限公司

五龙房地产开发有限公司成立于2004年8月，注册资金3000万元，企业资质等级二级。公司具有较强的人才技术优势，现有职工100人，其中50%以上具有初级以上技术职称，管理人员80%具有大专以上学历，是一家有规模、有实力拥有较高信誉的房地产开发公司。

公司主要经营房地产开发、商品房销售业务。公司把“坚持以人为本、始终诚信经营、把握过程精品、打造五龙品牌”作为企业的发展理念，大力弘扬“爱岗敬业、艰苦创业、科技兴业、依法执业”的企业精神，以“改善人居环境、造福百姓生活”为经营目标，先后建成10栋别墅小二楼、四井苑小区、村委办公楼、规划建设中的五渡新村，皆以一流的人居环境得到社会的充分肯定。开发区烟台路五龙佳苑A区、B区住宅楼工程已全面竣工交付业主使用，现五龙佳苑C区工程已全面启动，五龙佳苑以优良的工程质量、优越的地理位置、便利的交通环境赢得广大业主的青睐，树立五龙地产品牌。

公司紧抓市场机遇、适应市场需求，业务稳步成长，取得了良好的发展业绩，实现了公司规模与效益的同步增长，随着更多优质住宅楼产品的开发，公司正凭着科学的管理和成熟的市场运作和资本运作等优势更加快速的成长和进步。

山西星际通置业有限公司

滨河城上城

-------------带你走进高端生活

滨河城上城位于城东路288号。东与环境优美、周末郊游的最佳场所老顶山国家森林公园相望，西与长治市最大的开发景观公园相临，北距市中心的八一广场及长治市飞机场10分钟的车程。周边与长治市软硬件配备最完美的康园中学、最大的博源超市购物广场和第一个五星级国际大酒店毗邻。上学、就医十分便利，购物、休闲倾心如意。

滨河城上城从简欧的建筑风格到至优的物业服务，从200米长的中央景观大道到3000平米的长治首席奢华会所，名贵树阵广场及中心绿地营造出高品质的生活。公司秉承“舍得”“用心”的开发理念，从设计、选材到建设精益求精、力求完美，每一个细节都凸显出对业主的贴心服务。单元的入口处，为户主设计了象征高贵身份的入口精装大堂。大堂通过利用回纹饰曲线、埃及元素，表达了高端阶层所追求的高贵感，同时也赋予了高贵的生活品质。选材上，中空LOW-E玻璃与香槟色断桥铝门窗双叠保障，超强保温，全部采用地暖采热......，每一处科技手段的运用都让生活暖意无限。不同的户型各有特色，力筑人居美宅。

绝版黄金地段，交通四通八达，精品的户型，完美的生活配套，美好的生活从城上城开始。

开发商:山西星际通置业有限公司
幸福专线:2111111

山西省城乡建设学校

一、学校概况

山西省城乡建设学校于成立1986年，隶属于山西省住房和城乡建设厅，业务由山西省教育厅指导，属于全日制公办普通中等专业学校，是“国家级重点中等职业学校”和“国家中等职业教育改革发展示范学校”建设学校，是住房和城乡建设部与教育部命名的“全国建设行业技能型紧缺人才培养培训基地”，是国家示范性职业学校数字化资源共建共享计划立项课题参加单位，是国家网络教育数字化学习资源中心分中心会员单位。

学校现有东、北两个校区，占地近百亩；建有两个国家级实训基地（建筑技术和建筑设备安装专业）和1个省级实训基地（楼宇智能化设备安装与运行）；配备有专兼职教师253人，高级职称53人，双师型教师101人；开设有建筑工程施工工程造价、工程监理、工程测量等10个专业。建筑工程施工、工程造价和工程测量是省级示范专业。学校现有在校生4000余人，毕业生双证率达100%厂廨业率连续多年保持在98%以上。

学校设有山西城建国家职业技能鉴定所和山西省建设职业技能岗位鉴定站，是太原市农村劳动力转移就业和城镇失业人员培训定点机构；是山西省一、二级建造师定点培训单位；是山西省注册监理工程师继续教育唯一定点培训单位；是山西省村镇建设从业人员唯一定点培训单位；是山西省园林绿化企业从业人员唯一定点培训单位，可实施测量工等100多个的初、中、高级工和技师的培训鉴定。近三年，累计培训鉴定1115602人次。

二、学校特色

多年来，学校始终坚持“以学生为主体，以能力为本位，以服务为宗旨，以就业为导向”的办学方针，牢固树立“以德树人，以技育人”的办学理念，坚持“立足行业，面向社会，服务企业，利于学生健康发展”的办学思路，形成了自己的办学特色。

1、师资队伍精良

学校一向重视师资队伍建设工作，锻造了一支师德师风良好、专业素质过硬、教学理念先进、适应教改需要、综合素质优良的师资队伍，现有专业带头人10名，骨干教师30名。其中山西省省级专业带头人4名，省级骨干教师4名，山西省职业教育教学名师2名，有近30名教师参加了国家级和省级骨干教师培训，4名教师到德国进行过研修。

2、坚持德育为先

学校坚持德育为先，牢固树立教书育人、管理育人、服务育人理念，建立了德育工作队伍体系、德育课程体系、德育网络体系，结合学校德育工作规划和年度德育工作计划，实行了“横向到科、纵向到人”的德育工作目标责任制，在全校形成了人人都是德育工作者局面。

3、重视技能培养

学校一向重视技能培养，与山西省宏图建设工程有限公司等多家企业建立了“合作办学、合作育人、合作就业、合作发展”的深度合作关系，建立了校企合作、工学结合、顶岗实习的人才培养模式。1994年以来，一直坚持毕业生“双证书”制度，双证率达到100%去廨业率多年保持在98%以上。近年来，学生在全国、全省职业院校技能大赛中，共获得省级17个一等奖，22个二等奖，4个三等奖，共获得国家级5个二等奖，10个三等奖。

4、管理科学规范

认真贯彻落实《中等职业学校管理规程》，推行ISO9001质量管理体系，使学校教学和管理工作纳入科学化、规范化、程序化轨道，促进了管理水平和教学质量的提高。

三、学校荣誉

学校是全国建设教育先进单位、全国住房和城乡建设系统“思想政治工作先进单位”、中国建筑业协会优秀项目经理培训单位、省职业教育先进单位、省直“文明和谐单位标兵”、省直和厅直“先进基层党组织”和“党风廉政建设先进集体”；学校连续4年承办山西省中等职业学校建筑技术技能大赛，获得“山西省职业院校技能大赛优秀组织奖”和山西省中等职业学校“文明风采”竞赛活动优秀组织奖。

丰富的学生活动

学校成功承办全省技能大赛

学校承办山西省职业院校技能大赛开幕式

山西鼎胜房地产开发有限公司

山西鼎胜房地产开发有限公司成立于2006年，房地产开发贰级资质，公司注册资金2000万元，可经营房地产开发、销售、房屋中介服务、物业管理、室内外装潢等项目。

公司现有管理人员100余人，具有中级以上职称68人，年开发能力达10余万平方米。现有职工1200余人，下设综合部、企划营销部、工程部、物业部、财务部等，是一家拥有现代经营管理模式的房地产开发企业。

公司始于建筑施工企业，前身为“林州建总建筑工程有限公司太原分公司”和“河南华盛建设集团有限公司太原分公司”。从事建筑施工30余年，曾在河南、河北、山西等省先后承建国防、轻纺、化工、文教、商业、写字楼、公寓、装饰装潢、公路桥梁、市政、园林等200余项工程项目。近年来年承建工程建筑面积20余万平米，公司始终坚持“质量第一、科技兴企、视质量为企业生命、为业主提供优质产品和满意服务”的质量方针。多次被评为省、市“先进施工企业”、“质量管理先进单位”、“安全管理先进企业”、“重合同守信用企业”、“AAA资信企业”，多次荣获主体结构样板工程和主体结构“迎泽杯”、“安康杯”和“用户满意工程”等殊荣，同时被授予为“山西省满意建筑企业”称号。

公司在长期的实践中，强化管理，走品牌化之路，建立了一整套科学、完整、规范化的现代化管理体系，具有雄厚的资金实力及专业的开发能力，先后与太原青龙房地产开发有限公司合作开发了滨东花园3#、6#楼高层住宅，开发面积5万余平米，与太原市银建房屋开发有限公司合作开发了银鼎公寓1、2、3#楼34层高层住宅楼，开发面积6万余平米。2006年公司成立以来，开发了古交市腾飞路滨河小区5#楼住宅楼，2007年开发了林州市广场小区，2009年公司开发了林州奥林花苑、宜嘉苑小区、东方苑小区，共计建筑面积约140000m2。2010年中标了山西祁县32亩土地，正在施工阶段。2011年5月在汤阴竞拍了42亩土地，计划开发建筑面积85000m2□已具备施工条件。公司不断积极探索房地产开发新思路，高效务实，拼搏进取，开拓发展，公司明天更美好。

东方苑图

公司2009年度被林州市人民政府授予“先进单位”、“优秀开发企业”，2010年度被林州市人民政府授予“优秀建设企业”，同年获得“工商企业纳税贡献奖”，荣获林州市“名星楼盘工程”。2011年度荣获“宜居楼盘”，被安阳市住房和城乡建设局授予“文明工地”。

公司始终坚持以“诚信务实，和谐创新，奉献社会”的经营理念和经营方针，以“鼎胜品质，德行天下，打造最具道德的房地产企业”为企业使命，坚持以“追求卓越，筑造精品”为企业遵旨，坚持“以人为本”的设计理念，营造居住消费新时尚，创造居住生活新感受，为住户创造一个优美、安全、舒适、文明及文化品位的生活环境，为社会做出贡献，为社会创造财富，向社会奉献善举，努力打造品牌房地产企业。

地　址：太原市小店区亲贤北街94号258幢

企业法人：万福生

电　话：13903463988　0351-2231988

传　真：0351-2231156

邮　编：030001

天一园天福区5#住宅楼

汤阴透视图

汤阴透视图

奥林花苑图

沁县峰立房地产开发有限公司

沁县峰立房地产开发有限公司　董事长：贾保峰

沁县峰立房地产开发有限公司成立于2005年3月，注册资本1488万，是长治市的民营房地产开发企业之一，开发资质等级四级。拥有职工30人，其中具有中级以上职称20人，年开发能力40000m2 以上，公司以现代企业管理模式，遵循有限公司制度运作方式，下设综合经营部、企划营销部、工程技术部、财务核算部、物业服务，在总经理领导下进行公司的各项生产经营活动。公司机制灵活，制度健全，管理规范，吸引和汇聚了一批房地产开发项目的高素质人才，造就了一个具有丰富房地产开发建设经验的管理团体。

公司成立以来，坚持"优质、高效、快捷"的工作准则，坚持"创造精品、奉献社会"的经营理念，遵循"求实创新、诚信发展"的企业宗旨。以雄厚的实力在沁县相继开发了"鑫泽苑"、"中苑"、"兴隆"、"佳地""华安小区"等一大批住宅项目，累计上交税金1400余万元，而且每年还可解决下岗职工及农村剩余劳动力200余人的就业问题，取得了良好的经营业绩和社会效益。

近年来，我们以提供个性化、人性化的设计与精湛、细致的施工为发展之本，形成了一批具有丰富经验的专业设计队伍，优质的工程施工团队，更拥有一批具有丰富专业知识和实践经验的质量管理团队。已经成为长治市具有影响力的开发公司之一。

正在开发的华安住宅小区，可容纳居住人口5000有余，并配置有经济适用房50套，为改变沁县市容市貌和居住条件，增加商业网点，促进经济及各行业发展有着极好的远景。

我们将一如既往，抓住机遇，积极开拓市场，转换管理机制，寻求更大发展。发扬企业"重合同、守信用"的优良传统，以人为本，为广大客户营造一个温馨舒适的居住环境，在积聚财富的同时承担起更多的社会责任，继续为建设易居城市做出应有的贡献。

沁县华安苑住宅小区

高平市城市建设综合开发总公司

GAOPING CITY URBAN CONSTRUCTION COMPREHENSIVE DEVELOPMENT COMPANY

经济适用性住房

公司简介

总经理　赵爱忠

高平市城市建设综合开发总公司，成立于1985年，重组于1990年。是高平市唯一持有国家二级开发资质证书的国有房地产综合开发企业。拥有雄厚的开发实力和过硬的专业技术队伍，具有完善的组织管理体系。在多年的开发建设中，建设了旭照小区、新荣小区、友谊小区、康乐新村、谊华苑小区、长平苑小区、溢泉苑小区、丹河花园小区、盛世佳苑小区、小北庄回迁楼、经适住房、长平桥路等工程，现今在建工程有都市馨苑、北馨花园小区。总公司以良好的信誉，优良的质量，优雅的坏境，优质的服务享誉高平大地。

多年来，在赵爱忠总经理为首的领导班子集体带领下，励精图治，致力于品牌经营，始终坚持“以人为本、诚实守信”的理念，追求建筑品质和生活坏境的提升，被住建部推荐为全国百家“放心房”承诺企业、“小城镇建设开发模式”、“消费者信得过、放心开发商”、“中国企业诚信经营示范单位”，连续被授予省级“重合同、守信用”单位。

展望未来，城建开发总公司的全体员工，将迎着市场经济的大潮，按照“求真务实、自省自律、开拓进取、与时俱进”的企业精神，在“城建开发”的品牌旗帜下，勇于创新，再创佳绩。

平苑小区一角

丹河花园小区广场

北馨花园小区规划图

太原华龙泰房地产开发有限公司

太原市华龙泰房地产开发有限公司，创建于1997年，是山西省较早进行房地产开发的专营企业。伴随着中国改革发展的步伐，历经十余年的艰苦创业，目前的公司已经发展成为一个资金力量雄厚，专业人才云集，管理制度完善，以房地产业为龙头，集建筑、经贸、销售、物业管理为一体的集团公司。

多年来，华龙泰公司坚持“百姓买得起，更能住得起”的服务宗旨，发扬“开拓奋起、兼容并蓄、精益求精、惠泽众生”的企业精神，秉承“诚信为本、用户至上、夯实基础、质量第一”的经营理念，在不断的调整、改革、创新之中完善企业管理，革新专业技术，创立特色品牌，开发案例涉及商业综合体、高星级酒店、城市地标、办公楼宇、全系列住宅小区等，开发建设面积150余万平米，累计上缴各项利税1.8亿元。2009年开始，集团公司向外地拓展市场，先后在河北燕郊成功签约土地200余亩，海南乐东签约6000余亩，为我国城市建设、人民安居乐业做出积极贡献，先后多次被省、市有关部门评为先进单位、文明单位、纳税大户，并且入选“太原市企业50强”、“山西省100强企业”。

在企业自身发展的同时，华龙泰公司不忘回报社会，勇挑社会责任，为促进省城经济发展推进和谐社会建设，公司先后合并了汾西汽配厂、太原市石棉厂、万柏林百货商场、双塔商城有限公司等四家国有企业，安置下岗职工600余人。二00七年，公司捐资500万兴建的“华龙泰关爱教学楼”正式竣工交付使用。长期以来集团积极致力于扶贫济困，捐资助学，抗震救灾、市区道路建设等社会公益事业，累计公益捐款达5000多万元，被太原市政府授予“社会捐助先进单位”，被山西省扶贫基金会授予“社会扶贫状元”称号。

山西金茂房地产开发有限公司

山西金茂房地产开发有限公司是以房地产开发及销售为主营业务，具有国家四级资质的房地产开发企业。

公司崇尚以人为本，建立了完善的用人机制，并以优秀企业文化励炼出一支能征善战的地产铁军，其中大多数员工具有大专以上学历和中级以上专业职称。这支严谨求实、开拓进取的高素质员工队伍在董事长的带领下，将成为公司实现未来希望的重要中坚力量。

工程场址东侧边界规划的六合路

面对激烈的地产市场环境，山西金茂房地产开发有限公司全面提升企业核心竞争力，大力实施发展战略，整合内部优势资源，正朝着一个以房地产业为主、高起点、高标准、专业化经营的目标迈进。公司以工程质量创优良，企业信誉创品牌为宗旨，致力于房地产的开发建设，并取得了诸多业绩和经验，现已成为房地产开发的骨干企业。山西金茂房地产开发有限公司机构设置包括预算部、工程部、销售部、财务部、办公室等，共30余人。其中高、中级职称人员20人，初级职称人员10人。通过该公司在新时期房地产市场的不断运作，必将为清徐县的城市建设增资添彩。

工程场址用地

工程场址西北角

工程场址东南角

太原煤炭气化恒通房地产开发有限公司

原煤气化丽水苑住宅小区

太原煤炭气化恒通房地产开发公司（以下简称“恒通公司”）成立于1993年。2008年7月，太原煤炭气化（集团）有限责任公司（以下简称“太原煤气化公司”）为加快三个板块的建设发展，切实解决职工住房难的问题，于2009年7月1日对恒通公司进行挂牌重组。

公司现下设综合管理部、财务部、市场营销部、工程管理部、企划管理部、技术组、物业组、西山城郊森林公园项目部八个职能部门，共有员工57人。

为满足职工住房需求，2008年，太原煤气化公司利用原有的空余和闲置土地，委托恒通公司建设开发职工住宅小区，共可建成住房1604套。

我公司始终秉承“创品牌、保安全、抓质量、控造价、促工期、讲奉献”的企业发展思路，立足太原煤气化公司现状，深入研究现有房地产业发展政策和太原市房地产市场情况，紧扣太原城市发展整体规划，利用太原煤气化公司存量土地，有前瞻性地对所属区域进行整体规划，分阶段组织实施。通过房地产开发，带动太原煤气化公司相关产业发展，积极探索非煤产业发展新路径！

晋中市龙湖房地产开发有限公司

晋中市龙湖房地产开发有限公司成立于2005年12月，注册资金5100万元。是集财务核算、营销策划、工程预算、企业发展、综合事务、售后服务等于一体的综合开发企业，公司目前具备开发企业三级资质。

截止2012年6月份，公司已累计开发总建筑面积达35.7万平方米，累计总投资6.77亿元，同时还有近40万平方米在建设中，预计投资14亿元。

公司现有员工200余名。其中，大专本科以上学历员工有140余人，工程技术中级职称员工多达50余名。公司秉承“诚实诚信做人，脚踏实地做事”的服务宗旨，坚持“和谐、诚信、务实、卓越”的企业精神。为了使公司真正迈入规范化企业的发展轨迹，自2011年以来公司相继建立了党支部和工会组织，为员工的健康成长和提高素质创造了有利条件。

公司2006年投资建设的“翰唐公寓”小区位于文苑街与新建北路的交汇处，优越的地理位置和新颖的建筑风格，受到了业主广泛好评。位于榆次城北发展核心位置的“龙湖·国际”小区是公司于2008年投资3亿多人民币建设的晋中首家中高档小区。项目独特的建筑风格、人性化的人车分流设计、耗资近千万的园林景观，以及成功的营销模式，为公司今后的发展提供了先决条件，为营造居住消费的新时尚、创造居住生活的新感觉、展现居住生态的新空间创造了新的模式。

位于辽阳路在建的龙湖帝一港，正着力打造“风情商业街”，待龙湖海洋商务酒店建成后，龙湖·国际小区将成为真正意义上的集餐饮、会务、休闲娱乐、商业于一体的“帝一港”，让小区业主能享受到便利而高贵的社区服务，尽享“帝一港”的人居社区生活优美环境。

开疆拓土展业外域，进军太谷展示实力。龙湖公司今年初承建的龙湖?金谷新项目也于2012年4月8日正式启动，该项目占地150亩，建筑面积40万平米，预计总投资14亿元。太谷县农卫大厦和6万平米商住工程，太谷县武装部迁建工程将列为2012年第一期工程，本年度计划投资3.8亿元。

晋中龙湖房地产开发有限公司于2010年9月1日成立的“晋中市紫云轩艺术研究院”，规模达千平米的展示大厅，陈列有近代名人字画、精雕细琢的红木、造型各异的奇石、稀有藏品，经典雅致的展厅风格，具备承办各类展示活动，为晋中文化提供了具备优美环境、最高标准、一流品质的交流平台。

在今后的发展中，龙湖公司将继续秉承“诚实诚信做人，脚踏实地做事”的服务宗旨，严格按照行业规定执业，开拓进取，稳健成长，以文化引领企业，以创新成就未来。龙湖公司会不断探索客户置业新理念，继续关注百姓宜居新需求，不断超越自我，向行业领先的国际水平迈进，向更高更新的目标挑战，在房地产开发、商业运营、物业管理等各领域独树一帜，为晋中乃至山西的房地产事业发展和改善民生贡献一份自己的力量。

三期酒店夜景

龙湖·金谷（太谷县）

龙湖国际小区鸟瞰图

小区实景

三期酒店日景

晋中市通宇房地产开发有限公司

晋中市通宇房地产开发有限公司（前身为晋中地区房产开发总公司），成立于一九九四年，为国家二级资质的房地产开发企业，注册资金为8000万元，公司下设有三个分公司。经营范围：房地产综合开发交易等。本公司现有职工109人，其中高级会计师1人，高级工程师及工程师16人，项目经理13人。公司固定资产1693万元，年完成开发投资额2.3亿元以上。

公司成立至今，秉承严格的制度管理，求真的质量体系，经营中的诚信原则，在晋中大地成为了本行业的龙头企业。公司先后自主开发建设了位于晋中市榆次区龙湖街的“北晨峰景”高层商住小区（小区总建筑面积为83280㎡，建筑层数25层，投资额1.9亿元，于2007年10月30日开工，2010年11月30日竣工）。位于晋中市榆次区鸣李村的通宇“景福小区”（小区总建筑面积为16200㎡，建筑层数6层，投资额2100万元，于2007年6月10日开工，2008年6月10日竣工）。位于晋中市榆次区体育街东端北侧的“怡心苑”叠墅（小区建筑面积27000平方米，建筑层数4层，投资额6200万元，于2007年3月1日开工，2008年12月30日竣工）。位于晋中市榆次区北山路东侧，校园路南侧的“金辉花园”高层商住楼（建筑面积16000㎡，建筑层数16层，投资额3200万元，于2004年11月30日开工，2006年11月30日竣工）。位于晋中市榆次区中都路以东的“中元商务”写字楼（建筑面积6160㎡，建筑层数12层，投资额1200万元，于2005年6月5日开工，2006年8月31日竣工）。位于晋中市榆次区龙湖街东端南侧的“北晨花园”小区（建筑面积18400㎡，建筑层数6层，投资额2700万元，于2005年9月25日开工，2006年9月25日竣工）。位于晋中市榆次区汇通路中段西侧的“汇通小区”（建筑面积12154㎡，建筑层数6层，投资额1500万元，于2005年9月25日开工，2006年9月25日竣工）。位于晋中市榆次区蕴华西街10号的“泰和家园”（建筑面积31067㎡，建筑层数6层，投资额4038万元，于2005年11月15日开工，2006年11月15日竣工）。位于晋中市榆次区道北街的“道北街商住小区”（建筑面积56745㎡，建筑层数2—6层，投资额8511万元，于1994年9月1日开工，2007年10月30日竣工，共分三期开发）。南沟电业小区（建筑面积11324㎡，建筑层数6层，投资额679万元，于2001年4月1日开工，2002年6月30日竣工），龙田小区（建筑面积18711.85㎡，建筑层数6层，投资额956.1万元，于2002年3月15日开工，2002年11月15日竣工），平遥福星苑住宅小区（建筑面积23000㎡，建筑层数6层，投资额1200万元，于2005年6月10日开工，2005年12月30日竣工）等一批规模化小区，并与山西振鹏投资发展有限公司共同开发了位于晋中市榆次区迎宾路北、新建街西的晋中市城市“御景花园”及“御景豪庭”高层商住楼，完成开发规模累计70余万平方米，完成投资近20亿元。现在公司正开发的位于晋中市榆次区安宁东街的“钰荣源”小区（建筑面积210000㎡，建筑层数4—23层，投资额5亿多元，于2010年6月1日开工，2012年6月1日竣工）。目前公司储备土地400亩，成为晋中市土地储备及开发量最大的房产开发企业之一。我公司控股的“晋中市东升经济适用房发展有限公司”历年来共开发1182672.12平方米，总投资14.7亿。在住宅建设上本着“以人为本”的人居环境设计，所建楼盘将成为住宅建设重点实施科技含量工程的典范。通过开发建设，公司不仅获得了良好的经济效益，同时为晋中人民改善居住环境，改善城市投资环境，树立城市新形象做好了巨大贡献，受到地市领导部门的一致好评。公司多年被山西省工商行政管理、晋中市工商局评为“守合同、重信用”先进单位称号，并连续多年获“诚信企业”称号。优良的工程质量，完美的售后服务，为公司争得了荣誉，获得了良好的社会信誉，得到了各界的一致好评。

跨入2012年，我公司将继续以正确的思想武装自己，继续创建充满现代生活气息的精品产品，争创一流效益，进一步完善优质服务，在今后的征途上再创辉煌，使公司经济效益再上一个新台阶。树立企业新形象，从思路上探索创新，从科研中寻求突破，从管理上提升素质，从改革中实现发展，在市场经济中完成跨越式的前进，晋中市通宇房地产开发有限公司正以全新的经营理念打造一个现代化的房地产开发企业。

怡心苑

通宇办公楼

龙湖

金辉

怡心苑

山西融田房地产开发有限责任公司

MELT FIELD REAL ESTATE DEVELOPMENT CO., LTD

南寨项目

五寨县城清涟河小区

襄垣县开元生活广场

山西融田房地产开发有限公司成立于2002年，是一家集开发、建安、监理、销售、物业、装饰等公司为一体的集团化公司。公司成立以来先后开发了融田小区、融田绿洲、融田晶阁、景尚融田等住宅小区，开发及建设面积达30余万平方米。公司近年来推行独立核算、自主经营的管理模式，在管理和效益方面都取得了良好的效果。近期公司正运作如下四个项目：

△与山西乐百佳购物广场有限公司合作，联手打造位于迎春街的融田绿洲3.2万平方米底商---乐百佳购物广场，该商厦规划为超市+购物中心模式，现在为销售使用权和商铺招商阶段，计划年底开业。以便民、为民、利民为目标，我们将把乐百佳购物广场打造成服务周边、品类齐全的东城商业航母。

△五寨县城清涟河小区开发项目。已取得90余亩土地，规划可开发住宅面积12万余平方米。现已开始办理前期开发手续。

△襄垣县城中村改造项目。通过与村委会合作开发方式获得襄垣县城开元生活广场开发权。该项目位于县城黄金地段，具有良好的开发前景。现该项目规划已通过，正申办立项手续。

△南寨--“景风360”项目。该项目属于景尚融田二期，现正开发中。

融田公司本着“人本、诚信、奋发、共赢”的经营理念，推动项目开发、拓展商业领域、探索高科行业，未来将以三大产业促进公司健康发展。

太原市晋利源房地产评估有限公司

董事长朱乐（左）在项目现场

太原市晋利源房地产评估有限公司是于2003年12月由太原市工商局注册登记，并经山西省建设厅备案设立的专业房地产评估执业机构。太原市晋利源房地产评估有限公司自成立以来，通过学习借鉴国际同行的先进理念和管理运作模式以及自身实践的摸索总结，建立了一套符合国际先进标准，适应中国国情的公司管理、专业标准、执业规范和质量控制系统。

太原市晋利源房地产评估有限公司以"公正自律、以人为本、立信于民、合作共赢"为服务理念。始终告诫自己牢记独立、客观、公正的职业精髓，正直执业，诚信立事，先做人后做事。我们坚持倡导员工不断学习、培养勇气、思辨力、技能及刚正品格，敬业进取，讲求效率，团队协作，服务至上，追求卓越。

太原市晋利源房地产评估有限公司技术力量雄厚，目前拥有一批门类齐全、综合素质高的专业人才，是我市房地产评估行业中规模一流的评估专营机构。现有专职房地产估价师4名，具有中高级以上技术职称专业人员20余名，公司具有山西省建设厅颁发的房地产评估执业资质。

太原市晋利源房地产评估有限公司自成立以来，承办了许多项目的房地产评估，评估类型主要包括抵押贷款、置换财产、拍卖及处置资产等。如山西省国际贸易中心、太原重型机械厂等单位的房地产评估，山西省煤炭高新技术总公司（学府街小区八幢）抵押贷款评估、太原市五一路精营东二道玫瑰园小区112户抵押贷款评估、山西中煤物流有限公司金港大酒店抵押贷款评估、太原市银建房地产开发有限公司抵押贷款评估、太原市万丰房地产开发有限公司抵押贷款评估、山西三木生态农业开发有限公司抵押贷款评估、山西安泰集团冶炼有限公司抵押贷款评估、清徐县金玉源散热器有限公司抵押贷款评估、山西利通置业房地产担保公司抵押贷款评估、山西臣功印刷包装有限公司抵押贷款评估、煤炭科学研究总院山西分院抵押贷款评估、山西省粮食局金兴大厦抵押贷款评估、山西路桥集团工程项目管理服务有限公司办公楼核实资产评估、山西泰宏实业有限公司办公楼资产核实评估、山西工艺美术厂综合楼拍卖评估、太原市商业银行（御花园假日广场6层）拍卖评估、离石县吴城供销社拍卖评估、太原市农村信用社年租金收益房地产评估、中国财产保险公司石玉支公司置换评估、太钢有限公司线材厂子弟学校处置评估等项目，上述项目均赢得了广泛的社会声誉和良好口碑。

太原市晋利源房地产评估有限公司注重内部机构建设，具有完善的内部组织机构，建立了严格的管理制度和严密的质量控制体系，坚持以质量、信誉为执业宗旨，运用科学的管理体系和先进的评估手段，不断提高评估质量，业务发展蒸蒸日上。

经过多年的理论和实践打磨，太原市晋利源房地产评估有限公司锤炼出一支由高素质专业人才组成的执业队伍，拥有一流的专业技术力量，具有丰富的执业经验和良好的职业道德。我们将以优质高效的专业化服务与社会各界客户长期合作、共同发展。

山西中汇房地产开发有限公司

山西中汇房地产开发有限公司成立于1998年，注册资金1000万元，法人代表孙汉伟，以房地产开发为主。公司本着“诚信、专业、高效、创新”的经营宗旨，“以人为本、质量为根、顾客为源、合同为本”的发展方针，注重品质树立品牌为目标，努力把公司创建成为品牌企业。

公司成立13年来，坚持客户为尊，追求卓越，为企业的长足发展打下了良好基础。公司现有工程技术人员32人，中级以上职称18人。公司现为房地产开发资质三级企业，下设行政部、前期策划部、财务部、工程部、开发部、物业部、销售部等，各部门人才集聚，技术力量雄厚，管理体系严密，具有较强的市场竞争实力。公司立足山西，根据企业规范化、标准化、科学化的需求，以适应市场竞争为导向，全面引进现代企业管理机制，认真规划企业内部管理，并向外地发展。近几年来，公司本着绿色健康，美化环境的原则，相继参与开发了太原泛华盛世小区，太原泛华盛世水岸森林一期、二期，吕梁泛华盛世小区等项目，房屋建筑面积累计约45万平方米。目前正在开发建设忻州泛华城市广场项目，占地约600亩，总建筑面积约120万平方米。

山西恒实房地产开发有限责任公司

山西恒实房地产开发有限责任公司于2002年1月成立，注册资本贰仟万元。公司组织形式为有限责任公司，具有法人资格。经过10多年的发展，恒实房地产开发公司迅速发展为包括山西和信摩尔商业管理有限公司、和信摩尔百货分公司、和信摩尔餐饮公司、山西恒实文化物业管理有限公司、太原天使汇娱乐有限公司、山西恒实房地产销售分公司在内的集团化运作模式。

公司在发展过程中，不断完善管理机构，建立了系统的管理体系，以“做细小事成就大事”的指导思想，以“恒久发展，创新务实”为服务宗旨，为工程施工及项目开发奠定了坚实的基础。同时也打造了一支能打硬仗、顽强不屈的优秀团队。2010年在第二届太原楼市影响力风云榜恒实公司被评授为“山西标杆企业”奖，2011年3月被中共中央太原市小店区委太原市小店区人民政府授予2009-2010“文明单位”等。在今后的发展中，公司将继续秉承创业之初的开拓精神，以“持之以恒、创新务实”的经营理念，向更高更新的目标挑战，在房地产开发、销售策划、商业运营、物业管理等各领域独树一帜，为城市建设再创新篇。

恒实公司在总经理孙国太的带领下，以社会责任为己任，在自身发展的同时不忘回馈社会，积极为社会、为百姓造福、谋利。在杨家堡等多个项目的拆迁过程中，以村民的利益为主，和谐拆迁赢得广大群众的支持和信籁。长风小区多年来居住环境差，物业管理乱，供热采暖、管道的老化，部分楼座还有漏水现象，一直困扰着2000余户居民和政府，并且多次发生居民为此上访的事件，2008年为了协助政府改善居民住宅条件，公司投入大量的人力、物力、财力对长风小区的物业以及生活配套设施进行改造。公司被太原市工业经济联合会和太原市企业联合会评为“2010太原市企业纳税人五十佳”、“2010年太原市服务业50强”、“2010年太原市诚信企业”。总经理孙国太被太原市优秀企业家评审委员会及太原市企业家协会评为“2010太原市优秀企业家”，在山西房地产家居创新峰会被评为：年度风云人物。

山西祥瑞房地产开发有限公司成立于2008年，注册资金壹仟万元。公司成立以来，先后开发建设了左权滨河嘉园（三期）住宅小区和滨河绿洲住宅小区项目，2009年赴四川省开发建设18万平米的“上美年华”住宅小区项目。

2012年重点开发建设山西普家乐大厦项目和政府的35万平米棚户区改造项目。

我公司开发建设的左权滨河（三期）项目和滨河绿洲住宅小区项目，为革命老区的新城建设奠定了基础。

我公司打造的“上美年华”是当地首例以地中海风格设计、精心雕琢的高品位、高品质、高标准的优质楼盘，每户均带入户花园，让您勿需开门便让花园中的大好春光映入眼帘，每一户都具备270°全景飘窗设计，使家里每一个角落，都成为阳光与清风的流连之地，享受与花草为伴，与百鸟齐鸣的美妙感受，小区里可观赏到银杏树、梧桐树等名贵树，有林间栈道、小桥流水、亭台楼阁、花香林语、自然的、人为的美不着痕迹的融合，形成连绵的绿化体系和流动的空间景观。

上美年华

诚信为本，
信誉第一

为社会建造最美住所
为客户创造可观价值
为员工营造美好生活
为自己铸造顶级品牌

地址：山西省晋中市君豪国际大厦B座19层 电话：0354-2025211 传真：0354-2027272

永鑫地产
YONGXINDICHAN

永济市永鑫房地产开发有限公司

一、公司简介

董事长　苗鑫

永济市永鑫房地产开发有限公司成立于2004年9月22日，注册资本人民币壹仟壹佰陆拾万元。房地产开发企业叁级资质。旗下设有华鑫商务大酒店、银杏商厦超市两个子公司，并已收购山西永济肉联厂，即将启动技术改造。截止2011年底，公司资产总额1.6亿元，2011年实现利润4289万元。

永鑫地产秉承**“品牌为纲、质量为本、服务为先、诚信为重”**的企业宗旨，以打造**“一流的居住环境、一流的工程质量、一流的服务配套”**的地产为追求目标。2005年-2011年先后开发了腾飞小区、建平花苑、城西中学、永鑫·杰座综合楼、南山华庭一期等住宅小区，建造了华鑫商务酒店、银杏商厦等商业项目。

二、永鑫·2012年度城市居住嘉年华主题行动

（一）永鑫·花漾年华，布局城市，实施“华系”品牌战略首部作品。项目位于永济市富强街东段，占地20亩，规划建筑面积3.6万平方米，由6层电梯洋房、18层阔景小高层和2层商业街围合而成，建筑密度25.4%，绿化率43%。2012年3月开工建设，年内完成4幢多层住宅楼建设，其余4幢高层住宅楼主体部分完成至9层，2013年10月全面完工。

（二）永鑫·东尚华城—中山街上，百亩地中海国际居住城邦。由联排别墅、电梯花园洋房、阔景小高层，星级会所组成，打造一座同步世界的水岸城邦。项目位于永济市中山东街和东环路交汇处，占地103亩。规划建筑面积12万平方米。2012年完成绿化、景观改造和公用设施配套建设，2015年全面完工。

总经理在政协会议主席台上

工作环境

社会活动-关爱残疾人专场

公司组织中层员工参加2011CIHAF深圳住交会

公司组织员工参加爱国主义教育

山西誉利房地产咨询评估有限公司

山西誉利房地产咨询评估有限公司，前身为长治市房地产价格评估事务所（简称市评估所），市评估所成立于1995年，是原长治市房地产管理局（以下简称市局）直属事业单位，代市局行使房地产评估技术管理、指导职能，是长治市批准成立的第一家房地产评估机构。2001年12月，按照国务院关于经济鉴证类中介机构与政府部门脱钩改制的文件要求，市评估所脱钩改制为以估价师出资为主体的独立经营的经济实体，改制后成立了长治市誉利房地产咨询评估有限公司，并取得了贰级房地产评估资格证书。经过公司上下齐心协力共同奋斗，改制以来业绩飞跃发展，综合实力日益增强，现业务已拓展至太原、运城、晋城等地市，并主持、参与完成了数千项房地产评估业务。根据业务发展需求，于2006年9月，变更名称为山西誉利房地产咨询评估有限公司。公司现为中国房地产估价师与经纪人学会团体会员单位、山西省房地产估价师与经纪人学会常务理事单位、山西省“放心中介”机构之一、长治市房地产业协会副会长单位。

总经理马剑宏，公司执行董事。中国民主促进会长治市委委员，北京大学经济管理学院金融系项目投资专业研究生，2006年当选山西省房地产估价师与经纪人协会常务理事，于2012年被选为长治市房地产业协会副会长、中介专业委员会主任，2011年当选长治市城区八届政协常务委员。

企业文化

本公司自成立以来，始终坚持“博取信誉、以诚取利”的宗旨，以高效，快捷的工作作风，全方位的为客户服务。

专业：通过科学的工作方法、模型、案例及工具为客户提供最佳的、可操作的、符合市场环境的解决方案；

沟通：通过和客户之间有效的沟通，不断挖掘物业的潜在价值，提供最佳的解决方案。

服务：以不断求新求变的思路，为物业投资决策和经营决策提供综合服务。

经验

我们致力真实数据的采集、成功案例的分享和提供创新解决方案，为公平交易服务，为客户创造价值。

●17年经验，积累丰厚

17年的房地产评估经验，各类实践案例积累约5300余个。经济行为涉及房地产转让、抵押贷款、企业改制、工商登记、司法仲裁、房改、拆迁补偿、损坏补偿等。截止2011年12月，评估建筑面积630余万平方米，土地面积780余万平方米，评估额达120多亿元。

●流程控制，质量保障

富有实践经验和最具专业水准的业务人员，以制定最优的工作方案为客户提供服务。每一份报告都执行严格的三级评审制度保证为客户提供的报告高质量完成。

●专业知识，资深团队

誉利现有房地产专业估价技术人员30余人，其中中国注册房地产估价师10名、中国注册土地估价师3名、中国注册房地产经纪人5名、中中国注册策划师3名、国注册物业管理师1名、工程造价师2名、经济师2名、会计师1名、统计师1名、工程师3名和其它相关专业人员。涉及建筑、工程造价、房地产、经济、资产评估、工程监理等专业。

●平台强大，领先优势

为了给客户提供更好的专业性服务，公司将咨询部组织成为独立团队的睿创工作室，向客户提供房地产项目策划、可行性研究、市场分析、市场调查、房地产投融资顾问、房地产市场咨询等综合性服务。同时，誉利公司成为一家能够为客户提供多角度、多方位、立体化的房地产咨询服务机构。

联系电话：
0355—3033920　3010583　13353452666

长治市园中厦房地产开发有限公司

BRIEF INTRODUCTION　企业介绍

长治市园中厦房地产开发公司是2003年12月在长治市工商行政管理局登记注册成立的有限责任公司。公司注册资金1500万元，固定资产8000万元。董事长李文堂系长治市城区十一届、十二届人大代表，长治市政协第十二届委员，长治市河北商会会长，长治市知名企业家，多次受到市委，市政府有关部门的表彰奖励。公司总经理李志锋2012年5月被评为城区“十大杰出青年”。

公司下设办公室、工程部、财务部、销售部、物业公司四部一司。公司拥有一批懂经营、善管理、通专业的房地产开发建设管理人才。在职职工56人，其中具有中级以上技术职称的12人，初级技术职称的8人，是一家集房地产开发、建筑和物业管理为一体的多元化，市场化的综合民营企业。

公司自2003年成立以来，始终坚持秉承“创品牌，建精品”的开发理念，以“优美的小区环境，科学的规范管理，优质的高效服务”为目标，先后开发了“文心苑”“如意苑”“顺兴花园”“兆祥嘉苑”“金龙·凯旋城”以及长治市城区党校教学楼，综合楼，城区东关社区服务中心等八个开发项目，总建筑面积达二十万平方米以上，总投资达三亿元。景家庄城中村改造项目、和平路地产开发项目近日即将开工建设。公司凭借品牌的影响力赢得了广大客户的认同与赞誉。

长治市园中厦房地产开发公司将以超前的规划设计理念，准确的市场形象定位，全方位的一体化服务宗旨，继续为上党人民贡献优质放心的、绿色健康的、温馨舒适的理想人居，为建成一流的房地产开发企业而不懈努力奋斗，为长治的城市建设和转型跨越发展做出积极贡献。

阳泉天元房地产开发有限公司

阳泉天元房地产开发有限责任公司成立于2006年，是一家房地产综合开发企业，具有房地产开发肆级资质。公司注册资金800万元，现有在职员工14人，其中具有中级以上职称7人。公司按照现代企业制度的管理模式，遵循有限责任公司制度的运作方式，下设办公室、营销部、工程部、财务部，在董事长的领导下，通力合作，相互协调，初步形成了一个上进、勇于开拓的企业团队。公司始终坚持以市场为导向、开发为重点，经营为龙头，质量为根本的开发理念和经营方针，切实转变观念，解放思想，紧紧围绕市场狠抓经营，强化管理，树立责任感、认识危机感；不断留意和观察房地产市场行情，积极寻求探索与市场机制相适应的经营策略和经营方针，走品牌化之路。

同时，为了适应市场经济发展的需要，公司积极探索房地产发展的新思路，拓宽经营领域，以提供优质住宅为己任。公司坚持“以人为本”的设计思想，营造居住消费新时尚，创造居住生活新感受。由公司承建的“泰和新城”居住小区，以新颖的设计、独特的造型、优美的环境，完美展示现代都市生活的新空间，为住户创造一个优美、安全、舒适、方便、文明和具有较高文化品位的生活环境。

公司秉承“创新理念、追求卓越、迅速改善、永续经营”的经营理念；并以“质量是第一工作”，“顾客的满意是我们的荣誉”作为我们永远不变的质量政策；以爱护环境、回报社会、关爱员工等社会责任为己任；把“诚信、负责、创新、团队”作为锋明人不断的追求和目标，愿与广大朋友携手共创美好的明天！

单位名称:
阳泉天元房地产开发有限责任公司

经办人及电话:
张磊:13503537985

单位地址:
阳泉市泉中路　邮编：045000

太原市云飞房地产开发有限公司

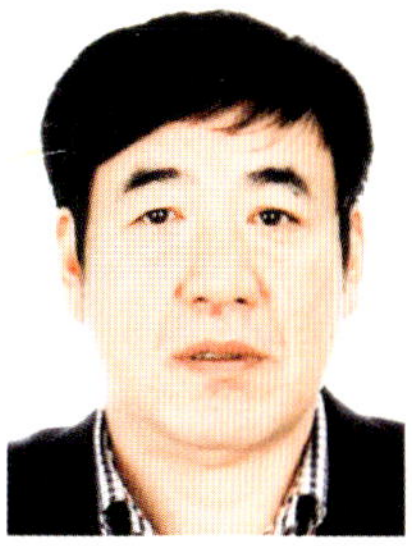

法人代表　张玉柱

太原市云飞房地产开发有限公司成立于2001年8月，法人代表张玉柱。是一家以房地产开发为主，兼营物业管理、建材、装饰材料后批零的优秀民营企业。公司自成立之日起，就本着“诚信务实、以人为本；质量第一，精品奉献；一流服务、终身负责”的企业宗旨，积极投身于太原房地产开发事业，为太原市的发展作出了一定的贡献。

我公司在经历了多次的变革、创新之后，现已发展成为一个有着健全组织管理机构的优秀企业，注册资本达到了8080万元，750平方米的自有固定办公区域（并州南路西一巷48号），同时拥有一大批资深历广的高级工程技术人员，并且有着完善的组织机构。

公司的前身为五台县城乡建筑安装工程总公司。总经理张玉柱同志靠胆识、凭勤劳、用智慧在并州大地奋斗了十几个年头，组织带领职工队伍为省城建设谱写了一曲曲高歌旋律，从民用住宅、商业用房到工矿、学校，塑造了大大小小约60多栋楼房大厦，建筑面积达30余万平方米，曾多次荣获县、地、市先进单位和劳动模范，代表建筑有：矿院26号住宅楼，创全省“清水墙样板工程”，推动了全市在混合结构工程上了一个台阶；以120天的工期、市优标准完成了7800平方米的理工大学8号学生公寓楼，达到全市同行业高速优质；太原理工大27层高层住宅楼在施工期间接受省、市 、建设部多次检查，质量、安全、文明施工受到高度评价，较合同有效工期提前100天完成，一次交验评为省优工程。总体统计竣工项目一次交验合格率100%□优良工程率80%□为国家上交税费1200多万元，解决下岗职工300余人，为社会主义建设、减轻国家负担做出了应有的贡献。经过多年的磨练，在施工年代中锻炼成一支自强不息、敢打硬战、实力雄厚、诚信至上的职工队伍。

二00一年转为太原市云飞房地产开发有限公司以来，承蒙社会各界的支持，初步取得了较为明显的效果。开发的项目如下：

并州南路西一巷“慧园”商务公寓楼，建筑面积10500平方米，该楼水、电、气、暖齐备，智能配置完全满足现代公司办公的需求，宽带网、有线电视、IDD直线电话、可视对讲、保安监控、背景音乐全面到位，真可谓一创造、健康、智慧、温馨、安全为一体的理想家园，受到社会各界的仰慕。

锅检厂内4号、5号、6号职工住宅楼已竣工验收并投入使用。其中4号楼12层框架，建筑面积14000平方米；5号、6号楼系砖混结构，建筑面积9300平方米，现已完工投入使用。

我公司于2007年9月将位于太原市五一路256号的云飞商务楼开发完成，该项目为一幢六层建筑，地下一层，主要用途为商业服务业，建筑高度为19.2米，总建筑面积为4000.78平方米，办成了五证齐全的房地产项目。

我公司2009年在平遥新建了“汇泰商城”，该项目为商业用途，总建筑面积17530平方米，也已完工并投入使用。

位于小店区北张村荣军北街的“龙海方舟花园住宅小区”项目，占地面积43亩，手续齐全，该项目为两幢多层（七层）建筑、一幢十七层建筑、一幢十八层建筑与一幢十六层建筑，以及一所幼儿园，主要用途为高档住宅，其中一部分为商业，建筑高度为50.90米，总建筑面积107058.02平方米。该项目为住宅、公寓、教育、金融为一体的现代化商务住宅小区，现已完工并可以投入使用，该项目将成为太原市小店区一道亮丽的风景。

现在我公司的发展已见成效，积累了大量的房地产开发经验，拥有雄厚的资金实力！希望上级主管部门对我公司大力支持，我公司将会对太原市的发展作出重大贡献。

运城市鼎元房地产开发有限公司

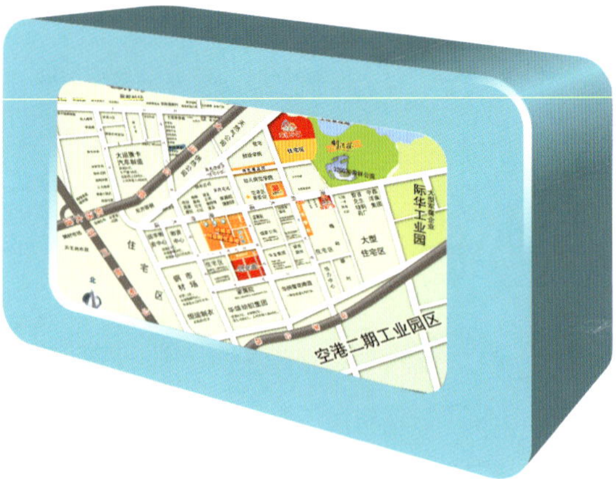

运城市鼎元房地产开发有限公司成立于2006年，主要业务为房地产综合开发、经营、物业管理等。公司以改革创新作为企业生命线，采取“大背景定位、大范围组合、大市场运作”的方式，通过“资本运作、资产盘活、资源整合”大胆探索，努力实现资本运营城市。

在发展过程中，鼎元公司勇于承担更多的社会责任。2009年5月，鼎元地产公司被政府列为“全国首家农民工工资统收统支工作试点企业”。截止2011年底，农民工工资统收统支发放累计3392.75万元，全年发放1578.2万元，受益农民工辐射四川、山东、河南等地，达7000余人次，国家、省、市各级领导多次前来调研并给予高度赞扬和充分肯定，引起社会极大反响；面对供需矛盾日益突出的就业市场和就业问题，鼎元地产公司从高度的政治使命感和社会责任感出发，以在空港新区开发的商业项目为载体，联合运城市人力资源和社会保障局共同打造运城市创业孵化基地。2011年9月，被山西省人社厅评为“省创业孵化基地”。这是山西省首家成立的创业孵化基地，为全省的创业基地建设工作起到了积极的示范和推动作用。截止目前，创业孵化基地共吸引创业商户400余户，促进就业1400余人，间接带动了5000余人的就业。2011年12月，为贯彻落实党和政府“坚持房地产调控政策不动摇，促进房价合理回归”的精神，为平抑市场涨幅过快的住宅商品房价格，全力保障民生，鼎元地产公司与运城市空港新区管委会共同推出全国首例的“政府限价的平价商品住房”项目。“政府限价的平价商品住房”的定位是，商品住房，平价销售；政府主导，企业让利。作为在国家主导下的经济保障性住房的一种辅助，平价商品住房可以有效拓宽中低收入者的购房渠道，缓解更多社会低收入者的购房需求，是我市先行尝试的一个创举。

2007年以来，鼎元地产先后投资十多亿元，目前已在运城空港新区开发了800余亩的商业项目：金海岸一、二、三期三大商业项目，以及空港国际风情街、鼎元特色潮流街、明清街等商业项目；大众公寓、快捷公寓、国际风情星级酒店三大酒店公寓项目，运城最大的商业建筑金世界国际广场，丽港新居别墅项目；以及正在建设开发的政府限价的平价商品住宅---幸福小镇项目。

幸福小镇项目总建筑面积25万平方米的，主要面向运城市十三县市区符合条件的群体销售。旨在缓解社会普通收入群体住房难、买房难的实际民生问题，满足运城市普通收入群体的实际购房需求，完善社会住房保障体系，改善中低收入家庭的住房条件。

“政府限价商品住房---幸福小镇”项目位于运城市空港开发区，雪花路与学府路交叉路口，毗邻3200亩森林公园，地理优越、交通方便，20分钟即可到达市中心；该项目总用地面积约300亩，周边建有大型购物广场、医院、学校、公园、星级酒店，配套完善，环境优美。

幸福小镇”的报名条件：凡是具有运城市十三县市区户口的普通收入群体和为运城市建设发展做出贡献的外地户籍人士均可报名，同时，优先照顾以下人员：1.获得县级以上称号的劳动模范、先进个人、立功受奖者；2.现役军人、伤残军人、退伍军人、军属；3.高级职称知识分子（含副高）；4.德孝模范；5.获得“优秀教师”称号者；6.获得“见义勇为先进个人”称号者；7.获得过市级以上科学发明奖者；8.获得市级以上奖励及荣誉称号的文体工作者等群体。

此项全省首家保障社会民生的“政府限价的平价商品住房”工程已于2012年初开工建设，7月15日，幸福小镇一期项目已经盛大开盘，获得了各级领导的高度赞誉和市民的踊跃报名购买。目前，后期报名工作正在紧张进行中。

山西运城市华荣房地产开发有限公司

公司简介

GONG SI JIAN JIE

运城市华荣房地产开发有限公司，成立于2003年3月，具有国家三级开发资质，董事长孙群胜。公司成立以来以房产开发为主杆，先后组建了阿里巴巴广告有限公司、华荣物业管理有限公司、同方装饰工程有限公司、海南华荣置业有限公司等具有发展潜力的阳光型产业，逐步走向集团化。2009年开始了ISO9001-2000国际质量体系认证，标志着华荣公司正式步入规范化、专业化、国际化、品牌化发展轨道。多年来，公司始终坚持“建我运城市 服务运城人”的发展理念，把品牌建设放在第一位，工程质量连年受到主管部门和客户的好评。公司下设五部一室（办公室、财务部、工程技术部、工程项目部、营销部、企划部)，公司员工近百人，机构精简运作高效，所聘人员大中专学历占到百分之九十以上，员工素质高，技术力量雄厚，所建房屋力求抗震最强、品质最好、速度最快、服务最周、品牌最佳，向社会倾情奉献，赢得了良好的社会效益、经济效益和环境效益。华荣品牌的社会知名度、市场美誉度和客户认可度渐居行业前茅。自2004年以来公司连年被评为重合同守信用单位；荣获2004年度运城市安全生产先进单位；2010年，民建盐湖区委员会授予“抗震救灾突出贡献奖”；2010年，荣获全国质量.服务.信誉AAA级品牌企业称号；荣获“和谐中国2010年度优秀诚信示范单位”荣誉称号；运城市盐湖区委、区政府授予2011年度纳税大户荣誉称号。董事长荣获2007年度山西省优秀企业家称号；荣获2009年度山西省功勋企业家称号；荣获2010年运城市首届经济人物五十佳称号；2010年度运城市统一战线凝聚力工程中荣获先进个人称号；2010年，当选为北京大学运城校友会第一届理事会副会长；盐湖区人大代表；运城市人大代表。

2003年开发建设红旗小区，2005年开发建设外贸花园小区，2007年开发建设供销贸易公司住宅小区，2009年开发建设宜家园小区，2009-2011年开始了位于南风广场东的楠枫华庭小区的建设，本项目占地31429.47m²，总建筑面积110000m²，总投资3亿元。位于东城新区的东方明珠小区，占地28000m²，总建筑面积150000m²，总投资3.5亿元，在2011年开工建设，它的建成将成为运城东城新区一颗真正的明珠。

楠枫华庭小区位于南风广场东，与南风广场仅半分钟距离，已成为运城楼市的一大亮点。东方明珠将以它独有的优势，引领运城东城新区居住先河。从优越的地理位置到高品味的人文居住环境，从高端的配套设施到人性化的精品户型，华荣房产时刻关注细节，无不为您舒适的居家而着想。公司在开发建设同时，又积极投身公益事业，投资九十万元为全市绿化带制作爱护花草公益广告提示牌5000个。华荣公司用诚信和实力打造了房地产业的品牌尊严，用真情和卓越、匠心和爱心谱写和演绎着一曲曲房地产业的辉煌乐章。

公司业绩

2003年3月	运城市华荣房地产开发有限公司成立
2003年4月	开发建设红旗小区
2005年7月	开发建设外贸花园小区
2007年5月	开发建设供销贸易公司住宅小区
2009年6月	开发建设宜家园小区
2009年3月	开发建设楠枫华庭小区一期
2010年7月	开发建设楠枫华庭小区二期
2011年3月	开发建设东方明珠小区（在建）

主要项目介绍

◆宜家园

位于槐东路（运城市文化苑广场对面）
2009年建设，占地19780.2m²
总建筑面积57600m²
公园、绿荫、超市、纯住宅
软体园区生活圈中，最耀眼的住宅之星

◆楠枫华庭

位南风广场东侧，真正城市中心
占地31429.47m²
建筑面积110000m²
与南风广场隔路相邻
处城市中央商务CBD，中央生活区CLD中心
华联超市、福瑞特超市、康杰中学
人民路小学、粤珍轩、今日商城
鑫源服装城近在咫尺，极尽快捷之便利

◆东方明珠

位于运城东城新区，占地28000m²
总建筑面积150000m²，总投资3.5亿元
2011年开工建设，周边配套成熟高端
东城新区、商政核心、城市地标综合体
高尚住宅+综合商业+星级公寓
新运中、市博物馆、市体育馆
市中心医院、沃尔玛、森林公园
八一湖畔、自然美景推窗尽揽……

中房集团大同市城市建设开发公司

董事长:张陆

大同市城市建设开发公司前身为大同市统一建设办公室，成立于1978年，1981年改编为大同市城市建设开发局，1983年改编为大同市城市建设开发公司，1986年加入建设部所属中国房地产开发集团。现有职工205名，具有各类专业技术人员132人，其中：中、高级职称70人，系国家一级资质房地产开发企业。

公司以“建设大同、美化古城、造福居民”为宗旨，先后开发建成了大同市最早的振华南街、振兴街、南寺、柳航里等住宅小区，2000年建成了总建筑面积17万平方米的国家建设部城市住宅试点小区“北馨花园”，成为大同市新型住宅小区的典范；代建了大同市高等专科学校；人汽公司停车场、办公楼等政府工程；建成鼓楼商贸城，并引进了山西华宇超市集团公司，引领了大同市商业物业运营模式。

近年来由于受大同市旧城改造的大环境影响，公司赖以生存的资产华宇超市及其附属建筑物经市政府协调已被拆除, 永和食府受城市改造拆迁修路影响下，租金收缴也极为困难；但公司上下迎难而上、艰苦创业，努力克服公司内部资产拆迁性萎缩、资金严重短缺等不利因素, 不断寻找接手新的开发建设项目。二OO九年十月十二日，促成了大同市政府与中房集团以“振华南街老住宅区科技改造与重建”等为合作内容的城市建设战略合作协议的签约，并付诸实施。二O一O年五月，承建了市政府南环路西延东侧（魏都新城）110万平方米，248栋多层住宅，投资19.8亿元的安置工程，现工程进展顺利，二O一二年六月底前全部交付使用。新领受的南环路西延东侧9万平米续建高层项目、清远西街工矿棚户区25万平米改造项目及奶牛场安置工程项目正进入前期筹备阶段。同时我公司承建的大同展览馆整体平移工程项目经有关专家论证后一致认为方案切实可行，现已进入具体实施阶段。

三十多年来，公司为建设大同、美化古城、提高居民居住品质做了大量工作，取得了良好的社会效益、经济效益和环境效益。为此，公司多次被市委市政府命名为文明单位和先进单位，先后被国家建设部授予优秀开发管理奖、优秀小区奖、规划设计金奖和施工质量金奖等多项荣誉。

目前，在大同市委、市政府倡导推行“一轴双城”城市建设大战略和建设“三名一强”城市的新形势下，公司将一如既往地支持市委、市政府的工作，以造福市民、发展企业为己任，坚持和践行“诚信经营、合作共赢、持续发展”的经营方针，“发展企业、富裕职工、奉献社会”的企业宗旨，积极寻求自我发展，战略合作，携手合作，共同发展之路，共铸辉煌，为促进大同市城市建设水平的提高和推动大同市社会经济全面发展再立新功。

大同市当代房地产开发有限责任公司

董事长：仝喜才

大同市当代房地产有限责任公司于1999年成立，经营地址设在新开南路新庆巷，公司目前在中心地段拥有开发的项目，总建筑面积达13万平方米。我们以创新独到及具弹性的手法来进行项目的整体规划，力求项目发展能配合当地政府制定的整体城市规划，并把当地城市的历史文化特色融入项目的设计及业务发展策略中。

大同市当代房地产有限责任公司在开发、出售、租赁、管理及经营创新等项目，其发展项目主要分为三个类别：集多种用途并分多期开发的大型城市核心重建项目，一般包括住宅、办公楼、零售、娱乐及文化物业；以IT及科技产业为主题，集多种用途的知识型社区综合发展项目，一般包括产业园、商业、零售、酒店、住宅、教育、户外康乐、绿化设施，及其他公共娱乐设施；以及集旅游产业及房地产配套设施的旅游业综合发展项目。

房地产坚持“以客为本”的发展理念，珍视每一位业主、租户及所有客户。从租户选择到物业管理，每时每刻，每个环节，都尽力带给客户极致体验，全力创建舒适的社区环境。

当代

经典户型 欢迎现场品鉴

十七层小高层、一梯两户纯正板房，经典三室两厅两卫户型。两间卧室和客厅三间朝阳正房，南北双阳台，采光通风俱佳。最低至11%的公摊，准现房完美呈现中。

金地福苑，大同当代房地产公司鼎力巨献！项目位于消防岗南周家店大同十五中学对面。八栋商品房，形成北方庭院式建筑群；院中小桥流水，绿意涟涟。十七层小高层、一梯两户纯正板房，经典三室两厅两卫户型中两间卧室加一间客厅共三间朝阳正房，南北双阳台采光通风俱佳。89—240平米多种住宅户型选择；最低不超过20%的公摊，具备超高居住品质。已封顶数月，可实地看房，年底即将达到入住条件。同时，50—80平米晶钻小商铺房源快速流失中。

金地福苑商街 生金之地
城南商业板块桥头堡

金地福苑商街，扼守城南商业板块桥头堡；紧邻云中路，北达火车站，南连南环商圈，更接迎宾西路而直通新区。

50、85、100平米单层晶钻小铺；70、100、170平米双层底商；150、300、5000平米三层商业旗舰店；大商街、多业态，商业全景呈现，投资、自用；未来增值无限。

咨询热线：13353421801（接待中心）

辰兴房地产发展股份有限公司

董事长：白武魁

辰兴房地产发展股份有限公司总部位于山西省晋中市榆次区安宁大街18号，法人代表白选奎。

公司注册资本2.03亿元，资产总额16亿元，是目前山西省内最大规模的房地产开发企业之一，具有国家一级房地产开发资质，并已通过ISO9001质量管理体系认证。十余年间，公司一直专注于高品质商品住宅的开发，拥有成熟的房地产开发经验。先后投资兴建了新集花园、东湖井商城、新兴国际文教城、君豪国际、上东庭院、SOLO尚座、左权滨河嘉园、和顺滨河住宅小区、太谷文华庭院、四川绵阳优山美郡、太原龙城优山美郡等知名楼盘和商业中心。目前，公司已在北京、四川、太原、上海等地设立了5个全资子公司和4个分公司，行业涉及房地产开发、房地产经纪、商业管理、门窗制作安装等。2009年，我公司以1.8亿元的纳税额，位列晋中市“纳税50强”第五位，是晋中市唯一一家进入榜单的房地产企业。2010年公司上缴税金1.7亿元。2011年4月，公司荣获全省“‘十一五’期间税收贡献奖”。

公司自成立以来，始终坚持“诚信经营、责任地产、铸就品牌、服务社会”的经营宗旨和服务理念，大力弘扬“诚信为先，以义制利”的晋商精神精髓，建立现代化的企业制度，坚持以稳定为大局，以效益为中心，以市场为导向，以质量为保证，创造性地开展工作。2007年根据战略发展的需要筹备上市，2009年证监会正式受理公司的上市申请及申报材料，辰兴发展成为山西省房地产行业首家拟上市企业。

在完成上市工作的前提下，公司将由资产经营转向资本运营，以晋中市为基点，“依法经营，规范运行，强化管理，快速发展”，按照上市公司的运行标准，适时向山西省内主要地区扩展，继续巩固公司在山西省房地产市场区域领先的行业地位，同时逐步向省内外具有开发潜力的二三线城市拓展，迈向全国发达地区，最终形成全国性战略布局，吸纳人才精华，汲取先进理念，锤炼团队，向地产全国500强迈进，实现公司成为全国性优质房地产企业的战略目标。

2005年11月，公司被中国市场学会信用工作委员会授予“中国企业诚信经营示范单位”称号；2006年3月，公司获晋中市工商行政管理局授予的“守合同重信用企业”证书；2008年12月，公司荣获山西省工商行政管理局、省商业联合会、省工业经济联合会、省信用企业协会、省房地产业协会、省民营企业协会和省商标协会联合颁发的“山西省首届百家信用示范企业”称号；2009年1月，公司获晋中市榆次区委和榆次区人民政府颁发的“纳税大户”和“民营企业纳税突出贡献奖”；2009年3月，公司还被中国房地产业协会评为“2007—2008年度中国房地产诚信企业”。2010年10月30日，公司旗下的新兴国际文教城项目暨2009年获得CIHAF中国住交会三名大奖之“中国名盘”大奖之后收获又一重量级奖项“广厦奖”，代表了房地产综合开发行业的最高荣誉。2011年3月23日，中国房地产研究会、中国房地产业协会与中国房地产测评中心联合发布《2011中国房地产开发企业500强测评研究报告》，公司名列第355位。

公司将继续坚持以房地产开发为主业，依法经营、规范管理，积极提高核心竞争力和凝聚力，努力建造精品建筑，创造和谐生活，以诚信风采打造“辰兴”品牌！